LA RÉVÉLATION
D'HERMÈS TRISMÉGISTE

II

LE DIEU COSMIQUE

APOLLON KOSMOKRATOR
Pompéi. *Casa dell' Argenteria.*

COLLECTION D'ÉTUDES ANCIENNES
publiée sous le patronage de l'ASSOCIATION GUILLAUME BUDÉ

ÉTUDES BIBLIQUES

LA RÉVÉLATION D'HERMÈS TRISMÉGISTE

II

LE DIEU COSMIQUE

PAR

LE R. P. FESTUGIÈRE, O. P.

Directeur d'études à l'École pratique des Hautes Études.

SOCIÉTÉ D'ÉDITION LES BELLES LETTRES
95, BOULEVARD RASPAIL
75006 PARIS

1981

LA RÉVÉLATION D'HERMÈS TRISMÉGISTE

I. L'Astrologie et les Sciences Occultes.

II. Le Dieu Cosmique.

III. Les Doctrines de l'Ame
    Le Dieu inconnu et la Gnose.

« La Loi du 11 mars 1957 n'autorisant, aux termes des alinéas 2 et 3 de l'article 41, d'une part, que les « copies ou reproductions strictement réservées à l'usage privé du copiste et non destinées à une utilisation collective », et, d'autre part, que les analyses et les courtes citations dans un but d'exemple et d'illustration, « toute représentation ou reproduction, intégrale faite sans le consentement de l'auteur ou de ses ayants droits ou ayants cause, est illicite » (alinéa 1er de l'article 40).
« Cette représentation ou reproduction, par quelque procédé que ce soit, constituerait donc une contrefaçon sanctionnée par les articles 425 et suivants du Code Pénal ».

Cette édition est une réimpression de l'ouvrage publié par les éditions J. GABALDA en 1949.

3ème tirage

© Société d'Édition « Les Belles Lettres »   1981

ISBN : 2.251.32595-6

SCHOLAE NORMALI

PARISIENSI

QVAE

TEMPORIBVS INIQVIS

AEQVA

SANCTAQVE MANSIT

TABLE DES MATIÈRES

Préface ix

INTRODUCTION

LA LITTÉRATURE HERMÉTIQUE

Chapitre	I. — Le dossier des *HERMETICA*	1
Chapitre	II. — Le « logos » hermétique d'enseignement	28
Chapitre	III. — Les données du problème dans les *HERMETICA*	51
	§ 1. — Le cinquième traité du *Corpus Hermeticum*	51
	§ 2. — Les éléments du mysticisme cosmique dans la littérature hermétique	55
	I. Dieu visible en sa création	55
	II. La veine panthéiste	59

PREMIÈRE PARTIE

LA LIGNÉE SOCRATIQUE : XÉNOPHON ET PLATON

Chapitre	IV. — Xénophon. *MÉMORABLES*, I, 4 et IV, 3	75
Chapitre	V. — Platon. Le *TIMÉE* et les *LOIS*	92
	§ 1. — Sens et portée du *Timée* dans la suite des derniers dialogues.	95
	§ 2. — La téléologie du *Timée*	100
	§ 3. — La contemplation du monde dans le *Timée* et les *Lois*	132

DEUXIÈME PARTIE

DE PLATON AUX STOICIENS

Chapitre	VI. — L'esprit du temps	153
	§ 1. — Les causes philosophiques et religieuses de la contemplation du Monde	153
	§ 2. — Les circonstances historiques et le témoignage de Ménandre.	161
	§ 3. — La vie théorétique	168
	§ 4. — La religion universelle	176
Chapitre	VII. — L'*EPINOMIS*	196
Chapitre	VIII. — Aristote. Le dialogue *SUR LA PHILOSOPHIE*	219
	§ 1. — L'ordonnance et l'esprit du dialogue	219
	§ 2. — Les sources de la croyance en Dieu	229
	§ 3. — Le monde temple de Dieu	233
	§ 4. — La nature du Dieu cosmique	238
	§ 5. — La parenté d'essence entre notre âme et les dieux astres	247

TROISIÈME PARTIE

L'ANCIEN STOICISME

Chapitre	IX. — Zénon	260
Chapitre	X. — Le système moral	270

TABLE DES MATIÈRES.

Chapitre	XI. — La religion du Monde	310
§ 1. — L'*hymne à Zeus* de Cléanthe	310
I. Analyse de l'hymne	310
II. La mystique du consentement	325
§ 2. — Le sentiment religieux du Monde dans Aratos	333

QUATRIÈME PARTIE

LE DOGMATISME ÉCLECTIQUE

Chapitre XII. — Les origines de l'éclectisme 341
  § 1. — Le changement de perspective 341
  § 2. — La littérature des *Introductions* 345
  § 3. — L'usage des doxographies 350
  § 4. — Le Scepticisme et les doxographies 362
Chapitre XIII. — Le témoignage de Cicéron sur la religion cosmique 370
  § 1. — Les écrits philosophiques de Cicéron 370
  § 2. — La religion cosmique dans le *de natura deorum II* 375
    I. Objet et esprit du dialogue 375
    II. Analyse du l. II du *de natura deorum* 384
    III. Les sources et les idées 405
  § 3. — La religion cosmique dans le *de republica* et le *de legibus* 425
    I. Vue d'ensemble des deux traités 425
    II. L'avènement du stoïcisme latin 433
  § 4. — Le *Songe de Scipion* 441
Chapitre XIV. — Le traité *DU MONDE* 460
  § 1. — Traduction 460
  § 2. — Date et genre littéraire 477
  § 3. — Plan du traité 501
  § 4. — Les doctrines 512

CINQUIÈME PARTIE

PHILON

Chapitre XV. — Tradition scolaire et personnalité chez Philon 521
  § 1. — Thèmes littéraires (protreptiques) 522
  § 2. — Notions scientifiques 528
  § 3. — Lieux communs philosophiques 533
  § 4. — Lieux communs mystiques 545
  § 5. — Éléments personnels chez Philon 551
Chapitre XVI. — La contemplation du Monde 555
  § 1. — Supériorité du sens de la vue qui mène à la contemplation ... 555
  § 2. — Eminence de l'intellect qui s'élève à la vue des choses célestes 558
  § 3. — La contemplation du Monde mène à la connaissance de Dieu. 561
  § 4. — État de ceux qui contemplent l'Univers 565
  § 5. — Avantages et dangers de la contemplation du Monde 567
Chapitre XVII. — La connaissance du Dieu caché 573
  § 1. — L'incognoscibilité de l'essence divine............... 574
  § 2. — Connaissance de Dieu par la considération du moi humain.. 575
  Conclusion 583
Appendices I. Sur le fragment aristotélicien de Philopon 587
  II. Télès, π. αὐταρκείας 592
  III. Pour l'histoire du mot θεολογία 598
Addenda 606

PRÉFACE

Les deuxième et troisième volumes de cet ouvrage seront consacrés à l'hermétisme philosophique.

Ce n'est pas que le nom d'Hermès couvre un vrai système de philosophie, un ensemble de vues nouvelles et cohérentes sur Dieu, le monde et l'homme. Sans doute les traités du *Corpus Hermeticum*, l'*Asclépius* latin et les extraits hermétiques de Stobée prennent-ils habituellement ces thèmes pour objet. Sans doute aussi y trouve-t-on çà et là des bribes de doctrine plus technique (1). Mais il est assez visible dans ces morceaux que l'auteur se borne à répéter une leçon plus ou moins bien comprise et qu'il est parfaitement incapable de penser par lui-même. Quand il aborde un problème un peu difficile, quand il veut savoir, par exemple, si l'exercice de l'intelligence implique un pâtir (2), il n'aboutit qu'à un galimatias tout à fait inintelligible. Selon le mot de Tiedemann à propos de C. H. II « c'est en vain que l'hermétiste se donne de grands airs : comme dit le proverbe, il a entendu sonner les cloches, mais il ne sait pas où elles pendent ». On ne doit donc pas demander au Trismégiste une philosophie digne de ce nom. Et, si méritoire qu'en soit l'effort, il serait vain de refaire, après J. Kroll (3), l'exposé des enseignements hermétiques sur Dieu, le monde, l'homme, la morale et la religion. Car ou bien on se trouve en présence de doctrines qui n'offrent aucune originalité, mais sont devenues, depuis l'éclectisme, le bien commun de toutes les sectes ou, pour parler plus justement encore,

N. B. Dans les références aux textes hermétiques, C. H. = *Corpus Hermeticum* (éd. A. D. Nock-A. J. Festugière, Paris, Les Belles-Lettres, 2 vol., 1947); *Ascl.* = *Asclepius* (même édition, t. II); St. H. = extraits hermétiques dans Stobée (éd. W. Scott, Oxford, 1924 : la numérotation est celle de Scott). — *RHT*, I = le t. I du présent ouvrage, Paris, 1944.

(1) Par exemple sur le mouvement et le repos (C. H. II 1 ss.), le lieu plein ou vide (*ib.* 2 ss., 10-11, *Ascl.* 33-34), le son, l'audition et la voix (*Ascl.* 20), l'instinct animal et l'intelligence raisonnable (St. H. IV B), la sensation et l'intellection (C. H. IX 1 ss., 5 ss., *Ascl.* 32), l'irascible et le concupiscible (St. H. XVII), les trois moments du temps (St. H. X), voire certaines questions disputées (s'il existe quelque chose hors du monde : C. H. XI 19, *Ascl.* 33; pourquoi les enfants ressemblent à leurs parents : St. H. XXII).
(2) C. H. XII 11.
(3) *Die Lehren des Hermes Trismegistos*, Munster, 1914.

le bien commun de l'école : nous sommes, ne l'oublions pas, à l'âge des manuels scolaires, et plus d'un passage des *Hermetica* témoigne de l'influence de ces écrits (1). Ou bien ces doctrines hermétiques sont diverses et inconciliables parce que l'auteur, souvent dans un même traité, ne fait que suivre les grands courants de l'époque, lesquels ne s'accordent point. Or c'est là justement que réside l'intérêt de la littérature hermétique. Dans la mesure même où il n'est pas original, le Trismégiste sert de témoin. Il renseigne sur la diffusion des ἐγκύκλια depuis le 1er siècle de notre ère. Il porte témoignage sur les courants qui se partagent la pensée religieuse de l'époque gréco-romaine.

Or cette pensée religieuse, d'une manière générale, est dominée par deux tendances, qu'on peut dire une tendance optimiste et une tendance pessimiste.

Dans la première, le monde est considéré comme beau : il est essentiellement un ordre (κόσμος). La région sublunaire elle-même manifeste cet ordre, par le retour des saisons, par la configuration harmonieuse de la terre et l'équilibre qui s'y fait entre les quatre éléments qui la composent, par la structure admirable des êtres

---

(1) J'indique ici un certain nombre de ces lieux communs :
A) *DIEU.*
Existence et unicité de Dieu : C. H. XI 5-14 (preuve par le mouvement et l'ordre du monde).
Excellence de Dieu : *passim*, v. g. C. H. II 14-16, VI.
Dieu donne tout et ne reçoit rien parce qu'il n'a besoin de rien : C. H. II 16, V 10 VI 1, X 3.
Dieu source de tout : C. H. XI 3.
Dieu présent partout, contient tout : C. H. XI 6, 20, XII 22-23.
Dieu Un et Tout : C. H. XIII 17, XVI 3.
Dieu seul de son espèce, rien ne lui est semblable : C. H. IV 9, XI 5.
Dieu Un et Seul : C. H. IV 1 et *passim*.
Dieu Monade : C. H. IV 10-11.
Dieu éternellement actif : C. H. XI 13-14, XVI 19.
Dieu fixé dans sa stabilité (ἑστώς) : C. H. II 12.
Dieu créateur, créant parce qu'il est bon : C. H. IV 1-2.
Dieu cause seulement du bien : C. H. VI.
Dieu non cause du mal : C. H. IV 8, XIV 7.
Impossibilité de louer Dieu comme il le mérite : C. H. V 10-11.
B) *MONDE.*
Lieux communs stoïciens (sympathie, lien entre *cœlestia* et *terrena*, etc.) : voir surtout *Asclepius* et St. H. XXIII ss.
C) *INTELLECT.*
Origine divine de l'intellect: doctrine commune au deux courants de l'hermétisme, que l'intellect soit une parcelle de l'Ame du Tout (C. H. X 7, 15) ou dérivé des éléments constituants de Dieu, la Vie et la Lumière (C. H. I 17).
Intellect œil de l'âme (ou du cœur) : C. H. IV 11, V 2, VII 1, X 4, 5, XIII 14, 18.
Pouvoir de la pensée (qui peut se transporter là où elle veut), lieu commun célèbre dans l'antiquité, de Xénophon à Némésius : C. H. XI 19-20. Cf. *infra*, pp. 87-88.
Existence de Dieu invisible prouvée par l'existence de l'âme invisible (cf. *de mundo*, 399 b, 14 ss., Cic., *Tusc.*, I, 70) : C. H. V 2. Cf. *infra*, pp. 80 ss.

vivants et en particulier de l'homme, par la subordination naturelle des plantes et des animaux à l'homme. Mais l'ordre apparaît surtout dans la région du feu ou de l'éther qui se trouve au-dessus de la lune. Là subsistent les astres, les planètes d'abord, dont les cercles concentriques se meuvent selon des mouvements complexes mais réguliers, puis les astres fixes, attachés à la voûte suprême du ciel. Un tel ordre suppose un Ordonnateur : c'est là, pour l'hermétiste, une vérité d'évidence. En sorte que la vue du monde conduit naturellement à la connaissance et à l'adoration d'un Dieu démiurge du monde.

Dans la seconde, le monde est considéré comme mauvais. Le désordre y domine, du fait de ce désordre initial et foncier que constitue, chez l'homme, la présence d'une âme immortelle, originellement pure et divine, dans un corps matériel, corruptible et souillé de par son essence même. Le dévot du Dieu cosmique portait son regard sur l'ensemble de l'univers : et comme il y voyait surtout de l'ordre, il estimait que les désordres de la terre se résorbent dans l'ordre, qu'ils en font en quelque sorte partie, qu'ils en sont eux aussi un élément nécessaire. Car il n'y a point d'ordre sans multiplicité, et il n'y a point de multiplicité sans diversité. L'ordre implique l'existence des contraires, il implique donc le mal, contraire du bien. Le dualiste porte son regard sur soi-même : et comme il se voit profondément divisé, comme il sent en lui un divorce radical entre le corps et l'âme, la matière et l'esprit, ce désaccord intime lui fait conclure que le désordre est partout, que rien dans le monde n'est bon. Dès lors, le Dieu qu'il conçoit ne peut avoir aucun rapport avec le monde. Il ne peut être directement le créateur du monde. Il ne peut avoir, comme fonction première, de régir le monde. Bien au contraire, ce Dieu sera infiniment éloigné, infiniment au-dessus du monde. Il sera hypercosmique. Entre lui et le monde, on supposera toute une série d'intermédiaires, et c'est à l'un de ces intermédiaires que sera due, en propre, la formation de l'univers concret. D'autre part, pour atteindre ce Dieu hypercosmique, on ne pourra plus passer par le monde. Loin de là, il faudra fuir tout ce qui est matière; et la vue du ciel lui-même, puisqu'il est fait de matière, ne sera d'aucun fruit pour la vraie religion.

Voilà les deux tendances entre lesquelles se répartissent les écrits philosophiques de l'hermétisme (1). Or elles ont l'une et l'autre

---

(1) *Courant optimiste :* C. H. II, V, VI, VIII, IX-XII (avec des morceaux empruntés à la tendance dualiste), XIV, XVI, l'*Asclépius* dans l'ensemble, certains morceaux de St. H. XXIII, XXVI. — *Courant pessimiste :* C. H. I, IV, VII, XIII, certains morceaux de l'*Asclépius* et le fond de St. H. XXIII (*Korè Kosmou*).

une longue histoire; et, plutôt que de m'essayer, une fois de plus, à décrire l'hermétisme comme un système bien lié, plutôt aussi que de me perdre dans la recherche, assez vaine, des sources grecques, juives, égyptiennes ou iraniennes des doctrines du Trismégiste, j'ai cru qu'il valait la peine de retracer cette histoire. Ce deuxième volume a donc pour objet la religion du Dieu cosmique, cependant que le troisième étudiera le problème de l'âme et la gnose. On se meut là sur un terrain solide. Qu'il s'agisse de l'une ou l'autre tendance, nous ne manquons pas de textes qui permettent de reconnaître comment les idées se sont formées, comment elles se sont transmises durant la période hellénistique, comment enfin elles ont constitué le milieu où l'hermétisme a pu prendre naissance.

La source commune de ces deux courants est Platon, qui peut bien être dit le père de la philosophie religieuse hellénistique. Dans l'œuvre immense de ce sage, il est aisé de discerner un double mouvement.

Il y a d'abord, c'est le plus apparent, un mouvement dualiste. Au monde de l'Intelligible, immuable et divin, s'oppose radicalement le monde du sensible, où tout change et se corrompt. L'âme est enchaînée dans le corps comme dans une prison. Par suite, tout l'effort du sage consiste à se délivrer du corps; la vie est une méditation de la mort, une préparation à la mort, puisque la mort sépare les deux termes antagonistes, qu'elle rend à l'âme sa liberté, qu'elle lui permet de remonter à Dieu. La matière, dans cette conception, a valeur de réalité positive et comme de principe mauvais, qui résiste positivement à l'Intellect divin, qui en entrave l'efficace dans les démarches de la conduite humaine et dans le gouvernement de l'univers. Le mal est en lutte contre le bien : il faut donc échappper au mal et, par suite, au règne de la matière. « Fuir, d'ici-bas, là-haut », telle pourrait être la devise de ce platonisme dualiste, le plus connu, le plus influent sous l'Empire à partir du IIe siècle.

Mais il y a un autre platonisme, celui des derniers écrits, du *Timée* et des *Lois*. Dans ces écrits, il n'y a plus une opposition radicale du sensible à l'intelligible. Le monde concret est relié aux Idées par l'intermédiaire de l'Ame. En effet, ce monde, tel un grand être vivant, est doué de mouvement autonome : ce qui suppose une Ame. Et le mouvement du monde, du moins dans la région céleste, est un mouvement régulier, qui manifeste un plan, une raison : ce qui suppose que l'Ame motrice de l'univers est une Ame intelligente. De fait, l'Intellect du monde contemple le bel ordre idéal, et c'est en vertu de cette contemplation qu'il imprime à l'univers un mouvement ordonné. Dès lors, le monde est vraiment un ordre, un *Kosmos*. Certes, le désordre y trouve place : non plus cependant comme un mal essentiel, mais seulement comme un moindre bien. Dès là qu'il n'y a point d'ordre sans êtres multiples, donc limités, ni sans êtres divers, donc plus ou moins riches de bien, il s'ensuit nécessairement qu'à ne considérer qu'une partie de l'ensemble on y découvre des défauts de bien, des désordres : mais c'est qu'on ne considère qu'une partie ; on n'a pas regard au Tout. Si l'on s'efforce d'embrasser d'une seule vue tout l'ensemble, le désordre désormais s'efface, il trouve son explication dans l'ensemble, il se résorbe dans l'ordre. « Avoir toujours regard au Tout » : telle sera donc la maxime de cette sagesse volontairement optimiste (1). Dans son dernier fond, cette doctrine dérive d'une certaine conception de la matière. Pour le dualiste, la matière était une réalité positive, qui résistait effectivement au bien. Dans cette conception en revanche, la matière n'est qu'une limite, le lieu extrême où l'efficace de l'Intellect divin trouve son point mort. Et pourquoi l'action du bien se voit-elle ainsi limitée? C'est qu'en définitive, si l'Intellect veut former un ordre, il doit produire des êtres limités, distincts de lui et différents les uns des autres : il doit donc faire appel à un principe autre que lui, à un principe de multiplicité, de dissemblance : ce principe, c'est la matière. A côté de la nécessité de l'Intellect, il y aura donc une nécessité de la matière : mais ces deux termes ne sont plus en lutte ouverte. Et en fin de compte, c'est l'Intellect qui l'emporte (2).

Cette doctrine a donné lieu à une philosophie religieuse dont on peut suivre la genèse et l'évolution de Platon à l'hermétisme, en passant par Aristote (π. φιλοσοφίας), le Stoïcisme, la philosophie éclectique de Cicéron, du *de mundo* et de Philon. A partir du Ier siècle avant notre ère, c'est-à-dire à partir de l'heure où la philosophie sort des sectes proprement dites pour se divulguer dans ce qu'on peut nommer déjà la « classe de philosophie » et où elle devient, dès lors, l'un des éléments obligés de la culture de l'élite (3), cette doctrine religieuse est le bien commun de tout homme qui pense, dans

---

(1) Cf. PLATON, *Lois*, X, 903 b-d; MARC-AURÈLE, XII, 8, 10; PLOTIN, *Ennéades*, II, 9, 9, 75.
(2) PLATON, *Tim.*, 47e-48a, 68e, et le commentaire de PLOTIN, *Enn.*, I, 8, 7, III, 2, 2, III, 3, 6.
(3) C'est l'âge des doxographies ou recueils d'opinions sur un problème donné, des manuels ou *compendia*, dont il ne nous reste qu'un petit nombre, relativement tardif (Albinus, Apulée), mais qui existaient dès avant Horace, lequel a subi l'influence du *Lehrbuchstil*, comme l'a montré Norden. Ce sera l'âge, bientôt, des commentaires.

la mesure où il veut accorder sa raison avec sa foi, sa conception de l'univers avec son besoin d'adorer et de se relier au divin. Si, dans l'étude de ce mouvement, je me suis arrêté à Philon, ce n'est pas que Philon en marque le dernier terme, mais au contraire qu'après Philon tous les auteurs, ou presque, du temps des premiers Césars en subissent plus ou moins l'influence. Traiter de Sénèque, de Pline l'Ancien, de Dion Chrysostome, d'Epictète, m'eût conduit à d'interminables redites sans apporter rien de neuf. En outre, par son éclectisme même, par le mélange qu'on voit sans cesse en ses ouvrages du dualisme platonicien et du monisme stoïcien, Philon porte témoignage sur les tendances diverses du milieu alexandrin où ont dû naître les écrits hermétiques; il prépare ainsi à les mieux entendre (1).

Cette doctrine a donné lieu à une sagesse, qui trouve son expression la plus parfaite dans Marc-Aurèle. Si toute sagesse consiste à s'oublier dans la contemplation et le service d'une Cité divine qui nous dépasse, qui durera encore quand nous ne serons plus, et dont l'excellence rehausse la valeur des actes médiocres que nous accomplissons pour elle, il est juste de déclarer que la religion du Dieu cosmique fut éminemment une sagesse. Le sage contemple l'ordre de l'univers, et la vue de ce bel ordre lui fait oublier sa misère. Il ne se considère que comme partie du Tout; il se garde bien de prétendre à la perfection du Tout; loin de se plaindre de ce qu'on ne lui ait pas donné davantage, il remercie de ce qu'il a reçu, et se tient pour satisfait s'il a pu contribuer au bonheur de l'ensemble. Plotin, dans son traité contre les Gnostiques (2), a sur ce point des pages admirables qui sont comme le testament de la sagesse païenne.

Cette doctrine enfin a donné lieu à une mystique. La vue du ciel étoilé a toujours exercé sur l'homme ancien, qui est un homme du midi, une influence profonde. Quand, à la jouissance de ce spectacle, naturellement admirable, l'on a pu ajouter l'idée que la marche des corps célestes dénotait une Pensée, quand aussi, depuis l'*Epinomis*, les philosophes ont enseigné que ces astres visibles étaient eux-mêmes des dieux, non pas sans doute le Dieu suprême, mais des êtres divins de second ordre qui faisaient cortège à ce Grand Monarque, le sentiment esthétique s'est enrichi d'une vue scientifique du monde et il s'est accordé aux besoins religieux de l'âme humaine. Ainsi est né le mysticisme astral, qui inspira les écrits de Manilius par exemple, de Vettius Valens, de Ptolémée. Par la contemplation du ciel, l'homme quitte sa propre infortune, il se réfugie dans un

---

(1) Voir N. B. à la fin des *Addenda*.
(2) *Enn.*, II, 9, ch. 9 et suivants.

monde meilleur, où tout n'est qu'ordre et beauté. Davantage, il communie avec ces êtres divins en vertu de la parenté qui relie son âme à la leur. Et ainsi, bien que fixé encore à la terre, il participe au gouvernement du monde et vit dès ici-bas de la vie des dieux.

*
* *

Je ne pouvais tout dire en ce volume, et me suis donc borné à l'aspect philosophique de la religion cosmique. Aussi bien la sagesse de Marc-Aurèle est-elle fort connue, et un brillant mémoire de M. Cumont (1) a-t-il comme épuisé le sujet du mysticisme astral dans l'antiquité.

En outre, les textes hermétiques qui s'inspirent de cette doctrine ne sont pas proprement mystiques; ils ne conduisent pas à l'extase, à la fusion complète de l'être humain avec Dieu. S'ils admettent, comme toute la pensée religieuse hellénistique, l'origine divine de l'âme, ils ne font pas de celle-ci la parente, la compagne des astres. C'est dans l'autre courant, le courant dualiste, qu'il est parlé de déification, d'entrée en Dieu : ici on se borne le plus souvent à développer le thème de la connaissance de Dieu par la vue du monde; l'homme religieux contemple l'univers, il l'admire, et cette admiration le porte à reconnaître le Créateur et à l'adorer.

Ces textes hermétiques ne proposent pas non plus une sagesse, sinon dans le sens très large où la religion du Dieu cosmique mène nécessairement à la piété. Ils n'enseignent pas à servir la Cité divine. On n'y trouve nulle part l'accent de Marc-Aurèle, ni la fière assurance de Plotin quand il défend, contre les gnostiques, le sérieux, la gravité, la noble et pure austérité de la sagesse païenne (2).

Je pouvais donc me contenter de décrire les idées religieuses qui ont servi de base à cette mystique et soutenu ces principes de conduite morale. Après une introduction sur les ouvrages philosophiques du Trismégiste (3), sur le genre littéraire auquel ils appartiennent, enfin sur les traités qui décèlent plus particulièrement l'influence du courant optimiste, je suis l'histoire de la religion du monde depuis sa naissance jusqu'à l'hermétisme. Comme les deux courants, optimiste et pessimiste, ne prennent toute leur valeur que si on les confronte, la conclusion générale a été renvoyée à la fin du troisième

---

1) *Bull. de l'Acad. roy. de Belgique* (Classe des lettres, etc.), 1909, n° 5, pp. 256-286. Voir aussi F. BOLL, *Vita Contemplativa*, Heidelberg, 1922.
(2) *Enn.*, II, 9, 14 fin, 15, 18.
(3) Je me suis attaché surtout au *Corp. Herm.* et à l'*Asclépius*.

volume, où je porterai un jugement d'ensemble sur la philosophie religieuse hellénistique.

On s'étonnera peut-être que, dans cette histoire, je n'aie pas fait plus de place à Posidonius. C'est que les travaux les plus récents sur ce philosophe ne permettent plus guère de distinguer ce qu'il faut lui laisser en propre. En outre, il apparaît chaque jour davantage que bien des doctrines attribuées jusqu'ici à Posidonius sont en réalité plus anciennes (1). La chose est sûre en tout cas pour notre sujet. Il se peut que tel auteur du Ier siècle, Cicéron par exemple ou l'auteur du *de mundo*, emprunte à Posidonius; mais Posidonius à son tour emprunte à Platon ou aux Stoïciens, il ne constitue qu'une étape. Dans l'ignorance où nous sommes du vrai Posidonius, puisque nous avons au moins la certitude que la religion du monde lui est bien antérieure, il n'a pas semblé nécessaire d'ajouter un château de cartes à tous ceux qu'on a bâtis déjà. Au surplus je me sens peu de goût pour ces constructions fragiles.

Qu'on me permette, pour finir, une remarque.

Le mot de *religion*, dans ce livre, ne doit pas s'entendre à la lettre. La religion du Dieu cosmique n'a jamais impliqué de culte. Elle n'a point connu de temple ou d'images. Ou plutôt son temple était l'univers; ses images, les astres du ciel. Et si l'auteur de l'*Epinomis* a vraiment essayé de substituer le culte des astres au culte des dieux civiques, on doit reconnaître qu'il a échoué. Il n'y aura de religion cosmique, au sens strict, qu'au IIIe siècle de notre ère avec la religion du dieu Soleil qui, elle, comportera des sanctuaires et des images. Mais l'introduction de ce culte solaire est tout indépendante de l'hermétisme et du mouvement philosophique qui l'a précédé. Pour l'époque qui nous intéresse, il ne s'agit que d'une attitude religieuse. Et encore cette attitude ne se rencontre-t-elle que dans l'élite. Elle suppose certaines connaissances astronomiques, une vue d'ensemble de l'univers. Lors même qu'elle revêt un aspect banal et populaire, comme dans les écrits d'Hermès, elle se ressouvient de ses origines savantes.

Précisément comme cette religion ne connaît point d'images, il m'était difficile d'en trouver une pour illustrer ce livre. Je me suis arrêté à un jeune et charmant Apollon Hélios de la *Casa dell'Argen-*

---

(1) De toute façon on ne peut rien établir avant que n'ait paru l'édition critique des fragments que prépare M. L. Edelstein, à Baltimore. Cf. déjà son article, *The philosophical System of Posidonius*, *Am. J. of. Phil.*, LVII, 1936, pp. 286-325. Une bonne édition des fragments de Panétius a été publiée par le Dr. M. van Straaten, *Panétius, sa vie,... avec une édition des fragments*, Amsterdam, 1946.

teria à Pompéi (1) : il a au moins le mérite d'être contemporain de cette philosophie éclectique du 1er siècle avant notre ère qui a préparé le terrain à l'hermétisme (2). Hélios y est représenté en dieu Kosmokratôr, avec le nimbe et la couronne de sept rayons, en souvenir des sept planètes. De la droite il tient le fouet, de la gauche il supporte le globe du monde, où se croisent, en forme de χ, les deux cercles de l'équateur et de l'écliptique : ce détail marque évidemment l'influence du *Timée* (36 b-c). Ainsi, dès le seuil du livre, rendrons-nous hommage à Platon qui est, comme je l'ai dit, le père de toute la pensée religieuse hellénistique.

(1) Aujourd'hui au Musée National de Naples (n° 8819). C'est par erreur que D. BRENDEL, *Röm. Mit.*, LI, 1936, pp. 55 ss. et fig. 8, attribue cette fresque à la *Casa d'Apolline*. J'en dois la photographie à l'obligeance de M. Bruhl, secrétaire de l'École française de Rome, que je remercie ici.

(2) L'image relève du 2e style, dont la période s'étend de 80 av. à 14 ap. J.-C.

INTRODUCTION

LA LITTÉRATURE HERMÉTIQUE

CHAPITRE PREMIER

LE DOSSIER DES HERMETICA

Les écrits philosophiques du Trismégiste se partagent, matériellement, en trois groupes : le *Corpus Hermeticum* (CH), le « Discours Parfait » (λόγος τέλειος) dont il ne subsiste plus, sous le nom d'*Asclepius (Ascl.)*, qu'une traduction latine attribuée par erreur à Apulée, enfin des extraits nombreux et importants disséminés dans l'*Anthologion* de Stobée et que j'appelle ici, pour faire court, *Stobaei Hermetica* (St. H.).

I. Corpus Hermeticum.

On désigne aujourd'hui sous le nom de *Corpus Hermeticum* une collection de dix-sept *logoi* que l'on trouve ainsi réunis dans une bonne vingtaine de manuscrits du xive, xve et xvie siècles, remontant tous à un même archétype. L'un de ces manuscrits, du xive siècle, le *Laurentianus* LXXI 33 (A), servit de base, en 1463, à la traduction de Marsile Ficin : ce manuscrit ne contenait que les quatorze premiers *logoi*. Un siècle plus tard, en 1554, Turnèbe fit paraître à Paris la première édition du texte grec, d'après un manuscrit contenant les dix-sept *logoi*; en outre il ajouta, comme appendice au groupe I-XIV, trois extraits hermétiques de Stobée. En 1574, Flussas (François Foix de Candalle), reproduisant cette édition de Turnèbe, divisa l'ensemble en chapitres — chaque *logos* constituant un chapitre —, fit des trois extraits de Stobée ajoutés par Turnèbe au groupe I-XIV(1) un chapitre XV, et donna en conséquence aux trois opuscules suivants (anciennement XV-XVII) les numéros XVI, XVII, XVIII. Cette numérotation a été maintenue

---

(1) Et auxquels il ajouta lui-même un extrait de Suidas.

dans les éditions modernes, bien que le n° XV y ait naturellement disparu puisqu'il ne fait point partie du *Corpus;* on y passe donc directement du n° XIV au n° XVI. Turnèbe, puis Flussas, avaient dénommé tout l'ensemble *Pœmander* (Turnèbe) ou *Pimandras* (Flussas) d'après le titre Ποιμάνδρης du C. H. I : cet usage prévalut jusqu'au xixe siècle (encore Parthey, 1854), mais il n'est pas correct ; d'autre part il est fort improbable que l'alchimiste Zosime, quand il cite le *Poimandrès* (1), songe déjà à une collection analogue à la nôtre, et non pas seulement au premier opuscule de notre Corpus. Notons enfin que, dans l'état où elle nous est parvenue, cette collection du C. H. a souffert déjà de graves altérations. Du deuxième *logos* il n'est resté que le titre (ce *logos* est désigné par II A) et ce qui passe aujourd'hui pour n° II est en réalité un n° III dont, au surplus, le titre et le début (2) manquent dans les manuscrits du C. H. Le n° VII n'est manifestement qu'un extrait. Du n° XVII il ne reste que la fin, qui, dans les manuscrits, suit immédiatement le dernier paragraphe (3) du n° XVI, sans coupure. Ces altérations, et d'autres encore, sont communes à tous les manuscrits, elles étaient donc déjà dans l'archétype.

Quand cette collection fut-elle formée et par qui? On ne peut le dire avec certitude. Il paraît avéré que Psellos, au xie siècle, a connu notre Corpus, mais rien ne prouve qu'il l'ait copié ou fait copier lui-même et que cet exemplaire de Psellos soit l'archétype d'où dérivent les manuscrits. De Psellos, l'on doit remonter jusqu'à Stobée (vers 500). Qu'il s'agisse d'emprunts aux *libelli* du C. H. ou à d'autres écrits du Trismégiste, celui-ci ne mentionne que quatre sortes de collections hermétiques : (*a*) une collection de *logoi* d'Hermès à Tat ; (*b*) une collection de *logoi* d'Hermès à Asklépios ; (*c*) une collection de *logoi* d'Hermès à Ammon ; (*d*) une collection de *logoi* d'Isis à Horus. En outre, quelques extraits portent simplement l'en-tête « D'Hermès », l'un d'eux (XXII) est intitulé *Aphrodite*. Les extraits des *libelli* du Corpus (C. H. II 1-4, 6 b-9, 10-13 ; IV 1 b, 10-11 b ; X 7-8 b, 12-13, 16-18, 19, 22 b-25) (4), qui offrent un texte certainement meilleur et plus ancien que celui des manuscrits

---

(1) Cf. *RHT.*, I, p. 281 et n. 2.
(2) Jusqu'aux mots ἢ ὁ θεός, τὸ δὲ θεῖον λέγω au § 4. Ce début est fourni par un extrait de Stobée, mais sans le titre.
(3) Le dernier paragraphe *actuel*, car il est possible que la fin de XVI soit perdue comme le début de XVII. Le sous-titre (du rédacteur) mentionne, parmi les sujets traités en XVI, « l'homme selon l'image » : or il n'en est pas question dans l'opuscule sous sa forme présente.
(4) Paragraphes de Scott.

actuels, ne sont pas distingués des autres extraits comme provenant d'une collection spéciale qui représenterait notre Corpus. Ils se donnent comme des extraits des « Discours » d'Hermès à Tat (C. H. X) ou d'Hermès à Asklépios (C. H. II) ou simplement d'Hermès (C. H. IV). Stobée, qui avait accès à une ample littérature hermétique ne paraît donc pas avoir connu aucun groupe d'écrits hermétiques qui ressemble à la présente collection du C. H.

Plus haut encore, nous rencontrons Cyrille d'Alexandrie qui, dans son *Contra Julianum* (c. 435-441), cite à plusieurs reprises le Trismégiste. Cyrille mentionne une fois (1) une collection de quinze livres « hermaïques », formée à Athènes et précédée d'un dialogue où le compilateur aurait fait parler un prêtre d'Égypte : il n'y a aucune apparence que cette collection corresponde à notre Corpus. De fait, Cyrille connaît un 1ᵉʳ logos des *diexodica* à Tat (2), un 3ᵉ logos des *logoi* à Asklépios (3), un logos d'Hermès à son Noûs (4), un logos d'Hermès à Asklépios (5), un autre logos à Asklépios qui est notre C. H. XIV (6), enfin un logos à Asklépios qui est l'original grec de l'*Asclépius* (7). Ailleurs il rapporte un dialogue hermétique entre Agathodémon et un « téménite » d'Égypte (8). Ou bien encore il introduit son emprunt simplement par ὁ Τρισμέγιστος Ἑρμῆς οὕτω πώς φησι (9) ou φθέγγεται (10) ou ἔφη (11). Bref, sur dix emprunts, deux seulement ressortissent à des *libelli* du Corpus *(c. Jul.* II, 580 B, 597 D) : ils se donnent comme des extraits d'un logos à Asklépios et, par erreur, d'un logos d'Hermès à son Noûs, sans que rien les désigne comme provenant d'une collection spéciale, analogue à la nôtre.

On ne gagne rien à remonter plus haut, car la manière dont Lactance (début ɪᴠᵉ siècle) cite le Trismégiste est le plus souvent trop

---

(1) *C. Jul.* I, 548 B (Migne, P. G., t. LXXVI) = Scott, *Hermetica*, IV, p. 195. 4.
(2) *Ib.* II, 588 B = Scott, p. 215.1. Cf. *Ascl.* 1 où le texte des manuscrits porte *exotica*, corrigé en *diexodica* par Reitzenstein.
(3) *Ib.* I, 556 A = Scott, p. 207. 7.
(4) *Ib.* II, 580 B = Scott, p. 211. 1. Il y a là une erreur de lecture, car les allusions concernent C. H. XI 22 (Noûs à Hermès).
(5) *Ib.* II, 588 A = Scott, p. 213. 3. Il s'agit en fait d'un logos d'Osiris à Agathodémon.
(6) *Ib.* II, 597 D = Scott, p. 217.2. Citation de C. H. XIV 6, 7.
(7) *Ib.* IV, 701 A-B = Scott, p. 220. 1. Cf. *Ascl.* 29. Le même passage de l'original grec de *Ascl.* 29 est cité par Lactance, *div. inst.* II 15, 6 (Scott, IV, p. 14. 27). Noter les expressions de Cyrille γράφει δὲ ὡδὶ καὶ αὐτὸς (Hermès) ἐν τῷ πρὸς Ἀσκληπιόν : Hermès *écrit*. Or ce logos à Asklépios est un dialogue où Hermès est le principal interlocuteur. Sur cette amphibologie, cf. *infra*, p. 44.
(8) *C. Jul.* I, 552 D-553 A = Scott, p. 204. 1.
(9) *Ib.* I, 549 B = Scott, p. 197. 17. Cf. l'*Exc.* I de *Stob. Herm.*
(10) *Ib.* I, 552 D = Scott, p. 202. 15.
(11) *Ib.* VIII, 920 D = Scott, p. 223. 16.

vague (*dicit*, *docet*, etc.). Les seuls ouvrages expressément désignés sont, une fois, un logos à Tat (1), et, deux fois, le λόγος τέλειος, c'est-à-dire l'original grec de l'*Asclépius* (2), une fois le *sermo perfectus quem (Asclepius) scripsit ad regem*, qui paraît être le C. H. XVI (3). Quant à Zosime, qui est apparemment le contemporain de Lactance, il mentionne le *Poimandrès* (C. H. I.) et le *Cratère* (C. H. IV); ces deux ouvrages sont cités ensemble dans la même phrase, et le rapprochement est correct, mais il serait abusif d'en conclure que le Corpus existait au temps de Zosime. Il est intéressant d'apprendre, par la *Chronique* de Malalas (4), qu'au IVe siècle le mathématicien Théon d'Alexandrie, le père d'Hypatie, expliquait les *Astronomica* (5), les écrits d'Hermès (τὰ Ἑρμοῦ τοῦ τρισμεγίστου συγγράμματα) et ceux d'Orphée. Sans doute on n'a aucune assurance qu'il s'agisse des *logoi* du Corpus, mais ce devaient être des *logoi* philosophiques (car on ne peut guère songer à des ouvrages d'astrologie) et il est important de noter que, dès le IVe siècle, ceux-ci servaient de « textbook » dans les écoles.

En résumé, jusqu'au temps de Stobée, les citations des écrits hermétiques ne se présentent, semble-t-il, que sous deux formes : ou bien le logos porte un titre particulier (*Poimandrès* et *Cratère* chez Zosime, *Korè Kosmou* et *Aphrodite* chez Stobée), ou bien le logos est tiré d'un ensemble de *logoi* adressés par Hermès à l'un de ses disciples ou de *logoi* d'Isis à Horus ou de *logoi* d'Agathodémon. Ce second cas est le plus fréquent, et il témoigne déjà de l'existence de collections : à preuve les mentions « *premier* logos à Tat », « *troisième* logos à Asklépios » chez Cyrille, ou « extrait des logoi » à

---

(1) Lact., *Epit.* IV, 4 = Scott, p. 10. 11 : *huius ad filium scribentis exordium tale est.* C'est l'Exc. I de *St. H.*

(2) *Div. inst.* IV 6, 4 = Scott, p. 15. 16; *ib.* VII 18, 4 = Scott, p. 26. 8. Une troisième citation, VII, 13, 3 = Scott, p. 23. 17 est simplement amenée par *Hermes, naturam hominis describens..., haec intulit.*

(3) Lact., *div. inst.* II 15, 6-7 (Scott, p. 14. 25 ss.) *denique adfirmat Hermes eos qui cognoverint deum non tantum ab incursibus daemonum tutos esse, verum etiam ne fato teneri.* Lactance cite alors l'original grec de *Ascl.* 29, p. 336.1-2 (la traduction latine est plus courte que le texte grec), puis, semble-t-il, quelques mots du C. H. IX 4, et il reprend : *Asclepius quoque auditor eius eandem sententiam latius explicavit in illo sermone perfecto quem scripsit ad regem.* Ce pourrait être une allusion à C. H. XVI 15-16 : τὸ δὲ λογικὸν μέρος τῆς ψυχῆς ἀδέσποτον τῶν δαιμόνων ἕστηκεν, ἐπιτήδειον εἰς ὑποδοχὴν τοῦ θεοῦ et la suite. Néanmoins, comme en XVI 1 Asklépios déclare qu'il a composé d'autres *logoi* (ce qui revient à dire qu'il existait plusieurs *logoi* d'Asklépios), il est possible aussi que Lactance se réfère à quelque passage de l'un d'eux. Cf. Reitzenstein, *Poimandres*, p. 292 n. 2; Scott, IV, p. 15, n. 4.

(4) Joh. Malalas, *Chron.* 13, p. 343. 11 ss. Dindorf : cf. Reitzenstein, *Poimandres*, p. 211, n. 1. Malalas écrit entre 528 et 573 environ.

(5) Sans doute la Μαθηματικὴ Σύνταξις de Ptolémée sur laquelle il subsiste, en fait, un commentaire de Théon, cf. Heiberg, *Gesch. d. Mathematik*, p. 60.

Tat, à Asklépios, à Ammon (ἐκ τῶν πρὸς Τάτ, etc.), chez Stobée. D'autre part, quand Stobée se réfère à l'un des opuscules qui composent aujourd'hui le C. H., le mode de référence ne change pas ; il s'agit toujours d'un extrait tiré des *logoi* à un disciple : les citations de C. H. II ont pour en-tête Ἑρμοῦ ἐκ τῶν πρὸς Ἀσκληπιόν, celles de C. H. X Ἑρμοῦ ἐκ τῶν πρὸς Τάτ. Il a donc bien existé, dès le ve siècle au moins, des collections hermétiques où l'on groupait les écrits adressés à un même disciple, mais aucune de ces collections ne correspond au Corpus actuel. Celui-ci, dès lors, composé entre le temps de Stobée et le temps de Psellos, c'est-à-dire entre le vi[e] et le xie siècles, ne se présente pas comme une création originale de l'hermétisme, comme le Livre par excellence d'une Église ou d'une secte.

L'examen du Corpus lui-même confirme cette conclusion. En effet, son caractère le plus saillant, c'est qu'il est aussi divers que possible, et tout d'abord, quant aux titres des opuscules.

C. H. I. « D'Hermès Trismégiste. Poimandrès » : de Noûs (Poimandrès) à un prophète innomé, mais en qui une référence de XIII (15) permet de reconnaître Hermès lui-même.

II A (perdu). « D'Hermès à Asklépios. Discours Universel ».

II. (titre perdu) : adressé à Tat.

III. « D'Hermès. Discours sacré ». Pas d'adresse.

IV. « D'Hermès à Tat. Le Cratère ou la Monade ».

V. « D'Hermès à son fils Tat ».

VI. Pas de titre, seulement sous-titre (1). Adressé à Asklépios.

VII. Pas de titre, seulement sous-titre. Pas d'adresse.

VIII. Pas de titre, seulement sous-titre. Les expressions ὦ παῖ (VIII 1), ὦ τέκνον (VIII 5) montrent qu'il s'agit d'un logos à Tat.

IX. Pas de titre, seulement sous-titre (2). Adressé à Asklépios.

X. « D'Hermès Trismégiste. La Clé ». Adressé à Tat, mais en présence d'Asklépios.

XI. « Noûs à Hermès ».

XII. « D'Hermès Trismégiste sur l'intellect commun, à Tat ».

XIII. « D'Hermès Trismégiste à son fils Tat » (3).

---

(1) Ces sous-titres sont en général des additions postérieures, dues à un rédacteur qui met en relief l'une ou plusieurs des idées exprimées dans le logos.

(2) La deuxième partie du sous-titre vient, par erreur, du sous-titre de VI. Il y a de fait un lien entre les deux traités : IX 4 polémique contre VI 4.

(3) La suite « Discours secret sur la montagne, concernant la régénération et la règle du silence » paraît n'être qu'un sous-titre dû à un rédacteur. ἐν ὄρει vient de XIII 1 (ἐπὶ τῆς τοῦ ὄρους μεταβάσεως) et d'ailleurs ne convient pas (ἐν ὄρει... ἀπόκρυφος est omis dans A). περὶ παλι γενεσίας indique bien le sujet principal du logos, mais καὶ σιγῆς ἐπαγγελίας ne concerne qu'une recommandation banale, que le prophète donne ici à la fin. L'association des deux idées provient manifestement de XIII 22, τοῦτο μαθὼν παρ' ἐμοῦ τῆς ἀρετῆς σιγὴν ἐπαγγεῖλαι, μηδενί, τέκνον, ἐκφαίνων τῆς παλιγγενεσίας τὴν παράδοσιν.

XIV. « D'Hermès Trismégiste à Asklépios, santé de l'âme (? εὖ φρονεῖν) ». C'est donc une lettre.

XVI. « D'Asklépios au roi Ammon : Définitions ». C'est également une lettre.

XVII. Titre perdu. Il s'agit d'un dialogue entre Tat et un roi.

XVIII. Pas de titre, sous-titre dû à un rédacteur. C'est un discours d'éloge à des empereurs.

A ne regarder encore que les titres, on constate ainsi déjà une étrange alternance de *logoi* du Noûs à Hermès (I, XI), d'Hermès à Tat (II A perdu, IV, V, VIII, X, XII, XIII), d'Hermès à Asklépios (II, VI, IX, XIV), de *logoi* sans adresse (III, VII), cependant qu'à cet ensemble I-XIV qui dérive directement d'Hermès s'adjoignent, en appendice, une lettre d'Asklépios à Ammon (XVI), un fragment de dialogue entre Tat et un roi (XVII), enfin un discours aux rois (Empereurs : XVIII). Tout se passe comme si l'on se trouvait en présence d'une Anthologie byzantine, d'un choix analogue, par exemple, à ceux qu'on faisait pour les tragiques, et qui décidèrent de la perte des tragédies non élues. Aussi bien, dans notre cas, le résultat aurait-il été pareil : l'existence de ce Corpus, pour lequel on avait puisé à des collections diverses d'écrits hermétiques, aurait entraîné la perte de ces collections elles-mêmes, que Stobée connaissait encore.

Entre ces « morceaux choisis » a-t-on établi un ordre? Sans doute certaines pièces de la collection sont-elles bien en place. Le *Poimandrès* vient excellemment en tête puisqu'il expose tout l'ensemble de la gnose hermétique : cosmogonie, anthropogonie, sort des âmes, mission apostolique. C'est une sorte de discours-programme. D'autre part, le panégyrique final peut servir, comme l'a pensé Reitzenstein (1), de dédicace à un *basileus :* c'est même là, au vrai, la seule raison qui légitime l'insertion de ce morceau, nullement hermétique, dans le Corpus. Cependant, même en admettant, avec Reitzenstein, que les premiers destinataires de ce discours aient été Dioclétien et ses collègues, on n'en doit pas conclure que le Corpus a été formé avant la fin du IIIe siècle : il n'y en a pas trace avant Psellos, et, jusqu'au VIe siècle, les témoignages se rapportent à d'autres sortes de collections. Il faut penser plutôt que le rédacteur du C. H. a choisi, pour conclure, un panégyrique ancien dont le ton de piété s'accordait vaguement au reste et que son caractère encomiastique rendait tout propre à servir de dédicace à un roi :

(1) *Poimandres*, pp. 206-208.

ce n'est peut-être point par seul hasard qu'ont été groupés, à la fin du Corpus, trois opuscules (XVI-XVIII) adressés à des rois.

Entre ces deux extrêmes (I et XVIII), on perçoit un certain ordre très général, en ce que I-XIV forment un groupe de *logoi* proprement hermétique (adressés à ou par Hermès lui-même) (1), alors que XVI et XVII sont l'œuvre de disciples (Asklépios et Tat). D'autre part, comme je viens de le dire, il y a peut-être quelque dessein dans la réunion de XVI-XVIII adressés à des rois.

Quant au premier groupe (I-XIV), on n'y découvre aucune suite bien définie. A une exception près (2), il n'y a pas de renvois explicites d'un logos à l'autre.

IX, logos d'enseignement à Asklépios, se donne comme la suite d'un « Discours Parfait » (λόγος τέλειος) prononcé la veille devant ce même Asklépios (IX 1). Ce ne peut être ni VIII adressé à Tat, ni VII (prédication au peuple), ni VI, dernier logos adressé à Asklépios mais dont le sujet n'a aucun rapport avec IX et dont la doctrine y contredit partiellement (IX 4 ∾ VI 4). Peut-être, comme on l'a pensé, l'allusion vise-t-elle ce λόγος τέλειος qu'était l'original grec de l'*Asclépius :* mais cet original n'a pas été inséré dans le C. H. et il est aujourd'hui perdu.

X, logos d'enseignement à Tat, se donne comme la suite des *Leçons Générales* (γενικοί λόγοι) prononcées devant ce disciple : ces mêmes *Leçons Générales* sont mentionnées encore X 7, XIII 1 et dans les extraits IV A 1 et VI 1 de Stobée : nul indice ne permet d'en déterminer la nature et de les rapporter exactement à quelque opuscule du C. H. D'autre part, Asklépios assiste à ce cours professé pour Tat qu'est le logos X, et la première phrase rappelle que le « logos d'hier » lui a été dédié. On pourrait trouver ici un lien, d'ailleurs fort lâche, avec le logos précédent (IX) qui, de fait, est adressé à Asklépios (3). Mais je montrerai bientôt (4) que ces allu-

---

(1) Sauf, il est vrai, II et peut-être VII.
(2) XIII 15 renvoyant à C. H. I. Cf. *infra*, p. 8.
(3) Ainsi REITZENSTEIN, *Poimandres*, p. 196, qui attribue cette phrase au rédacteur, lequel aurait copié le début de IX. Cp. X 1 τὸν χθὲς λόγον, ὦ 'Ασκληπιέ, σοὶ ἀνέθηκα, τὸν δὲ σήμερον δίκαιόν ἐστι τῷ Τὰτ ἀναθεῖναι, ἐπεὶ καὶ τῶν γενικῶν λόγων πρὸς αὐτὸν λελαλημένων ἐστὶν ἐπιτομή et IX 1 χθές, ὦ 'Ασκληπιέ, τὸν τέλειον ἀποδέδωκα λόγον, νῦν δὲ ἀναγκαῖον ἡγοῦμαι ἐπιτόμῳ καὶ τὸ περὶ αἰσθήσεως λόγον διεξελθεῖν.
Le point commun est le désir de rattacher le logos qu'on va dire à un précédent parce qu'il en est la suite logique (ἀκόλουθον IX) ou le résumé (ἐπιτομή X), et parce qu'il est adressé au même élève (les γενικά à Tat sont résumés dans le logos X, le τέλειος λόγος à Asklépios a pour suite le logos IX). Par contre l'analogie de la date (χθές) est purement accidentelle, car le bénéficiaire du « discours d'hier » et du « discours d'aujourd'hui » n'est pas le même dans les deux cas (Asklépios « hier » et en IX, Asklépios « hier » et Tat en X).
(4) Cf. *infra*, p. 37.

sions s'expliquent aussi bien, sinon mieux, par la fiction scolaire.

XII est de la même veine que l'exposé catéchistique X et l'on a voulu reconnaître un lien formel entre ces deux traités, en vertu de certaines sentences analogues, qui, en XII, se réfèrent à des dits d'Agathodémon (1). Le premier dit d'Agathodémon en XII 1 reproduit la conclusion de X 25 (dieux = hommes immortels, hommes = dieux mortels) où ce même propos se donne comme original (τολμη-τέον εἰπεῖν), sans allusion d'ailleurs à Agathodémon. Le second propos d'Agathodémon en XII 8 ne correspond à rien en X; on marque explicitement qu'il remonte à une tradition orale (ἤκουσα λέγοντος). Le troisième (XII 13) reprend la théorie des « enveloppements » de X 13 avec de légères différences. Ces rapports, et d'autres encore, indiqués par Zielinski, manifestent une certaine parenté entre les deux *logoi*, mais on ne peut guère parler d'un lien formel, d'un renvoi explicite de XII à X, car c'est tout juste ce renvoi qui manque : au surplus il n'y a aucune mention d'Agathodémon en X. On a là simplement deux produits sortis, si je puis dire, de la même officine, on n'a pas deux pièces connexes faisant partie d'un même ensemble, comme le seraient deux chapitres d'un même livre.

XIII 1, comme X 1, mentionne les *Leçons Générales*. Plus importante est la référence formelle (XIII 15) au *Poimandrès*: « Selon l'Ogdoade révélée par Poimandrès (cf. I 26)... Poimandrès, l'Intellect de la Souveraineté (cf. I 2 ὁ τῆς αὐθεντίας νοῦς), ne m'a rien transmis de plus que ce qui est écrit ». C'est le seul renvoi explicite d'un logos à un autre dans tout le Corpus. Aussi bien ce logos XIII paraît-il, quant à la doctrine, une suite et un complément de I. Pourquoi donc ces deux opuscules, connexes par la doctrine et formellement liés par une référence évidente sont-ils ainsi séparés ? On en voit d'autant moins la raison que les douze et même treize (2) *logoi* intermédiaires ne peuvent du tout servir d'étapes qui mèneraient de la doctrine de I à celle de XIII. Cette anomalie démontre nettement que le rédacteur du Corpus ne l'a pas composé suivant un plan logique d'avance établi : on ne voit là rien de semblable à l'ordonnance, par exemple, des diverses πραγματεῖαι dans les *Métaphysiques* ou les *Éthiques* d'Aristote.

XIV, lettre d'Hermès à Asklépios, se réfère, au début, à un logos adressé à Tat en l'absence d'Asklépios. Nous verrons plus loin la portée de ces allusions (3).

---

(1) Cf. Zielinski, *Arch. f. Religionswiss.*, VIII (1905), pp. 350 ss.
(2) En tenant compte de II A, perdu.
(3) *Infra*, pp. 41 ss.

La nature composite du *Corpus Hermeticum* se découvre mieux encore si l'on examine la forme littéraire de chaque traité. Il convient donc de décrire brièvement ces opuscules. Je ne vise pour l'instant qu'à les situer en les rattachant à un genre connu. Dans le chapitre suivant, j'analyserai plus en détail, le **logos hermétique d'enseignement**.

I est un récit de vision et de mission, à la première personne évidemment. Au cours de la vision, il y a bien apparence de dialogue, mais ces brèves répliques s'insèrent dans le récit : le Noûs se montre au prophète, lui parle et celui-ci répond. La vision achevée, le prophète rapporte, toujours à la première personne, comment il a entrepris sa mission d'apôtre et quel effet eut cette mission. Il conclut par un hymne au Dieu Noûs. Le ton est celui d'un dévot inspiré, d'un évangéliste prêchant une religion nouvelle; la doctrine est toute gnostique. Ce logos ressortit tout ensemble à l'arétalogie et à la littérature apocalyptique.

II, logos d'enseignement, commence par un dialogue et finit sur une homélie. Le début est perdu dans le C. H. et cette partie que l'on supplée grâce à Stobée n'est peut-être pas non plus complète : en effet, contre l'usage ordinaire, il n'y a pas d'introduction, on entre tout de go dans le vif de la discussion, par une question abrupte du maître (Hermès) à l'élève (Asklépios). Cette discussion (§ 1-11) porte sur le mouvement, le lieu, le vide et le plein (1). Puis, après une transition fort lâche analogue à celles de l'*Asclépius* — le lieu est l'incorporel, l'incorporel est l'Intellect, qui est divin mais inférieur à Dieu (§ 12), — on passe à une homélie sur Dieu (§ 12-14) et sur les deux noms qui lui conviennent en propre, celui de Bien (§ 14-16) et celui de Père (§ 17). Au terme, ce logos se donne comme une introduction à la connaissance de la nature universelle (προ-γνωσία τις τῆς πάντων φύσεως II 17) : c'est peut-être cette phrase qui aura incité à le ranger au début du Corpus, immédiatement après le λόγος καθολικός (II A perdu) qui pouvait être un exposé d'ensemble dont la place marquée était en tête.

III n'est ni un récit ni un dialogue ni une instruction homilétique, mais une sorte de « discours sacré » (2), un hymne en prose sur la cosmogonie. Le morceau commence par une doxologie (3) : Dieu est

---

(1) Cf. *Ascl.*, c. 33-34.
(2) ἱερὸς λόγος est son titre même.
(3) Cette doxologie est une suite de substantifs au nominatif, sans aucun verbe, ce qui rend malaisé le départ entre sujet et attribut.

toute gloire, il est le principe de toutes choses, la sagesse qui fait apparaître tous les êtres (ou qui donne toute révélation). Puis vient, à l'imparfait « cosmogonique » (1), une description de la genèse et de la fin du monde, qui diffère des cosmogonies du C. H. I et de la *Korè Kosmou*: chaos primordial, émergence de la lumière, consolidation des éléments, apparition des astres, création des animaux et végétaux, création de l'homme et but de cette création, enfin dissolution et rénovation de l'univers (2). La conclusion insiste sur la divinité de la nature (ἐν τῷ θείῳ καὶ ἡ φύσις καθέστηκεν). Il n'y a pas trace de gnose : l'influence dominante est celle du stoïcisme; l'expression, souvent peu grecque au point qu'on peut se demander si l'auteur est Grec (3), offre de grandes analogies avec la langue des Septante. La doctrine de la dissolution universelle (III 4) exclut celle d'immortalité personnelle, qui tient à l'essence même de la gnose hermétique : d'où vient donc que ce morceau ait été inséré dans le Corpus ? Il le doit peut-être à son caractère religieux et, plus précisément, à l'indication du double but de la création de l'homme : posséder la terre, adorer Dieu, car cette même idée figure aussi dans l'*Asclépius* (c. 8-9).

IV est une instruction pieuse du maître à l'élève (Tat), à peine coupée par de rares interruptions de Tat (deux en IV 3, deux en IV 6), sur la manière dont Dieu a proposé aux hommes le don de l'Intellect. Comme l'a bien vu Zosime, l'ouvrage fait une suite directe à la dernière partie du *Poimandrès*, où le prophète expose sa mission. L'Intellect divin, de même que la Sophia des *Proverbes* (4), est comparé à un cratère, avec cette différence qu'ici le liquide n'est point bu, mais qu'on s'y plonge : c'est un baptême. Dieu a donc commandé à son héraut d'annoncer aux hommes le don du Noûs (§ 4). Il se fait alors un partage, comme dans le *Poimandrès*, entre ceux qui tiennent compte de la proclamation et reçoivent le baptême de l'Intellect, et ceux qui refusent la proclamation (5). Le reste (§ 6-11), d'allure plus abstraite, forme un exposé parénétique sur la nécessité de l'ascèse et les difficultés de l'ascension vers Dieu, qui, étant pure monade, ne se laisse point saisir par nos perceptions habituelles.

---

(1) ἦν, *fuit* dans l'*Ascl.*, cf. c. 14 (313.4) *fuit deus et* ὕλη.
(2) ἀνανεωθήσεται § 4 : cf. dans la doxologie καὶ τέλος καὶ ἀνανέωσις.
(3) Cf. C. H. Dodd, *The Bible and the Greeks* (Londres, 1935), p. 210. Tout le chapitre, pp. 210-234, est à lire.
(4) *Prov.* 9, 1-6. Cf. *Harv. Theol. Review*, XXXI (1938), p. 4.
(5) Cp. C. H. IV 4-5 et C. H. I 29.

V est encore, sans aucune interruption de l'élève, une instruction pieuse d'Hermès à Tat, qui s'achève, cette fois en eulogie (§ 10-11) (1). Le thème est la grandeur de Dieu, à la fois invisible et apparent. Le lyrisme dévot est très marqué, plus sensible même que dans le logos précédent, mais la doctrine est toute diverse : alors que, dans IV, Dieu est absolument invisible, on affirme ici qu'il se laisse connaître par ses œuvres, il est visible dans la Création. A la fin de l'hymne, Dieu est loué comme Intellect, Père, Dieu et Bon : ces dénominations rappellent la seconde partie de II.

VI ressortit de même à l'instruction pieuse, mais le ton est moins exalté qu'en V. L'homélie s'adresse à Asklépios qui n'interrompt pas une seule fois. Le thème s'apparente à celui de II 14-16 : Dieu est le Bien absolu et il n'y a de bien qu'en Dieu; le monde est totalement mauvais. Dans la seconde partie (§ 4-6), on montre que la qualité « beau et bon » (τὸ καλὸν καὶ ἀγαθόν) n'appartient qu'à Dieu et ne peut être d'aucune façon appliquée à l'homme : il y a là, semble-t-il, une réaction contre l'idéal grec de l'homme καλὸς κἀγαθός et tout l'opuscule est empreint d'un pessimisme qui le rattache plutôt à la série des *logoi* gnostiques.

VII est très manifestement un sermon public, une annonce de la Bonne Nouvelle (κήρυγμα). Il n'y a pas d'introduction et l'on ne sait quel est le prophète qui prêche. Le morceau commence, sans préambule, par l'apostrophe « Où courez-vous, ô hommes », touche à l'antithèse banale ivresse ∾ sobriété, oppose enfin à la doctrine d'ignorance la gnose de Dieu, qui n'est connu qu'avec les yeux de l'âme. Depuis le ποῖ φέρεσθε du début jusqu'aux images qui servent à décrire le corps — tunique, chaîne, enveloppe ténébreuse, mort vivante, cadavre sensible, tombeau, voleur, à la fois compagnon et ennemi de l'âme, — fond et forme ne sont qu'une suite de lieux communs hellénistiques (2). Le ton est le même que dans le bref κήρυγμα de I 27-28 et il est possible que tout le morceau soit un développement de ce passage (3).

VIII est un court logos d'enseignement, sans aucune trace de

---

(1) V 10 τίς οὖν σε εὐλογήσαι...; ποῦ δὲ καὶ βλέπων εὐλογήσω σε; V 11 πότε δέ σε ὑμνήσω;... διὰ τί δὲ καὶ ὑμνήσω σε;
(2) Cf. Norden, *Agn. Theos*, pp. 3 ss.; Reitzenstein, *HMR*, pp. 292 ss., 352 ss.; Dodd, pp. 181-194, et le commentaire de Scott, *Hermetica*, II, pp. 181 ss. Sur l'ivresse ∾ sobriété, cf. H. Lewy, *Sobria Ebrietas*, 1929.
(3) Cp. I 27 ὦ λαοί, ἄνδρες γηγενεῖς, οἱ μέθῃ καὶ ὕπνῳ ἑαυτοὺς ἐκδεδωκότες καὶ τῇ ἀγνωσίᾳ τοῦ θεοῦ, νήψατε, παύσασθε δὲ κραιπαλῶντες, θελγόμενοι ὕπνῳ ἀλόγῳ et VII 1 ποῖ φέρεσθε, ὦ ἄνθρωποι, τὸν τῆς ἀγνωσίας ἄκρατον λόγον ἐκπιόντες, ὃν οὐδὲ φέρειν δύνασθε ἀλλ' ἤδη αὐτὸν καὶ ἐμεῖτε; στῆτε νήψαντες... 2 ὅπου οὐδὲ εἷς μεθύει, ἀλλὰ πάντες νήφουσιν, etc.

gnose, sans même un caractère de piété bien accentué. Hermès, une seule fois interrompu par une question de Tat (VIII 5), traite de la hiérarchie des trois « vivants » : Dieu, le monde, l'homme. Les deux premiers sont immortels, le troisième est dissoluble mais non anéanti, puisque les parties qui le composent retournent aux corps immortels : rien ne se perd dans le monde. Cette doctrine, comme celle de III, exclut l'immortalité personnelle.

IX est, de même, un exposé doctrinal sur la sensation et l'intellection en l'homme, dans le monde, en Dieu — c'est la hiérarchie de VIII, mais les termes sont intervertis. Il n'y a aucune interruption du disciple (Asklépios). Le ton reste didactique jusqu'au dernier paragraphe (10), qui tourne en parénèse gnostique. « L'acte d'intelligence, c'est l'acte de foi (τὸ γὰρ νοῆσαί ἐστι τὸ πιστεῦσαι) ». Le « discours » s'avance jusqu'à un certain point, mais il n'atteint pas à la vérité totale. Pour posséder celle-ci, il faut embrasser d'une seule vue tous les êtres (περινοήσας τὰ πάντα); alors, ayant découvert que tout est d'accord avec ce qui a été expliqué par le « discours », les uns comprennent et croient, les autres ne parviennent ni à l'intelligence ni à la foi. Cette conclusion rappelle le partage entre croyants et incroyants de I 29 et IV 4-5 (1).

X est un compendium qui embrasse les principaux sujets de la philosophie hermétique :

Dieu Père et Bien (1-4); la connaissance de Dieu (4-10);
le monde et son mouvement (10-11);
l'homme, sa nature et son mouvement (12-14);
chute de l'âme, sa remontée vers Dieu (15-21);
communication entre toutes les parties de l'univers (22-23);
doctrine de l'Intellect (24-25).

Le titre symbolique *Clef* (Κλείς) répond bien au contenu : on a là ce qu'il faut savoir pour avoir l'intelligence du mystère, c'est-à-dire de l'union à Dieu (2). Aussi bien l'image de la porte paraît-elle en C. H. VII 2 : « Cherchez-vous un guide qui vous montre la route jusqu'aux portes de la connaissance » (3). Tat interrompt une fois

---

(1) Outre cette conclusion, le seul passage influencé par la gnose est la digression, qui se donne comme telle (5 *init.* ἐπάνειμι πάλιν ἐπὶ τὸν τῆς αἰσθήσεως λόγον), sur les « semences » de Dieu ou des démons (§ 3-5).

(2) Κλείς est aussi le titre d'un livre de magie cité dans le *Livre de Moïse* du papyrus de Leyde (cf. PGM XIII 21, 36, 60, 229, 383, 432, 736, en particulier 227-228 ὁμοίως καὶ ποιήσεις τὸν ὅρκον [la « vesce », nom symbolique], ὃν ἀλληγορικῶς ἐν τῇ Κλειδί μου εἶπον), et Κλειδίον le titre d'une hygromancie de Salomon, CCAG VIII, 2, p. 143. 2, cf. *RHT*, I, pp. 339-340.

(3) ζητήσατε χειραγωγὸν τὸν ὁδηγήσοντα ὑμᾶς ἐπὶ τὰς τῆς γνώσεως θύρας, cf. *Prov.* 8, 34 μακάριος ἀνὴρ ὃς εἰσακούσεταί μου... ἀγρυπνῶν ἐπ' ἐμαῖς θύραις καθ' ἡμέραν, τηρῶν σταθμοὺς ἐμῶν εἰσόδων. La Sagesse habite un palais ou un temple, *ib.* 9, 1.

(X 4), questionne huit fois (X 7 [*bis*], 9, 10, 15, 16, 20, 23) : mais ce sont, comme dans l'*Asclépius* (avec lequel ce logos présente de grandes analogies extérieures), des interventions toutes formelles qui n'animent guère le discours et ne permettent pas de le considérer comme un vrai dialogue. La doctrine contient beaucoup d'éléments gnostiques et le ton est, d'un bout à l'autre, celui de l'instruction qui, d'un mouvement aisé, se tourne en *élévation* et en direction spirituelle.

XI est un « éclaircissement » (φανέρωσις XI 1, πεφανέρωται XI 22) donné par le Noûs-Intellect, qui joue ici le rôle de maître, à Hermès, qui joue le rôle d'élève. Sauf cette différence, le logos prend place tout directement dans la série des *logoi* didactiques. C'est Hermès lui-même qui provoque l'exposé. Selon un lieu commun des prologues littéraires, il se plaint de ce que l'on ne s'accorde pas sur la nature de Dieu, et dès lors il interroge son maître, l'Intellect, pour obtenir un supplément de lumière : il le croira sans détour, car c'est en lui seul qu'il a foi et dans nul autre (σοὶ γὰρ ἂν καὶ μόνῳ πιστεύσαιμι). On ne saurait mieux indiquer le caractère scolaire du logos : car tout enseignement se fonde sur la foi de l'élève dans la parole du maître. Le Noûs commence donc, après avoir, selon un τόπος usuel, invité son disciple à lui donner toute son attention (1); et, suivant une méthode professorale qui est de tous les temps, il commence par donner les titres des sujets qu'il va traiter : « Dieu, l'Éternité, le monde, le temps, le devenir » (XI 2). Ces cinq termes sont en relation : Dieu fait l'Éternité, l'Éternité fait le monde, le monde fait le temps, le temps fait le devenir. On énonce ensuite l'essence et l'énergie propre de chacun des termes, leur implication mutuelle (l'Éternité est en Dieu, le monde est dans l'Éternité, etc.)(2), et, après quelques axiomes encore, du même goût, le maître en vient (à partir du § 5) à un exposé plus développé sur la nature de Dieu Créateur, qui se laisse perpétuellement connaître par les œuvres qu'il crée et ne cesse pas de produire. Dieu se manifeste à travers tous les êtres (XI 22) : on retrouve la doctrine de VIII, laquelle reparaît aussi à propos de la mort, qui est simple changement (XI 15). Le logos ressortit à l'enseignement plutôt qu'à l'homélie dévote.

(1) Car c'est ici qu'il faut placer la phrase initiale (κατάσχες οὖν τὸν λόγον) qui, dans les manuscrits, précède par erreur le vrai début ἐπεὶ πολλὰ πολλῶν. La remarque du Noûs suppose naturellement une requête de l'élève et l'expression ἐπεὶ πολλὰ πολλῶν etc. est tout à fait usuelle dans les prologues.

(2) Cette doctrine des « enveloppements » reparaît en XI 4, mais il s'agit, cette fois, d'enveloppements psychologiques (Dieu est dans l'Intellect, l'Intellect est dans l'âme), ce qui ne cadre pas avec le thème général ni avec le contexte immédiat, cf. *infra*, p. 14, n. 4.

Il n'y a pas de parénèse à la fin, mais une conclusion toute scolaire : « Mes éclaircissements s'arrêtent à ce point, cher Trismégiste ; pour le reste, considère-le à part toi selon la même méthode, et tu ne seras pas déçu. » Hermès n'interrompt qu'une fois (XI 3), pour une simple question. Le cours se poursuit sur le même ton modéré, sans échappées lyriques, mais la nature même du sujet conduit le maître à des *élévations*, notamment quand, pour prouver l'action créatrice de Dieu, il insiste sur la beauté du monde et l'ordre des mouvements célestes (XI 6-7), ou lorsqu'il invite le disciple à reconnaître la présence universelle de l'Être divin (XI 21). Bien que, comme dans le *Poimandrès*, le maître soit ici l'Intellect Suprême (ὁ Νοῦς), il ne s'agit pas dans le logos XI d'une révélation de gnose : le cadre est tout différent (1) et la doctrine, sauf en quelques points, n'est pas gnostique ou même contredit aux postulats de la gnose (2).

XII offre le même mélange d'instruction et d'homélie pieuse qui caractérise en général le logos hermétique et plus particulièrement ce dernier groupe IX-XII. Le disciple, Tat, intervient par neuf questions (XII 5, 7, 9, 10, 13 deux fois, 16, 17, 21, 22) qui font rebondir le discours, et par une formule d'approbation assez étonnante en son lieu, car elle suit un exposé très confus (XII 1) (3). Le thème général est celui de l'intellect (cf. IX), et les problèmes qu'on se pose à ce sujet touchent à des difficultés proprement gnostiques (Intellect et Fatalité XII 5-9). Mais, par un tour assez fréquent dans nos *logoi*, il se fait un glissement à propos de la doctrine des « enveloppements ». On passe de la série des « enveloppements » psychologiques (XII 13) à celle des « enveloppements » cosmologiques (XII 14) (4) ; le dernier terme est ici la *matière*, et ce mot de *matière* donne lieu à une digression sur le monde toujours vivant et dans lequel rien ne meurt (XII 14-18), selon la doctrine de VIII et de XI 15. Un mot de parénèse termine la leçon : « Adore ce Logos,

---

(1) Noter que, dans XI, lorsqu'il s'adresse à son élève, le maître (Noûs) le nomme deux fois par son nom propre (Hermès Trismégiste 1, ὦ Τρισμέγιστε 22) et lui dit une fois « mon enfant » (ὦ τέκνον 2) selon la fiction propre à ce genre de l'« instruction scolaire » (cf. *RHT*, I, p. 332 ss.), au lieu que, dans le C. H. I, le Noûs traite le prophète, auquel il apparaît, d'une manière plus insolente et peu conforme aux mœurs scolaires (ὦ οὗτος « l'homme »! I 20, 21, 22).

(2) Ainsi la doctrine de « Dieu visible dans ses œuvres », commune à XI et à V, contredit au Dieu ἄγνωστος de la gnose (non connaissable par les voies ordinaires et sans une révélation toute spéciale).

(3) Ces formules sont d'ailleurs un τόπος, cp. XII 12 σαφέστατα, ὦ πάτερ, τὸν λόγον ἀποδέδωκας et I 24 εὖ με πάντα, ὡς ἐβουλόμην, ἐδίδαξας, ὦ νοῦς.

(4) En XI 4, le mouvement est inverse : on passe des « enveloppements » cosmologiques aux « enveloppements psychologiques » qui n'ont que faire dans le contexte, cf. *supra*, p. 13, n. 2.

mon enfant, et rends-lui un culte. Or il n'y a qu'un moyen de rendre culte à Dieu, c'est de ne pas être mauvais » (XII 23).

XIII offre un exemple unique dans la littérature hermétique. C'est un logos d'enseignement et, à ce titre, il prend place dans cette série de grands *logoi* didactiques qui commence avec IX. Comme dans XI, le disciple (ici Tat) réclame un supplément de lumière Dans les *Leçons Générales* (cf. X 1, 7), Hermès a traité devant Tat de l'activité divine (περὶ θειότητος διαλεγόμενος), mais il s'est exprimé par énigmes (αἰνιγματωδῶς, cf. XIII 2 αἴνιγμά μοι λέγεις) et sans clarté (οὐ τηλαυγῶς). Il n'a pas révélé le mystère (οὐκ ἀπεκάλυψας), sous le prétexte qu'on ne peut être sauvé avant la régénération. Et comme Tat lui demandait alors de lui transmettre (παραδιδόναι) ce « logos de la régénération », Hermès a différé cette instruction : le disciple n'était pas prêt, il ne s'était pas rendu encore étranger au monde (ἀπαλλοτριοῦσθαι). Sur quoi, Tat s'est préparé, il a « fortifié son esprit contre l'illusion du monde » : l'heure est venue de la transmission du mystère. Le caractère général est donc net. L'élève veut apprendre (ἐμοῦ ...πυθομένου τὸν τῆς παλιγγενεσίας λόγον μαθεῖν XIII 1, cp. I 1 τί βούλει ...μαθεῖν, 3 μαθεῖν θέλω τὰ ὄντα), compléter son instruction. Il sait déjà tout le reste, seule lui manque la connaissance de ce dernier logos (ὅτι τοῦτον παρὰ πάντα μόνον ἀγνοῶ). Et, dans le sentiment qu'il est prêt à l'entendre, il presse son maître de questions. C'est même, parmi les *logoi* didactiques, la caractéristique de ce petit traité que l'élève participe à l'instruction d'une manière beaucoup plus animée; on a vraiment ici des personnages en action et le dialogue n'est plus factice, mais empreint de vie. Néanmoins on ne doit pas se méprendre sur le cadre général de l'ouvrage : c'est une instruction, le maître parle, l'élève écoute — témoin la conclusion : « Voilà qui suffit pour cet exercice (1), nous avons assez travaillé, moi à parler, toi à m'écouter » (ἱκανῶς γὰρ ἕκαστος ἡμῶν ἐπεμελήθη, ἐγώ τε ὁ λέγων, σύ τε ὁ ἀκούων XIII 22) (2).

Mais voici la singularité. Ce logos de la régénération n'est pas seulement un exposé doctrinal : c'est une initiation. De là vient qu'il faut s'y préparer comme on se prépare, par des purifications, à

---

(1) Exercice scolaire ou conférence (ἐπεμελήθη), cf. la μελέτη « conférence publique » ou « déclamation » sous l'Empire, Schmid-Stählin, pp. 686, 689, 985.

(2) Cf. II 17 τοσαῦτά σοι καὶ τοιαῦτα λελέχθω, IX 10 ταῦτα καὶ τοσαῦτα περὶ νοήσεως καὶ αἰσθήσεως λεγέσθω, XI 22 ταῦτά σοι ἐπὶ τοσοῦτον πεφανέρωται. Pour la suite τὰ δὲ ἄλλα πάντα ὁμοίως κατὰ σεαυτὸν νόει, καὶ οὐ διαψευσθήσῃ. cp. XIII 15 ὁ Ποιμάνδρης... πλέον μοι τῶν ἐγγεγραμμένων οὐ παρέδωκεν, εἰδὼς ὅτι ἀπ' ἐμαυτοῦ δυνήσομαι πάντα νοεῖν.

recevoir un mystère. Et de fait, à mesure que le maître parle, sous l'influence de ses paroles, il se produit dans l'être du disciple un changement tel que celui-ci, à un moment donné, va se sentir « régénéré ». Cette opération spirituelle s'accomplit un peu avant le milieu de la leçon. A un moment (XIII 7), le maître recommande à Tat d'arrêter l'activité des sens corporels, pour que se produise la naissance de la divinité. Puis il l'invite au silence (XIII 8) et lui-même paraît s'interrompre, pour reprendre soudain : « Réjouis-toi donc, mon enfant, les Puissances de Dieu te purifient à fond pour que s'ajustent en toi les membres du Verbe ». L'élève est transformé, son être ancien, composé des douze vices, a fait place à un être nouveau, dont les membres sont les Puissances divines. Tat est désormais dieu, fils de Dieu (XIII 2) : Hermès lui a « transmis » la régénération (τῆς παλιγγενεσίας τὴν παράδοσιν XIII 22), d'une part en l'instruisant, d'autre part en lui communiquant sous quelque mode secret (κρυφήν XIII 1) cette partie de l'initiation qui n'est pas objet d'enseignement, mais dont Dieu peut, quand il le veut, donner le ressouvenir (τοῦτο τὸ γένος ...οὐ διδάσκεται, ἀλλ' ὅταν θέλῃ, ὑπὸ τοῦ θεοῦ ἀναμιμνήσκεται XIII 2). Comme le *Poimandrès* (21-33) et l'*Asclépius* (41), le morceau s'achève sur une eulogie d'Hermès (17-20), suivie d'une courte prière de Tat (21) et, selon l'usage en tout mystère, de la recommandation du silence (22).

XIV se donne comme une lettre. La formule initiale en témoigne : « Hermès Trismégiste à Asklépios, santé de l'âme » (? εὖ φρονεῖν), ainsi que le mot ἐπιστεῖλαι, « envoyer sous forme de lettre » (XIV 1). Mais, au vrai, ce n'est rien moins qu'une lettre familière. Je montrerai plus loin (1) que la forme de cet opuscule répond à la fiction scolaire : Asklépios a manqué un cours professé devant Tat : le maître lui envoie donc un choix des principaux articles (τὰ κυριώτατα κεφάλαια) traités en son absence. Le sujet est Dieu, Créateur et Père, et qui se laisse, comme Créateur, appréhender dans ses ouvrages. Dieu crée tous les êtres, rien n'échappe à son action créatrice; et il les crée tous bons et beaux. Mal et laideur ne lui sont pas imputables, mais au fait que les êtres s'usent et « se rouillent » en durant. La doctrine est la même qu'en V 6-9, XI 5-11. Le ton, pour une fois, est purement didactique, sans tourner à l'élévation; cependant il est clair que les principes énoncés, comme ils vont à magnifier l'action divine, concourent normalement à la piété.

(1) Cf. *infra*, p. 41.

XVI porte, dans les manuscrits, le titre « D'Asklépios au roi Ammon : Définitions » (ὅροι), mais ce mot « Définitions », qui ne convient pas, est dû sans doute au même rédacteur qui a tiré de l'ouvrage la série de chapitres qu'on lit aujourd'hui en sous-titre : « Sur Dieu, sur la matière, sur le mal, sur la fatalité, sur le soleil, sur la substance intelligible, sur l'essence divine, sur l'homme, sur la disposition de l'ensemble total des êtres (περὶ οἰκονομίας τοῦ πληρώματος), sur les sept astres, sur l'homme selon l'image » (1). En réalité, XVI n'est nullement une liste de κεφάλαια, mais un *logos* continu, qu'Asklépios envoie au roi Ammon comme un « mémoire » (ὑπόμνημα) philosophique supérieur à tous les autres *logoi* qu'il a composés (XVI 1). Il est fait allusion à des leçons professées par Hermès devant Asklépios, seul ou accompagné de Tat (XVI 1) (2). Le préambule (XVI 1-3) oppose à l'orgueilleuse et vaine élocution des Grecs la gravité et le pouvoir magique des mots égyptiens. Je ne puis voir ici un trait de chauvinisme, car l'auteur est Grec — du moins il écrit aussi purement qu'un Grec, et il développe sa pensée selon les procédés de la rhétorique grecque. On a là bien plutôt un lieu commun en accord avec le mode de l'orientalisme (3), et très particulièrement, en Égypte, avec la manière dont on concevait le pouvoir magique des « noms barbares » et les mystères cachés sous les signes de la langue sacrée. Toute une littérature sur les hiéroglyphes est née de ces croyances : l'ouvrage d'Horapollon n'en est qu'un des derniers exemples. Après ce préambule, l'auteur entre tout droit dans son sujet, qui est un exposé systématique (4) de la hiérarchie des êtres suspendus (ἤρτηται XVI 17) au Dieu suprême, Un et Tout (5). On a donc, au sommet, Dieu (XVI 3); puis, le Soleil démiurge (XVI 4-9) qui, au milieu du monde, en assure l'équilibre comme un bon conducteur de char (XVI 7); sous le Soleil (et les astres), les démons, subordonnés aux

---

(1) Il n'est pas question de ce dernier τόπος dans C. H. XVI, mais il est possible que la fin de cet opuscule soit perdue, cf. *supra*, p. 2, n. 3.
(2) Cf. *infra*, pp. 41-42.
(3) Cf. *RHT*, I, pp. 19 ss.
(4) XVI 3 καὶ τοῦτόν μοι τὸν νοῦν διατήρησον.... παρ' ὅλην τὴν τοῦ λόγου πραγματείαν. Sur πραγματεία, cf. JAEGER, *Studien* (infra, p. 40, n. 1), p. 150. C'est, à l'abstrait, la recherche ou le traitement systématique d'un sujet de philosophie ou d'histoire (« die Weise des Untersuchens oder die Tätigkeit des Untersuchens, auch die Untersuchung selbst, wobei an den Denkvorgang gedacht ist », Jaeger, *l. c.*}; au concret, l'exposé systématique, oral ou écrit, relatif à ce sujet (ainsi les πραγματεῖαι d'Aristote). On traduirait donc ici un peu lourdement : « Garde cette attitude d'esprit (ou conserve en ton esprit ce sens, νοῦν) durant tout l'exposé systématique du sujet ».
(5) Sur l'Un et Tout, cf. XII 8, XIII 17, 18, surtout l'*Asclépius*, en particulier c. 30, p. 338. 17 ss. L'idée de la « chaîne » constitue de même l'un des thèmes de l'*Ascl.*, voir surtout cc. 19 et 36.

astres, intermédiaires entre les dieux (astres) et les hommes, chargés de punir les impies, mais sans influence sur l'âme unie à Dieu (XVI 10-16 : 12 est une enclave où l'on revient au Soleil). Les deux paragraphes suivants (XVI 17-18) reprennent l'idée de la « chaîne » (c'est l'idée, mais le mot n'y est pas) depuis Dieu et le monde intelligible jusqu'à l'homme, le dernier insiste sur la notion du Dieu Créateur identique au Tout (XVI 19).

Rappelons enfin que XVII est un court fragment de dialogue et XVIII un panégyrique en l'honneur des rois (Empereurs, peut-être Dioclétien et ses collègues).

II. L' « Asclépius ».

Comme plusieurs traités du C. H. (X par exemple), l'*Asclépius* est une mosaïque de petits *logoi* distincts dont chacun a pour objet un problème particulier. Le lien entre ces *logoi* est des plus lâches et, le plus souvent, il n'affecte pas le fond mais reste purement formel.

Introduction (c. 1).

Une brève introduction montre Hermès et Asclépius réunis dans un sanctuaire (*adytum, sanctoque illo*, p. 297-12) pour un entretien de sagesse. Cependant Hermès fait appeler Tat, Asclépius propose qu'on invite aussi Hammon. Quand le maître et ses trois disciples sont assemblés, le dialogue commence, qui consiste, au vrai, dans un monologue presque continu d'Hermès qu'interrompt seulement, de loin en loin, une question d'Asclépius. Les deux autres disciples restent, d'un bout à l'autre, des assistants muets.

1. *Section I : Hiérarchie et continuité dans le monde* (c. 2-7).

Le débat s'engage (c. 2) sur la notion de σύνδεσμος, c'est-à-dire de la continuité entre tous les genres d'êtres dans le monde. L'univers fait un Tout qui est un. Du ciel descendent des effluves sur la terre. De la terre montent au ciel des émanations (vapeurs) qui nourrissent le ciel (c. 2). Dans ce Tout, il y a continuité de la vie. Le Ciel, dieu visible, gouverne (*administrator :* cf. les διοικηταί ou διοικήτορες de C. H. I 9, διοικεῖ C. H. XVI 18) tous les corps changeants, il est à son tour gouverné, ainsi que l'Ame (du) monde) et tous les êtres du ciel (les astres), par le Dieu créateur. Quant à la matière, elle est le réceptacle des formes individuelles (c. 3). Ainsi, depuis les êtres du ciel jusqu'aux derniers êtres vivants de la nature (les végétaux), il y a continuité et incessante communication, les dieux (astres) communiquant avec les démons, ceux-ci avec les hommes, et les hommes prenant soin des animaux et des végétaux (c. 4-5).

Dans cette hiérarchie, l'homme tient un rang privilégié de par sa fonction d'intermédiaire. D'une part il a contact avec Dieu, il a familiarité avec les démons en vertu d'une même origine (l'intellect humain est issu de l'éther, c. 6, p. 303.8), et, par la pensée, il embrasse l'univers entier (c. 6, p. 302.12 ss. : cf. C. H. XI 19). D'autre part, un lien d'amour l'unit aux êtres qui lui sont inférieurs et qui sont commis à sa charge. [Digression sur le petit nombre des élus, c. 7]. L'homme est donc double, à la fois matériel et « essentiel » (οὐσιώδης), formé à la ressemblance de Dieu (c. 7, p. 304.1 ss.).

Une question d'Asclépius : « Pourquoi l'homme, au lieu de jouir de la félicité au ciel, a-t-il été envoyé sur la terre? » sert de transition à la seconde question.

2. *Section II : Double fonction de l'homme* (c. 8-9).

L'homme a été envoyé sur la terre pour (*a*) prendre soin des choses terrestres, c. 8; (*b*) adorer Dieu, c. 9. L'homme n'est donc pas inférieur aux dieux du fait qu'il est en partie mortel; loin de là, « peut-être ne le voit-on enrichi de la mortalité que pour qu'il ait, ainsi composé, plus d'habileté et d'efficace en vue d'un plan (*ratio*, λόγος) déterminé : car, puisqu'il n'aurait pu répondre à sa double fonction s'il n'avait été composé des deux substances, il l'a bien été de l'une et de l'autre, pour être capable à la fois et de prendre soin des choses terrestres et d'aimer la divinité » (c. 9, p. 307.19 ss.).

Cette double fonction de l'homme correspond, on l'a vu déjà, à la dualité de la nature humaine. La section III développe ce point et en tire les conséquences.

3. *Section III : Double nature de l'homme* (c. 10-14 [p. 313.2]).

Il y a trois Vivants : Dieu, le monde et l'homme (c. 10 : cf. C. H. VIII, IX [où l'ordre est renversé : homme 1-2, monde 6-8, Dieu 9], X [Dieu 1-10, monde 10-11, homme 12-14]). Dans le gouvernement du monde, l'homme coopère avec Dieu. Par sa partie divine (âme, intellect, esprit, raison) il monte jusqu'au ciel, par sa partie matérielle (quatre éléments), il administre les choses terrestres (c. 10).

La règle de cet être double est la piété (c. 11). S'il remplit dignement son office, l'homme, après la mort, est restitué, pur et saint, à la partie divine de son être (c. 11, p. 310.10-26). Les méchants, au contraire, non seulement ne retournent pas au ciel, mais passent dans des corps d'animaux (c. 12, p. 311.3-6). C'est donc l'espoir de l'immortalité future qui soutient ici-bas les âmes. Mais la plupart s'abandonnent au plaisir et quittent la vraie philosophie *(quae sola est in cognoscenda divinitate frequens obtutus et sancta religio*, c. 12, p. 311.18) pour se livrer à des recherches toutes profanes, arithmétique, musique, géométrie (c. 13, p. 311.25 ss.). La science profane ne doit servir qu'à mieux admirer et adorer Dieu : elle devient « ancilla theologiae » (c. 13, p. 312.10).

Cette condamnation de la science profane achève en quelque sorte un premier traité (*et de his sit hucusque tractatus*, c. 14, p. 313.1-2) où, après avoir décrit l'ordre et la hiérarchie des êtres dans l'univers, l'auteur avait insisté surtout sur la nature et le rôle de l'homme. On passe alors, sans transition (*de spiritu vero et de his similibus hinc sumatur exordium*, c. 14, p. 313.3) à un traité sur les Causes Premières.

4. Section IV : Dieu, la matière, le souffle (c. 14-17).

Ces Causes Premières sont trois :

a) Au commencement, il y eut Dieu et Hylé (la matière), à laquelle était conjointe *(comitabatur)* ou dans laquelle était présent *(inerat)* le souffle *(spiritus*, πνεῦμα). Dieu, lui, est inengendré (ἀγέννητος) en tant qu'issu de lui-même (αὐτογέννητος). Par conséquent il est éternel (c. 14, p. 313.4-19).

b) Quant à la matière, elle est inengendrée (donc éternelle) et capable d'engendrer par elle seule, « puisqu'elle offre à toutes choses un sein inépuisablement fécond propre à leur conception » (c. 15, p. 314.17).

[Digression sur le mal, c. 16. Telle étant l'universelle fécondité de la matière, celle-ci est aussi capable d'enfanter le mal. Il n'y a donc pas à poser la question : « Dieu ne pouvait-il pas se mettre en travers du mal et l'éloigner de la Nature? » (c. 16, p. 314.24). Le mal est inhérent à la matière, il est comme un membre du monde (p. 315.3). Mais Dieu a pris à l'avance ses précautions contre le mal en munissant l'homme d'intellect, de science et d'entendement, grâce à quoi nous pouvons échapper aux corruptions du mal.]

c) Le souffle enfin gouverne et sustente tous les êtres du monde (c. 16, p. 315.13-15).

Après ce premier exposé *(itaque <haec> hactenus intellegantur*, c. 16, p. 315.15), on revient au thème des trois Causes. Intelligible au seul intellect, le Dieu Suprême *(Summus)* est le maître et le créateur de ce dieu visible qu'est le monde. Le souffle meut et gouverne tous les genres d'êtres dans le monde. La matière est le réceptacle universel (c. 16-17, pp. 315.17-316.4). Ici l'auteur insère une digression sur l'invisibilité de la matière encore non formée (c. 17, pp. 316.5-317.3), puis vient la conclusion de la section IV *(haec ergo sunt principalia,* etc., p. 317.3).

La transition à la section V est fournie par un court développement sur le rôle respectif de la matière, de l'âme et de l'intellect dans les différentes sortes d'êtres vivants (c. 18). Les formes sensibles sont matérielles par leur substance. Vivantes, elles sont douées d'une âme. Chez les hommes, cette âme s'unit à l'intellect. Enfin l'âme des dieux, du moins des dieux supérieurs, est tout entière intellect *(iuste sensum deorum animam esse dixerunt,* c. 18, p. 317.21). Comme il n'a pas été parlé encore de ces dieux supérieurs, une question d'Asclépius : « Quels sont les dieux (supérieurs) que tu appelles chefs des choses ou principes des causes toutes premières? » *(rerum capita vel initia primordiorum,* c. 19, p. 318.3) mène à la

5. *Section V : Hiérarchie des dieux intelligibles et des dieux sensibles ; unité du Tout* (c. 19) (1).

C'est ici un curieux morceau sur les « chaînes » ou séries verticales qui unissent, dans ce Tout qu'est l'univers, les dieux intelligibles aux dieux sensibles, ceux-ci à une province du monde (ciel, cercles planétaires, etc.), et ainsi de suite jusqu'à l'infinité des êtres terrestres. On a donc, en notre passage, d'abord cinq dieux intelligibles dits ousiarques (Zeùs, Phôs, Pantomorphos, Heimarménè, Deutéros <?>) qui commandent à cinq dieux ou groupes de dieux sensibles (Ciel, Soleil, Trente-six Décans, Sept Sphères, Air). Ce genre de spéculations se rattache à celles de Porphyre, Jamblique, Proclus, Sallustius, et dérive peut-être des *Oracula Chaldaïca,* au IIe siècle. Le morceau, qui fait plutôt hors-d'œuvre dans l'*Asclépius,* paraît avoir été introduit ici pour marquer plus fortement l'idée de *nexus,* c'est-à-dire de la connexion qui lie, dans le Tout, les êtres inférieurs (mortels) aux êtres immortels, sous la domination suprême de l'Un. La diversité infinie des êtres dans le monde compose une unité ou plutôt un couple, « le ce de quoi tout procède et le ce par quoi tout est produit » *(unde fiunt omnia et a quo fiunt,* c. 19, p. 320.6), soit la matière et le vouloir de Dieu. Ces derniers mots conduisent à un développement sur l'activité créatrice de Dieu.

---

(1) Sur ce chapitre et sur les anomalies qu'il présente, cf. *Rech. Sc. Rel.,* XXVIII (1938), pp. 175 ss.

6. *Section VI : Causes et modes de la production des êtres* (c. 20-21).

Dieu, quel que soit son nom (il n'a pas de nom ou plutôt il les a tous, étant à la fois Un et Tout, c. 20, p. 321.5 ss.) est bisexué ; par sa volonté, qui est bonté, il enfante donc à tout instant de nouveaux êtres (c. 20).

Ici-bas, les êtres vivants n'ont qu'un seul sexe. Mais, pour que se perpétuent les races, Dieu a institué le *mysterium* (c. 21, p. 322.13) de l'union des sexes, mystère qui s'accomplit en secret pour ne pas être raillé des impies.

La mention des impies mène à un court morceau sur le petit nombre des pieux (c'est un « leitmotiv », cf. *supra*, c. 7) qui sert de transition à un exposé sur la grandeur de l'homme « doué d'intellect », c'est-à-dire sur le gnostique (c. 22, pp. 323.20-324.25).

7. *Section VII : Grandeur de l'homme doué d'intellect* (c. 22).

Dieu a d'abord créé les dieux (astres), puis l'homme, dans lequel il a mêlé en proportions égales le matériel au divin. Formés de la partie la plus pure du monde et immortels par nature, les dieux n'ont besoin ni de raison ni de science : ils obéissent à l'ordre de la Nécessité. L'homme a reçu en don la raison et la science, d'une part pour s'opposer aux vices inhérents à la matière, d'autre part pour tendre à l'immortalité. L'homme est ainsi meilleur que les dieux (c. 22, p. 324.20 : cf. C. H. X 24-25), et il est naturellement meilleur que le reste des êtres mortels. Il est uni aux dieux par un lien de parenté et les dieux (astres) veillent sur lui avec un vigilant amour (c. 22).

Ce thème de la parenté des hommes avec les dieux conduit à la

8. *Section VIII : L'homme créateur des dieux terrestres* (c. 23-24, pp. 325.6-326.20).

C'est une digression sur la théurgie (confection de statues animées et pourvues de vertus divines) qui ressortit au même cercle de pensée que la digression antérieure sur les chaînes sympathiques entre le ciel et la terre (section V, c. 19 : voir aussi *infra*, sect. XIII, c. 37-38). L'homme est le créateur des dieux qui résident dans les temples, en ce sens que, dans la statue matérielle, il attire, par la théurgie, une âme divine ou démonique, d'où vient que ces statues de culte sont munies de pouvoirs merveilleux (c. 24). L'Égypte est en effet la copie du ciel ou plutôt la projection ici-bas des forces qui sont à l'œuvre dans le ciel : elle est donc le temple du monde entier. Mais il n'en sera pas toujours ainsi. L'annonce de la ruine temporelle et spirituelle de l'Égypte constitue la

9. *Section IX: L'Apocalypse* (c. 24-27, pp. 326.21-333.4 [*et haec usque eo narrata sint*]).

Cette apocalypse n'est pas une prophétie « post eventum », elle ne fait pas allusion à des événements déterminés, mais rentre dans le genre apocalyptique, en vogue sous l'Empire, qu'illustrent par exemple l'Oracle du Potier, les écrits Sibyllins et Lactance (1).

(1) Aux parallèles indiqués dans mon édition (notes *ad loc.*), ajouter la courte apocalypse dans Zosime (cf. *RHT*, I, p. 271 et notes) et F. BOLL, *Aus der Offenbarung Johannis.* pp. 130-136 et *passim*. En m'aidant de l'ouvrage de Boll, je rassemble ici un certain nombre de rapprochements entre l'*Ascl.* et d'autres textes, en particulier le CCAG.
P. 327.4 : *e terris enim et ad caelum recursura divinitas*, 328.1 *divinitas enim repetit caelum* : cf. ARATUS, *Phaenom.*, 96-136 (Dikè-Parthénos quitte la terre pour remonter au ciel) et, sur ce texte, WILAMOWITZ, *Hellenistische Dichtung* (Berlin, 1924), II, pp. 265-270.
P. 327.7 : *alienigenis enim regionem istam terramque conplentibus*, 327.17 *inhabitabit Aegyptum Scythes aut Indus aut aliquis talis, id est vicina barbaria* : cf. CCAG, VII, 143.12 (de Néchepso-Pétosiris, c. 150 a. C.) ἐὰν ἡ Σελήνη ἐν τῷ Αἰγοκέρωτι ὥρᾳ πρώτῃ δευτέρᾳ τρίτῃ ὅλη ἐκελίπῃ, ἀνὴρ μέγας ἐπιστρατεύσει ἀπὸ τῆς Ἀσίας τῇ Αἰγυπτίων χώρᾳ καὶ τὸν ἡγούμενον αὐτῶν λήψεται, τὸν πολὺν δὲ λαὸν τὸν μὲν ὑποχείριον λαβὼν <προσδέξεται, τὸν δὲ > φονεύσει (cf. *Sibyll.*, III, 653).
P. 327.9 ss. : *non solum neglectus religionum, sed, quod est durius, quasi de legibus a religione pietate cultuque divino statuetur praescripta poena prohibitio. tunc terra ista sanctissima, sedes delubrorum atque templorum, sepulcrorum erit mortuorumque plenissima,* 328.2 *Aegyptus deo et homine viduata deseretur* : cf. CCAG, VIII, 2 πόλεις ἐρημωθήσονται, 185.8 παραθαλασσία πόλις ἐρημωθήσεται, VII 136.25 τόπων ἐνδόξων ἐρημώσεις καὶ κατασπασμοί, 149.17 τόποι ἐπίσημοι ἐρημωθέντες, 169.14 (Hermès) καὶ πόλεις μεγάλαι ἐρημωθήσονται καὶ ἱερὸν μέγα κατασπασθήσεται, 170.16 et 21 ναοὶ (μεγάλοι) ἐρημωθήσονται, 171.14 ναὸς μέγας ἐρημωθήσεται, 143.32 (Néchepso-Pétosiris) τοῖς ἀθίκτοις τὰς χεῖρας ἐπιβαλοῦσιν, 148.4 (id.) ἱεροῖς τόποις τὰς χεῖρας προσοίσουσι.
P. 328.3 : *te vero appello, sanctissimum flumen,... torrenti sanguine plenus adusque ripas erumpes undaeque divinae non solum polluentur sanguine, sed totae corrumpentur*. Rien de comparable dans CCAG, mais il y est souvent question de ποταμῶν λείψεις, v. g. VIII, 1, 268.11-12 (λήψεις cod., lege λείψεις), 269.11-12, VII 168.8 ἐν Αἰγύπτῳ δὲ λιμὸς ἔσται καὶ τοῦ Νείλου ἔκλειψις γενήσεται (Hermès).
P. 328.15 : (*Aegyptus*) *erit maximae crudelitatis exemplum,* 329.14 *soli nocentes angeli remanent, qui humanitate commixti ad omnia audaciae mala miseros manu iniecta compellunt, in bella, in rapinas, in fraudes et in omnia quae sunt animarum naturae contraria* : cf. CCAG, VII, 136.7 ὄχλων πρὸς ἀλλήλους συγχρούσεις, 137.13 δόλοι πολλοὶ καὶ προδοσίαι ἔσονται, 143.20 μετὰ δὲ τὴν τούτων ἀπαλλαγὴν ἐμφύλιος πόλεμος ἔσται καὶ ὀχλοκρατία... καὶ κατασφαγαὶ ἀνθρώπων ἔσονται καὶ ἄλλος τὰ ἄλλου ἀφελεῖται καὶ τὸν ἀλλότριον καρπὸν ἀρούνται, ἅτε δή ποτε τῶν <δεσποτῶν> αὐτῶν ἐνδείᾳ καὶ ἀπορίᾳ πιεζομένων, καὶ τοῖς ἀθίκτοις τὰς χεῖρας ἐπιβαλοῦσιν.
P. 329.22 : *fructus terrae conrumpentur nec fecunda tellus erit et aër ipse maesto torpore languescet* : cf. CCAG, VIII, 3, 189.16 ἀφορίαν πάντων καρπῶν ποιήσει, 189.19 ἀφορία ἔσται, 190.5 ἀφορίᾳ καρπῶν, 196.22 καὶ νεφέλαι κατὰ τοὺς καρποὺς κατενέγκωσι.
P. 330.1 : *cum haec cuncta contigerint..., tunc ille dominus et pater... ad antiquam aciem mundum revocabit,* 331.8 *haec enim mundi genitura : cunctarum reformatio*

Des barbares (Scythes, Indiens : lieu commun) envahiront l'Égypte, les temples seront détruits, le Nil roulera des flots de sang (lieu commun), les saintes liturgies seront abandonnées (c. 24). Les dieux quitteront le pays d'Égypte, les hommes, fatigués de vivre, ne regarderont plus le ciel comme un objet d'admiration et de révérence, la religion de l'esprit (*mentis religio*, c. 25, p. 329.11) sera morte (c. 25). Telle sera la vieillesse du monde (*senectus mundi*, c. 26, p. 329.24). Mais enfin, las de tant de crimes, Dieu anéantira ce monde pervers par un déluge, ou une conflagration, ou des maladies pestilentielles (lieux communs) et ramènera la nature à sa beauté première selon les décrets de la volonté divine, qui est éternelle. [Suit alors une digression sur le vouloir divin et sur l'ordre de l'univers institué par ce vouloir, c. 26-27, pp. 331.12-332.18 (où je lis avec Ferguson *distribuuntur. restituentur*)]. La prophétie recommence avec *restituentur* (p. 332.18) et s'achève sur l'annonce qu'il sera fondé une ville (lieu commun) à la limite extrême de l'Égypte, vers l'Occident au bord de la mer; là se rassembleront les dieux protecteurs de l'Égypte qui, pour l'instant, sont établis dans une très grande ville sur la montagne de Libye (c. 27, pp. 332.18-333.4).

Sans transition aucune (*de inmortali vero*, p. 333.5) on passe à la

10. *Section X : Sur l'immortel et le mortel* (c. 27 [p. 333.5]-29) (1).

L'homme, on l'a dit plusieurs fois, est composé d'une partie mortelle et d'une partie immortelle. Ces deux parties se séparent à la mort : qu'est-ce donc que la mort, que les hommes le plus souvent redoutent parce qu'ils ignorent la vraie doctrine (333.6-7)?

Il y a deux morts. La première n'est que la dissolution du composé, quand se trouve accompli le nombre d'années (*numeri completi*,

---

rerum bonarum et naturae ipsius... restitutio : cf. CCAG, VII, 145.10 (Néchepso-Pétosiris) : Viennent d'abord toutes sortes de calamités et de révolutions, ἀλλὰ κατὰ φορὰν (*cum haec... contigerint*) ἄντικρυς τὸ θεῖον τὴν πρόνοιαν τῶν ἐπταικότων ποιήσεται, καὶ ἀπολήψονται τὴν ἀρχαίαν στάσιν παρ' ἐλπίδα.

P. 330.5 *malignitatem omnem vel inluvione diluens vel igne consumens vel morbis pestilentibus iisque* PER DIVERSA LOCA DISPERSIS *finiens* : cf. Geop. I, 12, 24 χάλαζαι κατὰ τόπους; ἔσονται, CCAG, VII, 170.28 φόνοι καὶ δάκρυα καὶ στεναγμοὶ κατὰ τόπον, VIII, 3, 186.1 λιμὸς καὶ λοιμὸς καὶ σφαγαὶ κατὰ τόπους; N. T. Mt. 24.7 καὶ ἔσονται λιμοὶ καὶ λοιμοὶ καὶ σεισμοὶ κατὰ τόπους, Lc. 21.11 σεισμοί τε μεγάλοι καὶ κατὰ τόπους λιμοὶ καὶ λοιμοὶ ἔσονται. De même CCAG, III, 29.19 λιμὸς ἐν τόποις, 28.11 ἐν μέρει τῆς ἀνατολῆς κατὰ τόπους, VII, 167.7 ἐν ἐνίοις τόποις, 136.12 (Néchepso-Pétosiris) κακὰ εἰς πολλοὺς τόπους ἔσται, II, 148.8 ἐν τούτῳ τῷ ἔτει σεισμοὶ καὶ σώματος φθορὰ κατὰ πολλοὺς τόπους, 149.13, 15 καρποῦ φθορὰ κατὰ τόπους, VIII, 3, 189.11 ὁ δὲ σῖτος κατὰ τόπους κάρπιμος πλέον τοῦ Διονυσιακοῦ καρποῦ, 195.12 κατὰ τόπον φθορὰν σημαίνει.

(1) Pour cette section, cf. *Rev. Ét. Grecques*, XLIX (1936), pp. 586 ss.

333.8) fixé pour chacun. Plus grave est la seconde mort, qui affecte, cette fois, l'âme seule. Quand l'âme s'est retirée du corps, elle est jugée par le démon suprême (*summus daemon*, c. 28, p. 334.5). Si l'âme a été juste et pieuse, elle s'établit dans le lieu de séjour qui lui revient. Est-elle au contraire souillée de vices, le démon la rejette en ce cas dans l'espace intermédiaire entre la terre et le ciel où elle est éternellement ballottée par les flots de la matière. Cette mort-ci est la vraie mort, celle qu'il faut craindre (c. 28). Contre cette mort de l'âme, l'homme juste trouve un secours dans le culte de Dieu et la piété la plus haute : Dieu le garde de tout mal.

Quelques lignes développent ce thème de la supériorité de l'homme juste sur le méchant (c. 29), puis l'on passe à un sujet tout différent, qui n'a plus rien à voir avec la piété ou la gnose, mais développe l'idée banale qu'il n'y a pas de place pour la mort dans le monde (cf. C. H. VIII). En effet, le monde étant un Vivant éternellement en vie, il n'y a ici-bas que morts apparentes (conséquence implicite : ce qu'on tient pour la mort — la première mort de la section X — n'est pas vraie mort : c'est là peut-être l'idée sous-entendue qui sert de lien entre X et XI).

A son tour, ce dernier argument (le monde est toujours en vie, la vie y ayant été dispensée une fois pour toutes par le Créateur et y étant maintenue par une loi éternelle, c. 29, p. 337.5-18) conduit à la

11. *Section XI : Sur le Temps et l'Éternité* (c. 30-32, pp. 337.19-340.15).

Le monde est éternel, il a son lieu et son mouvement dans l'éternité (qui est donc conçue ici comme une Ame enveloppant le monde, cf. *infra*, c. 34, p. 345.4-6 *mundum ipsum sensibilem et, quae in eo sunt, omnia a superiore illo mundo... esse contecta* et C. H. XI). Le monde est vivifié de l'extérieur par l'éternité et, à son tour, il vivifie les êtres qu'il contient, dont la durée est mesurée par le temps. Dieu et l'éternité sont immobiles, le temps est mesure de mouvements. Le temps de la terre se manifeste par la succession des saisons, le temps du ciel par le retour des astres à leur position première (apocatastase). Cet ordre fixe du temps (ou des divers temps) produit le renouveau continuel des êtres du monde (c. 30), lequel est, ainsi, toujours en mouvement (c. 30).

C. 31. Rapports du temps et de l'éternité.

C. 32. Les Causes Premières sont Dieu et l'éternité. Le temps du monde, étant mobile, n'a point droit au rang de principe.

Suivent deux digressions. La première (c. 32, pp. 340.16-341.23), assez obscure, concerne la hiérarchie des quatre intellects : de Dieu, de l'éternité, du monde, de l'homme (ils sont énumérés deux fois, d'abord dans l'ordre descendant [pp. 340.16-341.9], puis en remontant de l'intellect humain à l'intellect de Dieu [p. 341.9-23]. Le texte de la première partie est gâté, car, dans cette suite descendante, on a omis l'intellect de l'Aiôn). La seconde digression (c. 32, p. 342.1-10) concerne la connaissance de Dieu par la contemplation du monde. C'est là un des thèmes essentiels du mysticisme hermétique. Il fait l'objet de ce livre.

Sans transition aucune (*de inani vero*, c. 33, p. 342.11), ce petit *logos* sur l'éternité et le temps (auquel on a joint un hors-d'œuvre sur les quatre intellects) est suivi d'un autre *logos* relatif au monde, où l'on montre successivement comment le monde est plein sans qu'il y ait de vide nulle part, et comment le monde est infiniment varié par la diversité des êtres qu'il contient et par le fait des transformations qui ne cessent de s'y produire. Tout se passe comme si l'auteur, ayant abordé l'un des problèmes classiques touchant les *Physika* (temps et éternité), voulait faire parade de son savoir et traiter successivement tous les chapitres de la doctrine de la nature, sans se demander si cette étude convient ici.

12. *Section XII : Perfection du monde qui est plein et varié en toutes ses parties* (c. 33-36).

a) Le monde est plein : 1. Pas de vide absolu (c. 33);

2. Pas de lieu qui soit vide (c. 34, p. 344.1-12 : cf. C. H. II);

3. Ce monde visible, qui est plein, est lui-même enveloppé par le monde intelligible (c. 34, pp. 344.13-345.6).

b) Le monde est varié : 1. Diversité des formes individuelles dans un même genre (c. 35);

2. Transformations continuelles dans le monde (c. 36).

Sans transition de nouveau (*sed iam de talibus sint satis dicta talia, iterum ad hominem rationemque redeamus*, c. 37, p. 347.3-4), on revient au thème de la grandeur de l'homme (sect. I-III, VII) sous l'aspect particulier qui avait fait l'objet déjà de la section VIII : l'homme est capable de créer les dieux terrestres en implantant, par la théurgie, des vertus divines dans les idoles.

13. *Section XIII : L'homme créateur des dieux* (c. 37-38).

Ces « dieux terrestres » sont composés de deux éléments, l'élément matériel et l'élément divin, c'est-à-dire l'âme de démons ou d'anges qu'on évoque et introduit dans la statue au moyen d'une composition d'herbes, de pierres et d'aromates qui contiennent en eux-mêmes une vertu divine (c. 38, p. 348.21). Sur ce point, je me borne à renvoyer à tout ce que j'ai dit dans le premier volume sur les plantes et les pierres accordées aux astres du ciel (pp. 123 ss.).

Vient alors un morceau de transition sur le rôle assigné aux dieux terrestres. Ce rôle est aussi déterminé que celui des dieux célestes : mais, alors que les dieux célestes (astres) président aux événements de portée universelle, les dieux terrestres veillent sur le détail des affaires humaines, qu'ils prévoient et nous annoncent par le moyen des oracles (c. 38, p. 349.8-15).

D'où la question d'Asclépius : Si les dieux célestes s'occupent du gouvernement universel, les dieux terrestres, du détail des choses humaines, quelle part revient à la Fatalité (Heimarménè)? Ce point fait l'objet de la

14. *Section XIV : Heimarménè, Nécessité, Ordre* (c. 39-40).

L'Heimarménè est la causalité nécessitante qui relie entre eux tous les événements par une chaîne continue. Quant à la déterminer plus nettement, l'auteur ne se prononce pas : « c'est ou la cause qui produit les choses *(causa effectrix rerum)* ou le Dieu suprême ou celui qui a été créé second dieu par le Dieu suprême (le monde ou, peut-être, l'Aiôn) ou l'ordre universel des choses célestes et terrestres fixé par les lois divines (*aut omnium caelestium terrenarumque rerum firmata divinis legibus disciplina*, c. 39, p. 350.4-6).

L'Heimarménè est inséparablement conjointe à la Nécessité, elle-là venant en premier, celle-ci menant à leur effet les choses qui ont commencé d'être par l'Heimarménè. Ces deux forces ont pour conséquence l'Ordre (c. 39, pp. 350.6-351.2).

Fatalité, Nécessité, Ordre ne sont que des instruments du vouloir de Dieu, ces forces n'ont aucune initiative propre, elles obéissent au décret de l'éternité immuable (c. 40, p. 351.3-23).

Épilogue et prière finale (c. 40 [p. 351.23]-41).

Toutes les matières ayant été traitées (*dictum est vobis de singulis*, p. 351.23), Hermès et ses trois disciples quittent le sanctuaire pour prier à l'air libre, tournés vers le Sud. Hermès refuse de brûler de l'encens (le culte doit être tout spirituel) et prononce la prière finale (c. 41, pp. 353.1-355.14).

CHAPITRE II

LE « LOGOS » HERMÉTIQUE D'ENSEIGNEMENT [1]

Le traité de l'alchimiste Zosime intitulé *Compte final* s'ouvre sur une sorte de prologue, qui a la forme d'une lettre adressée à une dame, Théosébie. Or on lit dans ce prologue, entre un exposé sur l'origine égyptienne des teintures et des recettes pratiques fort obscures, un court morceau d'instruction spirituelle, une invite au recueillement (2). Pour obtenir les secrets de l'Art (= l'Alchimie), dit l'auteur, qui se réfère explicitement au *Poimandrès* et au *Cratère*, il faut trouver Dieu : pour trouver Dieu, il faut rentrer en soi-même, faire taire les passions (3). Nous ne cessons de nous agiter, de chercher en dehors de nous ce qui, en vérité, est en nous. Ce défaut vient de la matière. Que l'âme donc se libère de la matière, se concentre au fond d'elle-même, où Dieu est présent. C'est en cela que réside la perfection (τελείωσις), telle que la définit Hermès dans le *Cratère* : recevoir le baptême de l'Intellect, puis, grâce à cet Intellect qui réforme notre entendement et nous munit de facultés nouvelles, participer à la gnose (4). Alors, se connaissant soi-même (5), on connaîtra Dieu, et, connaissant Dieu, on connaîtra aussi les teintures les plus excellentes. Car tout savoir se résume en cet unique savoir : qui communique avec Dieu puise à la source même d'où toute vérité découle.

Nous sommes, aujourd'hui, blasés sur ce genre de littérature.

---

(1) Ce chapitre, moins la note finale (p. 52, n. 3), a paru déjà sous forme d'article dans la *Rev. Ét. Gr.*, LV (1942), pp. 77-108.
(2) Berthelot-Ruelle, *Alchim. Gr.*, p. 244, 17 ss. Cf. Reitzenstein, *Poimandres*, p. 214, note 1, *Historia Monachorum*, pp. 108-109, et ma *RHT*, I, pp. 280-281.
(3) Lesquelles sont désignées ici d'abord selon le langage de la philosophie (les quatre vices des Stoïciens), puis par une expression qui dérive de la doctrine hermétique de la Fatalité : tous nos vices viennent du corps matériel soumis à l'influence des astres et du Zodiaque ; ce sont les « parts » ou les « degrés » de la Mort (μοῖραι τοῦ θανάτου rappelle spécialement C. H. I 20 διὰ τί ἄξιοί εἰσι τοῦ θανάτου οἱ ἐν θανάτῳ ὄντες et la réponse).
(4) Cf. C. H. IV 4 ὅσοι μὲν οὖν... ἐβαπτίσαντο τοῦ νοός, οὗτοι μετέσχον τῆς γνώσεως, καὶ τέλειοι ἐγένοντο ἄνθρωποι, τὸν νοῦν δεξάμενοι.
(5) ὅταν δὲ ἐπιγνῷς σαυτήν : cf. C. H. I 21 ὁ νοήσας ἑαυτὸν εἰς αὐτὸν χωρεῖ... ἐὰν οὖν μάθῃς αὐτὸν ἐκ ζωῆς καὶ φωτὸς ὄντα καὶ ὅτι ἐκ τούτων τυγχάνεις, εἰς ζωὴν πάλιν χωρήσεις. ... ὁ ἔννους ἄνθρωπος ἀναγνωρισάτω ἑαυτόν.

Vingt siècles de piété chrétienne, un tel usage, souvent un tel abus, d'écrits dévots où, sur un ton de confidence, un père spirituel s'avise de diriger une âme, ont fatigué jusqu'au dégoût la plupart d'entre nous. Pour rendre quelque vertu à ces vieux textes, il faut porter sur eux un regard neuf, oublier le long passé chrétien, et considérer les écrits de l'hermétisme philosophique en fonction non pas de ce qui les a suivis, mais de ce qui les a précédés. On aperçoit alors que, sans être absolument nouveau, ce genre protreptique a son intérêt. C'est ce qu'il importe de montrer en premier lieu.

Certes, rien n'est plus commun à l'époque hellénistique que la courte homélie morale adressée à un ou plusieurs auditeurs et que les manuels nomment *diatribe* (1). Si l'on ne tenait compte que de la brièveté de la plupart de nos écrits et de leur caractère d'exhortation, on pourrait les rattacher à ce genre usuel. Cependant il y a de grandes différences entre la diatribe proprement dite et le *logos* hermétique. Ce n'est pas tant le fait que ce *logos* comporte fréquemment (non pas toujours) des parties de dialogue, alors que la diatribe, bien que prononcée devant un auditeur, reste toujours un monologue : car la forme dialoguée des écrits hermétiques est le plus souvent artificielle. La différence principale est dans le ton. Le ton de la diatribe est volontairement brusque, on cherche à frapper l'auditeur par des saillies réalistes, la langue est celle de la conversation, les images sont prises dans la vie quotidienne : bref, tout se ressent du discours populaire, et ce n'est pas sans motif qu'on associe la diatribe à l'école cynique qui se livrait précisément à ce genre de prédication. Le *logos* hermétique est d'un tout autre accent. Il peut s'y rencontrer sans doute, çà et là, des sortes de sermons populaires — quand, par exemple, le dévot hermétiste est appelé à une mission et se fait apôtre des hommes (C. H. I 26 fin ss., VII) ; — mais, en général, le ton est celui de la confidence, de l'intime colloque entre maître et disciple, de l'instruction qu'un père, en son privé, donne à ses fils spirituels. On est très loin de la rue ou du carrefour. Bien que, d'ordinaire, rien ne précise le lieu de la rencontre, l'atmosphère est celle d'une chambre close, ou même, comme on le voit par l'*Asclépius*, d'une chapelle retirée, d'un saint des saints (2). Nul réalisme, nulle vulgarité dans le propos; le tour, parfois vif, n'est jamais brutal. C'est plutôt le ton pénétré, et qui

---

(1) διατριβὴ βραχέος διανοήματος ἠθικοῦ ἔκτασις : Hermog., Π. μεθ. δεινότητος, 5.
(2) *Hammone etiam adytum ingresso sanctoque illo quatuor virorum religione et divina dei conpleto praesentia*, etc., *Ascl.*, 1.

par degrés s'élève à une solennité familière, du prophète qui révèle des vérités sublimes, *magna tibi pando et divina nudo mysteria* (*Ascl.* 19).

Il est malaisé d'indiquer des ouvrages qui offrent le parallèle exact de ce *logos*. De fait, il n'y en a point qui lui soient tout semblables. Mais l'on peut, semble-t-il, en trouver l'amorce en remontant, ici encore, jusqu'à Platon.

Dans leur prodigieuse richesse, les dialogues platoniciens ont fourni, comme on sait, le modèle, non pas seulement du dialogue philosophique au sens propre, mais de plus d'un genre littéraire hellénistique. Le tour de conversation facile, le parler sans apprêt des λόγοι σωκρατικοί a été adopté par la diatribe, qui, à vrai dire, y ajoute certains artifices de rhétorique dont le libre génie de Platon n'avait que faire. Le lyrisme et, si j'ose dire, l'*os rotundum* de ce discours de révélation qu'est le *Timée* ont mené directement aux grandioses apocalypses du *de Mundo*, du *Songe de Scipion*, de maint discours de la *Korè Kosmou*. Par leur précision technique, les dialogues plus dialectiques, outre qu'ils ont formé la langue dépouillée d'Aristote, proposent, aujourd'hui encore, le parfait exemple de l'ouvrage de pensée pure. Il n'est pas jusqu'aux jeux du *Phèdre*, à ces discours factices auxquels Platon s'amuse, qui n'aient leur postérité dans les μελέται de la Nouvelle Sophistique (1). Enfin, c'est à tels morceaux comme la révélation de Diotime à Socrate, répétée par ce sage dans le *Banquet* (2), qu'on rapporterait, avec quelque vraisemblance, les *logoi* de l'hermétisme philosophique. De part et d'autre, on entend une révélation : l'auteur est inspiré, Diotime à titre de prêtresse, le Trismégiste comme dieu ou comme prophète. Cette révélation découvre la doctrine la plus sublime, sur la nature de Dieu, sur le moyen de l'atteindre par la reconnaissance et l'amour. De part et d'autre encore, c'est un entretien privé, de maître à disciple. Et le mouvement, ici et là, offre de grandes ressemblances. Comme en certains *logoi* hermétiques (3), le colloque entre Diotime et Socrate débute, sur le ton modéré, par un échange de questions et réponses (201 e-202 e). Puis vient, coupé seulement par deux brèves questions de Socrate (203 a, 204 a), le premier long discours de Diotime, sur la nature des démons et la naissance de l'Amour (202 e-204 c) : déjà, dans ce discours, le ton s'est élevé, le

---

(1) On n'oublie pas, sur ce point, l'influence non moins grande du discours épidictique d'Isocrate.
(2) Cf. 209 e-210 a.
(3) Cf. par exemple C. H. II.

style a gagné en ampleur et en richesse poétique. Un nouvel intermède de dialogue (204 c-206 e) mène au dernier et plus long discours de Diotime, et qui contient ensemble la partie la plus secrète de l'initiation, sur le désir de l'immortalité (207 a-209 e) et la vision du Beau (210 a-212 a). Qui peut relire cette page sans ressentir une émotion? C'est qu'en vérité elle part du cœur, elle est l'aveu d'une expérience, celui qui s'exprime ainsi a un jour éprouvé lui-même l'indicible joie de la vision. Or, toutes proportions gardées, les meilleurs écrits d'Hermès offrent le même mélange de parties dialoguées (1) et de discours, la même variété dans le tour, où l'on passe de la vivacité d'une dispute scolaire au lyrisme d'une apocalypse, le même ton de confidence, intime et tout ensemble grave, ému, solennel, au rappel des joies suprêmes de l'époptie. Certes, on n'oubliera pas la distance qui sépare l'exemple de l'imitation. Encore est-il qu'on ne voit nul ouvrage des anciens qui ait été mieux propre à servir de modèle au *logos* hermétique (2).

Voici donc défini, en bref, le genre littéraire de l'hermétisme philosophique. C'est une homélie, en général assez courte, d'un maître à son disciple, qui présente, sous forme de révélation et sur le ton de la confidence, une doctrine et une direction spirituelles. Il arrive que cette homélie soit introduite et interrompue par quelque interrogation du disciple ou même par un échange de questions et réponses entre le maître et le disciple, mais ces parties dialoguées n'ont guère de consistance en elles-mêmes et ne sont pas indispensables (il n'y a en pas en C. H. V, VI, IX) : ce qui compte surtout, c'est l'instruction du maître.

Qu'un tel genre littéraire ait fleuri entre le temps de Platon et celui des premiers *logoi* hermétiques, c'est possible. Nous n'en savons rien : on n'en voit plus nulle trace (3). Il importe bien davantage de

(1) Moins intéressantes à coup sûr, car le disciple se borne le plus souvent à des réponses banales ou à une question qui sert de transition.
(2) On pourrait pousser la comparaison jusqu'au détail et se demander, par exemple, si certaines locutions n'ont pas été empruntées à Platon. Ainsi l'emploi de εὐφήμει pour mettre l'interlocuteur en garde contre une parole malsonnante parce qu'elle offense soit la majesté de Dieu, soit une doctrine relative au divin ou en connexion avec le divin : cf. *Banq.* 201 e αἰσχρὸς ἄρα ὁ Ἔρως ἐστὶ καὶ κακός; καὶ ἥ· Οὐκ εὐφημήσεις; ἔφη et C. H. I 22 οὐ πάντες ἄνθρωποι νοῦν ἔχουσιν; — Εὐφήμει, ὁ οὗτος, λαλῶν. De même C. H. VIII 5 τοῦτο οὖν οὐκ ἀπόλλυται τὸ ζῶον (l'homme); — Εὐφήμησον, ὦ τέκνον, καὶ νόησον, κτλ. Ainsi encore tels appels à l'attention, habituels dans l'*Asclépius* quand on passe à une doctrine plus haute ou plus absconse (v. g. 3 *nunc mihi adesto totus, quantum mente vales, quantum calles astutia*), ont leur prototype dans le *Banquet*, v. g. 210 a πειρῶ δὲ ἕπεσθαι, ἂν οἷός τε εἶ, 210 e πειρῶ δέ μοι, ἔφη, τὸν νοῦν προσέχειν ὡς οἷόν τε μάλιστα.
(3) Peut-être, s'il en a existé avant les *Hermetica*, de tels *logoi* ont-ils été perdus en raison même de leur nature. Ce ne pouvaient être que des écrits plus ou moins confidentiels, qui

marquer les réalités concrètes que supposent de pareils ouvrages. Ils font songer, non point à une Église, mais à une école privée, à une « chapelle » d'apprentis philosophes ou, si l'on veut, théosophes. Ceux qui ont parlé d'une Église (1) n'ont tenu compte que d'un choix de *logoi* où l'aspect mythique prédomine (C. H. I, IV, XIII, *Korè Kosmou*). Mais, dans un bien plus grand nombre d'écrits, ce qui ressort surtout, c'est l'aspect scolaire. Le *logos* hermétique commence souvent par une question d'école (v. g. moteur et mouvement C. H. II, définition de la mort VIII, sensation et intellection IX), qui relève du bagage courant de la culture philosophique sous l'Empire : et c'est à partir de ce thème banal que le maître s'élève à des considérations plus hautes et plus secrètes sur Dieu, l'Intellect et la Gnose. D'autres fois, ce *logos* se présente à nous, en apparence, comme un conspectus général de tous les problèmes traités dans les écoles philosophiques : *Dieu :* son essence, ses attributs, sa providence, la connaissance de Dieu, — *le monde :* son origine, la connexion de ses parties, le lieu, le plein et le vide, le mouvement et la vie, — *l'homme :* le corps et l'âme, la sensation et l'intellection, l'homme et l'animal, la nature et l'immortalité de l'âme, etc. (v. g. C. H. X, *Asclépius*) : mais ces problèmes, au fur et à mesure qu'on les aborde, subissent une sorte de gauchissement dans le sens de la gnose hermétique, car c'est la gnose, c'est-à-dire une certaine manière de connaître Dieu en vue de s'unir à lui, qui reste, pour le maître et le disciple, la fin essentielle de l'enseignement. On le voit donc, le cadre rappelle l'école. Tout se passe comme si un maître réunissait quelques disciples, un petit groupe d'amis, et, prenant occasion d'une question banale de philosophie, utilisait ce thème, comme il eût fait tout autre, pour s'élancer, d'un vol rapide, vers les sommets de la contemplation.

De ce point de vue, ce qui paraît se rapprocher le plus du genre littéraire hermétique, ce sont les *logoi* de Plotin (2). Lui non plus,

---

ne circulaient que dans des cercles ésotériques de disciples d'un même maître; et le nom du maître n'aura point paru assez notoire à l'époque byzantine, pour qu'on les colligeât et en fît copie. La collection des *Hermetica* n'a subsisté qu'à cause du grand nom d'Hermès Trismégiste. J'ai traité dans le premier tome des diverses fictions littéraires employées dans les écrits de l'hermétisme populaire (astrologique, alchimique, magique, etc.).

(1) REITZENSTEIN, *Poimandres*, p. 248; GEFFCKEN, *Ausgang d. griech. röm. Heidentums*, 1920, p. 80. Cf. *RHT*, I, pp. 81-84.

(2) Je ne parle ici que de la forme. — Il faut signaler aussi l'enseignement d'Origène, cf. R. CADIOU, *La jeunesse d'Origène* (Paris, 1936), p. 27 : « Sa phrase... est celle d'un conférencier qui n'écrit pas son œuvre, et parle, selon le bon usage, sans incorrection ni recherche »; p. 29 : « Il y ajoutait (au souci des mots) une passion tempérée d'élévation et de douceur, que ses disciples trouvaient irrésistible, un mélange de grâce aimable, de persuasion et de contrainte... Dès les premiers mots on se sentait gagné ».

on l'a remarqué (1), Plotin ne développe pas organiquement un système : c'est aux disciples qu'il appartiendra de figer en système cette suite de petits sermons « dont chacun a en lui-même son but et sa signification » (2), où, quelque sujet qui soit proposé par l'élève (3) — souvent un texte difficile de Platon ou d'Aristote —, le maître saisit ce prétexte pour se tourner bientôt vers les seules réalités qui l'intéressent, le Premier, la hiérarchie des Intelligibles, la fuite de l'âme hors du sensible et son repos dans l'union à l'Un. Tous les problèmes traités dans les écoles conspirent à ce même but : le progrès de la vie spirituelle, l'ascension de l'âme. On l'a dit fort justement (4), « Plotin est évidemment un érudit et un profond penseur : il n'en reste pas moins que, dans son ensemble, son œuvre se rattache nettement au genre de la prédication ». Il considère moins les doctrines en elles-mêmes qu'il ne les met au service de thèmes de prédication : « on utilise les doctrines, on ne construit plus (5). » Cela vaut, à la lettre, pour nos *logoi* hermétiques, avec cette différence que la culture philosophique de l'hermétiste est médiocre et sa pensée sans originalité et sans vigueur. Quand, au surplus, on reconnaît en Plotin « un ensemble de procédés... qui tous se distinguent par leur tour familier et leur continuel appel à l'auditeur », notamment « la discussion et le discours continu que nous pouvons appeler l'*élévation* » (6), cela encore est vrai de l'hermétiste qui, volontiers, commence par un essai de discussion — où, d'ordinaire, il échoue —, et qui rapidement, dès qu'il tient son vrai sujet, c'est-à-dire dès qu'il a fait glisser le sujet initial vers l'un des thèmes de la gnose, s'engage en un discours pénétré de lyrisme où il épanche son cœur. C'est que, de part et d'autre, dans l'hermétisme ainsi que pour Plotin, rien n'a autant d'importance que la direction des âmes (7). Telle est en effet, à partir du IIe siècle au moins, l'une des préoccupations dominantes. Plotin y vise éminemment. Les biographies romancées de Pythagore nous le montrent assemblant quelques jeunes gens dans des lieux solitaires où l'on

(1) Bréhier, éd. des *Ennéades*, t. I (1924), Introduction, pp. xxx ss.
(2) *Ibid.*, p. xxx.
(3) Cf. Porphyre, *V. Plot.*, 13 fin : « Si Porphyre ne me questionnait pas, dit Plotin, je n'aurais pas d'objections à résoudre, et je n'aurais rien à dire qui pût être écrit. Plusieurs *logoi* hermétiques débutent pareillement par une interrogation du disciple, *v. g.* C. H. XI (car la première phrase est ou apocryphe ou hors de place), XIII, *Stob. Herm.* VI et cf. le début de *Stob. Herm.* XXIV (Isis à Horus) σὺ δέ, ὦ παῖ μεγαλόψυχε, εἴ τι θέλεις ἕτερον ἐπερώτα.
(4) Bréhier, *l. c.*, p. xxxvi.
(5) *Ibid.*, p. xxxi.
(6) Souligné par l'auteur, *ib.*, p. xxxiv.
(7) Cf. Bréhier, *l. c.*, pp. ix-xii.

puisse jouir de la paix et de la tranquillité convenables, comme des sanctuaires et des bois sacrés (1), pour les former, par la parole et l'épreuve, à la vie spirituelle. C'est dans un milieu analogue, selon toute probabilité, qu'ont été conçus et écrits les *logoi* hermétiques.

Et l'on aperçoit dès lors ce qui en eux est original et mérite encore l'intérêt. Avant le néoplatonisme (2), ces *logoi* témoignent du grand souci de la vie intérieure qui peu à peu s'est développé, gagnant toujours plus d'âmes, de Marc-Aurèle aux disciples de Plotin. C'est le temps des discours d'apparat et des conférences publiques (3). Mais c'est aussi le temps où, dans les grandes villes surpeuplées, on a la nostalgie de la solitude et rêve de couvents laïques (4), où, las du faste et de la pompe des cérémonies païennes, on aspire à un culte en esprit et en vérité, où un empereur, chaque soir, note les mouvements de son âme au cours de la journée, où un philosophe écrit à son épouse, pour la consoler d'une absence, ces mots qui font écho à la « direction » de Zosime : « N'est-il pas absurde, persuadée qu'il existe en toi-même ce qui sauve et ce qui est sauvé, ce qui détruit et ce qui est détruit, la richesse et la pauvreté, l'époux et le maître des biens véritables, que tu soupires après l'ombre du guide, comme si tu n'avais pas en toi-même le vrai guide et que toute richesse ne fût à ta portée ?... Dieu n'a besoin de rien, et le sage n'a besoin que de Dieu (5). »

Ce n'est encore là qu'une esquisse. Il faut étudier la chose plus en détail.

Presque tous les *logoi* du Corpus, l'*Asclépius* et une partie des *Hermética* de Stobée nous mettent en présence d'Hermès lui-même enseignant son fils Tat, ou Asklépios, ou, en troisième lieu seulement,

---

(1) JAMBL., *V. pyth.*, § 96 (p. 56. 5 ss. Deubner) : cf. mon article *Rev. Ét. Gr.*, L (1937), p. 477. Voir aussi § 258 (p. 136. 1 D.) μονάζοντες δ' ἐν ταῖς ἐρημίαις, ὅπου ἂν τύχῃ, καὶ κατάκλειστοι τὰ πολλά (d'après Nicomaque de Gérasa). Pour les ἱερά, cf. encore *V. pyth.*, § 14 (p. 11. 13 D.) ἔνθα ἐμόναζε τὰ πολλὰ ὁ Πυθαγόρας κατὰ τὸ ἱερόν (d'après Apollonius de Tyane) et l'affabulation de l'*Asclépius* (c. 1).

(2) Du moins n'y a-t-il pas trace, dans le C. H., de plotinisme pur, bien que tel traité comme le C. H. XVI offre des ressemblances avec ce qu'on pourrait appeler le plotinisme dilué, qui est, au vrai, l'état d'esprit de l'époque.

(3) « Tout écrit est ou bien un écrit préparé d'avance pour être lu publiquement, ou bien une rédaction, sténographiée ou non, d'une lecture. Des genres comme l'histoire elle-même n'échappent pas à cette loi, et la philosophie encore moins. L'engouement pour la lecture publique est tel que l'on va jusqu'à réciter d'anciennes œuvres qui n'étaient nullement faites pour cet usage » : Bréhier, *l. c.*, p. XXVI, qui, en note (p. XXVI, n. 2), rappelle que, d'après Plutarque (*Sympos.* VII 1), « on jouait (souligné par l'auteur) à Rome, dans les banquets, les dialogues platoniciens dramatiques ».

(4) Cf. mon article *Rev. Ét. Gr.*, L (1937), pp. 476-489.

(5) PORPH. *ad Marcellam*, 9 (280. 9-16), 11 (281.21).

le roi Ammon (1). Or, si le fait très général d'une transmission de doctrine de maître à élève ressortit à la *traditio mystica*, je voudrais montrer en outre que les rapports de ce maître et de ces élèves, ainsi que des élèves entre eux, rappellent fort exactement les mœurs de l'école grecque ou gréco-romaine. Certains détails le montrent, et le langage le confirme.

On sait quelles étaient, depuis l'Académie au moins, les méthodes d'enseignement dans les écoles philosophiques. Un texte du *De vita pythagorica* de Jamblique (2), bien mis en valeur par Bousset (3), nous décrit ces méthodes à propos de l'école de Pythagore, — Jamblique se référant, évidemment, aux mœurs scolaires de son propre temps : « En effet, les membres du didascalée (4), cette multitude d'hommes de grand renom, d'un talent prodigieux, se gardaient bien d'employer le langage commun ordinaire, en usage auprès de tous, pour rendre immédiatement intelligibles à leurs auditeurs, d'une part les leçons orales et les disputes scolaires (τάς τε διαλέξεις καὶ τὰς πρὸς ἀλλήλους ὁμιλίας), d'autre part les rédactions et les notes de cours (καὶ τοὺς ὑπομνηματισμούς τε καὶ ὑποσημειώσεις), enfin les compositions achevées et livrées au public (καὶ αὐτὰ ἤδη τὰ συγγράμματα καὶ ἐκδόσεις πάσας) dont la plupart se sont conservées jusqu'à nous; ils ne cherchaient pas à leur faciliter l'intelligence de ce qui avait été dit (εὐπαρακολούθητα τὰ φραζόμενα) (5) ; au contraire, suivant le précepte, qui leur avait été imposé par Pythagore, d'être réservés sur les divins mystères, ils employaient des méthodes secrètes pour se garder des non-initiés et recouvraient du voile des symboles leurs discussions verbales et leurs écrits. » Je laisse ici le dernier trait qui rappelle les usages des alchimistes et ne m'arrête qu'aux méthodes scolaires. Celles-ci comportent trois stades de publication (6) : l'enseignement oral (leçons et disputes), les notes ou cahiers de cours, les compositions achevées. Qu'en est-il dans les *Hermética*?

(1) Les *Stob. Herm.* XII-XVII sont tirés de *logoi* d'Hermès à Ammon. Dans l'*Asclépius* Ammon assiste à l'entretien (*Ascl.* I), mais en spectateur muet, le dialogue se passant entre Hermès et Asklépios. Dans le C. H. XVI, on a un ὑπόμνημα d'Asklépios au roi Ammon.
(2) *De v. pyth.*, § 104, p. 60, 8 ss. Deubner.
(3) W. Bousset, *Judisch-christlicher Schulbetrieb in Alexandria und Rom*, Göttingen, 1915, p. 4. Voir aussi toute l'Introduction, pp. 1-7.
(4) Jamblique en cite ici un grand nombre.
(5) Cf. C. H. XIV 1 ὅπως εὐπαρακολούθητος αὐτῷ γένηται ἡ θεωρία, *St. H.* VI 2 ἵν' εὔγνωστός σοι καὶ ὁ περὶ τούτων λόγος γένοιτο, XI 3 τούτων τῶν κεφαλαίων μεμνημένος, καὶ ὧν σοι διὰ πλειόνων λόγων διεξῆλθον εὐκόλως ἀναμνησθήσῃ.
(6) « Publication » est pris ici dans l'amplitude de *publicare*, au sens où une leçon orale et un cours où l'on prend des notes sont aussi choses « publiées ». La publication au sens propre (édition) ne vise que les συγγράμματα. Sur le passage d'un stade à l'autre, voir les intéressantes remarques de G. Murray, *Greek Studies*, Oxford, 1946, pp. 36-40 (à propos de la *République* de Platon).

A. — *L'enseignement oral* y paraît tout au long. C'est le genre le plus ordinaire, pour les raisons indiquées plus haut (1). Seuls font exception C. H. III qui est plutôt un ἱερὸς λόγος, VII qui est un fragment de prédication au peuple, XIV et XVI qui sont des ὑπομνή-ματα (en relation directe avec le cours), XVII qui est un fragment de dialogue entre le « prophète » Tat et un roi innomé, XVIII qui est un discours panégyrique, et peut-être *Stob. Herm.* XVIII-XXII qui ne portent que la suscription Ἑρμοῦ et ont pu être extraits de συγγράμματα, en particulier XXII, extrait d'un ouvrage intitulé *Aphrodite*. Quant à C. H. I, il me paraît plutôt une arétalogie, sans que l'hypothèse d'un *logos* didactique soit exclue. Dans les autres *logoi*, que voit-on? Mettons à part, pour l'instant, les *logoi* d'Isis à Horus (St. H. XXIII-XXVII), qui sont aussi un enseignement, mais représentent une tradition divergente. Tout le reste (C. H. II, IV-VI, VIII-XIII, *Asclépius*, St. H. I-XVII) ressortit à l'instruction verbale. Une fois (C. H. XI), Hermès est enseigné par le Noûs, et l'atmosphère de l'école se respire en ce cas dès les premiers mots, qui reprennent un lieu commun fort usé (2) : « On a beaucoup parlé et de bien des côtés sur le Tout et sur Dieu, et ces propos sont contradictoires, si bien que je n'ai pu, en ce qui me concerne, apprendre la vérité : toi donc, Seigneur (3), éclaire-moi sur ce sujet. Car c'est à toi, et à toi seul, que j'ajouterai foi, si tu veux bien me révéler ta pensée là-dessus. » Partout ailleurs, c'est Hermès qui est le didascale et qui instruit soit Tat (C. H. IV-V, VIII, X, XII-XIII, St. H. I-XI), soit Asklépios (C. H. II, VI, IX, *Asclépius*), soit Ammon (St. H. XII-XVII). Cet enseignement se fait tantôt par leçon — Hermès est seul à parler sans aucune interruption de l'élève (C. H. V, VI, IX) (4), — tantôt par un échange de questions et réponses, sans d'ailleurs qu'on en vienne jamais à la dispute en règle sur un thème donné, comme en offre, par exemple, le *Philèbe*.

La leçon orale privée ou l'entretien privé avec un seul disciple est le type le plus usuel de la διάλεξις hermétique (5). Ce caractère d'intimité est ici bienvenu, puisque la leçon n'est pas seulement une

---

(1) Cf. notamment p. 34, n. 3.
(2) Les premiers mots κατάσχες οὖν... ὀκνήσω sont hors de place : le prologue ne commence sûrement qu'avec ἐπεὶ πολλὰ πολλῶν.
(3) « Seigneur » (en tant que dieu) ou « Maître » (en tant que professeur), δέσποτα impliquant les deux sens.
(4) On ne peut rien préciser quant aux extraits de Stobée qui ne comportent qu'un monologue : car les extraits sont le plus souvent des morceaux tronqués dont la suite pouvait être une ὁμιλία πρὸς ἀλλήλους.
(5) Cf. C. H. XIII 1 ἐν τοῖς γενικοῖς, ὦ πάτερ, αἰνιγματωδῶς καὶ οὐ τηλαυγῶς ἔφρασας περὶ θειότητος διαλεγόμενος, XVI 1 Ἑρμῆς μὲν γὰρ ὁ διδάσκαλός μου πολλάκις μοι διαλεγόμενος.

instruction, mais une direction spirituelle, et qu'un tel colloque doit rester évidemment de nature confidentielle. Cependant il n'est pas rare qu'on voie un second disciple, ou même un troisième, assister à la leçon ou à l'entretien. En ce cas, d'ordinaire, il est fait allusion à cette présence au début du *logos*. Celui-ci est bien adressé de préférence à tel élève; l'autre n'est qu'admis. Arrêtons-nous un instant à ce détail, car il a donné lieu à une interprétation que je crois erronée. Nous lisons au début de C. H. X : « Le *logos* d'hier, Asklépios, t'a été adressé; celui d'aujourd'hui, il est juste de l'adresser à Tat, puisqu'il est le résumé (ἐπιτομή) des *Leçons Générales* (γενικοὶ λόγοι) qui ont été professées pour lui. » On s'est étonné de cet exorde pour un *logos* adressé à Tat et on a conjecturé (1) qu'il est dû au compilateur du *Corpus Hermeticum*, lequel, imitant l'exorde de C. H. IX (« Hier, Asklépios, j'ai donné en public mon « *Logos* Parfait »; aujourd'hui, etc. »), aura voulu ainsi raccorder tant bien que mal X à IX. Mais les mœurs scolaires — qu'elles aient été, dans l'hermétisme, fiction ou réalité — suffisent à rendre compte de l'anomalie. Le *logos* est bien adressé à Tat : cependant Asklépios est aussi présent, qui assiste, témoin muet, à la leçon. D'autres fois, les rôles sont intervertis : c'est avec Asklépios qu'a lieu le dialogue, mais Tat est présent, cf. C. H. XVI, 1 : « Hermès donc, mon professeur, dans les fréquentes leçons qu'il me donna soit en privé soit même, quelquefois, en présence de Tat... » (πολλάκις μοι διαλεγόμενος καὶ ἰδίᾳ καὶ τοῦ Τὰτ ἐνίοτε παρόντος). Enfin il peut arriver que les trois élèves soient présents, Tat, Asklépios et Ammon; néanmoins le dialogue n'a lieu qu'avec l'un d'entre eux, et, cette fois encore, on explicite formellement ce choix. C'est le cas de l'*Asclépius*. Hermès, après avoir exhorté Asklépios à faire attention, l'engage à inviter Tat (*Tatque, nobis qui intersit, evoca*); puis Asklépios lui-même propose d'inviter aussi Ammon, et le maître n'y fait point obstacle, car beaucoup de *logoi* ont été « écrits » (2) aussi pour Ammon, comme d'autres l'ont été pour Tat : « mais sur cette discussion d'aujourd'hui, c'est ton nom que j'inscrirai, cher Asklépios » *(tractatum hunc autem tuo scribam nomine)*. On ne saurait trouver meilleur exemple de l'étroite connexion qui existe entre cours parlé et cours écrit dans les *Hermética:* or c'est là un trait de mœurs scolaires, et très précisément, on l'a vu, des mœurs scolaires de l'âge impérial.

---

(1) Reitzenstein, *Poimandres*, p. 196 : cf. *supra*, p. 7.
(2) « Écrits » *(conscripta)*, car la leçon orale suppose un cahier du maître, un ὑπόμνημα, cf. *infra*, p. 41 et *supra*, p. 34, n. 3.

Un mot encore, dans cet exorde de l'*Asclépius*, doit nous retenir : *nulla invidia Hammona prohibet a nobis*. Invidia, φθόνος (1) : c'est le sentiment qui porte à se défier de l'étranger, de l'intrus, du non-initié, et à lui refuser les mystères. Dans le cas présent, point d'*invidia* à l'égard d'Ammon : il est initié. Mais il ne faut pas qu'aucun autre — en dehors de ces trois élèves — assiste à l'entretien : *praeter Hammona nullum vocassis alterum, ne tantae rei religiosissimus sermo multorum interventu praesentiaque violetur*. On se rappelle le précepte des Pythagoriciens d'après Jamblique : ils ne parlaient qu'à mots couverts pour se garder des non-initiés (πρὸς τοὺς ἀτελέστους ἀπορρήτων τρόπων ἥπτοντο, p. 60. 17 D.). Ici de même, la transmission de la science (ou de la révélation) est une initiation, une μύησις. « Je te développerai tout au long ce sujet », dit Hermès à Tat (C. H. V 1), « afin que tu ne restes pas sans être initié au Dieu qui est au-dessus de tout nom ». Et c'est bien comme une initiation que se présente la *traditio* des mystères dans le λόγος τῆς παλιγγενεσίας (C. H. XIII), où le maître prescrit de ne pas divulguer le Tout (2) à la foule, mais seulement à ceux que Dieu lui-même choisit (§ 13), où il déclare que l'hymne final ne doit pas être publié (ἐκφάναι), car il n'est pas objet d'enseignement (οὐ διδάσκεται § 16), où enfin il fait promettre à Tat de garder le silence sur la παράδοσις (§ 22).

Cette présence d'un élève à un colloque entre le maître et un autre élève n'est pas un fait isolé dans la littérature issue de l'école ou relative aux choses de l'école : le *Philèbe* en offre un exemple fameux. Là aussi, Philèbe assiste à l'entretien, mais reste spectateur muet : c'est Protarque qui soutient la thèse de la primauté du plaisir, Socrate celle de la primauté de la sagesse. Philèbe a discuté la veille, et il passe la main (ἀπείρηκεν 11 c 9). Il n'a donc plus à intervenir. On le lui dit sans ambages. En effet, comme, à un moment donné, après avoir confié le rôle à Protarque, il émet de nouveau un avis — « mon avis, à moi, est et sera que le plaisir triomphe sur toute la ligne : à toi, Protarque, de décider » (12 a 8-9 : trad. Diès), — Protarque se rebiffe : « Maintenant que tu nous as abandonné la discussion (τὸν λόγον, cf. *tractatum hunc*, Ascl. 1), tu ne saurais plus être maître de dire ce qu'il faut accorder à Socrate ou lui refuser (12 a 10-12). » Et Philèbe accepte ce reproche : il se taira : « Tu dis vrai ; eh

---

(1) Cf. St. H. VI 1 οὐδεὶς φθόνος, ὦ Τάτ, XI 4 τὰς μέντοι πρὸς τοὺς πολλοὺς ὁμιλίας παραιτοῦ· φθονεῖν μὲν γάρ σε οὐ βούλομαι, μᾶλλον δὲ κτλ.

(2) C'est-à-dire l'initiation, cf. διάβολοι τοῦ παντός 13, ἐπὶ τέλει τοῦ παντός 16.

bien donc, je m'en lave les mains (ἀφοσιοῦμαι) (1), et j'en prends à témoin, dès cette heure, la déesse elle-même (2). » Sans doute, la situation n'est pas toute identique à celle, par exemple, de C. H. X : ici, Philèbe passe la parole parce qu'il n'a plus rien à dire; là, Hermès s'adresse de préférence à Tat parce que le sujet résume d'autres leçons orales données à cet élève (3). Mais le cadre est analogue : « Le caractère scolaire de la discussion est indéniable, et le groupe d'assistants muets auquel il est fait plus d'une fois allusion nous confirme dans l'impression que le débat se tient entre le professeur et l'un de ses élèves devant une classe attentive », a-t-on écrit à propos du *Philèbe* (4). Changeons le mot « classe », qui ne donne pas la nuance : le reste vaut pour C. H. X et, mieux encore, l'*Asclépius*.

Notons enfin que, tout en traitant chacun un sujet distinct, ces *logoi* ou leçons orales font un cours suivi. A plusieurs reprises, Tat mentionne les *Leçons Générales* (5). L'*Asclépius* se réfère à des leçons « détaillées » (6) ou « exotériques » (7) à Tat. Divers opuscules du C. H. se rattachent à un *logos* antérieur, et on signale que la leçon présente est une continuation. Ainsi C. H. V 1. « Ce *logos*-ci encore, ô Tat, je veux le parcourir d'un bout à l'autre (8) devant toi (καὶ τόνδε σοι τὸν λόγον, ὦ Τάτ, διεξελεύσομαι) »; VIII 1 « Il faut parler maintenant, mon fils (Tat), de l'âme et du corps, et

---

(1) Littéralement « je m'en purifie à l'avance » : la nuance religieuse est toujours sensible.
(2) C'est-à-dire Ἡδονή, la Volupté.
(3) Les différences tiennent, au vrai, à la diversité entre dispute réelle, qui touche au fond du sujet, et διάλεξις où le maître est seul, ou presque, à parler.
(4) Diès dans son édition du *Philèbe* (Paris, 1941), Introduction, p. x.
(5) Γενικά ou γενικοὶ λόγοι : C. H. X 1, 7, XIII 1, *Stob. Herm.* Exc. IVA 1, VI 1.
(6) *Diexodica* pour *exotica* (cod.) : Reitzenstein, Thomas, Scott.
(7) *Exoterica* (même lieu) : Ménard, Cumont.
(8) Διεξελεύσομαι. Ce verbe, qui revient souvent (C. H. V 1, IX 1, *Stob. Herm.* XI 1 3, XXV 4 διεξελεύσομαί σοι τῶν ὄντων τὸ καθ' ἕκαστον, ἐκεῖνό σοι φήσασα πρῶτον) a presque valeur technique. Cf. Plat., *Lois* X 892 e /893 a : « L'argument (ὁ λόγος) que nous avons maintenant à considérer est trop violent et en quelque sorte infranchissable vu nos forces. Dès lors, pour qu'il ne vous donne pas le vertige par son courant et ne vous étourdisse par toutes sortes de questions auxquelles vous ne pouvez répondre..., il me semble qu'il me faut agir présentement de la manière suivante : je vais d'abord m'interroger moi-même — vous n'aurez qu'à m'écouter en sûreté, — ensuite je me répondrai à moi-même, et ainsi je m'avancerai d'un bout à l'autre à travers tout l'argument (καὶ τὸν λόγον ἅπαντα οὕτω διεξελθεῖν) jusqu'à ce qu'il ait épuisé ce sujet de l'âme et qu'il ait montré que l'âme a priorité sur le corps. » *Théét.* 189 e 4 : « Par le mot de « penser » (διανοεῖσθαι), désignes-tu la même opération que moi-même? — Quelle opération? — Cette discussion que l'âme entretient avec elle-même d'un bout à l'autre sur les sujets qu'elle examine (λόγον ὃν αὐτὴ πρὸς αὑτὴν ἡ ψυχὴ διεξέρχεται περὶ ὧν ἂν σκοπῇ)... C'est ainsi en effet que je me représente l'âme en acte de penser : elle ne fait rien d'autre que discuter avec elle-même, s'adressant à elle-même questions et réponses, affirmant et niant tour à tour (οὐκ ἄλλο τι ἢ διαλέγεσθαι, αὐτὴ ἑαυτὴν ἐρωτῶσα καὶ ἀποκρινομένη καὶ φάσκουσα καὶ οὐ φάσκουσα). »

montrer, etc. » (περὶ ψυχῆς καὶ σώματος, ὦ παῖ, νῦν λεκτέον); IX 1 « Hier, ô Asklépios, j'ai prononcé en public mon « *Logos* Parfait » (τὸν τέλειον ἀποδέδωκα λόγον : c'est peut-être l'*Asclépius* adressé à Asklépios) : aujourd'hui je tiens pour nécessaire, comme suite à ce *logos* (ἀκόλουθον ἐκείνῳ), de parcourir aussi d'un bout à l'autre (διεξελθεῖν) le *logos* sur la sensation »; *Stob. Herm.* XI 1 « Aujourd'hui, mon enfant (Tat), c'est sous forme de brèves sentences (κεφάλαια) que je veux parcourir d'un bout à l'autre (διεξελεύσομαι) les êtres : tu comprendras mes paroles si tu te souviens de ce qui t'a été dit auparavant »; *ibid.* XI 3 « Si tu gardes en mémoire ces sentences, tu te rappelleras aussi, sans difficulté, les choses que j'ai développées (διεξῆλθον) devant toi en de multiples *logoi*; car ces sentences sont les sommaires (περιοχαί) de mes enseignements précédents. » On pourrait, de nouveau, indiquer des parallèles. Bornons-nous à un seul exemple, emprunté aux mœurs scolaires de l'Académie. La dispute du *Philèbe* entre Protarque et Socrate fait suite à une dispute antérieure entre Socrate et Philèbe. Mais elle prépare à son tour une troisième dispute destinée à compléter les deux premières, comme en témoignent les paroles de Protarque à la fin du dialogue (67 b) : « Il reste encore quelques points à débattre, Socrate, car tu ne renonceras sûrement pas avant nous : je te rappellerai ce qui reste à traiter » (trad. Diès.) Qu'on se souvienne au surplus du mode de composition des *Métaphysiques* d'Aristote et de la cohérence des divers *logoi* qui constituent cet ouvrage (1). Assurément, il serait vain de chercher une pareille ἀκολουθία entre les *logoi* du Trismégiste : l'hermétisme ne fait pas un système (2). De même que chacun des traités plotiniens représente à lui seul un ouvrage qui se suffit, ainsi, dans les *Hermetica*, chaque *logos* — sur le nom de Dieu (V), sur l'âme et le corps (VIII), « *Logos Parfait* », sur la sensation et l'intellection (IX), sur la régénération (XIII) — vaut-il par lui-même. Il n'en reste pas moins que l'auteur hermétiste prétend donner un enseignement cohérent, et qu'il tient à marquer lui-même cette cohérence (νῦν δὲ ἀναγκαῖον ἡγοῦμαι ἀκόλουθον ἐκείνῳ καὶ τὸν περὶ αἰσθήσεως λόγον διεξελθεῖν, IX 1).

B. — Il s'agit donc d'un *cours*, et l'on conçoit dès lors que le maître écrive à l'avance ce qu'il veut dire, qu'il ait son cahier de cours, et que l'élève prenne des notes. La leçon orale conduit tout

---

(1) Cf. surtout Werner Jaeger, *Studien zur Entstehungsgeschichte der Metaphysik des Aristoteles*, Berlin, 1912.
(2) A cet égard, les remarques de Bousset (*Gött. Gel. Anz.*, 1914, pp. 697-755), dans sa recension de J. Kroll, *Die Lehren des Hermes Trismegistos* (Munster, 1914), me paraissent justes.

naturellement à l'ὑπόμνημα : c'est le second des trois stades de publication énumérés par Jamblique à propos de l'école pythagoricienne (1). A cet égard aussi, l' « école » d'Hermès nous offre l'équivalent. Au cours de l'entretien sur la régénération (C. H. XIII), sous l'influence des paroles d'Hermès, l'élève (Tat) se sent tout soudain régénéré; il éprouve en lui-même le phénomène spirituel que son maître vient de lui dépeindre, et il s'écrie (XIII 13) : « Père, je vois le Tout et je me vois même dans l'Intellect. » — « C'est là précisément la régénération », répond Hermès, « ne plus former ses représentations sous la figure du corps à trois dimensions < mais se voir soi-même dans le Tout > (2), grâce à ce *logos* sur la régénération *que j'ai consigné dans mes cahiers de cours* (3) < pour toi seul > afin que nous ne divulguions pas le Tout à la foule, mais seulement à ceux que Dieu lui-même choisit ».

On a une autre preuve, plus décisive encore, de ces cours écrits. Il pouvait arriver que l'un des trois élèves, Tat, Asklépios ou Ammon, manquât à la leçon. En cette occurrence, selon les bonnes mœurs scolaires de tous les temps, le maître envoyait un résumé à l'absent ou bien quelque camarade lui « passait son cours ». Le C. H. XIV offre un exemple certain du premier cas, et il est possible que le C. H. XVI se réfère au second. Le *logos* XIV débute ainsi : « Puisque mon fils Tat, en ton absence, a voulu être instruit sur la nature de l'univers et qu'il ne m'a pas permis de différer cette instruction (4), comme il est mon fils et un néophyte tout récemment venu à la Connaissance (ou Gnose), j'ai été forcé d'entrer plus longuement dans le détail afin que la doctrine lui devînt plus facile à comprendre. Mais pour toi, j'ai voulu, de ce qui a été dit, choisir en peu de mots et t'envoyer sous forme d'épître les articles les plus importants (τὰ κυριώτατα κεφάλαια) (5), en les exprimant d'une manière plus

---

(1) Cf. *supra*, p. 35.
(2) Ici, comme à la ligne suivante, je supplée la lacune d'après le contexte.
(3) Ὑπομνηματίζομαι a la même amplitude de sens que ὑπόμνημα (ὑπομνηματισμός), lat. *commentarius*, cf. l'excellent article de von Premerstein, P. W., IV 726 ss. (*Commentarii*). Comme il s'agit ici de choses d'école, et que celui qui parle est le maître, l'ὑπομνηματισμός désigne apparemment le cahier du maître dans lequel il consigne le brouillon ou la première rédaction du *logos* qu'il prononcera, cf. Premerstein, *l. c.*, 727 nos 2 (« Aufzeichnungen und Entwürfe als Vorbereitung und Gedächtnisbehelf für zu haltenden Reden ») et 3 (« Aufschreibungen der Grammatiker und Juristen — wir würden sagen Collegienhefte » — als Grundlage für den Unterricht »). Premerstein fait remarquer que c'est souvent de ces « notes de cours » — celles du maître ou celles de l'élève (*ib.* no 4) — que l'on tirait, parfois contre le vouloir de l'auteur, les ἐκδόσεις. Ainsi les ὑπομνήματα (*Lehrvorträge*) de Galien qu'il ne destinait pas à l'ἔκδοσις, furent-ils publiés à son insu d'après des notes privées, *ib.* 727. 54 ss. Voir *Addenda*.
(4) Ce que sans doute Hermès eût voulu faire, en raison de l'absence d'Asklépios.
(5) Cf. Jamblique, *De v. pyth.*, § 253, p. 136. 6-7 D. ὑπομνήματά τινα κεφαλαιώδη καὶ συμβολικὰ συνταξάμενοι.

secrète puisque tu es grand déjà et que tu as la science de la nature » (1). Ici encore, on a cru que ce prélude faisait allusion au *logos* précédent (sur la régénération, XIII) et l'on s'est étonné à bon droit que le *logos* XIV pût être dit « plus mystique » que le *logos* XIII, car il l'est incomparablement moins (2) : il n'y a rien de secret dans le C. H. XIV, c'est la doctrine la plus banale sur les rapports de l'œuvre (le monde) et de l'Ouvrier (Dieu), comme on la trouve, par exemple, dans le C. H. V 6-9 et XI 5-11 (où la forme est d'ailleurs bien plus ésotérique). Les difficultés qu'on se fait ainsi me semblent vaines et partent toujours du même principe : on pense que ces exordes sont dus au rédacteur du Corpus qui a voulu en relier ainsi les différentes parties. Tout me paraît s'expliquer bien plutôt si l'on se réfère aux mœurs de l'école. Asklépios a été absent (ἀπόντος σου) à l'une des leçons antérieures, qui d'ailleurs peut n'être aucun des *logoi* du Corpus actuel : Hermès lui en envoie donc le résumé sous forme de κεφάλαια.

Peut-être est-ce d'une occasion pareille que témoigne aussi le C. H. XVI, dont voici le début : « Je t'envoie, ô roi, un *logos* important, qui est comme le couronnement (3) et le mémorial (4) de tous les autres (*logoi*). » Mais il se peut encore que le mot ὑπόμνημα se rapporte ici au troisième stade de la publication, au σύγγραμμα, car il est parlé plus loin de livres (βίβλοι).

Il y a lieu de signaler enfin qu'on fait allusion, une fois, à un enseignement purement oral. Agathodémon, comme Socrate, n'a laissé aucun écrit : « J'ai entendu dire à Agathodémon — et, s'il l'avait écrit et publié (5), il aurait rendu un bien grand service à l'humanité... — je lui ai donc entendu dire un jour que, etc. » (C. H. XII 8). Il ne subsiste dès lors que des « dits » d'Agathodémon (τὰ τοῦ Ἀγαθοῦ Δαίμονος, XII 9 : cf. X 25, XII 1, 8, 9), transmis par la tradition orale.

C. — Le troisième stade de la publication est *l'ouvrage composé* (σύγγραμμα), mis au net et édité (ἔκδοσις), lequel, par son degré

---

(1) GALIEN, *De ord. libr. suor.*, XIX, p. 49 (cf. Bousset, *Schulbetrieb*, p. 4) distingue également, parmi ses ouvrages, ceux qui φίλων... δεηθέντων ἐγράφη τῆς ἐκείνων μόνων ἕξεως· στοχαζόμενα et ceux qui μειρακίοις εἰσαγομένοις ὑπηγορεύθη (noter le verbe, qui implique l'idée d'un enseignement oral).
(2) REITZENSTEIN, *Poimandres*, p. 191, n. 1.
(3) Κορυφή : cf. St. H. VI, 1 ὁ κυριώτατος πάντων λόγος καὶ κορυφαιότατος οὗτος ἂν εἴη.
(4) L'ὑπόμνημα est essentiellement un « mémoire » : cf. Hermès mémorialiste ou archiviste (ὑπομνηματογράφος) des dieux, *Korè Kosm.* 32, 44 (le titre d'ὑπομνηματογραφος a été officiel en Égypte sous les Ptolémées [Wilcken, *Grundzüge*, pp. 6-7] et sous l'Empire [Mitteis, *Chrest.*, n° 83. 15]).
(5) Je suis le texte de Scott : ἅ εἰ καὶ [εἰ].

d'achèvement, diffère de l'ὑπόμνημα (1). Le texte de Jamblique distingue nettement leçons orales, notes de cours, compositions destinées au public. Ailleurs (*De v. p.*, § 253, p. 130. 6 ss. D.), on relate qu'après le désastre de Crotone, les survivants du pythagorisme recueillirent d'une part les cours contenant les principaux articles et symboles du catéchisme (ὑπομνήματά τινα κεφαλαιώδη καὶ συμβολικά) (2), d'autre part les compositions des Anciens (τά τε τῶν πρεσβυτέρων συγγράμματα), enfin la tradition orale, « ce dont chacun pouvait se souvenir » (καὶ ὧν διεμέμνητο). Ailleurs encore, on rapporte à Pythagore des ὑπομνήματα (§ 198, p. 109. 7 D) et des συγγράμματα, dont les uns sont les écrits de Pythagore lui-même, les autres des rédactions de ses cours (§ 158, p. 89. 2 ss. D.) (3).

Qu'il ait existé des συγγράμματα Ἑρμοῦ, on le sait de reste : d'après Jamblique (*De myst.*, I, 1), les prêtres d'Égypte attribuaient à Hermès toutes leurs propres compositions. Nos *logoi* hermétiques se rangent dans cette catégorie, tous ceux du moins qui font figure d'ouvrage composé, avec prélude et conclusion, ce qui devait être la règle pour chacun d'eux (4). Le type du σύγγραμμα hermétique, c'est, par exemple, l'Exc. VI de Stobée (sur les décans), qui débute par le lieu commun si banal : « Puisque tu m'as promis de me révéler la doctrine sur ... » (cf. C. H. XIII 1) et se termine (18-19) sur une exhortation à la piété et à la gnose, les derniers mots formant doxologie : « Dieu seul, mon fils, ou plutôt Celui qui est trop grand pour être nommé Dieu ».

Encore faut-il observer que le *logos* hermétique assemble en lui-même les caractères distingués par Jamblique : il est une leçon orale ou entretien, et il est tout ensemble une composition écrite. Cette particularité affleure dans tous les *logoi* d'enseignement; ils témoignent, on l'a vu, des mœurs de l'école, ils apparaissent, en somme, comme des cours ou des conférences magistrales; et d'autre part ils sont écrits, c'est à titre de συγγράμματα que nous les lisons aujourd'hui. Deux exemples mettent bien en relief ce double aspect. L'*Asclépius* relate une discussion, une ὁμιλία, entre Hermès et

---

(1) Cf. Bousset, *Schulbetrieb*, pp. 4-5.
(2) Cf. Firm. Mat., *de err. pr. r.*, XVIII 1 (p. 43.9 ss. Ziegler) *libet nunc explanare quibus se signis vel quibus symbolis in ipsis superstitionibus miseranda hominum turba cognoscdt. habent enim propria signa, propria responsa.*
(3) εἰ τοίνυν ὁμολογεῖται τὰ μὲν Πυθαγόρου εἶναι τῶν συγγραμμάτων τῶν νυνὶ φερομένων, τὰ δὲ ἀπὸ τῆς ἀκροάσεως αὐτοῦ συγγεγράφθαι.
(4) Noter toutefois qu'il ne faut pas se tromper sur le sens de συγγράφω dans l'Exc II B, 1 : c'est simplement ici : « je mets par écrit, je note ». Cf. *infra*, p. 44.

Asklépios : et cependant Hermès, dans le prologue, dit à son élève : *Tractatum hunc autem tuo scribam nomine*. L'autre exemple nous est offert par un *logos* à peu près complet des *Hermética* de Stobée : le cas veut être examiné, car il a induit en erreur le dernier éditeur des textes hermétiques.

Le *logos* II A + II B (Scott) forme un ouvrage bien composé et, dans l'ensemble, cohérent. Or l'anomalie est la suivante. C'est un ouvrage *écrit*, un σύγγραμμα. Au début de II B, l'auteur déclare : « c'est par amour des hommes... que je compose en premier lieu ce traité » (πρῶτον τόδε συγγράφω II B 1). Mais, d'autre part, cet ouvrage écrit se présente comme un colloque entre le maître et l'élève, et le même maître qui s'adresse oralement à l'élève est censé, au cours de l'entretien, écrire pour cet élève ce même enseignement qu'il lui donne de vive voix. La difficulté a paru insoluble (1) : « Le mot συγγράφω donne lieu à des difficultés insurmontables si l'on admet que ce *logos* a Hermès pour auteur » (2). D'où l'on conclut à une interpolation, et, comme le prologue de l'*Asclépius* offre exactement la même aporie, on dira que « le morceau introductif où ces mots (*tractatum hunc...*) se rencontrent paraît une addition due à la bévue d'un rédacteur » (3). J'espère avoir montré où est la solution. Nos textes hermétiques sont *à la fois* des *dialéxeis* (ou *homiliai*) et des compositions écrites, et cette particularité tient aux mœurs littéraires de l'époque, tout ouvrage écrit étant essentiellement destiné à être dit, en conférence publique ou en leçon privée. Aujourd'hui encore, l'heureux bénéficiaire des « Gifford Lectures » n'agit pas autrement : il lit ses conférences écrites devant un auditoire; puis il les fait imprimer (4).

Dans l'étude plus haut louée, Bousset a conclu de l'analyse de certains textes de Philon et de Clément d'Alexandrie à l'existence d'écoles alexandrines. Ces auteurs en effet utilisent tout un matériel de thèmes scolaires, et la manière dont il les utilisent explique un bon nombre de traits dans leurs écrits (5).

De là vient, par exemple, que leurs emprunts n'ont pas le caractère de vulgaires plagiats. Ils ne pillent pas d'autres écrivains, ils

---

(1) Scott, *Hermetica*, III, pp. 320-323.
(2) Scott, *l. c.*, p. 321.
(3) Scott, *l. c.*, p. 320, n. 1 : « the introductory passage in which these words occur appears to have been added by a blundering redactor. »
(4) Noter au surplus le sens de l'anglais *lecture*, à la fois « lecture » et « conférence ».
(5) Bousset, *Schulbetrieb*, pp. 5-7.

puisent à un bien commun, la tradition scolaire, qui n'est le bien propre d'aucun individu, mais appartient à l'école tout entière.

De là encore ces contradictions frappantes qu'ils laissent dans leurs ouvrages, parfois à la distance d'une page ou de quelques lignes, et qui, à première vue, étonnent. C'est qu'ils se bornent à reproduire tour à tour des opinions divergentes, qui leur paraissent toutes dignes d'estime puisqu'elles proviennent toutes de la même tradition scolaire.

De là enfin leur mode de composition assez lâche, ces *eklogai* ou *compendia* où l'on touche successivement à une multitude de sujets simplement juxtaposés ou reliés par une transition artificielle. « Il faut une grande attention », écrit Bousset, « quand on a lu un traité de Philon, pour désigner le vrai sujet de ce traité. Quant à Clément, dans les *Stromates*, il a fait de nécessité vertu, ce manque d'ordre lui devient un principe. Imitant les précédents littéraires des *Broderies* (Λειμῶνες), des *Péploi*, il tisse ses propres *Tapis* (Στρώματα) : « c'est à la manière d'une broderie, dit-il, que mes essais présentent toute la variété d'un tapis » (ἡ τῶν Στρωματέων ἡμῖν ὑποτύπωσις λειμῶνος δίκην πεποίκιλται (VI, 2, 1). »

Ces trois caractères s'appliquent aux *logoi* hermétiques d'enseignement. On y puise constamment à la tradition scolaire, sans nommer d'ordinaire aucun auteur (sinon le fabuleux Agathodémon). Dans les morceaux polémiques, les rivaux qu'on veut combattre sont simplement désignés par « quelques-uns » (ἔνιοι C. H. IX 4, 9; τινες X 13) ou « la plupart » (οἱ πολλοί X 20).

Les contradictions abondent. Par exemple C. H. VI 2, X 10, le monde est déclaré mauvais en tant que matériel, mobile, défectif et passible; mais, IX 4, cette opinion est tenue pour un blasphème; ce n'est pas le monde qui est mauvais, c'est la terre.

C. H. II 5 Dieu ne peut se penser lui-même, n'y ayant point en Dieu de dualité sujet-objet; par contre IX 9, c'est un blasphème que de dénier à Dieu la sensation et la pensée.

C. H. X 9 « il y a une grande différence entre connaissance intellectuelle et sensation »; mais IX 1 « pour moi, il n'y a pas de différence entre pensée et sensation ».

Davantage, dans le même traité X, la métensomatose de l'âme humaine en un corps de bête est tour à tour affirmée (X 8), puis niée comme l'erreur la plus grande (X 20).

La composition est souvent très lâche, l'auteur passant d'un sujet à l'autre par une transition tout artificielle (question de l'élève, « maintenant nous allons traiter de... »), ou un simple glissement sur un mot qui sert, si l'on peut dire, de pivot. Pour maint *logos*, comme pour les traités de Philon, on peut se demander quel est le vrai sujet. C. H. VIII annonce un exposé sur l'immortalité de l'âme et la cause de l'union, puis de la dissolution, du composé humain; or l'auteur vient à montrer, dans le cadre familier « Dieu — monde — homme » (cf. IX), que rien ne se perd dans le monde, les éléments du composé dissous retournant à leurs principes, qu'ainsi il n'y a pas de mort : ce qui n'a rien à voir avec l'immortalité de l'âme, l'immortalité *personnelle*. C. H. XII associe deux exposés autonomes, l'un sur la doctrine de l'intellect, l'autre sur la doctrine du monde (sans compter des digressions sur la Fatalité 5-7, la grandeur de l'homme dans le monde 19-20, la connaissance de Dieu 21), et le passage de l'un à l'autre est si brusque (ἀνάγκη δέ, 14) qu'on a pu croire qu'il y avait là deux traités distincts (ainsi Scott). Une fois de plus, on est ramené à la notion d'*hypomnéma*, s'il en faut croire le mot de Simplicius (1) : « Selon Alexandre (d'Aphrodisias), le propre des écrits hypomnématiques est d'être un pêle-mêle d'opinions et de ne pas tendre à un même unique but (μὴ πρὸς ἕνα σκοπὸν ἀναφέρεσθαι) : en sorte que, pour les distinguer des hypomnématiques et les y opposer (πρὸς ἀντιδιαστολὴν τούτων), on nomme les autres écrits syntagmatiques (2). »

On pourrait multiplier ces remarques, noter par exemple le goût de l'auteur hermétique pour les définitions nominales (3), les distinctions de mots et d'idées (4), toutes choses qui trahissent les habitudes de l'école.

Dès maintenant, il semble qu'on puisse conclure. Si quelques-uns de nos *logoi* relèvent plus manifestement du lieu commun de la révélation (en particulier C. H. I), si d'autres, comme la *Korè Kosmou*, paraissent des morceaux de rhétorique étudiés et composés uniquement pour la publication, le plus grand nombre des *logoi* hermétiques ressortissent à l'enseignement, aux méthodes scolaires. Par quoi l'on ne veut pas affirmer qu'il ait existé, en fait, une école her-

---

(1) *In Aristot. Categ.*, p. 4 Kalbfleisch : cité par Bousset, p. 2, n. 2.
(2) Bousset, *l. c.*, note que Clément appelle volontiers ses écrits des ὑπομνήματα.
(3) C. H. VIII 1 ὁ θάνατος... νόημά ἐστι ἀθανάτου προσηγορία· ἢ κενὸν ἔργον ἢ κατὰ στέρησιν τοῦ πρώτου γράμματος λεγόμενος θάνατος ἀντὶ τοῦ ἀθάνατος. Voir encore tels avertissements comme XI 18 ἔνια δὲ τῶν λεγομένων ἰδίαν ἔννοιαν ἔχειν ὀφείλει, XII 16 εὐφήμησον, ὦ τέκνον, πλανώμενος τῇ προσηγορίᾳ τοῦ γινομένου, 18 αἱ δὲ προσηγορίαι τοὺς ἀνθρώπους ταράττουσιν.
(4) φύσις et ἐνέργεια : X 1 ἡ μὲν γὰρ φύσεως καὶ αὐξήσεώς ἐστι προσηγορία, ἅπερ ἐστὶ περὶ τὰ μεταβλητὰ καὶ κινητά, ⟨ἡ δὲ⟩ καὶ ⟨περὶ τὰ⟩ ἀκίνητα. « Vivant sans fin » et « éternel » : VIII 2. Dans le seul paragraphe IX 1 : sensation et intellection, intellect et intellection, Dieu (θεός) et activité divine (θειότης).

métique, comme il y eut une « école » de Plotin, et bien d'autres didascalées, à Alexandrie et à Rome (1). Il va de soi, en tout cas, qu'Hermès, Tat, Asklépios, Ammon, sont des noms fictifs. Mais tout se passe comme si l'on avait reporté aux temps fabuleux d'Hermès des usages actuels, ainsi que Jamblique reporte au temps de Pythagore ce qu'il a pu voir lui-même dans tel cercle pythagoricien du IIIe siècle. Hermès et ses disciples se comportent entre eux comme maître et élèves, ils traitent de problèmes scolaires, et ils les traitent comme on faisait, sous l'Empire, à Alexandrie, patrie de l'hermétisme. Qu'on joigne à ces exercices scolaires des homélies pieuses, que chacune de ces leçons ou discussions soit conduite de telle sorte qu'elle mène inévitablement à un couplet sur la piété et sur la gnose, que le tout baigne dans l'atmosphère un peu confinée d'un cercle théosophique, et l'on aura défini le curieux mélange, assez troublant de prime face, qu'offrent au lecteur moderne les écrits philosophiques du Trismégiste.

Si les écrits d'Hermès sont bien le produit d'une « chapelle », on s'expliquerait plus facilement un phénomène qui, tout d'abord, serait propre à étonner : d'où vient que ces écrits aient été si peu connus qu'aucun des auteurs profanes du IIe ou IIIe siècle, hormis Zosime (2), n'y fasse allusion? De fait, quand on rappelle les premiers témoignages sur l'hermétisme, on peut bien citer Plutarque (3) ou Galien (4), mais il s'agit en ce cas ou d'un opuscule de médecine astrologique (Galien) ou d'une exégèse des noms divins (Plutarque) qui n'a point de rapport avec nos *logoi*. Il faut descendre ensuite jusqu'au *De mysteriis* attribué à Jamblique et qui est lui-même un écrit de nature ésotérique (5). Cela se comprend si, composés en vue d'un cercle fermé qui fuyait la foule et le bruit, les *Hermetica* étaient précisément destinés à rester dans l'ombre. Ils devaient être tenus secrets; c'est un précepte qu'ils ne cessent de nous inculquer : faut-il s'étonner qu'on les ait pris au mot, et que les fidèles de l'hermétisme aient eu scrupule à divulguer une doctrine de salut

---

(1) Cf. Bousset, *Schulbetrieb*, l. II, ch. 9 (Alexandrie), l. III (Rome).
(2) Et peut-être Albinus (cf. *R. Sc. Phil. Théol.*, 1949) et Porphyre (cf. *infra*, p. 48, n. 1).
(3) *De Is. et Osir.*, 61.
(4) XI, 798 Kühn.
(5) Dès le début du *De myst.* (I, 1), Jamblique se réfère explicitement à Hermès comme au dieu λόγων ἡγεμών qui préside à la science véritable en ce qui touche les dieux (ὁ δὲ τῆς θεῶν ἀληθινῆς ἐπιστήμης προεστηκώς). Ce dieu est le protecteur attitré de toute la classe sacerdotale, « nos ancêtres (prêtres) lui ont toujours rapporté les découvertes de leur sagesse, c'est sous e nom d'Hermès qu'ils mettaient tous leurs propres écrits » (Ἑρμοῦ πάντα τὰ οἰκεῖα συγγράμματα ἐπονομάζοντες). C'est donc

dont le prestige résidait, sans doute pour une grande part, dans le voile même dont elle se couvrait et le petit nombre des élus auxquels elle était transmise ?

D'autre part le caractère apocalyptique de cet enseignement suffit à rendre compte et du silence de certains païens et de l'adhésion de certains chrétiens. On conçoit par exemple que même un homme d'étude comme Plotin n'en fasse pas mention (1). C'est qu'il abhorre toute espèce de révélation : dévot de la raison, il ne saurait admettre que la vérité sur les problèmes les plus essentiels ne puisse être obtenue que par le don gratuit d'un dieu ou d'un prophète, en l'occurrence Hermès, et devenir un objet de foi, plutôt que d'être conquise par les efforts de la seule pensée (2). En retour, ce même caractère devait induire certains Pères à tenir en grande estime les révélations du Trismégiste. A partir du moment où le christianisme chercha dans le paganisme même des témoignages à l'appui des dogmes de l'Évangile, il va de soi que les *Hermética* offraient un intérêt non pareil. Il semble que, dès le IIIe siècle, on l'ait perçu. Athénagore (vers 177-180) ne cite encore Hermès que pour la doctrine évhémériste de la divinisation des rois, qui n'a rien de spécifiquement hermétique. Mais Tertullien déjà est plus explicite. Pour lui, « ce fameux Hermès Trismégiste » (*Mercurius ille Trismegistus*) est un maître en toutes sciences physiques (3) ; ailleurs cet auteur rapporte, tout en la rejetant, la tradition qui fait d'Hermès un dieu et de ses livres une Écriture Sainte (4). Chez Lactance, c'est de l'enthousiasme. Quand il en appelle à l'autorité du Trismégiste pour confirmer par le témoignage des païens les vérités sur Dieu qui sont

---

aussi sous le patronage d'Hermès que doit s'engager la discussion entre Porphyre et Jamblique. Cf. I, 2 (κατὰ τὰς Ἑρμοῦ παλαιὰς στήλας), VIII, 1 (Ἑρμῆς ἐν ταῖς διοσμυρίαις βίβλοις), VIII, 4 (τὰ μὲν γὰρ φερόμενα ὡς Ἑρμοῦ Ἑρμαϊκὰς περιέχει δόξας... plus loin Ἑρμαϊκαὶ διατάξεις mises en relation avec les *Salmeschoiniaka*), VIII, 5 (Hermès-guide interprété par le prophète Bitys), VIII, 6 (Ἑρμαϊκὰ νοήματα), X, 7 (ὅπερ Βίτυς ἐκ τῶν Ἑρμαϊκῶν βίβλων μεθηρμήνευσεν). Je ne vois pour ma part dans le *De myst.* aucune allusion positive à quelque *logos* du C. H. La citation hermétique dans Procl., *In Tim.* 30 A (I, p. 386. 10-11 Diehl) ὅ γέ τοι θεῖος Ἰάμβλιχος ἱστόρησεν, ὅτι καὶ Ἑρμῆς ἐκ τῆς οὐσιότητος τὴν ὑλότητα παράγεσθαι βούλεται qui paraît se rapporter à *De myst.* VIII, 3 ὕλην δὲ παρήγαγεν ὁ θεὸς ἀπὸ τῆς οὐσιότητος ὑποσχισθείσης ὑλότητος, n'est pas sans analogie formelle avec C. H. XII 1 ὁ νοῦς οὖν οὐκ ἔστιν ἀποτετμημένος τῆς οὐσιότητος τοῦ θεοῦ, mais la doctrine d'une matière dérivée, par scission, de l'essence, n'est pas dans les *Hermética* actuels.

(1) Par contre, il y a peut-être une allusion à Hermès chez Porphyre, cf. mon article *Une source hermétique de Porphyre : L' « Égyptien » du De Abstinentia* (II 47) dans *Rev. Ét. Gr.*, XLIX (1936), pp. 586 ss.

(2) Cf. Bréhier, *op. cit.*, pp. VI-VII.

(3) Ou « le maître de tous les *physici* », *magister omnium physicorum :* cf. Scott, *Hermetica*, IV, p. 3.4.

(4) Scott, *ib.*, pp. 3.9 et 4.5 *sed nullus sermo divinus nisi dei unius.*

innées en toute âme humaine, il introduit la citation en ces termes (1) « Et maintenant, passons aux témoignages divins. Mais auparavant j'en avancerai un, qui est semblable au divin et par son extrême antiquité et parce que celui que je vais nommer a été transféré des hommes au rang des dieux. » Lactance rappelle alors que, selon Cicéron (*De nat. deor.* III, 22, 56), il y eut cinq Hermès, dont le dernier, appelé Thoyth en Égypte, fut adoré par les Phénéates comme un dieu. « Néanmoins », convient-il, « ce ne fut qu'un homme, bien que le plus ancien de tous et le plus instruit en tout genre de science, à ce point que ses connaissances universelles et son expérience d'une multitude d'arts lui valurent le surnom de Trismégiste. Il écrivit une infinité de livres sur la connaissance des choses divines, et il y affirme la majesté du Dieu suprême et unique, lui attribuant, comme nous, les noms de Seigneur et de Père ». Indiscutablement, la personnalité du Trismégiste le trouble, et il ne sait trop en quelle catégorie le ranger. Est-ce un homme? Est-ce un dieu? Il dit une fois (2) : « Le Trismégiste, qui, par je ne sais quel moyen, a découvert presque tout l'ensemble des vérités. » Une autre fois, à propos d'un extrait du « Logos Parfait » (3) : « Cet Hermès, bien que sous le nom de Mercure (Thoth) les Égyptiens l'honorent comme un dieu, *peut-être* faut-il le compter parmi les simples philosophes (*hunc fortasse aliquis in numero phisolophorum conputet*), et ne pas lui accorder plus d'autorité qu'à Platon ou à Pythagore. » Dans le *De ira* enfin (4), Hermès est décidément un homme, mais qui n'a point son pareil par le prestige ou l'antiquité : « Dieu est l'unique principe, la seule source des êtres... ainsi que Platon l'a reconnu et enseigné dans le *Timée*... La même vérité est attestée par Hermès, que Cicéron dit être tenu en Égypte pour un dieu, ce même Hermès que son mérite et son expérience d'une multitude d'arts fit surnommer « trois fois grand » (*Termaximus*), et qui est bien plus ancien non seulement que Platon, mais même que Pythagore et les sept sages. » Voilà qui est clair. Aux yeux du rhéteur chrétien, cet Hermès auquel il accole d'ordinaire les épithètes de « tout à fait véridique, tout à fait sage » et qu'il met sur le même rang que les Sibylles inspirées (5) ou le mythique Orphée (6), est un prophète des

---

(1) Lact., *Div. inst.*, I, 6, 1 ss. : Scott, p. 9.1 ss.
(2) *Ib.*, IV, 9, 3 : Scott, p. 19.8.
(3) *Ib.*, VIII, 13, 4 : Scott, p. 23.22. L'allusion au Λόγος τέλειος peut se rapporter à l'*Asclépius*, cf. cc. 8, 10, 22.
(4) XI, 11-12 : Scott, p. 27.13.
(5) *Div. inst.*, IV, 6, 3 (Scott, p. 15.16); IV, 6, 9 (p. 16.2-3).
(6) *Ib.*, IV, 8, 4 : Scott, p. 17. 16.

premiers âges, qui a dû recevoir immédiatement de Dieu, au cours de la révélation primitive, la connaissance des vérités essentielles.

Résumons notre enquête. Examinant le genre littéraire auquel appartient le *logos* hermétique, nous avons vu que, dérivant en première ligne de Platon, il témoigne de certaines habitudes scolaires propres à un petit cercle intime où un maître cherche à convertir ses disciples à la vraie vie de l'âme : c'est une leçon privée (trois élèves au plus), qui se tourne en direction spirituelle. Le caractère ésotérique de ces écrits explique qu'ils aient si peu influé sur la littérature profane, tandis que leur aspect apocalyptique, le fait qu'ils se donnent comme la révélation d'un dieu ou d'un prophète rend raison du silence de Plotin. A l'encontre, ce même aspect de révélation les recommande aux Pères; ils se plaisent à retrouver dans les *Hermética* nombre de doctrines parentes, jointes au souci de piété qui anime, dès l'origine, la catéchèse chrétienne (1).

(1) Ce chapitre était écrit quand j'ai pris connaissance de l'excellent article de NORDEN, *Hermes*, XL (1905), pp. 481 ss., sur « La composition et le genre littéraire de l'*Art poétique* d'Horace ». Après avoir montré que le poème d'Horace suit la forme des *Introductions* (cf. *infra*, pp. 345 ss.) et rappelé les normes de ce genre littéraire (pp. 516 ss. : noter le σχῆμα κατὰ πεῦσιν καὶ ἀπόκρισιν, pp. 517-519, qui d'ailleurs ne peut être dit un dialogue, *ib.*, p. 523, n. 1), l'auteur signale que l'*Introduction*, qui s'adresse à un débutant (cf. p. 516), se présente tout naturellement comme la leçon d'un maître à son disciple. A Rome, ce disciple est d'ordinaire le fils (cf. pp. 519-520). Cette fiction littéraire, plus rare en Grèce, y paraît surtout dans la littérature astrologique. Norden cite à ce sujet l'Εἰσαγωγή de Paul d'Alexandrie à son fils Kronammôn (p. 519, n. 3 : cf. *CCAG.*, I, p. 3. Voir ma *R. H. T.*, I, pp. 332 ss.) et mentionne aussi la littérature hermétique philosophique (p. 519, n. 3 fin, p. 526, n. 1).

CHAPITRE III

LES DONNÉES DU PROBLÈME DANS LES *HERMETICA*.

§ 1. Le cinquième traité du *Corpus Hermeticum*.

Le cinquième traité du C. H. développe ce thème que Dieu qui, par nature, est inapparent (ἀφανής), se rend apparent, c'est-à-dire se révèle, dans les choses qu'il a créées. Les deux premiers paragraphes démontrent d'abord que Dieu est nécessairement inapparent : il l'est en tant qu'éternel (ὡς ἀεὶ ὤν). On reconnaît ici l'équation platonicienne entre l'éternel et l'intelligible (non visible), le moyen terme étant l'immuable. En revanche le sensible (visible) est « ce qui a été engendré, ce qui est venu à l'être » (πᾶν γὰρ τὸ φαινόμενον γεννητόν· ἐφάνη γάρ) (1). Il n'y a d'image visible (φαντασία) que de ce qui devient (ἡ γὰρ φαντασία μόνων τῶν γεννητῶν ἐστίν). En tant donc qu'inengendré (ἀγέννητος), Dieu est nécessairement non susceptible de représentation sensible (ἀφαντασίαστος) et inapparent (ἀφανής).

Dès lors, comment voir Dieu? Question bien importante, s'il est vrai que « voir Dieu » est le but de toutes les aspirations du dévot hermétiste, comme d'ailleurs, plus généralement, de la piété hellénistique (2). La réponse fera le sujet même du traité : Dieu se rend visible, d'une part dans l'ordre des cieux et la belle organisation de l'univers, le μακρὸς κόσμος (V 3-5), d'autre part dans cette merveille qu'est l'homme, le μικρὸς κόσμος, dont tous les membres et tous les organes ont été créés en vue d'une fin belle et bonne (V 6-8). Ce sont là deux motifs classiques et nous étudierons l'histoire du premier. Néanmoins, avant d'en venir à son propos, l'auteur glisse un trait proprement hermétique. Il semblerait que la faculté de reconnaître Dieu dans ses œuvres dût être commune à tous : telle sera la doctrine courante, et c'est précisément en raison de cette doctrine que le *Livre de la Sagesse* (c. 13) et saint Paul (*Rom.*, 1, 20 ss.) pourront faire un reproche aux hommes de ce que, admirant la

---

(1) L'équivalence entre γενητός et γεννητός, ἀγένητος et ἀγέννητος est constante dans les *Hermetica*.
(2) Cf. *RHT*, I, ch. 3 : « La vision de Dieu ».

beauté du monde, ils ne se sont pas tournés vers Dieu. Notre hermétiste pense autrement. Après avoir déclaré que Dieu se laisse voir par et dans toutes ses œuvres (διὰ πάντων φαίνεται καὶ ἐν πᾶσι), il ajoute : « *et il apparaît surtout aux hommes auxquels il lui a plu d'apparaître* ». Dès lors, cette vue de Dieu est une grâce, et il faut prier pour l'obtenir. Nous retrouvons ici un mélange entre les deux formules *colit qui novit* et *novit qui colit*. La première seule convient à notre traité : il est clair que c'est la contemplation du monde qui doit mener à la connaissance et à l'adoration de Dieu. La seconde appartient, en propre, à l'autre courant, gnostique, de l'hermétisme. Si le monde est mauvais, Dieu en est infiniment éloigné, et il n'a point contribué à le former : la contemplation du monde ne peut donc mener à la connaissance d'un Dieu nécessairement ἄγνωστος (en tant qu'infiniment éloigné), et il n'est d'autre moyen de connaître Dieu que la prière et l'acte de culte, grâce auxquels on obtiendra, en faveur spéciale, une vision autoptique. Ce qui prouve ic la contamination des deux courants, c'est l'une des épithètes appliquées à Dieu (V 2) : « Toi donc, ô mon fils Tat, prie d'abord le Seigneur et Père et Seul, *et qui n'est pas l'Un mais source de l'Un*, de se montrer propice, afin que tu puisses saisir par la pensée ce Dieu qui est si grand... ». « Seigneur », « Père », « Seul », ces noms conviennent excellemment à la théodicée classique depuis Platon : dès le *Timée*, le Démiurge du Tout est dit Fabricateur et Père (τὸν ποιητὴν καὶ πατέρα τοῦδε τοῦ παντός, *Tim*., 28 c 3) (1), et ce Démiurge est nécessairement unique (2). Mais la suite : « qui n'est pas l'Un, mais source de l'Un » (εὖξαι τῷ... οὐχ ἑνί, ἀλλ' ἀφ' οὗ ὁ εἷς), où se révèle l'une des marques de l'hermétisme, le besoin de placer Dieu au-dessus de toutes les catégories imaginables (3), ajoute à la théodicée du traité V, inspirée de Platon et du stoïcisme, un trait qui, surenchérissant sur Platon et tout absent du stoïcisme, relève apparemment de la gnose, ou du moins de la tendance gnostique à reléguer la Divinité infiniment loin du monde dans un abîme de mystère et de silence (4). Ainsi voit-on, une fois de plus, l'inextricable mélange des courants hermétiques, même dans un traité assez bien dessiné et d'inspiration relativement uniforme comme le

---

(1) **Sur le sens général du passage, cf. A. E. TAYLOR, *A Commentary on Plato's Timaeus*,** Oxford, 1928, (cité TAYLOR), p. 71.

(2) L'unicité de l'Ouvrier divin est démontrée C. H. XI 9-11.

(3) Cf. II 14 ὁ οὖν θεὸς οὐ νοῦς ἐστίν, αἴτιος δὲ τοῦ <νοῦν> εἶναι, οὐδὲ πνεῦμα, αἴτιος δὲ τοῦ εἶναι πνεῦμα, οὐδὲ φῶς, αἴτιος δὲ τοῦ φῶς εἶναι.

(4) Cf. la σοφία νοερὰ ἐν σιγῇ de C. H. XIII 2.

traité V : c'est là, il faut bien le dire, une source de difficultés constantes dans l'hermétisme.

Après avoir montré Dieu visible dans la Création (V 3-8) et rappelé d'un mot l'argument banal « point d'œuvre sans ouvrier » (V 7-8), l'auteur passe à un nouvel exposé (V 9-11), qui lui aussi s'achève en prière (V 10 fin-11), touchant l'essence divine. Ce Dieu que nous atteignons ainsi par ses œuvres, quel est-il en effet? Est-il transcendant ou immanent? Est-ce un Démiurge supérieur au monde ou l'Ame du Monde? D'après ce qui a été établi jusqu'à ce point, il semblerait plutôt qu'on dût s'attendre à un Dieu transcendant. Dès le début (V 1), Dieu a été dit « trop grand pour être nommé Dieu » (ὅπως μὴ ἀμύητος ᾖς τοῦ κρείττονος θεοῦ ὀνόματος), et cette formule a été reprise à la fin du premier exposé (V 8) (1). Davantage, l'idée de transcendance a été si marquée que Dieu a été déclaré « non pas l'Un, mais source de l'Un ». Dieu donc ne peut se confondre avec le monde, il est distinct du Tout et supérieur au Tout. Or voici que, ayant prononcé (V 9) que l'essence de Dieu est de créer, et de créer sans cesse — car, comme il est dit ailleurs (XI 5, XVI 19), Dieu ne peut cesser de produire le mouvement, sans quoi tout s'arrêterait (2), — notre auteur se lance dans une sorte d'eulogie (V 9 ss.) où, pour mieux exalter la Divinité, il lui rapporte à la fois et les attributs qui ressortissent à la transcendance et ceux qui dénotent le panthéisme le plus radical. Dieu est tout ensemble « le Dieu trop grand pour avoir un nom » (ὁ θεὸς ὀνόματος κρείττων), Celui qui n'a pas de nom (ὄνομα οὐκ ἔχει), l'Incorporel, visible au seul regard de l'intellect (ὁ ἀσώματος, ὁ τῷ νοΐ θεωρητός) et « Celui qui a tous les noms » (ὀνόματα ἔχει ἅπαντα), « Celui qui a beaucoup de corps ou plutôt tous les corps » (ὁ πολυσώματος, μᾶλλον δὲ παντοσώματος), qui est visible aux yeux du corps (ὁ τοῖς ὀφθαλμοῖς ὁρατός). De fait, Dieu est tout : « dans ce monde tout entier, rien n'existe qu'il ne soit pas lui-même, il est lui-même à la fois ce qui est et ce qui n'est pas » (V 9), « rien n'existe qu'il ne soit aussi; tout ce qui est, tout est Lui » (V 10). Et cette veine panthéiste continue ainsi durant toute la prière. De quel côté se tourner pour prier? Il n'y a point de lieu en dehors de Dieu : « Tout est en Toi, tout vient de Toi » (πάντα

---

(1) Texte en partie gâté, mais le sens ne paraît pas douteux. Cf. *Stob. Herm.*, Exc. VI 19 μεῖζόν τι ὂν τοῦ θεοῦ τοῦ ὀνόματος.

(2) XI 5 οὐ γὰρ ἀργὸς ὁ θεός, ἐπεὶ πάντα ἂν ἦν ἀργά· ἅπαντα γὰρ πλήρη τοῦ θεοῦ· ἀλλ' οὐδὲ ἐν τῷ κόσμῳ ἐστὶν ἀργία οὐδαμοῦ, οὐδὲ ἕν τινι ἄλλῳ, XVI 19 πάντα δὲ ὁ θεὸς ποιεῖ διὰ τούτων ἑαυτῷ, καὶ μόρια τοῦ θεοῦ πάντα ἐστίν· εἰ δὲ πάντα μόρια, πάντα ἄρα ὁ θεός· πάντα οὖν ποιῶν, ἑαυτὸν ποιεῖ καὶ οὐκ ἄν ποτε παύσαιτο, ἐπεὶ καὶ αὐτὸς ἄπαυστος· καὶ ὥσπερ ὁ θεὸς οὐ τέλος ἔχει, οὕτως οὐδὲ ἡ ποίησις αὐτοῦ ἀρχὴν ἢ τέλος ἔχει.

δὲ ἐν σοί, πάντα ἀπὸ σοῦ, V 10). A quel moment prier Dieu? Il n'y a pas de saison relativement à Dieu, nul temps ne mesure sa durée (V 11). En qualité de quoi (1) prier Dieu? L'homme ne s'appartient pas à lui-même, n'a rien en propre, il n'est pas autre que Dieu. « Car tu es tout ce que je suis, tu es tout ce que je fais, tu es tout ce que je dis. Car tu es tout, et il n'existe rien d'autre que toi : cela même qui n'existe pas, tu l'es aussi » (V 11).

Deux traits caractérisent donc ce *logos*. D'une part on démontre que Dieu, naturellement inapparent, se rend apparent dans ses œuvres. D'autre part, ce Dieu qui se rend ainsi connaissable est à la fois transcendant et immanent, Démiurge et Ame du monde. En attribuant à Dieu cette double dualité — inapparent-apparent, transcendant-immanent, — l'auteur prétend marquer la richesse infinie de l'Être divin et, ce faisant, l'exalter davantage : il ne s'aperçoit pas que ces formules se détruisent l'une l'autre, si du moins on les prend en rigueur de terme (2).

Mais c'est justement ce dont il faut se garder quand on considère l'hermétisme. Le dévot hermétiste n'offre pas un système : il puise à toutes les traditions philosophiques, il se donne ainsi un thème, lequel peut être plein de contradictions pour la pensée, mais qui convient à son objet, dès là qu'il se propose surtout de nourrir et d'échauffer sa piété.

L'exemple de ce traité nous enseigne donc la méthode à suivre. Pour l'expliquer entièrement, nous aurons sans doute à en examiner le contenu, à déceler l'origine et la genèse des deux arguments : Dieu visible dans ses œuvres et singulièrement dans l'ordre du ciel, Dieu tout ensemble transcendant et immanent. Cette recherche ne sera pas proprement une recherche de sources. A la date où paraissent nos écrits, il serait vain de vouloir rapporter à tel ou tel ouvrage particulier ce qui est devenu un lieu commun dans les écoles de sagesse. Il importera davantage de montrer la signification de cet éclectisme. Cependant, si les idées mêmes ont leur intérêt, nous aurons, bien plus encore, à définir l'esprit qui anime le dévot d'Hermès : répétons-le, il s'agit moins d'un système que d'une religion ou, pour mieux dire, d'une attitude religieuse. Voilà ce qu'il faut comprendre. Car les traits qui caractérisent le C. H. V ne sont pas

---

(1) διὰ τί équivalent à κατὰ τί. Ou « avec quoi, par le moyen de quoi » (*wherewith* Scott), διὰ τί équivalant à διὰ τίνος, cf. Moulton-Milligan, s. v. où l'on cite P. Fay. 119.34 (e. 100 p. c.) ἐπὶ (= ἐπεὶ) κράζει πᾶσις εἶναι (= ἵνα) μὴ εἰς ψωμὶν γένηται διὰ τὸ ὕδωρ (« we must not allow it-the manure-to be dissolved by the water ») et d'autres exemples.

(2) J. KROLL, *Lehren*, pp. 44-45, a déjà noté ce point.

propres à ce seul *logos* : on les retrouve dans un grand nombre d'autres écrits hermétiques, ils déterminent l'une des deux tendances fondamentales de l'hermétisme, celle que nous avons appelée le « mysticisme cosmique » pour le distinguer du courant gnostique. Davantage, cette piété cosmique du Trismégiste n'est pas un fait isolé : elle reparaît dans toute une série d'ouvrages « hellénistiques », dans les *Tusculanes* et le *Songe de Scipion* de Cicéron, dans le *De Mundo*, chez Philon, chez Sénèque, chez Épictète, chez Marc-Aurèle, chez Plotin encore. Entre la religion populaire et la théosophie des gnostiques, elle est la forme particulière que revêt, aux alentours de notre ère et jusqu'au IIIe siècle, la religion de beaucoup d'hommes, on peut dire, d'une manière générale, la religion des sages ou, du moins, de ceux qui se sont frottés de sagesse. En cherchant à définir cette tendance hermétique, nous rencontrerons donc un important courant de la religion hellénistique et gréco-romaine : c'est ce qui donne son intérêt à une telle étude.

Voyons donc d'abord, sans prétendre à être complet, quels sont, dans la littérature du Trismégiste, les éléments du mysticisme cosmique. Nous en rappellerons ensuite l'origine et l'évolution, en nous plaçant au double point de vue et de l'histoire des idées et de celle du sentiment religieux.

§ 2. Les éléments du mysticisme cosmique dans la littérature hermétique.

I. *Dieu visible en sa création.*

Le thème « Dieu visible en sa création » fait l'objet, dans le C. H. V, des paragraphes 3-8. Il s'y divise en deux motifs : Dieu visible dans le macrocosme, l'univers (V 3-5), Dieu visible dans le microcosme, l'homme, — que l'on admire ici, non pas, comme dans l'*Asclépius*, pour son rôle privilégié d'intermédiaire entre Dieu et les êtres sans raison (*sic ergo feliciore loco medietatis est positus*, 6, p. 302.10), mais pour la merveilleuse configuration de son corps (V 6-8). Ce deuxième motif ne reparaît pas dans les *Hermetica* : le premier, en revanche, revient à plusieurs reprises.

Voici d'abord le morceau du C. H. V (3-5) qui sert de point de départ à notre étude :

> **3.** Si donc tu veux voir Dieu, considère le soleil, considère le cours de la lune, considère l'ordonnance des astres. Qui est celui qui en maintient l'ordre? Tout ordre en effet suppose une délimitation quant au nombre et au lieu. Le soleil,

dieu suprême parmi les dieux du ciel, lui à qui tous les dieux célestes cèdent le pas comme à leur roi et dynaste, le soleil donc avec sa taille immense, lui qui est plus grand que la terre et la mer, supporte d'avoir au-dessus de lui, accomplissant leur révolution, des astres plus petits que lui-même. Qui révère-t-il ou qui craint-il, mon enfant? Tous ces astres qui sont dans le ciel n'accomplissent-ils pas, chacun de son côté, une course semblable ou équivalente? Qui a déterminé pour chacun d'eux le mode et la longueur de sa course? **4.** Voici l'Ourse, qui tourne autour d'elle-même, entraînant dans sa révolution le ciel entier : qui est-ce qui possède cet instrument? Qui est-ce qui a enfermé la mer dans ses limites? Qui est-ce qui a assis la terre sur son fondement? car il existe quelqu'un, ô Tat, qui est le créateur et le maître de toutes ces choses. Il ne se pourrait en effet que ou le lieu ou le nombre ou la mesure fussent observés avec soin indépendamment de celui qui les a créés. Car tout bon ordre suppose un créateur, seule l'absence de lieu et de mesure n'en suppose pas. Mais ceci même n'est pas sans maître, mon enfant. Et en effet, si l'inordonné existe, déficient †..........†, il n'en obéit pas moins au maître qui ne lui a pas encore imposé le bon ordre.

5. Plût au ciel qu'il te fût donné d'avoir des ailes et de t'envoler vers l'air, et là, placé au milieu de la terre et du ciel, de voir la masse solide de la terre, les flots répandus de la mer, les cours fluents des fleuves, les mouvements libres de l'air, la pénétration du feu, la course des astres, la rapidité du ciel, son circuit autour des mêmes points! Oh! que cette vue est la plus bienheureuse, enfant, quand on contemple en un seul moment toutes ces merveilles, l'immobile mis en mouvement, l'inapparent se rendant apparent au travers des œuvres qu'il crée. Tel est l'ordre du monde, et tel, le monde de cet ordre.

Dans le C. H. XI, le motif paraît à deux reprises, une première fois (XI 6-8) pour prouver que la beauté, le bon ordre, la régularité du monde en toutes ses parties supposent un Créateur qui a fait venir à l'être tous ces corps vivants mobiles, et un Ordonnateur qui les a rassemblés en un seul Tout :

« Contemple en outre par moi le monde soumis à ta vue, et considère attentivement comme il est beau, corps sans souillure et dont rien ne dépasse l'antiquité, éternellement dans la force de l'âge, et jeune, et toujours plus florissant. **7.** Vois aussi la hiérarchie des sept cieux, formés en bon ordre suivant une disposition éternelle, remplissant chacun par une course différente l'éternité. Vois toutes choses pleines de lumière sans qu'il y ait de feu nulle part : car l'amitié et la combinaison des contraires et des dissemblables est devenue lumière, répandue en bas par l'énergie du dieu qui est générateur de tout bien, chef et conducteur du bon ordre entier des sept cieux. Vois la lune qui court en avant de tous ces cieux, instrument de la vie physique, transformant la matière d'ici-bas. Vois la terre, sise au milieu du Tout, bien établie comme fondement de ce monde si beau, nourrice qui alimente les créatures terrestres. Considère encore combien est immense la multitude des vivants immortels, immense celle des mortels, et vois, les séparant les uns des autres, immortels et mortels, la lune poursuivant sa ronde. **8.** Tout est plein d'âme, tous les êtres sont en mouvement, les uns dans le ciel, les autres sur la terre, et ni ceux qui doivent être à droite ne vont à gauche, ni ceux qui doivent être à gauche ne vont à droite, ni ceux qui doivent être en haut ne vont en bas, ni ceux qui doivent être en bas ne vont en haut. Que tous ces êtres aient été produits, très cher Hermès, tu n'as plus besoin de l'apprendre de ma bouche : ce sont des corps en effet, ils ont une âme, et ils sont mus. Or tous ces êtres ne peuvent converger en un être unique, sans quelqu'un qui les assemble. Il faut donc qu'un tel assembleur existe et qu'il soit absolument unique.

puis, dans la conclusion (XI 22), où l'on reprend le propre argument de C. H. V : Dieu est *visible* dans ses œuvres :

22. Iras-tu dire maintenant : « Dieu est invisible »? Ne parle pas ainsi : qui est plus manifeste que Dieu? Il n'a tout créé que dans le seul dessein de se montrer à toi à travers tous les êtres. C'est là le bien de Dieu, le pouvoir miraculeux de Dieu, de se manifester lui-même à travers tous les êtres. Car il n'y a rien d'invisible, même parmi les incorporels. L'intellect se rend visible dans l'acte de penser, Dieu dans l'acte de créer.

Dans le C. H. XII, le motif se glisse, comme une incidente, dans un texte d'inspiration panthéiste (XII 20-22) qui va à démontrer que Dieu est Tout et partout, présent jusque dans la matière, puisque toutes choses, et la matière elle-même, sont des énergies de Dieu. Le morceau mérite d'être cité en entier, car il est très caractéristique du panthéisme hermétique :

Dieu, lui, enveloppe tout et pénètre tout : car il est énergie et puissance. Et il n'y a rien de difficile à concevoir Dieu, mon enfant. **21.** Et si tu veux même le contempler, vois le bel arrangement du monde et la belle ordonnance de cet arrangement. Vois la nécessité qui préside à tout ce qui s'offre à notre vue, et la providence qui règle les choses du passé et celles qui se produisent aujourd'hui. Vois comme la matière est toute remplie de vie. Vois ce dieu immense en mouvement avec tous les êtres qu'il contient, bons et beaux, les dieux, les démons, les hommes. — Mais tout cela, ô père, ce sont des énergies. — Admettons donc qu'il n'y ait là que des énergies, mon enfant : par qui donc ces énergies sont-elles mises en acte? Par un autre dieu?. Ne vois-tu pas que, tout comme sont parties du monde le ciel, l'eau, la terre et l'air, de la même manière sont membres <de Dieu> la vie, l'immortalité, †......†, la nécessité, la providence, la nature, l'âme, et l'intellect, et que c'est la permanence de tout cet ensemble qu'on nomme le Bien? Et il n'est donc plus rien, ni dans les choses actuelles, ni dans les choses du passé, où Dieu ne soit présent.

22. — Dieu est donc dans la matière, ô père? — Suppose, mon enfant, que la matière existe séparée de Dieu, quel lieu vas-tu lui assigner pour sa part? Et que crois-tu qu'elle soit d'autre qu'une masse confuse, aussi longtemps qu'elle n'est pas mise en œuvre? Et si elle est mise en œuvre, par qui l'est-elle? Car les énergies qui opèrent sont, nous l'avons dit, parties de Dieu. Par qui donc sont vivifiés tous les êtres vivants? Par qui sont immortalisés les êtres immortels? Qui produit le changement dans les êtres changeants? Que tu parles de matière ou de corps ou de substance, sache que ces choses aussi sont elles-mêmes énergies de Dieu, énergie de la matière la matérialité, énergie des corps la corporéité, énergie de la substance la substantialité : et Dieu est ceci, le Tout. **23.** Dans le Tout il n'y a rien que Dieu ne soit pas. Dès lors aucun de ces prédicats, grandeur, lieu, qualité, figure, temps, ne peut être attribué à Dieu : car Dieu est tout ; et le Tout pénètre toutes choses et enveloppe toutes choses.

Dans le C. H. XIV 3, l'idée est exprimée de nouveau comme un motif secondaire dans un passage dont l'argument général est celui de la primauté de Dieu (Dieu, en tant que Créateur, est essentiellement premier eu égard aux êtres qu'il crée) :

« Celui-ci — *sc.* l'Inengendré (ἀγέννητος) = Dieu, — Souverainement Puissant, Un et Seul, est réellement sage en toutes choses, parce qu'il n'a rien qui lui soit antérieur : il est donc le premier et dans l'ordre du nombre, et dans l'ordre de la grandeur, et par la variété des êtres qu'il crée, et par la continuité de sa création. En outre, les êtres venus à l'être sont visibles, mais lui est invisible : c'est pourquoi justement il crée, afin de se rendre visible. Il crée donc tout le temps : en conséquence il est visible.

Voilà ce qu'il faut concevoir, et dès lors admirer, et, ceci fait, s'estimer bienheureux, puisqu'on a connu le Père.

Pour ce qui regarde le C. H., notons encore deux allusions rapides. L'une est en III 3 : l'homme a été créé « pour la connaissance des œuvres divines,... pour la contemplation du ciel et de la course des dieux célestes (les astres) et des œuvres divines et de l'activité de la nature, ...pour la connaissance de la puissance divine », l'autre en IV 2 : « l'homme en effet est devenu le contemplateur de l'œuvre de Dieu, et il est tombé en émerveillement et il a connu le Créateur ». Cette dernière formule présente une division tripartite : « contempler le monde, l'admirer, adorer Dieu », que l'on retrouve en d'autres écrits avec de légères variantes. Ainsi, en XIV 3, l'idée de la primauté du Créateur par rapport à la création mène-t-elle à l'admiration, et celle-ci à la louange du bonheur qu'on éprouve à connaître le Père. Dans l'*Asclépius* 8 (306.6), l'homme est placé sur la terre pour *mirari atque adorare caelestia*. Ailleurs dans le même traité (*Ascl.* 32, p. 342 ss.), une phrase au surplus assez obscure permet de reconnaître les trois termes : la contemplation du monde mène à la connaissance des dieux supracosmiques, et cette connaissance procure la félicité (1) :

« Il y a cette différence entre l'intelligence discursive et l'intellect intuitif que notre intelligence parvient seulement, à force d'application, à saisir et à discerner le caractère de l'intellect du monde, et ce n'est qu'ensuite, une fois appréhendé le monde, qu'elle s'élève à la connaissance de l'éternité et des dieux supracosmiques. C'est par ce biais qu'il nous est donné, à nous hommes, de voir,

(1) Je corrige ici quelque peu ma traduction antérieure (éd. de l'*Ascl.*), sans d'ailleurs être sûr d'avoir découvert le vrai sens.

comme à travers un brouillard, les choses du ciel, autant que le permet la condition de l'esprit humain. Sans doute, lorsqu'il s'agit de contempler des objets si hauts, notre puissance de vision est-elle resserrée en des limites très étroites : mais immense, quand elle voit, est la félicité de l'âme connaissante. »

II. *La veine panthéiste.*

On a indiqué plus haut, à propos de C. H. V, la difficulté que nous éprouvons à définir d'une manière un peu précise le Dieu cosmique des *Hermética*, je veux dire ce Dieu Créateur et Maître du monde que nous atteignons par la contemplation du monde (1). Sous un aspect, ce Dieu apparaît comme supérieur au monde, situé au sommet du monde ou même au delà du monde. Sous un autre aspect, ce Dieu est immanent au monde ou coextensif au monde, il l'enveloppe et le pénètre : l'on va même parfois jusqu'à dire qu'il se confond avec le monde, s'il est vrai que tout être dans le monde, tout être existant, est partie de Dieu. Nous allons retrouver cette équivoque en d'autres traités hermétiques.

Le traité IX du C. H. prend pour thème général le problème tout scolaire de la sensation et de l'intellection. L'auteur considère ces deux facultés en l'homme, dans le monde et en Dieu. Quand il en vient à Dieu (IX 9), il affirme d'abord que Dieu n'est pas, comme certains le pensent, dépourvu de sensation et d'intellection. Loin de là : αἴσθησις et νόησις se confondent, en Dieu, avec son énergie créatrice qui produit le mouvement universel. Tout ce qui donc, dans l'univers, manifeste une énergie quelconque dépend directement de l'énergie, c'est-à-dire de la sensation-intellection, de Dieu lui-même. Cet argument pourrait s'entendre en métaphysique aristotélicienne : mais c'est au panthéisme qu'il aboutit chez notre auteur.

8. Quant à Dieu, il n'est pas dépourvu de sensation et d'intellection, comme certains le penseront — c'est par un excès de révérence qu'ils blasphèment (2). Car tous les êtres qui existent, Asklépios, c'est en Dieu qu'ils existent, étant faits par Dieu et dépendant de là-haut, soit qu'ils exercent leur activité par le moyen des corps, soit qu'ils meuvent par le moyen d'une substance psychique, soit qu'ils vivifient par le moyen d'un souffle, soit même qu'ils reçoivent en eux tout ce qui est mort : et c'est raisonnable. Ou plutôt, je déclare que Dieu ne les contient pas, mais, pour manifester le vrai, qu'il est

---

(1) Rappelons que ce Dieu cosmique se distingue radicalement du Dieu « gnostique », atteint par la gnose, c'est-à-dire par une contemplation tout intérieure qui fait abstraction du monde puisque le monde, par définition, est mauvais.

(2) Cf. C. H. II 5 : Dieu est pour nous le premier objet de pensée, bien qu'il ne soit pas objet de pensée pour lui-même (νοητὸς γὰρ πρῶτος ὁ θεός ἐστιν ἡμῖν, οὐχ ἑαυτῷ).

tous les êtres : il ne se les ajoute pas à lui-même du dehors, c'est lui qui les donne de lui-même et les produit au dehors. Ceci donc est la sensation et l'intellection de Dieu : mouvoir toujours tous les êtres. Et il n'y aura jamais un temps où quelqu'un des êtres sera abandonné (de Dieu) : en effet, quand je dis « quelqu'un des êtres », je veux dire « quelque chose de Dieu »; or Dieu contient en lui-même tout ce qui est, et rien n'est en dehors de lui, et lui n'est en dehors de rien.

Le traité **X**, qui offre comme un conspectus de tout l'ensemble des doctrines hermétiques, part de l'idée de Dieu (X 1) : Dieu, qui est le Père, s'identifie au Bien. Quant à l'activité de Dieu, qui se confond avec sa volonté et son essence, c'est de vouloir l'existence de tout ce qui existe (ἡ γὰρ τούτου ἐνέργεια... τὸ θέλειν πάντα εἶναι, X 2) (1). Ceci encore serait parfaitement légitime dans l'hypothèse d'un Dieu transcendant. Mais l'auteur poursuit (X 2) : « Qu'est-ce en effet que Dieu, le Père, le Bien, sinon l'être de toutes choses alors même qu'actuellement elles ne sont pas, que dis-je, la propre réalité de tout ce qui est » (τί γάρ ἐστι θεὸς καὶ πατὴρ καὶ τὸ ἀγαθόν, ἢ τὸ τῶν πάντων εἶναι οὐκέτι ὄντων, ἀλλὰ ὕπαρξις αὐτὴ [Turn. : ὕπαρξιν αὐτήν codd.] τῶν ὄντων) ?

Le traité XI, auquel nous avons emprunté déjà pour le motif « Dieu invisible-visible », est une révélation sur Dieu et le Tout (ἄκουε ὡς ἔχει ὁ θεὸς καὶ τὸ πᾶν, XI 2), c'est-à-dire sur Dieu considéré dans ses relations avec les êtres du devenir, par ces intermédiaires que sont l'éternité (ὁ αἰών), le monde et le temps. Dieu, l'éternité, le monde, le temps, le devenir constituent une hiérarchie où le supérieur produit et enveloppe l'inférieur : ainsi l'éternité est en Dieu, le monde dans l'éternité, le temps dans le monde, le devenir dans le temps (XI 2), et tout ensemble chacun des termes supérieurs peut être dit l'âme du terme immédiatement inférieur (Dieu âme de l'éternité, éternité âme du monde, XI 4) à la condition de se souvenir que, comme dans le *Timée* (34 b ss.), l'âme n'est pas logée dans le corps qu'elle anime, c'est elle au contraire qui l'enveloppe et l'anime de l'extérieur (2) : « tout ce grand corps, dans lequel se trouvent contenus tous les corps, une Ame pleine de l'intellect et de Dieu le remplit à l'intérieur et l'enveloppe à l'extérieur, vivifiant

---

(1) La formule revient deux fois au § 3 : τῷ μηδὲν μὲν λαμβάνοντι, πάντα δὲ θέλοντι εἶναι, puis ὁ δὲ θεὸς καὶ πατὴρ καὶ τὸ ἀγαθὸν τῷ εἶναι τὰ πάντα. Dans les deux cas, je prends πάντα pour sujet d'εἶναι, non pour attribut. Si l'on préférait ce dernier sens, on aurait là, à coup sûr, un panthéisme absolu.

(2) Cette proposition καὶ τοῦ μὲν αἰῶνος ψυχὴ ὁ θεός (XI 4) est immédiatement suivie de cette autre : καὶ ὁ μὲν θεὸς ἐν τῷ νῷ, ὁ δὲ νοῦς ἐν τῇ ψυχῇ, ἡ δὲ ψυχὴ ἐν τῇ ὕλῃ. Ceci vient sans doute du *Timée* (30 b νοῦν μὲν ἐν ψυχῇ, ψυχὴν δ' ἐν σώματι συνιστάς), et le *Timée* a déjà la même inconséquence : d'un côté l'âme est dans le corps (30 b), de l'autre elle **enveloppe le corps** (καὶ ἔτι ἔξωθεν τὸ σῶμα αὐτῇ-sc. τῇ ψυχῇ-περιεκάλυψεν, 34 b).

le Tout, — à l'extérieur ce vaste et parfait Vivant qu'est le monde, à l'intérieur tous les vivants, et, tandis qu'en haut, dans le ciel, elle demeure stable par l'identité, ici-bas, sur la terre, elle produit les variations du devenir » (XI 4).

Suit un passage que je veux citer en entier parce qu'il témoigne excellemment de l'ambiguïté que nous rencontrons constamment en ce groupe d'écrits. Dieu est défini le Dissemblable (XI 5) et tout ce qui est dit ici de l'activité et de l'omniprésence divines peut fort bien convenir à un Dieu transcendant qui ne serait présent en son ouvrage que par l'activité créatrice qu'il y exerce. Mais d'autres expressions du même traité ne laissent point de doute sur ce que le Dieu apparemment transcendant du C. H. XI est en même temps immanent au monde, bien plus, se confond avec l'œuvre qu'il crée. Voici d'abord le premier morceau (XI 5-6), sur Dieu en tant que Dissemblable :

5. C'est l'éternité qui maintient ensemble tout ce monde, par l'instrument soit de la nécessité, soit de la providence, soit de la nature, soit de quoi que ce soit d'autre qu'on puisse penser aujourd'hui ou plus tard. Et ce qui produit par son activité tout cela, c'est Dieu, et l'énergie de Dieu, force qu'on ne peut surpasser et à laquelle on ne peut comparer ni les choses humaines ni les choses divines. C'est pourquoi, Hermès, ne va jamais penser qu'aucune des choses d'ici-bas ou de là-haut soit semblable à Dieu, car tu t'éloigneras de la vérité : en effet il n'y a rien de semblable au Dissemblable, Seul et Unique. Et ne va pas penser non plus qu'il donne part de sa puissance à qui que ce soit d'autre. Est-il en effet, après lui, quelqu'autre <créateur> de la vie, de l'immortalité, du changement? Et lui-même, que pourrait-il faire d'autre que de créer? Car Dieu n'est pas inactif, autrement tout l'univers aussi serait inactif : car tout est plein de Dieu. Mais, en fait, il n'y a d'inactivité nulle part, ni dans le monde, ni en quelque autre être que ce soit. Inactivité est un mot vide, eu égard et à celui qui crée et à ce qui vient à l'être. **6.** Or il faut que tout vienne à l'être, et toujours, et selon l'influence propre à chaque lieu. Car celui qui crée est en tous les êtres, il ne demeure pas fixé en l'un d'entre eux et il ne crée pas en l'un d'eux seulement, mais il les crée tous : car, étant une force toujours agissante, il ne tient pas sa suffisance des êtres créés, mais ce sont les êtres créés qui sont soumis à lui.

Vient alors le paragraphe (XI 6-8) que nous avons traduit plus haut (1) sur le thème de l'ordre du monde, ordre qui suppose nécessairement un Ordonnateur. On démontre ensuite (XI 9-11) que cet Ordonnateur est unique, puis l'auteur reprend le motif de l'activité divine, qui ne peut être séparée de Dieu lui-même. Dieu ne peut exister sans agir, c'est-à-dire sans créer; et Dieu serait imparfait s'il existait un seul être qu'Il n'eût pas créé : Il crée donc tout le temps, et Il crée toutes choses (XI 12 *in*.). D'où l'on passe à un

---

(1) *Supra*, p. 56.

développement sur Dieu producteur de la vie universelle (XI 13-14), et c'est dans ce morceau qu'apparaissent des formules d'un panthéisme radical : Dieu en effet ne produit pas seulement la vie universelle, il *est* cette vie, « il est toujours immanent dans son œuvre, étant lui-même ce qu'il produit » (ἀεί ἐστιν ἐν τῷ ἔργῳ, αὐτὸς ὢν ὃ ποιεῖ).

> Si tu veux bien me prêter quelque peu ton attention, Hermès, tu concevras sans peine que Dieu n'a qu'un seul ouvrage, c'est de faire venir toutes choses à l'être, ce qui devient, ce qui est devenu à un moment du passé, ce qui deviendra dans l'avenir. Et c'est cela, mon très cher, qui est la vie, c'est cela qui est le beau, c'est cela qui est le bien, c'est cela qui est Dieu. **14.** Et si tu veux le comprendre par ta propre expérience, vois ce qui se passe en toi quand tu veux engendrer. Au vrai, quand il s'agit de Dieu, l'acte d'engendrer n'est point pareil : Dieu assurément n'éprouve pas de plaisir sensible ; et il n'a aucun coopérateur. *En effet, comme il opère à lui tout seul, il est toujours immanent dans son œuvre, étant lui-même ce qu'il produit.* Car, si ses créatures étaient séparées de lui, elles s'affaisseraient, et elles périraient toutes nécessairement, n'ayant plus de vie en elles. Mais, puisque tout est vivant, et que la vie aussi est une, Dieu donc est certainement unique. En revanche, puisque tout est vivant, et les êtres du ciel et ceux de la terre, et que la vie est unique en tous, elle est produite par Dieu, *et c'est elle qui est Dieu ;* c'est donc par l'action de Dieu que toutes choses viennent à l'être (1).

Cependant le traité XI n'a pas fini de nous dérouter. En effet, après une courte digression sur la mort (XI 15-16), l'auteur, s'étant appliqué à définir la nature de Dieu, nous le montre comme une « figure incorporelle » (ἀσώματος ἰδέα, XI 16 *fin.*, 17 *in.*), dans laquelle tous les êtres sont situés, non pas comme en un lieu (car le lieu est un corps et Dieu a été dit incorporel), mais comme dans une « faculté incorporelle de représentation » (ἐν ἀσωμάτῳ φαντασίᾳ, XI 18). De même que rien ne borne notre pensée et qu'elle peut se porter, sans limites, où elle le veut (XI 19), ainsi en va-t-il de Dieu, l'incirconscrit (αὐτὸ δὲ πάντων καὶ ἀπεριόριστον καὶ ταχύτατον καὶ δυνατώτατον, XI 18 *fin.*) : « tout ce qui est, Dieu le contient en lui comme des pensées : le monde, lui-même, le Tout » (νόησον τὸν θεὸν ὥσπερ νοήματα πάντα ἐν ἑαυτῷ ἔχειν, τὸν κόσμον, ἑαυτόν, ⟨τὸ⟩ ὅλον, XI 20). Il est clair que nous nous trouvons maintenant sur un tout autre plan que le panthéisme matérialiste que suggérait la formule « étant lui-même ce qu'il produit ». En sorte que, le Noûs divin

---

(1) Le texte ajoute : « et la vie est union de l'intellect et de l'âme », propos spécifiquement hermétique (cf. C. H. I 6 ἕνωσις γὰρ τούτων — νοῦς et λόγος — ἐστιν ἡ ζωή), mais qui n'a rien à voir en ce lieu. Si ce n'est pas une glose, on aurait ici une nouvelle preuve de l'inconsistance de pensée habituelle en nos écrits : un mot en appelle un autre (ici le mot « vie » a appelé « union — de l'intellect et de l'âme »), la liaison est purement verbale.

ayant engagé Hermès à se rendre semblable à Dieu pour comprendre Dieu, c'est-à-dire à embrasser dans sa pensée la totalité des êtres (XI 20 *fin.*), on ne sait plus trop, de prime face, en quel sens il faut entendre la conclusion de ce passage (XI 21 *fin.*) : « Durant ton progrès (vers Dieu), le divin viendra partout à ta rencontre, partout s'offrira à ta vue, même au lieu et à l'heure où tu ne l'attends point, que tu veilles ou te reposes, que tu navigues ou chemines, la nuit et le jour, que tu parles ou te taises : car rien n'existe que Dieu ne soit pas (1) (οὐδὲν γάρ ἐστιν ὃ οὐκ ἔστιν) ».

Cette rencontre avec Dieu, avec un Dieu qui a été défini « une figure incorporelle » (XI 16, 17), un incirconscrit qui ne contient les êtres qu'à titre de pensées (XI 20), auquel on ne se rend semblable qu'en donnant à sa propre pensée une extension égale à la sienne (XI 20-21), — ce qui implique au surplus une ascèse où l'on se sépare de son propre corps (XI 21 *in.*), — on devrait la regarder, si l'on s'en tenait au contexte immédiat, comme la rencontre de deux pensées : l'homme s'égale à cette éternité qui enveloppe le monde (XI 20), et il rejoint ainsi Dieu qui, à son tour, enveloppe l'éternité. Mais alors, comment comprendre la suite (XI 22) : « Iras-tu dire maintenant : « Dieu est invisible ? » Ne parle pas ainsi : qui est plus manifeste que Dieu ? Il n'a tout créé que dans le seul dessein de se montrer à toi à travers tous les êtres » ? Tout induit à prendre cette phrase dans le même sens que le passage, exactement semblable, du C. H. V. Dès lors la formule « rien n'existe que Dieu ne soit pas » doit s'entendre, comme la formule identique de V 9 (οὐδὲν γάρ ἐστιν... ὃ οὐκ ἔστιν αὐτός, cf. V 10 οὐδέν ἐστιν οὗτος ὃ οὐκ ἔστι), au même sens panthéiste que l'expression antécédente (XI 14) « Dieu est lui-même ce qu'il produit ». On le voit donc : une fois de plus, nous nous trouvons ici au confluent de deux courants : un courant idéaliste, avec un Dieu transcendant, pur Intellect, qu'on n'atteint que par l'intellect, et un courant panthéiste, avec un Dieu immanent, voire identique au monde, qu'on atteint directement par la contemplation du monde. L'auteur passe librement d'une formule à l'autre parce que son dessein, répétons-le, n'est pas tant de philosopher sur Dieu que de s'élever vers Dieu, et que toutes les voies lui sont bonnes à cette fin.

Du traité XII, on a pu lire déjà plus haut (p. 57) un développement (XII 20-22) d'inspiration panthéiste sur le thème « Dieu

---

(1) Voir la note 64 *ad loc.* dans mon édition, et ajouter le texte de Zosime cité *Rév. H. T.*, t. I, pp. 280-281. Pour l'expression, cp. SOPH., *Trach.*, 1278 οὐδὲν τούτων ὅ τι μὴ Ζεύς, mais le sens est différent (cf. G. MURRAY, *Greek Studies*, pp. 122-123).

visible dans sa création ». Cependant ce traité XII présente les mêmes difficultés que le traité XI quant à la véritable nature de la Divinité. On déclare dès le début (XII 1) que l'intellect dans l'homme dérive de la substance même de Dieu (ὁ νοῦς ἐξ αὐτῆς τῆς τοῦ θεοῦ οὐσίας ἐστίν), non, au vrai, par découpement (οὐκ ἔστιν ἀποτετμημένος τῆς οὐσιότητος τοῦ θεοῦ), mais par déploiement, comme le rayon qui se déploie à partir du soleil (ἀλλ' ὥσπερ ἡπλωμένος καθάπερ τὸ τοῦ ἡλίου φῶς), et cette doctrine fait le fond de tout le paragraphe XII 5-9 touchant la supériorité de l'intellect sur la Fatalité. Selon cette doctrine en effet, comme tous les intelligibles sont un, en ce sens que, n'y ayant point entre eux de distance puisqu'ils sont incorporels, ils s'identifient l'un avec l'autre, il y a donc identité entre l'intellect en l'homme et l'âme même ou le moi de Dieu, en sorte que notre intellect peut faire tout ce qu'il veut (ὡς οὖν δυνατὸν νοῦν..., ψυχὴν ὄντα τοῦ θεοῦ, ποιεῖν ὅπερ βούλεται, XII 8) : dès lors notre intellect, étant l'âme de Dieu, domine sur la Fatalité comme sur toutes choses (πάντων ἐπικρατεῖ ὁ νοῦς, ἡ τοῦ θεοῦ ψυχή, καὶ εἱμαρμένης... καὶ τῶν ἄλλων πάντων, XII 9). On ne peut guère parler ici de panthéisme au sens strict; on a plutôt affaire à la doctrine gnostique de l'identification entre l'Intellect divin essentiellement transcendant, supérieur à tout le créé, et l'intellect humain qui est une parcelle ou une émanation de cet Intellect divin. Dieu n'est pas immanent au monde, sans quoi la Fatalité, qui est l'ordre du monde, se confondrait avec le Noûs divin, loin de s'y opposer. Le fait même de cette opposition, classique dans la gnose, suffit à marquer l'origine du présent argument. C'est le même qu'en C. H. I 15, où nous lisons : « Et c'est pourquoi, seul de tous les êtres qui vivent sur la terre, l'homme est double, mortel de par le corps, immortel de par l'Homme essentiel (qui est Noûs divin, issu de Dieu). Bien qu'il soit immortel en effet, et qu'il ait pouvoir sur toutes choses, il subit la condition des mortels, soumis, comme il l'est, à la Fatalité; par là, bien qu'il soit au-dessus de l'armature des sphères, il est devenu esclave dans cette armature. » Or ce passage du C. H. I, comme tout le traité I, est éminemment gnostique.

Néanmoins, dans le traité XII, ce morceau d'inspiration gnostique se trouve inséré dans un ensemble qu'on peut dire panthéiste, au sens stoïcien. En effet l'Intellect divin ne se déploie pas seulement dans l'homme, — où il demeure intellect et un intellect qui domine la Fatalité —, mais aussi dans les animaux sans raison, en lesquels il devient l'instinct naturel (ἐν δὲ τοῖς ἀλόγοις ζῴοις ἡ φύσις ἐστίν XII 1, ἔλεγες γὰρ τὸν νοῦν ἐν τοῖς ἀλόγοις ζῴοις φύσεως δίκην ἐνεργεῖν

XII 10). Plus loin (XII 14), on retrouve une doctrine des enveloppements cosmiques qui rappelle celle du C. H. XI : « Dieu enveloppe et pénètre tout (ὁ μὲν θεὸς περὶ πάντα καὶ διὰ πάντων), l'intellect enveloppe l'âme (ici l'âme du monde = le ciel), l'âme enveloppe l'air, l'air enveloppe la matière. » Dans la phrase suivante, on nous définit la Nécessité, la Providence et lá Nature comme les instruments de l'ordre et de la belle ordonnance de la matière (ὄργανα τοῦ κόσμου καὶ τῆς τάξεως τῆς ὕλης), alors que, plus haut, la Fatalité était plutôt conçue comme un instrument de désordre par rapport à l'Intellect qui la domine. Davantage, ce monde ainsi régi par la Nécessité-Providence est un être vivant où rien jamais ne meurt. Il ne peut y avoir de mort dans le monde, non seulement, comme on l'a vu par d'autres traités, pour la raison que Dieu y exerce continuellement son activité, mais parce que tout être du monde est une partie de Dieu, lequel est nécessairement incorruptible (XII 15-16) :

> Or ce monde-ci dans sa totalité, ce grand dieu, image du dieu plus grand, uni à lui et conservant avec lui l'ordre et la volonté du Père, est la totalité de la vie : il n'y a rien en lui, à travers toute l'éternelle durée du retour cyclique voulu par le Père, ni dans son universalité ni dans ses parties, qui ne soit en vie. De chose morte, il n'y en a jamais eu aucune, il n'y en a pas, il n'y en aura jamais dans le monde. C'est vivant en effet que le Père a voulu que soit le monde aussi longtemps qu'il garde sa cohésion : dès lors aussi, le monde est nécessairement dieu. **16.** Comment donc se pourrait-il, mon enfant, que dans ce qui est dieu, dans ce qui est l'image du Tout, dans ce qui est le plérôme de la vie, il y eût des choses mortes? Car la mort est corruption et la corruption est destruction. Comment donc supposer que se corrompe une partie de ce qui est incorruptible ou que soit détruit quelque chose de Dieu?

Le traité XVI nous montre une figure de l'univers qui nous est devenue familière : au sommet Dieu, défini comme le Père; puis, enveloppant le monde sensible, le monde intelligible (ὁ νοητὸς κόσμος, XVI 12) qui dépend de (ou qui est suspendu à) Dieu (ἤρτηται οὖν ὁ νοητὸς κόσμος τοῦ θεοῦ, XVI 17); au-dessous de ce monde intelligible, gouverné par lui (καὶ οὐρανὸν μὲν ἡ νοητὴ οὐσία διοικεῖ, XVI 18), le Ciel, qui contient les sept sphères planétaires et la sphère qui entoure la terre (XVI 17). La seule particularité cosmologique de ce traité est le rôle prédominant qu'y obtient le Soleil : situé au milieu de la hiérarchie des sphères planétaires, c'est lui qui est le Démiurge et qui sert d'intermédiaire entre le monde intelligible et le monde sensible, en ce sens que, recevant de Dieu, **par le premier, l'influx du Bien, c'est-à-dire de l'action créatrice,** il en transmet les effets au second, il est le conservateur et le nourricier des êtres de toute espèce (XVI 12, cf. 5-9, 17). Cette haute fonction assignée au Soleil vient d'ailleurs troubler, dans notre traité, un ordre qui ne la comportait point. On perçoit encore cet ordre primitif par une phrase de XVI 18 : « le Ciel est gouverné par la substance intelligible, il gouverne à son tour les dieux (= les sept planètes), et les démons, placés sous les ordres des dieux, gouvernent les hommes; c'est ainsi qu'est disposée l'armée des dieux et des démons ». On le voit, l'ordre primitif, d'ailleurs classique dans l'hermétisme, assignait le rôle d'intermédiaire au Ciel, qui, depuis le *Timée* (34 b), s'identifie à l'Ame du monde. C'est ce Ciel = Ame du Monde qui avait reçu dans le C. H. XI le nom d'Éternité (Αἰών) et qui, enveloppé et gouverné par Dieu, enveloppait à son tour et gouvernait le monde (voir aussi XII 14 : l'Ame enveloppe l'air, l'air enveloppe la matière). C'est ce Ciel qui, dans l'ordre primitif que suppose le C. H. XVI, gouverne les dieux (astres) et, par eux, les démons. Cependant l'auteur, sacrifiant à la théologie solaire qui devient prédominante aux IIe-IIIe siècles, insère dans ce cadre un autre système où la part prépondérante revient au soleil. Alors qu'en XII 18, selon l'ordre primitif, le Ciel gouverne les sphères planétaires qu'il enveloppe, il est dit en XVI 17 que ces sphères planétaires (1) dépendent (ἠρτημέναι) du Soleil autour duquel elles gravitent. En XVI 18, les démons, directement subordonnés aux planètes, dépendent indirectement, par celles-ci, du Ciel; en XVI 13, les démons, toujours au service des planètes (ὑπηρετοῦσιν ἑκάστῳ τῶν ἀστέρων), sont placés sous les ordres du Soleil (ὑπὸ τούτῳ δὲ ἐτάγη ὁ τῶν δαιμόνων χορός). Enfin, puisque le Ciel, enveloppé par le monde intelligible, enveloppe, au sens propre, le monde sensible, on déclare que le Soleil lui aussi « enveloppe » tous les êtres du monde sensible (πάντα ἐν τῷ κόσμῳ περιέχων, XVI 12) : le mot fait évidemment difficulté, en sorte que Scott le supprime; on peut l'entendre peut-être de la lumière du Soleil, mais il est clair que, dans ce cas, « envelopper » n'est plus qu'une métaphore.

Quoi qu'il en soit de cette anomalie, elle ne touche pas au problème de Dieu. Dans ce traité comme en C. H. XI, Dieu est, en principe, transcendant. Supérieur au monde intelligible qui enveloppe le monde sensible, il l'est, à fortiori, à ce dernier. Et néanmoins, cela n'empêche pas notre auteur de confondre par deux

---

(1) C'est-à-dire naturellement les six sphères planétaires autres que celle du Soleil.

fois, au début (XVI 3) et à la fin du traité (XVI 19), Dieu et le plérôme, c'est-à-dire la totalité de l'Univers. Voici ces deux textes qui présentent, et pour la même raison, l'inconséquence que les précédents *logoi* nous avaient permis d'observer.

« **3.** Je commencerai donc mon discours ainsi, en invoquant Dieu, le maître, créateur, père et enveloppe de l'univers entier, celui qui, étant l'Un, est tout et qui, étant tout, est Un. Car le plérôme de tous les êtres est un et il est dans l'Un, non que l'Un se dédouble, mais ces deux ensemble ne font qu'une même unité. Garde cette attitude d'esprit, ô roi, durant tout le cours de mon exposé. Car si quelqu'un tente de séparer de l'Un ce qui paraît être tout et un et le même, en prenant le mot « tout » dans le sens d'une pluralité et non d'une totalité, il aboutit, chose impossible, pour avoir ainsi détaché le Tout de l'Un, à détruire le Tout. Il faut en effet que tout soit un, si du moins il existe un Un — or il existe et jamais tout ne cesse d'être un, — pour que le plérôme ne soit pas dissous. »

Et de même on lit aux §§ 18-19 :

« **18.** C'est pourquoi Dieu est le Père de toutes choses, le Soleil en est le créateur, et le monde est l'instrument de cette action créatrice. Le ciel est gouverné par la substance intelligible, il gouverne à son tour les dieux, et les démons, placés sous les ordres des dieux, gouvernent les hommes : c'est ainsi qu'est disposée l'armée des dieux et des démons. **19.** Dieu crée toutes choses à lui seul, par leur intermédiaire, et toutes choses sont des parties de Dieu : or, si elles sont toutes des parties de Dieu, Dieu est assurément toutes choses. Créant donc toutes choses, Dieu se crée lui-même, et il est impossible qu'il s'arrête jamais de créer puisqu'il ne peut non plus cesser d'être. Et de même que Dieu n'a pas de fin, ainsi non plus son activité créatrice n'a-t-elle ni commencement ni fin. »

Passons enfin à l'*Asclépius:* ce sera mon dernier exemple. Ce traité, on l'a dit plus haut, présente une vue de l'univers qu'on peut qualifier, dans l'ensemble, de stoïcienne; mais l'anomalie que nous avons constatée jusqu'ici dans plusieurs traités du C. H. se retrouve, dans l'*Asclépius*, d'un bout à l'autre : Dieu paraît à la fois transcendant et immanent au monde. Cela vient de ce que, tout en conservant le cadre stoïcien, l'auteur puise à d'autres systèmes, inspirés, d'une part, de ce platonisme éclectique des IIe-IIIe siècles qui annonce le néoplatonisme, d'autre part de doctrines peut-être orientales comme celle des *Oracles Chaldaïques* (fin IIe s.).

Au début du dialogue, le cadre est le suivant. Au sommet, Dieu Créateur. Ce Dieu Créateur gouverne l'Ame du Monde (qui est en même temps l'Éternité), laquelle enveloppe et gouverne le Ciel, dieu visible. Le Ciel à son tour enveloppe et gouverne tous les êtres du monde jusqu'aux derniers vivants. Tout cet ensemble est uni par un *nexus*, un réseau de liens sympathiques qui mettent en communication tous les êtres hypouraniens, depuis les dieux (astres) jusqu'aux végétaux, par l'intermédiaire des démons et des hommes (Sect. I, ch. 2-5).

Dans cette première partie déjà, l'expression est équivoque : Dieu n'est pas seulement le créateur du Tout, mais il est le Tout :

« N'ai-je pas dit que tout est un et que l'Un est tout, puisque toutes choses ont existé dans le créateur avant qu'il ne les ait créées? Et ce n'est pas sans raison qu'on l'a appelé le Tout, lui dont toutes choses sont les membres. Aie donc bien soin de te souvenir, dans toute cette discussion, de celui qui à lui seul est toutes choses et qui est le créateur de tout » (c. 2, p. 297.23 ss.).

Cependant, quelques lignes plus loin (c. 2, p. 298.11-12), cette même expression « le Tout » désigne, sans doute possible, l'Univers : « C'est donc là le Tout qui, comme il t'en souvient, contient tout et qui est tout. »

La même ambiguïté reparaît si on lit à la suite la fin de la section V (c. 19), touchant la doctrine des « chaînes » (qui est peut-être empruntée aux *Oracles Chaldaïques*), et le début de la section VI (c. 20) sur le mode de la production des êtres. Après avoir décrit (sect. V) les deux séries parallèles de dieux intelligibles (ousiarques) et de dieux sensibles, l'auteur revient en ces termes sur l'unité du Tout (c. 19, p. 319.12 ss.) :

« Dans ces conditions, toutes choses sont connexes les unes aux autres par de mutuels rapports dans une chaîne qui s'étend de la plus basse à la plus haute. <...> Les choses mortelles sont liées aux immortelles, les sensibles à celles que ne perçoivent pas les sens. Quant à l'ensemble de la création, il obéit à ce Gouverneur suprême qui est le maître, de manière à composer non pas une multiplicité, mais plutôt une unité. Car, comme tous les êtres sont suspendus à l'Un et découlent de l'Un, bien que, vus séparément, on les croie en nombre infini, quand on les considère réunis, ils ne font plus qu'une unité ou plutôt un couple, le ce de quoi tout procède et le ce par quoi tout est produit, c'est-à-dire la matière dont les choses sont faites, et la volonté de Dieu, dont le décret les fait être en leur diversité. »

Cette fois, semble-t-il, on a bien affaire à un dualisme. D'une part Dieu ou le Vouloir de Dieu, d'autre part la matière, font un couple (cf. sect. IV), et les deux termes de ce couple, Dieu et Hylé, tous deux éternels, paraissent irréductibles l'un à l'autre. Mais si l'on passe à la section VI (20) qui explicite la production des êtres à partir des deux principes que l'auteur vient d'indiquer (Dieu et Hylé), l'équivoque recommence : Dieu est à la fois Celui qui n'a pas de nom — comme étant infiniment au-dessus de tout le créé — et Celui qui a tous les noms — comme étant à lui seul toutes choses (c. 20, p. 320.11 ss., 321.3 ss.) :

« Dieu, ou le Père, ou le Seigneur de toutes choses, ou quel que soit le nom plus saint encore et plein de révérence qu'on lui donne et que la nécessité où nous sommes de nous comprendre entre nous doit nous faire tenir pour sacré — bien que, si nous considérons la majesté d'un si grand Être, aucun de ces noms ne puisse le définir exactement ; car... il n'y a point d'espérance que le créateur de la majesté du Tout, le Père et le Seigneur de tous les êtres, puisse être désigné par un seul nom, même composé de noms multiples ; Dieu n'a pas de nom ou plutôt il les a tous, puisqu'il est à la fois Un et Tout, en sorte qu'il faut ou désigner toutes choses par son nom ou lui donner les noms de toutes choses, — Dieu donc, qui à lui seul est toutes choses, qui est infiniment rempli de la puissance générative des deux sexes, et toujours fécondé par sa propre volonté, Dieu enfante continuellement tout ce qu'il a eu dessein de procréer. »

De même encore, dans la courte digression sur le Vouloir Divin (c. 27) qui interrompt la prophétie de la fin et du renouvellement de l'Égypte (l'« Apocalypse », sect. IX, c. 24-27), la transcendance du Dieu suprême paraît définie en termes non équivoques (c. 27, p. 332.8-9) : « Ainsi donc, Dieu, établi sur la plus haute pointe du ciel suprême » (*supra verticem summi caeli consistens* : c'est le Juppiter Summus Exsuperantissimus de la théologie du IIe s.). Mais ce même Dieu, dans la même phrase est dit « être partout » (*ubique est*, p. 322.9), sans que l'auteur précise le caractère de cette omniprésence (omniprésence d'action ou d'être).

Enfin, dans le groupe de petits *logoi* physiques relatifs à la doctrine du monde (sections XI, XII, XIV), on revient au cadre déjà bien esquissé dès le début du dialogue, et là, de nouveau, l'équivoque reparaît à deux reprises. D'abord à propos de la perfection du monde qui est plein en toutes ses parties (*logos* sur le vide, sect. XII, c. 34) :

« Quant à ce monde qu'on nomme sensible, il est le réceptacle de toutes les qualités ou substances des formes sensibles, et tout cet ensemble ne peut subsister sans Dieu. Car Dieu est tout, tout vient de lui, tout dépend de sa volonté, et ce tout est bon, beau, sage, inimitable, il n'est sensible et intelligible que pour lui seul, et, sans lui, rien n'a été, rien n'est, rien ne sera. Car tout vient de lui, tout est en lui, tout est par lui, et les qualités de toute sorte et de toute figure, et les vastes grandeurs, et les étendues immenses, et les formes de toute espèce : comprends ces choses, Asclépius, et tu rendras grâces à Dieu. Mais si tu prends connaissance de ce Tout, tu comprendras qu'en vérité le monde sensible lui-même, avec tout ce qu'il contient, est enveloppé comme d'un vêtement par l'autre monde supérieur. »

Puis à propos de la doctrine de la Fatalité (sect. XIV, c. 39 et 40). Ces derniers passages manifestent au mieux l'incertitude de l'auteur hermétique. En effet, dans la phrase même où il définit l'Heimarménè, il la nomme ou « la Cause qui produit les choses » (*effectrix rerum*, p. 350.2 : qu'est-ce là, sinon Dieu même?) ou « le Dieu suprême » (*Deus summus*, p. 350.3) — ou « Celui qui a été créé second dieu par le Dieu suprême » (le monde? ou l'Aiôn?) ou « l'ordre universel des choses célestes et terrestres fixé par les lois divines ». Il y a là quatre termes qui se conjoignent deux par deux, mais le premier couple et le second répondent à deux doctrines fort diverses. Si l'Heimarménè se confond avec le Principe Créateur *(effectrix rerum)*, c'est-à-dire avec le Dieu suprême, c'est la doctrine classique du panthéisme stoïcien : le Dieu Logos qui pénètre et dirige le monde par une loi inéluctable est immanent au monde. Si en revanche l'Heimarménè est l'Ame du monde créée par le Dieu suprême, ou ce monde même (lequel est dit second dieu, créé par le Dieu Premier, au c. 8, p. 305.2 ss.), ou encore l'ordre du monde, Dieu se distingue essentiellement du monde comme le Créateur de l'ouvrage qu'il a produit, il est donc transcendant au monde. L'hermétiste ne paraît pas conscient de ces différences, quelque importantes qu'elles soient en vérité : il met ces quatre termes, ou, si l'on veut, ces deux couples sur le même rang, et il lui semble indifférent qu'on choisisse l'un ou l'autre. On a ici la preuve, une fois de plus, qu'il n'a point souci de bien penser, mais que toute formule lui est bonne qui pourra servir de chemin vers Dieu. C'est ce que montre la suite (c. 40) :

« Ainsi donc, ces trois : l'Heimarménè, la Nécessité, l'Ordre, sont-ils au plus haut degré des créations du vouloir de Dieu, qui gouverne le monde par sa loi, selon ses desseins divins. Aussi Dieu leur a-t-il enlevé toute volonté propre d'agir ou de ne pas agir. Sans que jamais la colère ne les trouble, la faveur ne les fasse plier, ils obéissent à la contrainte de la loi éternelle qui n'est autre que l'éternité même, irréversible, immobile, indissoluble. »

Ainsi donc, après avoir envisagé d'abord l'hypothèse d'une Fatalité identique au Dieu Suprême, l'auteur fait ici de l'Heimarménè, et à fortiori des deux termes suivants, la Nécessité et l'Ordre, une créature du Vouloir de Dieu, et même une créature sans initiative, un pur instrument des décrets divins. Car ce qui vaut surtout à ses yeux, c'est de magnifier le Vouloir de Dieu, d'exalter autant que possible la Toute-Puissance divine. Les définitions antérieures n'avaient en vue que cet achèvement. De quelque manière qu'on se représente la Fatalité, elle n'est qu'une servante du Dieu Un et Tout. Dieu seul compte. On le marquait dès le début (c. 2) : « Aie bien soin de te souvenir, dans toute cette discussion, de Celui qui à lui seul est tout », et la prière finale (c. 41) ramène la même idée :

« La seule allégresse de l'homme, c'est de connaître Ta majesté. Nous T'avons connu, Toi, et cette lumière immense que l'esprit seul appréhende; nous T'avons compris, ô vraie Vie de la vie, ô Principe fécondant de tout être qui naît; nous T'avons connu, Permanence éternelle de toute la nature, que comble en plénitude Ta semence. »

LE DIEU COSMIQUE

PREMIÈRE PARTIE

LA LIGNÉE SOCRATIQUE : XÉNOPHON ET PLATON

CHAPITRE IV

XÉNOPHON, *MÉMORABLES*, I 4 ET IV 3.

Ce sont deux choses bien différentes que de donner une preuve de l'existence de Dieu à partir de l'excellence du macrocosme (ou du microcosme) et de contempler le monde, en particulier le ciel étoilé, dans un sentiment de révérence et d'amour pour se laisser mener par cette contemplation, jusqu'à l'adoration du Dieu ordonnateur. Dans le premier cas on a affaire à un argument philosophique : l'exposé, plus ou moins bien conduit, de la preuve classique par l'ordre du monde (1) ; dans le second, on se trouve en présence d'une attitude religieuse qui peut comporter elle-même bien des nuances, selon que la contemplation du monde éveille seulement un sentiment vague de la présence du divin ou qu'elle porte à un acte explicite d'adoration à l'égard de la Divinité que l'on pressent.

Peut-être n'a-t-on pas toujours marqué avec assez de soin la diversité psychologique de ces deux gestes et, à force d'insister sur l'ancienneté de la preuve téléologique, risque-t-on de méconnaître ce qu'il y eut d'original et de vraiment nouveau dans le mysticisme cosmique de l'âge hellénistique. Je tâcherai donc, dans l'examen qui va suivre et où je m'attache à l'ordre chronologique, de faire

---

(1) C'est la dernière des cinq preuves de l'existence de Dieu dans l'exposé de S. Thomas, *S. Th.*, I^a p., q. 2, a. 3. L'idée directrice en est essentiellement celle de la fin, et ce caractère téléologique est bien apparent dans le texte : *Quinta via sumitur ex gubernatione rerum. videmus enim quod aliqua quae cognitione carent, scilicet corpora naturalia, operantur propter finem: quod apparet ex hoc quod semper aut frequentius eodem modo operantur, et consequuntur id quod est optimum; unde patet quod non a casu, sed ex intentione perveniunt ad finem. ea autem quae non habent cognitionem, non tendunt in finem nisi directa ab aliquo cognoscente et intelligente, sicut sagitta a sagittante. ergo est aliquid intelligens, a quo omnes res naturales ordinantur ad finem: et hoc dicimus Deum.* Cf. le commentaire *ad loc.* du P. Sertillanges, trad. de la *Somme*, éd. de la *Revue des Jeunes* (Paris, 1925) I, pp. 344-347.

apparaître avec netteté le moment où l'argument se tourne en prière, où il devient, en vérité, mysticisme. Néanmoins, comme ce mysticisme a été surtout pratiqué par des philosophes, comme il s'est répandu surtout dans des milieux cultivés, c'est-à-dire imbus ou au moins teintés de philosophie, il est difficile de séparer absolument ce qui ressortit à l'argument philosophique et ce qui appartient au sentiment religieux. Sans doute, l'exercice rationnel de la pensée reste toujours distinct du désir de s'unir au ciel ou au Dieu qui l'habite, et il ne conduit pas nécessairement à cet élan mystique; mais il est clair que, si le philosophe est aussi un homme religieux, les convictions raisonnées qu'apporte la preuve par l'ordre du monde sont de nature à renforcer le mouvement spontané de l'âme religieuse.

La preuve par l'ordre du monde (ou par l'excellence de structure de l'être humain) est évidemment liée à la notion d'un Dieu qui ordonne l'Univers et continue d'en prendre soin une fois qu'il l'a formé. Et cette notion a dépendu elle-même, en pays grec, de la manière dont les premiers *physikoi* d'Ionie et de Grande Grèce ont conçu le problème de l'origine de l'univers, considéré les étapes qui ont fait passer le monde du chaos primitif à l'ordre. Or on sait que les *physikoi* ont considéré d'abord ce passage soit comme une discrimination progressive à partir d'un seul élément premier, l'eau, l'air ou le feu, soit comme un mélange obtenu à l'aide d'un certain nombre d'éléments premiers. Dans l'un ou l'autre cas, il ne suffisait pas de poser la cause matérielle, qu'elle fût unique ou multiple : il fallait encore un second principe qui expliquât comment cette cause, en changeant, donnait lieu à la production d'êtres distincts. Selon le mot d'Aristote (*Méta.*, A, 3, 984 a 27), il fallait connaître ce dont vient le commencement du mouvement (ὅθεν ἡ ἀρχὴ τῆς κινήσεως) : c'était faire appel à la cause efficiente.

« Après eux (*sc.* les tout premiers *physikoi*, qui ne recourent qu'à la cause matérielle), comme de tels principes (la cause matérielle), une fois découverts, se montraient insuffisants pour engendrer la nature des choses, les philosophes, contraints de nouveau, ainsi que nous l'avons dit, par la vérité elle-même, recoururent à un autre principe causal. En effet l'existence ou la production de l'ordre et du beau dans les choses n'a probablement pour cause ni le Feu, ni la Terre, ni un autre élément de ce genre, et il n'est même pas vraisemblable que ces philosophes l'aient pensé. Par contre, rapporter au hasard et à la fortune une si grande œuvre n'était pas raisonnable. Aussi, quand un homme (Anaxagore) vint dire qu'il y avait dans la nature, comme chez les êtres vivants, un Intellect, cause de l'ordre et de l'arrangement universel, il apparut comme étant seul de bon sens en face des divagations de ses prédécesseurs. Sans aucun doute, Anaxagore, nous le savons, adopta cette solution.... Ceux donc qui professaient cette doctrine, en même temps qu'ils posaient la cause du Bien dans le monde comme principe des êtres, en firent aussi ce principe qui donne le mouvement aux êtres » (1).

Cependant, continue Aristote (*Méta.*, A, 4), si quelques-uns (Hésiode et Parménide avec l'Amour, Empédocle avec l'Amitié et la Haine) ont reconnu, à côté de la cause matérielle, la cause efficiente,

« ils l'ont fait d'une manière vague et obscure, comme, dans les combats, se conduisent les soldats mal exercés, qui s'élancent de tous côtés et portent souvent d'heureux coups, sans que la science y soit pour rien ; ainsi, ces philosophes ne semblent pas savoir ce qu'ils disent, car on ne les voit presque jamais, ou peu s'en faut, recourir à leurs principes. Anaxagore se sert de l'Intellect comme d'un *deus ex machina* (μηχανῇ χρῆται) pour la génération de son Univers ; quand il est embarrassé de désigner la cause de quelque phénomène nécessaire, il tire sur la scène l'Intellect, mais, dans les autres cas, c'est à de tous autres principes plutôt qu'à l'Intellect qu'il attribue la production du devenir. Empédocle, lui, bien qu'il se serve des causes plus que ce dernier, ne le fait pas pourtant suffisamment, et, dans leur usage, il ne parvient pas à éviter l'incohérence » (2).

Ainsi, au temps du séjour d'Anaxagore à Athènes (c. 450-432) (3), l'idée du Dieu ordonnateur du monde n'était-elle pas encore nettement établie. Cependant il faut bien qu'ensuite cette idée ait pris corps et se soit répandue, car les chapitres I 4 et IV 3 des *Mémorables* de Xénophon donnent l'impression qu'il s'agit là d'une doctrine qui n'est pas toute neuve et qui n'a rien d'inouï (4). On peut être sûr que Xénophon ne l'a pas inventée : de qui donc la tient-il ? On a marqué avec raison le rôle d'un disciple d'Anaxagore, Diogène d'Apollonie, dont l'influence, assez notable à Athènes dans le dernier tiers du Ve siècle (*Nuées* d'Aristophane en 423, *Troyennes* d'Euripide en 415), paraît s'être exercée sur Xénophon (5). S'il est impossible

(1) Arist., *Méta.*, A, 3, 984 b 8-22. Traduction Tricot légèrement modifiée. Cf. Diels-Kranz, 59 B 1 et 12, et la citation résumée d'Aétius (*ib.* II, p. 19.4) ὁμοῦ πάντα χρήματα ἦν. νοῦς δὲ αὐτὰ διέκρινε καὶ διεκόσμησε.
(2) Arist., *Méta.*, A, 4, 985 a 11-23 (trad. Tricot, sauf « Intellect » pour « Intelligence »). Cf. Plat., *Phéd.*, 97 b ss. (sur Anaxagore).
(3) On sait que la date du décret de Diopeithès et du procès d'Anaxagore est discutée. Voir en dernier lieu Fr. Solmsen, *Plato's Theology* Cornell, Studies, XXVII, 1942), p. 37, n. 29.
(4) La date des *Mémorables* est, comme on sait, incertaine. D'aucuns vont jusqu'à la faire descendre, avec celle des autres ouvrages socratiques de X., jusqu'à l'année de la mort de Xénophon, en 354. Cf. L. Robin, *Les « Mémorables » de X. et notre connaissance de la philosophie de Socrate* in *Année Philosophique*, XXI, 1910, reproduit dans *La Pensée Hellénique* (Paris, 1942), pp. 81 ss., en particulier pp. 103-107. W. Jaeger, *Paideia*, III (Oxford, 1945), pp. 158-159, date les *Mémorables* (sauf I. 1-2) de la décade 360-350.
(5) Voir A. Diès, *Autour de Platon* (Paris, 1927), II, pp. 533 ss., et surtout W. Theiler, *Zur Geschichte der teleologischen Naturbetrachtung bis auf Aristoteles* (Diss. Bâle, 1924), pp. 6 ss., et, pour Diogène et Xénophon, pp. 14-36. Avec raison sans doute, H. Diels,

d'indiquer d'autres noms, cela est dû sans doute à la pauvreté de nos sources. Dans ce travail d'élaboration, la part de Socrate peut avoir été assez grande : mais le véritable enseignement de Socrate, de même que sa vraie religion, nous demeure, comme on sait, un mystère.

Prenons donc ces chapitres des *Mémorables* comme le premier témoignage explicite sur la doctrine du Dieu (ou des dieux) ordonnateur et provident. Comme ces chapitres sont importants par eux-mêmes, par l'influence qu'ils ont eue sur le stoïcisme (qui aime à se rattacher à Socrate) (1), surtout par les analogies qu'ils présentent avec nos textes hermétiques, je les analyserai en détail (2).

Le chapitre I, 4 rapporte un entretien de Socrate avec Aristodème dit « le petit ». Cet Aristodème, que nous connaissons aussi par le *Banquet* de Platon (3), n'offre aux dieux ni sacrifices ni prières, ne fait pas usage de la divination, et se moque des gens qui pratiquent (§ 2).

Cependant, pas plus que le jeune homme des *Lois* (X, 886 a-b), il n'a été conduit à l'incroyance par l'abus des plaisirs charnels : ce sont des raisons d'ordre intellectuel qui l'empêchent de croire.

Philodemos über die Götter I (S. B. Berlin 1916), *Erläuterung*, pp. 58-59, fait remonter l'origine de cette doctrine à Anaxagore lui-même, tout en conjecturant aussi l'existence d'un écrit sophistique du ve siècle, dont l'influence se ferait sentir chez Xénophon, Platon, et dans les écrits zoologiques d'Aristote. Voir en dernier lieu A. S. PEASE, *Cæli enarrant*, *Harv. Th. Rev.*, XXXIV, 1941, pp. 163-200, et l'ouvrage cité *supra* (n. 3) de SOLMMEN, pp. 49 ss.

(1) C'est la lecture de l'*Apologie de Socrate* qui aurait conduit Zénon de la Phénicie au Pœcile (*St. V. Fr.*, I, 8.5). Le même Z. a été d'abord disciple de Cratès le Cynique (DIOG. L., VII, 1).

(2) Je n'ai pas à m'étendre ici sur le problème de la composition des *Mémorables* non plus que sur la question « Socrate-Xénophon ». Cf. l'excellent article déjà cité (p. 77, n. 4) de L. ROBIN (état de la question en 1910) et, pour les années suivantes (jusqu'en 1927), A. DIÈS, *Autour de Platon*, I, pp. 128-135, 218-237. Je n'ai pas non plus à revenir sur l'authenticité de ces deux chapitres, jadis si compromise (cf. p. ex. l'édition de W. GILBERT, Teubner, 1888, pp. XIX-XX, LXI-LXIV). K. JOEL, *Der echte u. d. xenophontische Sokrates*, I (Berlin, 1893), pp. 118-170 (surtout pp. 118-146) a montré que, fond et forme, ces chapitres s'accordent avec les autres écrits de X., sauf quelques points dérivés de l'intellectualisme de Socrate et des emprunts à Antisthène (Joël, I, pp. 547-550, II 1, pp. 380-381); W. THEILER (*supra*, p. 77, n. 5) a établi (après Dümmler) l'influence sur X. de Diogène d'Apollonie et confirmé les emprunts à Antisthène. J'ajoute que, pour ma part, je ne vois dans ces chapitres aucun trait qui dénote spécifiquement le stoïcisme : ni le Logos pénétrant toutes les parties de l'univers, ni la sympathie unissant entre eux tous les êtres du Kosmos, ni l'Heimarménè inflexible réglant tout le cours des affaires humaines. Voir au surplus les justes remarques de Joël, I, pp. 132-133. Dans le même sens, A. S. PEASE, *l. c.*, p. 167. Cf. *Addenda*.

(3) Il est du dème Kydathènaion et c'est lui qui est la source du récit d'Apollodore, PLAT., *Banq.*, 173 b 1. Il est dit être l'un des dévots les plus fanatiques de Socrate (ἐροστής ὢν ἐν τοῖς μάλιστα τῶν τότε, 173 b 3 : en 218 a/b, Alcibiade le range, avec Phèdre, Agathon, Eryximaque, Pausanias, parmi les partisans fougueux de S.), qu'il imite en allant toujours pieds nus (ἀνυπόδητος ἀεί, 173 b 2). Socrate, interrogé par Apollodore, lui a confirmé la véracité du récit d'Aristodème.

Comme le jeune homme des *Lois* encore, il ne demande qu'à être convaincu (1). Socrate va donc lui prouver (*a*) d'abord que les dieux existent (§§ 4-8), puis, après avoir répondu à deux instances (§§ 9-10), (*b*) que les dieux prennent soin des affaires humaines (§§ 11-14) et veillent sur toutes nos actions (§§ 15-18). Sauf le dernier point (§§ 15-18), c'est le plan même de l'exposé des *Lois* (2).

La première preuve (§§ 4-8) comporte deux arguments, l'un relatif au microcosme (§§ 4-7), l'autre au macrocosme (§ 8). L'aspect téléologique du premier argument est nettement souligné. Créer des êtres vivants, intelligents et actifs est plus admirable que créer des images sans vie, à la condition que cette création ne soit pas de hasard (τύχῃ τινί), mais réponde à un dessein (ἀπὸ γνώμης). Or les œuvres faites avec dessein se reconnaissent à ce qu'elles servent à une fin utile (§ 4). D'où le développement §§ 5-7. Le Créateur de l'homme (ὁ ἐξ ἀρχῆς ποιῶν ἀνθρώπους) a songé à l'utilité en donnant des yeux pour voir, des oreilles pour entendre, des narines pour l'odorat, une langue pour le sens du goût (§ 5); pareille utilité dans les paupières, les cils, les sourcils, dans la structure de l'oreille, dans les incisives et les molaires, dans la position de la bouche près des yeux et du nez, et celle du fondement loin de ces mêmes organes. Tout cela a été fait avec prévoyance (προνοητικῶς, § 6) et l'on a donc affaire à un Démiurge sage et ami des hommes (σοφοῦ... καὶ φιλοζώου, § 7). Il en va de même des instincts naturels qui poussent la mère à enfanter, l'enfant à s'attacher avec force à la vie (§ 7). Signalons tout de suite que ce caractère téléologique de la structure du corps n'est pas moins marqué dans le *Timée* (p. ex. foie, rate, bas-ventre : 71 a ss.) (3) et que l'argument qu'on en tire (existence d'un Créateur sage et bon) reparaît, après bien des intermédiaires sans doute, dans l'un des développements du C. H. V :

6. Veux-tu encore contempler (Dieu) au travers des êtres mortels, de ceux qui vivent sur la terre et de ceux qui vivent dans l'abîme, considère, mon enfant, comment l'homme est façonné dans le ventre maternel, examine avec soin la technique de cette production et apprends à connaître qui est celui qui façonna cette belle, cette divine image qu'est l'homme. Qui a tracé les cercles des yeux?

---

(1) Cf. *Lois*, X, 885 c-e, 887 a et *Mém.*, I, 4, 10 : « Je ne méprise pas la divinité, mais je pense que ... », I, 4, 11 : « Si je croyais que les dieux eussent le moindrement souci des hommes, je ne les négligerais pas. »

(2) Existence des dieux, *Lois*, X, 889 a-889 d; providence des dieux, 899 d-905 d. En revanche la troisième cause d'impiété indiquée dans les *Lois* (885 b 8 εὐπραμυθήτους εἶναι - sc. τοὺς θεοὺς-θυσίαις τε καὶ εὐχαῖς παραγενομένους) n'est pas traitée dans ce chapitre des *Mémorables*.

(3) De 70 a 5 à 73 a 4, je compte huit ἵνα (70 a 5, b 4, c 7, d 4, e 6, 71 b 3, d 8, 72 e 5 et un ὅπως (73 a 4). Cf. A. S. Pease, *l. c.*, pp. 168-170.

Qui a foré les trous des narines et des oreilles? Qui a fait l'ouverture de la bouche? Qui a tendu les muscles et les a attachés? Qui a conduit les canaux des veines? Qui a solidifié les os? Qui a recouvert toute la chair de peau? Qui a séparé les doigts? Qui a élargi la plante des pieds? Qui a percé les conduits? Qui a étendu la rate? Qui a façonné le cœur en forme de pyramide? Qui a cousu ensemble les nerfs? Qui a élargi le foie? Qui a creusé les cavités du poumon? Qui a construit cet ample réceptacle du bas-ventre? Qui a fait ressortir les parties les plus nobles bien en évidence et qui a caché les parties honteuses? **7.** Vois, que de techniques différentes appliquées à une même matière, que d'œuvres d'art ramassées dans une seule figure, et toutes admirablement belles, toutes exactement mesurées, toutes diverses les unes des autres. Qui donc a créé toutes ces choses? Quelle mère, quel père sinon le Dieu invisible qui, par son propre vouloir, a tout fabriqué. **8.** Nul n'avance qu'une statue ou une peinture puisse avoir été produite sans sculpteur ou sans peintre, et cette Création serait venue à l'être sans Créateur? O comble d'aveuglement, ô comble d'impiété, ô comble d'irréflexion. Ne va jamais, ô mon fils Tat, séparer les œuvres créées de leur Créateur. »

Avec le § 8 de *Mem.* I, 4 on passe à un argument d'une autre nature, à la preuve cosmologique. Le raisonnement est le suivant : L'homme, qui possède la faculté de penser (φρόνιμόν τι ἔχειν), n'est composé que d'une infime portion des quatre éléments dont est formé le monde. Est-il donc croyable que l'homme, cet être minuscule, ait ravi par quelque chance heureuse un intellect qui, seul, ne serait nulle part (ailleurs qu'en l'homme) (1) et que ces êtres immenses et de nombre infini qui sont au ciel conservent leur ordre admirable sans être dirigés par une pensée (δι' ἀφροσύνην)? C'est l'argument *a fortiori* tiré de la comparaison du microcosme avec le macrocosme. Si l'homme, où les composants du monde se retrouvent en tout petit, peut telle ou telle chose, à plus forte raison l'Univers. La même comparaison fonde l'argument du § 17 : si l'intellect de l'homme peut se porter à la fois partout, à plus forte raison Dieu, qui est l'intellect de l'Univers, peut-il veiller à tout instant sur toutes choses.

Ce raisonnement du § 8 reparaît dans le *Philèbe* 28 c ss. *Tous les sages* s'accordent pour affirmer que l'Intellect est le roi de notre Univers et de notre terre (ὡς νοῦς ἐστι βασιλεὺς ἡμῖν

---

(1) νοῦν δὲ μόνον ἄρα οὐδαμοῦ ὄντα reprend la question ἀλλοθι δὲ οὐδαμοῦ οὐδὲν οἴει φρόνιμον εἶναι (au début du § 8), ἄρα soulignant la nuance « à ce qu'il semble, d'après ce que tu sembles croire ». Socrate raisonne ainsi : dans l'homme comme dans le monde il y a présence des quatre éléments, mais, dans l'homme, en quantité infime, dans le monde, en quantité énorme : et l'intellect seul ferait exception, il serait bien présent dans l'homme mais ne se trouverait nulle part ailleurs? Je ne comprends pas la traduction de E. C. Marchant (coll. Loeb, 1923, p. 59) : « but as for mind, which alone, it seems, is without mass ». Diès, éd. du *Philèbe*, p. 30, n. 1, signale que Cicéron répète l'argument, *N. D.*, III, 27 : *unde animum arripuerimus si nullus fuerit in mundo*, cf. *Tusc.*, V, 38; *de Div.*, I, 110; II, 26, etc.

οὐρανοῦ τε καὶ γῆς, 29 c 7-8). En effet on ne peut concevoir que l'Univers soit régi par une puissance irrationnelle et aveugle, il faut dire au contraire, *avec les prédécesseurs* (28 c 8-9 : cf. 28 e 7-29 a 1, 30 d 7-8), qu'il est ordonné et gouverné par un Intellect et une Pensée admirablement sage (νοῦν καὶ φρόνησίν τινα θαυμαστὴν... διακυβερνᾶν, 28 d 9-10). En voici la preuve. Les quatre éléments qui constituent la nature des corps vivants composent aussi le monde (29 a). Or, en nous, chacun de ces éléments n'est représenté que par une portion infime, de médiocre qualité, toujours impure (29 b), alors que, dans le monde, ce même élément est admirable par sa quantité, sa beauté et sa force (29 c). Évidemment, ce n'est pas de la portion de l'élément qui est en nous qu'est engendré l'élément dans le monde, mais inversement (29 c-d). Et puisque ces éléments, dans le monde comme en nous, composent un corps, ce n'est évidemment pas de notre corps que le corps du monde dérive sa substance, mais inversement (29 d-e). Or notre corps a une âme : d'où l'a-t-il prise, si le corps du monde n'est pas, lui aussi, animé, doué des mêmes propriétés que le nôtre mais d'une façon bien plus belle (30 a) (1)? Si donc il y a en nous une cause qui nous donne, avec l'âme, toutes les propriétés d'une sagesse multiforme (παντοία σοφία), si, en outre, les principes qui sont en l'homme se trouvent présents dans le ciel en portions bien plus grandes et en état de beauté et de pureté, il ne se peut qu'il n'y ait dans le Tout une sagesse et un intellect qui ordonne et règle les années, les saisons et les mois (30 a-c), c'est-à-dire, puisqu'il n'est pas d'intellect sans âme, une Ame royale et un Intellect royal (30 c-d). Ainsi rejoint-on la pensée des sages qui, depuis longtemps, proclament que l'Intellect régit, de toute éternité, l'Univers (30 d 7-8).

Il semble bien, d'après les recherches de Theiler (2), que cette preuve cosmologique, commune à Xénophon, Platon et Aristote (*de an.*, I, 5, 411 a 7 ss., a 16 ss.), remonte à Diogène d'Apollonie (3), mais il se peut aussi que Socrate l'ait déjà exploitée lui-même (4). De toute façon, la question : « d'où l'homme tient-il son âme sinon de l'Ame du Tout? » devient, comme l'on sait, un dogme positif

---

(1) Cf. *supra*, p. 80, n. 1 et noter Xen. ἄλλοθι δὲ οὐδαμοῦ... μόνον ἄρα οὐδαμοῦ ὄν-α et Pl. πόθεν... λαβόν 30 a 5, οὐδαμόθεν ἄλλοθεν 30 a 8. Pour d'autres parallélismes, THEILER, p. 21.
(2) *Op. cit.*, pp. 21-24. Voir *Addenda*.
(3) Cf. DIELS-KRANZ, 64 B 5.
(4) Cf. DIÈS, éd. du *Philèbe*, p. xxxi : « l'emploi que font (de la preuve par l'ordre du monde) et Platon et Xénophon, celui-ci avec plus d'abondance et de minutie que d'originalité (*Mém.*, I, 4, 8), en suppose l'usage familier chez Socrate, et témoigne contre le travestissement volontaire des *Nuées* ».

dans le stoïcisme (l'âme humaine ἀπόσπασμα), et c'est sous cette forme dogmatique, telle une vérité évidente qui n'a plus besoin de preuve, que la doctrine paraît dans le C. H. Ainsi X 7 :

« N'as-tu pas entendu dire, dans les *Leçons Générales*, que c'est d'une seule Ame, l'Ame du Tout, qu'ont été détachées et comme distribuées toutes les âmes qui tourbillonnent dans le monde? »

X 15 : « Considère l'âme d'un enfant, mon fils : quand elle n'a pas encore subi la séparation d'avec son vrai soi et que le corps auquel elle appartient n'a encore qu'un petit volume et n'a pas atteint son plein développement, comme elle est belle à voir de tout côté, à cette heure où elle n'a pas été souillée encore par les passions du corps et qu'elle est presque suspendue encore à l'Ame du monde. »

XI 4 « Et tout ce grand corps, dans lequel se trouvent contenus tous les corps, une âme pleine de l'intellect et de Dieu le remplit à l'intérieur et l'enveloppe à l'extérieur, vivifiant le Tout, à l'extérieur ce vaste et parfait vivant qu'est le monde, à l'intérieur tous les vivants, et en haut, dans le ciel, demeurant stable par l'identité, tandis que en bas, sur la terre, elle produit les variations du devenir. »

Quant à l'argument *a fortiori* fondé sur la comparaison entre le microcosme et le macrocosme, il est d'un emploi fréquent dans le C. H. Outre un passage bien significatif du traité XI (19-20) que je citerai plus loin à cause de sa ressemblance avec *Mém.*, I, 4, 17, en voici deux exemples, où l'argument est utilisé chaque fois pour démontrer que Dieu est le Créateur universel :

XI 12-13 : « **12.** Et qu'y a-t-il de merveilleux pour Dieu à créer à la fois la vie, l'âme, l'immortalité, le changement, alors que tu fais toi-même tant de choses différentes? Car tu vois, tu parles, tu entends, tu odores, tu touches, tu marches, tu penses, tu respires, et ce n'est pas un autre qui voit et un autre qui entend, un autre qui parle et un autre qui touche, un autre qui odore et un autre qui marche, un autre qui pense et un autre qui respire, mais c'est un être unique qui fait tout cela. Eh bien, elles non plus, les activités divines, ne peuvent être séparées de Dieu. Car, de même que, si ton activité est suspendue dans les fonctions qui t'appartiennent, tu n'es plus un vivant, de même, si l'activité de Dieu est suspendue dans les fonctions qui lui appartiennent, Dieu, chose impie à dire, n'est plus Dieu.

13. Car s'il a été démontré que toi, tu ne peux exister sans activité aucune, combien plus Dieu! En effet, s'il est quelque chose qu'il ne crée pas, Dieu, chose impie à dire, est imparfait; et si Dieu n'est pas inactif, mais au contraire parfait, c'est donc qu'il crée toutes choses. »

XIV 8 : « **8.** Maintenant, s'il est bien permis au même peintre de faire et le ciel et les dieux et la terre et la mer et les hommes et tous les animaux et les objets inanimés, Dieu, lui, ne pourrait pas créer tout cela? O que de folie, comme tu manques de connaissance en ce qui regarde Dieu. Ceux qui parlent ainsi font l'expérience la plus étrange : dans le temps même qu'ils prétendent affirmer leur piété envers Dieu et lui donner louange en refusant de lui attribuer la création de tous les êtres, non seulement ils ignorent Dieu, mais, outre cette ignorance, ils commettent l'impiété la plus noire en lui attribuant comme propriétés le dédain ou l'impuissance. Car si Dieu n'est pas le créateur de tous les êtres, c'est ou qu'il dédaigne de les créer ou qu'il ne le peut pas : or l'un et l'autre sont une impiété. »

Le § 9 de *Mém.* I, 4 introduit une instance intéressante. Socrate a demandé : Est-il croyable que l'homme soit seul à posséder une âme, et que le Tout, infiniment plus excellent, n'en ait pas? — C'est croyable, répond Aristodème : car je ne vois pas les dieux qui dirigent le monde (τοὺς κυρίους), alors que je vois les artisans des œuvres qui sont produites ici-bas. — Mais, rétorque Socrate, on ne voit pas non plus son âme, qui pourtant dirige le corps (τοῦ σώματος κυρία) : en sorte que, si l'on concluait, avec Aristodème, de l'invisibilité de l'âme à son inexistence, il faudrait penser qu'Aristodème, n'ayant point d'âme, n'agit jamais par dessein, mais toujours au hasard.

Il est fait mention de l'invisibilité de l'âme dans la *Cyropédie* VIII, 7, 17 (exhortation de Cyrus mourant à ses fils) : « N'allez pas vous figurer savoir de science certaine que, lorsque j'aurai quitté cette vie, je ne serai plus : car, à cette heure même non plus, vous ne voyez pas mon âme, ce n'est que par ses actions que vous constatez qu'elle existe », et VIII, 7, 20 : « Quand se dissout le composé humain, il est aisé de voir que chaque partie retourne à ce qui lui est congénère, sauf l'âme : l'âme seule est toujours invisible, et quand elle est présente et quand elle s'en va. » Que l'âme existe bien qu'invisible, c'est ce qu'affirme aussi Platon dans un passage assez analogue des *Lois*, X, 898 d-e : « Le soleil, tout homme en voit le corps, mais nul ne voit son âme, pas plus, en effet, qu'il ne voit celle d'aucun être animé, que celui-ci soit en vie ou qu'il soit mort (cf. *Cyrop.*, VIII, 7, 17 *supra*); il y a cependant les plus fortes raisons de croire que cette sorte d'être, qui échappe totalement à notre perception sensible, n'en est pas moins incrustée dans tous les sens du corps, et qu'elle n'est objet de connaissance que pour la pensée » (1).

Quant à l'argument fondé sur la comparaison de l'âme invisible avec Dieu invisible, on le retrouve plus longuement développé, avec d'autres exemples du même cas, en *Mém.*, IV, 3, 13-14 :

---

(1) J'entends ainsi ce texte difficile : L'âme, invisible, n'en est pas moins étroitement liée (litt. « entortillée », comme le lierre à l'arbre, περιπεφυκέναι 898 e 2) à tous nos sens puisque nous n'avons de sensations que par elle : on revient à la preuve de l'existence de l'âme invisible par les effets qu'elle produit (ici la sensation). Pour d'autres interprétations, cf. les traductions de L. Robin (coll. « La Pléiade », 1942) et R. G. Bury (*Lois*, t. II, coll. Loeb, 1926).

« Tu te rendras compte que je dis vrai si, loin d'attendre que les dieux t'aient apparu sous forme visible, il te suffit de voir leurs œuvres pour que tu leur donnes honneur et révérence. Considère que les dieux eux-mêmes nous avertissent de la chose : car, d'une part, quand les dieux en général nous accordent leurs bienfaits, ils ne se rendent jamais visibles dans ce geste même, et, d'autre part, Celui qui ordonne et maintient ensemble l'Univers, dans lequel tout est beau et bon, et qui fait que les choses sont toujours à notre disposition non seulement sans usure, corruption ni vieillissement, mais encore plus promptes que la pensée à nous servir indéfectiblement, ce Dieu donc, on voit bien sans doute qu'il accomplit les œuvres les plus sublimes, mais il n'en demeure pas moins invisible pour nous dans ce travail d'organisation (1). **14.** Considère encore que le soleil, qui semble se manifester à tous les yeux, ne se laisse pas regarder face à face : loin de là, si l'on entreprend de le contempler sans retenue, on perd la vue. Tu constateras de même que les ministres des dieux sont invisibles. Il est évident par exemple que la foudre est lancée du ciel et qu'elle accable tous ceux sur qui elle tombe : cependant on ne la voit ni quand elle vient, ni quand elle frappe, ni quand elle disparaît. Les vents en eux-mêmes sont invisibles, mais leurs accomplissements sont manifestes et nous percevons leur approche. Davantage, l'âme humaine qui, plus que toute autre chose de ce qui est de l'homme, participe au divin, règne évidemment en nous, et cependant, elle non plus, on ne la voit pas. »

Ici encore, les parallélismes entre Xénophon et Platon engagent à chercher une source commune, et il est possible, comme le veut Theiler (2), que ce soit Diogène d'Apollonie. En tout cas l'argument fit fortune. Sans en suivre toute l'histoire, je citerai seulement deux textes du *de Mundo* et des *Tusculanes* (3) qui préparent la voie à l'auteur hermétique : Ps.-Aristote, *de Mundo*, 6, 399 a 30-b 22 (4).

« Quand donc le Chef et le Créateur de toutes choses, qui n'est visible qu'à la seule raison, a donné le signal à tous les êtres qui accomplissent leur course entre le ciel et la terre, ils entrent tous en mouvement et ne s'arrêtent plus, chacun dans son orbite et ses limites propres, tantôt disparaissant, tantôt reparaissant, révélant et cachant tour à tour une infinité de formes issues d'un principe unique. L'effet produit ressemble absolument à ce qui se passe, surtout en temps de guerre, quand la trompette a donné le signal dans le camp.

---

(1) C'est ainsi qu'avec Theiler, *op. cit.*, p. 33, je crois qu'il faut traduire οὗτος τὰ μέγιστα μὲν πράττων ὁρᾶται, τάδε δὲ οἰκονομῶν ἀόρατος ἡμῖν ἐστιν, le verbe ὁρᾶται équivalant à δῆλός ἐστιν avec construction personnelle. Cf. plus bas § 14 κεραυνός τε γὰρ ὅτι .. δῆλον, ὁρᾶται δ' οὔτε κτλ., et ψυχή..., ὅτι μὲν... φανερόν. ὁρᾶται δὲ οὐδ' αὐτή.

(2) Theiler, pp. 32-35 : à propos de *Mém.*, IV, 3, 13 ss. Voir cependant les réserves de Solmsen, *op. cit.*, p. 58, n. 17.

(3) Je néglige ici le problème de la source commune. Il n'est nullement prouvé que ce soit Posidonius, cf. R. M. Jones, *Posidonius and Cicero's Tusculan Disputations* I 17-81, *Class. Philol.*, XVIII, 1923, pp. 202 ss. Certains traits rappellent Chrysippe : voir les textes traduits *infra*, pp. 272 ss. (en particulier Philon, *de spec. leg.*, cité *infra*, pp. 274 275) et p. 210 n. 6. Pour la comparaison de Dieu avec un στρατηγός, W. Capelle, *Neue Jahrb.*, XV, 1905, p. 558 n. 6, signale Epict., *Diss.*, III, 24, 34 ss. ; 26, 29 ; Sext. Emp., *adv. math.*, IX, 26, ss. ; Phil., *de prov.*, II, 102 ; Max. Tyr., X, 9, XVI, 9, XIX, 3 s.

(4) Je suis le texte de W. L. Lorimer, *Aristotelis qui fertur libellus de mundo*, Paris, 1933.

Alors, en effet, chacun ayant entendu le son, l'un saisit le bouclier, l'autre revêt la cuirasse, un autre met les cnémides, le casque ou le ceinturon ; celui-ci bride son cheval, celui-là monte sur son bige, cet autre transmet le mot d'ordre ; le capitaine va rejoindre en hâte sa compagnie, le divisionnaire sa division, le cavalier sa colonne, et le simple soldat court au poste qui lui a été assigné : un seul a donné le signal, et tout se met en branle selon les ordres du chef qui tient le commandement suprême. C'est ainsi qu'il nous faut juger de l'univers : une seule impulsion suffit pour que toutes choses soient excitées et accomplissent leur tâche propre, bien que cette impulsion soit invisible et cachée à nos yeux. Il n'y a là nul empêchement, ni pour elle à agir, ni pour nous à y ajouter foi. En effet l'âme aussi, grâce à laquelle nous sommes en vie et formons des familles et des cités, l'âme, bien qu'invisible, se laisse voir à ses œuvres. C'est elle qui a inventé, organisé, et qui maintient toute l'ordonnance de la vie humaine : le labour de la terre et les plantations, les inventions de l'art, l'usage de la loi, le bon ordre des constitutions, la conduite des affaires à l'intérieur, la guerre au delà des frontières, la paix. Voilà donc aussi ce qu'il faut se dire au sujet de Dieu, qui est le plus puissant quant à la force, le plus noble d'aspect quant à la beauté, immortel quant à la vie, le plus exaltant quant à la vertu : car, bien qu'il demeure invisible à toute nature mortelle, il ne se laisse pas moins contempler à partir de ses créations. »

Le livre Ier des *Tusculanes* est un traité sur ce qu'il faut mépriser la mort. Il n'y a pas à craindre la mort, car, ou l'âme est immortelle, et en ce cas la partie essentielle de notre être atteint à la béatitude, où l'âme est mortelle, et dès lors, comme le seul méfait de la mort est de nous priver des biens terrestres, qui ne comptent guère, comme son bienfait est de nous débarrasser des maux de la vie présente, mourir n'a rien de redoutable. C'est dans la première partie de ce traité, relative à l'immortalité de l'âme (ch. 11-31), que Cicéron utilise la comparaison de l'âme invisible avec Dieu invisible, mais en renversant les termes : ce n'est plus l'exemple de l'âme qui sert à confirmer l'existence de Dieu, c'est l'exemple de Dieu qui vient à l'appui de l'existence de l'âme ou de l'intellect humain.

Tuscul., I, 27, 67-28, 70 (1).

« Où donc <après la mort> est cet intellect, et quelle est sa nature ? — Mais où est ton intellect <à cette heure où tu es en vie et me parles>, et quelle est sa nature ? Peux-tu le dire ? Et si je ne suis pas en mesure de comprendre autant que je le voudrais, me permettras-tu au moins de faire usage de ce que je comprends ? L'esprit humain n'est pas capable de se voir lui-même. Mais, comme l'œil, sans se voir lui-même, il distingue tout le reste. Sans doute, il ne perçoit pas sa propre forme, ce qui importe le moins (et encore, cela même aussi : mais laissons ce point) : en tout cas, il a conscience de son pouvoir, de sa pénétration, de sa force de mémoire, de son mouvement, de sa célérité. Ce sont là choses grandes, divines, éternelles. Maintenant, quel aspect il a, où il loge, il n'y a pas même à le chercher.

---

(1) Je suis le texte de Heine-Pohlenz (Teubner, 1912), pp. 91-93. Les mots entre crochets obliques ont été ajoutés pour rendre le sens plus clair.

68. Quand nous voyons la beauté éminente et la splendeur du ciel, la rapidité de sa révolution, si grande que nous ne pouvons la concevoir, la succession du jour et de la nuit, l'alternance des quatre saisons, parfaitement disposée pour faire mûrir les fruits et donner aux corps la santé; le soleil qui dirige et guide tous ces mouvements célestes, la lune qui, par l'accroissement et la diminution de sa lumière, nous indique les jours comme un calendrier; les cinq planètes qui, sur un même cercle divisé en douze parts <le zodiaque>, tout en maintenant constamment l'identité de leur course, se meuvent de mouvements inégaux, et la beauté du ciel nocturne brillant d'étoiles en toutes ses parties; le globe terrestre qui surgit de la mer, fixé au centre de l'univers, habitable et cultivé en deux zones diverses...; **69.** la quantité infinie d'animaux domestiques, servant soit à la nourriture, soit au labour des champs, soit aux transports, soit aux vêtements qui nous couvrent; l'homme lui-même, placé ici-bas comme pour contempler et honorer d'un culte le ciel et les dieux <astres>; enfin toute l'étendue des terres et des mers, dociles aux besoins de l'homme : **70.** quand, dis-je, nous voyons ces merveilles, et d'autres, en nombre infini, pouvons-nous douter qu'il préside à ces choses un Être qui ou bien les créa, si, comme le veut Platon, elles ont eu un commencement (1), ou bien si, comme le pense Aristote, elles ont toujours existé, un Être du moins qui dirige un si grand ouvrage, une si belle construction? Tout de même l'intellect humain : tu ne le vois pas, non plus que tu ne vois pas Dieu; et pourtant, comme tu reconnais Dieu à ses ouvrages, qu'ainsi pareillement la mémoire, l'invention, le mouvement rapide de la pensée, toutes les propriétés admirables dont est pourvu notre intellect te fassent reconnaître sa nature divine. »

Voici enfin notre texte hermétique, C. H. V 2 :

Toi donc, ô mon fils Tat, prie d'abord le Seigneur et Père et Seul, et qui n'est pas l'Un mais source de l'Un, de se montrer propice, afin que tu puisses saisir par la pensée ce Dieu qui est si grand et qu'il fasse luire ne fût-ce qu'un seul de ses rayons sur ton intelligence. Seule, en effet, la pensée voit l'inapparent, puisqu'elle est elle-même inapparente. Si tu le peux, il (l'inapparent) apparaîtra donc aux yeux de ton intellect, ô Tat : car le Seigneur, qui est sans envie, se manifeste à travers le monde entier... Peux-tu voir ta pensée et la saisir de tes propres mains et contempler l'image de Dieu? mais si même ce qui est en toi est pour toi inapparent, comment Dieu se manifestera-t-il à toi en lui-même par le moyen des yeux du corps?

Le même argument paraît, sous une autre forme, dans la conclusion du traité XI (22) : « L'intellect se rend visible dans l'acte de penser, Dieu dans l'acte de créer » (2).

(1) Plat., *Tim.* 28 b 8. Cicéron prend γέγονεν à la lettre, comme Plutarque et Atticus, cf. Taylor (*supra*, p. 52, n. 1) *ad loc.* et *infra*, p. 104, n. 3.
(2) Xénophon, le *de Mundo*, Cicéron, Hermès, voilà donc quatre témoins pour l'histoire de ce parallèle entre l'âme invisible et Dieu invisible. Nul doute qu'on doive en trouver d'autres dans la littérature de l'Empire. Un hasard de lecture me fournit un exemple. Marc Aurèle, XII, 28 : « A ceux qui insistent dans leur question : « Où as-tu donc vu les dieux, d'où tiens-tu la conviction de leur existence, que tu les honores ainsi ? » D'abord, les dieux sont visibles, même à l'œil corporel. Ensuite, je n'ai jamais vu non plus mon âme, et cependant je la révère. Ainsi en va-t-il aussi des dieux : c'est de l'expérience que je fais chaque jour de leur puissance que je conclus qu'ils existent, et les vénère. »

Revenons aux *Mémorables*.

Après une seconde instance d'Aristodème (§ 10 : les dieux sont trop grands pour avoir besoin de notre service) à laquelle Socrate répond brièvement, une troisième instance (§ 11 : les dieux n'ont pas souci des hommes) amène le long exposé sur la Providence (§§ 11-18) qui constitue la seconde partie de ce chapitre sur les dieux. Les §§ 11-14 développent un thème qui deviendra l'un des lieux communs les plus populaires à l'époque hellénistique : supériorité de l'homme sur les animaux, et quant au corps — station droite (1), usage des mains (§ 11), langage articulé, faculté de faire l'amour en toute saison (§ 12) — et quant à l'âme (l'âme humaine est seule à connaître et à servir les dieux, facultés intellectuelles de l'homme : § 13). Bref, en comparaison de l'animal, l'homme vit comme un dieu (§ 14). L'un au moins de ces « motifs » reparaît dans le C. H., XII 12-13 : Seul entre tous les êtres vivants, l'homme a été gratifié par Dieu de ces deux dons, l'intellect et le langage articulé (λόγος), l'animal n'ayant que la voix (φωνή); si l'homme fait emploi de ces dons pour les fins qui conviennent, il ne différera en rien des immortels, et, à la mort, rejoindra le chœur des dieux.

Une dernière instance d'Aristodème (§ 15 : je croirai aux dieux quand ils enverront des conseillers sur ce qu'il faut faire ou éviter) permet à Socrate de marquer un nouveau bienfait du ciel : le don des oracles (§§ 15-16) et c'est à la fin de cet exposé que, sans transition, l'on retrouve (§ 17) l'argument cosmologique déjà utilisé au § 8. Je traduis ici le texte même :

> « Sois bien assuré, mon bon ami, que l'intellect qui est en toi dirige ton corps à sa guise : tu dois donc penser aussi que la Pensée (φρόνησις) qui est dans le Tout dirige toutes choses à son gré. Ne va pas croire, en effet, que, si ton œil peut se porter jusqu'à plusieurs stades, l'œil de Dieu ne puisse embrasser d'un même regard tout l'univers, ni que, si ton âme peut considérer en même temps ce qui se passe ici et ce qui se passe en Égypte et en Sicile, la pensée de Dieu ne soit pas capable de veiller tout à la fois sur l'ensemble de l'Univers. »

En rapprochant ce texte d'un extrait du poète comique Philémon (2), Theiler me paraît avoir prouvé que la source est, ici encore,

---

(1) Theiler, p. 32, rapporte encore ce trait à Diogène d'Apollonie. Ce deviendra un τόπος hellénistique, mais l'ὀρθότης ne sera plus tant expliquée par référence au προορᾶν que par référence à la contemplation du ciel : l'homme, grâce à la station droite, est seul capable de « lever les yeux vers le ciel », cf. Scott, *Hermetica*, II, p. 367, F. Cumont, *Le mysticisme astral dans l'antiquité*, Bull. Acad. roy. de Belg., 1909, p. 262, n. 3, et, dans les textes hermétiques, C. H. XI 20, Ascl. 6 *suspicit caelum*.

(2) Fr. 91 = Diels-Kranz 64 C 4 (c'est l'Air qui parle) : « Moi, qui suis créature de Dieu, je suis partout (εἰμὶ πανταχοῦ : cf. C. H. XIII 11 ἐν οὐρανῷ εἰμί, ἐν γῇ, ἐν

Diogène d'Apollonie (1), et il est possible que Platon s'en soit inspiré lui aussi dans les *Lois* (X, 903 b-e : Dieu prend soin à la fois du Tout et de chaque détail dans le Tout). Il est intéressant de voir comment l'auteur hermétique reprend à son tour l'argument des *Mémorables*, C. H. XI 19-20 :

« **19.** Juges-en aussi de la façon suivante, d'après toi-même. Commande à ton âme de se rendre dans l'Inde, et voilà que, plus rapide que ton ordre, elle y sera. Commande-lui de passer ensuite à l'océan, et voilà que, de nouveau, elle y sera aussitôt, non pour avoir voyagé d'un lieu à un autre, mais comme si elle s'y trouvait déjà. Commande-lui même de s'envoler vers le ciel, elle n'aura pas besoin d'ailes : rien ne peut lui faire obstacle, ni le feu du soleil, ni l'éther, ni la révolution du ciel, ni les corps des autres astres : mais, coupant au travers tous les espaces, elle montera dans son vol jusqu'au dernier corps. Et si tu voulais encore crever la voûte de l'univers lui-même et contempler ce qui est au delà (si du moins il est quelque chose au delà du monde), tu le peux. **20.** Vois quelle puissance, quelle vitesse tu possèdes ! Et quand, toi, tu peux tout cela, Dieu ne le pourrait pas ? C'est donc de cette manière que tu dois concevoir Dieu : tout ce qui est, il le contient en lui comme des pensées, le monde, lui-même, le Tout. »

Dans l'*Asclépius* (c. 6), on ne trouve pas, à vrai dire, l'argument complet (si la pensée de l'homme peut cela, à fortiori celle de Dieu), mais l'idée du pouvoir d'extension de l'intellect humain entre dans un développement sur la grandeur de l'homme dans le monde. Je traduis depuis le début de ce chapitre 6 (p. 301-18 ss.) pour donner le ton du morceau :

« **6.** Aussi est-ce, Asclépius, une grande merveille que l'homme, un vivant digne de révérence et d'honneur. Car il passe dans la nature de Dieu comme si lui-même était dieu ; il a familiarité avec le genre des démons, sachant qu'il est issu de la même origine ; il méprise cette partie de sa nature qui n'est qu'humaine, car il a mis son espoir dans la divinité de l'autre partie. Oh ! de quel mélange privilégié est faite la nature de l'homme ! Il est uni aux dieux par ce qu'il a de divin et qui l'apparente aux dieux ; la partie de son être qui le fait terrestre, il la méprise en lui-même ; tous les autres vivants auxquels il se sait lié en vertu du plan céleste, il se les attache par le nœud de l'amour ; il élève ses regards vers le ciel. Telle est donc sa position dans ce rôle privilégié d'intermédiaire qu'il aime les êtres qui lui sont inférieurs, qu'il est aimé de ceux qui le dominent. Il prend soin de la terre, il se mêle aux éléments par la vitesse (de la pensée), par la pointe de l'esprit il s'enfonce dans les abîmes de la mer. Tout lui est loisible ; le ciel ne lui semble pas trop haut, car il le mesure comme de tout près grâce à son ingéniosité. Le regard que son esprit dirige, nul brouillard de

ὕδατι, ἐν ἀέρι, ἐν ζώοις εἰμί, ἐν φυτοῖς..., πανταχοῦ, pure coïncidence sans doute, mais curieuse), ici à Athènes, et à Patras, en Sicile, dans toutes les villes, dans toutes les maisons, en vous tous : il n'y a pas de lieu où l'Air ne soit présent » (οὐκ ἔστιν τόπος οὗ μή ἐστιν Ἀήρ, cf. C. H. V 9 οὐδὲν γάρ ἐστιν ἐν παντὶ ἐκείνῳ ὃ οὐκ ἔστιν οὗτος).

(1) THEILER, pp. 19-20.

l'air ne l'offusque ; la terre n'est jamais si compacte qu'elle empêche son travail ; l'immensité des profondeurs marines ne trouble pas sa vue qui plonge. Il est à la fois toutes choses, il est à la fois partout. »

Le second morceau des *Mémorables* (IV, 3) nous retiendra moins longtemps. Ce chapitre qui, comme tout l'ensemble du livre IV (sauf IV, 4 : Socrate et Hippias), rapporte un entretien de Socrate avec le jeune et bel Euthydème, est tout entier consacré au problème de la Providence : il reprend donc le thème exploité déjà en I, 4, 11-18 et présente, avec cette partie de I, 4, de nombreuses similitudes. Le plan est le suivant : Les dieux manifestent le soin qu'ils prennent de l'homme en lui accordant, à la fois, la lumière pendant le jour, le repos pendant la nuit (§ 3). Pour nous éclairer la nuit (comme ils nous éclairent le jour par le soleil), ils ont créé les étoiles et la lune qui, en outre, révèle les divisions de la nuit et du mois (§ 4 : cf. *Tuscul.*, I, 68 *quasi fastorum notis signantem dies*). Pour nous nourrir, ils ont créé la terre avec les divisions des saisons (§ 5), l'eau (§ 6) et le feu (§ 7). Ils ont fait que le soleil, en s'approchant puis s'éloignant de la terre, répand sur nous la chaleur sans, en revanche, nous brûler (§ 8), et ils ont eu soin que cette approche et cet éloignement procèdent par degrés insensibles (§ 9). Bref, selon le mot d'Euthydème (§ 9), les dieux semblent n'avoir pas d'autre occupation que d'être au service des hommes. — Mais ne prennent-ils pas le même soin des animaux ? — Sans doute, répond Socrate, mais c'est encore au bénéfice des hommes, puisque les animaux ne sont ici-bas que pour notre utilité (§ 10). Davantage, les dieux nous ont gratifiés de tous les dons de l'intellect (§ 11 : cf. I, 4, 13), et ils nous conseillent par les oracles (§ 12 : cf. I, 4, 15-16). Vient alors l'argument, cité plus haut (pp. 83 ss.), sur ce qu'on ne doit pas conclure de l'invisibilité des dieux (et de Dieu) à leur inexistence (§§ 13-14). Comment donc rendre grâces aux dieux ? Il faut obéir à l'oracle de Delphes qui prescrit d'honorer les dieux « selon la coutume de la cité », c'est-à-dire en leur offrant des sacrifices « conformément à ses moyens » (κατὰ δύναμιν, §§ 15-17).

Tous ces « motifs » deviendront certes populaires dans la piété hellénistique, mais, sauf les §§ 13-14 déjà étudiés, ils n'offrent pas d'analogies frappantes avec les *Hermética* et je puis donc passer outre.

J'ai examiné un peu longuement le chapitre I, 4 et le morceau IV, 3, 13-14 des *Mémorables* parce qu'ils présentent, pour mon enquête, un double intérêt.

D'une part, non seulement on y voit traité pour la **première fois**, d'une manière un peu explicite, le thème de « Dieu visible dans sa création », mais encore d'autres thèmes connexes de la religion hellénistique y font aussi leur première apparition. Or, si l'on songe que la figure de Socrate a gardé tout son prestige chez les Cyniques et les Stoïciens et que les *Apomnémoneumata* de Xénophon mettaient précisément en relief ces vertus de καρτερία et d'ἐγκράτεια (1) qui devaient être les traits dominants du sage cynique ou stoïcien, on conçoit que les *Mémorables* aient été fort lus à l'époque hellénistique et gréco-romaine et qu'ainsi la prédication « socratique » de nos deux chapitres ait exercé de l'influence. Je croirais volontiers que le « Socrate » hellénistique remonte essentiellement à trois ouvrages : l'*Apologie* et le *Phédon* de Platon, les *Mémorables* de Xénophon (2).

D'autre part, et ce point n'est pas moins notable, il est bon de remarquer combien, de ces chapitres destinés à prouver l'existence et la providence des dieux (ou de Dieu), tout mysticisme est absent. On est loin encore de la religion du monde, de la contemplation exaltée du ciel nocturne, de l'idée, plus tard si répandue, que cette contemplation met l'âme dans un état d'extase qui la rapproche du divin et la porte à s'y unir. Le monde n'est considéré encore que d'une manière abstraite, à titre de preuve dans un argument. On n'insiste pas sur sa beauté, — cette beauté qui doit nous arracher à nous-mêmes et nous conduire ailleurs, en nous rappelant que nous avons, avec les astres, une commune origine, — mais sur son utilité : tout sert dans le monde, tout est mis au service de l'homme. Et la divinité à laquelle aboutit la preuve par l'ordre du monde n'est pas essentiellement le Dieu cosmique (immanent ou transcendant, mais avant tout *Kosmokratôr*), c'est le dieu « politique », le dieu de la cité. La conclusion de *Mém.* IV, 3 est sur ce point révélatrice

---

(1) Ce point a été spécialement étudié par K. Joël, II 1 et 2 (1901) : « Die kynisch-xenophontische Willensethik in den Memorabilien ».

(2) Touchant l'influence de Xénophon sur la Stoa, cf. Wilamowitz, *Antigonos v. Kakystos*, p. 110, n. 15 : le fait est d'ailleurs bien connu. Pour Dion de Pruse (dont on sait l'admiration pour Socrate, cf. éd. v. Arnim, index, II, p. 365), cf. par exemple Wegehaupt, *de Dione Xenophontis sectatore*, Diss. Göttingen, 1896. K. Joël, II 1, pp. 391-445, réduit injustement, semble-t-il, cette influence de Xénophon pour la laisser toute, ou presque toute, à Antisthène (*contra*, cf. W. Schmid, P. W., V 868.20 ss.). — Il est intéressant de noter que la seconde partie du cod. Vatic. gr. 1950 (f. 280-407), partie distincte de la première (dont elle est séparée par neuf feuillets blancs, f. 271-279) et qui forme à elle seule un tout complet, contient les *Mémorables* de Xénophon (f. 280 ss.), puis les *Pensées* de Marc Aurèle (f. 341 ss.), puis le *Manuel* d'Épictète (f. 392 v), enfin, après une page de morceaux de rhétorique (f. 401), le recueil de sentences d'Épicure nommé *Gnomologion Vaticanum* (f. 401 v ss.). Tout cet ensemble, y compris le recueil d'Épicure, est l'œuvre d'un stoïcien qui a rassemblé ainsi, pour son usage personnel un certain nombre de textes fondamentaux sur la doctrine morale — comme un « livre de dévotion ». Or c'est le Socrate des *Mémorables* qui vient en tête. Cf. Usener, *Kl. Schr.*, I (1912), pp. 298 et 311-312.

(§§ 15-17). A entendre Socrate multiplier les démonstrations de la providence divine à l'égard des hommes, Euthydème finit par s'écrier : « Mais comment remercier les dieux de tant de bienfaits? » (§ 15). Socrate renvoie son jeune ami à la réponse que fait le dieu de Delphes quand on lui demande le moyen de se rendre agréable aux dieux : « en suivant la coutume de la cité » (νόμῳ πόλεως). Or la coutume est, partout, de sacrifier aux dieux « selon son pouvoir ». On est donc sûr de rendre honneur aux dieux de la manière la plus excellente et la plus dévote quand on fait ce qu'ils ordonnent en matière de sacrifices. Dès lors, si l'on ne montre aucune mesquinerie dans ses offrandes à la divinité, on doit compter sur la faveur divine. Telle est la vraie sagesse. Car les dieux sont en mesure de nous accorder les plus grands bienfaits; il est donc prudent de leur plaire, et on leur plaît le mieux quand on leur obéit strictement.

Xénophon s'en tient encore, on le voit, à la religion-marché, au « do ut des »; et cette religion fondée sur l'échange est encore toute comprise dans les limites du culte traditionnel. A l'encontre, l'Hermès de l'*Asclépius* refuse de brûler même un grain d'encens, « car rien ne manque à Celui qui est lui-même toutes choses ou en qui sont toutes choses », le Dieu auquel il s'adresse est « cette lumière immense que l'esprit seul appréhende » (c. 41), il n'a d'autre religion que celle de l'intellect, *religio mentis* (c. 25) : on mesure toute la distance.

CHAPITRE V

PLATON : LE *TIMÉE* ET LES *LOIS*

S'il faut donner, je pense, aux deux chapitres de Xénophon, quelque part d'influence sur la piété hellénistique, cette influence a dû rester toute formelle : il ne s'agit que de thèmes qui, abâtardis déjà dans les *Mémorables*, ont pu passer ensuite d'écrit en écrit sans exciter, jamais, aucun effort de réflexion. Rien n'est plus pauvre, en somme, que l'optimisme béat de la preuve par l'ordre du monde telle qu'elle nous est présentée d'ordinaire. Le problème ne commence, la réflexion n'entre en jeu, que quand cette preuve tient compte de l'aporie du mal : Xénophon et la plupart de ses imitateurs n'y font aucune allusion. Il en va tout autrement avec Platon. Il n'est plus question de thèmes, qu'on emprunte et répète à satiété : on touche ici un esprit, et qui éveille d'autres esprits. Si nul ne peut, aujourd'hui encore, entrer en contact avec Platon sans éprouver le choc qui incite à penser, croyons bien qu'il en dut être de même chez les anciens. Il s'agit, cette fois, d'une influence humaine : de là vient qu'elle est complexe, comme est complexe, aussi bien, la personnalité d'un homme qui n'a cessé, jusqu'au dernier jour, dialoguant avec soi-même, de prendre et reprendre les mêmes énigmes pour essayer d'en pénétrer toujours mieux le secret.

S'il est donc aisé de dire, et s'il est d'ailleurs incontestable, que Platon, l'homme et l'œuvre, commande toute la philosophie religieuse de l'âge hellénistique, rien n'est plus difficile que de définir exactement la portée de cette influence. Ne citons qu'un exemple, les écrits du Trismégiste. On voit bien, sans doute, ce que le courant dualiste dans l'hermétisme doit à Platon : l'opposition radicale d'un monde intelligible, qui est le Bien absolu, et de la matière qui est le mal; l'opposition radicale de l'âme, naturellement apparentée, quant à son origine et son essence, au monde intelligible, et du corps, issu de cette matière qui est le mal; l'irresponsabilité, quant au mal, du Dieu suprême, qui est dès lors relégué le plus loin possible du monde matériel, ne se laisse plus connaître que par une intuition supralogique, et devient, en vérité ἄγνωστος (1); les spéculations

---

(1) Ou, du moins, ἄρρητος, comme le dit ALBINUS, *Didascal.*, c. 10, pp. 164 et 165

(inspirées aussi du néopythagorisme) sur ce même Dieu innommable, en tant qu'on le désigne sous le nom d'Un ou de Monade; la κάθαρσις et toute l'ascèse qu'elle détermine; les images du soleil et de la lumière, de l'œil et de l'âme, et, d'une façon générale, le langage technique de la contemplation; la solitude du sage (cf. *Théétète*), mais aussi l'obligation de retourner à la caverne pour porter aux hommes le salut (C. H. I); la doctrine des démons intermédiaires qui, bien qu'elle ait été systématisée par l'Académie (Xénocrate : bons et mauvais démons) (1), remonte, en son principe, à Platon. Tous ces traits, et bien d'autres que je néglige, sont, à coup sûr, le legs du platonisme.

Cependant, telle est la richesse, la diversité du platonisme que ce courant dualiste et pessimiste n'en épuise pas l'héritage et qu'il faut lui rapporter aussi, du moins en partie, le courant moniste et optimiste qui traverse d'un bout à l'autre les *Hermética*. Car il y a, chez Platon, un optimisme indéniable qui prend sa source, au principe, non pas, à coup sûr, dans un monisme strict, mais dans une doctrine où le dualisme est singulièrement atténué du fait que le monde concret lui-même y est pénétré par le Bien. Cette doctrine de l'omniprésence et de la pénétration universelle du Bien, cette idée de l'organisation du kosmos sous l'action de la Cause Finale qui est le Bien, nous la voyons progresser et gagner davantage, dans les dialogues, depuis le *Gorgias* et le *Phédon* jusqu'au *Timée* et aux *Lois*, à mesure que Platon mûrit. Ce n'est pas que Platon ignore, ou néglige, le

---

Hermann : « Dieu est ineffable (ἄρρητος) et ne peut être saisi que par l'intellect intuitif (τῷ νῷ), comme je l'ai dit (p. 164), parce qu'il n'est ni genre ni espèce ni différence spécifique, et ne reçoit pas non plus d'accident; qu'il n'est ni une chose mauvaise (ce serait impie à dire) ni une chose bonne (car il serait par participation à autre chose, en l'espèce la bonté) ni une chose indifférente (a) (car cela non plus ne rentre pas dans la notion de Dieu); qu'il n'est ni doué d'une certaine qualité (car il n'est pas qualifié ni rendu tel ou tel par une qualité) ni sans qualité (car il n'est pas en privation d'une qualité qui dût être présente (b), ni partie de quelque autre chose ni comportant des parties comme un tout, ni tel qu'il soit identique à ou différent d'une autre chose (car il ne reçoit pas d'accident selon lequel il puisse être distingué d'une autre chose); qu'il ne meut pas ni n'est mû ».

(a) ἀδιάφορον scripsi : διαφορά ed. Mais διαφορά ne pourrait signifier que la « différence spécifique », dont il a été fait mention déjà à la juste place (après « genre » et « espèce »), et, dans ce sens, n'a rien à voir ici. En revanche, après « chose mauvaise » et « chose bonne », on attend, d'après la division stoïcienne, la chose qui n'est ni mauvaise ni bonne, l'ἀδιάφορον, cf. St. V. Fr., index, L. S. J., s. v. II, et d'ailleurs Albinus lui-même, p. 185.31 H. ἐπ' ἀγαθῷ δὲ ἢ καὶ ἐπὶ κακῷ, ἐπειδὴ κατ' ἔμφασιν ἀδιαφόρου πράγματος οὐ κινεῖται πάθος. Voir aussi Diog. L., VII, 92. (J'avais communiqué cette correction, dès 1943, à M. P. Louis, éditeur d'Albinos, Rennes, 1945).

(b) οὐ γὰρ ἐστέρηταί τινος ἐπιβάλλοντος αὐτῷ ποιοῦ : cf. Plot., I, 8, 11.10 εἰ ἡ στέρησις, ἐπιβάλλον ὅς ἐστι παρεῖναι εἴδους τινός. Il s'agit, comme on le voit, d'une définition d'école.

Sur l'ineffabilité du terme dernier auquel aboutit la θεωρία platonicienne, cf. ma *Contemplation... selon Platon*, p. 227, avec renvoi à E. R. Dodds dans son édition de Proclus, *Elementa Theologica* (Oxford, 1933), app. I, pp. 310-313.

(1) Cf. Andres ap. P. W., Suppl. Bd. III, 296.57 ss.

problème du mal : le *Théétète* (176 a) et les *Lois* (X, 903 b ss), pour me borner à ces deux exemples, le font bien voir. Mais c'est que la sagesse platonicienne, dès lors qu'elle se fait plus compréhensive, assigne au mal lui-même, c'est-à-dire au désordre, une place dans l'Univers, et le résorbe ainsi dans l'Ordre auquel préside l'Idée du Bien. Il me faut donc rappeler cet aspect téléologique de la doctrine du *Timée*, — un peu longuement peut-être, car, bien que cette doctrine soit chose connue (1), elle importe singulièrement à notre objet. Je marquerai ensuite la position particulière du *Timée* et des *Lois* (2) en ce qui regarde la religion cosmique de l'époque hellénistique.

(1) Cf. par exemple les exposés de L. ROBIN, *Études sur la place et la signification de la physique dans la philosophie de Platon*, in *Revue Philosophique*, LXXXVI (1918) = *La Pensée Hellénique*, pp. 231-336, J. MOREAU, *L'Ame du Monde de Platon aux Stoïciens* (Paris, 1939), pp. 3-55. P. FRIEDLAENDER, *Die platonischen Schriften* (Berlin-Leipzig, 1930), pp. 599-620, a bien marqué la position du *Timée* par rapport aux systèmes antérieurs. Voir aussi, comme de juste, A. RIVAUD, éd. du *Timée* (Paris, 1925), et A. E. TAYLOR, *A Commentary on Plato's Timaeus* (Oxford, 1928) — dont je tiens cependant la thèse principale pour radicalement fausse. Si l'on admet que l'exposé de Timée représente, non pas la position de Platon, mais celle d'un pythagoricien aux environs de 421 (date où le dialogue est censé avoir eu lieu, Taylor, pp. 16-17), je pose cette simple question : Quelle idée peut-on bien se faire de Platon pour s'imaginer qu'à l'âge de soixante-cinq ans au moins (le *Timée* se placerait entre 360 et 347, *ib.*, p. 9), cet homme grave s'il en fut, et sérieusement appliqué aux choses sérieuses, se soit amusé à développer tout au long les idées scientifiques d'un Italien du temps de sa petite enfance, idées qu'on devrait croire à cette date (360-) périmées et qui en tout cas ne devraient plus intéresser personne, lui moins que tout autre (car Platon, comme il est naturel, s'intéresse surtout à la science de son temps, cf. A. RIVAUD, éd. du *Timée*, p. 6 : « En toute matière, astronomie, mathématique, physique, chimie, médecine, le *Timée* expose d'ordinaire non pas des connaissances déjà vieillies et démodées, mais l'état de la science la plus moderne, la plus au courant, au moment où il a été composé »)? Et cela, alors que lui-même ne pouvait pas ne s'être point posé le problème du monde, de ses origines et de sa genèse, de ses relations avec l'intelligible, des causes qui en font un ordre, et que, s'il s'est posé ce problème, on ne peut guère douter qu'il ne sentît la bénitude de s'exprimer à ce sujet. En vérité, à cette étape du platonisme, tout ne requiert-il pas un exposé de ce que Platon a lui-même à dire sur ce problème? Et si Platon n'avait pas écrit le *Timée* pour faire connaître sa pensée, ne voit-on pas tout ce qui nous manquerait? Que si, maintenant, l'on écarte cette objection en alléguant que, d'un bout à l'autre de son œuvre écrite, dans toute la suite des dialogues, ce n'est pas *sa* pensée que Platon exprime, mais bien, chaque fois, tel un historien scrupuleux, celle du protagoniste du dialogue, le plus souvent Socrate, ici Timée (c'est à quoi l'on aboutit nécessairement quand on dit, *ib.* p. 32 : « There never was any distinctively *Platonic*[souligné par l'auteur] doctrine about the Forms except that which Aristote tells us he heard Plato himself expound », cf. cette p. 32 en entier), je ne puis que répéter avec plus de véhémence : Quelle idée peut-on bien se faire de Platon quand on suppose que, sa vie durant, dans toute son œuvre *écrite*, il s'est amusé à faire défendre par les protagonistes de ses dialogues des doctrines qu'il n'admettait point, pour ne révéler sa vraie pensée qu'à un petit groupe de disciples dans son enseignement oral? Alors, pourquoi écrire? Et sur ce ton, avec cet accent? En vérité, le Platon de l'école anglaise (Burnet, Taylor) me devient un monstre totalement inintelligible. Voir au surplus les réserves que, dès 1916, faisait déjà L. ROBIN, *Rev. Et. Gr.*, XXIX (1916), pp. 129 ss. (= *La Pensée Hellénique*, pp. 138 ss.), celles de F. M. CORNFORD, *Plato's Cosmology*, Londres, 1937, pp. VIII-XI, et, confirmant la critique de Cornford sur le point de la médecine, celles de W. JAEGER, *Diokles von Karystos*, Berlin, 1938, p. 212, n. 1.

(2) Le lien entre *Timée* et *Lois* est d'ailleurs, sur ce point, manifeste. La doctrine des

Sens et portée du *Timée* dans la suite des derniers dialogues (1).

Platon a dû écrire le *Timée* entre 360 et 354, c'est-à-dire entre son retour du troisième voyage de Sicile (360) et la composition du *Philèbe* (354). Quand il travaille à cet ouvrage, que précèdent immédiatement les quatre grands dialogues critiques (*Parménide* 368, *Théétète* 367, *Sophiste* et *Politique* 366-361), Platon, né en 427, approche de soixante-dix ans. C'est un vieillard. Après le *Philèbe*, et la mort de Dion en 353, il n'écrira plus que les lettres VII et VIII, et les douze livres du traité des *Lois*, qui d'ailleurs ont dû l'occuper durant toute la période de 360 à sa mort (347).

Le *Timée* fait partie d'une trilogie qui devait comprendre le *Timée*, le *Critias* et l'*Hermocrate*, selon les noms des personnages mêmes indiqués au début du premier dialogue. Le cadre est la fête des Panathénées (*Tim*. 21 a, 26 e), en 421. Cette fête explique la présence à Athènes des deux étrangers : Hermocrate de Syracuse, le futur vainqueur des Athéniens en 415-413 (mort en 407), qui figure ici l'homme d'action, et Timée de Locres, qui n'est aucun personnage historique, mais une création probable de Platon, dont il exprime les propres idées (2) ; il représente ici le savant, le *physikos* (3). Quant à Critias, il appartient à la plus authentique noblesse d'Athènes : petit-fils du Critias ami de Solon, il est l'aïeul du fameux Critias, cousin de la mère de Platon, qui gouvernera Athènes au temps des Trente.

La veille du jour où se tient la conversation du *Timée*, Socrate a traité, devant ses trois amis et un quatrième personnage non nommé (4), du meilleur gouvernement (5). Au début du *Timée* (17 b-19 b), il résume cet entretien, qui correspond en gros à *Rép*. II

---

matérialistes combattue dans les *Lois* est mentionnée *Tim*. 46 d 1-3 : les causes mécaniques δοξάζεται ὑπὸ τῶν πλείστων οὐ συναίτια ἀλλ' αἴτ' αἶναι τῶν πάντων, ψύχοντα καὶ θερμαίνοντα πηγνύντα τε καὶ διαχέοντα καὶ ὅσα τοιαῦτα ἀπεργαζόμενα.

(1) Sur le *Timée*, outre les ouvrages cités *supra* (p. 94 n. 1), surtout celui de Cornford (fin de cette note 1, p. 94), cf. ERICH FRANK, *Plato und die sogenannten Pythagoreer* (Halle, 1923), qui reste indispensable pour la connaissance des fondements scientifiques de la physique de Platon, en particulier pp. 93-118 (*Platos System der Natur*) et les Appendices V-XIII (*Zur Geschichte der griechischen Astronomie*).

(2) Le *Timaeus Locrus* est un faux du Ier s. ap. J.-C.

(3) Cf. *Tim*. 27 a ἔδοξεν γὰρ ἡμῖν Τίμαιον μέν, ἅτε ὄντα ἀστρονομικώτατον ἡμῶν καὶ περὶ φύσεως τοῦ παντὸς εἰδέναι μάλιστα ἔργον πεποιημένον, πρῶτον λέγειν κτλ.

(4) Ce personnage est absent au jour du *Timée* pour cause d'indisposition. Il n'a été introduit sans doute que pour permettre à Platon un quatrième dialogue, au cas où il l'eût voulu.

(5) 17 c. : Χθές πού τῶν ὑπ' ἐμοῦ ῥηθέντων λόγων περὶ πολιτείας ἦν τὸ κεφάλαιον οἷά τε καὶ ἐξ οἵων ἀνδρῶν ἀρίστη κατεφαίνετ' ἄν μοι γενέσθαι.

369-V 471 (1), mais qui n'est pas un sommaire de l'ensemble de la *République*, car il y manquerait l'essentiel : Socrate est simplement revenu sur ce sujet en une autre occasion, qui n'est d'ailleurs pas la fête des Bendideia, mais celle des Panathénées.

Maintenant, Socrate voudrait voir cette cité idéale passer dans le réel (19 b-e), car, devant ce parfait modèle de la cité, on éprouve le même sentiment que devant une belle peinture, dont on voudrait voir les personnages se mouvoir (2). C'est ici un trait caractéristique de la psychologie de Platon vieillissant. Il prend de l'âge, et il lui tarde donc que prenne forme concrète à ses yeux la cité idéale gouvernée par des hommes qui soient à la fois philosophes et chefs d'État (3). Lui-même il a essayé, en Sicile, auprès de Denys II, d'assister à la réalisation de ce dessein. Il a échoué, mais ne perd pas l'espoir, puisque Dion est là, Dion avec lequel il prépare les *Lois*.

Or, pour savoir quel sera le comportement d'hommes bien nés, il faut connaître la nature vraie de l'homme. Selon les vues des médecins philosophes, cette nature de l'homme est connexe à la nature du monde. On ne peut donc concevoir le juste comportement de l'être humain dans la cité (4) sans établir d'abord une physique de l'homme et, par suite, une physique du monde. D'autre part, pour connaître le juste comportement d'un peuple donné, il faut tenir compte de son comportement dans le passé, de son histoire, de l'expérience de l'histoire.

Ainsi se distribuent les rôles (27 a-b). Timée l'astronome dira les origines du monde et de l'homme. Il les dira en fonction du but à atteindre : définir le meilleur comportement dans la meilleure des cités (5). Puis, recevant les hommes ainsi faits, Critias rapportera la préhistoire d'Athènes, au temps où les Athéniens vivaient sous les meilleures des lois et où ils triomphèrent des Atlantes : ce récit, esquissé *Tim.* 20 d-26 e, sera repris dans le *Critias* qui commence, de fait, juste au point où finit le *Timée* (6). Quant à Hermocrate, on

---

(1) Institutions extérieures de l'État : classes sociales, gardiens de l'État, communauté des biens, éducation des femmes, mariages, enfants, éducation des enfants.
(2) 19 c. : ἡδέως γὰρ ἄν του λόγου διεξιόντος ἀκούσαιμ' ἄν... αὐτὴν (*sc.* ταύτην τὴν πόλιν) πρεπόντως εἴς γε πόλεμον ἀφικομένην καὶ ἐν τῷ πολεμεῖν τὰ προσήκοντα ἀποδιδοῦσαν τῇ παιδείᾳ καὶ τροφῇ κατὰ τε τὰς ἐν τοῖς ἔργοις πράξεις καὶ κατὰ τὰς ἐν τοῖς λόγοις διερμηνεύσεις (négociations) πρὸς ἑκάστας τῶν πόλεων.
(3) 19 e : ἅμα φιλοσόφων καὶ πολιτικῶν, ὅτ' ἄν οἷά τε ἐν πολέμῳ καὶ μάχαις, πράττοντες ἔργῳ καὶ λόγῳ προσομιλοῦντες ἑκάστοις πράττοιεν καὶ λέγοιεν.
(4) Platon ne peut concevoir ce comportement en dehors de la cité, et non plus Aristote.
(5) De là l'importance de la partie morale, *Tim.* 87 c-90 d.
(6) Cf. *Tim.* 92 c 7 ὅδε ὁ κόσμος... εἰκὼν τοῦ νοητοῦ θεὸς αἰσθητὸς... γέγονεν εἷς οὐρανὸς ὅδε et *Crit.* 106 a 3 τῷ δὲ πρὶν μὲν πάλαι ποτ' ἔργῳ, νῦν δὲ λόγοις ἄρτι θεῷ γεγονότι προσεύχομαι.

peut supposer avec Cornford que, Critias ayant poussé le récit jusqu'au déluge (*Tim.* 22 d, 23 a-b) après lequel il ne restait que quelques bouviers et pâtres réfugiés sur les montagnes (*Tim.* 22 d), il était chargé de décrire le recommencement de la civilisation. Or l'histoire de la civilisation fait précisément l'objet de *Lois* III, depuis la vie des pâtres sur les montagnes jusqu'à l'établissement des cités doriennes de Crète et de Sparte. Platon devait donc utiliser dans l'*Hermocrate* les matériaux qui entreront dans les *Lois*. Mais on croira volontiers que Platon, à la longue, se lassa d'un récit mythique sur les origines, qui ne devait servir qu'à une instruction morale et politique. Abandonnant la forme du récit, il passa directement à cette instruction : ce sont les *Lois*.

Quoi qu'il en soit de l'*Hermocrate*, il importe de reconnaître que le vrai but du *Timée* n'est pas la physique comme telle, mais que, dans la pensée de Platon, la physique du monde doit aboutir à une physique de l'homme, qui permettra de savoir avec exactitude quel doit être le comportement de l'homme. Quand on lit le *Timée*, il faut toujours avoir en vue la conclusion morale (90 a-d) sur la contemplation du monde. L'âme humaine est liée à l'Ame du monde, dont les mouvements sont réguliers et beaux : tels seront donc aussi les mouvements de notre âme. Le parallélisme entre microcosme et macrocosme court à travers tout le dialogue (1) : la morale humaine doit être fondée sur l'ordre du Kosmos. Voilà le vrai sens de l'ouvrage.

Essayons donc, d'après ces brèves indications, de marquer la portée du *Timée* dans la suite des derniers dialogues, voyons comment il se relie d'une part à la *République*, d'autre part au *Critias* (— *Hermocrate*) et aux *Lois*. On peut dire, d'un mot, que l'ensemble *Timée-Critias-Lois* forme comme une reprise de la *République*. Platon s'y exprime à nouveau sur le sujet du bon gouvernement (par le roi philosophe) : mais le point de vue a changé, est devenu plus réaliste.

Tim. 17 c-19 a 6 résume *Rép.* II 369 (classes de l'État)-V 471 (communauté des femmes et des enfants). Aussitôt après dans la *République* (V 471 c-VII 541 b) est traité le problème fondamental du gouvernement du roi philosophe, gouvernement qui suppose une certaine éducation.

C'est à ce point que le *Timée* reprend le sujet, mais sur des bases nouvelles. Dans *Rép.* V-VII, la formation du philosophe est entière-

---

(1) Cf. Cornford, *op. cit.*, p. 6.

ment dépendante de la doctrine des Idées et de l'Un-Bien. On ne tient pas compte des aptitudes du philosophe sauf en un passage (1), et c'est alors seulement des *aptitudes* individuelles qu'il s'agit, non des aptitudes du philosophe en tant que composé de corps et d'âme ou en tant que citoyen d'un certain État, issu d'une certaine race, habitant un certain sol chargé d'une certaine histoire. En d'autres termes, on ne tient pas compte des réalités concrètes. C'est parce que, au temps où Platon écrit la *République*, la réalité concrète lui paraît sans valeur, qu'elle est à ses yeux ἐν ἀταξίᾳ.

La suite *Timée* (à partir de 27 c)-*Critias*-*Lois* va donc constituer une réplique des livres V-VII de la *République* (à partir de V 471 c), c'est-à-dire proposer une solution nouvelle du problème qui, pour Platon, reste le problème capital : celui de la réforme de la cité et, pour cela, de la formation du roi philosophe. Mais cette réplique, nous l'avons dit, sera fondée sur une analyse plus attentive et plus complète de l'être humain.

Tout d'abord cet être humain, qui est le sujet premier de la cité, sera saisi dans sa nature même de corps animé. La politique s'appuiera à une physique de l'homme, qui suppose à son tour une physique du monde. C'est là le *Timée*.

En second lieu, l'homme, qui est membre d'une certaine cité (ici Athènes), sera étudié dans le passé de cette cité, dans le passé de sa race. On rapportera donc l'histoire d'Athènes. Or cette histoire comporte deux parties. Il y a une Athènes mythique, antédiluvienne, qui, dirigée par les meilleures lois, triompha des Atlantes : cette histoire, annoncée *Tim.* 20 d-26 e, est racontée dans le *Critias* (2). Et il y a une Athènes réelle, postdiluvienne, depuis le recommencement de la civilisation jusqu'aux guerres médiques : cette histoire, qui devait faire l'objet de l'*Hermocrate*, est traitée, dans sa partie essentielle, au livre III des *Lois*. Quel est en effet, pour le gouvernant, l'intérêt principal de l'histoire réelle d'Athènes? C'est l'institution des lois et la valeur de ces lois.

Enfin, si la cité idéale doit passer entièrement dans le concret, il faut en considérer toutes les conditions d'existence. C'est à quoi s'attachent les *Lois*. Cet ouvrage examine la cité telle qu'elle se réalise ici-bas, d'une part dans ses conditions matérielles, site, population, etc. (l. IV-V), d'autre part dans les institutions concrètes définies par les lois. Ces lois elles-mêmes sont étudiées d'abord dans

---

(1) *Rép.* VI 484 a-487 a.
(2) Noter le parallélisme entre le rôle d'Athènes dans la lutte contre les Atlantes *(Critias)* et son rôle dans la lutte contre les Perses *(Hermocrate = Lois)*.

leur genèse, — non pas dans leur genèse à priori, ce qui était le fait de la *République*, mais dans leur genèse réelle, ce qui oblige de recourir à l'histoire (l. III), — ensuite dans leur application à l'infinie diversité des actions humaines telles qu'elles résultent nécessairement de l'assemblage d'un certain nombre d'êtres humains dans un groupe social déterminé. On examinera donc les magistratures et, d'une façon générale, tout ce qui a trait au gouvernement et à l'administration de la cité (l. VI), ensuite la législation proprement dite (VI 768 d-XII fin) selon qu'elle règle les choses de la religion (VI 771 a-772 d), de la famille et de la vie familiale, depuis la nourriture jusqu'au mariage, à la procréation des enfants et à leur éducation (VI 779 d-VIII 482 e), puis les choses de la vie économique (VIII 842 e-850 d), et encore selon qu'elle réprime les crimes (IX-X), ou qu'elle dirige les contrats et échanges (XI-XII), ou enfin qu'elle fixe l'ordonnance des funérailles, terme dernier de toute vie humaine (XII 958 c-960 b).

On peut dire en résumé que la suite *Timée-Lois* reprend, sur des bases nouvelles, le problème capital de l'éducation du philosophe.

Cette éducation devra tenir compte de la physiologie de l'homme : d'où toute la troisième partie du *Timée* (69 c 5-92 c 4) sur la constitution physique de l'être humain, partie qui s'achève (86 b 1-89 d 2) par l'exposé des principes généraux relatifs à l'éducation.

Elle devra viser à l'accord du microcosme et du macrocosme, c'est-à-dire de l'âme humaine et de l'Ame du monde (*Tim.* 89 d 2-90 d 7) : d'où une nouvelle théorie de la contemplation (90 a-d et 47 a 1-c 4).

Elle devra prendre valeur institutionnelle en se fixant dans des lois : d'où le traité des *Lois*.

Aussi bien le rapport entre ces différents ouvrages est-il marqué par des ressemblances précises, par exemple, comme nous l'avons signalé déjà, en ce qui touche les recommencements de la civilisation (1). Ces ressemblances nous intéressent surtout lorsqu'elles

---

(1) Sur les crises cosmiques et la renaissance de la civilisation, les rapports entre *Timée, Critias* et *Lois* III sont les suivants :
I. *Timée* 22 c ss.
    A. *Destructions périodiques de l'humanité* (22 c, 1-e 3).
 a) par le feu, 22 c 1-d 7 (les habitants des montagnes périssent, ceux des plaines sont sauvés);
b) par l'eau, 22 d 7-e 3 (les habitants des plaines périssent, ceux des montagnes sont sauvés, οἱ μὲν ἐν τοῖς ὄρεσιν διασώζονται βουκόλοι νομεῖς τε).
    B. *Recommencement perpétuel de la civilisation* (23 a 5-b 3).
Les Grecs sont toujours jeunes, car ils ont eu, toujours, tout à rapprendre. Au contraire l'Égypte, soustraite aux cataclysmes, a conservé ses archives.
II. *Critias* 109 d-110 a.

concernent la religion. Or, sur ce point, il y a des relations manifestes entre ce qui est dit des dieux astres dans le *Timée* (38 b-40 d 5) et la religion astrale tant des *Lois* (VII, X) que de l'*Epinomis*. Les dieux mythologiques ont fait leur temps : Platon fonde une religion nouvelle qui s'appuie sur les progrès récents de la science astronomique.

II. La téléologie du *Timée*.

1. Si l'on voulait fonder la cité dans le réel, il fallait donc en premier lieu connaître l'homme dans sa nature même, c'est-à-dire bâtir une physique de l'homme, ce qui supposait une physique du monde. Mais cette physique était-elle possible? Elle l'était à deux conditions.

Les phénomènes sensibles se présentent dans une mutabilité continuelle. Nul moyen de les appréhender. Nul moyen dès lors d'y saisir des rapports constants, qui donneront lieu à des lois. A travers

Recommencement et évolution de la civilisation (après le déluge).

a) Ceux qui sont sauvés sont un γένος ὄρειον καὶ ἀγράμματον qui ignore les hauts faits des habitants civilisés de la plaine, lesquels ont disparu. De ces habitants civilisés ils n'ont retenu que les noms καὶ βραχέα τῶν ἔργων, ils n'en ont pu transmettre τὰς ἀρέτας καὶ τοὺς νόμους, puisqu'ils ne les connaissaient pas (109 d 2-e 2).

b) Les difficultés de vie des montagnards sont cause que ceux-ci ne se sont pas souciés des faits passés : ἐν ἀπορίᾳ δὲ τῶν ἀναγκαίων..., πρὸς οἷς, ἠπόρουν τὸν νοῦν ἔχοντες,... τῶν πάλαι ἠμέλουν (109 e 3-110 a 3).

c) Il faut en effet du loisir pour commencer à s'intéresser au passé : μυθολογία γὰρ ἀναζήτησίς τε τῶν παλαιῶν μετὰ σχολῆς... ἔρχεσθον, ὅταν ἴδηντόν τισιν ἤδη τοῦ βίου τἀναγκαῖα κατεσκευασμένα (110 a 3-6).

III. *Lois* III.

a) πολιτείας δ' ἀρχήν τίνα ποτὲ φῶμεν γεγονέναι (676 a-e).

b) Catastrophes cosmiques (677 a), en particulier déluge (ταύτην τὴν τῷ κατακλυσμῷ ποτε γενομένην, sc. φθοράν).

c) Ceux qui sont sauvés sont les montagnards (ὄρειοί τινες ἂν εἶεν νομῆς), gens illettrés et simples (677 b).

d) Toutes les cités des plaines furent détruites avec tous leurs arts (677 c-e 1).

e) Tout a donc recommencé depuis les commencements les plus humbles. Description de la vie primitive (677 e-679 e).

f) Ces premiers hommes postdiluviens n'ont pas besoin d'autres lois que les lois patriarcales (680 a-e).

g) Passage de la vie nomade à la vie agricole et villageoise, d'où résulte une première forme de législation (681 a-c).

h) Commencement de la vie « politique » dans des cités (681 c-d).

i) Fondation des cités (681 d-e).

j) Fondation de Troie et commencement de la période historique (guerre de Troie : 681 e-682 d).

k) Invasion dorienne (682 d-692 c).

l) Guerres médiques (692 d-700 a).

En résumé, on peut constater quatre types de groupes sociaux :

1. Famille ou clan, sous un chef patriarcal;
2. Combinaison de clans, sous une aristocratie ou une monarchie;
3. État mixte (cité de la plaine : Troie);
4. Confédération de plusieurs États.

ces phénomènes et derrière eux, on devait donc découvrir un ordre de réalités stables qui pussent s'offrir à l'esprit comme un objet de connaissance scientifique, susceptible de calcul et de mesure.

D'autre part, à moins de nier le fait le plus patent du monde sensible, le mouvement, il importait de trouver un principe qui rendît ce mouvement intelligible. Il fallait donc trouver dans le Kosmos, du moins en l'une de ses parties, des mouvements tels que ce principe de la motricité pût s'y appliquer sans encombre.

Je ne m'arrêterai pas ici au premier de ces deux problèmes, celui de la réduction des phénomènes sensibles à des lois mathématiques, me contentant de renvoyer sur ce point à l'excellent ouvrage d'Erich Frank. Le second, en revanche, nous intéresse directement. On peut le définir ainsi : Entre l'être immobile intelligible et le phénomène mobile rebelle à la pensée, quel intermédiaire découvrir pour introduire de l'intelligible dans ce qui, par définition, échappe à l'intelligibilité?

2. Platon ne pouvait encore répondre à cette question quand il écrivait le *Phédon*. Sans doute, dans un morceau célèbre de ce dialogue (96 a-99 d), il avait reconnu déjà les différences entre la vraie cause d'un phénomène et ce qui n'en est que la condition indispensable (99 b). La vraie cause, c'est cet Intellect qui, dans l'Univers, dispose chaque chose de telle manière qu'elle soit dans l'état qui pour elle est le meilleur possible (ταύτῃ ὅπῃ ἂν βέλτιστα ἔχῃ 97 c 5, cf. 97 c 7-8), qui, par suite, a toujours en vue la perfection et l'excellence (τὸ ἄριστον καὶ βέλτιστον 90 d 2-3). Et, dans les exemples qu'il indiquait alors et qui annonçaient déjà le programme cosmologique du *Timée* (1), Platon montrait chaque fois comment l'explication dernière est que telle forme ou telle disposition est effectivement ce qu'il y a de meilleur (ἄμεινον ἦν 97 e 2, 3; ἄμεινόν ἐστιν 98 a 2). C'est là la Cause véritable (τὰς ὡς ἀληθῶς αἰτίας 97 d 8), qui est la Cause Finale, c'est-à-dire la cause pour laquelle telle chose est faite comme elle est faite (διὰ ταῦτα ποιῶ ἃ ποιῶ 99 a 8). Mais cette Cause Finale, Platon l'avait vu déjà, ne va pas sans des causes adjuvantes, des conditions : le « ce sans quoi » l'Intellect ne serait pas à même de réaliser ses desseins (99 a 6-8). Si Socrate reste assis dans sa prison, c'est que, dans son esprit, il en a décidé de la sorte. Mais il ne pourrait pas demeurer assis sans la possession d'os, de muscles, etc. (99 a 6-7 qui renvoie à 98 c 6-d 6). Ainsi Platon, dans le *Phédon*, avait-il fait sans doute la distinction

---

(1) *Phéd.* 97 d 7-98 a 4 : forme de la terre (plate ou ronde); situation de la terre au centre du monde; mouvements directs et rétrogrades du soleil, de la lune et des autres planètes.

entre les deux causes : mais il avait manqué à établir, entre elles deux, une relation. Cela tient à la manière dont il concevait alors l'âme humaine et le fait de sa présence dans le corps. L'âme n'était encore pour lui qu'un sujet exclusivement coordonné à son objet propre, l'Idée : puisque l'âme connaissait l'Idée, elle lui était parente (79 d 3); puisque l'objet connu suppose un sujet connaissant et que l'objet est éternel, le sujet aussi existe éternellement (76 e); bien plus, l'âme prenait elle-même rang d'Idée, elle était la Forme de la Vie (τὸ τῆς ζωῆς εἶδος 106 d 5) et, à ce titre, ne pouvait participer au contraire de la Vie, la Mort (106 d-e). Dès lors, il va de soi que l'âme ne pouvait être logée dans le corps que comme dans une prison, et que le fait de son union au corps représentait une sorte de scandale. Entre le domaine des Intelligibles et le domaine du sensible il n'existait donc pas d'intermédiaire, et cela demeurait un mystère de savoir comment l'Intellect peut influer sur le sensible, qu'il s'agît de l'intellect humain à l'endroit du corps humain ou de l'Intellect ordonnateur du monde à l'égard de ce monde même qu'il a fonction d'ordonner.

3. La solution est apparue du jour où Platon a reconnu dans l'âme le principe du mouvement (ἀρχὴ τῆς κινήσεως, *Phèdre* 245 d 7) (1). On le sait, à mesure que Platon vieillit, il ne lui suffit plus de définir, d'après le monde des Formes idéales, les normes de la cité parfaite : un besoin impérieux le pousse à voir ces normes réalisées dans la pratique. Pour cela, il lui faut bien considérer ce monde terrestre, qui change sans cesse. Comment donc concilier l'Immuable et le muable? Platon retrouve la vieille antinomie parménidienne de l'Être et du Non-Être, de la Vérité et de l'Opinion, la vieille difficulté qu'Héraclite a cherché à résoudre en découvrant dans le mouvement lui-même une loi de stabilité. Ce monde terrestre est le siège du mouvement. Si l'on veut que l'Immuable agisse sur le muable — et Platon ne peut faire qu'il ne le veuille, dès là qu'il veut ordonner la cité terrestre, la cité qui existe en fait, sur le modèle de la Cité idéale, — il est donc indispensable de donner du mouvement une raison vraiment explicative, de ramener cet inintelligible à de l'intelligible, d'introduire dans ce désordre un principe d'ordre.

---

(1) Cf. sur ce point, les bonnes remarques de W. THEILER, *op. cit.*, pp. 64 ss., de M. GUÉROULT, *Le Xe livre des « Lois » et la dernière forme de la physique platonicienne*, REG, XXXVII, 1924, pp. 27 ss., et surtout de J.B. SKEMP, *The Theory of Motion in Plato's Later Dialogues*, Cambridge, 1942 (je n'ai pu connaître malheureusement cet ouvrage que trop tard pour l'utiliser ici). Voir aussi FR. SOLMSEN, *op. cit.*, ch. V, *The Philosophy of Movement*, en particulier pp. 78 ss., 89 ss. et ch. VIII, *The Philosophy of Soul*, pp. 131 ss.

Cette raison explicative, ce sera « l'âme principe du mouvement ». L'âme, par définition, est en rapport avec les Idées, et, dès lors, elle connaît l'ordre comme de par droit. Mais l'âme principe du mouvement sera aussi en rapport avec le corps, en un rapport non plus occasionnel, mais qui trouve son fondement dans la nature même des choses, s'il est vrai que l'âme explique ce qu'il y a de plus essentiel dans le corps vivant, à savoir qu'il se meut. Or, d'après l'argument du *Phèdre* (245 c 5-246 a 2), l'âme est bien vraiment cette cause explicative, puisqu'elle est un principe automoteur et que ce qui se meut soi-même est logiquement antérieur à ce qui est mû par un autre. Davantage, cette nouvelle définition de l'âme fournit une preuve nouvelle de l'éternité de l'âme. L'âme ne peut ni commencer ni cesser d'exister, autrement le mouvement du monde ne serait pas éternel, ce qu'il est en vérité : « ce qui est principe de mouvement, c'est ce qui se meut soi-même; or ce principe ne peut pas plus s'anéantir qu'il ne peut commencer d'exister : autrement le ciel entier et avec lui le domaine entier du devenir (πᾶσάν τε γένεσιν), venant à s'affaisser, s'arrêteraient, et jamais ne trouveraient à nouveau un point de départ pour être remis en mouvement et pour exister » (1).

L'Ame du Monde explique donc que le monde se meut. Mais elle explique aussi que le monde se meut en ordre. Elle l'explique de deux manières. D'une part cet Intellect qui est dans l'Ame (*Tim.* 30 b 5) contemple éternellement les Idées, et, dès lors, connaît l'ordre. D'autre part, l'Ame a été formée (2) de substances dont l'une au moins (substance du Même) est de même nature que les Idées, et dont les deux autres (substance de l'Autre, mélange des deux premières) composent avec la première des mouvements ordonnés. Ainsi se comprend que l'Ame du Monde soit vraiment, pour le monde, principe d'ordre. Elle voit éternellement l'ordre, et elle se meut éternellement en ordre.

A un double titre, en tant qu'elle se meut elle-même et se meut d'un mouvement ordonné, l'âme réalise ainsi l'intermédiaire indispensable entre l'Intelligible immuable et le sensible muable. On tient donc désormais un principe ontologique de relation entre les Idées et le Monde, corps lui-même et enveloppe de tous les corps, puisqu'on tient une raison de ce phénomène du mouvement qui jusque-là constituait la pierre d'achoppement contre laquelle se heurtait tout essai d'explication du sensible.

---

(1) *Phèdre* 245 d 7-e 3 : trad.
(2) Génération mythique : l'âme, au vrai, est inengendrée (ἀγένητος), cf. *Phèdre* 246 a 1 et la note de Robin *ad loc.* Voir aussi Guéroult, *op. cit.*, pp. 43 et 70-74.

4. Puisqu'on tient une raison explicative du mouvement, puisque le mouvement n'est plus un monstre, un principe totalement aveugle d'aberrance, mais qu'il devient intelligible, il prend rang désormais dans les catégories de l'Être. La « somme totale de l'Être » doit contenir l'Intellect ; or il n'y a pas d'intellect sans âme ; il n'y a pas d'âme sans vie et sans mouvement. Concluons donc que « la somme totale de l'Être (τὸ παντελῶς ὄν, *Soph.* 248 e 8) contient le mouvement. Dans ce texte du *Sophiste*, on notera la progression κίνησις, ζωή, ψυχή, φρόνησις (248 e 7-8) : chacun de ces termes est impliqué par le suivant (cf. *ib.* 249 a), comme le marquera de nouveau le *Timée* (30 b). Il suffira, dans le *Timée* (30 b 5), d'ajouter à cette suite « Intellect, Ame (d'où vie et mouvement) » le Corps du Monde pour obtenir ce que désigne le *Sophiste* par cette expression mystérieuse : « la somme totale de l'Être » (1).

5. Nous voilà donc à pied d'œuvre pour comprendre la construction du *Timée*. Il faut partir de la distinction du *Phédon* entre Cause principale (Cause Finale) et causes adjuvantes (causes mécanistes). La première suppose un Intellect qui ordonne tout pour le bien (τὸ δὲ εὖ τεκταινόμενος ἐν πᾶσιν τοῖς γιγνομένοις αὐτός, *Tim.* 68 e 5) ou le meilleur (*v. g.* ἡγήσατο γὰρ αὐτὸ ὁ συνθεὶς αὔταρκες ὂν ἄμεινον ἔσεσθαι μᾶλλον ἢ προσδεὲς ἄλλων 33 d 2), qui agit donc avec art (ἐκ τέχνης 33 d 1) (2). Le Démiurge n'est au vrai qu'un double mythique de l'Ame du Monde — laquelle, ne l'oublions pas, est pourvue d'un Intellect (νοῦν μὲν ἐν ψυχῇ 30 b 5). — Le monde est en réalité éternel (3), il est éternellement un *Kosmos*, c'est-à-dire un Ordre, et il est éternellement en mouvement : ce qui le meut et le maintient en ordre, c'est l'Ame du Monde, non moins éternelle. Cependant, comme, en vertu du cadre épique qu'il a

---

(1) Selon Solmsen, p. 80, le παντελῶς ὄν représenterait déjà (avant le *Timée*) le Kosmos en sa totalité, comprenant aussi bien le monde des Formes que le monde sensible.
(2) Ceci répond par avance à l'argument de *Lois* X 889 b φύσει πάντα εἶναι καὶ τύχῃ φασί, τέχνῃ δὲ οὐδὲν τούτων.
(3) Ceci paraît en contradiction avec *Tim.* 28 b 5 ss. Toutefois la tradition de l'Académie ancienne (Xénocrate, Crantor) est que le γέγονεν de 28 b 8 doit être pris non au sens temporel, mais au sens métaphysique : γέγονεν ne signifie pas que le monde a eu un commencement dans le temps (puisqu'aussi bien le temps ne commence qu'avec le monde, χρόνος μετ' οὐρανοῦ γέγονεν 38 b 6), mais que le monde est un γεννητόν et non un αὐτογέννητον, c'est-à-dire qu'il dépend éternellement d'une Cause qui est principe de son être, cf. TAYLOR, pp. 66-69. Taylor indique comme les seuls tenants du sens temporel pour γέγονεν Plutarque et Atticus. Il faut y ajouter Cicéron qui, dans sa traduction du *Timée*, rend γέγονεν par *ortus est* (p. 159.3 Plasberg) et, dans les *Tusculanes* (I, 28, 70) définit ainsi l'opinion de Platon : *si haec nata sunt*, par contraste avec celle d'Aristote : *vel, si semper fuerunt* (voir aussi *Acad.*, II, 33, 119, p. 135.14 Plasberg : *veniet... Aristoteles...*: *neque enim ortum esse unquam mundum*, au contraire de Platon, *ib.*, 37, 118, p. 134.14. Pl. : *Plato ex materia in se omnia recipiente mundum factum esse censet a deo sempiternum*).

choisi, Platon a résolu de présenter son exposé cosmologique à la manière d'une cosmogonie (toute cosmogonie implique un passage du Chaos à l'Ordre), l'image d'une production temporelle s'offre naturellement à son esprit : de même que les dieux de la *Théogonie*, le dieu-monde est né et il a un père (τὸν... πατέρα τοῦδε τοῦ παντός 28 c 3). D'autre part, comme le monde est une belle œuvre d'art (ἐκ τέχνης 33 d 1), cet ouvrage suppose un Ouvrier. Ainsi ce qui est au vrai l'opération éternelle de l'Ame du Monde sur le corps du monde prend-il ici la figure d'une opération temporelle d'un Ouvrier divin qui procède graduellement et, par une suite de démarches, fait passer son ouvrage de l'état amorphe à l'achèvement. Mais il ne faut pas que ces métaphores, empruntées au domaine de l'art, nous fassent illusion : *s'il est principe du mouvement* du monde (κίνησιν ἀπένειμεν αὐτῷ, *Tim.* 34 a 1), et d'un mouvement ordonné (τὴν περὶ νοῦν καὶ φρόνησιν μάλιστα οὖσαν 34 a 2, cf. a 5-6), le Démiurge du *Timée*, en conséquence de la doctrine du *Phèdre* (245 e), ne peut être que l'Ame du Monde, dont l'action sur le monde ne comporte ni début ni fin (1).

Le caractère métaphorique de la Genèse du *Timée* tient donc principalement au fait que le *Timée* est un récit, conçu à la manière des épopées cosmogoniques. Nous ne devons pas perdre de vue ce caractère métaphorique, sans quoi il nous devient presque impossible de replacer le Démiurge du *Timée* dans l'ensemble de la pensée platonicienne, et, par exemple, de comprendre comment ce Démiurge s'accorde avec l'Ame du Monde qui, dans les *Lois*, prend sa place et joue son rôle (X 897 c). Mais il ne faut pas non plus exagérer la portée de ces métaphores. Elles n'affectent, dans le *Timée*, que l'aspect temporel et successif de la Genèse; elles n'affectent pas ces deux principes essentiels, d'une part que le monde, étant contingent, dépend d'une Cause, d'autre part que cette cause, étant un Intellect (l'Intellect présent dans l'Ame du Monde, 30 b 5) et contemplant le Bien, a éternellement en vue le bien du monde. Que la Genèse du monde soit temporelle ou éternelle, que le Démiurge-Ame du Monde ait commencé d'organiser le monde ou qu'il l'ordonne éternellement, cela ne change rien à l'aspect téléologique de son opération. Et c'est ce point surtout qui nous intéresse ici.

6. L'explication de l'ordre du monde, dans le *Timée*, comporte trois parties. Dans la première partie (27 c 1-47 e 2), la Cause Finale

---

(1) La solution que j'adopte ici est, comme on sait, discutée. D'autres préfèrent distinguer Démiurge et Ame du Monde : voir en dernier lieu SOLMSEN, *op. cit.*, pp. 112-117 et p. 121, n. 42, 43, p. 146, n. 1, p. 147, n. 18.

règne seule jusqu'à 45 b 2 (sens de la vue) où un morceau sur les causes accessoires (45 b 2-47 a 1) prépare et sert de transition à la seconde partie. — Cette seconde partie (47 e 3-68 d 8) manifeste le rôle des causes adjuvantes, mais Platon a toujours soin de montrer que ces causes mécanistes demeurent subordonnées à la principale, dont elles demeurent les servantes. — Dans la troisième partie enfin (69 c 5-92 c 4), Platon met en valeur l'action conjuguée des deux causes dans la formation du corps humain (celui des animaux en dérive) pourvu tout ensemble d'une âme immortelle créée par le Démiurge (41 d 4-42 e 4) et d'une âme mortelle créée par les dieux engendrés (69 c 5-72 e 4). Ne l'oublions pas, le but ultime du dialogue est d'ordre moral. Il s'agit de bien régler la conduite humaine. Or on ne peut la régler sans connaître l'exacte nature des relations entre le corps (pourvu de son âme mortelle) et l'âme immortelle. Cette connaissance suppose que l'on connaît aussi l'exacte nature des relations entre les deux causes, finaliste (fonction de l'organe) et mécaniste (structure de l'organe) dans le corps humain. La morale suppose une physiologie (cf. en particulier 86 d-87 a).

Ainsi se révèle le dessin de l'ouvrage. D'un bout à l'autre, il est tout illuminé par l'idée du beau et du bien (1). Si Platon, dans la première partie, a poussé l'explication finaliste jusqu'au dernier terme de la Genèse (formation du corps humain) pour revenir ensuite sur ce qu'on a vu déjà (formation du monde) et le reconsidérer sous l'aspect mécaniste, ce n'est pas qu'à un moment donné de son travail, étant venu soudain à découvrir la doctrine des Mécanistes(2), il se soit cru obligé de faire retour sur lui-même et de reprendre son œuvre à nouveaux frais. Il connaissait cette doctrine dès le *Phédon*. Avant même que de commencer le *Timée*, il savait donc que les causes mécanistes jouent leur rôle dans la constitution du monde; et par suite, dès le début de l'ouvrage, il lui était loisible de montrer la conjonction des deux espèces de causes. S'il ne l'a pas fait, s'il a voulu d'abord laisser en quelque sorte tout le champ à la Cause Finale, c'est qu'il entend manifester, le plus clairement possible, sa pensée. Dans l'organisation du Kosmos, l'Intellect est le principe positif : c'est ce principe qui rend intelligibles et le monde (en tant qu'ordre) et son mouvement. La cause mécaniste n'intervient qu'à titre de limite à cette intelligibilité : c'est la part de la matière, ou

---

(1) Cette doctrine est bien connue. Voir en dernier lieu SOLMSEN, *op. cit.*, ch. VI, *The Teleological Approach*, en particulier pp. 103 ss.

(2) Je parle ainsi pour faire court, sans déterminer d'une manière plus précise — car cela paraît impossible — s'il s'agit des Atomistes ou d'une autre école. Cf. SOLMSEN, *op. cit.*, pp. 171-172 et p. 174, n. 27; GUÉROULT, *op. cit.*, p. 31, n. 2.

du lieu, bref du « ce sans quoi » les êtres sensibles ne peuvent exister. La cause mécaniste n'est rien de plus, et en tout cas elle n'est aucunement la vraie cause explicative. Or, avant de parler de la limite, il convenait de montrer toute la puissance de la Cause dont elle est seulement la limite, en poussant aussi loin que possible l'explication par la finalité.

7. Puisque, dans toute cette première partie, la Cause Finale est seule à régner, on ne s'étonne guère de l'y voir célébrée comme dans un hymne au bien et à la beauté. Je ne puis ici le montrer en détail et me borne à ce qui regarde le corps du monde.

L'Ouvrier est bon, il est la plus parfaite des causes (29 a). Étant bon, dès lors incapable d'envie (1), il a voulu que toutes choses naquissent le plus possible semblables à lui. Il a donc voulu que toutes choses fussent bonnes (βουληθεὶς γὰρ ὁ θεὸς ἀγαθὰ εἶναι μὲν πάντα 30 a 1), excluant, autant qu'il était en son pouvoir, toute imperfection (φλαῦρον δὲ μηδὲν εἶναι 30 a 2). Dès lors, prenant la masse visible dans l'état où il la trouvait, semblable à un chaos secoué de mouvements convulsifs et désordonnés (κινούμενον πλημμελῶς καὶ ἀτάκτως), il l'a fait passer du désordre à l'ordre (εἰς τάξιν αὐτὸ ἤγαγεν ἐκ τῆς ἀταξίας), estimant que l'ordre vaut infiniment mieux que le désordre (30 a 2-6) : car c'est un principe, qui a comme la force d'une loi sacrée (οὐ θέμις), que l'être le plus parfait ne peut agir autrement que de la façon la plus noble (30 a 6-7).

De ce principe de la *prévalence du plus beau* découlent, comme conséquences, la plupart des propriétés de l'Univers.

Premièrement le Tout visible sera doué d'intellect. Or il n'est pas d'intellect sans âme. Il y aura donc un Intellect et une Ame du Monde pour mouvoir le corps du monde selon des mouvements ordonnés, et c'est ainsi que, aux termes du raisonnement vraisemblable (2), on doit considérer la manière dont, par la Providence divine, est né le monde visible, être vivant doué d'âme et d'intellect, qui a été façonné comme l'œuvre par nature la plus belle et la plus excellente (30 c).

Deuxièmement, si ce monde doit être le plus beau possible, il doit avoir été formé d'après le plus beau modèle. Quel sera ce modèle? Le monde étant une copie de l'Intelligible et un être vivant, ce doit être un Intelligible Vivant. Maintenant, ce ne peut être un Vivant

---

(1) ἀγαθὸς ἦν, ἀγαθῷ δὲ οὐδεὶς περὶ οὐδενὸς οὐδέποτε ἐγγίγνεται φθόνος 29 e 1-4. Noter l'insistance et cf. *Phèdre* 247 a.

(2) κατὰ τὸν λόγον τὸν εἰκότα 39 b 7-8. Il n'y a point ici de certitude, car on traite de choses visibles, donc muables, donc incertaines.

pareil à ces êtres vivants qui sont contenus dans le monde, puisque ces vivants ne sont que parties d'un Tout, et que le monde est un Tout (si le monde ressemblait à un de ces êtres parties du Tout, il serait incomplet et donc ne saurait être beau, 30 c 6-7). Ce sera donc la Totalité des vivants intelligibles, totalité conçue elle-même comme un Tout vivant, le Vivant par soi (30 c 3-d 2) (1).

Troisièmement, le Monde visible sera unique : « Donc le Dieu, ayant décidé de former le monde le plus possible à la ressemblance du plus beau des êtres intelligibles (2) et d'un Être parfait en tout, en a fait un Vivant unique, visible, ayant à l'intérieur de lui-même tous les vivants qui sont par nature de même sorte que lui » (30 d 2-5, tr. Rivaud). Pourquoi unique ? Parce que ce monde-ci est conçu comme un Univers, un Tout, qui, en rigueur de terme, contient tous les sensibles qui existent. Or il ne peut exister plus d'un Tout : le Tout, par définition, est unique. C'est ce que Platon exprime en déclarant que ce monde a été fait à l'image du Modèle intelligible, qui est un Tout. Dès lors « c'est comme unique et seul de son espèce (μονογενής 31 b 3, cf. 92 c 5) que ce monde-ci, étant venu à l'être, est et sera désormais » (31 b 3-4) (3).

Quatrièmement c'est encore le principe de la prévalence du plus beau qui va commander la structure élémentaire du monde et des êtres qu'il contient (31 b-32 c) (4). Le monde est corporel : or ce qui est corporel apparaît d'abord comme visible et tangible, ce qui implique la présence, dans le corps, de feu et de terre. Maintenant chacun sait, depuis Empédocle, qu'il existe en outre deux autres éléments, l'air et l'eau. Le principe de la beauté va conduire Platon à donner une raison d'être à ces deux éléments en les considérant comme des moyens termes entre les deux extrêmes, le feu et la terre (5). C'est cette notion de moyen terme qui introduit ici l'élément de beauté : « Mais que deux termes forment seuls une *belle* composition, cela n'est pas possible, sans un troisième. Car il faut

---

(1) Ce Vivant par soi sera nommé plus tard l'αὐτοζῷον, cf. Rivaud, éd. *Timée*, p. 33, n. 2.

(2) τῶν νοουμένων 30 d 2 : « des êtres intelligibles », Rivaud ; « des objets de pensée », Taylor ; « des Vivants intelligibles », Proclus, en tirant ζῴων de ζῷα 30 c 9 (τὰ γὰρ δὴ νοητὰ ζῷα).

(3) « Having come to be is and still shall be », Taylor *ad* 31 b 3.

(4) Cette explication de la structure des corps par les quatre éléments n'est qu'une approximation temporaire : elle sera remplacée plus loin (53 c 4 ss.) par une analyse plus poussée qui décomposera les éléments eux-mêmes en triangles premiers. Noter que 48 b 8 feu, air, eau, terre, loin d'être des éléments premiers, ne peuvent pas même être comparés à des syllabes.

(5) Il faut *deux* moyens termes du fait que le corps n'est pas seulement une figure plane, mais un solide à trois dimensions. On a donc $\frac{a}{b} = \frac{b}{c} = \frac{c}{d}$.

qu'au milieu d'eux il y ait quelque lien qui les rapproche tous les deux. Or, de toutes les liaisons, *la plus belle* est celle qui se donne à elle-même et aux termes qu'elle unit l'unité la plus complète. Et cela, c'est la proportion qui naturellement le réalise *de la façon la plus belle* » (31 b 9-c 4) (1).

Cinquièmement le monde est exempt de vieillesse et de maladie. En effet, puisque ce monde visible est unique, il absorbe à lui seul toute la substance des quatre éléments, en sorte qu'il n'y ait rien, en dehors du monde, qui puisse s'introduire dans le monde et y causer des maladies, tout de même que l'introduction dans le corps humain d'une portion excessive de feu, d'air, d'eau ou de terre en détruit l'équilibre et le rend malade. Ainsi le monde est un Vivant parfait formé de parties parfaites, il est unique, et il est exempt de vieillesse et de maladie (32 c 5-33 b 1) (2).

Sixièmement le monde est sphérique. Il faut donner au monde la figure qui lui convient (πρέπον) le mieux et qui a avec lui le plus d'affinité (συγγενές) : convenance et affinité sont en effet des caractères de la beauté (3). Puis donc que le monde doit contenir tous les êtres, on le façonne en forme de sphère, car la sphère contient en elle-même toutes les figures (4), et elle est, au surplus, la figure la plus parfaite et la plus complètement semblable à elle-même : « en effet, le Dieu pensait que le semblable est mille fois plus beau que le dissemblable » (μυρίῳ κάλλιον ὁμοῖον ἀνομοίου, 33 b 6-8).

Enfin le corps du monde est lisse, le monde n'ayant pas besoin d'organes puisqu'il se suffit à lui-même : « car celui qui l'a construit a pensé qu'il serait meilleur s'il se suffisait à lui-même que s'il avait besoin d'autre chose » (33 d 2-3).

Il serait facile de poursuivre cette veine finaliste dans tout le reste de la première partie, par exemple quant à ce qui regarde soit l'Ame du Monde « qui participe au calcul et à l'harmonie, qui est du nombre des réalités connues par l'intelligence et de durée éternelle, produite par le meilleur comme la meilleure, à savoir d'entre les réalités qui ont été engendrées » (37 a 1-3) (5), soit l'organisation du Temps

---

(1) Trad. Rivaud légèrement modifiée.
(2) J'ai marqué ailleurs, *Contemplation... selon Platon*, pp. 347-349, l'importance de la τελειότης et de l'ἱκανότης comme notes de la beauté.
(3) Cf. *Contemplation*, pp. 349 ss., sur l'οἰκειότης d'où dérive l'αὐτάρκεια.
(4) Ceci, comme l'a bien vu Wilamowitz, *Platon*, II, pp. 263-264, annonce la 2ᵉ partie et garantit l'unité de composition du *Timée*.
(5) On sait que, dans cette phrase fameuse, on a fait dépendre τῶν νοητῶν ἀεί τε ὄντων soit de λογισμοῦ καὶ ἁρμονίας (Cicéron [*est autem rationis concentionisque... sempiternarum rerum et sub intelligentiam cadentium compos et particeps*, p. 176. 4-6 Pl.], Robin [*La Pensée*

image de l'Éternité, soit la création des astres et des dieux, tout cela en vue de rendre ce monde-ci le plus semblable possible à son modèle (1) : bref, tout est disposé de telle sorte que le monde soit véritablement un Kosmos (40 a 7), un Tout « harmoniquement uni et beau » (καλῶς ἁρμοσθὲν καὶ ἔχον εὖ 41 b 1 : l'expression se rapporte ici aux dieux astres).

8. Maintenant, si tout est ainsi disposé en vue du bien, comment se fait-il qu'il y ait du désordre dans le monde? C'est ce problème capital qui a conduit Platon à reconnaître dans le monde, outre l'action du Démiurge, l'interférence de causes plus obscures qui servent comme de limite ou de résistance à la Cause Finale.

Il importe de marquer tout d'abord le point exact où apparaît la notion de désordre. Ce n'est pas dans la cosmologie : la course « aberrante » des planètes a été ramenée à l'ordre et à l'intelligibilité par la théorie selon laquelle chaque planète est douée de deux mouvements de rotation concentriques mais d'axes différents, l'un sur le cercle équatorial, l'autre sur le plan de l'écliptique (2). D'autre part, Platon n'a pas un mot pour les désordres cosmiques tels que les séismes, les raz de marée, etc. (3). Dans le monde physique

Hellénique, p. 289, n. 1]), soit de τοῦ ἀρίστου (Plutarque, Rivaud, Taylor [p. 176], Diès [*Autour de Platon*, II, p. 554 n. 1]), soit de ψυχή — ou αὐτή si, avec Archer-Hind et Wilamowiz, on tient ψυχή pour une glose — (Proclus, [II, p. 293 Diehl], Wilamowitz [*Platon*, II, p. 389), Moreau [*Ame du Monde*, p. 52, n. 2]). Cette dernière construction me semble la meilleure. La première offense pour des raisons de style et n'offre pas grand sens, La seconde aboutit à une difficulté insurmontable. A supposer même que le Démiurge puisse être dit un Intelligible éternel, il paraît tout à fait impossible qu'on le déclare le meilleur des Intelligibles. En ce cas il s'identifierait avec l'Idée du Bien, ou encore avec le Vivant-par-soi intelligible que le Démiurge prend pour modèle; les Formes éternelles deviendraient les idées de ce Démiurge ou inversement l'Idée deviendrait Intellect : on ne trouve rien de tel dans le platonisme de Platon. En revanche, l'Ame du Monde ayant été dite invisible, il paraît tout naturel de la mettre au nombre des réalités connues, par le seul intellect : τῶν νοητῶν continue ἀόρατος. D'autre part l'Ame du Monde peut être déclarée à la fois τῶν ἀεὶ ὄντων et τῶν γεννηθέντων. Elle a été engendrée, mais elle est destinée à durer toujours, de même que le Monde qui, bien que produit, est ἀίδιον (37 d 1-3), qui a été, est et sera toujours (38 c 3) ; de même aussi que les dieux à la fois engendrés et éternels (ἄγαλμα τῶν ἀιδίων θεῶν 37 c 5 : traduire « objet de délices pour les dieux éternels, θεοὶ τῷ κοσμῷ ἀγάλλονται, Wilamowitz, *Platon*, II, p. 390; il ne s'agit pas des idées, cf. Proclus, [II, p. 5. 22 ss. Diehl], non immortels de fait par le vouloir de Dieu (41 b 4). Je ponctue donc, avec Wilamowitz : αὐτὴ δὲ ἀόρατος μέν, λογισμοῦ δὲ μετέχουσα καὶ ἁρμονίας ψυχή (ψ. del. Archer-Hind, Wilamowitz), τῶν νοητῶν ἀεί τε ὄντων, ὑπὸ τοῦ ἀρίστου ἀρίστη γενομένη, τῶν γεννηθέντων (τῶν < γε > γεννη. Wilamowitz).

(1) « Leitmotiv » : 37 c 8-9, 38 b 8-9, 39 e 1-2, 3-4, 5-6. Quant au θεῶν γένος de 40 a, ce sont manifestement les astres, cf. 40 a 2 ss.

(2) Cf. par ex. Taylor, pp. 196-202, 204-212, E. Frank, pp. 26 ss., 201-205, P. Duhem, *Le Système du monde de Platon à Copernic*, I, pp. 51-59.

(3) Il est fait sans doute allusion à des destructions périodiques de la terre et de ses habitants en *Tim.* 22 c-d, et cette destruction est rapportée à un phénomène cosmique (παράλλαξις 22 d 2, cf. *Pol.* 269 e 3) comme dans le mythe du *Politique* 269 c 6-270 a 9, mais cette doctrine n'est pas reprise dans le récit cosmologique du *Timée*, et d'ailleurs elle n'infirmerait pas la thèse de la durée infinie du monde. Cf. *Tim.* 38 b 6 ss., où, malgré une

proprement dit, il semble que tout soit en ordre (1). C'est lorsqu'on arrive à l'homme que le désordre apparaît. Ayant achevé la construction de l'Univers et créé ce qu'il doit y avoir de divin dans l'homme, l'âme immortelle, Dieu est rentré dans son repos (42 e 5-6). Ses fils fabriquent alors le corps humain, et ils introduisent dans ce corps l'âme immortelle créée par Dieu : c'est à ce point précis que commence le désordre. Les révolutions de l'âme intellectuelle sont, comme celles de l'Ame du Monde, des mouvements réguliers ; le corps au contraire est en perpétuel flux et reflux (ἐπίρρυτον καὶ ἀπόρρυτον 43 a 6). Par suite il y a d'abord conflit entre les mouvements ordonnés de l'âme et les mouvements désordonnés du corps : « enchaînés dans ce grand flot, les mouvements de l'âme n'étaient ni entièrement les maîtres ni entièrement maîtrisés ; qu'ils fussent entraînés ou qu'ils entraînassent, c'était par contrainte, en sorte que, si le vivant tout entier se mouvait sans doute, il allait sans ordre et à l'aventure, d'une manière tout irrationnelle » (43 a 6-b 1). A cela s'ajoutent les troubles produits par le choc des sensations et les illusions des sens. Bref, « en raison de toutes ces affections, l'état primitif de l'âme, quand elle vient d'être enchaînée à un corps mortel, est d'abord et reste par la suite un état de déraison » (44 a 8-b 2). Il ne s'agit plus ici d'un état supposé, de ce qui serait si le Dieu n'exerçait perpétuellement son influence, mais d'un état réel, de l'état réel du petit enfant. Nous l'apprenons aussitôt. Ces désordres consécutifs à l'union de l'âme (immortelle) et du corps se corrigent par l'effet de l'âge, mais il faut que s'y ajoutent les régulations d'une bonne nourriture et de l'éducation (2).

D'où vient ce désordre initial ? Comment expliquer que l'âme, qui par essence est ordre, soit plongée dans le désordre dès l'instant où elle entre en contact avec le corps ? Et d'où vient que les mouvements de l'être animé soient tout d'abord désordonnés, alors que c'est précisément l'âme qui est, pour le corps, principe de mouvement et d'un mouvement ordonné ? Il faut donc bien qu'il y ait dans le corps lui-même une cause de trouble. Or le corps est fait de feu, d'air, d'eau, de terre, et ces quatre principes, on l'a vu dans la première partie du *Timée*, sont les éléments de la matière. Nous voici donc

réserve (ἅμα καὶ λυθῶσιν, ἄν ποτε λύσις τις αὐτῶν γίγνηται), Platon paraît admettre une durée sans fin du monde (ὁ δ'αὖ διὰ τέλους τὸν ἅπαντα χρόνον γεγονώς τε καὶ ὢν καὶ ἐσόμενος 38 c 2-3).

(1) L'état chaotique (πλημμελῶς καὶ ἀτάκτως 30 a 4, cf. 53 a 9) de la masse **visible** avant que Dieu ne l'ait ordonnée est un état supposé : en réalité le monde a toujours **été**, et il a toujours été en ordre, cf. *supra*, p. 104 n. 3.

(2) ἂν μὲν οὖν δὴ καὶ συνεπιλαμβάνηταί τις ὀρθῇ τροφῇ παιδεύσεως 44 b 9-c 1 : construire, avec Taylor (p. 273), τις ὁ. τρ. συνεπιλαμβάνηται (moyen) παιδεύσεως.

amenés à nous demander ce que sont ces éléments eux-mêmes, ce qu'est la matière, et quelle est la nature des causes qui ressortissent à la matière. D'emblée nous pouvons être assurés de la vérité suivante : c'est que les causes mécaniques (celles qui font par exemple que les corps se refroidissent ou s'échauffent, se solidifient ou se liquéfient, 46 d 2-3) sont des causes aveugles, dépourvues de raison et d'entendement. Car le seul être qui possède l'entendement, c'est l'âme : or l'âme est invisible, tandis que feu, eau, terre et air (1) sont des corps visibles. L'âme se meut d'elle-même : ces causes au contraire appartiennent à la classe des choses qui sont mises en mouvement par d'autres causes et ne font que transmettre, de façon mécanique (ἐξ ἀνάγκης), ce mouvement à autrui. Dès lors, si les premières causes douées d'entendement (soit l'âme) sont ouvrières (δημιουργοί) de produits beaux et bons, les causes, aveugles, étant sevrées de pensée (μονωθεῖσαι φρονήσεως), effectuent chaque fois n'importe quoi, au hasard et sans ordre (2).

Ce passage me semble très important en ce qu'il identifie les deux espèces antagonistes de causes, d'une part à l'âme intellectuelle, principe de mouvements ordonnés, d'autre part aux éléments du corps, principes de mouvements aveugles. Or, c'est précisément au sujet des relations de l'âme et du corps que le problème se pose dans toute son acuité. Nous l'avons vu : pour expliquer le monde sensible, qui est en mouvement, il s'agissait de trouver un intermédiaire entre l'immuable et le muable, une sorte d'être qui fût en relation à la fois avec l'intelligible immuable et avec le sensible changeant. Cet intermédiaire, c'est l'âme qui, d'un côté, est par définition en relation avec l'intelligible, et de l'autre, est pour le corps principe de mouvement puisque ce qui se meut soi-même est logiquement antérieur au mobile qu'il meut. On tient donc, avec l'Ame du Monde, un principe d'explication du Vivant total, en tant que ce Vivant total se meut de mouvements ordonnés. Et, pour la même raison, on tient, avec l'âme humaine, un principe d'explication du vivant partiel raisonnable. Ce principe d'explication sera nécessairement du ressort de la Cause Finale. Car l'âme est intellect, elle voit le Bien, et dès lors elle tend au bien. Désormais il semble donc qu'on puisse franchir sans encombre l'abîme qui sépare l'Intelligible du sensible, et que le bel ordre des Intelligibles, commandé par l'Idée du Bien, doive se retrouver aussi, grâce à l'âme, dans le sensible :

(1) 46 d 6-7 : ce sont donc bien ces quatre éléments qui sont considérés comme les causes aveugles.
(2) Résumé de 46 d 2-e 6.

tout, dans le monde en mouvement, se dirige vers une fin bonne, par suite tout y devient intelligible. Il ne devrait plus y avoir de place pour aucune obscurité.

Or, en fait, il n'en va pas ainsi. Car l'observation de ce qui se passe dans les premières années de ce vivant partiel qu'est l'homme nous met en présence d'un phénomène étrange : les mouvements du petit enfant sont des mouvements désordonnés, dont le désordre ne peut être corrigé qu'avec le temps, grâce à une bonne nourriture et à l'éducation. Ce désordre ne peut venir de l'âme : il vient donc du corps. Ainsi l'âme, l'âme pourvue d'intellect, intermédiaire obligé entre l'intelligible qu'elle contemple et le sensible qu'elle meut, l'âme ne suffit pas à tout expliquer : on se heurte soudain à une inconnue. A côté de l'intellect qui se meut de lui-même dans le sens de la finalité, il faut faire appel à une autre cause, laquelle échappe à la finalité.

Le désordre est le fait du corps. Or le corps est composé d'éléments, feu, air, eau, terre. Et ces mêmes éléments qui composent le corps sont aussi les éléments premiers de l'Univers. C'est donc dans les éléments, à la racine même de la matière, que se trouve la cause du désordre, « l'espèce de la cause errante » (τὸ τῆς πλανωμένης εἶδος αἰτίας 48 a 6-7). D'où l'on voit que, pour expliquer le monde, il faut revenir en arrière et procéder à une analyse plus exacte des premiers principes de la matière (48 a 7-b 3) (1).

Il ne nous appartient pas ici de nous étendre sur la nature de la Χώρα, mais il faut au moins montrer que la Χώρα platonicienne peut donner lieu à deux interprétations diverses qui importeront grandement l'une et l'autre pour la notion de matière à l'époque hellénistique (2). D'un mot, la Χώρα peut être considérée soit comme une pure puissance passive, une pure limite à l'ordre, soit comme une puissance active, une cause positive de désordre. Dans le premier cas, le mal ne sera qu'un moindre bien, plus précisément il sera la condition indispensable de l'action du Bien, le ce sans quoi la Cause

---

(1) Puisque ce désordre est inhérent aux éléments, c'est-à-dire à la matière, il devrait se manifester dans le monde comme dans l'homme. Et de fait, on le voit se manifester dans le monde pour autant que l'organisation du monde est considérée sous l'aspect d'une *genèse*. La masse visible est d'*abord* secouée de mouvements chaotiques (30 a 4, 52 d 4-53 a-9), l'ordre ne s'y introduit que par l'action du Démiurge qui fait de cette masse un Kosmos (30 a 5, 53 a 8, b 1). Mais en réalité, le Kosmos étant éternel, cet état primitif de désordre est pour le monde un état supposé. C'est ce qui serait si l'Intellect n'intervenait éternellement. Pour l'homme, au contraire, il y a véritablement une genèse. L'homme naît. Et l'on constate donc, dans le cas de l'homme, un *passage* du désordre à l'ordre.

(2) Bien que l'analyse qui va suivre fasse un peu digression dans ce chapitre sur la téléologie, je l'introduis ici en raison de l'importance de la notion de matière pour l'intelligence de toute la mystique hellénistique.

Finale ne saurait agir; dans le second cas, le mal sera positivement un mal, il se dressera comme un principe antagoniste en face du Bien.

a. *La* Χώρα *pure puissance passive.*

Au début de l'exposé sur la Χώρα (48 e 2 ss.), Platon rappelle le tout premier postulat du *Timée* (27 d 5-28 a 4), à savoir la distinction des deux genres d'êtres, l'Intelligible immuable, le sensible toujours changeant. Il s'agit maintenant de concevoir un troisième genre d'être, qui est difficile à entendre et obscur (χαλεπὸν καὶ ἀμυδρόν 49 a 4). Cette difficulté se marque au grand nombre d'expressions dont Platon se sert pour désigner le troisième genre : *réceptacle* (τὸ δεχόμενον 50 d 2, ὑποδοχή 49 a 6, 51 a 6, ἡ δεξαμενή 53 a 3), *nourrice* (τιθήνη 49 a 7), « *ce en quoi-*» les images des Intelligibles apparaissent et disparaissent (τὸ ἐν ᾧ κτλ. 49 e 7, 50 d 1, 6), *mère* (50 d 3, 51 a 5), *porte-empreinte* (ἐκμαγεῖον), enfin *lieu* ou *emplacement* (χώρα 52 b 1, 5). Elle se marque aussi aux comparaisons qu'on est obligé d'instituer : la Χώρα est *comme* l'or dont on modèle toutes les figures possibles (50 a 5-b 6), *comme* l'excipient humide, lui-même sans odeur, destiné à recevoir les parfums (τὰ δεξόμενα ὑγρὰ τὰς ὀσμάς 50 e 8), *comme* la cire molle (50 e 9). Bref, « c'est un certain genre d'être invisible et sans forme, qui reçoit tout, et participe à l'Intelligible d'une façon très embarrassante et très difficile à entendre » (51 a 8-9); il est à peine croyable, on ne le perçoit pas par la sensation, mais par une sorte de raisonnement bâtard, comme dans un rêve, quand on déclare que tout existe dans un lieu et occupe une place (52 b 2-5).

Ces formules nous éclairent sur la manière dont il est légitime de prendre conscience de la Χώρα. Cela ne se peut faire par des termes positifs : la Χώρα n'a rien de positif. On ne peut dire ce qu'elle est. Mais on peut dire, d'une part, ce qu'elle n'est pas, d'autre part, ce qu'elle permet qui soit. La Χώρα n'est pas un espace réel : car, ne l'oublions pas, le monde sensible est le Tout, il occupe, si l'on peut dire, tout l'espace, il n'y a pas en dehors de lui d'espace dans lequel il serait contenu. Elle n'est pas non plus une matière réelle : car, pour recevoir toutes les formes, elle doit être elle-même sans forme (50 d 7-e 1). Si elle n'est aucune réalité physique, la Χώρα n'est pas, en revanche, un intelligible : car, en ce cas, elle serait une Forme, et souffrirait donc d'être définie. Ainsi elle n'est tout ensemble ni un être sensible (ἀνόρατον 51 a 8) ni un être intelligible. Mais voyons ce qu'elle permet. Elle permet d'une part que les objets se juxtaposent en se distinguant les uns des autres du fait qu'ils occupent des places différentes : elle est donc une possibilité de délimitation, un *lieu-limite*. Elle permet d'autre part que les objets changent l'un dans l'autre sans sortir d'un même emplacement : elle est donc une possibilité de mutation, un *lieu-substrat* (1). A ce double titre, la Χώρα n'a valeur que de puissance passive. Elle n'est pas une cause au sens propre, mais elle est la condition indispensable sans quoi la Cause Finale (ou l'Intellect qui se dirige par la Cause Finale) ne pourrait organiser le Kosmos. En effet, qui dit ordre, du point de vue statique, dit *multiplicité de choses ordonnées*. Or la multiplicité suppose la distinction, la délimitation des objets. Et qui dit ordre, du point de vue dynamique, dit *changement en vue d'une certaine fin*. Or le changement suppose un passage d'un état à un autre. Mais pour qu'il y ait passage, il ne suffit pas de deux principes, l'état premier et l'état second, il en faut encore un troisième qui est le sujet, le substrat, de ce passage même; sans quoi il n'y a plus passage, mais abolition pure et simple de l'état premier, apparition pure et simple de l'état second (2). Dès lors la Χώρα apparaît comme une double possibilité. Elle est une possibilité d'extension : c'est grâce à elle que les objets, puisqu'ils occupent un emplacement différent, peuvent être considérés comme se distinguant les uns des autres, et donc se délimitant. Et elle est une possibilité de mutation : c'est grâce à elle que les objets peuvent alterner en une même place.

Sous ces deux aspects, la Χώρα se révèle, on l'a très bien dit (3), comme une transposition dans l'ordre physique de ce qu'était la notion d'Autre dans l'ordre dialectique (*Soph.* 251 a-259 b). D'où vient la notion de l'Autre? De ce qu'il faut expliquer, d'une part que les essences sont multiples et se limitent réciproquement, d'autre part que les essences participent les unes aux autres. Prise absolument, toute essence apparaît d'abord comme ressortissant au Même, en vertu du principe d'identité (rappelé en *Timée* 52 c 5, justement à propos des Formes). Mais, ce faisant, toute essence apparaît aussi comme « autre » que les autres essences : cette notion d'Autre permet donc la coexistence des essences, elle rend possible

---

(1) C'est le sens du premier exposé (48 e 2-50 b 6) où Platon montre que, les éléments changeant perpétuellement d'une manière cyclique l'un dans l'autre, on ne peut les nommer des *ceci*, mais seulement des *comme ceci*, et qu'il faut donc supposer un *ce en quoi* les qualités vont sans cesse apparaissant et disparaissant, bref un *substrat* du changement.
(2) Cf. Arist., *Phys.*, I, 7, 190 b 30 ss.
(3) Rivaud, éd. *Timée*, Introd., pp. 64-65, 68-70.

la multiplicité. En second lieu, la notion d'Autre explique la prédication. Nous attribuons telle qualité à tel être : cela suppose donc que ce qui, sous un certain rapport, est le même que lui-même, ait puissance, sous un autre rapport, à être « autre ». Ainsi la notion d'Autre, dans la dialectique, assure-t-elle et la séparation des genres et la liaison entre les genres. Toute essence est autre qu'une autre essence et les deux ne peuvent coexister dans le même emplacement logique (*Tim.* 52 e 5). Toute essence est la même qu'elle-même, mais avec puissance à être autre. Il y a donc un domaine de l'Autre, une sorte de Lieu dialectique. Appliquons ces données à la physique. Quel est le propre de la Χώρα? Tout objet physique est distinct des autres en ce qu'il occupe un certain emplacement qu'il détermine par sa forme. Tout objet physique est susceptible de se transformer en un autre objet tout en gardant le même emplacement. Bref, les objets se juxtaposent et se distinguent selon le lieu. Les objets se transforment mutuellement dans le même lieu. Cette coexistence du multiple, cette succession du divers en un même point exigent une sorte d'entité qui ne soit exactement ni espace ni matière, mais qui, à la manière de l'Autre en dialectique, assure et la séparation des êtres et la possibilité qu'ils ont de changer l'un dans l'autre. Or il va de soi que, de ce point de vue, la Χώρα est seulement une puissance passive, un non-être relatif. Comme il ne peut y avoir *plusieurs* Formes sans ce non-être relatif qu'est l'Autre, ainsi ne peut-il y avoir *plusieurs* images des Formes sans ce non-être relatif qu'est la Χώρα. « De la dispersion logique, qui résulte de la notion de l'Autre, provient à son tour la dispersion physique, c'est-à-dire l'impossibilité, pour deux objets différents, de coexister en un même lieu » (1). La Χώρα n'est donc pas une Cause au sens propre, mais la condition indispensable de la vraie Cause. Elle n'est ni un désordre positif ni la cause du désordre, mais le « ce sans quoi » il n'y aurait point d'ordre. Elle n'est qu'une limite, non pas une résistance, à l'Ordre.

On comprend dès lors qu'une telle interprétation de la Χώρα serve au mieux les vues optimistes de la religion cosmique. Si l'ordre du Kosmos implique une multiplicité d'êtres, si cette multiplicité implique la Χώρα, on voit que la Χώρα, loin d'être un mal positif, n'est qu'un moindre bien. Puisqu'il existe d'autres êtres que l'Être immuable et parfait, et puisque ces autres êtres ne peuvent subsister sans occuper un lieu, la nécessité qui résulte de cette condition

---

(1) Rivaud, *l. c.*, p. 68.

indispensable ne fera rien de plus que de limiter le bien, elle ne s'y opposera pas radicalement. Le désordre s'absorbe dans l'ordre : telle est, d'une façon générale, la notion vraiment philosophique de la matière, par suite du mal, depuis le *Timée* jusqu'à Plotin.

b. *La* Χώρα *puissance active de désordre.*

Mais alors, comment expliquer le désordre? Le désordre existe, c'est le fait même du désordre, dans le cas du petit enfant, qui a été au point de départ de notre analyse de la Χώρα. On se rappelle les anneaux de la chaîne. De l'union de l'âme immortelle et du corps mortel résulte, tout d'abord, un état de désordre : mouvements désordonnés de l'enfant, choc brutal des sensations. La source de ce désordre ne peut être dans l'âme immortelle, elle est donc dans le corps. Or le corps est fait des quatre éléments, qui sont aussi les éléments du monde. A leur tour les éléments, n'étant pas vrais « éléments », se ramènent à ce substrat qu'est la Χώρα (48 e 2-50 b 6). Maintenant, si la Χώρα n'est qu'une limite à l'ordre, comment peut-on lui attribuer le désordre, qui pourtant s'impose à nous comme un fait? Force est bien de considérer que la Χώρα est une cause positive de désordre. Voici donc un nouvel aspect de la Χώρα platonicienne, et cette interprétation nouvelle va commander, de son côté, toute la doctrine de la matière mauvaise dans la gnose hellénistique.

Le texte qui nous intéresse se trouve tout à la fin de l'exposé sur la Χώρα. Platon vient de résumer cet exposé (52 a 2-4) : il y a l'être tout court (ὄν), la χώρα, et l'être en devenir (γένεσις), trois genres d'êtres existant de trois façons différentes, et cela avant même que le Ciel eût commencé d'être (1). Il poursuit alors en ces termes (52 d 4-53 b 5) :

« Or la nourrice de ce qui naît, du fait qu'elle devenait aqueuse et ignée et revêtait les figures (2) de la terre et de l'air, et qu'elle était affectée de toutes les autres qualités qui découlent de ces premières, se montrait sans doute à la vue comme infiniment diversifiée; toutefois, comme elle était emplie de forces (= qualités) qui n'étaient ni uniformes ni équilibrées, il n'y avait d'équilibre en aucune région d'elle-même, mais, secouée irrégulièrement dans tous les sens, tantôt elle était ébranlée par ces choses, tantôt, mue de la sorte, elle les

---

(1) Encore une fois, il s'agit de l'état qui revient naturellement à la matière du fait de son être même. Le *Timée* représente cet état comme un état premier (au sens chronologique) parce que la fiction est celle d'une genèse, cf. 48 b 3 : « Quelle était donc, *avant la naissance du ciel*, la nature du feu, de l'eau, de l'air et de la terre? », 52 d 4, 53 a 7 ss. Il faut donc traduire les infinitifs (φαίνεσθαι 52 e 1, et suivants) par des imparfaits. On notera la ressemblance du passage avec le texte des *Lois* X 889 b-d. Sur ces deux morceaux, cf. E. FRANK, *op cit.*, pp. 99 ss.

(3) μορφάς : ou « caractères », comme le veut CORNFORD, *Plato's Cosmology*, pp. 199-200.

ébranlait à son tour. Quant à ces choses ainsi mues, elles étaient continuellement séparées et entraînées de côté et d'autre, comme il arrive aux grains secoués et criblés par les vans et autres instruments à épurer les céréales : ce qui est dense et lourd va d'un côté, ce qui est rare et léger est porté à une autre place et s'y fixe. Voilà ce qui en était, alors, des quatre éléments : secoués par le réceptacle (ὑπὸ τῆς δεξαμενῆς), qui était mû lui-même à la manière d'un instrument qui sert à secouer, les plus dissemblables d'entre eux se séparaient le plus possible les uns des autres, les plus semblables venaient se ramasser en un même tas, en sorte qu'ils allaient tous occuper un emplacement différent, — cela du moins avant que le Tout constitué par eux eût fait un monde ordonné. Oui, avant la formation du monde, tout se comportait ainsi sans règle ni mesure : mais, quand l'entreprise eut été commencée (par Dieu) de l'ordonnance de l'Univers, tout d'abord le feu, l'eau, la terre et l'air qui, s'ils possédaient quelque trace de leur être propre, n'en étaient pas moins entièrement dans l'état où se trouve naturellement toute chose dont Dieu est absent, tout d'abord, dis-je, ces quatre-là, qui se trouvaient alors par nature en cette condition, Dieu les configura diversement, à l'aide de figures géométriques et de nombres. »

Voilà, pour nous, un morceau essentiel. Il en ressort que, de par sa nature même, la matière, en sa racine, est désordre et cause de désordre. Les éléments ont été ramenés à un substrat plus primitif. Mais ce substrat lui-même, étant le siège de secousses désordonnées, transmet aux apparences qui le qualifient des mouvements sans règle et sans mesure. On perçoit ici l'origine de cette doctrine de la matière mauvaise qui tiendra une si grande place dans la mystique hellénistique. Sans doute, pour Platon, cette matière n'est essentiellement qu'une limite à l'action bienfaisante de la Cause Finale. C'est le Bien qui triomphe. Grâce à cet intermédiaire qu'est l'âme (intellect), le dualisme de l'Intelligible et du Sensible n'est plus absolu. Et nous allons voir tout à l'heure comment le Bien s'introduit jusqu'en la région obscure des éléments matériels. Mais il suffira de négliger ces corrections platoniciennes pour obtenir le dualisme radical de la mystique hellénistique. On est ici à un point de divergence bien notable ; et l'on perçoit que la divergence dépendra de la manière dont on interprétera le lieu-matière du *Timée*. Les uns n'y verront qu'une puissance toute passive, un pur réceptacle des images des Formes : en ce cas le Bien triomphe, et l'on aura, du monde, une conception optimiste. D'autres, au contraire, tiendront le lieu-matière pour une puissance active, pour une cause positive de désordre : en ce cas le monde, étant matériel, sera mauvais, et l'on aura, du monde, une conception pessimiste.

9. Ces deux conceptions de la matière, on peut dire qu'elles sont également en germe dans le *Timée*. Sans doute ce dialogue montre-

t-il le Bien victorieux, en définitive, de la matière. Au moment où, dans la première partie, il va indiquer le rôle des causes adjuvantes (ce morceau annonce la deuxième partie et y prépare), Platon a soin de marquer que l'ordre de la Nécessité (τὰ δι' ἀνάγκης) est subordonné à celui de l'Intellect (τὰ διὰ νοῦ δεδημιουργημένα 47 e 4). « L'Intellect domine sur la Nécessité par le fait qu'il lui persuade d'orienter le devenir vers le meilleur dans la plupart des cas : et voilà comment ce monde-ci s'est constitué dès le principe grâce à cette subordination de la Nécessité à la persuasion de la sagesse » (48 a 2-5). Platon revient sur cette même idée à la fin du morceau sur le désordre initial (1) de la Χώρα (cf. *supra*, p. 118). Les éléments sont encore amorphes, la Χώρα elle-même est secouée de mouvements chaotiques : Dieu va faire régner l'ordre dans ce chaos en configurant les éléments à l'aide des figures géométriques et des nombres. « Que, de choses qui ne sont ni belles ni bonnes, Dieu, autant qu'il se peut, constitue l'ensemble le plus beau et le meilleur possible, voilà un principe que nous devons poser une fois pour toutes dans toute la suite de notre étude » (53 b 5-7) : c'est en vertu de ce principe que Dieu commence par imposer aux constituants des éléments des figures géométriques (triangles élémentaires), introduisant ainsi de l'ordre et de la beauté jusque dans les racines mêmes de l'Univers (2). Comme elle était précédée, ainsi la deuxième partie est-elle suivie aussi d'un morceau qui affirme la supériorité de la Cause Finale (68 e 1-69 a 4 : cf. 48 a 2-5) : « Toutes ces choses qui se trouvaient ainsi naturellement conditionnées du fait de la Nécessité, l'artisan de la suprême beauté et du meilleur les prit comme accessoires dans la production des êtres du devenir, lorsqu'il engendra le dieu qui se suffit et qui est le plus parfait (= le Monde) : il se servait de leurs propriétés comme de causes auxiliaires, mais c'est lui-même qui fabriquait le bien (τὸ δὲ εὖ τεκταινόμενος) dans tous les êtres du devenir. Aussi doit-on distinguer deux espèces de causes, les nécessaires et les divines ; et ce sont les causes divines qu'il faut rechercher partout afin de posséder la vie bienheureuse, autant que le permet notre nature ; quant aux causes nécessaires, il les faut rechercher seulement en vue de celles-là, faisant réflexion que, sans ces causes nécessaires, les autres, qui font le seul objet de

(1) « Initial » dans la fiction de la Genèse.
(2) Cf. ἡ ῥίζα τῶν τριγώνων 81 c 6, et, pour les idées d'ordre et de beauté, ποῖα κάλλιστα σώματα 81 c 6, οὐδένι συγχωρησόμεθα καλλίω τούτων ὁρώμενα εἶναι 53 e 5-6, τὰ διαφέροντα κάλλει (non « différents en beauté » (Rivaud], mais « d'une beauté toute singulière ») 53 e 7, προαιρετέον... τὸ κάλλιστον 54 a 2, ἂν οὖν τις ἔχῃ κάλλιον... εἰπεῖν 54 a 4, τῶν πολλῶν τριγώνων κάλλιστον ἕν 54 a 7.

notre étude sérieuse (ἐφ' οἷς σπουδάζομεν), nous ne pouvons ni les comprendre entièrement, ni même les saisir, ni y avoir part de quelque manière par une autre voie. » Enfin, c'est parce que le monde est beau, et que cette beauté du Kosmos peut nous mener jusqu'à la connaissance de Dieu, que le dialogue s'achève (1) sur une exhortation à contempler l'ordre du ciel (90 a-d).

Cela n'empêche pas que dans le *Timée* lui-même, nous l'avons vu, on peut trouver en germe la notion d'une matière antagoniste au Bien, et donc mauvaise. Or cette idée de deux principes opposés, l'un du Bien, l'autre du Mal, se rencontre ailleurs chez Platon.

Dans le *Théétète*, lorsque Socrate a tracé le portrait du philosophe (173 c-176 a), Théodore s'écrie (176 a 2-3) : « Ce que tu dis là, Socrate, si tu pouvais le faire croire à tous comme tu me le fais croire à moi-même, il y aurait plus de paix et moins de mal (2) parmi les hommes. » Socrate alors répond :

« Ah ! Théodore, il n'est pas possible que le mal disparaisse, car il y aura toujours, nécessairement, quelque chose de contraire au bien ; et comme le mal ne peut avoir son siège parmi les dieux, c'est nécessairement dans la nature mortelle et le lieu d'ici-bas qu'il rôde sans cesse. Aussi doit-on s'efforcer de fuir d'ici-bas là-haut le plus vite possible : la fuite, c'est de s'assimiler à Dieu dans la mesure de ses forces » (*Théet.*, 176 a 4-b 1).

Un peu plus loin, reprenant l'image du paradigme dans la *République* (VI, 500 d-e), Platon fait allusion aux deux modèles intelligibles qui se proposent à l'homme (*Théét.*, 176 e 3 ss.). L'un, le modèle divin, connaît la plénitude du bonheur, l'autre, le modèle vide de Dieu, le comble de la misère. Selon qu'on accorde sa vie à l'un ou l'autre modèle, on est heureux ou malheureux. Si nous prenions ce texte à la lettre, il semblerait que le mal lui-même, à titre de principe opposé au bien, eût, comme toute réalité, son modèle parmi les Formes : ce qui impliquerait à coup sûr l'existence positive du mal.

La dualité du bien et du mal se retrouve dans le mythe fameux du *Politique* (268 d ss.) qui n'est pas sans présenter de grandes analogies avec le *Timée*. J'en traduis ici le passage essentiel (269 c 6-270 a 9) :

« Écoute donc. Cet Univers qui est le nôtre, tantôt le Dieu l'assiste dans sa marche en le guidant et en l'aidant à se mouvoir en cercle, tantôt il

(1) Telle est bien, en effet, la *vraie* conclusion de l'ouvrage. La suite (90 e-92 c), sur les animaux, n'a plus valeur que d'appendice, où l'on sent que Platon est las de son travail.
(2) Dans toute la littérature philosophique, τὰ κακά désigne *le* mal : cf. Plot. I 8 πόθεν τὰ κακά.

l'abandonne à lui-même, quand les révolutions ont atteint la mesure du temps fixé pour le monde ; alors cet Univers visible se met à renverser sa course dans la direction opposée, de son propre mouvement, car il est un Vivant et il a été doué de pensée par Celui qui, dès le principe, l'a ordonné. Quant à l'impulsion nécessaire qui le force à renverser sa course, en voici la cause... Demeurer toujours dans le même état et dans la même disposition, être toujours identiquement le même, c'est le privilège des plus divins d'entre les êtres : tout ce qui est corps est, par nature, d'un ordre différent. Or ce à quoi nous avons donné le nom de Ciel ou de Monde a sans doute reçu pour sa part, de Celui qui l'engendra, maintes propriétés bienheureuses, mais le fait est qu'il participe aussi de la nature corporelle. Et de là vient qu'il lui est impossible d'être totalement exempt de changement : néanmoins, dans la mesure de ses forces, il se meut le plus possible d'un mouvement unique, à la même place et par rapport aux mêmes points. Aussi a-t-il eu pour lot le mouvement circulaire rétrograde, comme étant celui qui s'écarte le moins du mouvement qui lui revient en propre (1). Maintenant, s'imprimer soi-même à soi-même un mouvement perpétuel de rotation n'est pour ainsi dire possible à aucun être, sauf à celui qui de son côté (αὖ) mène le mouvement de tout le reste (cf. *Phèdre* 245 c). Or, à cet être, il n'est pas permis sans impiété (οὐ θέμις) de mouvoir tantôt dans un sens, tantôt en revanche dans un sens contraire. De toutes ces raisons il faut donc conclure, touchant le monde, et que ce n'est pas lui-même qui s'imprime à lui-même un mouvement perpétuel de rotation, et que ce n'est absolument pas Dieu non plus qui lui imprime perpétuellement une rotation dont les révolutions sont doubles et contraires, et qu'enfin ce ne sont pas deux dieux de tendances mutuellement opposées qui le font tourner ainsi, mais que, comme il a été dit tout à l'heure et c'est le seul cas qui reste, tantôt il est guidé dans son mouvement par une cause divine distincte de lui, et alors il recouvre un nouvel afflux de vie et reçoit du Démiurge une immortalité

---

(1) διὸ τὴν ἀνακύκλησιν εἴληχεν, ὅ τι σμικροτάτην τῆς αὐτοῦ κινήσεως παράλλαξιν, 269 e 2-3. ἀνακύκλησις, à ma connaissance, n'apparaît qu'ici chez Platon. ἀνακυκλοῦσθαι, *Tim.* 37 a 6 αὐτή τε (l'Ame du Monde) ἀνακυκλουμένη πρὸς αὑτήν = « se mouvant d'elle-même en cercle en tournant sur elle-même ». Le mot par lui-même n'implique pas un mouvement circulaire *rétrograde*. Ce qui rend ce dernier sens est ἐπανακύκλησις (*Tim.* 40 c 4-5 καὶ τὰς τῶν κύκλων πρὸς ἑαυτοὺς ἐπανακυκλήσεις καὶ προχωρήσεις, où le sens de « révolution qui retourne (ἐπί) sur elle-même » est assuré par l'opposition avec προχωρήσεις = *progressus*: Chalcidius) et ἐπανακυκλοῦσθαι (*Rép.* X 617 b 2 τρίτον δὲ φορᾷ ἰέναι... ἐπανακυκλούμενον τὸν τέταρτον = « et, le troisième en vitesse, se mouvait le quatrième (Mars) qui retourne sur lui-même »). Il faudrait donc traduire ici « mouvement circulaire », mais l'idée de rétrogradation est nécessairement introduite par la suite ὅ τι... παράλλαξιν. A l'égard de quoi le mouvement circulaire serait-il une παράλλαξις? En revanche, le mouvement circulaire rétrograde est celui qui s'écarte le moins du mouvement propre du monde, à savoir le mouvement circulaire direct. L'idée de rétrogradation est d'ailleurs impliquée dans le présent emploi d'ἀνακύκλησις par l'équivalence entre ἀνακύκλησις et ἀνείλιξις qui paraît *Pol.* 270 d 3 et 286 b 9 : or le sens de « mouvement rétrograde » pour ἀνείλιξις est assuré par 270 d 2-4 μέγιστον δὲ (πάθημα) τόδε καὶ συνεπόμενον τῇ τοῦ παντὸς ἀνελίξει τότε, ὅταν ἡ τῆς νῦν καθεστηκυίας ἐναντία γίγνηται τροπή. — Pour l'expression de *Polit.* 269 e 1 κατὰ δύναμίν γε μὴν ὅ τι μάλιστα ἐν τῷ αὐτῷ κατὰ ταὐτὰ μίαν φορὰν κινεῖται, cp. *Tim.* 34 a 3 διὸ δὴ κατὰ ταὐτὰ ἐν τῷ αὐτῷ καὶ ἐν ἑαυτῷ περιαγαγὼν αὐτὸ ἐποίησε κύκλῳ κινεῖσθαι στρεφόμενον, *Lois* X 898 a 8 τὸ κατὰ ταὐτὰ δήπου καὶ ὡσαύτως καὶ ἐν τῷ αὐτῷ καὶ περὶ τὰ αὐτὰ καὶ πρὸς τὰ αὐτὰ καὶ ἕνα λόγον καὶ τάξιν μίαν ἄμφω κινεῖσθαι λέγοντες νοῦν τήν τε ἐν ἑνὶ φερομένην κίνησιν.

restaurée, tantôt, quand il a été abandonné par Celui-ci, il va sous son impulsion propre, car il a été opportunément livré à lui-même dans une condition telle qu'il peut cheminer en sens inverse durant des myriades de révolutions, parce que, immense comme il est et parfaitement équilibré, il se meut en s'appuyant sur le pivot le plus petit. »

Il résulte de ce texte : 1° que le monde est mû d'un mouvement circulaire; 2° que ce mouvement, durant une période, est guidé par Dieu; 3° que, cette période achevée, le monde se meut en sens inverse sous « sa propre impulsion ». La suite du mythe nous montre que les périodes où Dieu guide sont, pour le monde, des périodes heureuses (tel a été, par exemple, l'âge fabuleux de Kronos); en revanche, les périodes où le monde, laissé à lui-même, se meut dans le sens contraire, sont de mauvaises périodes. Il y a donc correspondance, d'une part entre l'action de Dieu et le bien, d'autre part entre l'action propre du monde et le mal. Car il s'agit bien de l'action propre du monde, d'un instinct inhérent au monde et qui lui vient de ce qu'il est fait de matière. Quand il tourne en sens inverse, le monde n'est pas mû par Dieu, ni par un second Dieu de tendance opposée au premier, mais bien en vertu d'une impulsion qui lui est propre, qui est, par nature, cause de désordre, et qui tient à la matière. C'est ce que Platon explicite dans la suite. Quand le Dieu pilote a quitté le gouvernail et s'est retiré dans sa tour de guet (εἰς τὴν αὑτοῦ περιωπὴν ἀπέστη 272 e 5 : cf. *Tim.* 42 e 5 ἔμενεν ἐν τῷ ἑαυτοῦ κατὰ τρόπον ἤθει), le monde est alors livré à sa fatalité et à son impulsion naturelle qui le font, notons-le bien, marcher dans un sens contraire à celui que lui imprimait le vouloir divin (τὸν δὲ δὴ κόσμον πάλιν ἀνέστρεφεν εἱμαρμένη τε καὶ ξύμφυτος ἐπιθυμία 272 e 6-7). Ce brusque revirement a pour effet des secousses terribles (σεισμὸν πολὺν ἐν ἑαυτῷ ποιῶν 273 a 3), puis, peu à peu, le calme se rétablit. Tout d'abord, le monde garde encore quelque souvenir de l'enseignement du Démiurge et Père, mais ensuite il l'oublie, et revient entièrement à son désordre congénital.

« Cette déchéance résulte, pour le monde, de l'élément corporel qui entre dans sa composition — élément congénital à sa nature originelle, — car celui-ci comportait une part énorme de désordre (ὅτι πολλῆς ἦν μετέχον ἀταξίας) avant d'en venir à cet ordre que présente aujourd'hui le monde (πρὶν εἰς τὸν νῦν κόσμον ἀφίκεσθαι 273 b 7-8). De Celui qui l'a organisé, le monde tient tout ce qu'il y a en lui de beau; mais, de sa condition antérieure (= avant qu'il ne fût Kosmos), tout ce qu'il y a de fâcheux et d'irrégulier dans le Ciel, tout cela, c'est de cette condition-là qu'il le tient et c'est en vertu de cette condition-là qu'à son tour il le réalise chez les êtres vivants » (273 b 5-c 2).

Bref, à mesure que le temps passe, le monde retourne davantage à sa vieille habitude de désordre chaotique (τὸ τῆς παλαιᾶς ἀναρμοστίας πάθος 273 d 1) jusqu'à ce qu'enfin cette dégénérescence éclate en pleine floraison (ἐξανθεῖ 273 d 1); alors, quand le monde, avec les êtres qu'il contient, approche de la ruine totale, le Dieu pilote reprend le gouvernail et, pour empêcher que le monde ne se dissolve et ne s'enfonce dans l'abîme infini de la dissimilitude (διαλυθεὶς εἰς τὸν τῆς ἀνομοιότητος ἄπειρον ὄντα πόντον δύῃ 273 d 7-8), il arrête le cours et renverse la marche des maladies et décompositions qui ressortissent à la révolution du monde quand celui-ci se meut sous son impulsion propre (τὰ νοσήσαντα καὶ λυθέντα ἐν τῇ καθ' ἑαυτὸν προτέρᾳ περιόδῳ 273 e 1-2). On le voit donc, l'état naturel de la matière, celui qui lui revient essentiellement, c'est un état de chaos (ἀταξία 273 b 5, ἀναρμοστία 273 d 1, ἀνομοιότης 273 d 8). C'est parce que le monde est issu de cette matière qu'il retourne spontanément à l'état chaotique dès que le Démiurge l'abandonne. L'opposition entre Dieu et matière est ici radicale, symbolisée par les deux directions contraires du mouvement cosmique selon que le monde est guidé par Dieu ou qu'il marche par lui-même (αὐτόματον 269 c 9).

L'opposition des deux principes reparaît-elle au dixième livre des *Lois*? C'est un problème difficile : voyons d'abord le texte. On a démontré (X, 892 a 2 ss.) que l'âme est logiquement antérieure au corps, puisqu'un principe automoteur est logiquement antérieur à ce qu'il meut. Les fonctions de l'âme (tempérament, caractère, volitions, opinions vraies, remémorations, etc.) sont donc aussi antérieures aux propriétés du corps (896 c 9-d 3). D'autre part, c'est l'âme qui, précisément par ses fonctions, est cause de tout ce qui se fait, en bien ou en mal, en beau ou en laid, en juste ou en injuste (896 d 5-8). Bref, tout mouvement quel qu'il soit (psychique ou corporel) a pour principe moteur une âme, qui est logée dans le mobile et qui le gouverne du dedans. Dès lors, ne faut-il pas admettre que le Ciel aussi est gouverné par une Ame immanente en lui? (896 d 10-e 2). Vient alors, tout soudainement, la question : cette Ame du Monde sera-t-elle unique ou y en aura-t-il plusieurs?

« C'est *plusieurs* qu'il faut dire : en tout cas, n'en posons pas moins de deux, l'Ame qui fait le bien et l'autre, capable de réaliser l'effet contraire » (896 e 4-6). « Ainsi donc, tout ce qu'il y a au ciel, sur la terre et dans la mer, l'Ame le mène par ses propres mouvements, dont les noms sont : vouloir, examiner, prendre soin de, délibérer, avoir une opinion correcte ou fausse, l'Ame en tant qu'elle éprouve joie ou peine, assurance ou crainte, haine ou tendresse, et par tous les autres mouvements apparentés à ces premiers ou ayant valeur de causes primordiales, qui, prenant en charge les mouvements corporels à titre de causes secondes, mènent toutes choses vers l'accroissement ou la diminution, la décomposition ou la composition et vers les qualités qui en dérivent, chaleur et froid, lourdeur et légèreté, dur et mou, blanc et noir, amer et doux, — bref, à l'aide de tous ces mouvements (1), l'Ame gouverne toutes choses de manière à les rendre correctes et heureuses quand elle a eu recours aussi à l'Intellect qui toujours a rang justement de dieu parmi les dieux (2), mais fait au contraire que toutes choses sont dans l'état opposé quand elle s'est alliée à la déraison » (896 e 8-897 b 4).

D'où, de nouveau, la question (897 b 7-c 1) :

« Dès lors, de quelle sorte d'Ame devons-nous dire qu'elle a obtenu la maîtrise sur le ciel et la terre, et sur la révolution totale de l'Univers ? De celle qui a sagesse et qui est remplie de vertu, ou de celle qui ne possède ni l'une ni l'autre ? »

Ce à quoi l'Étranger répond lui-même : Si l'ensemble de la course du Ciel et son mouvement de translation ainsi que celui de tous les êtres célestes manifeste une ressemblance de nature avec le mouvement, la révolution et les calculs raisonnés de l'intellect et s'y apparente dans sa marche, c'est évidemment de l'Ame la meilleure qu'il faut dire qu'elle prend soin du monde entier et qu'elle le mène par une semblable voie. Si au contraire la marche du monde est folle et sans ordre, c'est l'Ame mauvaise qui le mène (897 c 4-d 1). Il ne reste plus que deux points à éclaircir : tout d'abord le mouvement circulaire est celui qui ressemble le plus au mouvement de l'intellect (898 a 3-b 3), et inversement le mouvement de translation qui n'obéit à aucune ordonnance ni à aucun plan fixe est celui qui s'apparente le plus à la déraison (898 b 5-8). Dès lors, puisque, nous le savons, tout mouvement circulaire a pour moteur une âme, et puisque la révolution du Ciel a nécessairement pour principe moteur une âme qui veille sur ce mouvement et qui l'ordonne, il n'est plus difficile de dire si cette âme est l'Ame excellente ou l'Ame contraire (898 c 1-5). Certes, répond Clinias, d'après ces prémisses, il y aurait impiété à dire autre chose que ceci : *qu'elle soit unique ou multiple*, l'Ame qui meut le monde en cercle est rem-

---

(1) [καὶ] πᾶσιν οἷς ψυχὴ χρωμένη 897 b 1. Il faut mettre καὶ entre crochets avec Ast et Wilamowitz, *Platon*, II, p. 317, n. 2. πᾶσι οἷς ψ. χρ. reprend ταῖς αὐτῆς κινήσεσιν 896 e 9 et καὶ πάσαις (κινήσεσι) ὅσαι κτλ. 897 a 3, de même que παιδαγωγεῖ et ἀπεργάζεται (897 b 2, 4) continuent ἄγει μὲν δὴ ψυχή 896 e 8.

(2) ἀεὶ θεὸν ὀρθῶς θεοῖς codd. Texte douteux, mais les corrections proposées sont incertaines et, de toute façon, l'incidente n'a pas d'importance pour le sens général de la phrase.

plie de toute excellence (898 c 6-8), et elle est donc un dieu (899 b 3 ss.).

La suite des idées me paraît être celle-ci. A tout mouvement psychique ou corporel, à tout effet produit, quel qu'en soit le caractère (bon ou mauvais, etc.), il existe une cause qui est de l'ordre de l'âme. Appliquons ce principe au monde. On y constate une infinité de mouvements et d'effets produits : d'après le principe énoncé, ils supposent une cause d'ordre psychique. Mais, puisque ces effets sont multiples, doit-on supposer une ou plusieurs causes ? Pour l'instant supposons deux causes : une bonne, et l'autre, capable de produire des effets contraires. Ce n'est qu'une hypothèse, et qui, par avance, vise à expliquer ce que nous ne savons pas encore : si les mouvements et effets produits dans le monde sont bons ou mauvais. Nous posons donc par hypothèse deux âmes, non pour les faire coexister, mais pour choisir entre elles, selon que les mouvements et phénomènes du monde seront bons ou mauvais. Loin que Platon affirme d'emblée la coexistence de deux principes contraires, il raisonne tout aussitôt comme s'il ne devait y avoir qu'*une seule* âme pour gouverner le monde : une seule âme qui, dans un cas (si les effets sont bons) sera dite bonne (= associée à la raison), dans l'autre cas (si les effets sont mauvais), sera dite mauvaise (= associée à la déraison). C'est ce que marque, très nettement, 897 b 7-c 2 : « De quelle sorte est l'espèce d'âme qui gouverne le ciel et la terre, etc.? Sera-ce l'espèce d'âme qui possède sagesse et vertu, *ou bien* l'espèce d'âme qui ne possède ni l'une ni l'autre? » Il n'est pas question de la coexistence de deux âmes : ce sera l'une ou ce sera l'autre. Et en effet nous ne nous trouvons plus ici dans l'hypothèse du *Politique*. Sans doute l'on envisage dans les *Lois* une multiplicité de mouvements à l'intérieur du monde. Mais le Ciel extérieur lui-même n'est mû que d'un seul mouvement, il ne va pas, comme dans le *Politique*, tantôt dans un sens, tantôt dans le sens contraire. Dès lors, pour décider si le mouvement du Ciel extérieur a pour principe une âme bonne ou une âme mauvaise, il n'est que d'examiner ce mouvement. Ressemble-t-il au mouvement de l'intellect (νοῦ κίνησις 897 c 5) ou va-t-il sans ordre ni raison (μανικῶς καὶ ἀτάκτως ἔρχεται 897 d 1) ? Le même raisonnement vaut, à coup sûr, pour les mouvements subordonnés à ce mouvement universel. On établit alors que le mouvement universel, étant circulaire, est le plus semblable au mouvement de l'intellect. D'où la conclusion : l'âme qui meut le Ciel, veille sur lui et l'ordonne (898 c 3) est nécessairement bonne, *qu'elle soit unique ou multiple* (898 c 7). On le voit : la question « âme une ou multiple » est indépendante de la question « âme bonne ou mauvaise ». Celle-ci concerne la qualité des mouvements et des phénomènes cosmiques : sont-ils bons ou mauvais, et dérivent-ils en conséquence d'une âme bonne ou mauvaise ? Celle-là concerne la multiplicité et la diversité des phénomènes, — par exemple les mouvements irréguliers des planètes : pour expliquer ces mouvements irréguliers, suffit-il d'une seule âme ou ne faut-il pas en supposer plusieurs, une pour chaque planète (cf. X, 899 b et VII, 820 e-822 d) ? Les *Lois* laissent la question ouverte, mais un point du moins est sûr, c'est que, unique ou multiple, l'âme qui est au principe des mouvements des planètes est bonne :

« Au sujet de tous les astres donc et de la lune, au sujet des années, des mois et de toutes les saisons (1), que dire d'autre que ceci même ? à savoir que, une âme ou des âmes étant manifestement la cause de tous ces phénomènes, *et ces âmes étant bonnes d'une totale excellence*, nous dirons qu'elles sont des dieux » (899 b 3-7).

Tel me paraît le sens obvie de l'ensemble du morceau 896 c 5-898 c. 8. C'est dans cet ensemble qu'il faut considérer la phrase 896 e 4-6 : « Une ou plusieurs ? Plusieurs. Admettons-en au moins deux, etc. » Toute la suite le montre, cette phrase n'affirme pas la coexistence des deux âmes, elle pose une alternative. L'âme (ou les âmes) qui meut (ou qui meuvent) le Ciel sera (ou seront) ou bonne ou mauvaise selon que les mouvements célestes seront réguliers ou irréguliers. Il n'y aura qu'une âme bonne s'il n'y a qu'un mouvement (celui des fixes) ; il y aura plusieurs âmes bonnes si les mouvements sont multiples et que cette multiplicité oblige à reconnaître plusieurs âmes.

Si, détachant de ce contexte la phrase litigieuse, on la regarde comme l'affirmation de la coexistence de deux principes contraires, on aboutit à une grande difficulté : que sera cette Ame mauvaise, opposée à l'Ame bonne ? Sera-ce un second Dieu de tendance contraire au Dieu bon ? Le *Politique* a pu faire cette hypothèse, en la rejetant d'ailleurs, parce qu'il s'agissait là de deux mouvements contraires du Ciel extérieur, ce qui n'est pas le cas des *Lois*. Puisqu'il ne s'agit pas, dans les *Lois*, du mouvement universel, lequel est affirmé semblable au mouvement de l'intellect, et donc ordonné et bon, on ne pourra faire intervenir l'Ame mauvaise que pour expliquer le désordre du monde, ou plus précisément les désordres particuliers inclus dans l'Ordre universel. D'après la doctrine du *Politique*

---

(1) Années, mois et saisons dépendent de la course des planètes, cf. *Tim.* 39 c.

et du *Timée*, ces désordres ressortissent à la matière. On l'a vu, la matière n'est pas seulement limite à l'Ordre, elle se trouve être par elle-même cause positive de désordre en ce qu'elle est mue, spontanément, de mouvements chaotiques. Sous cet aspect, la matière est autre chose qu'un pur non-être relatif, correspondant à l'Autre en dialectique : elle a une sorte d'être, elle existe en réalité. Dans le *Timée*, le mouvement spontané de la matière n'est pas expliqué. Doit-on supposer que cette explication se trouve dans les *Lois*, sous la forme précisément de l'Ame mauvaise? Si la matière se meut d'elle-même, s'il n'est de mouvement que par une âme, ne faut-il pas concevoir une Ame de la matière, et, nécessairement, puisque les mouvements de la matière sont désordonnés, une Ame mauvaise? Ainsi raisonne Wilamowitz (1). Le malheur est que notre morceau des *Lois* (896 c 6-898 c 8) ne fait aucune mention de la matière, bien que cette mention paraisse absolument indispensable si l'on maintient la coexistence des deux principes : dans ce cas en effet, le seul moyen d'expliquer l'Ame mauvaise est de l'identifier à la matière (2). Platon ne devait-il pas le dire, ou au moins l'insinuer?

Sans doute il est bien question, par la suite, de désordre dans le monde. Mais on le dit fort explicitement, il s'agit en ce cas des affaires humaines (μὴ φροντίζειν δὲ αὐτοὺς [sc. τοὺς θεούς] τῶν ἀνθρωπίνων πραγμάτων, 899 d 5). Le jeune homme voit les bons suc-

---

(1) *Platon*, II, p. 321, comparant *Lois* X, 897 d εἰ μανικῶς καὶ ἀτάκτως ἔρχεται (ἡ οὐρανοῦ φορά) et *Tim*. 30 a (voir aussi 52 e) : πᾶν ὅσον ἦν ὁρατὸν παραλαβὼν κινούμενον πλημμελῶς καὶ ἀτάκτως εἰς τάξιν ἤγαγεν. Pour F. Cornford, *Plato's Cosmology*, pp. 207-210, il ne peut être question, dans le *Timée*, de deux Ames, mais le Chaos « initial » n'en est pas moins dû à une action de l'Ame, c'est-à-dire de la partie irrationnelle de l'Ame du Monde; il est dû au mouvement du Cercle de l'Autre qui, tournant en sens contraire du Cercle du Même, peut être comparé à la révolution rétrograde qui se produit dans le *Politique*, quand l'Univers se meut αὐτομάτως. Dans un sens analogue, Guéroult, *op. cit.*, pp. 48 ss.

(2) On a voulu, ces derniers temps, chercher la source de la doctrine des deux principes antagonistes dans la religion de l'Iran. Ainsi Jaeger pour le texte des *Lois* (X, 896 e : cf. W. Jaeger, *Aristoteles*, Berlin, 1923, pp. 133-134), Reitzenstein pour ceux du *Théétète* (R. Reitzenstein-H. H. Schaeder, *Studien zum antiken Synkretismus aus Iran und Griechenland*, Leipzig, 1926, p. 33), du *Politique* (270 a : cf. *l. c.*, pp. 34-35, 65-67), du *Timée* (*l. c.*, pp. 35-36, 142-148) et des *Lois* (896 e : *l. c.*, pp. 6, 66, 148-149). Platon aurait connu ces doctrines iraniennes par Eudoxe de Cnide qui fit deux séjours à Athènes (vers 382 et 368), entre lesquels se place un voyage de seize mois en Égypte (381-380 ou 379-377, cf. Reitzenstein, *l. c.*, p. 33; Hultsch ap. P. W., VI, 931-932). Or nous apprenons par Pline (*N. H.*, XXX, 3 : cf. Jaeger, p. 133) qu'Eudoxe s'intéressait aux enseignements des Mages; il fut en relation avec l'Académie (Strabon, XIV, 566, le dit ἑταῖρος de Platon); les dates concordent bien, car le *Théétète* et le *Politique* ont pu n'être écrits qu'après 368, le *Timée* et les *Lois* sont postérieurs à 360. Mais tout cela reste hypothétique. Et à supposer même que Platon eût connu ces doctrines, il ne s'ensuit pas qu'il les ait adoptées. La théorie de deux dieux contraires est rejetée dans le *Politique*; quant aux *Lois*, il faudrait prouver d'abord que Platon accepte la coexistence des deux Ames, et le texte ne favorise pas cette exégèse. Voir aussi J. Bidez, *Eos*, Bruxelles, 1945, pp. 97-100, mon article *Rev. Phil.*, XXI, 1947, pp. 5 ss. et *Addenda*.

comber à la misère, les méchants prospérer. Est-ce juste, est-ce de l'ordre? De là vient qu'on nie la Providence. C'est alors que, dans un fameux passage (903 b 4-e 1), Platon expose sa doctrine de l'Ordre universel dans lequel se résorbent ces désordres particuliers que sont les souffrances individuelles. Si petite qu'elle soit, chaque partie tend au bien du Tout et a regard au Tout (1). Il faut donc regarder le Tout et prendre conscience que ce qui est meilleur pour le Tout est meilleur aussi pour nous (τὸ περὶ σὲ ἄριστον τῷ παντὶ συμβαίνει καὶ σοί 903 d 2). Aussi bien le temps viendra-t-il de la juste rétribution. Ayant considéré que toutes les actions sont le fait d'une âme, qu'il y a dans ces actions soit beaucoup de vertu soit beaucoup de vice, et que d'autre part l'ensemble du monde (corps et âme) est indestructible, le Roi suprême a établi, dans le monde, des emplacements différents pour ces parties de l'Univers que sont les âmes individuelles : en allant occuper ces lieux, elles assurent dans le monde le triomphe de la vertu et la défaite du vice (904 a 6-b 6). Quand une âme, par l'ensemble de sa conduite, a grandement participé à une excellence toute divine, elle passe aussi à un lieu tout saint, transportée qu'elle est d'un emplacement inférieur à un autre, plus élevé; quand elle a vécu de la manière contraire, elle passe aussi à un lieu contraire (904 d 4-e 3). Ainsi donc, même en accordant que l'Univers (2) soit plein de maux comme de biens, et que le mal y domine (906 a 2-5) (3), on s'aperçoit aussitôt qu'il s'agit ici encore du mal moral, puisqu'il est parlé d'une lutte où nous avons pour auxiliaires les Dieux et les Génies, — étant nous-mêmes d'ailleurs la possession de ces Dieux et Génies (κτῆμα 906 a 7), — d'une lutte entre le vice et la vertu (906 a 5 b 3). Il peut bien se faire que des vicieux dont la prospérité résulte de gains injustes assiègent les dieux de leurs prières pour en obtenir de conserver impunément leurs richesses (906 b 3-c 2). Ce péché de « pléonexie » (s'enrichir aux dépens des autres) n'en constitue pas moins un déséquilibre, ana-

---

(1) μόριον εἰς τὸ πᾶν συντείνει βλέπον ἀεί, καίπερ πάνσμικρον ὄν 903 c 1-2. D'où Marc-Aurèle XII, 18, 2 εἰς τὸ πᾶν ἀεὶ ὁρᾶν, Plot., II, 9, 9. 75 πρὸς τὸ πᾶν δεῖ βλέπειν. Cf. mon livre *La Sainteté* (Paris, 1942), pp. 58-62.

(2) C'est le sens, ici, de τὸν οὐρανόν 906 a 3. Il ne peut s'agir du ciel puisqu'on a démontré que le mouvement céleste est ordonné et bon (898 c 1-8), et puisqu'on répète ici-même (906 b 1-2) que la justice, la tempérance et la sagesse résident dans les dieux du ciel (= les astres). Il n'y a dans le ciel que de bonnes choses, il n'y en a pas de mauvaises. Pour οὐρανός = « Univers », cf. *Phèdre* 247 b 7, c 2 (ψυχὴ) πάντα οὐρανὸν περιπολεῖ,... πάντα τὸν κόσμον διοικεῖ, *Polit.* 269 a 7 ὃν δὲ οὐρανὸν καὶ κόσμον ἐπωνομάκαμεν, *Tim.* 28 b 3 ὁ δὴ πᾶς οὐρανὸς ἢ κόσμος (cf. Taylor, p. 65), 32 b 8 : à l'aide des quatre éléments Dieu assemble et combine en synthèse un Univers visible et tangible (συνέδησεν καὶ συνεστήσατο οὐρανὸν ὁρατὸν καὶ ἁπτόν, cf. 31 b 5-8).

(3) Le sens est d'ailleurs controversé : cf. GUÉROULT, *op. cit.*, p. 55, n. 1, et *infra*, p. 140, n. 1.

logue à la maladie dans le corps de chair, aux pestilences produites par un déséquilibre des saisons, à l'injustice dans la Cité (906 c 2-6). Et c'est bien tel que ce péché apparaît au regard des dieux. Il serait donc impie de croire que les dieux puissent se laisser fléchir par les offrandes des méchants : ceux-ci sont voués au châtiment (résumé de 906 c 8-907 b 4). On le voit donc : dans la seconde (899 d-905 d) et la troisième preuve (905 d-907 b) des *Lois*, il est bien question sans doute de désordre, mais de désordre moral, d'une injustice dans les choses d'ici-bas (succès des méchants, échec des bons), injustice d'ailleurs compensée par la juste répartition, en différents lieux de l'Univers, des âmes désincarnées. Il n'y a guère qu'une petite phrase, d'ailleurs incidente, qu'on puisse rapporter à un désordre cosmique : c'est l'allusion aux pestilences (λοιμόν) qui marquent un déséquilibre, une « pléonexie », dans les saisons (906 c 4-5).

10. Voici donc, en conclusion, ce qu'il semble qu'on puisse dire touchant la Χώρα-matière platonicienne. Sous un premier aspect, elle apparaît comme une transposition physique de la notion dialectique de l'Autre : elle est un non-être relatif qui permet d'une part la multiplicité des objets sensibles, distingués par le lieu qu'ils occupent, d'autre part le changement au même lieu d'un objet en un autre. Sous un second aspect, étant mue spontanément de mouvements désordonnés qu'elle transmet aux éléments dont elle est le réceptacle, la Χώρα-matière apparaît comme un principe autonome de désordre qui ne limite pas seulement la causalité du Bien, mais s'y oppose. Ces deux aspects de la Χώρα-matière sont indiqués dans le *Timée*. L'antagonisme de l'Intellect (qui tend au bien) et de la matière (qui se porte naturellement au désordre) est mis en relief dans le *Politique* grâce à la fiction d'un double mouvement circulaire du monde, qui tourne tantôt dans le bon sens quand il est guidé par l'Intellect, tantôt dans le sens contraire quand, abandonné à lui-même, il revient à l'inclination naturelle qu'il a au désordre du fait de la matière dont il est issu. Dans le *Théétète*, le mal terrestre est dit inévitable puisqu'il doit exister nécessairement un contraire du Bien. Dans les *Lois* enfin, l'Ame mauvaise n'est présentée que sous forme d'hypothèse : puisque le mouvement du monde doit être rapporté à une âme, cette âme sera dite bonne si le mouvement cosmique est de l'ordre de l'Intellect et de la Sagesse, mauvaise si, à l'examen, le mouvement cosmique se révèle désordonné. De fait, il est ordonné.

Sans doute, par elle-même, la matière est-elle le siège de mouvements désordonnés, dès lors principe de désordre : et de là vient que, dans la fiction du *Politique*, où la matière est laissée à elle-même, comme dans celle du *Timée* où l'on décrit l'état de la matière avant que Dieu ne l'ait organisée, Platon peut représenter ce qu'est la matière selon son essence propre, et ce qu'elle accomplirait une fois livrée à sa seule inclination. Mais, en réalité, la matière n'est jamais livrée à elle-même. Le monde est éternel, donc éternellement en ordre, éternellement dirigé par une Ame intelligente. Il n'y a pas de désordre cosmique actuel : Platon est constant sur ce point. C'est seulement dans le cas de l'homme, pour lequel la genèse n'est pas fiction mais réalité, qu'on constate un désordre actuellement réalisé. Dans le *Timée*, ce désordre des choses humaines est expliqué par la matière; dans les *Lois*, il est plutôt d'ordre moral. Rien n'indique cependant que Platon ait renoncé à la première explication : l'objet des *Lois* étant moral, il n'y avait pas à s'y étendre sur les notions physiques du *Timée*.

Il apparaît ainsi que, d'un bout à l'autre, Platon demeure conséquent avec lui-même. Il y a un désordre inhérent à la matière : et, de ce point de vue, on peut tenir la matière pour un principe contraire au Bien. Mais, dans le cas du monde, ce désordre est strictement limité puisque le monde, éternel, est éternellement ordonné par une Ame intelligente et bonne. Le désordre matériel ne se fait sentir que dans la zone sublunaire, notamment chez l'homme. Le monde céleste, quant à lui, est beau et bon : seules les choses humaines sont mêlées de bien et de mal, jusque-là que le mal y prédomine en apparence. Platon lui-même a soin de distinguer ces deux ordres de réalités. Mais il se peut que, dès l'ancienne Académie, on ait confondu les deux ordres et généralisé l'action du mal dans le monde. Du moins un témoignage de Théophraste induit-il à le penser. Après avoir énoncé quelques difficultés que présente une notion trop universelle de la téléologie, Théophraste ajoute (1) : « Quant à dire que, dans l'ensemble du monde, le bien est chose rare et ne se rencontre qu'en peu d'objets, alors que le mal fait une masse considérable et ne consiste pas seulement dans l'indétermination et sous forme de matière, comme c'est le cas dans les êtres de la nature, c'est parler en homme très ignorant. Car on parle de façon inconsidérée, quand on dit, comme a fait Speusippe touchant l'ensemble de la réalité, que le valable (τὸ τίμιον) y est chose rare, ne se trouvant

---

(1) Théophr., *Métaph.*, IX, 32, p. 11 a 18-26 Usener = p. 322 Brandis. Je suis le texte de W. D. Ross- F. H. Fobes (Oxford, 1929), p. 36.

en fait que dans la région du centre, tandis que le non-valable y occupe les extrémités de chaque côté du centre (1). Ce qui est vrai plutôt, c'est que la réalité est belle et a toujours été belle. » Sur quoi, Théophraste passe tout aussitôt à ce qu'il pense être la vraie position de Platon (2). Dans l'exposé qui va suivre, on notera deux traits. D'une part, la dyade opposée à l'un est la région de l'indéterminé : c'est la Χώρα transposition de l'Autre, sorte de non-être indispensable dès là qu'on admet une pluralité d'êtres distincts de l'Être parfait. D'autre part, la dyade est la région de l'inordonné et, de ce fait, apparaît comme un contraire de l'un : c'est la Χώρα principe de désordre. « En revanche, selon Platon et les Pythagoriciens, grande est la distance <entre les êtres vrais et les réalités de la nature >, mais toutes choses désirent d'imiter <les êtres vrais>. Cependant, comme les philosophes admettent une sorte d'opposition entre l'un et la dyade indéfinie, de qui dépendent essentiellement (καθ' αὐτήν) l'indéterminé, l'inordonné et, pour ainsi dire, tout le domaine de l'informe, il est absolument impossible que la Nature universelle subsiste sans la dyade : bien plutôt, selon eux, la dyade a part égale avec l'autre principe, ou même l'emporte sur celui-ci : d'où il résulte que les deux principes sont contraires l'un à l'autre. C'est pourquoi, même si l'on fait de Dieu la Cause Première, Dieu ne peut conduire toutes choses vers la fin la meilleure, mais, s'il conduit ainsi toutes choses, c'est seulement dans la mesure du possible; et peut-être même ne choisirait-il pas de le faire (= tout conduire vers le meilleur), s'il en devait résulter la destruction de l'ensemble de la réalité, puisque cet ensemble est fait de contraires et dépend de principes contraires. »

S'il n'y a pas de désordre cosmique, si le monde est bon et beau, et si en revanche, les choses d'ici-bas, sont toutes contaminées par le mal, quel est le salut? « D'ici-bas là-haut s'évader au plus vite. » C'est la contemplation de l'ordre universel, tel qu'il se manifeste dans les mouvements réguliers des dieux célestes, qui doit nous arracher au triste spectacle des choses humaines. Ainsi l'analyse de la téléologie platonicienne et de ses limites, la double considération de l'ordre de l'ensemble et du désordre particulier aux ἀνθρώπινα πράγματα, mène-t-elle tout naturellement à examiner le sens et la

---

(1) Dans l'hypothèse du feu cosmique au centre de l'Univers (ARIST., de Caelo, 293 a 20-21), cette position étant supposée la plus honorable (ib., 293 a 27-b 1).
(2) THEOPHR., Métaph., IX, 33, p. 11 a 27-b 12 Usener = pr. 322 Brandis = p. 36 Ross-Fobes.

valeur de la contemplation du monde et, par le monde, du Dieu ordonnateur.

III. La contemplation du monde dans le *Timée* et les *Lois*.

1. On se rappelle le passage célèbre de la *République* sur l'astronomie (VII, 527 d-530 c). Dans la hiérarchie des sciences, l'astronomie reçoit d'abord le troisième rang (527 d), après la science des nombres (arithmétique) et celle des surfaces planes (géométrie). Puis, tout aussitôt, Socrate se reprend (528 a), pour montrer qu'avant d'étudier les solides en mouvement il faut les étudier en eux-mêmes : après la géométrie vient donc la stéréométrie, et, au quatrième rang, l'astronomie (528 a-e). Suit alors, de la part de Glaucon, un éloge de l'astronomie (1) : « elle oblige l'âme à regarder en haut (εἰς τὸ ἄνω ὁρᾶν), elle mène des choses d'ici-bas aux choses du ciel » (ἀπὸ τῶν ἐνθένδε ἐκεῖσε ἄγει 529 a 2-3). — Non pas, répond Socrate, non pas, si on la pratique comme on le fait aujourd'hui : en ce cas, elle abaisse tout à fait les regards vers le bas (πάνυ ποιεῖν κάτω βλέπειν 529 a 8). Autre chose est de regarder avec l'œil corporel, autre chose avec l'œil de l'âme. Or la seule étude qui amène cet œil de l'âme à regarder en haut est celle qui concerne l'être existant et invisible (οὐ δύναμαι ἄλλο τι νομίσαι ἄνω ποιοῦν ψυχὴν βλέπειν μάθημα ἢ ἐκεῖνο ὃ ἂν περὶ τὸ ὄν τε ᾖ καὶ ἀόρατον 529 b 4-5). La science ne comporte rien de sensible. On a beau lever la tête (ἀνακύπτων 529 b 1), bouche bée (κεχηνώς 529 b 6), ou nager en faisant la planche (ἐξ ὑπτίας νέων 529 c 1), si l'on se donne pour objet les astres visibles, on abaisse, en fait, le regard de l'âme (κάτω βλέπειν τὴν ψυχήν 529 c 1). Quelque beauté donc et quelque exactitude qu'il y ait dans la broderie du ciel (ποικίλματα 529 b 1, c 7, πεποίκιλται c 8, ποικιλίᾳ d 7), ces astres visibles sont bien inférieurs aux constellations invisibles, c'est-à-dire aux pures relations mathématiques qui subsistent entre les astres : or ces rapports, ce n'est pas la vue, mais la raison et la pensée discursive qui les perçoivent (529 c 7-d 5). Il ne faut donc se servir de ces entrelacs célestes qu'à titre d'exemples (παραδείγμασι), comme on ferait de beaux dessins tracés par un Dédale ou quelque autre peintre de génie (529 d 7-e 3). A la vue de ces images, un géo-

---

(1) Il l'a louée une première fois pour son utilité pratique, 527 d : elle permet au laboureur, au marin et au chef d'armée de reconnaître aisément les temps du mois et de l'année. Ce point de vue purement utilitaire est rejeté par Socrate. Le véritable service que rend l'astronomie, comme toute vraie science, est de purifier l'œil de l'âme, ὄργανόν τι ψυχῆς ἐκκαθαίρεται 527 d 8.

mètre jugera sans doute que c'est là de l'excellent travail, mais il n'aura pas l'idée d'y chercher la vérité quant aux rapports d'égalité, du double ou de toute autre proportion. Il en va de même du véritable astronome quand il jette les yeux sur les mouvements célestes. Il pensera que l'Ouvrier du ciel a construit son ouvrage de la façon la plus belle : mais, quant aux vraies relations de la nuit au jour, de ces deux au mois, du mois à l'année, des autres astres au soleil, à la lune et entre eux, il serait absurde, selon lui, de les chercher dans ces astres visibles, d'autant que, étant corporels, on ne peut croire qu'ils conservent toujours les mêmes rapports sans la moindre déviation (529 e 3-530 b 5). L'étude de l'astronomie consiste donc, comme celle de la géométrie, à poser des problèmes (προβλήμασι χρώμενοι 530 b 7), et non pas à contempler les êtres du ciel (530 b 7-9). Passons au *Timée*. Les textes relatifs à la contemplation y sont au nombre de deux. L'un, qui vient en conclusion de la troisième partie, avant le court appendice sur les animaux, dégage le sens profond du *Timée :* la connaissance de l'Univers doit se tourner en connaissance de l'Intellect qui régit le monde, et, par suite, en réforme morale. Citons tout d'abord cette admirable page (90 a 2-d 7) :

« Quant à cette espèce d'âme qui en nous est souveraine (= l'âme immortelle), voici ce qu'il en faut penser. Dieu l'a donnée à chacun de nous comme un Génie divin, cette espèce d'âme dont nous déclarons qu'elle habite au sommet de notre corps et qu'elle nous élève, au-dessus de la terre, vers ces parents que nous avons au ciel (1), puisque nous sommes une plante non pas terrestre, mais céleste. Et ce langage est parfaitement vrai. En effet, c'est là-haut, d'où l'âme, pour la première fois, a pris naissance, que la Divinité a suspendu notre tête, qui est comme notre racine, et, de la sorte, donné au corps la station droite. Lors donc qu'un homme s'est longtemps livré aux concupiscences de la chair ou à la poursuite des honneurs et que c'est pour ces choses-là qu'il s'est donné le plus de peine, toutes ses préférences, nécessairement, se sont inclinées vers la terre, et, pour autant qu'il est possible de se rendre mortel, il ne s'en faut de rien qu'il y réussisse entièrement, puisqu'il s'est toujours appliqué à nourrir la partie mortelle. Lorsqu'en revanche un homme a tendu de tout son zèle à la science et aux pensées vraies, que, de toutes ses facultés, il a exercé principalement celles de l'esprit, un tel homme, de nécessité absolue, quand il parvient à la vérité, a dans son cœur et sa pensée de l'immortel et du divin, et, pour autant qu'il est permis à la nature humaine de participer à l'immortalité, nulle part ne lui en échappe. Il ne cesse de rendre culte à la Divinité ; il entretient toujours, soigné et paré comme il faut, le « démon » qui habite en lui : il jouit donc néces-

---

(1) πρὸς τὴν ἐν οὐρανῷ συγγένειαν (90 a 6). Le mot me paraît pris au sens concret (= οἱ συγγενεῖς, cf Eurip., *Or.*, 1233 ὦ συγγένεια πατρὸς ἐμοῦ.... | γάμεμνον, 732-3 φίλταθ' ἡλίκων ἐμοὶ | καὶ φίλων καὶ συγγενείας, Plat., *Gorg.* 472 b 2-3 ἡ Περικλέους ὅλη οἰκία ἡ ἄλλη συγγένεια, *Lois*, I, 627 c 10 ἥ τε οἰκία καὶ ἡ ξυγγένεια αὕτη πᾶσα) et désigner les astres dans lesquels les âmes ont été réparties (une par astre) après leur création avant d'être enfermées dans des corps, 41 d 8-e 2.

sairement d'une « eudémonie » singulière (1). Maintenant, il n'y a qu'une manière de prendre soin d'une chose, quelle qu'elle soit : c'est en procurant, chaque fois, les aliments et les mouvements qui conviennent. Or les mouvements qui ont de l'affinité avec le principe divin en nous sont les pensées du Tout et ses révolutions. Que chacun donc, suivant ces mouvements célestes, redresse, par la connaissance des harmonies et des révolutions du Tout, les révolutions (de l'âme intellectuelle) dans notre tête, qui ont été gâtées au moment de la naissance ; qu'il rende le sujet qui contemple semblable à l'objet contemplé, conformément à la nature originelle de ce sujet ; et qu'ainsi, ayant achevé cette ressemblance, il atteigne le terme suprême de la vie la meilleure, que les dieux ont proposée aux hommes, pour la durée présente et le temps à venir. »

L'autre texte vient en conclusion de la première partie, dans l'explication du corps humain, plus précisément de la vue. Dans un morceau qui annonce la deuxième partie et y prépare, Platon a décrit le mécanisme physiologique de la vue : ceci ressortit aux causes accessoires et ne fournit pas la véritable explication, qui est du ressort de la Cause Finale. Platon se reprend donc, pour nous dire quelle est la vraie utilité des yeux (46 e 8-47 c 4) :

« Quant à l'utilité principale des yeux, en vue de laquelle le Dieu nous en a fait présent, c'est ce qu'il faut dire maintenant. Certes, la vue, à mon jugement, a été créée pour être, à notre profit, le principe de l'utilité la plus grande. De ces discours que nous tenons aujourd'hui sur l'Univers, aucun, jamais, n'eût été prononcé si les hommes n'avaient eu la vision ni des astres, ni du soleil, ni du ciel. De fait, c'est le spectacle du jour et de la nuit, des mois, du cycle régulier de l'année, des équinoxes, des solstices, qui a préparé l'invention du nombre, amené à la notion du temps et à l'enquête relative à la nature de l'Univers : par ce moyen, nous nous sommes procuré une sorte de philosophie, telle que nul bien plus grand ne fut jamais ni ne sera jamais accordé par les dieux à la race humaine. Voilà donc, selon moi, le bienfait essentiel des yeux : les autres bienfaits de moindre prix, pourquoi en rebattre les oreilles, puisqu'il faut n'être point philosophe pour gémir sur leur perte, si l'on est devenu aveugle, en versant des larmes vaines ? Qu'il soit donc entendu entre nous que, du fait suivant, voici la cause et l'intention : si le Dieu a inventé la vision et nous en a fait présent, c'est afin que, ayant contemplé les mouvements périodiques de l'Intellect dans le ciel, nous en usions au profit des révolutions de notre propre pensée, qui ont affinité avec ces mouvements, mais qui ont été troublées alors que ces mouvements ne connaissent point de trouble, et pour que, après avoir appris à fond ces mouvements, connu la rectitude des rapports mathématiques qu'ils soutiennent ensemble par nature (2), en imitant les

(1) ἅτε δὲ... ἔχοντα αὐτὸν εὖ κεκοσμημένον τὸν δαίμονα σύνοικον ἐν αὐτῷ, διαφερόντως εὐδαίμονα εἶναι. L'image est celle d'une statue divine dont on entretient toujours le soin et la parure (κόσμος). En outre, jeu de mots sur δαίμων, εὐδαιμονία, littéralement « état de celui qui a un bon δαίμων, c'est-à-dire qui a obtenu une bonne part ». Cf. Contemplation... selon Platon, pp. 268-275.

(2) Je paraphrase quelque peu la formule extrêmement dense καὶ λογισμῶν κατὰ φύσιν ὀρθότητος μετασχόντες· 47 c 2-3.

révolutions du dieu (= le ciel) qui ne comportent absolument aucune déviation, nous puissions stabiliser les nôtres qui dévient sans cesse. »

Ajoutons enfin deux courts passages relatifs à l'origine des oiseaux et des quadrupèdes. Ces animaux, comme tous les autres et la femme elle-même, sont issus d'une dégénération de la première race d'hommes. Les oiseaux sont sortis d' « hommes non pas méchants, mais légers, qui sans doute prêtent attention aux choses du ciel (1), mais croient, en raison de leur simplicité, que la vue suffit pour qu'on obtienne de ces choses les démonstrations les plus solides » (91 d 8-e 1). Quant aux quadrupèdes, ils proviennent d'hommes indifférents aux choses du ciel parce qu'ils n'avaient plus l'usage des révolutions (de l'âme intellectuelle) qui se font dans la tête, mais suivaient uniquement les parties de l'âme établies dans le thorax (91 e 4-6) : de là vient que ces animaux ont les membres antérieurs et la tête inclinés vers la terre, avec laquelle ils ont affinité et qui les tire en bas (91 e 7-8).

2. Il importe de voir d'une manière un peu précise en quoi la notion de contemplation dans le *Timée* ressemble à celle de la *République* et en quoi elle en diffère (2).

Sous un certain aspect, qui se manifeste surtout dans les dialogues constructifs jusqu'à la *République*, mais qui ne laisse pas d'apparaître plus tard encore, par exemple dans le *Philèbe*, la contemplation platonicienne peut se définir une montée vers l'Un, l'Un conçu comme le sommet de l'intelligibilité et comme le sommet de l'être existant. Comme les intelligibles sont de l'ordre de la science vraie, donc de l'immuable, ils sont parfaitement immatériels, et la connaissance des objets sensibles ne peut aucunement mener à l'Un. Mais les intelligibles eux-mêmes devront être transcendés : l'Un est au delà de l'Idée. Le principe qui unifie les Formes n'est plus lui-même

---

(1) μετεωρολογικοί 91 d 8. Le mot ne semble pas revêtir ici la nuance de mépris, propre à μετεωρολόγος et autres formes semblables (cf. HIPPOCR., *Aër.*, 2, p. 57. 7-8 Heiberg εἰ δὲ δοκέοι τις ταῦτα μετεωρολόγα εἶναι (rêveries d'astronome), PLAT., *Rép.*, VI, 488 e 4 μετεωροσκόπον τε καὶ ἀδολέσχην (bavard) καὶ ἄχρηστον (bon à rien), 489 c 6 ἀχρήστους. καὶ μετεωρολέσχας, *Polit.* 299 b 7 πρῶτον μὲν μήτε ἰατρικὸν αὐτὸν μήτε κυβερνητικὸν ὀνομάζειν ἀλλὰ μετεωρολόγον. ἀδολέσχην τινὰ σοφιστήν, ARISTOPH., *Nub.*, 333 μετεωροφένακες, 360 μετεωροσοφισταί, GORGIAS, *Hélène*, § 13 ὅτι δ' ἡ πειθὼ προσιοῦσα τῷ λόγῳ καὶ τὴν ψυχὴν ἐτυπώσατο ὅπως ἐβούλετο, χρὴ μαθεῖν πρῶτον μὲν τοὺς τῶν μετεωρολόγων λόγους, οἵτινες δόξαν ἀντὶ δόξης τὴν μὲν ἀφελόμενοι τὴν δ' ἐνεργασάμενοι τὰ ἄπιστα καὶ ἄδηλα φαίνεσθαι τοῖς τῆς δόξης ὄμμασιν ἐποίησαν), mais signifier simplement : « celui qui fait attention aux choses du ciel », par opposition à celui qui n'y fait pas attention, cf. les quadrupèdes issus d'hommes μηδὲν προσχρωμένων φιλοσοφίᾳ μηδὲ ἀθρούντων τῆς περὶ τὸν οὐρανὸν φύσεως πέρι μηδέν 91 e 2-4.

(2) Pour la *République*, je résume à larges traits ce que j'ai longuement développé dans *Contemplation... selon Platon*, pp. 157-249.

une Forme : il ne comporte pas de définition, il n'est donc point une essence (1). Il est seulement le principe qui unifie chaque essence, et qui unifie l'ensemble des essences, qui permet d'embrasser d'un même regard synoptique tout l'ordre des essences. Dès lors, la contemplation sera un progrès dans le sens de l'intériorité : pour parvenir à l'Un, il faudra non seulement fermer les yeux à tout le sensible, mais se recueillir en soi-même, atteindre en quelque sorte le fond de l'âme, ce point extrême où, vide de toute image, vide aussi de tout « discours » sur les Idées, l'âme se trouve prête à entrer en contact avec l'Être même existant. Cet effort exige une purification : l'intellect doit se purifier de toute image sensible; et il exige un assouplissement : l'intellect doit se rendre capable d'accéder par la dialectique à l'intuition synoptique de tous les intelligibles dans l'Un. Pour purifier et assouplir ainsi l'intellect, la meilleure méthode est celle des sciences mathématiques. D'abord l'arithmétique, qui habitue à ne considérer en tout objet sensible que sa valeur numérique; puis la science des surfaces planes (géométrie) et des solides (stéréométrie); puis la science des solides en mouvement, pour autant que ces mouvements sont ordonnés, réguliers, et comportent, d'un solide à l'autre, des rapports fixes. Tel sera exactement le rôle de l'astronomie : elle purifie et ravive l'œil de l'âme (*Rép.*, VII, 527 d-e). Mais toutes les sciences mathématiques, y compris l'astronomie elle-même, ne constituent qu'une propédeutique. La vraie science est la dialectique, qui consiste à reconnaître les rapports entre les Idées, partant à élaborer une hiérarchie des Idées, dont on prend, au terme, une vue synoptique par l'intuition de l'Un.

Dans la contemplation platonicienne considérée sous cet aspect, l'astronomie, la science des astres, la contemplation des astres, ne joue donc qu'un rôle inférieur et très limité. Les astres ne mènent au terme de la contemplation qu'en tant qu'ils sont des points mus, mus de mouvements réguliers dans lesquels ils conservent toujours les mêmes rapports. L'astronomie ne vaut que comme cinématique. Si la même régularité se retrouvait dans les mouvements de translation sublunaires, tous autres points mobiles eussent rendu un service analogue. Et l'astronomie ne mène pas directement à la vue de l'Un, elle n'est que la dernière étape de la propédeutique avant d'aborder la vraie science, qui est celle des Idées et de la hiérarchie des Idées. Quant à la raison profonde pour laquelle, dans ce système,

---

(1) Cf. *Contemplation... selon Platon*, pp. 229-233.

la considération mathématique des astres demeure à un rang assez bas, c'est que le Dieu qu'on cherche à atteindre est radicalement étranger au sensible, n'a rapport qu'avec les intelligibles. En effet, ce Dieu est l'Un, l'Un unifiant les Idées. Dès lors, non seulement la vue corporelle des astres n'a, il va sans dire, valeur aucune, mais encore la saisie intellectuelle des astres, j'entends de leurs mouvements et de leurs rapports fixes, ne constitue elle-même qu'un degré très inférieur dans la montée, puisque, entre ce degré et le terme final, qui est l'Un, il y a encore à franchir toute la hiérarchie des intelligibles. Bref, n'y ayant aucune relation entre l'Un et l'univers sensible, la considération de l'univers sensible et de l'ordre de cet univers n'est d'aucun fruit pour la contemplation. L'ordre de l'univers sensible ne pourrait mener qu'à un Dieu du sensible, à une Cause explicative du sensible. Il ne peut mener au Dieu des intelligibles, à l'Un qui les unifie et les fait être.

Voyons maintenant ce qu'il en est de l'astronomie dans le *Timée*. Certes, le nombre garde sa valeur souveraine. La vue purement sensible des astres ne compte pas. C'est par les yeux sans doute que nous est offert le spectacle du jour et de la nuit, des phases de la lune, du changement des saisons; mais, si ce spectacle ne nous amenait pas à nombrer, les yeux ne serviraient à rien. Il n'est pas question de contemplation esthétique; ou, du moins, si l'accent pénétré de la conclusion du *Timée* (90 a-e) ne laisse pas que de traduire un sentiment profond de révérence envers la beauté du Kosmos, ce sentiment n'est exprimé nulle part d'une manière explicite. Les yeux nous font appréhender la succession régulière de phénomènes qui dépendent des mouvements réguliers des astres; ces conséquences régulières nous amènent aux notions de nombre et de temps; nombre et temps permettent d'entreprendre l'enquête sur la nature; celle-ci enfin, qui est dite une « philosophie » (φιλοσοφίας γένος 47 b 1), est l'occupation la plus haute à laquelle on puisse se livrer ici-bas : voilà pour le *Timée*. Et il en va de même pour les *Lois*. Si, dans le septième livre des *Lois* (817 e-822 d), Platon recommande l'étude de l'astronomie non moins que celle des sciences du calcul d'une part, de la mesure des longueurs, surfaces et volumes d'autre part, c'est que, les astres suivant une course régulière (820 a ss.), la science des révolutions des astres et des rapports qui subsistent entre leurs divers circuits opère sur l'intellect le même effet que les autres sciences du nombre. Enfin, qu'il soit ou non de Platon, l'*Epinomis* développe longuement une doctrine analogue. La véritable sagesse est constituée par la science du nombre (976 e); et le dieu qui nous a fait présent du nombre, partant de la pensée, c'est le ciel (977 a) (1).

Mais à côté de cette ressemblance entre la *République* et le *Timée*, voici une différence bien remarquable. Dans la *République*, la science des rapports fixes entre les astres vaut sans doute en tant qu'elle purifie et excite l'esprit : mais cette valeur lui est commune avec toutes les autres sciences du nombre. En outre, l'astronomie n'est qu'un degré de la propédeutique : elle ne mène pas directement au Premier Principe, puisque ce Principe est l'Un qui est au sommet des Idées, et qu'il faut donc, pour parvenir à l'Un, connaître encore toute la science des Idées, la dialectique. Dans le *Timée* en revanche, l'astronomie mène directement à la connaissance du Principe et, par suite, à la béatitude. C'est qu'il s'est produit un grand changement. Dans la *République*, l'Univers sensible ne s'intégrait pas encore dans l'intelligibilité. On n'expliquait pas le monde, on ne le regardait que comme un obstacle à la montée vers Dieu. Maintenant, au contraire, le monde sensible trouve son explication : comme on l'a dit plus haut, il la trouve dans l'Ame, l'Ame pourvue d'un Intellect. D'une part l'Ame du Monde, étant Intellect, a connaissance des Idées. D'autre part l'Ame du Monde est principe du mouvement du monde, et, puisqu'elle a connaissance de l'ordre des intelligibles, elle est cause que les mouvements cosmiques participent à l'ordre et à l'harmonie. Ce n'est pas tout. Notre âme intellectuelle a été composée des mêmes substances que l'Ame du Monde. Son mouvement est donc de même sorte, les cercles du Même et de l'Autre doivent tourner dans l'âme humaine avec la même régularité que dans l'Ame universelle. Si ces cercles tournent à contre-temps dans les années de trouble qui suivent la naissance, c'est à cause du désordre inhérent à la matière. Mais il appartient à une sage éducation, il appartient à la droite philosophie, de corriger ces erreurs. En quoi consistera cette correction? A connaître exactement les mouvements réguliers des astres, c'est-à-dire la pensée parfaite de l'Ame du Monde, puis à réformer sa propre pensée conformément à

---

(1) On notera pourtant dans l'*Epinomis* un souci de l'utilité pratique qui est absent du *Timée* et des *Lois*. Sans doute, la succession du jour et de la nuit, des phases lunaires, des mois, les rapports numériques entre les révolutions planétaires enseignent la science du nombre (978 b-979 a) et ceci rappelle, presqu'à la lettre, le *Timée* (47 a-c, cf. 39 b-d). Grâce au spectacle des choses du ciel, l'homme, par une heureuse fortune, a appris πάντα ἀριθμὸν πρὸς ἀριθμὸν συνορᾶν (979 a 5). Mais on ajoute aussitôt : « c'est grâce à cela que nous sont venus les fruits de la terre, que la terre est devenue féconde, en sorte que tous les vivants trouvent à se nourrir, quand il ne se produit ni vents, ni pluies défavorables et excessifs » (979 a 6-8). C'est le point de vue purement utilitaire condamné dans la *République*, VII, 527 d.

cette connaissance. En agissant ainsi, le sage n'obtient pas seulement une preuve de la Divinité, il entre en communion avec Dieu lui-même. Notre âme est un δαίμων, un Génie divin logé dans le corps. Elle est d'origine céleste, et, dans la mesure où elle domine en nous, elle nous ramène à notre séjour originel. Celui qui s'applique à la philosophie et à la rectitude de l'esprit a, dans sa pensée et dans son cœur, de l'immortel et du divin (φρονεῖ ἀθάνατα καὶ θεῖα 90 c 1). On voit donc quelle est l'utilité de la contemplation des astres. Elle nous donne la perception de l'ordre universel, et, par là, nous mène à reconnaître l'Ame (Intellect) du Monde qui dirige éternellement ce bel ordre. Mais elle nous permet aussi de réformer notre propre pensée et de la mettre en accord avec l'Ame du Tout : « que le sujet qui contemple se rende semblable à l'objet contemplé : cette ressemblance achevée, il atteindra à la vie bienheureuse ». Dès lors la contemplation des astres est bien plus qu'un simple degré dans la montée vers le Principe : elle mène directement au Principe. C'est que l'objet qu'on veut atteindre, du moins immédiatement (1), a changé. Ce n'est plus l'Un unifiant les Idées. Dieu est maintenant l'Intellect qui meut le monde d'un mouvement ordonné. Dieu, dis-je, car c'est bien lui. Quand Platon, dans les *Lois* (X), s'applique à démontrer qu'il y a des dieux, c'est à cette Ame ordonnatrice qu'il nous fait aboutir : « Si les mouvements célestes ont affinité avec ceux de l'Intellect, il y a lieu d'affirmer que sur le monde entier veille l'Ame la plus excellente » (*Lois*, X, 897 c).

Ainsi la contemplation du Kosmos revêt un aspect religieux. Wilamowitz l'a bien montré dans une belle page (2) : « A lire ces paroles solennelles (*Tim.* 90 a-e), on sent l'émotion religieuse que Platon éprouve à contempler le ciel. Anaxagore avait compris que tout le bonheur du sage consiste à voir le ciel, à reconnaître l'ordre du monde, la régularité des lois de l'univers. Platon fait un pas de plus, en exhortant à mettre les mouvements de l'âme en harmonie avec ceux du Kosmos. Manifestement ce langage traduit des sentiments intimes, quand, dans le silence de la nuit, son regard pénétrait dans les hauteurs du ciel, et, tout ensemble, jusqu'au fond de son cœur. Il prenait alors conscience de l'harmonie de l'éternel, il se sentait d'accord avec cette harmonie, une douce paix envahissait son âme, calmant toute souffrance terrestre. Vieilli et mûri mainte-

---

(1) J'ajoute ces trois mots, car il n'est pas sûr que l'union à l'Ame-Intellect exclue la contemplation de l'Un : ce peut n'être encore qu'une étape, cf. *infra*, pp. 142-145.
(2) *Platon*, I, p. 617.

nant, il pouvait goûter cette paix, et se réjouir d'avoir atteint le but. »

Il faut aller plus avant, il faut se demander en quoi consiste cette béatitude que le sage se procure par la contemplation des astres.

Ici-bas, tout se meut sans ordre ni mesure, le mal est mêlé au bien, et la somme des maux l'emporte sur celle des biens. Tel est le sentiment de Platon, déjà peut-être au temps où il écrit le *Théétète*, en tout cas dans les *Lois* (1) : « L'Univers est rempli sans doute de beaucoup de bonnes choses, mais aussi de leurs contraires, et les choses, qui ne sont pas bonnes sont en plus grand nombre. » Celui qui écrit ces lignes a vu se dissiper tous ses rêves. S'il avait renoncé, depuis longtemps, à jouer un rôle politique à Athènes même (la situation est trop compromise, le mal presque sans remède), du moins Platon avait-il essayé d'aider à l'établissement, en Sicile, d'un sage gouvernement. Son dernier voyage à Syracuse (printemps 361-automne 360) lui a prouvé la vanité de cet espoir. Denys le jeune est incapable de la vie philosophique. Et Dion qui eût pu le conseiller, voire le remplacer, Dion est assassiné en 353 par un propre membre de l'Académie, l'Athénien Callippe (2). Quelle blessure au cœur du maître! Nul doute que cet événement ne l'eût confirmé dans sa volonté de retraite et son inclination au pessimisme.

Mais au-dessus des affaires humaines, au-dessus des misères de la terre, il y a le Ciel. Le Ciel toujours ordonné, image de l'ordre intelligible, où se déroule à nos yeux le plan d'une Pensée éternelle et parfaite. Le Ciel où règne la justice, et dont rien ne trouble la paix. Quand la cité d'ici-bas n'offre que sujets d'amertume, il reste au sage un moyen d'évasion. Qu'il accorde ses pensées à celles de l'Intellect divin, qu'il se rende semblable à l'objet contemplé : alors il pourra, par l'esprit, habiter la Cité du Monde. Et en conséquence, dès cette vie mortelle, il participe à l'immortel et au divin, il obtient la béatitude (3).

---

(1) *Lois*, X, 907 a 3-5 : εἶναι μὲν τὸν οὐρανὸν (Univers, cf. *supra*, p. 128, n. 2) πολλῶν μεστὸν ἀγαθῶν, εἶναι δὲ καὶ τῶν ἐναντίων, πλείω δὲ τῶν μή (sc. ἀγαθῶν). D'autres, comme on sait, entendent μὴ ἐναντίων. Sur le désenchantement de Platon dans les *Lois*, cf. *Contemplation... selon Platon*, p. 445, n. 2. Le thème des misères humaines deviendra un τόπος dans l'Académie (*Protreptique* d'Aristote, *Epinomis* 973 b-974 a), cf. BEN. EINARSON (*infra*, p. 173, n. 4), p. 280.

(2) Sur ces présupposés historiques des *Lois*, cf. *Contemplation*, pp. 421 ss.

(3) Cf. *Tim.* 90 c 1 ανπες ἀληθείας ἐράπτηται = *Banq.* 212 a 5 ἅτε τοῦ ἀληθοῦς ἐφαπτομένῳ, *Tim.* 90 c 2 καθ' ὅσον δ' αὖ μετασχεῖν ἀνθρωπίνῃ φύσει ἀθανασίας ἐνδέχεται = *Banq.* 212 a 7 αὐτῷ .. ὑπάρχει θεοφιλεῖ γενέσθαι καί, εἴπερ τῳ ἄλλῳ ἀνθρώπων, ἀθανάτῳ καὶ ἐκείνῳ et, d'une façon générale, le ton de *Banq.* 211 d 1-212 a 8 avec celui de *Tim.* 90a-e. On a bien l'impression que le contemplatif du *Timée* est arrivé, comme celui du *Banquet*, à un terme final.

On découvre ainsi comment ce grand courant du mysticisme cosmique à l'époque hellénistique prend source chez Platon. Si beaucoup cherchent un refuge dans la Cité de l'Univers, c'est qu'un sage leur aura montré que l'Univers est la vraie patrie de l'intellect, et que toute souffrance, tout humain désordre s'apaise lorsqu'on s'unit, par la contemplation, à l'ordre du ciel. Le mot fameux de Ptolémée : « Homme d'un jour, quand je contemple les étoiles, mes pieds ne touchent plus la terre, mais je me nourris d'ambroisie auprès de Zeus », fait écho à la profession du *Timée*. Et quand saint Augustin oppose la paix de la Cité de Dieu aux luttes perpétuelles qui troublent la cité terrestre, il continue encore, sans peut-être en avoir conscience, l'une des traditions du platonisme authentique.

3. Sans doute ce n'est pas tout le platonisme. Nous l'avons dit dès le début : la pensée de Platon est si riche et si complexe que les deux voies du mysticisme hellénistique peuvent, sans mensonge, se réclamer de lui. Dans la première de ces voies, répudiant toute considération du sensible, passant d'emblée à l'intelligible, c'est par les seuls intelligibles que, de degré en degré, on s'élève jusqu'à la vue de l'Un qui transcende toute essence limitée et toute pensée définie. Cette voie, nul ne l'ignore, est celle qu'adopte en substance le néoplatonisme. Mais Plotin lui-même ne se fait pas faute de recourir à l'autre voie. Aux gnostiques qui condamnent l'Univers en tant que matériel et donc mauvais, il rappelle que Dieu est présent dans le monde, que le monde participe à Dieu (1). La Providence veille au Tout bien plus qu'aux parties (2). L'Ame du Monde participe donc à cette providence plus que les autres âmes.

Cependant, en ce texte même de Plotin, la suite immédiate introduit un nouveau point, qui veut être examiné. De façon générale, les deux courants du mysticisme hellénistique ont évolué selon des voies diverses. L'une fait totalement abstraction du monde sensible et mène à un Dieu hypercosmique infiniment éloigné de la

---

(1) πᾶσιν οὖν παρέσται καὶ ἔσται ἐν τῷ κόσμῳ τῷδε, ὅστις ὁ τρόπος· ὥστε καὶ μεθέξει αὐτοῦ ὁ κόσμος. *Enn.*, II, 9, 16, 24-25.

(2) πολὺ γὰρ μᾶλλον τῶν ὅλων ἢ τῶν μερῶν ἡ πρόνοια, *ib.*, l. 30. Ceci n'est pas en contradiction avec *Lois*, X, 962 et ss. Platon veut prouver là que Dieu, veillant sur le Tout, veille donc nécessairement aussi sur les parties. Mais le même Platon admet aussi que ce Dieu-Providence, παντὸς μὲν ἕνεκα πάντα ἐργάζεται, πρὸς τὸ κοινῇ συντεῖνον βέλτιστον μέρος μὴν ἕνεκα ὅλου καὶ οὐχ ὅλον μέρους ἕνεκα ἀπεργάζεται, 903 c 6-8. Plotin ne pense pas autrement : Dieu veille sur les hommes, mais en tant qu'ils sont parties du Tout. Au contraire, selon les gnostiques, Dieu néglige le Tout, qui est matière et n'a pas d'âme immortelle, pour ne s'intéresser qu'aux hommes, parce qu'ils ont en eux une âme immortelle et divine (II, 9, 5, 8-11), qui est membre du 3ᵉ Principe, Psyché ou Sophia (μέλη τῆς Σοφίας, II, 9, 30, 22).

matière : on atteint le type achevé de ce mysticisme quand, sous le Dieu suprême, on imagine un second Dieu créateur du monde, un second Dieu qu'on va parfois jusqu'à tenir pour mauvais comme le monde lui-même est mauvais. L'autre voie porte à la contemplation du monde sensible considéré comme beau et bon, et mène à un Dieu Ame du Monde; celui-ci peut être distinct du monde ou immanent au monde : de toute façon, il est l'ordonnateur du monde. Le texte de Plotin suggère ici une troisième voie, qui serait comme la synthèse des deux précédentes. Le Kosmos est plein d'ordre, et laisse donc conclure à un Intellect, qui est la Cause explicative du mouvement ordonné du monde. Mais ce monde plein d'ordre est l'image du monde intelligible, en sorte que la contemplation de la beauté visible sert d'étape pour passer à la contemplation du Beau invisible, c'est-à-dire de l'Idée. Et puisque la hiérarchie des Idées conduit nécessairement à l'Un, la contemplation du monde, puis du Beau invisible, se termine enfin dans celle de l'Un. Lisons ce morceau (Plot., II 9, 16, 39-56) :

« Est-il un musicien, connaissant les rapports intelligibles d'harmonie, qui ne soit ému en écoutant un accord sensible dans les sons? Est-il un géomètre ou un arithméticien, connaissant les rapports, la proportion et l'ordre, qui ne se plaise à voir avec les yeux du corps? Voici un tableau : on ne le regarde pas de la même manière, et l'on n'y voit pas les mêmes choses, quand on y considère seulement, avec les yeux, les effets de l'art, et quand on y reconnaît l'image dans le sensible d'un être situé dans le monde intelligible; quel trouble alors, quand on vient à se souvenir de la réalité véritable! De cet état naît l'amour. Il en est qui, en voyant l'image de la beauté sur un visage, sont transportés dans l'intelligible; d'autres ont une pensée trop paresseuse, et rien ne les émeut; ils ont beau regarder toutes les beautés du monde sensible, ses proportions, sa régularité et le spectacle qu'offrent les astres malgré leur éloignement, ils ne songeront pas, saisis d'un respect religieux, à dire : « Que c'est beau, et de quelle beauté doit venir leur beauté? » C'est qu'ils n'ont ni compris les choses sensibles, ni vu les êtres intelligibles » (1).

N'est-ce pas là un développement de la doctrine du *Banquet?* Est-il défendu de penser que cette doctrine du *Banquet* n'est pas incompatible avec celle du *Timée?* L'ordre du monde mène à la connaissance de l'Ame-Intellect. A son tour, puisque cet Intellect contemple les intelligibles, et dès lors participe (2) à l'Un qui transcende les intelligibles, il peut mener aux intelligibles et, d'Idée en

---

(1) Traduction Bréhier légèrement modifiée.
(2) L'Idée du Bien ne donne pas seulement à l'intelligible d'être et d'être connu, il donne encore à l'intellect la faculté de connaître, *Rép.*, VI, 508 e 1-3 τοῦτο τοίνυν τὸ τὴν ἀλήθειαν παρέχον τοῖς γιγνωσκομένοις καὶ τῷ γιγνώσκοντι τὴν δύναμιν ἀποδιδὸν τὴν τοῦ ἀγαθοῦ ἰδέαν φάθι εἶναι.

Idée, élever jusqu'à l'Un. L'union de notre intellect à l'Intellect du monde sert ainsi d'intermédiaire vers une contemplation encore plus haute. Si Plotin, comme il paraît, a su accomplir la synthèse des deux modes de contemplation, celui de la *République* et celui du *Timée*, qu'en est-il de Platon? A vrai dire, on ne trouve dans les dialogues aucun texte explicite sur ce point, mais il me semble que les *Lois* fournissent une indication, dans le passage du livre XII relatif à la théologie astrale, au cours de l'exposé sur le programme d'éducation des gardiens des lois.

Cette éducation vise à produire la vertu. Mais qu'est-ce que la vertu? On distingue quatre vertus principales, courage, tempérance, justice, entendement (φρόνησις) : quel est le trait commun à ces quatre, comment ces quatre font-ils une chose unique? (XII, 963 a-964 b). Ainsi se pose, nécessairement, le problème de l'un et du multiple, — du multiple considéré comme un tout, une unité, — c'est-à-dire le problème de la dialectique (XII, 965 b 4-e 8) : ce qui amène, comme de juste, un rappel de la théorie des Idées (XII, 966 a-1 9) : « Eh quoi, touchant le beau et le bien, pensons-nous de la même manière, comme ceci? Pensons-nous que chacun de ces objets, nos gardiens auront à le connaître seulement comme une multiplicité (1), ou qu'il le leur faudra connaître encore en tant qu'unité, ainsi que la façon dont il est unité? — Il semble bien que, de toute nécessité, nos gardiens devront le concevoir aussi en tant qu'unité. » Cependant il ne suffit pas que les gardiens atteignent eux-mêmes, par la dialectique, à la vérité : puisqu'ils ont la charge de déterminer « l'esprit » des lois, d'en diriger l'application dans le sens de l'unité de la vertu, il faut encore qu'ils soient capables d'expliquer à d'autres cette vérité qu'ils conçoivent (τί δ', ἐννοεῖν μέν, τὴν δὲ ἔνδειξιν τῷ λόγῳ ἀδυνατεῖν ἐνδείκνυσθαι; 966 b 1), et cela, non seulement à propos de la vertu, mais sur tous sujets sérieux. D'un mot il faut qu'ils sachent eux-mêmes juger de tous actes bons ou mauvais selon la nature des choses (2) et rendre compte à d'autres de leur jugement. Or l'un des sujets les plus nobles n'est-il pas ce qui concerne les dieux? (966 b 4-c 2).

Ce préambule à la théologie astrale établit, à n'en pas douter, la prédominance de la dialectique (3), laquelle implique la notion d'Un

---

(1) A savoir en reconnaissant qu'il y a beaucoup de choses belles, ou beaucoup de choses bonnes.
(2) κατὰ φύσιν 966 b 8 = selon l'être en soi. Cf. *Contemplation... selon Platon*, p. 442, n. 8.
(3) Cf. *Contemplation... selon Platon*, pp. 438-447.

puisqu'elle aboutit à l'intuition, dans l'Un, de la totalité des essences. C'est donc sous le contrôle de la dialectique et à titre de préparation à cette science suprême que devront être pratiquées les autres sciences, parmi lesquelles la plus noble est celle des dieux, la théologie (1). On rappelle alors les résultats obtenus par les deux démonstrations du livre X : l'âme est plus ancienne et plus divine que le corps qu'elle meut ; les révolutions ordonnées des astres attestent l'existence d'un Intellect ordonnateur de l'Univers (966 d 9-967 a 5) (2). On réfute de nouveau la thèse des astronomes matérialistes pour qui les astres ne sont que pierres, terre, ou tous autres corps dépourvus d'âme (967 a 6-d 2). D'où la conclusion (967 d 3-968 a 4) : il ne se peut qu'un homme ait jamais été pieux s'il n'a point reconnu la priorité, l'immortalité de l'âme et sa souveraineté sur le corps, ni l'existence, dans le monde céleste, d'un Intellect *qui a pour objet les êtres* (3), ni la nécessité des sciences propédeutiques, y compris la musique, tout cela contribuant à la réforme de l'âme. Cette conclusion est donc analogue à celle du *Timée* (90 b 2 ss.) : tout doit aboutir, en définitive, à la réforme de l'âme. D'autre part, si le texte est sûr, la conclusion de ce passage des *Lois* explicite et développe, en un sens, celle du *Timée*. Le gardien des lois doit être un contemplatif : il contemple l'ordre du monde, et cette vue l'unit à l'Ame universelle. Mais, comme cet Intellect universel a pour objet les êtres, c'est-à-dire évidemment les Idées, l'intellect humain, uni à l'Intellect du monde, est conduit à s'élever jusqu'à l'Idée, et, par delà, jusqu'à l'Un qui unifie les Idées.

Selon cette exégèse, il serait légitime de croire que Platon, à la fin de sa vie, aurait achevé la synthèse des deux modes de contemplation. Le but final est toujours l'Un. Mais, pour parvenir à l'Un, il n'est plus requis maintenant de faire totalement abstraction du monde, puisque le monde, grâce à l'Ame, participe lui aussi à l'intelligibilité. Contemplation du monde et contemplation des Idées ne sont pas deux voies divergentes : l'une prépare à l'autre. Quand le sage s'est réfugié dans la Cité du monde, il n'a franchi qu'une étape. Qu'il monte plus haut ; que, de concert avec l'Intellect du monde,

---

(1) θεολογία. Le mot lui-même semble avoir été forgé par Platon, *Rép.*, II, 379 a 5 οἱ τύποι περὶ θεολογίας τίνες ἂν εἶεν ; cf. *infra*, App. IV.

(2) Sur ce passage, cf. E. Frank, *op. cit.*, pp. 28-30.

(3) τόν τε εἰρημένον ἐν τοῖς ἄστροις νοῦν τῶν ὄντων, 967 d 8-e 1. Je ne suis sûr ni du texte ni du sens. Bury corrige εἰρημένον en ἡγημένον (« That reason which ... controls what exists among the stars »), Stallbaum conjecture νοῦν... τῶν ὄν ων <αἴτιον>. Si τῶν ὄντων = génitif d'objet (de même Robin), ces ὄντα sont les intelligibles et l'on a donc, nettement établie, la hiérarchie Intelligible — Ame (Intellect) du Monde — Ciel mû par cette Ame.

guidé par cet Intellect, il atteint le Dieu suprême, qui est l'Un.

4. Il reste une difficulté. Si l'on interprète comme nous avons fait la téléologie et la contemplation dans le *Timée*, que devient le Démiurge, en tant précisément que Démiurge, c'est-à-dire Fabricateur du Monde, de l'Ame du Monde, des premiers dieux (astres) et de l'âme humaine?

Rappelons les termes du problème. Il nous a paru que, pour expliquer le mouvement ordonné du monde sensible, il était indispensable, mais suffisant, de supposer une Ame du Monde pourvue d'un Intellect. Cet Intellect divin contemple les Idées : par l'Ame qui l'enveloppe, il meut éternellement le monde en fonction de l'ordre intelligible. Telle est la raison dernière de la téléologie du *Timée*. L'Intellect se porte vers le Bien; dès lors le mouvement qu'il cause (par l'Ame) a tendance à reproduire ce Bien : le Bien est donc la Cause Finale de la révolution de l'Ouranos. Mais telle est aussi la raison dernière de la doctrine de la contemplation dans le *Timée*. Par la contemplation du mouvement céleste, le sage réforme les propres mouvements de son âme; dès lors il participe à l'Intellect divin et peut-être, par cet Intellect, à l'Un-Bien.

Ces données suffisent. Aussi bien n'en trouve-t-on point d'autres ni dans les *Lois* ni dans l'*Epinomis*, qui, sur ces deux points de la téléologie et de la sagesse contemplative, prolongent l'enseignement du *Timée*.

Que fait alors, dans tout cela, le Démiurge? J'ai dit plus haut (p. 105) qu'en rigueur de terme, le Démiurge n'est qu'un double mythique de l'Ame du Monde. Le mot veut être explicité, car les obstacles à cette exégèse paraissent, à première vue, redoutables. Par exemple, à la différence de l'Ame, le Démiurge n'est pas immanent au monde. En outre, d'après le sens obvie du texte, il se distingue de l'Ame, puisqu'il la crée. Enfin, nous est-il dit, lorsque le Démiurge eut achevé son ouvrage en créant les âmes humaines et qu'il les eut semées, qui sur la terre, qui dans la lune ou les autres astres (42 d 4-5), « il commença de demeurer en repos dans l'état qui est selon sa façon d'être » (ἔμενεν ἐν τῷ ἑαυτοῦ κατὰ τρόπον ἤθει 42 e 5). Qu'il faille ou non retrouver ici dans ἦθος la nuance particulière au pluriel ἤθη = « place accoutumée » (1), le sens inchoatif de l'imparfait ἔμενεν (commencement d'une action qui doit durer) indique suffisamment l'idée de « retraite ». Dieu se retire de son ouvrage, il entre dans son repos. Il en va exactement du

---

(1) Ainsi Wilamowitz, *Platon*, p. 389.

Démiurge du *Timée* comme du Dieu pilote du *Politique* (272 e) qui, ayant lâché les commandes du gouvernail, « se retira dans sa tour de garde » (εἰς τὴν αὑτοῦ περιωπὴν ἀπέστη) (1). Mais alors, le Démiurge est évidemment distinct de l'Ame du Monde. Il a sans doute imprimé au monde son mouvement, il a donné la chiquenaude (κίνησιν γὰρ ἀπένειμεν αὐτῷ 34 a 1, περιαγαγὼν αὐτὸ ἐποίησε κύκλῳ κινεῖσθαι 34 a 4); mais ce n'est pas lui qui est la cause du mouvement continu du monde, cette cause est l'Ame.

Pour bien entendre, cette difficulté classique, il faut, je pense, distinguer avec soin ce qui revient aux données nécessaires du problème et ce qui revient au mythe.

Ce qui revient aux données nécessaires du problème, c'est l'Ame du Monde, principe du mouvement cosmique et douée d'un Intellect qui contemple les Idées. Sous cet aspect, l'Ame est l'intermédiaire indispensable entre les deux réalités premières *(Tim.* 52 a ss.), l'ὄν d'une part, le γιγνόμενον de l'autre. Ce moyen terme de l'Ame est indispensable parce que, au point où Platon en est arrivé, il lui faut de toute force expliquer le γιγνόμενον, du moins ce γιγνόμενον qu'est l'homme. Il s'agit de bâtir la cité. Or la cité se compose d'hommes, c'est-à-dire d'êtres composés d'un corps et d'une âme. Il ne suffit pas d'exprimer, en fonction du monde des Formes, les règles idéales de la Justice : on est obligé de tenir compte de cette réalité concrète, l'homme, qui est le support matériel de la cité. Pour réformer l'homme, il faut en connaître la double nature : celle du corps et celle de l'âme. On découvre alors qu'il y a un lien entre les composants du corps humain et les composants du corps du monde, comme entre l'âme humaine et l'Ame du Monde. L'anthropologie mène à la cosmologie. Maintenant, la cosmologie manifeste le rôle primordial de l'Ame du Monde en tant qu'Intellect d'une part, Cause motrice d'autre part. Il ne reste que de mettre en accord l'âme humaine avec l'Ame du Monde pour produire, dans l'homme, — et par suite dans la cité, — des mouvements ordonnés qui imitent ceux du Ciel. D'un mot, le modèle reste toujours le monde idéal. Ce modèle est contemplé par l'Intellect

---

(1) Telle est aussi l'interprétation de Proclus. En II, 252.4 ss. (ad 36 c), pour prouver que l'Intellect qui est dans l'Ame du Monde est distinct de celui du Démiurge, il cite notre passage (42 e) et ajoute : « cet Intellect démiurgique est transcendant (ἐξῃρημένος) et séparé du monde ». De même III, 315.7 (ad 42 e) : « Le mot ἔμενεν ne signifie pas la stabilité, ni l'inflexibilité de la pensée (τὴν ἀπαρέγκλιτον νόησιν), mais la fixation dans l'unité. Selon cette fixation en effet, le Démiurge est transcendant à l'Univers et séparé même des intelligences ». Ainsi Proclus insiste moins sur l'idée de repos que sur celle de retraite : les deux me paraissent aller de pair.

cosmique. Il se traduit dans le mouvement régulier des astres. Celui-ci à son tour sert de paradigme pour les mouvements de l'âme humaine. Et cet accord entre mouvement céleste et mouvements humains est possible en raison des doubles liens — liens quant au corps et quant à l'âme — qui unissent le microcosme et le macrocosme. Quels sont, dans ce système, les termes nécessaires et suffisants ? Le modèle idéal, l'Ame du Monde intellectuelle et motrice, l'âme humaine intellectuelle et motrice, enfin le corps matériel, du monde et de l'homme. Si l'on songe que l'Ame du Monde et l'âme humaine sont étroitement liées par la συγγένεια, il reste, en définitive, ces trois éléments : le modèle idéal, l'Ame, le donné concret. Nul besoin, dans ce système, de faire intervenir un quatrième terme, le Démiurge.

Mais à côté du système, il y a le mythe. Ce mythe est celui d'une genèse. Et le thème de la genèse a été commandé à son tour par la fiction épique que Platon a choisie et qui l'amène à imiter les antiques théogonies. Sans doute cette imitation diffère-t-elle, sur un point, des anciens modèles. Dans Hésiode, ou dans la théogonie orphique des *Oiseaux* d'Aristophane (v. 690 ss.), ou dans celle, peut-être orphique aussi, que Platon cite lui-même (40 e-41 a), il est question seulement de génération, et non pas de fabrication. Or le Démiurge du *Timée* est essentiellement fabricateur : s'il est dit père (τὸν μὲν οὖν ποιητὴν καὶ πατέρα τοῦδε τοῦ παντός 28 c 3, θεοὶ θεῶν, ὧν ἐγὼ δημιουργὸς πατήρ τε ἔργων 41 a 7), ce n'est pas en tant que générateur au sens propre, mais d'Ouvrier. Il n'y a pas lieu toutefois, me semble-t-il, de trop appuyer sur cette différence. La fiction de l'œuvre à produire était commandée par l'une des données du problème : le modèle idéal. Le monde n'est pas seulement un γιγνόμενον, ce qui implique nécessairement une cause productrice, qui peut ou engendrer ou fabriquer (πᾶν δὲ αὖ τὸ γιγνόμενον ὑπ' αἰτίου τινὸς ἐξ ἀνάγκης γίγνεσθαι 28 a 4, τῷ δ' αὖ γενομένῳ φαμὲν ὑπ' αἰτίου τινὸς ἀνάγκην εἶναι γενέσθαι 28 c 2) : jusque-là, Platon et les théogonies vont de pair. Mais le monde est aussi l'exacte copie d'un paradigme, et dès lors l'image du fabricateur s'imposait. Le Démiurge est donc Ouvrier. Le monde est une œuvre d'art (ἐκ τέχνης 33 d 1).

On le voit donc, la fiction de l'Ouvrier est née du besoin d'associer ces deux données : d'une part le monde est un γιγνόμενον, d'autre part le monde est la copie d'un modèle idéal. La première donnée menait seulement à la notion d'une Cause, qui pouvait être ou génératrice ou fabricatrice ; la seconde donnée restreint nécessairement la notion de Cause à la seule Cause fabricatrice.

Ce point acquis, tous les autres éléments de la fiction dérivent du postulat premier. En quoi consistera la fabrication? Platon n'avait ici qu'à suivre les récits de genèse, qui commencent tous par le chaos. La « naissance » du monde est le passage du désordre à l'ordre : εἰς τάξιν αὐτὸ ἤγαγεν ἐκ τῆς ἀταξίας (30 a 4, cf. 53 a 9). Il ne s'agit donc pas, évidemment, d'une création *ex nihilo*, et peut-être y a-t-il quelque abus à écrire, avec Taylor (p. 647) : « Timée a commencé par mettre en opposition radicale l'éternel, τὸ ὄν, et le temporel, τὸ γιγνόμενον. Vient alors la question : pourquoi existe-t-il un γιγνόμενον? Pourquoi l'αὐτοζῷον éternel n'est-il pas seul à exister? Le δημιουργός n'a été introduit que pour répondre à cette question. » En vérité, on n'a pas à se demander pourquoi il existe un γιγνόμενον : présenté sous cette forme d'ailleurs, le problème métaphysique de la coexistence de l'être contingent et de l'être absolu, problème qui a tant troublé la pensée chrétienne, ne semble pas s'être imposé à la philosophie grecque. Le monde est une donnée de fait, et, pour les anciens, une donnée éternelle; le monde est un dieu, sans commencement ni fin. La question que Platon se pose — une fois admise la fiction de la genèse — est celle du *comment* : comment s'est fait le passage du chaos à l'ordre? Cela suppose un Ouvrier qui ordonne (28 a); cela suppose un Modèle d'après lequel cet Ouvrier travaille (28 a-b); enfin, — et c'est le troisième postulat, — puisque l'œuvre produite est parfaitement belle, cela suppose et que le Modèle est le meilleur possible, donc le Modèle Éternel (28 a-b), et que l'Ouvrier est la plus parfaite des Causes (29 a). Tout cela est assumé en conséquence de l'hypothèse originelle, qui est celle d'une genèse. On ne le démontre pas, c'est une évidence : « Il est donc évident (σαφές) pour tous que c'est vers le modèle éternel que l'Ouvrier a tourné son regard : car le monde est la plus belle des choses produites et l'Ouvrier est la plus excellente des causes » (29 a 5-6).

Cela va de soi, en effet, si l'on part de la fiction d'une genèse. Mais il ne faut jamais oublier que nous sommes en pleine fiction. En réalité, il n'y a pas de genèse, il n'y a pas de passage du chaos à l'ordre. Le chaos est un état supposé. Si l'on suppose qu'il fut un temps où l'Ame n'ordonnait pas le monde, on suppose aussi que toutes choses y devaient être à l'état de chaos. Mais puisque ce temps préempirique est par définition impossible — car le Temps ne commence d'apparaître qu'avec le Ciel en mouvement, c'est-à-dire le Ciel mû par l'Ame du Monde (χρόνος δ' οὖν μετ' οὐρανοῦ γέγονεν 38 b 6) : or le mouvement régulier du Ciel est éternel, ce qui implique l'éternité aussi de l'Ame motrice et de l'Intellect cosmique, — il n'y a pas eu de chaos primitif, donc point de genèse ; dès lors, il n'est aucunement besoin d'un Démiurge. Tout ce qui concerne le Démiurge est du domaine du mythe.

Concluons donc que ce n'est pas l'Intellect démiurgique qui commande la téléologie du *Timée*, mais l'Intellect du Monde et que ce n'est pas non plus le Démiurge qui est proposé, dans le *Timée*, comme objet de contemplation, mais que cet objet est, en premier lieu, les astres du ciel avec leurs mouvements réguliers ; cette contemplation mène à la connaissance et à l'adoration de l'Intellect cosmique ; enfin quelques indices permettent de supposer que, par cette connaissance, on atteint à l'intelligence des objets intelligibles dont les astres sont la copie.

Voilà ce qu'il en est du *Timée* lui-même. Cependant il est arrivé que ce qui, dans le *Timée*, était postulé, — postulé, redisons-le, en conséquence du mythe premier de la genèse, — a été regardé par la suite comme la doctrine la plus authentique du platonisme. Prenant à la lettre toute la première partie du *Timée*, on a fini par voir dans le Démiurge le vrai Dieu de Platon. L'évolution est achevée au IIe siècle de notre ère, avec Albinus qui, dans son *Didaskalikos* (ou *Epitomé*), fait des Idées les pensées de Dieu (1). Par une même conséquence de cette interprétation littérale, le platonisme postérieur en vient à concevoir deux « Dieu », puisqu'il y a deux Intellects : l'Intellect démiurgique, dont les Idées sont les pensées ; l'Intellect du Monde qui, « ordonné par le Père (le Premier Intellect), ordonne à son tour la nature entière dans le monde » (2). Si enfin, dans la religion hellénistique, on se heurte souvent à l'ambiguïté d'un Dieu cosmique tantôt transcendant et tantôt immanent au monde, cela est dû, pour une grande part, à cette même littéralité dans l'exégèse du *Timée*.

C'est qu'on a tenu ce dialogue pour une Bible, et qu'on a attaché une valeur dogmatique à chacune de ses affirmations. Dans la pensée de Platon, l'exposé relatif au monde visible ne devait être que de l'ordre du vraisemblable, pour la raison que l'objet considéré ne ressortit pas à l'être immuable, qui est seul et de plein droit objet de science, mais à l'être changeant qui n'est objet que d'opinion ou de croyance. Timée le déclare, dès le prélude (προοίμιον 29 d) de

---

(1) εἶναι γὰρ τὰς ἰδέας νοήσεις θεοῦ αἰωνίους τε καὶ αὐτοτελεῖς, c. 9, p. 163. 27 H. ; ἐπεὶ δὲ ὁ πρῶτος νοῦς κάλλιστος, δεῖ καὶ κάλλιστον αὐτῷ νοητὸν ὑποκεῖσθαι, οὐδὲν δὲ αὐτοῦ κάλλιον. ἑαυτὸν ἂν οὖν καὶ τὰ ἑαυτοῦ νοήματα ἀεὶ νοοίη, καὶ αὕτη ἡ ἐνέργεια αὐτοῦ ἰδέα ὑπάρχει, c. 10, p. 164. 24-27 H.

(2) ὃς κοσμηθεὶς ὑπὸ τοῦ πατρὸς διακοσμεῖ σύμπασαν φύσιν ἐν τῷδε τῷ κόσμῳ, c. 10, p. 165.3-4 H.

son récit (29 c), en tête de la première partie sur l'explication finaliste de l'Univers ; il renouvelle cette déclaration en tête de la seconde partie sur l'explication mécaniste de l'Univers (48 c-d) (1) ; et il la répète encore de loin en loin au cours du récit (30 b 7-8, 44 d 1, 53 d 5, 57 d 6, 59 c 7, 68 d 1, etc.). Mais la théologie postérieure n'a point pris garde à ces réserves. Comme les philosophes, à mesure qu'on s'éloigne de Platon et d'Aristote (surtout après Posidonius), perdent de plus en plus l'habitude de la réflexion personnelle pour s'en tenir à l'exégèse des maîtres, comme la pensée philosophique revêt ainsi de plus en plus un aspect scolaire et devient, au sens propre, une scolastique, il ne faut pas s'étonner que, retenant surtout, du *Timée*, le caractère apparemment dogmatique, on l'ait utilisé à la manière d'un « textbook » dont la parole fait loi. De là vient que, dans nos écrits hermétiques par exemple, on a l'impression que l'argument « Dieu visible dans ses œuvres » n'est point issu d'un effort de pensée original, mais que tout s'y réfère à une démonstration déjà acquise, à un dogme consacré. Sur la foi du *Timée* (2), on considère comme établi que le Démiurge a créé le monde, que ce Démiurge est bon, et que le monde est donc beau : et lorsqu'on renverse l'argument, lorsqu'on passe de la beauté du monde à l'existence et à la bonté du Créateur, il semble qu'on ne se fonde pas tant sur une observation du monde réel que sur le témoignage d'un livre, de ce livre qui, une fois pour toutes, a manifesté dans tout le domaine du créé les traces de l'influence divine, le triomphe de l'Idée du Bien. De là vient enfin que, dans la philosophie populaire hellénistique, la physique ne vaut plus désormais que comme un chapitre de la théologie. Ç'avait été tout le soin de Platon de montrer le rôle de l'Intellect dans l'organisation du Kosmos, soit que cet Intellect agisse seul (1re partie : 27 c 1-47 e 2), soit que, par les figures géométriques et les nombres (εἴδεσί τε καὶ ἀριθμοῖς 53 b 4), il introduise de l'ordre et de l'intelligibilité jusque dans le désordre de la matière (2e partie : 47 e 3-68 d 8), soit qu'enfin, en collaboration avec les causes auxiliaires mécanistes (ὑπηρετούσαις 68 e 5), il (3) procède à la formation des vivants mortels (3e partie :

---

(1) Ceci (48 c-d) correspond symétriquement à la déclaration de 29 c, de même que la prière de 48 d-e correspond à celle de 27 c-d.

(2) L'index de Ferguson, *Hermetica*, IV, p. 563, compte 36 références au *Timée* contre 8 à la *République*, 6 au *Phédon*, 3 au *Phèdre*, 1 ou 2 à d'autres dialogues. On pourrait augmenter la liste en ce qui regarde les emprunts ou parallélismes relativement au *Timée*.

(3) Ou « ils » = les dieux engendrés. Touchant l'inconsistance de la pensée de Platon sur ce point dans la 3e partie du *Timée*, cf. WILAMOWITZ, *Platon*, II, p. 260. Bien que la division du travail entre le Démiurge et ses fils ait été rappelée en 69 c 2-4 (cf. 41 a ss., 42 e 6) et qu'en principe Dieu n'eût plus rien à faire, dans la 3e section on trouve (ὁ) θεός

69 c 5-92 c 4). Platon avait pu feindre de s'amuser un peu, comme par manière de délassement (1), à l'explication mécaniste des phénomènes, il n'en reste pas moins que la vraie cause explicative était, pour lui, la cause finale, et qu'ainsi la seule occupation légitime de l'homme ici-bas devait être de connaître cette fin. L'homme est donc fait pour contempler l'ordre de l'Univers et, par cette contemplation, remonter à Dieu (surtout 90 a-e). C'est cette manière de voir, si préjudiciable à la science, qui s'imposera par la suite. Étudier la physique, cela consistera le plus souvent (2), après avoir signalé quelques « harmonies de la nature », à peu près toujours les mêmes (ordre du ciel, structure fonctionnelle des organes humains), à louer et bénir la Providence divine qui a institué un si bel ordre et si bien disposé le corps humain aux offices que l'homme doit remplir. Bien mieux, on en viendra à considérer que toute science qui ne mène pas directement à cette eulogie n'est pas digne d'étude. L'auteur de l'*Asclépius* le déclare expressément dans un assez long morceau qu'il y a intérêt à citer en entier (c. 12-14) :

« Je puis te le déclarer en effet par manière de prophétie, il n'y aura plus, après nous, aucun amour sincère de la philosophie, laquelle consiste uniquement dans le désir de mieux connaître la divinité par une contemplation habituelle et une sainte piété. Car beaucoup déjà la corrompent par toute sorte de sophismes.

— Que font-ils donc pour la rendre inintelligible, ou la corrompre par toute sorte de sophismes?

13. — Voici ce qu'ils font, Asclépius. Par un astucieux travail, ils la mêlent à diverses sciences inintelligibles, l'arithmétique, la musique et la géométrie. Mais la pure philosophie, celle qui ne dépend que de la piété envers Dieu, ne doit s'intéresser aux autres sciences que dans la mesure où elle peut admirer comment le retour des astres à leur position première, leurs stations prédéterminées et le cours de leurs révolutions obéissent à la loi du nombre, où aussi la

---

73 b 8, 74 d 6, 75 d 1, 78 b 2, 90 a 4, 92 a 3, ἡμῶν ὁ κηροπλάστης 74 c 6 (sujet encore de συνέστησεν 75 a 6), ὁ τὰς ἐπωνυμίας θέμενος 78 e 3, à côté de οἱ περὶ τὴν ἡμετέραν γένεσιν δημιουργοί 75 b 8, οἱ κρείττω 77 c 5, οἱ διακοσμοῦντες 75 d 8, οἱ συνιστάντες ἡμᾶς 76 e 1, θεοί 77 a 3, 90 d 5, 91 a 1 (θεοί est le sujet sous-entendu de 73 a 1 et de 92 b 1, bien qu'on ait θεοῦ 92 a 3), et à côté de τὸ θεῖον 76 b 2, 90 b 1.

(1) Cf. 59 c-d, à propos des métaux, variétés de l'eau fusible (χυτόν) : « Ainsi pour tous les autres corps du même genre, il n'y a plus rien de sorcier à en discourir si l'on se contente, dans la recherche, de la qualité des contes vraisemblables (τῶν εἰκότων μύθων... ἰδέα) : cette qualité, si, pour se donner quelque relâche, ayant laissé de côté les raisonnements relatifs aux êtres éternels, par la considération des opinions vraisemblables relatives au devenir, on se la procure à titre de plaisir sans remords, on peut ainsi dans le cours de la vie se donner une récréation modérée et raisonnable. » Ailleurs (68 d 2), à propos de la théorie des couleurs, Platon condamne le recours à l'expérience : « si l'on voulait faire le contrôle de ces choses par un examen expérimental (εἰ δέ τις τούτων ἔργῳ σκοπούμενος βάσανον λαμβάνοι), on méconnaîtrait la différence de la nature humaine et de la divine. »

(2) Quelques-uns font naturellement exception, Straton surtout, cf. l'excellent livre de G. Rodier, *La physique de Straton de Lampsaque* (Paris, 1890), où le problème de l'étude de la physique est posé avec vigueur et netteté, pp. 1-7.

connaissance des dimensions, qualités, quantités de la terre, des profondeurs de la mer, de la force du feu, des opérations et de la nature de toutes ces choses doit l'induire à admirer, adorer et bénir l'art et l'intelligence de Dieu. Être instruit dans la musique, ce n'est rien d'autre que de savoir comment s'ordonne tout cet ensemble de l'univers par le rang que le plan divin assigne à chaque objet : car cet ordre, où toutes les choses particulières ont été assemblées en un même tout par une raison artiste, produira une sorte de concert infiniment suave et vrai, une musique divine. **14.** Ainsi donc les hommes qui viendront après nous, abusés par l'astuce des sophistes, se laisseront détourner de la vraie, de la pure et sainte philosophie. Adorer la divinité d'un cœur et d'une âme simples, révérer les œuvres de Dieu, rendre enfin des actions de grâces à la volonté divine qui, seule, est la plénitude du bien, telle est la philosophie que n'entache nulle curiosité mauvaise de l'esprit. »

DEUXIÈME PARTIE

DE PLATON AUX STOICIENS

CHAPITRE VI

L'ESPRIT DU TEMPS

Platon avait donné le branle : désormais le mouvement n'ira qu'en s'amplifiant. Mais, avant d'analyser les textes principaux de cette période, l'*Epinomis* et Aristote π. φιλοσοφίας, je voudrais indiquer certaines conditions psychologiques qui rendent plus intelligible le grand succès de la religion du Monde.

§ 1. *Les causes philosophiques et religieuses de la contemplation du Kosmos* (1).

1. Qu'on la prenne dans l'*Epinomis* ou le π. φιλοσοφίας d'Aristote ou, à fortiori, dans les écrits postérieurs, la religion du Kosmos offre partout un trait commun : la doctrine des intelligibles est entièrement laissée de côté. Par suite, le monde visible n'est plus regardé comme l'image d'un autre monde qui serait le vrai terme de la contemplation, mais il est lui-même ce vrai terme, c'est à lui que s'adresse l'adoration du sage. Sans doute ce Kosmos est animé, il se meut, il se meut en ordre : dès lors on est fondé à admettre une Ame du Monde, un Intellect qui le régit, bref un Dieu cosmique. Mais, entre le Ciel visible avec son mouvement régulier, entre les

---

(1) Cf. W. JAEGER, *Aristoteles* (Berlin, 1923), pp. 1-102; E. BIGNONE, *L'Aristotele perduto e la formazione filosofica di Epicuro* (Firenze, 1936), t. I et II *passim*; J. MOREAU, *L'Ame du Monde de Platon aux Stoïciens* (Paris, 1939), pp. 85-157. Bien qu'un peu trop systématique à mon goût, E. HOFFMANN, *Platonismus und Mystik im Altertum, S. B. Heidelberg* 1934/5, 2 (Heidelberg, 1935) offre beaucoup de vues intéressantes et son dessein d'expliquer la religiosité hellénistique par l'évolution des problèmes philosophiques et théologiques, en particulier du platonisme (cf. p. 46, n. 1), semble juste pour une grande part.

astres dont chacun suit au ciel sa course fixe et l'Ame divine qui meut ce vaste ensemble, il n'y a point la même différence radicale qu'entre l'univers sensible et le Tout intelligible de Platon. Ce qu'on considère, ce qu'on adore, c'est le Monde Vivant, par suite doué d'une âme. On ne sépare pas cette âme du corps qui lui appartient. L'Ame est immanente au Corps, elle est en lui pour le mouvoir, c'est là sa fonction propre. Et dès lors nul ne songe à mépriser le corps du monde pour ne rendre culte qu'à son âme : en contemplant le ciel en mouvement, c'est tout à la fois le corps visible et l'âme invisible que l'on contemple. Ciel animé, Ame mouvant le Ciel, ces deux ne font qu'un. Celui qui admire l'ordre des cieux adore du même coup l'Ame ordonnatrice. Et l'on peut donc affirmer que la contemplation du sage se termine au Ciel visible : ce Ciel lui-même est le vrai Dieu (1).

A cet abandon du monde intelligible de Platon, il est des raisons purement philosophiques : Aristote, dès le π. φιλοσοφίας (2), critique la théorie des Idées. Et à ces raisons purement philosophiques se joignent des raisons religieuses. C'est ce dernier point que je voudrais expliquer.

2. Les débuts de la religion cosmique en Grèce coïncident avec un moment où la pensée religieuse ne trouvait plus d'objet à quoi se fixer. C'est un fait bien connu que le divorce entre la religion populaire et la réflexion philosophique apparut très tôt en pays grec, à vrai dire dès le moment où cette réflexion philosophique commença de s'exercer. Un tel divorce était inévitable. Les dieux de la religion populaire étaient issus de la croyance spontanée en des forces surhumaines (τὰ κρείττω) qu'il s'agissait de repousser ou de se rendre favorables; ces forces étaient attachées à un lieu; elles défendaient le groupe humain établi en ce lieu. A la suite d'une longue évolution qu'il est inutile de raconter ici, la religion commune en Grèce était devenue essentiellement une religion civique.

(1) On se rappelle les trois hypothèses de *Lois*, X, 898 e 7 ss. : âme immanente au corps du monde (ὡς ἡ ἐνοῦσα ἐντὸς τῷ περιφερεῖ τούτῳ φαινομένῳ σώματι) et le mouvant de la même façon que l'âme meut en nous le corps; âme extérieure au corps du monde, mais enveloppée d'une sorte de corps igné, au moyen duquel elle meut le monde par un mouvement de contrainte (ἢ πόθεν ἔξωθεν .. ὠθεῖ βίᾳ σώματι σῶμα); âme tout incorporelle (ἢ τρίτον αὐτὴ ψιλὴ σώματος οὖσα) guidant le monde par des sortes de forces mystérieuses (JAEGER, *Aristoteles*, p. 144, conjecture pour cette troisième hypothèse une sorte de moteur immobile comme celui d'Aristote, *Méta.*, Λ, mouvant le corps du monde par le désir, l'ὄρεξις, qu'il lui inspire). De ces trois hypothèses, c'est la première que, dès la première génération après Platon *(Epinomis, π. φιλοσοφίας)*, on a choisie.

(2) Aristote l'a écrit sans doute peu après la mort de Platon (348-7), au début de son séjour à Assos, cf. JAEGER, p. 146, n. 2. Selon Jaeger, le π. φιλοσοφίας aurait précédé *l'Epinomis*.

La cité rendait culte à ses dieux locaux; en retour, les dieux locaux protégeaient la cité.

Ces dieux civiques, primitivement, n'avaient eu aucun rapport avec la réflexion morale. Cependant, au cours des siècles, à mesure que progressait le sens moral du groupe civique, ils en étaient venus à acquérir, eux aussi, une valeur de moralité, — de morale sociale uniquement. Les dieux étaient les garants des contrats, les défenseurs célestes de l'hôte et du suppliant, bref, dans l'ensemble, les symboles de la justice. Quant à la piété individuelle, elle pouvait être ardente (1) ou tiède, cela n'importait guère. Ce qui importait — car le salut de la cité en dépendait pour une bonne part, — c'est que, y ayant une sorte de pacte entre les dieux civiques et la cité, les citoyens remplissent exactement les obligations inhérentes à ce pacte. Le culte, la participation au culte était chose d'État : tout magistrat était prêtre; et tout citoyen d'Athènes avait chance d'être, quelque jour, magistrat.

C'est à ces dieux civiques que s'appliqua la réflexion philosophique. Le problème qui l'intéressait était celui du monde, de son origine, de son mouvement, des lois qui dirigent ce mouvement. D'une façon générale, l'infinie diversité des phénomènes fut rattachée d'abord, tantôt à une Cause matérielle unique (Eau, Air, Feu), tantôt à un petit nombre de causes matérielles (les éléments) dont l'assemblage ou la séparation dépendaient d'un couple de causes motrices (Amitié et Discorde d'Empédocle), tantôt enfin à l'action d'une Cause Ordonnatrice unique (Noûs d'Anaxagore). On fut ainsi conduit, chez les savants, à regarder comme le Dieu suprême cette Cause unique, matérielle ou motrice, qui soutenait et expliquait l'ensemble des phénomènes (2). Il ne se pouvait pas que ces vues des sages n'entrassent un jour en conflit avec la religion populaire, que les résultats atteints par la réflexion des sages ne portassent à la critique des dieux nationaux. C'est ce qui arriva à Athènes, dans le dernier tiers du ve siècle, sous l'influence des Sophistes. Cette critique porta fruit : toutes les notions traditionnelles sont remises en question; on oppose les fondements de la loi à ceux de la nature; la loi est ramenée à une simple convention locale et temporaire; dès lors, les dieux de la loi n'étant plus regardés que comme l'invenion de tel ou tel groupe civique, on ne leur attribue qu'une valeur contingente, relativement au groupe qui les honore, en un certain temps, dans un certain lieu.

(1) Hippolyte et Artémis, Ion et Apollon, etc.
(2) Voir *Addenda*.

Coïncidant avec les troubles les plus graves dans les affaires extérieures d'Athènes et dans sa vie politique, ce travail de dissolution finit par aboutir aux crises de la fin du siècle, dont la mort de Socrate (399) figure comme le symbole. C'était la mort d'un juste; et la cité qui le condamne est donc injuste. On sait quelle fut l'angoisse de Platon. Dans son âme déjà troublée par l'invasion spartiate et la tyrannie des Trente, cet événement fut la goutte qui précipite le mélange.

3. Ce ne sont pas des considérations religieuses qui ont conduit Platon à la doctrine des Idées : c'est la nécessité d'atteindre à un savoir sûr. Et la nécessité d'atteindre à ce savoir dépendait elle-même d'un besoin plus profond encore et plus radical : le besoin de connaître la vraie Justice pour réformer la cité en fonction de cette Justice. L'être reconnu comme seul vrai, seul objet de science certaine, est l'intelligible, qui ne change pas, alors que tout le sensible est continuellement muable. Il s'agit donc de construire ce monde des intelligibles. Puisqu'ils sont multiples tout en formant chacun une essence une et en composant entre eux un Tout unifié, il s'agit de percevoir leurs relations mutuelles et comment ils s'organisent sous la notion d'Un. C'est donc l'Un, ou l'Un-Bien, qui est leur Cause explicative, leur vraie Cause : c'est cette Cause qui rend raison de ce que chaque essence est déterminée et compose, avec les autres essences, un Ordre.

L'Un-Bien est l'Être par excellence. A côté de cet Être, source de l'intelligibilité et de l'être, la notion d'Autre, requise pour expliquer la multiplicité des essences, n'a valeur que de non-être relatif. Elle n'est aucunement un autre Être qui s'opposerait à l'Être : il n'y a pas deux principes premiers. Mais elle est ce sans quoi les essences ne seraient pas multiples ni reliées l'une à l'autre, ce sans quoi, par suite, il n'y aurait pas possibilité d'un ordre des essences sous l'action unifiante de l'Un.

Répétons-le, cette dialectique platonicienne n'est pas issue de considérations religieuses; elle est née de réflexions sur les exigences de la science. Mais il est arrivé ceci. De même que les réflexions des *physikoi* sur le monde sensible avaient conduit à regarder comme Dieu la Cause explicative des phénomènes, de même les réflexions de Platon sur le monde intelligible devaient-elles le conduire à tenir pour le vrai Dieu la Cause explicative des Idées. Que l'être soit de l'ordre sensible ou de l'ordre intelligible, c'est une vérité indubitable que la Cause toute première de cet être a rang nécessairement de Dieu suprême. Avec le platonisme, sans doute, la nature de l'être a changé ; mais le principe n'a pas changé, il reste vrai encore que la Cause Première est éminemment Dieu. De là vient d'ailleurs que l'intuition de cette Cause rend immortel et bienheureux. Or on ne devient immortel qu'en s'assimilant à l'immortel par essence, c'est-à-dire à l'être divin ; et l'on ne devient bienheureux qu'en participant au bonheur des dieux.

Si la pure réflexion métaphysique suffisait à constituer une religion universelle, une religion destinée à gagner la masse des hommes, certainement c'est à cet Un-Bien que le monde hellénisé eût dû s'adresser, dans la mesure tout au moins où il cherchait un Dieu qui satisfît aux exigences de l'esprit. Un Dieu vrai doit tout d'abord être l'Être, il est essentiellement l'Être. Or l'Être est l'intelligible. Intelligible par excellence, mieux encore, fondement de l'intelligible, l'Un-Bien est donc le vrai Dieu.

Mais on voit d'un coup tout ce qui empêchait une religion aussi dépouillée de prendre racine dans les cœurs. L'intuition de l'Un-Bien exige une longue et difficile préparation, non pas morale seulement, mais scientifique. Il y faut un ensemble, assez rare, de qualités naturelles ; il faut ensuite des années de labeur mathématique et dialectique ; ces sciences acquises, il n'est même pas sûr qu'on obtienne la récompense. Soudain, à la suite d'un long frottement, l'étincelle peut jaillir ; elle peut aussi ne pas jaillir. Il n'y eut qu'un Platon ; et l'expérience que fit Platon ne se renouvela peut-être qu'une fois encore, après bien des siècles, chez Plotin. Dès la première génération qui suit Platon, ce qu'on peut appeler la mystique des Idées n'a plus cours.

Est-ce à dire qu'une religion philosophique fût tout impossible, qu'on dût entièrement renoncer à un Dieu Premier Principe, et qu'il n'y eût d'autre alternative que les dieux traditionnels, dont on ne se contentait plus, ou l'athéisme ? Nous n'avons pas besoin de raisonner à priori. Le fait est là. Platon vient à peine de mourir qu'on voit naître, de deux côtés, dans l'*Épinomis* et le π. φιλοσοφίας deux projets de religion philosophique (1). Quelques années encore et, par le stoïcisme, cette religion non seulement s'affermit, mais trouve le moyen de s'annexer les dieux populaires. Aux alentours de l'ère chrétienne, la religion du Dieu cosmique a gagné toute l'élite, en Grèce, dans l'Orient grec, à Rome. Désormais, jusqu'à la fin du paganisme, le païen éclairé peut s'adresser à un Dieu qui a toutes les apparences du vrai Dieu.

(1) L'*Epinomis* est peut-être de Platon, mais n'a paru qu'après sa mort.

Je l'ai montré plus haut, ce courant religieux a son origine aussi chez Platon, chez le Platon du *Timée* et des *Lois*. N'allons pas croire, de nouveau, que Platon ait obéi à des considérations religieuses, voulu fonder une religion : cette fois encore, c'est un besoin de science qui l'a guidé. Du moins dans le *Timée*, car il me semble qu'il faut distinguer ici entre le *Timée* et les *Lois*.

La doctrine des Idées n'expliquait pas le sensible, elle se bornait à l'exclure du domaine de l'être vrai. Or il était impossible de se désintéresser entièrement du monde sensible. Avec l'âge, Platon aspirait davantage à voir la Cité Juste établie dans le concret, et il portait plus d'attention à certains phénomènes de la nature, ceux de l'astronomie et de la physiologie humaine en particulier. Bref, pour ces raisons et d'autres, Platon entreprend d'expliquer à son tour la réalité visible. La doctrine de l'âme, de l'âme intermédiaire entre les Idées immuables et le sensible muable, de l'âme principe de mouvement, lui en fournit le moyen. Le Kosmos est sans doute l'image du monde invisible, et c'est en cela que consiste son intelligibilité. Mais puisque, entre l'invisible et le visible, l'essentiel intermédiaire est l'Ame du Monde, cette Ame prend rang de Cause explicative, elle a valeur de vrai Dieu.

4. Il n'est pas impossible que Platon ait vu lui-même la portée de cette conclusion, et qu'il en ait tiré la conséquence dans les *Lois* (1). Notons-le : c'est un fait assez remarquable que la démonstration de l'existence, de la providence, de l'intégrité morale des dieux apparaisse justement dans un traité des *Lois*. Les matérialistes athées ne veulent voir, dans le monde, aucun art. Tout est le produit de la nature et du hasard. Il n'y a pas d'Artisan divin, l'art n'est le fait que des hommes, qui, par art, ou mieux, par artifice, forgent des dieux. Tels sont les dieux reconnus par la loi. Mais la loi est pure convention, pur artifice, et les dieux selon la loi sont donc conventionnels. Voilà ce qu'entend dire, par une nuée d'habiles, le jeune Athénien qui veut s'instruire. Il ne demanderait pas mieux que de croire. Mais comment croire à des dieux cosmiques, si tout, dans le monde, est matière et production du hasard ? Et d'autre part, si la religion civique est pur artifice, comment admettre les dieux traditionnels dont les poètes ressassent les généalogies (2) ? Puisqu'on

---

(1) Et plus encore dans l'*Epinomis* si, comme j'inclinerais à le penser maintenant, cet ouvrage est bien de Platon.

(2) Ces difficultés du jeune homme des *Lois* (X, 885 c ss.) rappellent la plainte émouvante d'Adimante dans la *République* (II, 365 a-367 e). De part et d'autre, on veut atteindre le vrai, ici la *vraie* justice, la justice envisagée en elle-même, indépendamment des

institue des lois parfaites, et puisque ces lois ont à traiter du culte —
qui est, redisons-le, chose d'État, — il convient que les dieux
reconnus par ces lois, auxquels ces lois prescrivent de rendre culte,
soient éminemment des dieux vrais : sans quoi les lois ne seront plus
justes, et l'on fera quelque chose d'épouvantable en légiférant sur
ces dieux comme s'ils étaient réels (λέγουσιν ὡς δεινὰ ἐργαζόμεθα
νομοθετοῦντες ὡς ὄντων θεῶν, X, 887 a 1).

On a donc lieu de penser que, dans le cas des *Lois*, des considérations proprement religieuses ont guidé Platon. Dès lors, il est intéressant de noter quelle sorte de Dieu il propose pour satisfaire aux exigences de la pensée et parer en même temps à la menace, qui grandit chaque jour (νῦν δὲ ὅτε πάμπολλοι τυγχάνουσιν, *Lois*, X, 886 e 4), des matérialistes. Ce ne sont pas les dieux traditionnels : à leur égard, les réticences des *Lois* (X, 886 b-d) marquent autant d'ironie que celles du *Timée* (40 d-41 a) (1). Mais ce n'est pas non plus l'Un-Bien de la *République* et du *Philèbe*. Sans doute la dialectique entre encore dans le programme d'éducation des gardiens des lois; et, comme cette science entraîne nécessairement la doctrine de l'Un-Bien, on en conclura légitimement que l'Un-Bien demeure le vrai terme de la contemplation du sage. Mais Platon a dû se rendre compte des obstacles qui entravent cette contemplation. A peine si quelques rares élus y peuvent accéder. En revanche, le monde visible s'offre à l'adoration comme une belle statue divine. Et il est, lui aussi, divin, étant un Vivant animé pourvu d'une Ame divine. Certes, il n'est pas tout le divin; il n'est même pas le divin le plus divin : mais puisque, grâce à l'Ame du Monde, il a été rendu intelligible, puisqu'il a été rattaché à l'ordre des Idées, ne fait-il pas partie, selon son mode, de l'Être universel, ou de la totalité de l'Être (τὸ παντελῶς ὄν, *Soph*. 248 e 8), qui inclut mouvement et vie, âme et pensée ? D'autre part, il est visible et il est beau. Il suffit de lever les yeux pour qu'on l'admire et pour qu'on l'aime. D'aucuns peut-

---

biens qu'elle procure (ὃ αὐτὴ δι' αὑτὴν τὸν ἔχοντα ὀνίνησιν καὶ ἀδικία βλάπτει 367 d 3), là le *vrai* Dieu, c'est-à-dire une réalité qui ait vraiment rang de Premier Principe (tel sera précisément le privilège de l'Ame du Monde, cf. *Lois*, X, 891 c-e, en particulier 891 e 5 : « ce qui est cause première de la génération et de la corruption en toutes choses, cela, les arguments qui ont façonné l'âme de ces hommes impies ont déclaré que ce n'est pas premier, mais que cela a été engendré postérieurement, et, en revanche, de ce qui est postérieur ils ont fait le premier : de là est sortie leur erreur quant à l'essence réelle des dieux »). — Même correspondance pour les trois objets de doute (existence, providence, intégrité morale des dieux) entre *Lois*, X, 885 b 7-9 et *Rép.*, II, 365 d 7, e 2 ss. Cette correspondance montre que l'athéisme n'est pas un fait nouveau à Athènes au temps de la composition des *Lois*.

(1) **Voir** déjà *Rép.*, II, 365 e.

être, on l'espère, ne s'arrêteront pas à lui : enamourés du Kosmos, ils iront à l'Intellect qui le dirige, et de là aux Idées que cet Intellect contemple, pour se reposer enfin dans la contemplation de l'Un-Bien. Mais ceux-là même qui ne sauraient accomplir ce long voyage trouveront dans le Kosmos un juste objet d'hommage, un Dieu digne qu'on lui rende culte. Voilà, me semble-t-il, quelle a dû être la démarche intellectuelle de Platon. Elle a de quoi étonner le théologien moderne habitué aux distinctions précises en ce qui touche la pureté et l'unicité de l'Être divin. Elle n'étonnait pas l'homme antique, pour lequel une sorte de panthéisme diffus est la forme la plus ordinaire de la religion même éclairée : si tout ce qui comporte un certain degré un peu élevé d'excellence a droit à l'attribut de divin, certes, le ciel étoilé qui dans les nuits orientales, fait apparaître au regard l'image d'une vie palpitante, mais ordonnée et sereine, est bien propre à mériter le nom de Dieu.

4) On voit donc que, chez Platon, la religion cosmique s'intégrait dans un système assez complexe qui en limitait la portée. Mais il est arrivé que, dès la mort du maître, on a abandonné la doctrine des Idées. Dès lors le monde visible, qui n'était qu'une partie de l'Être universel, s'est confondu avec la totalité de cet Être. Dès lors aussi la religion du Monde ou du Dieu cosmique, qui ne devait être qu'une partie de la religion du sage, a constitué tout l'ensemble de cette religion.

A ce fait il y a tout d'abord, je l'ai dit, des causes philosophiques. Comme la doctrine des Idées était née d'une certaine notion de l'objet de science (l'intelligible immuable par opposition au sensible muable), ainsi une notion différente de ce même objet (l'intelligible immanent à la substance concrète dont il constitue la forme) l'a-t-elle fait disparaître. Or cette critique n'a pas été sans influer sur la religion elle-même. Car le temps était venu où les esprits cultivés voulaient une religion qui s'accordât à la science. Il fallait que le Dieu auquel allait la prière fût aussi la Cause explicative des phénomènes. On ne se contentait donc plus des dieux traditionnels puisqu'ils n'expliquaient rien du monde. D'autre part on était arrêté par les doctrines matérialistes pour lesquelles tout est matière mue au hasard. Avec la doctrine des Idées, Platon avait bien construit une science de l'être vrai. Or, s'il était démontré que l'objet de la science n'est pas l'intelligible séparé, mais la substance concrète dans la mesure où, grâce à la forme, elle participe à l'intelligible, nécessairement la Cause explicative des substances dans leur être et leur mouvement ne serait plus l'Un-Bien unifiant les Idées, mais un Principe en relation plus immédiate avec l'être concret.

Cependant ces raisons philosophiques n'expliquent pas tout le succès de la religion du Monde. Elles ne l'expliquent pas dans son essence même de fait religieux. De ce point de vue, si la religion cosmique a eu si belle fortune, c'est qu'elle répondait exactement aux besoins de l'heure. Elle convenait au savant en tant que savant, puisque le Dieu qu'elle proposait expliquait les phénomènes qu'on se donnait comme objet de la science. Et elle convenait au savant en tant qu'animal religieux, puisqu'elle menait à la contemplation d'un objet visible d'une beauté souveraine. Le Grec hellénistique eût admiré le ciel lors même qu'il n'y eût reconnu rien de divin : combien plus se laissait-il ravir par cet objet, maintenant qu'il était assuré que l'Ouranos éternellement vivant, mû par une âme intelligente, lui représentait le vrai Dieu!

§ 2. *Les circonstances historiques et le témoignage de Ménandre.*

Aussi bien le sort de la Grèce durant les quarante dernières années du IVe siècle a-t-il contribué à donner son assiette à la religion du Monde. L'indifférence du public cultivé envers les dieux traditionnels est antérieure, on l'a vu, à Alexandre. Dès le temps des *Lois* (environ 358-348), les athées, au dire de Platon, sont en très grand nombre. Mais les événements qui suivent Chéronée devaient éloigner encore plus de la religion civique. Qu'on m'entende bien : il ne s'agit pas du culte. Le culte s'est maintenu sans changement jusqu'à la fin de l'antiquité (1). Sous Gallien encore, en 262-3, dix ans après la mort d'Origène (253), huit ans avant celle de Plotin (270), alors que tous les mystères théosophiques et le culte du Dieu-Soleil ont déjà submergé l'Empire, un agonothète des Grandes Panathénées, l'historien Dexippos, fait monter sur l'acropole d'Athènes le vaisseau à roulettes au mât duquel on fixait le péplos

---

(1) On notera d'ailleurs que, de 338 à la mort de Lycurgue (324), sous l'impulsion de cet homme d'État né Eupatride (du γένος des Etéoboutades) et fortement attaché à la religion traditionnelle (cf. F. DURRBACH, *L'orateur Lycurgue*, Paris, 1890, pp. 78 ss., et, du même, l'édition du *C. Léocrate*, Paris, 1932, pp. XXVIII.ss.), on voit Athènes reprendre intérêt aux choses de la religion, procéder à la réfection ou au remplacement d'objets de culte détériorés ou détruits (Athèna Nikè : *Syll.*[3] 264; divers sanctuaires : *IG* II[1], 333 (334 /3?) ; Victoires d'or : décret de Stratoklès, Ps. PLUT., *Vit. X Or.*, 852 B-C), réorganiser l'administration du culte à Athènes (Petites Panathénées : *Syll.*[3], 271 (335-4); divers sanctuaires : *IG* II[1], 333 (334-3?); prêtres de Dionysos : *Syll.*[3] 289 (c. 330); prêtre d'Asklépios : *Syll.*[3] 299 (328/7)), prendre soin du sanctuaire d'Amphiaraos à Oropos (*Syll.*[3] 287 (332/1), 298 (329/8), resserrer ses liens avec l'Apollon de Delphes (*Syll.*[3] 296-297 : envoi de dix hiéropes à Delphes (c. 330); *ib.* 308 : naope athénien honoré à Delphes (234)).

comme une voile (1), répétant exactement le geste qu'on avait fait en 298/7 et en 302/1 avant notre ère (2), et dès le ve siècle (3), et presque sûrement dès la fondation même des Grandes Panathénées, sous Pisistrate (4). Voilà donc un rite de culte qui s'est renouvelé, tous les quatre ans, pendant neuf siècles. Est-il croyable pourtant qu'en une si longue durée, les sentiments à l'égard d'Athéna n'aient point varié ? C'est là ce qui nous intéresse : non pas les manifestations extérieures, mais l'état d'âme.

Or il va de soi que, les dieux civiques étant liés à la fortune de la cité, les sentiments qu'on nourrissait à leur endroit ont dû perdre en ardeur et en force à mesure que la cité perdait de sa puissance et de son autonomie. Déjà, en 413/2, après le désastre de Sicile, Euripide prononçait ces mots amers : « Sur les Syracusains ceux-là (5) huit fois remportèrent la victoire, — quand les dieux tenaient la balance égale de part et d'autre. » Et le même, dans le *Bellérophon*, exprime avec une netteté incisive le grand reproche que l'homme toujours, a fait ou fera aux dieux (6) : « On dit qu'il y a des dieux là-haut au ciel ? Il n'y en a pas, il n'y en a pas, si du moins on ne se laisse abuser, dans sa folie, par les vieux contes. N'en croyez pas seulement mes paroles, examinez la chose par vous-mêmes. Oui, je le dis. Un tyran peut exterminer des masses d'hommes, les dépouiller, trahir la foi jurée, désoler des villes entières : et cependant il jouit d'un meilleur sort que ceux qui mènent une vie pieuse et pacifique, chaque jour. Que de petits États, qui honorent les dieux, sont asservis à des États impies mais plus puissants, parce qu'ils ont été vaincus par une armée plus nombreuse ! Et vous-mêmes, je pense, fussiez-vous à passer vos jours dans la prière, sans travailler ni sans gagner, à force de bras, votre pain, vous auriez tôt fait d'apprendre que les dieux n'existent pas. C'est notre bonne ou mauvaise chance qui fait toute la substance des dieux. »

Athènes, au ive siècle, vit son armée vaincue par une armée plus puissante. Elle vit une cité détruite de fond en comble, tous les habitants massacrés ou vendus comme esclaves (Thèbes, en 336).

---

(1) Dittenberger, *Syll.* ³, 894.
(2) *Ib.*, 374, n. 6 et 7.
(3) Strattis, *CAF*, I, p. 719.
(4) L. Deubner, *Attische Festen* (Berlin, 1932), p. 33, pense que le bateau à roulettes est aussi ancien que le péplos — lequel n'était offert qu'aux Panathénées pentétériques, *ib.*, p. 30.
(5) Il s'agit de l'épitaphe des guerriers d'Athènes tombés en Sicile, cf. H. von Gaertringen, *Historische Griech. Epigramme* (Kleine Texte, 156, 1926), n° 55.
(6) *Trag. Gr. Fr.*, p. 445, n° 286.

Elle vit enfin sa propre perte, la perte de sa liberté. Elle était restée pourtant la pieuse Athènes. Ses temples brillaient tout neufs. Les victimes fumaient sur ses autels. Elle n'avait pas négligé les dieux. Pourquoi les dieux négligeaient-ils de la défendre? Dix ans après la mort de Platon, Philippe triomphe à Chéronée (338), et sans doute est-ce un signe des temps que, sur l'inscription officielle des Athéniens tombés en cette bataille, le seul dieu qu'on nomme soit Chronos : « O Chronos, Divinité dont le regard embrasse tout, et qui vois donc la fortune diverse des mortels (1), fais-toi pour tous le messager de nos malheurs. Dis comment, voulant défendre le sol sacré de l'Hellade, nous sommes tombés sur une terre illustre (2), en Béotie » (3). A la nouvelle de la mort d'Alexandre (juin 323), Athènes, une fois de plus, reprend les armes : mais elle succombe (322), Antipater y met une garnison, et tous les citoyens qui possèdent moins de deux mille drachmes — en fait, plus de la moitié du corps civique — sont privés de leurs droits et voués à l'exil (4). Quelques années plus tard, la mort d'Antipater (319) ayant été le signal d'une deuxième révolte, Cassandre, fils d'Antipater, écrase à nouveau la ville; en 318-7, il y installe un gouverneur de son choix, Démétrios de Phalère (5). Désormais, Athènes assiste à sa propre agonie en tant qu'État autonome. Cependant Aristote est mort en 322; Ménandre, en 321, a produit sa première comédie et remporté, en 315, sa première victoire; Zénon de Kition arrive à Athènes en 314; Épicure, en 306, y fonde l'école du jardin, Zénon, en 301, celle du Portique; les cultes orientaux d'Isis et d'Aphrodite

---

(1) ὦ Χρό.ε, παντοίων θνητοῖς πανεπίσκοπε δαίμων. Wilamowitz explique bien (Griech. Lesebuch, I, 2, p. 103) : ὁ Χρόνος ἐπειδὴ πάν'α ἐπισκοπεῖ, καὶ καλῶς καὶ κακῶς πράττοντας ὁρᾷ τοὺς ἀνθρώπους.
(2) Illustre à cause de la bataille même de Chéronée. ἱερὰν Ἑλλάδα χώραν n'est pas ici une clause de style. Il y avait encore des patriotes à Athènes : et la patrie, c'était d'abord le sol. Un jeune Anglais, Rupert Brooke (mort dans l'Égée le 23 avril 1915) retrouve ce sentiment, à l'heure où il vient d'apprendre la déclaration de guerre, en 1914 : « Something was growing in his heart, and he couldn't tell what. But as he thought « England and Germany », the word « England » seemed to flash like a line of foam. With a sudden tightening of his heart, he realized that there might be a raid on the English coast. He didn't imagine any possibility of it *succeeding*, but only of enemies and warfare on English soil. The idea sickened him. He was immensely surprised to perceive that the actual earth of England held for him a quality which he found in A —, and in a friend's honour, and scarcely anywhere else, a quality which, if he'd ever been sentimental enough to use the word, he'd have called « holiness ». (Rup. Brooke, *From his last prose writings*, cité par C. CHEMIN-A. DIGEON, *Yesterday and To Day* (Paris, 1941), pp. 159-160.
(3) H. v. GAERTRINGEN, *op. cit.*, n° 74.
(4) C'est alors que Démosthène, poursuivi, se donne la mort dans le temple de Poséidon de l'île de Calaurie.
(5) Sur Démétrios de Ph., voir en dernier lieu ERICH BAYER, *Demetrios Phalereus der Athener* (Tubinger Beiträge z. Altertumswissenschaft, XXXVI), Stuttgart-Berlin, 1942.

Céleste commencent d'envahir le Pirée (1) : il est intéressant d'observer l'esprit du temps (2).

Tous les signes conduisent au même point. Qu'avec l'auteur de l'*Epinomis* et Aristote (π. φιλοσοφίας) on se tourne vers les astres ou le Dieu cosmique, ou bien qu'on se mette à prier des dieux nouveaux, venus de l'étranger, dont le prestige est moins usé que celui des dieux nationaux, c'est là déjà une preuve indirecte de la désaffection envers la religion traditionnelle. Les protecteurs attitrés d'Athènes n'avaient pas su la défendre : on se porte vers d'autres autels. Or cette désaffection s'exprime ouvertement dans les comédies de Ménandre. Voici une scène des *Épitrepontes* (3). Le vieux Smikrinès s'étant mis à jurer par les Dieux et les Génies, l'esclave Onésime l'arrête : « Penses-tu que les dieux aient assez de loisir, Smikrinès, pour distribuer à chacun, jour par jour, son lot de biens et de maux ? — Que veux-tu dire? — Je vais te l'apprendre clairement. Toutes les cités ensemble sont au nombre, voyons, de mille. Chacune a trente mille habitants. Et tu crois que, chacun de ces individus, les dieux le perdent ou le sauvent? — Et quoi! Quelle vie de tracas tu donnes là aux dieux! — « Mais », diras-tu, « les dieux n'ont-ils point souci de nous? » Si fait! Ils nous ont donné notre caractère, qui est installé en chacun de nous comme phrourarque (commandant de garnison) : il veille constamment sur nous, et il nous mène à notre perte si nous en faisons mauvais usage, mais, dans le cas contraire, il nous sauve. C'est lui qui est notre Dieu, lui de qui vient pour nous heur ou malheur. Si tu veux gagner sa faveur, ne fais pas de bêtises, n'agis pas comme un sot, et tu auras bonne chance. » Dans

---

(1) DITTENBERGER, *Syll.*³ 280 (333/2). Assurément ces cultes sont d'abord établis au Pirée par et pour des marchands étrangers, d'Égypte ou de Kition (Chypre). Mais les Athéniens eux-mêmes n'ont pas été longs à participer à ces cultes en s'assemblant dans des collèges fondés pour honorer les dieux orientaux, cf. F. POLAND, *Gesch. d. Griech. Vereinswesen* (Leipzig, 1909), pp. 517 ss. et 548 ss. (liste des collèges attiques). Noter les thiases d'Aphrodite Syrienne dès 302/1 (liste : A 13 a-c, MICHEL 975), de Tynaros en 301/0 (liste : A 14 = MICHEL 1550), de Zeus Labraundos en 299/8 (liste : A 16 = MICHEL 977), un autre thiase en 300/299 (liste : A 15 = MICHEL 976). L'orgéon de la Mère des Dieux peut avoir été plus ancien, POLAND, pp. 9 ss. Voir aussi W. S. FERGUSON, *Hellenistic Athens* (Londres, 1911), pp. 216 ss., et surtout, du même, *The attic orgeones*, *Harv. Th. Rev.*, XXXVII, 1944, pp. 61 ss.

(2) Parmi tant d'ouvrages où l'on touche à ce passionnant sujet, *v. g.* WILAMOWITZ, *Hellenistische Dichtung* (Berlin, 1924), I, pp. 57-90, TARN, *Hellenistic Civilisation* (2ᵉ éd., Londres, 1930), pp. 290 ss., FERGUSON, *op. cit.*, pp. 86 ss., l'étude de G. MURRAY, *Menander*, dans J. U. POWELL-.E.-A. BARBER, *New Chapters in the History of Greek Literature*, Second Series (Oxford, 1929), pp. 9-34, reprise en substance dans l'*Aristophanes* du même auteur (Oxford, 1933, pp. 221 ss.), me paraît hors de pair.

(3) 650-665. Je cite d'après l'édition de CHR. JENSEN, *Menandri Reliquiae in papyris... servatae* (Berlin, 1929), en utilisant aussi celles de Wilamowitz (pour les *Epitrepontes*, Berlin, 1925) et de E. Capps (New York, 1910 : **les vers sont ici 872 ss.**).

cette homélie d'Onésime on a voulu retrouver quelque chose de la doctrine d'Épicure, dont Ménandre fut le contemporain et peut-être l'ami (1) : mais faut-il chercher une doctrine philosophique? L'indifférence des dieux à l'égard des hommes est un lieu commun dans les milieux cultivés d'Athènes dès le milieu du IVe siècle (*Lois*, X, 899 d ss.). Les événements de la fin du siècle ne pouvaient que renforcer cette opinion (2). Il me semble que Ménandre n'est ici que le témoin de cette société bourgeoise, ou même aristocratique, et donc inclinée au scepticisme, à laquelle il appartenait (3) et pour laquelle il écrit (4). Or le témoignage de Ménandre vaut encore sur d'autres points.

« Le plus grand bonheur, à mes yeux, Parménon, avant de retourner bien vite là d'où nous vînmes, c'est d'avoir contemplé sans trouble ces êtres augustes : le soleil qui brille sur tous, les astres, l'eau, les nuages, le feu. Qu'on vive cent ans ou peu d'années, toujours ce même spectacle s'offre à nos yeux, et jamais on n'en verra un autre qui soit plus digne d'hommage » (5). Non plus que dans le cas précédent, je ne pense pas qu'il y ait ici une allusion directe à l'enseignement même de Platon, de l'auteur de l'*Epinomis* ou d'Aristote sur la religion du Kosmos. Mais le morceau n'en a que plus de sens. Il montre que ces doctrines étaient assez répandues déjà pour que Ménandre pût en faire état devant le public d'Athènes (6). Et peut-être nous renseigne-t-il sur les propres sentiments du poète.

(1) Épicure est né en 342, Ménandre peu avant 340. Strabon (XIV, p. 638) le dit συνέφηβος d'Épicure. Celui-ci, né citoyen athénien à Samos, est venu à dix-huit ans à Athènes : l'éphébie existait alors, et il n'est pas impossible que le mot συνέφηβος doive être pris au sens littéral = « compagnon d'éphébie ».

(2) Cf. l'*ithyphallikon* d'Hermoklès pour l'entrée, en 290, de Démétrius Poliorcète et de Lanassa (fille d'Agathocle de Syracuse, antérieurement femme de Pyrrhus) à Athènes, vv. 15 ss. (Powell, p. 174) : « Les autres dieux sont loin, ou ils n'ont pas d'oreilles, ou ils n'existent pas, ou ils ne font pas attention à nous même une seconde, tandis que toi, nous te voyons présent, non pas en bois ou en pierre, mais vraiment vivant. C'est donc à toi que vont nos prières. » Noter, dans ce poème, l'apothéose par assimilation de Démétrios au soleil, vv. 9 ss. : « Quel auguste spectacle! Ses amis l'entourent en cercle, et au milieu il se dresse en personne. On dirait que ses amis sont les astres, et qu'il est, lui, le soleil » et cf. Alexarque = soleil, *infra*, pp. 191 s. Plutarque, *V. Dem.*, 41, et Athénée, XII, 50, 535 f, rapportent que la chlamyde d'apparat du Poliorcète était brodée d'un décor représentant la voûte céleste, les astres d'or et les douze signes du zodiaque, cf. Ch. Picard, *Teisicratès de Sicyone et l'iconographie de Démétrios Poliorcète*, Rev. Arch., VIe série, XXII, 1944,ɔ. 14, n. 1.

(3) Son père, Diopeithès, remplit la charge de διαιτητής en 325/4, lui-même fut l'ami de Démétrios de Phalère.

(4) Noter que, sur cent cinq pièces, il ne remporta que huit victoires (*rara coronato plausere theatra Menandro*, Martial, V, 10, 9) : le gros public le trouvait trop fin.

(5) *CAF*, III, p. 138, n° 481, vv. 1-7.

(6) Un témoignage analogue est fourni par le prologue du *Rudens* (d'après Diphilos) : cf. Ed. Fraenkel, *Class. Quarterly*, XXXVI, 1942, pp. 10 ss.

La vie présente n'est qu'une foire. Voyons-la comme un de ces temps de fête où l'on s'assemble en masse aux grands sanctuaires (πανήγυριν νόμισόν τιν' εἶναι τὸν χρόνον). Il y a foule sur l'agora, et tout est mêlé dans cette foule : voleurs, joueurs aux dés, gens qui s'amusent de mille façons. Plus tôt on quitte la place, mieux cela vaut : on a payé moins cher pour le voyage, on ne s'est pas fait d'ennemis. Malheur à qui s'attarde à la foire (1)! Lui aussi, Ménandre incline à dire que cette vie comporte plus de maux que de biens : « Mon jeune maître (2), si, quand votre mère vous mit au monde, vous étiez né, seul entre tous, pour vivre toujours à votre gré et pour avoir toujours heureuse chance, si quelque dieu vous avait promis ce privilège, alors, votre colère serait juste. Certes, on vous a trahi et joué un tour pendable. Mais si les lois de la nature valent pour vous comme pour nous, si — pour parler d'une manière un peu bien tragique — vous avez respiré ce même air qui nous est commun, — ayez meilleure grâce et réfléchissez. D'un mot, vous êtes homme, et il n'y a pas d'être vivant qui subisse changements plus rapides, un jour porté aux sommets, puis de nouveau projeté dans l'abîme » (3). Ainsi l'homme est-il le jouet de la Fortune (Tyché), qui maintenant prend rang de déesse et devient le symbole de l'inconstance des choses humaines; ou bien il est le jouet du Hasard qui, lui aussi, est un dieu (4). Et pour bien marquer que, dans cette infinie diversité des jeux du sort, la somme des maux l'emporte, comme l'idée d'une déesse Tyché éveille encore des associations trop favorables, on lui préfère le mot hasard : « Non, il n'est point pour nous de déesse Chance, il n'en est point, mais c'est l'événement de hasard selon ce qui échoit à chacun, c'est là ce qu'on nomme Chance » (5). Enfin, après tout cela, il y a la mort : « Si tu veux te connaître exactement tel que tu es, jette les yeux sur les tombeaux au bord du chemin où tu passes. Qu'est-ce là ? Des os, une cendre légère : reliques pourtant de puissants rois, et de tyrans, et de sages, de gens qui s'enorgueillis-

---

(1) *Ib.*, vv. 8-16. On trouve un pessimisme analogue chez Philémon, cf. FERGUSON, *Hell. Ath.*, pp. 86-87. L'image de la foire ou panégyrie reparaît, mais dans un autre contexte, chez un contemporain de Ménandre, le platonicien Héraclide du Pont, cf. CIC., *Tusc.*, V, 3, 8-9.
(2) τρόφιμε : cf. *Epitrep.*, fr. 1 Jensen et vv. 160, 251.
(3) *CAF*, III, p. 155, n° 531.
(4) ταὐτόματόν ἐστιν ὡς ἔοικέ που θεός, *CAF*, III, n° 291. τὸ Αὐτόματον personnifié à Pergame, *Ath. Mitt.*, XXXV, p. 458. Timoléon consacre un sanctuaire à ἡ Αὐτοματία PLUT., *Timol.* 36.
(5) ἀλλὰ ταὐτόματον ὃ γίγνεται ὡς ἔτυχ' ἑκάστῳ προσαγορεύεται Τύχη, PHILÉMON, fr. incert. 48 Meineke, cf. WILAMOWITZ, *Hellen. Dicht.*, I, p. 76.

saient de leur race ou de leurs richesses, de leur gloire, ou de la beauté de leurs corps! Eh bien, rien de tout cela ne les a empêchés de mourir en leur temps. Car cette part du moins, tous les hommes l'ont en commun : ils meurent tous » (1).

On comprend maintenant le sens plein de ces mots : « Le plus grand bonheur, Parménon, avant de retourner bien vite là d'où nous vînmes, c'est d'avoir contemplé sans chagrin ces êtres augustes, le soleil et les astres. » Θεωρήσας ἀλύπως τὰ σεμνὰ ταῦθ' : chacun de ces vocables est riche de substance. Θεωρεῖν, c'est la contemplation du sage, l'idéal de la vie théorétique, qui est la plus haute des trois formes de vie, au-dessus de la vie politique (πολιτικὸς βίος) et de la vie des affaires (πρακτικὸς βίος). — ἀλύπως, c'est tout le contenu du bonheur selon la doctrine d'Épicure. « Ce n'est pas l'abondance des richesses, ni l'ampleur des dignités, ni les magistratures, ni le pouvoir qui constituent la félicité et le bonheur, mais la vie sans chagrin (ἀλυπία) et la douceur des mœurs » (2). Le temps est venu en effet où l'on n'aspire plus à jouer un grand rôle dans la Cité : à vrai dire, il n'y a plus de Cité. Ce qu'on souhaite, c'est la quiétude, la vie paisible à l'écart : λάθε βιώσας (3). Maintenant des termes négatifs servent à désigner le bonheur : ἀλυπία, l'absence de chagrin, ἀταραξία, l'absence de trouble, ἀπάθεια, l'absence de passion. « D'abord et avant tout, n'allons pas penser que la connaissance des phénomènes célestes puisse comporter d'autres fins que l'ataraxie et une certitude bien établie, comme tout le reste des branches du savoir » (4). — τὰ σεμνὰ ταῦθ' enfin, « ces êtres augustes », est une expression qui confère au soleil et aux astres le rang de divinités. Est σεμνός ce qui est objet de crainte révérentielle et de respect religieux (σέβας, σέβομαι), donc, au premier chef, objet divin. L'épithète est appliquée d'abord aux dieux de l'Olympe et à ce qui leur appartient; puis, dans la suite des temps, à tout ce qui prend rang d'être divin, ainsi les astres dans les vers de Ménandre, l'Intellect divin chez Aristote : « Eh quoi, si l'Intellect divin n'a aucune pensée, que lui reste-t-il de divin? » (εἴτε γὰρ μηδὲν νοεῖ, τί ἂν εἴη τὸ σεμνόν; *Méta.*, 1074 b 18).

On mesure dès lors la valeur du mot de Ménandre. S'il n'y a plus aucun espoir d'agir noblement dans la cité, si la vie est une foire, si nous sommes ballottés au gré de la Fortune ou du Hasard jusqu'au

(1) *CAF* III, p. 161, n° 538.
(2) Épicure, fr. 548 Usener, cf. x. δ. VII.
(3) Épicure, fr. 551 Us.
(4) Épicure, à *Pythoclès*, § 85.9-12, cf. à *Hérodote*, § 82, κ. δ. XI.

terme inévitable de la mort, si en outre les dieux traditionnels ne nous apportent aucun secours, si le meilleur est de vivre caché, tenons-nous loin des affaires, consacrons notre vie à l'étude, à l'étude particulièrement de ces êtres majestueux qui se proposent comme l'objet le plus haut de la science et de la religion. Ainsi la contemplation du monde ou du Dieu du monde fait-elle corps avec l'idéal de la vie théorétique. Ces deux phénomènes ont surgi ensemble, et leur fortune est parallèle. C'est à quoi il faut s'arrêter un moment.

§ 3. *La vie théorétique.*

Dans la prison où il avait été jeté par les ordres de Théodoric et où il devait être exécuté en 524, Boèce vit lui apparaître une femme à l'aspect grave, qui de la tête semblait toucher le ciel (1) : c'était la Philosophie. Or, sur la robe de cette femme se lisaient deux lettres majuscules : en bas un Π, symbole de la vie pratique (πρακτικὸς βίος), en haut un Θ, symbole de la vie théorétique (θεωρητικὸς βίος); nne échelle menait d'une lettre à l'autre et leurs rangs différents marquaient la supériorité de la spéculation sur l'action. La Philosophie chasse d'abord les Muses qui se tenaient près du lit de Boèce, puis elle se met à déplorer l'affliction de son cher disciple : « Que te voilà hébété! » lui dit-elle en substance. « Toi qui jadis circulais librement dans le ciel et contemplais, dans leur course, le soleil, la lune et les astres, toi qui cherchais à pénétrer tous les secrets de la nature, te voilà maintenant contraint par les liens qui t'enchaînent à baisser les yeux vers la terre. Mais il est temps d'y porter remède. » Ce remède sera la vraie philosophie, qui enseigne à regarder, par l'œil de l'âme, les choses invisibles au corps et à mépriser tout ce qui est d'ici-bas.

Boèce héritait d'une longue tradition. Elle remonte au *Protreptique* d'Aristote : composé un peu avant le temps dont nous rappelions l'esprit, cet opuscule servira en quelque sorte de « livre de vie » à tous les sages de la période hellénistique.

Les deux premiers ouvrages du jeune Aristote, l'*Eudème* et le *Protreptique*, qu'il écrivit étant encore disciple de l'Académie, donc avant la mort de Platon (2), sont empreints d'un sombre pessi-

---

(1) La stature immense du Dieu ou Génie qui apparaît est un lieu commun de toutes les épiphanies hellénistiques : cf. mes notes à *Corp. Herm.*, I, 1 τινα ὑπερμεγέθη μέτρῳ ἀπεριορίστῳ. Voir *Addenda*.

(2) L'*Eudème* est daté par la mort d'Eudème de Chypre, en 354 (à Syracuse, au cours des troubles qui suivirent l'assassinat de Dion), le *Protreptique* est postérieur à l'*Antidosis* d'Isocrate (contre laquelle Aristote polémique), donc écrit peu après 353, cf. BEN. EINARSON (*infra*, p. 173, n. 4), pp. 277, 284.

misme (1). Pour expliquer cet état d'âme, on ne peut alléguer, cette fois, des événements extérieurs. Ce fut là sans doute, chez le Stagirite, une crise intellectuelle et morale comme en traversent beaucoup de jeunes hommes. Dès son arrivée à l'Académie (2), Aristote avait subi le charme de la doctrine des Idées. Toutes les réalités sensibles, qui s'écoulent sans cesse, ne lui parurent que néant. D'après l'*Eudème*, notre vraie patrie est le lieu où l'âme retourne après la mort (3). Dans sa condition présente, où elle est unie à un corps, l'âme est comme en état de maladie; elle ne sera en santé que dans sa condition future, lorsqu'elle sera libérée du corps (4). N'être pas né, c'est le bien le plus grand, et il vaut mieux être mort que de vivre (5). Le pessimisme est plus accentué encore dans le *Protreptique*. Si l'on examinait à fond la vie humaine, on verrait qu'elle n'est qu'une trompeuse apparence (σκιαγραφία) : le mot est juste, selon lequel l'homme n'est rien, et il n'y a rien de solide parmi les choses humaines. Force, taille majestueuse, beauté physique, risibles avantages! Le beau corps d'Alcibiade lui-même, si, doué des yeux de Lyncée, on pouvait le voir au dedans, quel spectacle horrible! Gloire, honneurs, qu'est-ce là pour qui contemple les choses éternelles (6)? Notre âme est liée au corps comme à un cadavre (7).

Quel remède à cette misère? La contemplation. Elle seule mérite qu'on choisisse de vivre. « Voici quelle est la réalité en vue de laquelle la nature nous a engendrés, ainsi que Dieu. Cette réalité, Pythagore l'a fait connaître, qui, interrogé, répondit : « En vue de contempler le Ciel », déclarant qu'il était lui-même un contemplateur de la Nature et que c'était pour cela qu'il était entré dans la vie. De même Anaxagore, dit-on, à qui l'on demandait pourquoi on devait préférer d'être né et de vivre, répondit : « Pour contempler le Ciel, les astres qui s'y trouvent, et la lune et le soleil », ajoutant que tout le reste n'est pas digne d'étude » (8). Je l'ai montré ailleurs (9),

---

(1) Sur cette période de la vie d'Aristote, cf. JAEGER, *op. cit.*, pp. 53-102, BIGNONE, *op. cit.*, I, pp. 67-155. Fragments dans ROSE, éd. 2 (Leipzig, 1886) ou R. WALZER, *Aristotelis Dialogorum Fragmenta* (Florence, 1934).
(2) En 368/7 ou l'année suivante.
(3) *Eudem.*, fr. 37 R. : *ex quo ita illud somnium esse interpretatum ut cum animus Eudemi e corpore excesserit, tum domum revertisse videatur*, CIC., *de div.*, I, 25.
(4) *Ib.*, fr. 41 R.
(5) *Ib.*, fr. 44 R.
(6) *Protr.*, fr. 59 R.
(7) *Ib.*, fr. 60 R. Le mot revient dans le *Corp. Herm.*, VII, 2 τὸν αἰσθητικὸν νεκρόν.
(8) ARIST. ap. JAMBL., *Protr.*, IX, p. 511. 6-15 Pistelli, cf. JAEGER, p. 99. Le mot d'Anaxagore est répété *Eth. Eud.*, I, 5, 1216 a 11 ss., cf. *Contemplation*, p. 33.
(9) Cf. *Contemplation... selon Platon*, pp. 17 ss.

même si l'on ne tient pas compte de ces doxographies sur les Présocratiques, parce que, remontant à Platon et Aristote, elles se bornent peut-être à dire le programme de l'Académie, des textes du ve siècle, presque contemporains d'Anaxagore, prouvent que ce philosophe tout au moins voyait dans l'étude du Kosmos l'idéal le plus noble de la vie. C'est Anaxagore qu'Euripide désigne dans ce beau portrait du sage : « Heureux qui de la recherche possède la science. Il ne songe point à nuire à ses concitoyens, il ne s'élance vers nulle action injuste; non, les yeux fixés sur la Nature éternelle, sur son Ordre qui ne vieillit point, il voit de quels éléments elle se compose, d'où elle vient, comment elle est faite. En de telles âmes jamais n'habite le désir des actions honteuses » (1), et bien d'autres allusions discrètes dans le théâtre d'Euripide font assez voir que le problème des deux vies, celle du savant et celle du politique, se posait dès le ve siècle (2).

Avec Platon, le point de vue change. La fin dernière est la réforme de la cité. Cette réforme exige sans doute, que l'on connaisse les êtres vrais, et, pour connaître ces êtres vrais, il faudra une longue préparation scientifique que Platon décrit dans la *République* (VI-VII) et les *Lois* (XII). Mais, qu'il s'agisse du philosophe-roi *(République, Lettre VII)* ou des membres du conseil nocturne *(Lois)*, le sage doit retourner à la caverne, gouverner est pour lui un devoir. L'idéal le plus haut est donc celui qui unit les deux formes de vie, celle du contemplatif et celle du politique. Platon, citoyen d'Athènes ardemment attaché à sa patrie, n'hésite pas sur ce principe.

Il n'en va pas de même du jeune provincial de Stagire. Celui-ci n'a pas d'ambitions politiques : il n'en saurait avoir à Stagire même, qui n'est qu'une petite ville sans avenir, bientôt détruite d'ailleurs, par Philippe, en 349; et il ne peut, comme étranger, jouer un rôle à Athènes. Au surplus, si, par la suite, il ne laissera pas de prêter attention aux problèmes du gouvernement, tout son zèle, pour l'instant, se porte à la philosophie. Et il va donc écrire une « Exhortation à la philosophie » dans laquelle il recommande la vie contemplative, non seulement comme la vie la plus haute, mais comme la seule qui mérite d'être vécue. Les événements extérieurs n'ont guère pu influer sur le caractère de ce petit traité, car Aristote le compose avant 348/7 (mort de Platon), et, bien que l'avance de Philippe se fasse toujours plus menaçante, on est loin de prévoir l'écroulement

(1) **Fr.** 910 Nauck. Cf. *Contemplation*, p. 35, n. 1.
(2) Cf. *Contemplation*, pp. 35-42.

d'Athènes, plus loin encore d'imaginer les terribles convulsions qui devaient suivre la mort d'Alexandre. En écrivant le *Protreptique*, Aristote n'a donc pu songer aux conditions particulières de la Grèce hellénistique : comment saurait-il que, dans quelques années, il n'y aura plus de βίος πολιτικός au sens où l'entendait un citoyen d'Athènes (1)? Mais il se trouve que ce livret est venu à son heure (2). Quand l'idéal de la vie active aura perdu pour les nobles âmes ce qui en faisait le prix, puisqu'il n'y aura plus de vraie liberté, quand il apparaîtra qu'il n'y a plus de grandeur à servir, puisqu'on ne sert plus sa patrie, mais un maître, alors la vie de connaissance pure, la vie spéculative, pourra vraiment sembler le seul but digne du sage.

Adressé à Thémison, roi de Chypre (fr. 50 R.), le *Protreptique* reprend constamment ce même thème : il n'est pas de bien plus grand que la philosophie. D'ailleurs, quelque genre de vie qu'on adopte, et lors même qu'on ne voudrait pas philosopher, il faut encore philosopher pour se prouver à soi-même qu'on ne doit pas philosopher (fr. 51 R.). Les fragments conservés (3) ne permettent pas de retrouver la suite des idées, mais deux arguments au moins paraissent avoir tenu grande place dans l'ouvrage.

(*a*) Il faut philosopher parce que, sans la philosophie, on ne peut mener correctement la vie politique et pratique elle-même. C'est, si l'on veut, l'argument d'utilité, d'autant plus en place que l'ouvrage s'adresse à un prince (4) : aussi bien cet argument devait-il être d'un grand poids aux yeux des Grecs, puisque, selon la manière dont jusqu'alors ils concevaient la vie, la plus noble occupation est le gouvernement des hommes (5). A ce thème se rapportent les chapitres VI (= fr. 52 R.) (6) et X (7) de Jamblique.

(1) Ce qui prouve d'ailleurs qu'Aristote ne le prévoit pas, c'est que toute une partie de l'argumentation du *Protreptique* concerne l'utilité de la philosophie en vue de la vie pratique et politique, cf. JAMBL., *Protr.*, c. VI et X, et *infra*, § *a*.
(2) M. Bignone l'a bien vu, *op. cit.*, I, p. 91, mais il a tort d'ajouter que « le pessimismo du *Protreptique* était profondément justifié par la période historique où il fut écrit ». Ce n'est pas vrai encore avant 348/7, mais seulement vingt ou trente ans plus tard.
(3) On sait que les extraits principaux du *Protreptique* d'Aristote se trouvent dans le *Protreptique* de Jamblique, c. VI-XII, pp. 37.3-61.4 Pistelli (il faut y ajouter c. V, pp. 24. 22-23, cf. JAEGER, p. 62, et, selon moi, pp. 34.5-22). Il est manifeste que Jamblique a brouillé sa source, cf. Jaeger, pp. 63-65.
(4) De Chypre, comme Nikoklès, fils d'Evagoras, roi de Salamine de Chypre, à qui est adressée l'Exhortation d'Isocrate.
(5) Cf. *Contemplation*, pp. 33 ss.
(6) Cf. le préambule de Jamblique, p. 36.28-37.2 δεῖ συμμιγνύναι ταῖς τοιαύταις παρακλήσεσι τὰς πρὸς τὸν πολιτικὸν καὶ πρακτικὸν βίον προτροπάς, *ib.*, p. 39. 11 ὅτι δὲ μέγιστόν ἐστι τῶν ἀγαθῶν καὶ πάντων ὠφελιμώτατον τῶν ἄλλων, ἐκ τῶνδε δῆλον.
(7) Cf. le préambule de Jamblique en tête du ch. VII, p. 41.9 χρήσιμόν τε εἰς τὸν βίον ὑπάρχει· οὐδὲν γὰρ ἡμῖν ἀγαθὸν παραγίνεται, ὅ τι μὴ λογισαμένοις καὶ κατὰ φρόνησιν ἐνεργήμασιν τελειοῦται, et *ib.*, c. X, p. 54.10-12 ἀλλὰ μὴν ὅτι γε καὶ ὠφελείας τὰς μεγίστας ἡμῖν πρὸς τὸν ἀνθρώπινον βίον παρέχεται ἡ θεωρητικὴ φρόνησις.

(*b*) Il faut philosopher parce que la vie de sagesse et de connaissance est un bien à élire pour lui-même et pour rien d'autre que lui-même (τὸ φρονεῖν καὶ τὸ γιγνώσκειν ἐστὶν αἱρετὸν καθ' αὑτό, Jambl., 41. 7-8) : ce thème est développé dans les chapitres VII-IX de Jamblique. La contemplation est la fin suprême de la vie (ταύτῃ δ' ἐστὶ θεωρία τὸ κυριώτατον τέλος, 42.25). S'il est vrai que notre vie présente, où l'âme est collée au corps, doit être comparée à l'affreux supplice que les Tyrrhéniens font subir à leurs prisonniers, liés vivants à des cadavres, visage contre visage et membre contre membre (fr. 60 R.), il apparaît que « rien ici-bas n'est divin et bienheureux, sauf ce qu'il y a en nous d'intelligence et de pensée et qui est seul digne de recherche : oui, de tout ce qui nous appartient, cela seul est immortel et divin. En raison de la capacité que nous avons de participer à une telle puissance, bien que la vie, par nature, soit misérable et pénible, néanmoins elle ne laisse pas que d'avoir été organisée avec grâce, en sorte que l'homme, comparé aux autres êtres, paraît un dieu : de fait, comme l'a dit Hermotime (1) ou Anaxagore (2), « l'intellect en nous est un dieu », et encore « la race mortelle des hommes a la part d'un dieu » (3). Il faut donc philosopher, ou bien, après avoir dit adieu à la vie, quitter le séjour d'ici-bas, puisque tout le reste n'est qu'un amas de sottises et de futilités » (4).

Maintenant, quel doit être l'objet de la contemplation du sage ? En un lieu où il commente le mot de Pythagore — « Ainsi donc, si nous sommes venus à l'être, il est évident que nous existons pour vivre en sages et pour apprendre : dès lors, selon cet argument du moins, bien juste est le propos de Pythagore, que tout homme a été créé par Dieu pour connaître et contempler » (52.4-8), — Aristote poursuit : « Quant à savoir si l'objet à connaître est le monde ou quelque autre nature, *peut-être* faudra-t-il l'examiner plus tard » (52.8-10). En fait, ce qui reste de l'œuvre, sans apporter aucune précision, donne à penser que, pour Aristote comme pour le vieux

---

(1) Hermotime de Clazomènes, cf. P. W., VIII, 904.49 ss. (Wellmann).
(2) Le mot manque dans DIELS-KRANZ qui citent pourtant (II, 20.40 ss.) Aristote, *Méta.*, 984 b 15 ss. où les noms d'Hermotime et d'Anaxagore sont associés de nouveau à propos du νοῦς.
(3) ὁ θνη[τὸ]ς αἰὼν μέρος ἔχει θεοῦ τινός, 48.18 P. Que le mot soit devenu célèbre est attesté déjà par l'allusion quasi certaine d'Épicure, *à Ménécée*, § 135 (cf. Bignone, I, pp. 134-135) ζήσῃ δὲ ὡ[ς] θεὸς ἐν ἀνθρώποις, et, plus tard, par l'imitation qu'en fait Cicéron dans l'*Hortensius* (AUG., *de Trinit.*, XIV, 19, 26 = fr. 61, p. 72.24 ss. R.) *aeternos animos ac divinos habemus* et dans le *de finibus* (II, 13, 40 = fr. 61, p. 72.17 ss. R.) *sic hominem ad duas res, ut ait Aristoteles, ad intellegendum et ad agendum esse natum* quasi mortalem deum.
(4) JAMBL., c. VIII, p. 48.9-21 P. = fr. 61 R.

Platon, la contemplation s'étend à cette « totalité de l'être » du *Sophiste*, qui inclut à la fois et les intelligibles et le monde, ou du moins le ciel, puisque, par son mouvement ordonné, le ciel est à l'image de l'ordre intelligible. D'une part la doctrine des Idées est impliquée par l'argumentation du chapitre X de Jamblique (seul le philosophe contemple les êtres vrais) (1), et il y a encore une allusion à cette doctrine dans une phrase du chapitre XI (58.13-14) : c'est le sage qui, éminemment, est en vie, et cela surtout quand il exerce son activité de sage et se trouve contempler celui de tous les êtres qui est le plus connaissable (2). D'autre part, divers indices montrent que la contemplation du Kosmos n'est nullement exclue. On loue Pythagore et Anaxagore d'avoir contemplé le ciel et les astres (51.6-15, 52.6-8). On déclare que la contemplation de l'Univers (τὴν θεωρίαν τοῦ παντός) doit être mise au-dessus de toutes les choses réputées utiles (53.25-26 = fr. 58 R) (3). Le philosophe est le seul qui vive les yeux fixés sur la Nature et le Divin (μόνος γὰρ πρὸς τὴν φύσιν βλέπων ζῇ καὶ πρὸς τὸ θεῖον) : pareil à un bon pilote (qui règle la course du navire sur les astres), il règle sa conduite d'après les êtres éternels et permanents et dès lors s'élance sur les flots du réel (4) et vit selon lui-même (ζῇ καθ' ἑαυτόν, 55.26-56.2). Enfin, si la belle conclusion des extraits de Jamblique (c. XII, 60.7-61.4) est bien d'Aristote (5), n'y perçoit-on pas un écho du *Timée*? « A cette heure, ayant abandonné les (vrais) biens, toute notre vie se passe à pourvoir aux nécessités de l'existence, et cela surtout chez ceux que la foule regarde comme les heureux du monde ; mais, quand nous nous serons engagés dans le chemin du ciel (ἐὰν δὲ τῆς οὐρανίας ὁδοῦ λαβώμεθα), quand nous aurons fixé notre séjour dans l'astre qui nous est affecté (6), alors nous philosopherons vivant de la vraie vie et contemplant des spectacles d'une beauté indicible, puisque, du regard de l'âme, nous tendrons vers la vérité,

---

(1) Cf. JAEGER, pp. 91-95, en particulier p. 93, n. 1 sur l'expression αὐτῶν γάρ ἐστι θεατής. ἀλλ' οὐ μιμημάτων 55.13 P.

(2) καὶ τυγχάνῃ θεωρῶν τὸ μάλιστα τῶν ὄντων γνώριμον : cela ne peut guère s'appliquer qu'à l'Idée.

(3) Plus loin τὴν τῶν ὄντων φύσιν... θεωρεῖν (54.4-5) est équivoque : τὰ ὄντα peut désigner les « êtres par soi » = les intelligibles, comme les êtres de l'Univers, particulièrement les êtres célestes.

(4) ὁρμᾷ cod., ὁρμεῖ Pistelli (d'après Vitelli). Bignone, *op. cit.*, I, p. 82, n. 2 (voir aussi II, pp. 97-98) défend avec raison ὁρμᾷ = « avventurarsi nel mare della vita ». Noter cependant que, dans un intéressant article (sur lequel je reviendrai), BEN. EINARSON, *Aristotle's Protrepticus and the structure of the Epinomis* (Trans. of the Am. Phil. Ass., LXVII, 1936), p. 276, n. 47, maintient la correction ὁρμεῖ.

(5) Jaeger le nie (*Aristoteles*, p. 80) sans me convaincre absolument.

(6) καὶ ἐπὶ τὸ σύννομον ἄστρον τὴν ζωὴν τὴν ἑαυτῶν ἀπερείσωμεν, 60.18-20 : cf. *Tim.* 42 b 4 πάλιν εἰς τὴν τοῦ συννόμου πορευθεὶς οἴκησιν ἄστρου.

que nous verrons le royaume des dieux (1), et que, par l'effet de cette contemplation, nous ne cesserons de nous réjouir et d'être heureux, dans une volupté totale que ne troûblera nul chagrin » (60.16-61.1).

Ainsi le sage se donne-t-il pour objet et l'Ordre intelligible et le monde céleste qui en est l'image. Mais, à vrai dire, ce n'est pas tant sur l'objet qu'Aristote arrête sa pensée que sur la nécessité même de la contemplation. Il exhorte à la vie théorétique. Et cette exhortation venant à son heure, alors qu'avec l'idéal civique l'homme semblait avoir tout perdu, le Stagirite apporte de nouvelles raisons de vivre. Désormais la vie purement spéculative, la vie studieuse du savant, prend valeur de fin suprême et de suprême consolation.

Ce n'est pas le lieu de redire la fortune incroyable du *Protreptique* (2). Il inaugure une tradition qui n'est point morte : aujourd'hui encore, quand il voit la Cité trahie, un grand cœur peut trouver son refuge dans la retraite et l'étude. Bornons-nous à observer que c'est de cette tradition que relève le mysticisme cosmique dans les écrits d'Hermès. En effet ces écrits se rattachent à l'idéal de la vie théorétique. Ils ne proviennent pas sans doute de grands penseurs ni de vrais savants : les lieux communs y abondent, tant sur les doctrines philosophiques que sur les données de la science. Cependant, quelque médiocres qu'ils apparaissent, si l'on se demande quelle forme d'activité, l'action ou la spéculation, ils préconisent, la réponse ne fait point doute : c'est la seconde. Et l'on en vient ainsi à comprendre ce qui, d'abord, ne laisse pas que d'étonner un moderne.

Comment se fait-il que des hommes, durant tant de siècles, aient pu trouver un véritable réconfort dans la contemplation de l'ordre du ciel et des êtres célestes, aient pu y voir quelque chose de divin, et, dans le sentiment qu'ils avaient affinité avec ces êtres, se donner l'illusion que, par eux, ils communiquaient avec Dieu?

Cela tient tout d'abord à la conception très diverse que se font de l'Univers l'ancien et le moderne. Ce qui frappe le moderne, c'est l'infinité de l'espace. Dans cet espace infini, des astres innombrables se meuvent, à des distances immenses l'un de l'autre, en sorte qu'il est impossible de les relier entre eux, de les rassembler en un même ordre. En outre, ces astres sont pure matière : ils ne sont pas des

---

(1) θεώμενοι τὴν τῶν θεῶν ἀρχήν 60.23. θεῶν doit s'appliquer aux astres, cf. *Tim.* 37 c 6-7 τῶν ἀιδίων θεῶν ἄγαλμα avec ma note sur ce texte, *supra*, p. 109, n. 5 (ἀίδιοι θεοί ne désigne pas les Idées, cf. Procl., *in Tim.*, III, p. 5.22 ss. D.).

(2) Cf. surtout Bignone, *op. cit.*, I, pp. 90-95.

êtres vivants, moins encore des êtres divins. Pour l'ancien au contraire, le monde est vraiment un *Kosmos*, il est un ordre. Limité, il se compose d'un certain nombre de sphères concentriques, dont les révolutions s'accordent et font une harmonie. En outre, le ciel est animé, l'Univers est un grand Vivant, et chacun des astres qui tournent dans le ciel est, lui aussi, un vivant. Enfin, puisque ces astres se meuvent de mouvements réguliers, ils sont divins. Qu'on reconnaisse un lien entre les âmes des astres et l'âme humaine, et l'idée naît d'une communion. Le moyen de cette communion sera, dans la vie présente, la contemplation. Après la mort, l'âme humaine ira rejoindre l'astre qui lui est apparenté (σύννομον ἄστρον).

Cela ne suffit pas à tout expliquer. Pour s'unir au Dieu cosmique, il faut passer par le monde, et dès lors contempler le monde. Cette contemplation requiert une science. Et, puisque cette science mène à Dieu, elle est tout ensemble une religion. A son tour, l'étude requiert un genre de vie, qui, étant donnée sa fin, sera la vie la plus haute. Or c'est ici, dans la conception de la science, et partant de la vie de science, que diffèrent du tout l'ancien et le moderne. Et d'abord, le moderne distingue radicalement la science de la religion : nul n'adore plus le ciel comme un Dieu visible, image du Dieu invisible. En outre, la notion même de science a changé. Pour l'homme hellénistique, l'étude est désintéressée : connaître est une fin en soi, un πρῶτον αἱρετόν, un bien que l'on choisit pour lui-même sans se préoccuper des résultats pratiques où la science peut mener. Pour le moderne en revanche, selon les vues ordinaires, le principal intérêt de la science est dans les résultats pratiques. Et, comme la science a permis au moderne d'exercer sur la matière un empire dont l'ancien n'a jamais pu rêver, comme la puissance de l'homme s'est ainsi multipliée sans limites, toute l'ambition du moderne est d'augmenter toujours plus cet asservissement et cette puissance. Il se porte donc à des fins pratiques et n'en conçoit pas d'autres : l'étude est servante de ces fins, alors que, chez l'ancien, elle valait par elle-même et constituait la fin. Il faut mesurer ces différences, il faut se représenter la vraie valeur de la notion d'étude, et de vie d'étude, dans l'antiquité, pour bien comprendre le succès de la religion du monde. Cette religion est liée à l'idéal de la vie théorétique. La formation de cet idéal, à l'aube de la période hellénistique, la naissance au même temps, du mysticisme cosmique, ce sont là deux faits connexes et qui s'expliquent l'un l'autre.

§ 4. *La religion universelle.*

L'idée d'une religion universelle, c'est-à-dire valable pour tous les peuples, n'a pu se former dans le monde grec qu'à partir du moment où les Grecs ont cessé de regarder les Barbares comme des êtres inférieurs et ont admis une certaine unité entre tous les hommes en vertu d'une communauté de nature. Or ce concept, qui apparaît comme un dogme fixe chez Zénon, n'a pris naissance qu'à la fin du IVe siècle. Il est tout absent dans l'œuvre d'Aristote. Plusieurs documents attestent qu'Alexandre en avait fait l'un des principes de sa politique. Entre Alexandre et Zénon, quelques faits montrent que les projets du conquérant, trop tôt arrêtés par sa mort, avaient laissé leur trace dans les esprits, et que l'idée de communauté des peuples, et, partant, de religion universelle n'attendait en quelque sorte qu'un génie philosophique pour prendre sa forme définitive. Ce sont ces diverses étapes que je voudrais rappeler.

1. Les chapitres 1-12 du livre H de la *Politique* d'Aristote constituent un petit traité sur l'ἀρίστη πολιτεία remarquable par la clarté de l'exposition et le brillant du style, qui tranche avec la manière toute sèche et, à force de concision, parfois sibylline du Stagirite en ses ouvrages scolaires (1). Par le dessein qui l'anime et qui est encore tout platonicien (définition de l'État idéal, comme dans la *République* et les *Lois* de Platon), par l'importance qu'il donne à des notions de morale, notamment à l'idée de souverain bien qui servira de règle pour juger de l'État idéal (l'État le meilleur est celui où l'homme ἄριστα πράττει), à celle de vie vertueuse, qui découle immédiatement de la précédente (la vie à choisir entre toutes, βίος αἱρετώτατος, est la vie accompagnée de vertu, ὁ μετὰ ἀρετῆς), à celle des deux genres de vie, théorétique et pra-

---

(1) Sur ce traité, cf. Wilamowitz, *Aristoteles u. Athen*, I, pp. 356 ss., Jaeger, *Aristoteles*, pp. 273 ss., en particulier 289 ss. Récemment, M. Endre von Ivanka, dans une étude d'ailleurs ingénieuse, *Die Aristotelische Politik und die Städtegründungen Alexanders des Grossen* (Budapest, 1938), a voulu reconnaître dans *Pol.* H 1-12 l'écrit dénommé Ἀλέξανδρος ἢ περὶ ἀποικιῶν dans le catalogue de Diogène Laërce, écrit qui aurait visé plus particulièrement la fondation d'Alexandrie dont Aristote blâmerait la constitution où Grecs et Barbares obtiennent droits égaux, pp. 15-19. Mais d'une part il paraît impossible de détacher arbitrairement H 1-12 du groupe H-Θ, d'autre part ce groupe H-Θ semble bien appartenir, comme l'a montré Jaeger, à l' « Urpolitik » aristotélicienne, c'est-à-dire à un ensemble de πραγματεία (ΒΓΗΘ) encore dominées par un concept platonicien de la science (politique abstraite et théorique, déduite de l'idée de souverain bien), à l'encontre du groupe ΔΕΖ (politique empirique, fondée sur la réalité des choses). Le groupe ΒΓΗΘ remonterait donc à la première période de l'activité professorale du Stagirite (environ 340) et serait par suite antérieur à la fondation des colonies macédoniennes d'Alexandre.

tique, et de leurs mérites respectifs quant à la fin cherchée (qui est de vivre vertueusement) (1), par les étroites relations qui l'unissent ainsi soit aux écrits exotériques dont Aristote, ici même, s'inspire (2), soit à la plus ancienne des trois Éthiques, l'*Éthique eudémienne* (3), il apparaît clairement que ce petit ouvrage appartient à la première période de l'activité professorale du Stagirite, celle qui a suivi son départ de l'Académie et son installation à Assos, non loin d'Hermias d'Atarnes, en 347 (4).

Dès l'abord, le principe qui commande toute la discussion est un principe d'éthique : qui veut traiter de la constitution la meilleure (περὶ πολιτείας ἀρίστης) doit se demander quelle est la vie la plus désirable (τίς αἱρετώτατος βίος, 1, 1323 a 14-16) (5) : il convient en effet que la meilleure constitution soit celle sous laquelle on vit de la façon la plus excellente (ἄριστα γὰρ πράττειν προσήκει τοὺς ἄριστα πολιτευομένους 1323 a 17-18). En d'autres termes, c'est un principe d'éthique qui sert de règle pour juger des constitutions. Le moyen de distinguer le bon État du mauvais, de reconnaître les causes qui les font tels, et de définir la constitution la meilleure n'est pas fondé ici, comme il avait été annoncé à la conclusion de l'*Éthique Nicomachéenne* (6), sur un examen de toutes les constitutions actuellement existantes, mais sur une notion abstraite, la notion de vie parfaite (ἄριστα πράττειν), c'est-à-dire conforme au Souverain Bien. Quelle est donc la constitution qui assure la vie la

---

(1) Mentionnons aussi l'inspiration théologique qui se décèle 1, 1323 b 23 μάρτυρι τῷ θεῷ χρωμένοις κτλ., 3, 1325 b 28 σχολῇ γὰρ ἂν ὁ θεὸς ἔχοι καλῶς καὶ πᾶς ὁ κόσμος, οἷς οὐκ εἰσὶν ἐξωτερικαὶ πράξεις παρὰ τὰς οἰκείας τὰς αὐτῶν.

(2) 1, 1323 a 21 νομίσαντας οὖν ἱκανῶς πολλὰ λέγεσθαι καὶ τῶν ἐν τοῖς ἐξωτερικοῖς λόγοις περὶ τῆς ἀρίστης ζωῆς, καὶ νῦν χρηστέον αὐτοῖς. L'écrit visé est le *Protreptique*, cf. JAEGER, pp. 289-297. Les ἐξωτερικοὶ λόγοι sont cités aussi Γ 1278 b 31.

(3) Cf. JAEGER, pp. 297-299 et p. 297 n. 2.

(4) Sur tous ces points, et sur l'appartenance de H 1-12 au groupe de I « Urpolitik » (ΒΓΗΘ), cf. JAEGER, *op. cit.*, pp. 273 ss.

(5) On sait que ce début de H fait logiquement la suite de Γ et que la dernière phrase de Γ se trouve en partie reproduite au début de H, cp. Γ 18, 1288 b 2 ss. διωριτμένων δὲ τούτων περὶ τῆς πολιτείας ἤδη πειρατέον λέγειν τῆς ἀρίστης, τίνα πέφυκε γίγνεσθαι τρόπον καὶ καθίστασθαι πῶς· ἀνάγκη δὴ τὸν μέλλοντα περὶ αὐτῆς ποιήσασθαι τὴν προσήκουσαν σκέψιν (la phrase s'arrête ici dans les MSS.) et H 1, 1323 a 14 περὶ πολιτείας ἀρίστης τὸν μέλλοντα ποιήσασθαι τὴν προσήκουσαν ζήτησιν ἀνάγκη διορίσασθαι κτλ. Sur ce point, cf. JAEGER, p. 281.

(6) *Eth. Nic.*, X 10, 1181 b 17 ss. εἶτα ἐκ τῶν συνηγμένων πολιτειῶν θεωρῆσαι τὰ ποῖα σώζει καὶ φθείρει τὰς πόλεις καὶ τὰ ποῖα ἑκάστας τῶν πολιτειῶν, καὶ διὰ τίνας αἰτίας αἱ μὲν καλῶς αἱ δὲ τοὐναντίον πολιτεύονται· θεωρηθέντων γὰρ τούτων τάχ' ἂν μᾶλλον συνίδοιμεν καὶ ποία πολιτεία ἀρίστη. Cette conclusion de la dernière des trois Éthiques d'Aristote ne peut avoir été écrite que dans les dix dernières années de sa vie, et elle prépare à cet ouvrage de politique positive auquel songeait alors le Stagirite, pour lequel il avait établi la collection des diverses Πολιτεῖαι, et dont il ne reste aujourd'hui que les livres ΔΕΖ et l'introduction générale (A) de la *Politique*. Cf. JAEGER, pp. 277-279.

meilleure? Ce point, purement théorique, est traité dans une sorte de préambule analogue aux προοίμια des *Lois* (c. 1-3, 1323 a 14-1325 b 32) (1). Vient ensuite l'exposé sur la constitution elle-même (c. 4-12, 1325 b 33-1331 b 23). Dans l'une et l'autre parties, Aristote est amené par son sujet à nous dire ce qu'il pense du gouvernement des Grecs sur les Barbares.

Le principe qui commandera toute la discussion une fois posé dès les premières lignes du préambule, deux questions se présentent tout d'abord : (*a*) quelle est la vie la plus désirable pour tous (τίς ὁ πᾶσιν ὡς εἰπεῖν αἱρετώτατος βίος 1323 a 20); (*b*) cette vie est-elle la même pour toute la cité en commun et pour chaque membre de la cité séparément, ou bien est-elle différente (πότερον κοινῇ καὶ χωρὶς ὁ αὐτὸς ἢ ἕτερος 1323 a 21). La réponse à la première question remplit tout le chapitre premier, où Aristote, comme il l'indique lui-même (1323 a 21 ss.), fait usage des écrits exotériques, en l'espèce le *Protreptique*. Supposons admise la division des biens en trois catégories, biens extérieurs, biens du corps, biens de l'âme, nul ne voudra nier que, pour être vraiment heureux, il faut posséder ces trois sortes de biens (2). Nul en effet ne voudra tenir pour vraiment heureux celui qui ne possède pas la moindre parcelle de courage, de tempérance, de justice, de sagesse (1323 a 24-34). Tout le monde est d'accord là-dessus, on ne dispute que sur la part à donner à chacun de ces trois biens. Le plus grand nombre estime qu'il suffit d'une toute petite quantité de vertu, au lieu que, pour la richesse, la puissance et la gloire, le désir qu'on en a est insatiable. Mais les faits eux-mêmes prouvent qu'ils ont tort. On n'acquiert et on ne garde pas les vertus par le moyen des biens extérieurs, mais ces biens extérieurs par le moyen des vertus. Que la vie heureuse consiste dans un état de joie ou dans la vertu ou dans ces deux ensemble, ceux-là sont plus heureux qui, doués d'un grand caractère et d'une belle intelligence, se contentent de peu de biens que ceux qui possèdent plus de biens qu'ils n'en peuvent user, mais sont déficients quant aux qualités morales (1323 a 34-b 6). La raison vient confirmer ces données de fait. Les biens extérieurs comportent une limite, comme tout instrument (ils ne sont utiles qu'en vue d'un certain objet); passée cette limite, ils nuisent ou du moins ne servent plus à rien. Au contraire les biens de l'âme, plus ils sont abondants, plus ils sont utiles. En

---

(1) Cf. d'ailleurs ici même, 1, 1323 b 34 ἀλλὰ γὰρ ταῦτα μὲν ἐπὶ τοσοῦτον ἔστω πεφροιμιασμένα τῷ λόγῳ, 4, 1325 b 33 ἐπεὶ δὲ πεφροιμίασται τὰ νῦν εἰρημένα περὶ αὐτῶν.

(2) Cf. déjà PLAT., *Euthyd.* 278e ss.

outre, autant l'âme l'emporte, et absolument et relativement à nous, sur la richesse et sur le corps, autant le meilleur état de l'âme sur le meilleur état des biens de fortune et du corps. Enfin c'est pour le bien de l'âme qu'on recherche les biens extérieurs et ceux du corps, et non réciproquement (1323 b 6-21). Concluons donc qu'on est heureux dans la mesure où l'on possède vertu et sagesse, et où l'on agit selon la vertu et la sagesse. L'exemple de Dieu en porte témoignage : si Dieu est parfaitement heureux, ce n'est nullement en raison des biens extérieurs ; il ne le doit qu'à lui-même, et à la qualité particulière de sa nature. Aussi bien le bonheur ne peut-il dépendre de la chance : les biens extérieurs à l'âme ont pour cause le hasard et la chance, seuls les biens de l'âme (justice et tempérance) en sont indépendants. Le langage même confirme ces vues. La cité heureuse, c'est la cité la meilleure et qui se trouve en bonne condition (1). Or il est impossible de se trouver en bonne condition (καλῶς πράττειν) si l'on n'accomplit des actions nobles (τοῖς μὴ τὰ καλὰ πράττουσιν), et il n'est pas d'action noble, ni pour l'individu isolé ni pour la cité, sans vertu et sans sagesse : courage, justice et sagesse ont même valeur et même essence qu'il s'agisse de la cité ou de l'individu isolé (1323 b 21-36). Bien qu'il nous soit impossible de développer tout au long cette matière, qui ressortit d'ailleurs à une autre discipline, posons pour base de discussion que la vie la meilleure, et pour l'individu isolé et pour la cité en commun, est la vie accompagnée de vertu, avec une quantité de biens suffisante pour qu'on puisse participer aux actes conformes à la vertu (βίος μὲν ἄριστος, καὶ χωρὶς ἑκάστῳ καὶ κοινῇ ταῖς πόλεσιν, ὁ μετὰ ἀρετῆς κεχορηγημένης ἐπὶ τοσοῦτον ὥστε μετέχειν τῶν κατ' ἀρετὴν πράξεων 1323 b 40-1324 a 2).

La réponse à la deuxième question est donnée brièvement au début du second chapitre (1324 a 5-13). Point n'est besoin ici de longs discours : il va de soi que la vie heureuse est la même pour l'individu et pour la cité, qu'on mette le bonheur soit dans la richesse soit dans le pouvoir soit dans l'exercice de la vertu.

Viennent alors deux autres questions : (*a*) quelle est la vie préférable, celle du citoyen qui participe à la chose publique, ou celle de l'étranger qui se tient à part de toute vie politique ; (*b*) quelle constitution et quelle condition de la cité faut-il regarder comme les meilleures, qu'on admette que prendre part active à la cité est désirable pour tous, ou que ce soit non désirable pour quelques-uns bien que désirable pour le plus grand nombre (2, 1324 a 13-19). Qu'Aristote

---

(1) πράττουσαν καλῶς, avec le jeu de mots habituel sur εὖ (καλῶς) πράττειν.

introduise dans un traité de politique la première de ces deux questions fait assurément difficulté, on l'a remarqué depuis longtemps (1) et il semble que l'auteur lui-même en ait eu conscience, qui déclare que, dans une étude de politique comme l'est le présent ouvrage, c'est là une considération secondaire (ἐκεῖνο μὲν πάρεργον ἂν εἴη 1324 a 22). Peut-être la difficulté se résout-elle si l'on reconnaît, avec Jaeger, que ce traité H 1-12, et avec lui toute l'« Urpolitik »(ΒΓΗΘ), n'est pas fort éloigné, dans le temps, du *Protreptique*. Sans doute le problème des mérites respectifs de la vie contemplative et de la vie active ne concerne-t-il en rien la politique comme telle. Mais ce problème est alors l'un de ceux qui occupent le plus la pensée d'Aristote. Et comme il a entrepris de traiter de la politique dans un esprit encore tout pénétré de la notion de science théorique, comme, dans son présent dessein, la constitution idéale doit se déduire de principes absolus et de principes moraux, comme il a défini la constitution idéale en fonction de la vie parfaite qui est la vie vertueuse, il lui souvient tout naturellement que cette vie vertueuse comporte deux aspects, que les uns mettent la vertu dans la pure contemplation, les autres dans l'action noble. Et il se demande alors si l'on peut appliquer ces notions à la cité dans son ensemble, la vie contemplative étant assimilée dans ce cas au soin des affaires intérieures de l'État, la vie active à la politique de conquête et de domination. Autrement dit, de même qu'on se demande si l'εὖ πράττειν, pour l'individu, consiste dans la contemplation ou dans l'action, on peut se demander si l'εὖ πράττειν, pour la cité, consiste dans l'état de paix ou dans la guerre de conquête. Tel est, me semble-t-il, le sens général du passage.

La constitution idéale a été définie le régime qui assure à chaque citoyen la vie la meilleure et la plus heureuse; c'est, on l'a vu, la vie accompagnée de vertu. Maintenant, cette vie vertueuse est-elle la vie active du citoyen qui participe à la chose publique ou la vie contemplative qui, selon certains, est la seule vie philosophique? Il importe grandement de trancher ce point. Car, qu'il s'agisse de chaque individu ou de la cité dans son ensemble, la sagesse consiste à tout ordonner en vue de la fin la meilleure (2, 1324 a 23-35).

Posons d'abord les deux thèses dans tout leur contraste. Les uns estiment qu'un empire despotique sur les pays voisins (τῶν πέλας ἄρχειν δεσποτικῶς 1324 a 36) ne va pas sans la plus grande injustice; si cet empire est constitutionnel (πολιτικῶς, sc. ἄρχειν), il n'y a plus

---

(1) Cf. Susemihl-Hicks (1894), p. 479.

d'injustice, mais c'est une source d'embarras contraires au bien-être du gouvernant. A l'inverse, les autres sont d'opinion que la vie active du citoyen est la seule qui soit digne d'un homme, car il n'est pas moins facile au politique d'exercer chacune des vertus qu'à ceux qui mènent la vie privée (1324 a 35-b 1). Le problème, comme on le voit, s'est compliqué du fait que la vie politique (appliquée à la cité) comporte elle-même deux aspects : empire despotique sur d'autres cités (comme celui d'Athènes au Ve siècle) ou empire constitutionnel, en d'autres termes, politique visant à la conquête ou politique visant à la paix. Aristote considère le premier aspect dans toute la fin du second chapitre; il étudie dans le chapitre troisième le second aspect, dont les mérites propres sont alors comparés avec ceux de la vie contemplative.

Certains pensent donc que la seule constitution heureuse est celle qui vise à l'empire despotique et à la tyrannie; dans certains États même, la constitution et les lois ont pour règle et fin distinctive (ὅρος) (1) de permettre à ces États de régner despotiquement sur les pays voisins. Ainsi à Sparte et en Crète toute l'éducation et les lois ne visent-elles qu'à la guerre (2); et celles des nations barbares qui sont assez fortes pour se livrer à la conquête n'ont rien tant en honneur que les vertus militaires (1324 b 1-22).

« Maintenant », observe Aristote, « il peut paraître tout à fait étrange, si l'on veut considérer de près la matière, que la besogne propre du gouvernant consiste à trouver les moyens d'exercer la maîtrise et l'empire sur les pays voisins, que ceux-ci le veuillent ou non. Comment ce qui n'est même pas légitime pourrait-il être le fait du gouvernant ou du législateur? Or il n'est pas légitime d'employer à maîtriser autrui les moyens injustes aussi bien que les justes, et un règne de pure force peut impliquer des mesures injustes. Davantage, on ne voit non plus rien de pareil dans les autres sciences. Ce n'est pas l'affaire du médecin ou du capitaine de navire d'employer tour à tour la persuasion ou la contrainte, celui-là sur les malades, celui-ci sur les gens de bord (3). Cependant la plupart semblent réduire toute la science politique à l'art de régner en despote et ils

---

(1) Sur l'importance, dans l' « Urpolitik », du mot ὅρος avec le double sens de « norme essentielle » et de « fin spécifique », cf. JAEGER, p. 301 et n. 2 Ce concept d'ὅρος paraît fréquemment dans l'*Ethique Eudémienne* alors que l'emploi s'en fait de plus en plus rare dans les Éthiques postérieures.
(2) Cf. PLATON, *Lois*, I 625 c-626 b.
(3) τοὺς πλωτῆρας. Par Γ 1276 b 20 où la comparaison du gouvernant avec le κυβερνήτης est explicitée (voir aussi 1279 a 4), on voit que πλωτήρ désigne toutes les sortes de gens de mer qui sont à bord, chacun avec sa fonction propre (rameurs, mariniers, etc.).

n'ont point honte d'infliger aux peuples voisins des traitements que, dans leurs propres affaires, ils déclarent eux-mêmes injustes et dommageables. Dans les affaires intérieures en effet ils aspirent au gouvernement juste, mais dans leurs relations avec les autres peuples, ils n'ont plus aucun souci de la justice. *C'est étrange sans doute, à moins que tel peuple ne soit fait par nature pour être gouverné despotiquement, tel autre non* (εἰ μὴ φύσει τὸ μὲν δεσποστόν ἐστι τὸ δὲ οὐ δεσποστόν) (1) : *s'il en va bien de la sorte, il ne faut pas chercher a régner en despote sur tous indistinctement, mais seulement sur les peuples qui sont propres au gouvernement despotique* (οὐ δεῖ πάντων πειρᾶσθαι δεσπόζειν, ἀλλὰ τῶν δεσποστῶν), *de même que, si l'on part en chasse en vue de pourvoir à un banquet ou à un sacrifice, on ne poursuit pas des êtres humains* (ἀνθρώπους) *mais le gibier propre à un tel usage, c'est-à-dire les bêtes sauvages qui sont comestibles* » (1324 b 23-41).

Voilà donc réglé le problème du gouvernement des Grecs sur les Barbares. Ce gouvernement peut, doit même être despotique, parce que les Barbares sont faits « par nature » pour être gouvernés despotiquement. Notre morceau appartient à une partie ancienne de la *Politique*, qui a dû être rédigée dans les années qui suivent l'installation d'Aristote à Assos (347). Bien des années plus tard, quand, fixé à Athènes, le Stagirite reprendra l'étude de la politique sur de nouvelles bases, en se fondant maintenant non plus sur des principes absolus mais sur l'examen des réalités contemporaines (2), quand il aura composé ce traité de politique positive que constituent les livres ΔΕΖ de la *Politique* actuelle et que, voulant insérer ces nouveaux livres dans l'ancien cadre et constatant que l'introduction à l'ancien ouvrage (l. B) ne convient plus pour le nouvel ensemble (3), il rédigera cette seconde et définitive introduction qu'est le livre A, il n'aura pas changé d'esprit quant au point de reconnaître des distinctions « de nature » entre les hommes. Alors que, dans l' « Urpolitik » (H 2), il marquait une distinction naturelle entre peuples φύσει δεσποστοί et les autres, il établira, dans la politique nouvelle (A 2), une distinction naturelle entre ceux qui naissent φύσει δοῦλοι et ceux qui naissent φύσει ἐλεύθεροι. De part et d'autre la discussion sera commandée par un même préjugé inné, et comme invincible en ce Grec essentiellement aristocrate : c'est qu'il existe des êtres naturellement propres à la servitude, et que ces êtres sont les

---

(1) Cf. la discussion sur le φύσει δοῦλος, *Pol.* A 1254 a 15 ss.
(2) Cf. le recueil des *Constitutions*.
(3) Composé de l'ancien groupe ΒΓΗΘ et du nouveau ΔΕΖ.

non-Grecs, les Barbares. Un Grec, fait prisonnier à la guerre et réduit en esclavage, n'est pas esclave par nature, et il est donc injuste de le maintenir en cet état. Une cité grecque, conquise à la guerre et soumise à un régime de force, n'est pas faite par nature pour ce gouvernement despotique, et il est donc injuste de le lui imposer. Mais il n'en va pas de même dans le cas des Barbares. On a affaire, cette fois, à des êtres φύσει δεσποστοί, φύσει δοῦλοι. Et, par suite, le législateur vertueux dont la tâche propre, qu'il ait à gouverner une cité ou une race d'hommes ou quelque autre communauté que ce soit, est de veiller à ce que chaque individu participe à la vie la meilleure et au plus de bonheur possible, ce législateur vertueux fera une distinction entre les mesures légales : « dans le cas où il existe des peuples voisins, il revient à l'art du législateur de considérer quelles et quelles sortes de mesures doivent être prises à l'égard de quelle et quelle sortes de voisins, et quels procédés convenables il faut adopter à l'égard de chacun d'eux » (1325 a 7-14).

J'ai voulu analyser dans le détail ce long exposé de principes de H 1-2, car il me semble que la position d'Aristote à l'égard des Barbares ne prend que plus de relief si on la considère dans cet ensemble. Il ne s'agit pas ici, en effet, de politique réaliste, de « Faustrecht ». Rien n'est plus éloigné de la pensée du Stagirite que de fonder le gouvernement despotique des Barbares sur une notion d'utile. Non, c'est dans un chapitre de pure éthique, où il déduit la constitution idéale de principes absolus d'une valeur morale universelle, qu'Aristote établit le droit des Grecs à régner en maîtres sur les non-Grecs. Appliqué à d'autres Grecs, le gouvernement despotique est essentiellement injuste : et alors, comment le législateur vertueux, qui doit veiller au bien des gouvernés, pourrait-il se proposer une telle fin? Mais appliqué aux non-Grecs, ce gouvernement est juste, car les non-Grecs y sont par nature prédisposés. Cela est dit sans passion aucune, avec la sérénité habituelle au Stagirite, avec cette hauteur de vues qui caractérise le sage dont le regard reste fixé sur les vérités immuables.

Passons à la seconde partie du traité, c'est-à-dire à l'exposé même de la constitution idéale (H 4-12) (1). On a défini les principes, il faut maintenant se donner la matière convenable pour cet ouvrage qu'est la fondation d'une cité (δεῖ τὴν ὕλην ὑπάρχειν ἐπιτηδείαν οὖσαν πρὸς τὴν ἐργασίαν 1326 a 1). Il y a trois conditions matérielles

---

(1) Dans la phrase de transition, καὶ περὶ τὰς ἄλλας πολιτείας ἡμῖν τεθεώρηται πρότερον (1325 b 34) doit se rapporter à Γ 6-8.

(c. 5-7) : le nombre de la population (c. 5), la structure du pays (c. 5-6) (1), le caractère des habitants (c. 7). Ces données de fait une fois connues, on peut décrire la structure interne du nouvel État (c. 8-12). On doit déterminer d'abord les fonctions indispensables dans l'État : il y en a six, auxquelles correspondent six classes opérantes (c. 8). On établit ensuite lesquelles, parmi ces classes, jouiront des droits civiques et posséderont la terre (c. 9), d'où l'on passe à la division des terres et au mode de leur mise en culture (c. 10). Enfin les deux derniers chapitres (c. 11-12) concernent le plan de la cité, depuis la position et l'approvisionnement en eau jusqu'aux temples, soit de la ville même soit dans le pays alentour.

Dans cette seconde partie aussi, quelques traits se rapportent à la condition diverse, sur le même territoire civique, des Grecs et des Barbares (2).

H 6, 1327 b 3 ss. Si l'État doit avoir la suprématie dans les alliances, il doit posséder une flotte. Mais cette flotte ne suppose pas nécessairement un nombre surabondant de citoyens, car les équipages peuvent être fournis par une race inférieure, sans droits civiques : « S'il existe une masse de périœques (indigènes habitant la campagne autour de la cité) et de villageois cultivant le sol, on aura des marins en abondance » (1327 b 11-13). Aristote donne en exemple l'État d'Héraclée (en Bithynie) qui, bien que relativement modeste, équipe un grand nombre de trirèmes (3).

H 7. D'après l'éloge du caractère des Grecs comparé à celui des Asiatiques faits pour l'esclavage (morceau inspiré d'Hippocrate, π. ἀέρων), il est suffisamment clair que la cité à fonder sera composée uniquement de Grecs et ne comprendra, comme citoyen, aucun Barbare.

H 9, 1329 a 24. Dans la cité nouvelle, on réservera les droits civiques à l'armée et au corps délibératif et judiciaire, les mêmes citoyens étant d'abord soldats, puis conseillers et juges, enfin prêtres. C'est aussi entre ces quatre classes qu'on partagera la terre : les citoyens n'auront pas à la cultiver, « puisque nécessairement le soin de la culture est confié à des esclaves ou aux Barbares qui habitent les alentours de la cité » (εἴπερ ἀναγκαῖον εἶναι τοὺς γεωργοὺς δούλους ἢ βαρβάρους περιοίκους).

---

(1) Étendue et nature du territoire 5, 1326 b 26-1327 a 3; position de la cité 5, 1327 a 3-10; avantages et désavantages de la proximité de la mer 6, 1327 a 11-b 18.
(2) Ces passages ont déjà été rassemblés par E. v. IVANKA, *op. cit.*, pp. 12-13.
(3) Grâce à la population indigène des Mariandynes, cf. WILAMOWITZ, *Arist. u. Athen*, I, p. 357, n. 53, SUSEMIHL-HICKS, p. 498, n. 777.

H 10, 1329 a 40-b 35. L'exemple de pays très anciens, comme l'Égypte et la Crète, jadis royaume de Minos, prouve que le régime des castes fondé sur une différence de races, dont l'une domine et l'autre est réduite en servage, produit de bons résultats (1).

H 10, 1330 a 25 (cf. déjà 9, 1329 a 24). « Les futurs cultivateurs du sol doivent être pris, autant que possible, parmi les esclaves — on veillera à ce qu'ils n'appartiennent pas à la même tribu et à ce qu'ils ne soient pas d'un naturel courageux.... —, et, en second lieu, parmi les Barbares périœques d'un tempérament analogue à celui qu'on a dit. »

Ces indications donnent à penser que le Stagirite a en vue la fondation d'une colonie grecque en pays barbare. Ainsi comprend-on qu'il soit fait allusion à une différence de races (de telles différences ne se rencontrent pas en Grèce même), que la race conquérante soit seule à jouir des droits civiques et à posséder la terre, qu'on laisse la culture du sol aux indigènes réduits en esclavage ou habitant, comme serfs, la campagne avoisinante, qu'on prenne soin de dire que ces cultivateurs esclaves doivent être de tribus mélangées. Néanmoins il serait abusif, à mon sens, de rapporter ces données aux seules fondations d'Alexandre (2). Outre que de telles colonies grecques en pays barbares, impliquant la sujétion d'une partie des indigènes, sont un fait antérieur à Alexandre — l'exemple d'Héraclée Pontique (H 6) suffirait à le prouver, — les raisons que nous avons dites quant à la structure de la *Politique* empêchent absolument de faire descendre la rédaction de H 1-12 aux dernières années de la vie d'Aristote, comme il le faut bien, cependant, si l'on veut que ce traité H 1-12 concerne les fondations d'Alexandre. En outre Jaeger a fait remarquer justement (3) que les conditions ici indiquées pour la colonie future, en particulier ce qui a trait aux défenses militaires (11, 1330 b 32-12, 1331 a 23), conviennent fort bien à la cité d'Atarnés gouvernée par Hermias. C'est sur place, et de la bouche même d'Hermias, qu'Aristote aura pris ses renseignements sur les fortifications de la ville, comme c'est de lui qu'il tient l'anecdote sur le siège de la ville par le général perse Antophradatès, au temps d'Euboulos, père d'Hermias (B 7, 1267 a 31-37). C'est là

---

(1) En 1329 b 25-32 paraît l'idée que l'humanité se répète d'une manière cyclique, qu'elle a recommencé et recommencera une infinité de fois de redécouvrir les éléments de la civilisation : cette idée est empruntée au *Protreptique*, fr. 53 R.

(2) Comme l'a fait M. v. Ivanka, *op. cit.*, pp. 12-15, qui songe plus particulièrement à la fondation d'Alexandrie, pp. 17-19.

(3) *Aristoteles*, pp. 303-305.

aussi qu'il aura pu apprendre ce qu'il nous dit d'Héraclée Pontique avec sa population de serfs Mariandynes : Héraclée, comme Atarnes, était gouvernée par un τύραννος grec. Bref, rien n'oblige à voir dans ces chapitres H 1-12 une allusion précise aux colonies d'Alexandre et, moins encore, à identifier ce traité avec le περὶ ἀποικιῶν dédié à Alexandre.

Il n'empêche que, lorsqu'Aristote eut à prendre parti sur la politique d'Alexandre relativement à la fusion entre Grecs et Barbares, il le fit selon le même esprit et presque avec les mêmes termes que dans ce traité de la *Politique* sur la constitution idéale. Le Stagirite avait prononcé ici qu'il ne faut pas chercher à régner en despote sur tous indistinctement, mais seulement sur ceux qui sont prédisposés à ce régime despotique (οὐ δεῖ πάντων πειρᾶσθαι δεσπόζειν, ἀλλὰ τῶν δεσποστῶν 1324 b 39) et il avait comparé les Barbares aux animaux sauvages et comestibles qui sont le gibier propre à être chassé (θηρευτόν, comme, plus haut, δεσποστόν). Or nous apprenons par Plutarque, dont la source est Ératosthène, qu'Aristote avait conseillé à Alexandre de « traiter les Grecs en chef d'armée (1), les Barbares en despote, prenant soin des premiers comme d'amis et de familiers, se servant des autres comme on fait des animaux ou des plantes » (οὐ γὰρ ὡς Ἀριστοτέλης συνεβούλευεν αὐτῷ — sc. τῷ Ἀλεξάνδρῳ — τοῖς μὲν Ἕλλησιν ἡγεμονικῶς, τοῖς δὲ βαρβάροις δεσποτικῶς χρώμενος καὶ τῶν μὲν ὡς φίλων καὶ οἰκείων ἐπιμελούμενος, τοῖς δὲ ὡς ζῴοις ἢ φυτοῖς προσφερόμενος, Plut., *fort. Alex.*, I 6 = fr. 658 Rose). La correspondance est parfaite, jusqu'à la comparaison des Barbares avec des animaux. Or cette comparaison doit être prise à la lettre. Le Barbare est naturellement esclave, et l'être naturellement esclave est, par essence, un outil (ὄργανον), une chose que l'on possède (κτῆμα) et dont on fait usage au même titre que de ses autres propriétés (*Pol.*, Λ 2, 1253 b 23-1254 a 17).

Voilà donc le point de vue d'Aristote relativement à un problème fort grave, et dont la solution devait entraîner d'importantes conséquences. Disons-le, c'est l'opinion classique jusqu'alors. Tous pensent de même. Il y a deux sortes d'êtres humains, le Grec et le Barbare. Le Grec seul est vraiment homme et digne de vivre en homme. Le Barbare est un être naturellement inférieur, naturellement destiné, par suite, à l'état d'esclave ou de serf. On doit le traiter comme un animal. Telle est la doctrine constante de la *Politique*

---

(1) ἡγεμονικῶς. — ἡγεμών est le titre officiel de Philippe et d'Alexandre auprès de la Ligue de Corinthe, cf. *Syll.* ³, 260.21 καθότι... ὁ ἡγεμὼν κελεύῃ.

d'Aristote (1). Platon n'est pas d'un autre avis, *Rép.*, V 470 c-471 c :
Si des Grecs se font entre eux la guerre, c'est là une querelle entre
parents : et il leur faut donc se traiter comme parents, qui ne sont
pas naturellement ennemis, mais songent à se réconcilier le plus tôt
possible. En revanche, quand des Grecs se battent contre des
Barbares, c'est là le fait d'une inimitié naturelle (πολεμίους φύσει
εἶναι 470 c 6), et les Grecs doivent se comporter à l'égard des
Barbares comme ils le font entre eux à présent (471 b 8-9), c'est-à-
dire ravager les territoires, brûler les maisons, traiter tous les
habitants en ennemis (471 a 9-b 6). De son côté, Isocrate engage
bien tous les Grecs à l'union des cœurs (ὁμόνοια), mais les Grecs
seulement, et c'est pour les voir s'unir, sous le commandement de
Philippe, contre les Perses (*Panég.* 3), qui sont leurs ennemis
naturels, ἐπὶ τοὺς φύσει πολεμίους (cf. Platon) καὶ πατρικοὺς ἐχθρούς
(*Panég.* 184) (2).

2. C'est à cette doctrine commune de la Grèce pensante (Platon,
Isocrate, Aristote) que le Stagirite voulut amener Alexandre.
Deux témoignages d'Erastothène (IIIe s.) l'assurent : « Alexandre ne
fit pas *comme le lui avait conseillé Aristote* », οὐ γὰρ ὡς Ἀριστοτέλης
συνεβούλευεν αὐτῷ, sc. τῷ Ἀλεξάνδρῳ (fr. 658, p. 414. 28 R. =
Plut., *fort. Alex.* 1, 6) (3). Ératosthène désapprouve ceux qui divi-
saient la masse des hommes en deux camps, Grecs d'une part,
Barbares de l'autre, et qui engageaient Alexandre à traiter les Grecs
en amis, les Barbares en ennemis : « mieux vaut, dit-il (Eratosthène),
établir la ligne de partage d'après la vertu et le vice.... Quant à
Alexandre, loin de repousser ceux qui le conseillaient de la sorte, il
accepta leur avis ; de fait, considérant le sens *de la lettre qui lui avait
été adressée* (πρὸς τὴν διάνοιαν σκοπῶν τὴν τῶν ἐπεσταλκότων), il
n'agit pas à l'encontre de cette lettre, mais en tira les conséquences »

---

(1) Cf. *Pol.*, Γ 14, 1285 a 20 : Le pouvoir des monarques orientaux ressemble à celui des tyrans, mais il est légitime et héréditaire : « en effet, puisque les Barbares sont naturelle- ment plus serviles que les Grecs, et les Asiates que les Européens, ils supportent sans ressentiment le régime despotique ». — A 2, 1252 b 9 : Après avoir cité le vers d'Euripide, *Iph. Aul.*, 1400 βαρβάρων δ' Ἕλληνας ἄρχειν εἰκός, Aristote ajoute ὡς αὐτὸ φύσει βάρβαρον καὶ δοῦλον ὄν. — A 8, 1256 b 23 ss. : l'art de la guerre est une sorte d'art de con- quête (de quoi l'art de la chasse est une espèce), dont il convient d'user contre les animaux sauvages et ceux des hommes qui, *étant nés pour obéir*, s'y refusent, puisque, dans ce cas, la guerre est naturellement juste.

(2) Sur ces idées d'Isocrate, cf. G. Mathieu, *Les idées politiques d'Isocrate* (Paris, 1935), ch. v-vi ; U. Wilcken, *Alexandre le Grand*, tr. fr. (Paris, 1933), pp. 30-33 ; W. W. Tarn, *Alexander the Great and the unity of mankind* (Proceed. of the Brit. Acad., XIX, 1933), pp. 5-6.

(3) En comparant Plut., *fort. Alex.*, I 6 avec Strab., I, p. 66 où Eratosthène est nommé, Schwarz (suivi par Susemihl, Kaerst et Tarn) a montré que le premier texte dérive lu aussi d'Eratosthène.

(fr. 658, p. 415.7-15 R. = Strab., I, p. 66). Selon Plutarque enfin (*Alex.* 55), après la conspiration des pages dont Callisthène, neveu d'Aristote, avait été l'inspirateur, Alexandre annonça qu'il punirait ce charlatan (1) de Callisthène et *ceux qui l'avaient envoyé* (καὶ τοὺς ἐκπέμψαντας αὐτόν) : c'est désigner clairement Aristote. Nous savons quelle fut l'attitude de celui-ci sur les rapports entre Grecs et Barbares : voyons maintenant comment se conduisit Alexandre.

Les cinq documents réunis par M. Tarn (2), et dont deux au moins remontent à Ératosthène, le font bien voir. D'après Arrien (VII, 2, 9), après la révolte des Macédoniens à Opis et leur réconciliation avec Alexandre, celui-ci réunit Macédoniens et Perses à un banquet durant lequel il fit une prière pour que la concorde régnât entre les deux peuples et qu'ils partageassent également le pouvoir. Combinés, les deux extraits d'Ératosthène (3) rapportent qu'Alexandre, obéissant non à la lettre, mais au sens de l'avis d'Aristote, divisa les hommes en bons et mauvais sans tenir compte de leur race : en effet il se considérait comme envoyé de Dieu pour harmoniser et pacifier la terre entière, amenant par la persuasion, et au besoin par la force, tous les hommes à ne faire qu'un seul corps, comme s'il mélangeait dans une même coupe d'amitié les vies, les mœurs, les mariages et les régimes. Il voulait qu'on tînt le monde pour sa patrie, le camp pour sa forteresse, les bons pour ses parents, les mauvais pour des étrangers, puisque c'est le bon qui est le vrai Grec, le méchant qui est le vrai Barbare (4). Des deux témoignages de Plutarque, l'un (*fort. Alex.*, I 8) rappelle l'intention qu'avait Alexandre de rassembler tous les hommes en un même peuple (ἕνα δῆμον ἀνθρώπους ἅπαντας ἀποφῆναι βουλόμενος), l'autre, tiré de la *Vie d'Alexandre* (c. 27), nous mène directement à notre objet. Dans ce chapitre XXVII, Plutarque raconte d'abord la visite d'Alexandre au temple de Zeus Ammon, en Libye, puis il ajoute : « On rapporte qu'Alexandre eut en Égypte un entretien avec le philosophe Psammon et qu'il en loua surtout la maxime que Dieu est le roi de tous les hommes parce que ce qui en chaque être commande et domine est divin. Cependant Alexandre lui-même exprime sur ce point une opinion plus philosophique encore lorsqu'il dit que Dieu

---

(1) τὸν σοφιστήν me paraît avoir ici un sens méprisant.
(2) Tarn, *op. cit.* (*supra* p. 187, n. 2), pp. 6-7.
(3) Strab., I, p. 66 et Plut., *fort. Alex.*, I 6, cf. *supra*, p. 187, n. 3.
(4) Cp. Erat. *ap.* Strab. βέλτιον εἶναί φησιν ἀρετῇ καὶ κακίᾳ διαιρεῖν ταῦτα, πολλοὺς γὰρ καὶ τῶν Ἑλλήνων εἶναι κακοὺς καὶ τῶν βαρβάρων ἀστείους et Erat. *ap.* Plut. τὸ δὲ Ἑλληνικὸν καὶ βαρβαρικὸν μὴ χλαμύδι... διορίζειν, ἀλλὰ τὸ μὲν Ἑλληνικὸν ἀρετῇ, τὸ δὲ βαρβαρικὸν κακίᾳ τεκμαίρεσθαι.

est le Père commun de tous les hommes, mais qu'il regarde surtout comme ses fils les plus vertueux » (1).

3) Voilà le dogme nouveau annoncé en toute clarté : tous les hommes sont frères parce qu'ils ont tous un même Dieu comme Père. Quel est ce Dieu « Père commun de tous les hommes » (κοινὸν ἀνθρώπων πατέρα)? Il nous faut ici éviter les anachronismes, oublier, comme de juste, la prédication chrétienne, mais aussi la stoïcienne. Sans doute Plutarque écrit-il justement (*fort. Alex.*, I 6 *in.*) : « Cette fameuse République de Zénon, fondateur de la secte des Stoïciens, se ramène à ce seul point, que nous ne devons pas habiter la terre répartis en cités et en dèmes et nous distinguer les uns des autres par des juridictions particulières, mais que nous devons considérer tous les hommes comme nos compagnons de dème et nos concitoyens, en sorte qu'il n'y ait qu'un même genre de vie et un seul ordre (κόσμος), comme dans un troupeau qui, sous une même loi, use d'un même pâturage. Voilà l'image qu'a dessinée Zénon comme le songe ou le fantôme d'une République bien réglée et philosophique », mais pour ajouter aussitôt : « mais c'est Alexandre qui a fourni matière à ce discours par l'œuvre qu'il accomplit » (Ἀλέξανδρος δὲ τῷ λόγῳ τὸ ἔργον παρέσχεν). Alexandre est mort en 323, Zénon n'arrive à Athènes qu'en 311 et n'ouvre son école qu'en 301 (2) : nul moyen d'imaginer une influence quelconque du philosophe sur le roi. Quel est donc ce Dieu universel d'Alexandre? Si l'on raisonnait à priori, on verrait déjà que ce ne peut être que le Monde (Ciel) ou le Dieu cosmique. Au temps d'Alexandre, il n'est que deux sortes de dieux : les dieux nationaux, aussi divers qu'il y a de cités et de peuples; et le dieu des philosophes. Or les dieux nationaux sont exclus à l'évidence, puisque, loin de réunir les hommes, ils les divisent. Reste le Dieu des philosophes qui, nous l'avons vu, en ce dernier tiers du ive siècle, s'identifie avec le Kosmos (Ciel) ou avec le Dieu du Kosmos. Mais il n'est pas besoin de raisonner à priori. Cette fois encore, des documents, diligemment

---

(1) Le philosophe Psammon n'est pas autrement connu, mais la maxime est essentiellement stoïcienne, cf. CHRYSIPPE ἐ. τῷ πρώτῳ περὶ θεῶν ap. PHILOD., *de piet.* II (St. V. F., II 315) ἀλλὰ μὴν καὶ Χρύσιππος... φησιν... τόν τε κόσμον ἔμψυχον εἶναι καὶ θεόν, καὶ τὸ ἡγεμονικὸν καὶ τὴν ὅλην ψυχήν, imité par CICÉRON, *de nat. deor.*, I 15, 39 *iam vero Chrysippus ...ipsumque mundum deum dicit esse ..., tum eius ipsius principatum, qui in mente et ratione versetur, communemque rerum naturam universitatemque omnia continentem.* Le Logos universel est présent en chaque être où il commande et domine, cp. PLUT., *l. c.* τὸ γὰρ ἄρχον ἐν ἑκάστῳ καὶ κρατοῦν θεῖόν ἐστιν et ZÉNON (St. V. F., I 13) θεὸν... ποῦ μὲν εἶναι νοῦν, ποῦ δὲ ψυχήν, ποῦ δὲ φύσιν, ποῦ δὲ ἕξιν.

(2) Pour la chronologie de Zénon, cf. *infra*, p. 265, n. 1.

recueillis par M. Tarn (1), attestent que ce Dieu universel est le Ciel. Aucun de ces témoignages, pris en lui-même, n'est peut-être très probant (2) : mais leur convergence a du poids.

Nous savons par Cicéron (*nat. deor.*, I 13, 35) que Théophraste attribuait le gouvernement du monde (*principatus*, τὸ ἡγεμονικόν : expression stoïcienne) tantôt à l'Intellect divin, tantôt au Ciel, tantôt aux astres et aux constellations célestes. Autrement dit, Théophraste ne faisait que reprendre la doctrine de son maître Aristote, telle que Cicéron l'expose dans le même ouvrage (*ib.*, I 13, 33). De fait, Théophraste lui-même, dans son traité *Sur la Piété* dont Porphyre a recueilli des fragments (*de abst.*, II 5, p. 135.3 ss. N.) (3), témoigne en faveur de la divinité des astres, « dieux célestes » : « Inçalculable est le temps depuis lequel la race, de toutes la plus judicieuse, qui habite la terre très sainte façonnée par le Nil s'est mise, commençant par le vrai commencement, à sacrifier aux dieux célestes. » On ne leur offrit pas d'abord de la myrrhe, ni un mélange de casse, d'encens et de safran (ces offrandes sont bien plus tardives), mais les plantes que la nature fait pousser chaque année. On cueillait (pour soi) les feuilles et les racines, puis l'on brûlait le reste, « car l'on pensait, par ce sacrifice, honorer les dieux visibles du ciel (4) et glorifier leur essence immortelle en leur faisant des offrandes de feu (τοῦ πυρὸς ἀπαθανατίζοντες αὐτοῖς τὰς τιμάς). Car c'est pour eux aussi que, dans nos propres temples, nous veillons à ce que jamais ne meure la flamme du feu, cet élément étant celui qui leur ressemble le plus. » Or, dans un autre fragment du π. εὐσεβείας (*de abst.*, III 25), Théophraste, pour démontrer qu'il est impie de sacrifier des animaux, revient sur l'idée, qu'il avait déjà émise (*de abst.*, II 22, p. 151 10 ss. N.), que l'homme est lié à l'animal par

---

(1) TARN, *l. c.*, pp. 19-25.
(2) Le mot de Théophraste (Porph., *de abst.*, p. 222.3-4 N.) τὰ ζῷα πάντα... κοινοὺς ἁπά..ων δείκνυσι γονεῖς Οὐρανὸν καὶ Γῆν pourrait être un souvenir d'Euripide, *Chrys.* fr. 839 N. Γαῖα μεγίστη καὶ Διὸς Αἰθήρ, | ὁ μὲν ἀνθρώπων καὶ θεῶν γενέτωρ, | ἡ δ' ὑγροβόλους σταγόνας νοτίας | παρεδεξαμένη τίκτει θνητούς, | τίκτει βοτάνην φῦλά τε θηρῶν. χωρεῖ δ' ὀπίσω | τὰ μὲν ἐκ γαίας φύντ' εἰς γαῖαν, | τὰ δ' ἀπ' αἰθερίου βλαστά τα γονῆς | εἰς οὐράνιον πάλιν ἦλθε πόλον. Les fantaisies d'Alexarque pourraient n'être que les inventions d'un demi-fou. Enfin l'Ouranos d'Evhémère peut avoir été emprunté à la mythologie grecque, Tarn le reconnaît lui-même (« Theophrastus and Evhemerus seem to suggest that this use of Ouranos was primarily taken from Greek mythology; Plato's *Timaeus* may have helped », p. 24).
(3) Cf. J. BERNAYS, *Theophrastos' Schrift über Frömmigkeit* (Berlin, 1866), pp. 39 ss.
(4) Τοὺς φαινομένους οὐρανίους θεούς, p. 135. 17 N. Cf. PLAT., *Epin.* 985 d 4 τοὺς ὄντως ἡμῖν φανεροὺς ὄντας θεούς, 984 d 5 θεοὺς δὲ δὴ τοὺς ὁρατούς, 984 a 4-5 (= 986 d 4), 991 b 6.

un lien de parenté (1). Nous nommons parents par nature (φύσει οἰκείους) premièrement ceux qui sont nés du même père et de la même mère, en second lieu ceux qui descendent des mêmes ancêtres, enfin les concitoyens parce qu'ils habitent le même sol et sont membres de la même communauté. Si nous parlons de parenté et d'affinité entre Grec et Grec, Barbare et Barbare, et *plus généralement entre tous les hommes*, c'est donc pour l'une de ces deux raisons : ou bien ils sont issus des mêmes ancêtres ou bien ils participent au même genre de vie, aux mêmes mœurs, à la même race. C'est dans ce sens que nous disons que tous les hommes sont parents non seulement les uns des autres, mais aussi des animaux : en effet l'homme et l'animal se ressemblent et quant aux parties du corps, et bien davantage, quant à l'âme. « Dans ces conditions..., si toutes les races d'êtres vivants ont en commun le sentiment et ne diffèrent que par leur comportement et par le mélange en eux des éléments premiers, de toute manière la race des animaux doit avoir affinité et parenté avec nous : en effet tous les vivants usent du même genre de vie et respirent le même air (2), comme dit Euripide, le même sang coule dans leurs veines, *et ils se réfèrent tous aux mêmes parents le Ciel et la Terre* » (221.21-222.4 N.). Théophraste a succédé à Aristote, comme chef de l'école péripatéticienne, en 322. Or on a vu qu'Aristote excluait toute communauté de nature des Grecs avec les Barbares. Ici en revanche Grecs et Barbares sont apparentés comme étant nés des mêmes parents, le Ciel et la Terre. Entre le Stagirite et son disciple, il s'est donc produit un fait nouveau, et tout mène à croire que ce fait nouveau est la volonté d'Alexandre d'unir tous les hommes comme des frères, puisqu'ils sont tous fils d'un même Père, le Ciel.

Le second témoignage confirme ce premier. Le fils le plus célèbre d'Antipater, Cassandre, qui gouverna la Macédoine de 316 à 298, eut un frère du nom d'Alexarque auquel il donna une bande de territoire sur la presqu'île du mont Athos. Alexarque y fonda, peu après 316, sur l'emplacement de l'ancienne Sanè, la ville d'Ouranopolis, la Cité du Ciel, qui devait être une sorte de Cité du Monde en miniature. Ses habitants s'appelaient Ouranides, fils du Ciel. Les tétradrachmes d'Alexarque portent, à l'avers, en plus de la légende Οὐρανιδῶν, l'image d'Aphrodite Ourania assise sur le globe du

---

(1) Sur ce texte, cf., outre J. BERNAYS, *op. cit.*, pp. 96 ss., S. LORENZ, *De progressu notionis* φιλανθρωπίας (Diss. Leipzig, 1914), pp. 36-38, TARN, pp. 20-21, BIGNONE, II, pp. 274-279.

(2) τροφαὶ αἱ αὐταὶ πᾶσιν αὐτοῖς καὶ πνεύματα : peut-être « et possèdent le même souffle ».

monde, symbole de l'affection fraternelle qui doit unir tous les hommes. Au revers le soleil, surmonté du croissant lunaire, est entouré de cinq étoiles (1) : ce sont là sans doute les dieux universels, communs à l'humanité entière, mais ces astres représentent aussi Alexarque lui-même (qui s'identifiait au Soleil), son épouse et les citoyens d'Ouranopolis, qui sont également fils du Ciel. Enfin, pour son état mondial, Alexarque inventa une langue universelle. Nous possédons, grâce à Athénée (III 98 E), un monument de cette langue. C'est une lettre d'Alexarque aux magistrats de la cité voisine de Cassandréia (fondée par Cassandre vers 316, sur l'emplacement de Potidée), dont la formule de salutation est remarquable : « Alexarque aux chefs des Frères, salut! » (2). Il n'existait aucun lien naturel de fraternité entre Ouranopolis et Cassandréia, l'une et l'autre cités de fraîche date, dont la population était également mêlée, et qui remontaient à des fondateurs différents. Comme le note M. Tarn (3), le mot « Frères » ne s'explique que par le dessein d'Alexarque : fonder une Cité du Monde en miniature, dont tous les hommes seraient membres de droit, étant tous fils du Ciel et donc frères. Or ce dessein d'Alexarque, pas plus que celui d'Alexandre, ne peut avoir son origine dans la Stoa, qui n'existait point encore. On est donc ramené, une fois de plus, au fait nouveau : l'idée de considérer tous les hommes comme un même peuple de frères, parce qu'ils sont tous issus du même Dieu, le Monde ou le Ciel, est une idée d'Alexandre.

Alexarque est le frère de Cassandre, Théophraste fut son ami. Peut-être un autre littérateur de l'entourage de Cassandre, Evhémère de Messène, témoigne-t-il aussi en faveur du Dieu universel Ouranos (4). On sait que, pour Evhémère, les dieux de la mythologie ont été en réalité des hommes qui, en raison de leurs bienfaits, ont reçu après la mort des honneurs divins (5). Or le plus ancien de ces dieux est Ouranos, le Ciel, qui régna sur tous les hommes, gouvernant avec douceur et bienveillance (6). On rapporte qu'il avait

(1) Cf. *Cambridge Ancient History*, Plates, II, p. 10, n° f.
(2) Ἀλέξαρχος Ὁμαιμέων πρόμοις γαθεῖν. Ὁμαιμέων (de Ὁμαιμεύς?), mot forgé sur le poétique ὅμαιμος (« du même sang »), l'homérique πρόμοι et le dorien γαθεῖν (= γηθεῖν, littéralement « se réjouir ») sentent le pédantisme du philologue et font penser aux recherches analogues de l'Empereur Claude.
(3) Tarn, *op. cit.*, p. 22.
(4) Ce témoignage serait, lui aussi, antérieur à la période où commença de se répandre l'influence de la Stoa. Sur la date d'Evhémère, cf. Tarn, *op. cit.*, pp. 43-46.
(5) *F. Gr. Hist.* 63 F 2 = Diod. Sic. VI 2 ap. Eus. pr. ev. II 2 ἑτέρους δὲ λέγουσιν ἐπιγείους γενέσθαι θεούς, διὰ δὲ τὰς εἰς ἀνθρώπους εὐεργεσίας ἀθανάτου τετευχότας τιμῆς τε καὶ δόξης.
(6) *F. Gr. Hist.* 63 F2 = Diod. Sic. VI 6 μετὰ ταῦτά φησι πρῶτον Οὐρανὸν βασιλέα γεγονέναι, ἐπιεικῆ τινα ἄνδρα καὶ εὐεργετικὸν καὶ τῆς τῶν ἄστρων κινήσεως ἐπιστήμονα,

coutume de gravir une montagne de l'île de Panchaïe, nommée après lui « siège du Ciel » (Οὐρανοῦ δίφρος) : de ce sommet il contemplait le ciel et les astres qui l'habitent (1). « Instruit des mouvements des astres, c'est lui qui le premier offrit des sacrifices aux dieux célestes (τοὺς οὐρανίους θεούς) : de là lui vint son nom de Ciel (Οὐρανός) » (2). Après Ouranos vint Kronos, et, après celui-ci, Zeus. Or Evhémère raconte encore que Zeus se rendit aussi sur la montagne dite « pilier du Ciel » et qu'après avoir contemplé l'immense étendue de terre autour de lui, il y édifia un autel à son aïeul Ouranos et lui offrit le premier sacrifice. Puis, élevant les yeux vers la région qu'on appelle aujourd'hui ciel et qu'on nommait alors éther, il fut le premier à lui donner, d'après son aïeul, le nom de Ciel (3).

Deux traits, à mon sens, ressortent de ces textes. D'une part, l'explication anthropologique des dieux de la mythologie me paraît une nouvelle preuve de cette attitude sceptique et rationaliste à l'égard des dieux traditionnels dont j'ai donné, plus haut (cf. pp. 161 ss.), divers exemples. D'autre part, les vrais dieux sont les dieux célestes, le Ciel lui-même et les astres, puisqu'ils sont éternels (4). Combinant cette croyance, qui devait être répandue dans l'entourage de Cassandre, avec son propre système, Evhémère fait de l'antique Ouranos, premier roi de la terre entière, le premier dieu de la mythologie, Ouranos ayant été lui-même divinisé par son petit-fils Zeus; mais le même Evhémère assimile Ouranos divinisé au Ciel, dieu éternel. On retrouve donc ici les éléments qui nous intéressent : le Ciel, premier roi de la terre, a exercé une royauté universelle sur tous les hommes; et ce Ciel-roi est confondu avec le Ciel-élément (éther) dont la divinité est tenue pour éternelle, puisque déjà

ib. F3 = DIOD. SIC. V 44, 6 μυθολογοῦσι γὰρ τὸ παλαιὸν Οὐρανὸν βασιλεύοντα τῆς οἰκουμένης προσηνῶς ἐνδιατρίβειν ἐν τῷδε τῷ τόπῳ κτλ.

(1) *F. Gr. Hist.* 63 F 3 καὶ ἀπὸ τοῦ ὕψους ἐφορᾷν τόν τε οὐρανὸν καὶ τὰ κατ' αὐτὸν ἄστρα.

(2) *F. Gr. Hist.* 63 F2 ὃν καὶ πρῶτον θυσίαις τιμῆσαι τοὺς οὐρανίους θεούς· διὸ καὶ Οὐρανὸν προσαγορευθῆναι.

(3) *F. Gr. Hist.* 63 F 21 = ENNIUS ap. LACT., *div. inst.*, I 11, 63 *in Sacra Historia sic Ennius tradit:* « *deinde Pan eum deducit in montem, qui vocatur Caeli stella. postquam eo ascendit, contemplatus est late terras ibique in eo monte aram creat Caelo, primusque in ea ara Juppiter sacrificavit. in eo loco suspexit in caelum, quod nunc nos nominamus, idque quod supra mundum erat, quod aether vocabatur, de sui avi nomine Caelum nomen indidit; idque Juppiter quod aether vocatur placans primus caelum nominavit eamque hostiam quam ibi sacrificavit totam adolevit.* »

(4) *F. Gr. Hist.* 63 F 2 = DIOD. SIC. VI 2 (d'après Evhémère) περὶ θεῶν τοίνυν διττὰς οἱ παλαιοὶ τῶν ἀνθρώπων τοῖς μεταγενεστέροις παραδεδώκασιν ἐννοίας· τοὺς μὲν γὰρ ἀϊδίους καὶ ἀφθάρτους εἶναί φασιν, οἷον ἥλιόν τε καὶ σελήνην καὶ τὰ ἄλλα ἄστρα τὰ κατ' οὐρανόν, πρὸς δὲ τούτοις ἀνέμους καὶ τοὺς ἄλλους τοὺς τῆς ὁμοίας φύσεως τούτοις τετευχότας· τούτων γὰρ ἕκαστον ἀΐδιον ἔχειν τὴν γένεσιν καὶ τὴν διαμονήν.

Ouranos, qui est le plus ancien des rois, monte sur un haut lieu pour l'admirer et lui offrir des sacrifices. Négligeons le système, que reste-t-il? la royauté universelle du Dieu Ciel.

L'on tient ainsi les maillons de la chaîne. Alexandre veut que tous les hommes s'unissent puisqu'ils ont Dieu pour commun Père. Théophraste déclare que tous les êtres vivants (hommes et animaux) sont parents entre eux, étant issus du Ciel et de la Terre. Alexarque fonde une Cité du Monde en miniature nommée Ouranopolis, dont les habitants sont dits Ouranides, qui a pour emblème les sept planètes, et il considère que tous les hommes appartiennent, de droit, à cette Cité puisqu'il les appelle Frères, ce qui implique qu'ils sont tous, eux aussi, fils du même dieu, le Ciel. Selon Evhémère enfin, le premier roi de l'humanité entière est Ouranos (Ciel), et cet Ouranos est assimilé au Ciel des astres, tenu, lui, pour un dieu éternel. Il est permis, semble-t-il, de tirer la conclusion de cet ensemble de faits. Née, à l'intérieur de l'Académie, des doctrines que le vieux Platon avait enseignées dans le *Timée* et dans les *Lois*, la religion du Monde était, en Grèce même, apparue à son heure parce que, à une élite qui ne croyait plus guère dans les dieux nationaux, qui voulait un Dieu conforme à l'état de la science, qui voulait aussi un royaume de paix où elle pût trouver un refuge, cette religion proposait un objet que le sage, voué désormais à la contemplation, pût adorer de toute son âme. Mais si la religion du Monde convenait à la Grèce conquise, elle ne répondait pas moins aux desseins du conquérant macédonien : à cet Orient bientôt hellénisé, où le Grec et le Barbare devaient se fondre dans des cités nouvelles, elle apportait un Dieu que tous les hommes pussent prier en commun puisqu'il étendait sur tous la même *philanthrôpia* (1).

L'homme citoyen du monde, c'est, nul ne l'ignore, un thème constant de la sagesse hellénistique (2). Qu'il suffise, pour l'instant, de citer un texte particulièrement caractéristique de Plutarque (3) :

« Tu vois dans les hauteurs cet éther infini
Dont les ondes au loin enveloppent la terre?

Ce sont là les limites de notre patrie : là, personne n'est ni exilé, ni hôte, ni étranger; tous ont le même feu, la même eau, le même air, les mêmes archontes,

---

(1) Sur ce thème, cf. la dissertation de S. Lorenz, citée *supra*, p. 191, n. 1.
(2) Noter que le « cosmopolite » des Cyniques n'a pas encore ce sens positif d' « habitant de la Cité du Monde » : le sens est purement négatif. Le Cynique n'est le citoyen d'aucune cité grecque. Tout lieu du monde lui est une patrie : autant dire qu'il n'en a point. Cf. Tarn, *op. cit.*, pp. 4-5 et 30, n. 12.
(3) Plut., *de exilio* 601 A. Les deux vers en tête sont d'Euripide, fr. 491 N. La fin est empruntée à Plat., *Lois*, IV 716 a 2, *Epin.*, 988 e 5. Je cite d'après la traduction de J. Bidez, dans *La Cité du Monde et la Cité du Soleil chez les Stoïciens*, Paris, 1932.

les mêmes gouverneurs, les mêmes prytanes, le Soleil, la Lune, Lucifer (c'est-à-dire la planète Vénus) ; là, tous ont les mêmes lois en vertu d'un seul commandement et d'une direction unique ; mêmes solstices d'été et d'hiver, mêmes équinoxes, mêmes Pléiades, même Arcture, mêmes saisons de semer et de planter ; pour seul roi et seul souverain, Dieu, principe, centre et fin de l'Univers..., toujours suivi de la Justice prête à châtier les infracteurs de la loi divine qui régit tous les hommes, par nature concitoyens de l'humanité entière. »

Il est d'usage de rapporter l'origine de ces idées aux Stoïciens et l'on ne peut douter qu'ils aient beaucoup contribué à les répandre. Mais la religion du Monde est née avant le Portique. Ce sont les malheurs des cités grecques qui en ont assuré le succès en Grèce même. Ce sont les conquêtes d'Alexandre qui en ont préparé la fortune dans l'Orient hellénisé. Certes, le jeu est assez vain de retirer la paternité d'une doctrine à telle école pour la donner à telle autre. Mais il y a ici une question de dates, et cette question n'est pas sans importance. Il est bien intéressant de voir toutes nos recherches converger vers ce dernier tiers du IVe siècle dont on peut dire vraiment qu'il a marqué un tournant dans l'histoire de la pensée humaine. Durant les trente années qui précèdent, Platon, ici comme sur bien d'autres points, a fourni les éléments ; l'*Epinomis* et le π. φιλοσοφίας ont dessiné les premiers traits de la religion du Monde. Viennent alors les terribles secousses qui réduisent Athènes à n'être plus qu'une municipalité sans empire. On se détache des dieux nationaux. On aspire à la vie contemplative. On cherche une Cité de paix. Cependant Alexandre a étendu les limites de l'*oikouménè*. Lui-même, et peut-être d'autres esprits généreux auxquels répugnent les préjugés civiques, sentent le besoin d'une religion assez vaste pour englober toutes les races. Qui ne voit la merveilleuse correspondance entre les idées nées dans l'Académie et ces désirs nouveaux jaillis des événements ?

CHAPITRE VII

L'EPINOMIS (1).

1) L'*Epinomis*, le nom même l'indique, est un appendice aux *Lois*. Le raccord est établi dès les premières lignes (973 a 1-5) : « Nous voilà tous venus correctement au rendez-vous, Étranger, nous trois — moi, toi, et Mégillos que voici — en vue d'examiner... ». Tout ce qui a trait à l'institution des lois a été développé dans un précédent discours : mais il reste à découvrir et à dire le principal (973 a 5-b 2). Outre cette indication initiale, une suite d'allusions directes, au long du dialogue, fait souvenir du lien soit avec le thème de la législation soit avec quelque doctrine des *Lois*. « Plût au ciel que ce fût là l'objet final de ta législation, que... » (980 b 3). « Reprenant le discours contre les impies auquel j'avais mis la main » (980 c 9 = *Lois* X 885 b-907 d). « Si du moins il vous en souvient, Clinias : mais vous devez vous en souvenir, puisque, de fait, vous avez pris des notes » (ἐλάβετε μὲν γὰρ δὴ καὶ ὑπομνήματα 980 d 4). « Nul être ne saurait jamais recevoir l'âme et la vie si ce n'est par l'action de Dieu, comme nous l'avons montré » (983 b 2 = *Lois* X 903 c-d). « C'est donc avec confiance qu'il faut introduire cette mesure (le culte des astres) dans les lois » (987 a 7). Allusion au Conseil Nocturne (989 d 2). Enfin la conclusion (992 d 3-e 1) : « Ainsi donc, nous le disons en privé et nous l'édictons publiquement

(1) Dans cette étude de l'*Epinomis*, j'ai laissé de côté le problème de l'authenticité qui n'intéresse pas directement mon objet : il suffit que l'*Epinomis* représente la pensée de la toute première Académie et qu'elle continue en droite ligne le *Timée* et les *Lois*. Même s'il n'est pas de Platon, l'ouvrage me paraît aujourd'hui dans la ligne du platonisme ou, du moins, de l'une des tendances du platonisme (je serais donc beaucoup moins affirmatif à cette heure que lorsque j'écrivais *Contemplation*..., p. 176). Pour l'authenticité, voir en dernier lieu A. E. TAYLOR, *Plato and the Autorship of the Epinomis*, Proc. Brit. Acad., XV, 1929; HANS RAEDER, *Platons Epinomis (Det Kgl. Danske Videnskabernes Selskab. Historisk-filologiske Meddelelser*, XXVI, 1), Copenhague, 1938, et le c. r. de cet ouvrage par E. DES PLACES, *Antiquité Classique*, XI (1942), pp. 97-102. Contre l'authenticité, cf. surtout l'article de W. THEILER, *Gnomon*, VII, 1931, pp. 337-355 (c. r. de F. Müller, *Stilistische Untersuchungen der Epinomis des Philippos von Opus*, Diss. Berlin, 1927, et de l'étude citée de Taylor). Theiler a mis particulièrement en évidence les liens entre l'*Epinomis* et les doctrines des autres membres de l'Académie : l'Aristote du *Protreptique*, Xénocrate, Speusippe. Voir aussi Jos. PAVLU, *Comm. Vindob.*, II, 1936, pp. 29-55, *Phil. Woch.*, 1936, pp. 667-671, 1937, pp. 988-992, *Wien. Stud.*, LV, 1937, pp. 55-68, LVI, 1938, pp. 27-44, et K. v. FRITS, *P. W.*, XIX, 2351-2366, en particulier 2360 ss.

par une loi : à ceux qui auront ainsi peiné (pour acquérir la sagesse), il faut confier, quand ils seront parvenus à la vieillesse, les plus hautes magistratures; les autres, marchant à leur suite, devront louer et célébrer tous les dieux et toutes les déesses; nous-mêmes enfin, quand nous l'aurons suffisamment connu et mis à l'épreuve, il nous faut, en toute justice, convier le Conseil Nocturne, tous ses membres, à cette forme de Sagesse » (1). D'autre part, en plus de ces allusions directes (2), il est manifeste que la doctrine de l'*Epinomis* est un développement de celle des *Lois*, en particulier des livres VII (817 d-822 d), X et XII (964 a 1 ss.).

Aussi bien l'*Epinomis* ne constitue point, par rapport aux *Lois*, un appendice inutile. Pas plus dans les *Lois* que dans la *République*, Platon ne se persuade qu'il suffit d'instituer de sages lois pour obtenir un bon État. Ces lois sont conçues dans un certain esprit (3). Leur application requiert donc des qualités de savoir et de jugement, ce qui implique l'existence d'un Conseil suprême doué de ces qualités. A son tour, ce Conseil doit avoir reçu l'éducation la plus haute. Il doit connaître le but final où tend toute la législation. Puisque cette législation vise à produire la justice, il doit connaître l'essence de cette justice. Qui dit essence de la justice fait appel à la doctrine des Idées et de l'Un, partant à la dialectique. De là, dans la *République*, le long exposé (V-VII, 471 c-541 b) d'une part de ce grand mathème qu'est l'Idée du Bien (502 c-521 b), d'autre part des diverses sciences qui conduisent à ce mathème (521 c-535 a). Quel exposé, dans les *Lois*, correspond à ces développements de la *République?* On y trouve bien un résumé (4) du système d'éducation, mais l'objet même à contempler, je veux dire l'objet final, n'est pas indiqué avec suffisance. Sans doute il est fait allusion à l'un des procédés de la dialectique (réduction du multiple à l'un), mais ce procédé paraît plutôt employé ici comme un moyen de mieux concevoir l'unité de la vertu que traité en science suprême menant au terme de la contemplation, l'Un transcendant. Sans doute encore, les dieux célestes (astres) sont proposés comme objet de contemplation, mais c'est seulement en tant qu'ils sont une des plus belles choses à contempler, si bien que la science de ces dieux

---

(1) Je prends les pluriels γνόντας... δοκιμάσαντας comme dépendants de ἡμᾶς. D'autres constructions sont possibles.
(2) Voir aussi 979 b 3 ἡμῖν δ' οὖν ζητοῦσιν περὶ νόμων σχεδὸν ἔδοξεν κτλ.
(3) Que les « préludes » des *Lois* ont justement pour objet d'indiquer.
(4) XII 963 a ss., en particulier 967 e : cf. aussi ce qui est dit au I. VII de la culture mathématique et astronomique des futurs citoyens, 817 d-822 d.

est l'un des plus nobles sujets d'étude (1). La question se pose donc, et le parallélisme assez étroit entre *Lois* et *République* oblige à la poser : les dieux astres sont-ils le plus haut mathème ? et sinon, quel est le plus haut mathème, correspondant à l'Idée du Bien dans la *République*?

Or l'*Épinomis* y répond, cela n'est pas douteux. Ce qu'on attend à la fin des *Lois*, l'indication de l'objet suprême à connaître et, partant, de la science suprême à pratiquer, l'*Epinomis* le révèle. Car le sujet du dialogue est très précisément celui-ci : l'objet suprême à contempler est le Dieu Ciel et les astres, dieux célestes; la science suprême ou Sagesse (σοφία, φρόνησις) est la science qui se donne Ciel et astres pour objet. Voyons l'économie de l'ouvrage.

2) « Nous voilà tous venus correctement au rendez-vous... en vue d'examiner, à propos de la Sagesse (τὸ τῆς φρονήσεως), comment il faut expliquer cette chose dont nous disons qu'elle fait que l'homme constitué comme il l'est, une fois qu'il l'a conçue, se trouve dans les meilleures dispositions à l'endroit de la Sagesse, autant qu'il est possible à l'homme de la posséder » (2). Le thème annoncé est donc : (1) la Sagesse ; (2) la science qui met dans les meilleures dispositions en ce qui regarde la Sagesse. C'est ce qu'explicite la suite immédiate. On a étudié précédemment ce qui concerne les lois : « mais ce qui est le plus essentiel à découvrir et à dire, savoir quelle peut bien être cette connaissance dont l'acquisition donnerait la Sagesse à un homme mortel, cela, nous ne l'avons ni dit ni découvert » (3). La première partie du dialogue (973 a 1-979 e 6) développe ce thème. Après une sorte de digression (973 b 7-974 d 2) sur un τόπος connu, la misère de la vie humaine (4), on indique le sujet :

---

(1) Voir le glissement, de XII 966 b 4 (τί δέ; περὶ πάντων τῶν σπουδαίων ἆρ' ἡμῖν αὐτὸς λόγος, ὅτι δεῖ τοὺς... φύλακας... ὄντως εἰδέναι τὰ περὶ τὴν ἀλήθειαν αὐτῶν) à 966 c 1 (μῶν οὖν οὐχ ἓν τῶν καλλίστων ἐστὶν τὸ περὶ τοὺς θεούς, κτλ.) Le Gardien des Lois doit connaître la vérité sur tous les sujets nobles : or l'un des plus beaux sujets est celui des dieux célestes.

(2) 973 a 1-5. Construire ὃ φαμεν ποιεῖν τὴν ἀνθρωπίνην ἕξιν, ὅταν διανοηθῇ (sc. τοῦτο), κάλλιστ' ἔχειν πρὸς φρόνησιν. Il faut prendre διανοηθῇ au moyen, selon l'usage constant (sujet ἡ ἀνθρωπίνη ἕξις). J. Harward l'entend au passif, d'après *Epist.* VII 328 b 8 εἴ ποτέ τις τὰ διανοηθέντα περὶ νόμων τε καὶ πολιτείας ἀποτελεῖν ἐγχειρήσοι (voir aussi *Lois* II 654 c ὃς ἄν... τὸ διανοηθὲν εἶναι καλὸν ἱκανῶς ὑπερετεῖν δυνηθῇ ἑκάστοτε), mais cet emploi au sens passif est réservé, chez Platon, au *participe* aoriste. Sur l'identification de φρόνησις et de σοφία dans l'*Epinomis*, cf. A. E. TAYLOR, *op. cit.*, pp. 14-19. W. THEILER, *l. c.*, p. 348, fait remarquer que σοφία comporte dans l'*Epinomis* un sens plus prégnant que dans les *Lois*: c'est la sagesse la plus haute, qui implique l'union à Dieu. Sur ce point, voir aussi JAEGER, *Hermes*, LXIV, 1929, pp. 25-30 (bien que la correction de περὶ en παρὰ 974 b 6 ne paraisse pas justifiée, cf. THEILER, *l. c.*, p. 350).

(3) ὃ δὲ μέγιστον εὑρεῖν τε καὶ εἰπεῖν, τί ποτε μαθὼν θνητὸς ἄνθρωπος σοφὸς ἂν εἴη, τοῦτο οὔτε εἴπομεν οὔτε ηὕρομεν 973 b 2-4.

(4) La Sagesse — qui constitue la félicité suprême — étant très difficile à acquérir, de

détermination de la science qui constitue la Sagesse (974 d 3-979 e 6), cet exposé étant divisé en deux paragraphes : (a) sciences (ou arts) qui ne constituent pas la Sagesse (974 d 3-976 c 6); (b) science qui constitue la Sagesse (976 c 7-979 e 6).

La première division (974 d 3-976 c 6) utilise, de nouveau, un lieu commun du genre protreptique, qui apparaît dans l'*Euthydème* (288 d-292 e) (1) et qu'avaient employé, tour à tour, Isocrate et Aristote, celui-ci corrigeant celui-là (2). Nous pouvons négliger ici cette classification des arts inutiles à la Sagesse, où l'on semble avoir voulu fondre la classification d'Aristote et celle de l'*Euthydème* (3). Passons à la seconde division (976 c 7-979 e 6) : quelle est donc la science qui constitue la Sagesse, « celle dont la possession rend véritablement sage, et non pas seulement sage en apparence » (ἐπιστήμην ἣν ἔχων σοφὸς γίγνοιτ' ἂν ὁ σοφὸς ὄντως ὢν καὶ μὴ μόνον δοξαζόμενος 976 c 7-9)? C'est la science du nombre (ἡ τὸν ἀριθμὸν δοῦσα 976 e 2), science révélée, car c'est un dieu, et non pas une sorte de hasard, qui nous a fait don du nombre et, par lui, du salut (θεὸν δ'αὐτὸν μᾶλλον ἤ τινα τύχην ἡγοῦμαι δόντα ἡμῖν σῴζειν ἡμᾶς 976 e 3) (4). Quel dieu? Chose étrange, et cependant non étrange (5), c'est le

---

là vient qu'il y a si peu d'hommes bienheureux : 973 c 2 οὐκ ἔσται μακάριον τὸ τῶν ἀνθρώπων γένος οὐδ' εὔδαιμον, 973 c 4 οὔ φημι εἶναι δυνατὸν ἀνθρώποις μακαρίοις τε καὶ εὐδαίμοσιν γενέσθαι πλὴν ὀλίγων, cf. 992 c 3 ὃ δὲ κατ' ἀρχάς τε ἐνέγομεν..., ὡς οὐ δυνατὸν ἀνθρώποις τελέως μακαρίοις τε καὶ εὐδαίμοσι γενέσθαι πλὴν ὀλίγων. On rejoint ainsi, comme l'a marqué EINARSON, *op. cit. (supra*, p. 173, n. 4), p. 280, un τόπος familier depuis l'*Euthydème* (tous les hommes désirent d'être heureux : or on n'est heureux que par la science qui enseigne à bien user de toutes choses, c'est-à-dire la philosophie, *Euth.* 278 e-282 d : cf. Einarson, pp. 262 ss.) et repris dans un passage célèbre du *Protreptique* d'Aristote (cf. *supra*, p. 172). Reconnaissons, avec Einarson (p. 280), que ce τόπος, dans l'*Epinomis*, est dévié du sens ordinaire (la misère de la vie humaine doit nous porter à la contemplation des θεῖα) : ici la difficulté d'atteindre à la contemplation des θεῖα est une preuve (τούτων δὴ τί ποτέ μοι τεκμήριον; 974 a 7-8) de la misère de la vie présente (cf. πλὴν ὀλίγων 973 c 5, 992 c 5). Mais la suite des idées autorise ce changement et ce n'est donc pas « a misused τόπος » (Einarson, p. 280). Il peut avoir été emprunté au *Protreptique*; Einarson a noté d'autres rapprochements. Mais de cela seul on ne saurait conclure à l'inauthenticité de l'*Epinomis*, le *Protreptique* datant de peu après 353. Pour les rapports entre *Protreptique* et *Epinomis*, voir aussi THEILER, *l. c.*, pp.349-350, JAEGER, *Hermes*, LXIV, 1929, pp. 26-27.

(1) Cf. EINARSON, pp. 263-264.
(2) Cf. EINARSON, pp. 272-278, 283.
(3) Cf. EINARSON, p. 283, n. 75.
(4) 976 a 6 - b 1 ἀμελῆσαι δὲ οὐ θεμιτόν ἐστιν θεῶν (les dieux astres), καταφανοῦς γενομένης τῆς πάντων αὐτῶν κατὰ τρόπον λεγομένης φήμης εὐτυχοῦς, 978 c 3 ὥστε μαθεῖν δυνατοῖς εἶναι παρὰ τοῦ πατρός (en don du Dieu Ciel notre Père, cf. *supra*, pp. 190 ss.) ἀριθμεῖν. Il y a peut-être ici l'amorce du τόπος hellénistique de la révélation par un dieu, cf. *R. H. T.*, t. I, pp. 9 ss. Cependant cette science révélée exige encore un effort de la raison humaine, et le Dieu Ciel ne révèle qu'en se montrant.
(5) καίπερ ἄτοπον ὄντα, καί πως οὐκ ἄτοπον αὖ 976 e 5, cf. 973 b 7 ἄτοπον μὴν ἀκούσεσθαί σε λόγον οἶμαι, καί τινα τρόπον οὐκ ἄτοπον αὖ, 990 a 2 σχεδὸν μὲν οὖν ἔστιν ἄτοπον ἀκούσαντι. Pour cet emploi de ἄτοπος, Einarson (p. 279, n. 57) compare

Dieu Ciel (977 a 4) (1). On peut, à la vérité, sans la science du nombre, pratiquer les autres vertus, courage et tempérance (977 d 1), mais on ne peut être vraiment sage (σοφός) ni, partant, vraiment heureux (οὐκ ἂν ἔτι ...εὐδαίμων ποτὲ γένοιτο 977 d 4). En effet, si cette science a une utilité secondaire en ce qu'elle nous permet de rendre compte (διδόναι λόγον 977 c 6) de ce qui ne serait, sans elle, que perceptions et souvenirs, en sorte que tous les autres arts sont réduits à rien si on enlève l'arithmétique, toutefois l'utilité principale du nombre apparaît quand on se met à distinguer, dans le monde du devenir, la part du divin et la part du mortel, distinction qui mène à la connaissance de la vraie piété et de l'essence réelle du nombre (εἰ δέ τις ἴδοι τὸ θεῖον τῆς γενέσεως καὶ τὸ θνητόν, ἐν ᾧ καὶ τὸ θεοσεβὲς γνωρισθήσεται καὶ ὁ ἀριθμὸς ὄντως 977 e 5-6). Voilà défini et précisé, non sans quelque mystère il est vrai (2), le thème initial. Il s'agissait de définir la Sagesse, et la science qui constitue la Sagesse. C'est la science du nombre. Or, comme le nombre se manifeste le plus purement dans les relations mutuelles des astres, qui sont des dieux, cette science est en même temps piété. La science du nombre est un don du Dieu Ciel, car c'est la succession du jour et de la nuit ainsi que des phases de la lune, la position des astres l'un par rapport à l'autre qui nous apprend à compter, puis à comparer nombre à nombre (978 b 7-979 b 3). Mais la science du nombre nous ramène aussi au Ciel, car c'est grâce à elle que nous connaissons de science certaine le bel ordre (κόσμον 986 c 4) des dieux célestes : or la contemplation de ce bel ordre constitue la vraie religion (986 b 8-d 4). Ce thème de la vraie piété (3) est

---

Aristote, *Eth. Eud.* 1215 b 6 ss. On demande à Anaxagore qui est l'homme le plus heureux : « Aucun de ceux que tu crois, ἀλλ' ἄτοπος ἄν τις φανείη ». Mais la dérivation est très douteuse (si l'on suppose, comme le fait semble-t-il, Einarson, que c'est l'*Epinomis* qui emprunte), vu la date probablement postérieure de l'*Ethique Eudémienne* qui, d'ailleurs, ne fut pas publiée : d'autre part l'emploi de ἄτοπος, pour piquer l'attention, est fréquent chez Platon même, *Prot.* 309 b 7 ἄτοπον μέντοι τί σοι ἐθέλω εἰπεῖν, etc. — C'est étrange, soit parce que le don de la science du nombre était communément attribué à Prométhée, cf. Esch., *Prom. V.* 450 ss. καὶ μὴν ἀριθμόν, ἔξοχον σοφισμάτων, ἐξηῦρον αὐτοῖς, soit, plus probablement, parce que Clinias et Mégillos ne se sont jamais posé le problème des origines du nombre et de ses rapports avec l'institution du calendrier, cf. Taylor, p. 49, n. 1. Ce n'est pas étrange puisque, comme il est dit aussitôt, si le Ciel nous a donné tous les autres biens, il est normal qu'il nous ait donné aussi le plus grand, la sagesse de la pensée (ἡ φρόνησις), 976 e 5-977 a 2.

(1) C'est la doctrine du *Timée* (46 e 8-47 c 4, cf. *supra*, p. 134), mais avec une tendance à insister davantage sur l'utilité pratique de la science du nombre, cf. *supra*, p. 138, n. 1 et *Epin.* 979 b 6 εἰ γνοίη τί ποτ' ἐστιν ὁ συμφέρειν εἰκὸς καὶ τί τὸ μὴ συμφέρον.

(2) Cf. Procl., *in Remp.*, II, p. 134.5 Kroll ἀλλ' ἡ μὲν Ἐπινομὶς νοθείας ὑπάρχουσα μεστὴ καὶ νοῦ μυστηριώδους τὸν νηπιόφρονα καὶ νῷ ἀρχαῖον (le simple d'esprit) ἀπατᾷ.

(3) θεοσεβές et θεοσέβεια ne sont employés (977 e 6, 990 1 a) pour εὐσέβεια (989 b 2) qu'en raison de l'hiatus, cf. Einarson, p. 281, n. 64.

annoncé dans la première partie du dialogue (977 e 5 ss.) : distinguer dans la nature le divin du mortel, et la course régulière des êtres divins (astres) du mouvement sans calcul, sans ordre, sans beauté, sans rythme et sans harmonie des êtres mortels (978 a 6-7), c'est atteindre à la vraie piété (ἐν ᾧ καὶ τὸ θεοσεβὲς γνωρισθήσεται 977 e 5). Il est développé dans toute la seconde partie sur les dieux célestes (980 c 7-988 e 4). Il est repris enfin et résumé dans la troisième (988 e 5-992 e 1) où sont tirées les conséquences des deux premières. Pas de σοφία sans cette partie la plus haute de la vertu qu'est la piété (μεῖζον μὲν γὰρ ἀρετῆς μηδεὶς ἡμᾶς ποτε πείσῃ τῆς εὐσεβείας εἶναι τῷ θνητῷ γένει 989 b 1-2), c'est-à-dire si l'on ne sait penser, agir et parler comme il faut et quand il faut à l'endroit des dieux, comme en ce qui regarde les sacrifices et les purifications tant dans le service des dieux que dans les rapports avec les hommes (989 c 5-7). Donc pas de Sagesse sans vraie religion, et la vraie religion consiste à connaître les vrais dieux. Or ces vrais dieux sont les astres, dieux célestes. En sorte que la question initiale : « Qu'est-ce que la Sagesse et quelle science y mène » (τί ποτε μαθὼν θνητὸς ἄνθρωπος σοφὸς ἂν εἴη 973 b 2) (1) aboutit enfin, par le détour « la sagesse est piété », à cette réponse : « la Sagesse, qui est piété, consiste dans la science des astres ou astronomie » (2). Le lien entre les deux thèmes principaux de l'*Epinomis* — (*a*) sagesse = piété, (*b*) astronomie — est nettement indiqué dans le morceau de transition entre la première et la deuxième partie (980 a 1-c 6) (3) : « Pour commencer donc, forcément la première chose à dire, et sans doute la plus importante, c'est, selon toute apparence, de savoir, à supposer que nous puissions en embrasser la notion dans une dénomination unique, quelle est l'essence de cette sagesse que nous

---

(1) Cf. 974 a 8 τὸ νῦν ζητούμενον τῷ λόγῳ· ζητοῦμεν δὲ δὴ τίνα τρόπον σοφοὶ γενησόμεθα ὡς οὔσης τινὸς ἑκάστοις ταύτης τῆς δυνάμεως, 974 c 3 ἡ περὶ σοφίαν ἀπορία καὶ ζήτησις (Einarson, p. 279 n. 47, compare Arist., π. φιλοσ. fr. 1 R. καὶ τῶν ἐν Δελφοῖς γραμμάτων θειότατον ἐδόκει τὸ γνῶθι σαυτόν· ὃ δὴ καὶ Σωκράτει ἀπορίας καὶ ζητήσεως ταύτης ἀρχὴν ἐνέδωκεν), 976 c 7 ἀλλὰ μὴν δεῖ φανῆναί γέ τινα ἐπιστήμην ἣν ἔχων σοφὸς γίγνοιτ' ἂν ὁ σοφὸς ὄντως ὢν καὶ μὴ μόνον δοξαζόμενος, d 1 ἑτέραν (sc. ἐπιστήμην)... εὑρεῖν, ἣ σοφία μὲν λέγοιτ' ἂν ὄντως τε καὶ εἰκότως, 979 c 2 τὸ δὲ τίνα τρόπον χρὴ γίγνεσθαι χρηστοὺς ἀνθρώπους, 980 a 3 τίς ἐστιν ἣν οἰόμεθα σοφίαν εἶναι, 989 a 1 τὴν δὲ σοφίαν ταύτην, ἣν ζητοῦμεν πάλαι, a 4 ἄνω γὰρ καὶ κάτω ζητῶν ᾗ μοι καταφανὴς γέγονεν, πειράσομαι δήλην ὑμῖν αὐτὴν (sc. τὴν σοφίαν) ἀποτελεῖν, 992 a 8 ἐπὶ ταύτην τὴν σοφίαν... ἡμᾶς ὀρθότατα πάντας παρακαλεῖν.

(2) Conjoindre 989 e 1 πειρώμεθα δὴ... διεξελθεῖν... θεοσεβείας ᾧτινι τρόπῳ τις τίνα μαθήσεται et 990 a 4 ἀγνοεῖ τε ὅτι σοφώτατον ἀνάγκη τὸν ἀληθῶς ἀστρονόμον εἶναι.

(3) Les mots importants dans ce passage sont εἰ δυνάμεθα ἑνὶ λαβεῖν ὀνόματι qui préparent le développement 991 e 1 ss. πᾶν διάγραμμα ἀριθμοῦ τε σύστημα καὶ ἁρμονίας σύστασιν ἅπασαν τῆς τε τῶν ἄστρων περιφορᾶς τὴν ὁμολογίαν οὖσαν μίαν ἁπάντων ἀναφῆναι δεῖ τῷ κατὰ τρόπον μανθάνοντι, cf. Theiler, *l. c.*, pp. 352-353.

croyons être la Sagesse en soi » (980 a 1-3, tr. Robin). Si cette détermination unique est impossible, on dira quelles peuvent bien être, et en quel nombre, les sagesses dont l'acquisition fait de l'homme un sage au sens où nous l'entendons (980 a 3-5). « Après cela, qui pourrait en vouloir au législateur si, rendant honneur aux dieux tout en se donnant à lui-même un noble divertissement, il trace de la divinité, par son langage, une image plus belle et plus juste qu'on n'a fait jusqu'ici, et passe toute sa vie à glorifier les dieux dans des hymnes où il trouve sa propre béatitude (1)? » (980 a 7-b 2). L'objet de l'*Epinomis* étant donc de définir la Sagesse (τίς ἐστιν ἣν οἰόμεθα σοφίαν εἶναι 980 a 3), si l'on découvre qu'elle consiste à connaître et contempler les astres, les vrais dieux, il est clair que la piété envers ces dieux doit faire partie intégrante de la Sagesse. Dès lors, loin de constituer une digression (2), le développement sur les astres est une pièce essentielle de l'économie de l'ouvrage. Thème de la sagesse (973 a 1-980 a 6), thème des dieux astres (980 a 7-988 e 4), harmonisation de ces deux thèmes (988 e 5-fin) font un ensemble bien composé.

3) Je voudrais revenir sur la seconde section (980 a 7-988 e 4), qui traite de l'objet de la contemplation, c'est-à-dire des dieux astres. Elle se présente, dans l'ensemble, comme l'évangile d'une religion nouvelle : nouvelle en ce sens, non pas que l'on considère les anciens dieux d'une manière nouvelle, mais qu'on propose des dieux nouveaux. « En ce qui regarde les dieux, il faut tracer une image plus belle et plus exacte qu'on n'a fait jusqu'ici » (980 a 8-9) est explicité par 984 d 3 ss. : « Maintenant, quant aux dieux (mythologiques), Zeus, Héra et tous les autres, qu'on les range, selon le même principe (3), de la manière qu'on voudra, et qu'on s'en tienne fermement à l'ordre qu'on aura choisi. Mais en ce qui regarde les dieux visibles... ». On ne nie pas les dieux nationaux qui, aussi bien, sont consacrés par le culte et la tradition. Mais le Sage n'a pas affaire à ces dieux-là. Qu'il abandonne aux exégètes le soin de les classer. Sa prière, à lui, s'adresse aux dieux visibles. Un passage important, un peu plus loin (985 c 1-986 a 3), marque exactement le sens de la révolution religieuse qu'apporte l'*Epinomis*. L'auteur a établi

---

(1) ὕμνοις τε καὶ εὐδαιμονίᾳ γεραίροντι 980 b 1, ou simplement « dans des hymnes de joie » (hendiadys).
(2) Ainsi Einarson, *l. c.*, pp. 290 ss.
(3) Selon le principe qui consiste à établir parmi les êtres divins une classification. Dans le cas des dieux mythologiques, cela revient à constituer des généalogies; cf. *Tim.* 40 d-41 a, *Lois* X 886 e-d.

(984 b 2 ss.) qu'il y a, dans le Kosmos, cinq régions correspondant aux cinq éléments : feu, éther, air, eau, terre. A l'aide de chacun de ces éléments, l'Ame du Monde façonne des êtres vivants qui, en vertu de la prédominance en eux de tel ou tel élément, sont en relation directe avec cet élément et habitent dans la région que cet élément constitue. Il y a donc des êtres vivants du feu, de l'éther, de l'air, de l'eau et de la terre. Les êtres vivants du feu sont les dieux visibles, les astres ; ceux de l'éther et de l'air sont les démons, naturellement invisibles, intermédiaires entre ces dieux et les hommes ; ceux de l'eau forment une classe d'êtres semi-divins, tantôt visibles et tantôt invisibles ; ceux de la terre sont les hommes (984 b 2-985 c 1, cf. 981 c 5 ss.). L'auteur alors poursuit ainsi (985 c 1 ss.) : « Maintenant, touchant ces cinq espèces réellement existantes d'êtres vivants, de quelque manière que tel ou tel d'entre nous soit entré en contact avec eux, — que nous les ayons rencontrés en songe au cours du sommeil, ou bien qu'une parole, sous forme de révélation ou d'oracle, ait été entendue par l'un ou l'autre d'entre nous dans l'état de santé ou même de maladie ou par d'autres encore qui avaient atteint leur dernière heure — touchant toutes ces espèces, que jamais le législateur, pour peu qu'il possède le moindre jugement, ne prenne l'audace d'innover quant aux croyances qui, en privé ou officiellement, se sont formées à leur sujet, — croyances qui ont donné lieu, et qui donneront lieu, chez beaucoup de peuples, à beaucoup de cérémonies sacrées, — tournant ainsi la cité qu'il régit vers une forme de piété qui ne comporte rien de certain (1);

(1) L'opposition est entre êtres divins qui ne s'offrent aux regards que par un coup de fortune (ἐνέτυχον 985 c 2, προστυχόντες ib.), d'une manière plus ou moins douteuse (ces êtres sont évidemment les démons de l'éther, de l'air et de l'eau), et êtres divins qui se manifestent aux yeux de tous (cette distinction est déjà dans Tim. 41 a 4 ὅσοι τε περι οὐρανὸν φανερῶς καὶ ὅσοι φαίνονται καθ' ὅσον ἂν ἐθέλωσιν). Or, tandis que ces premiers, qui ne se montrent que par des apparitions occasionnelles démons, etc.), sont honorés par des cérémonies sacrées et des sacrifices, les dieux réellement visibles ne sont l'objet d'aucun culte. Dès lors, tout en ayant soin de ne rien changer au culte des démons, le législateur doit veiller à organiser le culte des dieux visibles. Quant à la phrase difficile 985 c 1 ss., je fais du génitif τούτων τῶν πέντε ὄντων ὄντων ζῴων (985 c 1), repris par τούτων πάντων (985 c 6), le complément de ἰδίᾳ τε καὶ δημοσίᾳ δόξας παραγενομένας (985 c 5), cet accusatif dépendant lui-même de καινοτομῶν (985 c 8). Cette construction me semble plus correcte et plus naturelle que de prendre δόξας παραγενομένας (c 5) pour un accusatif en apposition (« accusative in apposition to the sentence », Taylor, p. 54) à l'accusatif absolu λεχθέν (985 c 3). Au vrai, ce passage de l'*Epinomis* ne fait que reprendre le précepte de *Lois* V 738 b 8 περὶ θεῶν γε καὶ ἱερῶν, ἄττα τ᾽ ἐν τῇ πόλει ἑκάστοις ἱδρῦσθαι δεῖ καὶ ὧντινων ἐπονομάζεσθαι θεῶν ἢ δαιμόνων, οὐδεὶς ἐπιχειρήσει κινεῖν νοῦν ἔχων κτλ. Noter les parallèles : *Lois* 738 b οὐδεὶς ἐπιχειρήσει κινεῖν νοῦν ἔχων, 738 c τούτων νομοθέτῃ ἢ τὸ σμικρότατον ἁπάντων οὐδὲν κινητέον = *Epin.* 985 c 6 τούτων πάντων νομοθέτης, ὅστις νοῦν κέκτηται καὶ τὸν βραχύτατον, οὔποτε μὴ τολμήσῃ καινοτομῶν... τρέψαι πόλιν ἑαυτοῦ. *Lois* 738 c ὅσα ἐκ Δελφῶν... ἤ τινες ἔπεισαν παλαιοὶ λόγοι ὁπῃδή τινας πείσαντες, φασμάτων γενομένων ἢ

bien plus, il n'écartera pas même des prescriptions de la loi traditionnelle relativement aux sacrifices, puisqu'il ne sait absolument rien, comme d'ailleurs il est impossible à la race mortelle de rien savoir en de tels sujets. En revanche, pour ce qui est des dieux qui sont réellement manifestes à nos yeux, n'est-il pas vrai que, selon le même principe, ceux-là sont les plus malfaisants des hommes qui n'osent pas nous en parler ni nous démontrer à l'évidence que ce sont là aussi des dieux, bien qu'ils ne jouissent d'aucun culte (1) et ne reçoivent pas les honneurs qui leur sont dus? Ce qui se passe à présent est quelque chose comme ceci : supposons que l'un de nous ait vu un jour le soleil et la lune paraître au ciel et porter sur nous tous leur regard vigilant, et que cependant il ne le signalât point, impuissant en quelque sorte à le dire (2), supposons que, tout en constatant que ces astres ne sont l'objet d'aucun culte, il ne mît nul empressement, du moins en ce qui le regarde, à les produire bien en évidence en une place d'honneur, à faire en sorte qu'il y eût pour eux fêtes et sacrifices, à leur attribuer, comme temps sacré réservé pour chacun d'eux, des portions de temps récurrentes (ἐνιαυτῶν ὥρας) plus longues ou maintes fois plus courtes, est-ce qu'il ne conviendrait pas lui-même avec ceux qui ont pu l'observer que, si on le disait un mauvais homme, ce serait bien dit? » (3).

Ainsi le principe est clair. Il ne faut rien changer aux pratiques établies. Mais le même scrupule religieux qui empêche de supprimer aucun culte traditionnel (car l'on risquerait d'outrager un dieu

ἐπινοίας λεχθείσης θεῶν = *Epin.* 985 c 2 ὅπῃ τινὲς ἐνέτυχον ἡμῶν, ἢ καθ' ὕπνον ἐν ὀνειροπολίᾳ προστυχόντες (ceci correspond à φασμάτων γενομένων), ἢ κατὰ φήμας τε καὶ μαντείας λεχθέν τισιν ἐν ἀκοαῖς κτλ. *Lois ib.* πεισθέντες δὲ (πείσαντες δὲ codd., corr. Wilamowitz) θυσίας... κατεστήσαντο = *Epin.* 985 c 5 δόξας παραγενομένας, ὅθεν ἱερὰ πολλὰ πολλῶν γέγονεν. THEILER, *l. c.*, p. 347 a déjà noté le rapprochement.

(1) ἀνοργιάστους. C'est à tort que traducteurs et lexiques (L. S. J., s. v. 2) voient ici l'idée de rites orgiastiques ou d'initiation. Ὄργια peut très bien signifier généralement « rites de culte », c.-à-d. sacrifices, processions, chants choraux, etc., cf. la loi des Molpoi de Milet, *Syll.*[3] 57 (milieu ve s.), ll. 4-5 ὄργια ἀναγράψαντας θεῖναι ἐς τὸ ἱερὸν καὶ χρῆσθαι τούτοισιν. De même ὀργιάζω = célébrer des actes de culte, cf. PLUT., *Num.* 8 ὀργιάζειν θυσίας, πομπάς, χορείας, PLAT., *Lois*, IV 717 b 2 μετὰ θεοὺς δὲ τούσδε καὶ τοῖς δαίμοσιν ὅ γ' ἔμφρων ὀργιάζοιτ' ἄν, ἥρωσι δὲ μετὰ τούτους. ἐπακολουθεῖ δ' αὐτοῖς ἱδρύματα ἴδια πατρῴων θεῶν κατὰ νόμον ὀργιαζόμενα (où l'on célèbre des rites sacrés).

(2) ἀδύνατος codd. Ou, avec la correction δυνατὸς (Grou) : « bien qu'il fût capable d'en parler ». Mais ἀδύνατος se comprend : la crainte ferme la bouche et rend impuissant à parler.

(3) Il est intéressant de rapprocher de ce morceau Aristote, [π. φιλ., fr. 10 R., qui assigne deux causes originelles à la croyance en la divinité (ἀπὸ δυοῖν ἀρχῶν ἔννοιαν θεῶν γεγονέναι ἐν τοῖς ἀνθρώποις) : d'une part, certains phénomènes psychiques, d'autre part la considération des phénomènes célestes. Les phénomènes psychiques sont les états de possession divine et les révélations oraculaires qui se produisent durant le sommeil quand l'âme, recueillie en elle-même, se met à pénétrer l'avenir et à le prédire, Cp. *Epin.* 985 c 2-5 et cf. J. BIDEZ, *A propos d'un fragment retrouvé de l'Aristote perdu Bull. Acad. roy. de Belg.*, Cl. de lettress, XXVIII (1942), pp. 201 ss.

réellement existant) oblige de rendre culte à ces dieux qui, eux aussi, existent, les astres visibles du ciel. Qu'il s'agisse bien, maintenant, d'une religion officielle et non plus seulement de la piété intime du philosophe, c'est ce que dénote plus d'un trait (1). Nous devons célébrer à bon droit les astres comme étant essentiellement les vrais dieux, ou voir en eux des images des dieux, des sortes de représentations divines que les dieux eux-mêmes ont produites : dans les deux cas, il faut honorer les astres plus que toutes les statues de culte (983 e 5-984 a 4), « car on ne verra jamais images divines qui soient plus belles, plus susceptibles d'être adorées en commun par tous les hommes (κοινότερα συμπάντων ἀνθρώπων), ni qui soient installées en des lieux plus nobles et qui l'emportent davantage en pureté, en majesté, en plénitude de vie » (984 a 4-b 1). Il convient donc de mettre les astres en évidence et de leur donner une place d'honneur (2), d'instituer pour eux fêtes et sacrifices, de leur assigner des « temps sacrés » (985 e 5-986 a, cf. *Lois*, VII 809 d 1 ss) (3). Tous ces dieux seront tenus pour égaux. Ils auront tous la qualité de dieux, on ne traitera pas les uns en fils légitimes, les autres en bâtards (4), mais on les regardera tous comme frères et comme jouissant d'un lot pareil : dès lors, on assignera à tous des temps sacrés correspondant à la période de leur révolution, à celui-ci (le soleil) une année, à celui-là (la lune) un mois, à chacun des astres le temps même durant lequel il accomplit sa course dans le ciel (986 b 6-c 4). Nous le voyons donc, rien ne manque à la religion nouvelle. Les dieux qu'on prêche sont des dieux *visibles*, et l'image divine qu'ils offrent au regard est plus belle qu'aucune des statues de culte qu'on honore ici-bas : ce premier point est essentiel, car le Grec ne peut concevoir un culte sans images, et sans images qui soient belles (5). Ces dieux sont l'objet d'un culte : fêtes, sacrifices, temps sacrés. Enfin ils reçoivent tous un nom, point essentiel aussi, car on ne peut prier les dieux si l'on ignore leur nom (6). Sans doute,

(1) Je le montrerai plus amplement ailleurs. Voir en attendant mon article dans *Coniectanea Neotestamentica*, XI (Lund, 1947), pp. 66 ss.
(2) L'auteur, continuant le parallèle entre ἀγάλματα = statues de culte et ἀγάλματα = astres, applique à ceux-ci les diverses cérémonies dont on honorait les premières.
(3) Sur les temps sacrés et le calendrier liturgique, cf. P. STENGEL, *Griech. Kultusaltertümer* (Munchen, 1920), pp. 218-220, M. P. NILSSON, *Gesch. d. Griech. Religion* (Munchen, 1941), pp. 610-613.
(4) Allusion, je pense, à certains dieux, ou héros de la mythologie, nés de Zeus et d'une mortelle.
(5) Cf. *Contemplation... selon Platon*, pp. 45 ss.
(6) Cf. WÜNSCH ap. P. W., *Hymnos*, IX 143 1 ss. Ce passage de l'*Epinomis* sur les noms des dieux astres (986 e 3-987 e 7) a été traduit et commenté par CUMONT, *Les noms des astres et l'astrolatrie chez les Grecs*, Antiquité Classique, IV (1935), pp. 10-13.

les noms originaux de ces dieux célestes ne sont pas connus en Grèce puisque le culte des astres est né en Syrie et en Égypte, mais on leur a donné le surnom (ἐπωνυμίαν) de dieux déjà connus. Au surplus, que nul ne s'inquiète de cette origine étrangère de l'astrolatrie, car les Grecs savent l'art d'ennoblir tout ce qu'ils empruntent aux Barbares. Traduisons ici un texte capital pour l'intelligence de la religion hellénistique, du moins sous l'un de ses aspects, la fusion de la Grèce et de l'Orient. Il est intéressant de constater, au seuil de l'âge nouveau, la pleine assurance de l'Hellène : c'est l'élément grec qui doit dominer, parce que c'est lui qui imprime la forme (1).

Epin. 987 d 3-988 b 7 : « Voici un point dont il faut que tout Grec se rende compte. Cette région que nous habitons, la Grèce, est sans doute la mieux située pour favoriser l'excellence morale. Ce qui vaut d'être loué, dans ce pays, c'est qu'il est mitoyen entre le froid boréal et le climat estival (2) : en revanche, l'infériorité où nous sommes, sous le rapport du climat estival, en comparaison des pays de l'Orient est, comme nous le disions (987 a 2), aussi la cause de ce que les Grecs ont été plus lents à percevoir le bel ordre de ces dieux célestes (3). Tenons cependant que, tout ce que les Grecs ont pu recevoir des Barbares, ils le portent à un point de perfection plus achevée. Dès lors, dans ce cas aussi, nous devons nous persuader qu'il en ira de même. S'il est difficile sans doute de découvrir la vérité totalement et sans conteste en de telles matières, il n'y en a pas moins grande et belle espérance que les Grecs rendront à tous les dieux célestes un culte plus beau et réellement plus légitime que ne font les traditions et le culte (φήμης τε ἅμα καὶ θεραπείας) venus des Barbares, parce que les Grecs ont pour eux leur culture, les prescriptions de l'oracle de Delphes et tout l'ensemble du service divin institué par les lois. En outre, qu'aucun des Grecs ne se laisse jamais envahir par la crainte, dans la pensée que, né mortel, on ne doit pas se mêler des choses divines. Tout au contraire, il faut se dire que la Divinité n'est jamais déraisonnable, et qu'elle n'ignore pas les hommes, loin de là : Dieu sait que, s'il nous enseigne, l'homme se fera son disciple et qu'il apprendra ses enseignements. Or, qu'il soit lui-même notre maître en ce qui regarde cette science, et que, de notre côté, nous apprenions le nombre et le calcul, Dieu, certes, en a connaissance. Il serait tout à fait stupide s'il l'ignorait : car, comme dit le proverbe, il s'ignorerait réellement lui-même, s'il s'irritait contre qui peut apprendre au lieu de sympathiser, sans envie, à la joie de celui qui, grâce à Dieu, est devenu un homme de mérite. »

(1) C'est ce qu'a bien vu CARL SCHNEIDER, *Die Grieschischen Grundlagen der hellenistischen Religionsgeschichte*, *ARW*, XXXVI (1940), pp. 300-347 (en particulier pp. 300-314), dans une étude dont je n'accepterais pas d'ailleurs toutes les conclusions.
(2) L'éloge de la situation géographique de la Grèce et, plus généralement, de l'Europe est, comme l'on sait, un lieu commun depuis le petit traité pseudo-hippocratique *De aeris aquis et locis*, 12 ss. On le retrouve, par exemple, chez ARISTOTE, *Polit.*, H 7, 1327 b 20 ss. Pour l'Attique, voir aussi PLAT., *Tim.* 24 c-d, EURIP., *Méd.* 824 ss.
(3) Ou : « à prendre conscience de ces dieux du monde » (ou « du ciel »), τὸ τούτων τῶν θεῶν τοῦ κόσμου κατανόημα, 987 d 8.

Nul doute possible, dès lors : l'auteur a conscience qu'il introduit en Grèce une religion nouvelle, une religion étrangère comme celles qui, dans le même temps, s'installaient au Pirée par le fait des marchands de Kition ou d'Égypte, et il veut en faire une religion d'État. De là vient qu'il accumule, si je puis dire, les « preuves » de cette religion cosmique. Elle a pour elle l'antiquité la plus haute : depuis des myriades de siècles, comme ils jouissent d'un climat qui leur permet de voir constamment toute la carte céleste à découvert, les prêtres législateurs de Syrie et d'Égypte ont vérifié par des observations infinies leur connaissance des astres (987 a 1-6). Par suite, « il faut avec confiance introduire ce culte dans nos lois : car il serait insensé de croire que certains êtres divins fussent dignes d'hommage et que d'autres ne le fussent pas » (987 a 6-8). L'origine étrangère de l'astrolatrie ne doit pas arrêter le législateur : guidés, soutenus et tout ensemble protégés par leur culture, la παιδεία, création proprement grecque (1), par les directions et le contrôle, en matière religieuse, du clergé de Delphes (2), par la longue expérience qu'ils ont de la religion traditionnelle et les précédents que cette religion leur fait connaître (3), les Grecs sauront assimiler et, pour tout dire, helléniser, ce culte oriental (4). Enfin il convient de bannir, une fois pour toutes, la timidité qui empêche les Grecs d'approfondir les questions religieuses. C'était là, il est vrai, un préjugé bien fort : le précepte delphique « Connais-toi toi-même » (γνῶθι σαυτόν) en était l'expression séculaire, qui, enjoignant à l'homme de reconnaître ses limites d'être mortel, lui défendait de pénétrer dans la région du divin. Dans un passage des *Lois* (VII 821 a), Platon s'était révolté contre l'accusation d'impiété dont on chargeait quiconque voulait enquêter sur le Dieu suprême (= le Ciel) comme sur l'ensemble du Kosmos, et, par une ingérence indiscrète (πολυπραγμονεῖν), tâchait de découvrir les causes des mouvements

---

(1) Voir le livre bien connu de JAEGER, *Paideia, Die Formung des Griechischen Menschen*, I (2ᵉ éd., 1936), II (éd. angl., 1944), III (id., 1945).
(2) Voir par exemple NILSSON, *Gesch. d. Gr. Rel.*, pp. 592 ss., en particulier 595-599 *(Delphi und die Kulte)*.
(3) C'est, je pense, le sens de καὶ πάσῃ τῇ κατὰ νόμους θραπείᾳ 988 a 5. L'introduction d'un culte étranger dans la religion d'État était chose sanctionnée par la loi, et l'on en a plus d'un exemple à l'époque archaïque et classique, cf. NILSSON, pp. 684 ss., 782 ss.
(4) Cette profession de foi prend toute son importance quand on songe à la date où elle apparaît : c'est l'époque, ou ce sera bientôt l'époque, où Alexandre, en matière politique, mû par une confiance analogue, prônera la fusion entre Grecs et Barbares. Lui aussi pensait, sans nul doute, que la force créatrice du génie grec parviendrait à helléniser le monde barbare : et l'événement lui a donné raison, du moins en ce qui concerne la civilisation urbaine dans l'Orient grec.

célestes. Aristote, dans la *Métaphysique* (1), se verra contraint, lui aussi, à une apologie de même nature. Ayant démontré que la science des Causes, ou sagesse, est à elle-même sa fin, il poursuit en ces termes (*Méta.*, A, 2, 982 b 28 ss.) : « Aussi est-ce à bon droit qu'on pourrait estimer plus qu'humaine la possession de la sagesse. Sous combien de rapports la nature de l'homme n'est-elle pas esclave! En sorte qu'on peut bien dire, avec Simonide : « Dieu seul possède ce privilège (θεὸς ἂν μόνος τοῦτ' ἔχοι γέρας) (2); quant à l'homme, il vaut mieux pour lui se contenter de la science qui lui est proportionnée » (3). S'il est quelque vérité dans ce que prétendent les poètes, si la Divinité est naturellement jalouse, il y a toute vraisemblance qu'elle le soit surtout dans le cas présent et que tous ceux qui excellent en sagesse soient malheureux. Mais ce n'est pas vrai : il n'est pas possible que la Divinité soit jalouse : non, comme le dit le proverbe, « les poètes sont de grands menteurs ». Et l'on ne doit pas croire non plus qu'il y ait rien de plus noble que la sagesse. Car la science la plus divine est aussi la plus noble : or seule la sagesse est toute divine, à un double titre. En effet, divine entre toutes les sciences est celle que, d'une part, Dieu voudrait surtout posséder et qui, d'autre part, traiterait des choses divines. Or seule, de l'aveu commun, cette science-ci se trouve présenter ce double caractère. En effet tout le monde accorde que Dieu est du nombre des causes universelles et qu'il est une sorte de principe (4), et c'est bien une telle science (5) que Dieu seul, ou du moins, Dieu surtout, voudrait posséder. Dès lors, si toutes les autres sciences peuvent être plus nécessaires que la sagesse, il n'en est pas de meilleure ». Une fois encore, dans l'*Éthique Nicomachéenne*, Aristote combat le vieux

---

(1) Ce texte et celui de l'*Ethique Nicomachéenne* (v. *infra*) développent un thème déjà exposé dans le *Protreptique* (cf. Jaeger, *Aristoteles*, p. 73, n. 1), et il suit donc du parallélisme entre *Epinomis* et *Protreptique* qu'on a là une pensée familière à Platon et à ses disciples de l'Académie. Sur ce passage de la *Métaphysique*, voir aussi Bignone, II, p. 338, n. 1 (où la citation est d'ailleurs tronquée et par suite fait dire à Aristote le contraire de ce qu'il dit), qui cp. Sen., *N. Qu.*, VII 29, 3 *quae an vera sint, dii sciunt, quibus est scientia veri : nobis rimari illa et coniectura ire in occulta tantum licet, nec cum fiducia inveniendi, nec sine spe. egregie Aristoteles ait...* (= fr. 14 R.). Le début de la phrase, avant la citation expresse d'Aristote (*egregie A. ait...*), serait déjà un emprunt à Aristote, et proprement au π. φιλοσοφίας.

(2) Chez Aristote, « le privilège de posséder la sagesse »; chez Simonide, « le privilège d'avoir du mérite » (ἐσθλὸν ἔμμεναι).

(3) Aristote transpose ici en fonction du présent sujet : l'ἄνδρα δ' οὐκ ἔστι μὴ οὐ κακὸν ἔμμεναι de Simonide devient, chez Aristote, ἄνδρα δ' οὐκ ἄξιον τὸ μὴ οὐ ζητεῖν τὴν καθ' αὑτὸν ἐπιστήμην.

(4) Or Causes et Principes premiers sont précisément l'objet propre de la métaphysique.

(5) C'est-à-dire une science traitant des Causes et des Principes.

préjugé (*E. N.*, X, 7, 1177 b 31) : « Non certes, on ne doit pas en croire ceux qui engagent, puisqu'on est homme et mortel, à n'avoir que pensées humaines et mortelles, mais il faut, autant qu'il est possible, se rendre immortel. » Ces trois protestations — de Platon, de l'*Epinomis*, d'Aristote — témoignent du même esprit d'audace et de recherche qui doit avoir été l'un des caractères les plus marquants de l'Académie (1), mais celle de l'*Epinomis* a plus de portée encore que les deux autres, car il ne s'agit pas seulement, en ce cas, d'une science nouvelle (astronomie : *Lois*, science des premières causes : Aristote), mais d'une religion, voire d'une religion d'État. D'autre part la protestation de l'*Epinomis* ne va pas à l'encontre de ce qui a été dit plus haut (985 c-d) touchant les cultes traditionnels. Ces cultes sont liés aux fonctions publiques, ils font corps avec la Cité : il n'est donc pas question de les supprimer. Ce que veut l'auteur, — il le répète à deux reprises (2), — c'est introduire des dieux nouveaux qui, étant vrais dieux du fait de la régularité de leurs mouvements, satisferont aux exigences de l'élite et qui, peu à peu aussi, finiront par remplacer dans les croyances populaires les dieux de la mythologie.

On voit clairement dès lors le sens et l'intérêt de l'*Epinomis*. C'est, en vérité, un manifeste, un Évangile. La théogonie des poètes a fait son temps : voici donc une théogonie meilleure et plus raisonnable, car elle est fondée sur le réel (3). Les dieux de la mythologie choquent la pensée parce que, outre l'immoralité de leurs légendes, ils ne présentent aucun rapport avec ces principes d'ordre et de régularité que les savants, désormais, ont accoutumé de reconnaître dans le Kosmos : voici donc le Dieu Ciel, qui n'est pas seulement le Dieu suprême auquel tous les autres dieux et Génies rendent hommage (4), qui

---

(1) Noter, dans la seconde section de l'*Epinomis*, l'insistance sur le thème de la confiance : ἀνεμέσητον τῷ νομοθέτῃ... 980 a 7, τοὺς μὴ τολμῶντας λέγειν 985 a 5, διὸ θαρροῦντα χρὴ ταῦτα εἰς νόμους θέσθαι 987 a 7, πολλὴ δ' ἐλπις ἅμα καὶ καλή 988 a 1, τόδε δὲ μηδείς ποτε φοβηθῇ 988 a 5.

(2) Τοὺς δὲ ὄντως ἡμῖν φανεροὺς ὄντας θεούς· ἆρ' οὐχ αὐτὸς λόγος ἔχει κακίστους εἶναι τοὺς μὴ τολμῶντας λέγειν ἡμῖν 985 d 4-6, τὸ γὰρ μὴ τίμια τὰ θεῖα εἶναι, τὰ δὲ τίμια σαφῶς οὐκ ἐμφρόνων 987 a 7-8.

(3) ἀνεμέσητον τῷ νομοθέτῃ τὸ κάλλιον τῶν πρότερον εἰρημένων περὶ θεῶν καὶ ἄμεινον ἀπεικάζοντι λέγειν 980 a 7, θεογονίαν τοίνυν... ἀναγκαῖον... πρῶτόν μοι, κακῶς ἀπεικασάντων τῶν ἔμπροσθεν, βέλτιον ἀπεικάσαι 980 a 7.

(4) σχεδόν (« bien sûrement », cf. J. Harward, p. 54-55) Οὐρανόν, ὃν καὶ δικαιότατον, ὡς σύμπαντες ἄλλοι δαίμονες ἅμα καὶ θεοί, τιμᾶν τε καὶ εὔχεσθαι διαφερόντως αὐτῷ (977 a 4-6). Je ne vois pas que ὡς... θεοί puisse se traduire autrement (de même Robin et W. R. M. Lamb [Loeb Class. Libr., 1927, p. 439]). J. Harward, tirant de l'impersonnel δικαιότατον la construction personnelle δίκαιοί εἰσι τιμᾶσθαι (have a right to be honored), traduit : « Why, of course, Uranos, who has every right to the same honours to which all divinities and gods are entitled. »

n'est pas seulement le Tout et notre Père (1), mais qui est aussi la Loi parfaitement divine selon laquelle s'organise le bel ordre visible des astres (κόσμον ὃν ἔταξεν λόγος ὁ πάντων θειότατος ὁρατόν 986 c 4-5). A vrai dire, ni l'objet divin que l'*Epinomis* propose à l'adoration, ni les arguments qu'il emploie pour légitimer l'astrolatrie ne sont originaux : divinité du Ciel et des astres, priorité de l'âme (2), régularité des mouvements célestes (3), tout cela se trouve déjà dans le *Phèdre*, le *Timée* et les *Lois*. Ce qui est neuf et original, c'est le caractère religieux et proprement cultuel de l'ouvrage. L'auteur parle tout ensemble en prophète et en législateur. Il annonce une religion, et, parce qu'il est convaincu que cette religion est la seule vraie, il a dessein de l'inscrire dans les lois (4).

4) Dans cette religion nouvelle, qu'en est-il de la contemplation et de cette vie contemplative dont le *Protreptique* d'Aristote — qui, en toute hypothèse, doit être antérieur à l'*Epinomis* — a proclamé qu'elle devait être désormais l'unique occupation du sage ?

Tout d'abord, par la contemplation du Ciel, nous acquérons l'intelligence du nombre : « Que le Ciel ait été pour nous l'auteur de tous les autres biens (que le nombre), nous en tomberions tous d'accord : mais, nous du moins (*scil.* à l'Académie), nous déclarons qu'il nous a aussi réellement donné le nombre, et qu'il nous le donnera encore, pour peu qu'on veuille se faire son disciple. Il nous le donnera, dis-je, si l'on veut bien se mettre à le contempler comme il faut, — de quelque nom qu'on se plaise à le nommer, Monde, Olympe, Ciel — (5), et le suivre dans son mouvement tandis que,

---

(1) Conjoindre 978 b 8 : d'où nous est venu le concept du nombre, à nous qui avons reçu du Tout une nature capable de ce concept, ἡμῖν... φύσιν ταύτην ἔχουσιν ἐκ τοῦ παντὸς πρὸς τὸ δυνατοὺς ἐννοεῖν εἶναι, et 978 c 3 εἰς αὐτὸ τοῦθ' ἡ φύσις παραγέγονεν, ὥστε μαθεῖν δυνατοὺς εἶναι παρὰ τοῦ πατρὸς ἀριθμεῖν, et cf. Taylor, pp. 65-66.

(2) λάβωμεν δὴ τοῦτό γε, ὡς ψυχὴ πρεσβύτερόν ἐστι σώματος 980 e 3.

(3) τὸ δ' ἐκ πυρὸς (sc. ζῷον) ἐν τάξει πάσῃ κινούμενον 982 a 7 et sqq.

(4) Sur le caractère religieux de l'*Epinomis*, voir aussi M. P. Nilsson, *The origin of belief among the Greeks in the divinity of the heavenly bodies*, *Harv. Theol. Rev.*, XXXIII (1940), pp. 1-8 (résumé dans *Gesch. d. Griech. Rel.*, pp. 789-793); E. des Places, *La portée religieuse de l'« Épinomis »*, *REG*, L (1937), pp. 321-328; Id., *Les dernières années de Platon*, *L'Ant. Class.*, VII, 1938, pp. 169 ss., en particulier pp. 186-200, et déjà J. Harward, *The Epinomis of Plato*, Introd., pp. 19-21; Jaeger, *Aristoteles*, pp. 168-170. Quant aux influences chaldéennes sur l'*Epinomis*, voir en dernier lieu E. des Places, *Platon et l'astronomie chaldéenne*, *Mélanges Fr. Cumont* (Bruxelles, 1936), pp. 129-142; J. Bidez, *Eos ou Platon et l'Orient*, pp. 93-96.

(5) Ces trois noms se retrouvent dans le Ps. Philolaos, *Vors.* 44 A 16 (Aétius) : 1) ὄλυμπος, 2) κόσμος, 3) οὐρανός (sous la lune), καὶ περὶ μὲν τὰ τεταγμένα τῶν μετεώρων (1 et 2) γίνεσθαι τὴν σοφίαν, περὶ δὲ τῶν γινομένων τὴν ἀταξίαν τὴν ἀρετήν, τελείαν μὲν ἐκείνην ἀτελῆ δὲ ταύτην. Comme le note Theiler, *l. c.*, p. 351, ce sont les mêmes préoccupations que dans l'*Epinomis* (où, après ce paragraphe sur le ciel, 977 a 6-b 5, en vient un autre sur la σοφία, 977 b 9 ss.), et on les retrouve aussi chez Xénocrate, fr. 5 Heinze : αἰσθητὴν μὲν (οὐσίαν) εἶναι τὴν ἐντὸς οὐρανοῦ, νοητὴν δὲ τὴν πάντων τῶν ἐκτὸς οὐρανοῦ,

montrant successivement toute la variété de ses constellations et faisant tourner les astres qui l'habitent selon toutes leurs révolutions, il produit les saisons et distribue à tous la nourriture » (977 a 6-b 5). Il n'y a là rien de neuf : c'est déjà le point de vue du *Timée* 47 a-c. Mais la contemplation, dans l'*Epinomis*, est loin de se réduire au moyen d'apprendre le nombre. Elle vaut par elle-même, elle constitue la sagesse la plus haute, pour deux raisons. En premier lieu, l'admiration qu'inspire la beauté du Ciel suscite en nous le désir de connaître à fond l'ordre universel. En second lieu, la contemplation de l'unité du Kosmos nous unifie, et c'est dans cette vue simple de l'Unité que consiste la béatitude. Il y a sur ce point deux textes importants que je traduis en entier :

Epin. 986 b 8-d 4 : « Disons donc que tous les dieux célestes sont frères et qu'ils reçoivent des lots pareils, et n'allons pas, tandis que nous rendons hommage aux uns, attribuant à celui-ci une année, à celui-là un mois, n'assigner aux autres aucun lot, nulle période fixe de temps durant laquelle chacun décrit son orbite et contribue à parfaire le bel ordre qu'a établi la Loi de toutes la plus divine, pour être visible à nos yeux. Cet ordre, l'homme privilégié commence par s'en émerveiller, ensuite il brûle du désir de connaître à fond tout ce qu'un mortel peut apprendre en ce domaine, persuadé que, par cette connaissance, il mènera la vie la plus excellente dans la plus grande félicité, puis se rendra, une fois mort, en un séjour approprié à la vertu. Et alors, comme il a subi l'initiation véritable et réelle, *comme il a participé, dans l'unité de son moi, à une pensée qui elle-même est une*, il passe le reste de sa vie à contempler les objets les plus beaux qui se proposent à l'œil de l'homme » (1).

Le second texte vient après le long morceau (990 c 5-991 b 4) sur l'étude des mathématiques.

Epin. 991 b 5-992 c 3 : « Pour toutes ces sciences donc, qu'il en soit comme on l'a dit. Mais pour ce qui est de leur couronnement, il faut aller jusqu'à l'espèce divine (2), qui tout ensemble est ce qu'il y a de plus beau et de plus divin parmi les êtres visibles dans la mesure où la Divinité nous a donné de le contempler : or, si on le considère dans les sciences que je viens de dire, nul ne pourra jamais se flatter d'en prendre aisément connaissance. Outre cela, dans toutes nos discussions, il faut réduire l'individuel aux déterminations spécifiques, par la voie d'interrogation et de critique des réponses erronées : car c'est là, de toute manière, la meilleure et principale pierre de touche pour voir si l'on parle correctement; et toute vérification qui prétend à ces qualités sans les avoir est un labeur totalement vain. Enfin, il nous faut percevoir l'exactitude du Temps,

---

δοξαστὴν δὲ καὶ σύνθετον τὴν αὐτοῦ τοῦ οὐρανοῦ· ὁρατὴ μὲν γάρ ἐστι τῇ αἰσθήσει, νοητὴ δὲ δι' ἀστρολογίας et fr. 6 H. Ξενοκράτης ἐν τῷ περὶ φρονήσεως τὴν σοφίαν ἐπιστήμην τῶν πρώτων αἰτίων καὶ τῆς νοητῆς οὐσίας εἶναί φησι τὴν φρόνησιν ἡγούμενος διττήν, τὴν μὲν πρακτικὴν τὴν δὲ θεωρητικήν, ἣν δὴ σοφίαν ὑπάρχειν ἀνθρωπίνην, cf. THEILER, *l. c.*, p. 350.

(1) Sur cette dernière phrase, cf. THEILER, *l. c.*, p. 353.
(2) εἰς θείαν γένεσιν 991 b 6 : cf. 977 e 5 εἰ δέ τις ἴδοι τὸ θεῖον τῆς γενέσεως.

avec quelle précision rigoureuse il fait se réaliser tout ce qui se produit dans le Ciel, afin que celui qui croit que nous avons dit la vérité en déclarant que l'âme est à la fois plus ancienne et plus divine que le corps tienne pour parfaitement beau et juste ce dicton que « tout l'univers est plein de dieux », et que jamais, soit oubli soit insouciance, les Tout-Puissants ne nous ont négligés. Sur toutes ces matières, il faut aussi prendre conscience de ce point que, si l'on apprend chacune d'elles correctement, il en résulte un grand avantage pour celui qui les reçoit selon la bonne méthode : autrement, mieux vaut, chaque fois, appeler à son secours un dieu. La bonne méthode est la suivante — car il est nécessaire d'en dire au moins le peu que voici — : *toute figure géométrique et combinaison de nombres, toute composition harmonique de tons ainsi que le système bien accordé des révolutions sidérales doivent s'être manifestés, pour celui qui apprend selon la bonne méthode, comme étant une unité qui unifie toutes ses parties; et c'est ce qui apparaîtra si, comme nous disons, on apprend correctement en tenant son regard fixé sur l'unité — car, à la réflexion, on verra se manifester l'existence d'un lien naturel unique qui unifie tous ces objets;* mais, si l'on met la main à ces recherches de quelque autre manière, c'est la Fortune qu'il faut invoquer, comme nous disons. Faute de ces connaissances en effet, il ne saurait se trouver jamais dans nos cités un être pleinement heureux. Là est la méthode, là l'éducation, là les sciences : pénibles ou faciles, c'est cette voie qu'il faut suivre. D'autre part, il serait impie de négliger les dieux, maintenant qu'a été rendu manifeste, dans un exposé correct, l'heureux message qu'ils nous envoient tous eux-mêmes.

Celui qui a acquis ainsi l'ensemble de ces connaissances, je le déclare, dans toute la vérité du terme, le plus sage. Quand l'un de ces vrais sages accomplira par la mort son destin — s'il est vrai que, sans doute, il vive encore tout mort qu'il est, — *un tel homme*, je l'affirme, par jeu et sérieusement à la fois (1), *ne participera plus, comme aujourd'hui, à une multiplicité, de sensations, mais, n'ayant désormais qu'un sort unique et, de multiple qu'il était devenu un* (καὶ ἐκ πολλῶν ἕνα γεγονότα 992 b 6), il jouira tout ensemble de la sagesse parfaite et d'une bienheureuse félicité (2), qu'il mène cette heureuse vie sur un continent ou aux Iles Fortunées (3); il jouira éternellement d'une pareille condition, et quiconque, sa vie durant, comme homme public ou en privé, se sera livré à ces recherches recevra lui aussi, des dieux, un sort pareil et identique.

Avant d'analyser ces textes, notons quelques résonances hellénistiques (4).

(1) παίζων καὶ σπουδάζων ἅμα (992 b 3) fait un effet curieux après un verbe aussi fort que διισχυρίζομαι. Mais ce n'est apparemment qu'une clause de style pour laquelle Platon semble avoir eu un faible dans sa vieillesse, cf. *Lois*, I 636 c εἴτε παίζοντα εἴτε σπουδάζοντα, III 688 b 6 ὡς παίζων, εἰ δ', ὡς σπουδάζων, VI 761 d μετὰ παιδιᾶς· οὐδαμῇ ἀχαρίτου· σπουδὴ δὲ περὶ ταῦτα ἤδε ἔστω, *Epist.*, VI 323 d 1 σπουδῇ τε ἅμα μὴ ἀμούσῳ καὶ τῇ τῆς σπουδῆς ἀδελφῇ παιδιᾷ, et voir Taylor, pp. 29-30, Harward, p. 141 *ad* 992 b 3.

(2) Sur cette phrase (992 b 5 ss.), cf. Theiler, *l. c.*, p. 353, selon qui, avec cette notion de l'homme devenu εἷς (dans l'au-delà), on a dépassé de loin la notion dialectique de l'ἕν platonicien. Cependant cp. *Epin.* ἐκ πολλῶν ἕνα γεγονότα et *Rép.* IV 443 e 2 ἕνα γενόμενον ἐκ πολλῶν.

(3) Theiler (*l. c.*, p. 352), compare les νῆσοι μακάρων d'Aristote, *Protr.*, fr. 58 R.

(4) Pour d'autres rapprochements hellénistiques, cf. déjà Theiler, *l. c.*, pp. 352-354,

D'abord, en ce qui concerne l'*Epinomis* en général, l'alliance sagesse-piété. Ce deviendra un lieu commun hermétique. Je me borne à comparer *Epin.* 989 e 1 πειρώμεθα δὴ τῷ τε λόγῳ διεξελθεῖν ἅ τ ἐστὶν καὶ οἷα καὶ ὡς δεῖ μανθάνειν..., θεοσεβείας ᾧτινι τρόπῳ τις τίνα μαθήσεται — les compléments de la fin : « quelles seront les parties de la piété (θεοσεβείας τίνα) qui seront matière à instruction et de quelle manière » (tr. Robin) ne font que répéter ceux du début : « Quelles sont les matières à apprendre et de quelle nature et comment il faut les apprendre » : or, ces compléments du début se rapportant aux parties de la sagesse, ce sont bien les parties de la sagesse qui sont dites ici parties de la piété, d'où l'équivalence sagesse = piété — et Stob. Herm., Exc. B II 2-3 Scott : « Comment donc agir, ô père, s'il n'est rien de vrai ici-bas, pour mener noblement sa vie? — Sois pieux, mon enfant. Or l'homme profondément pieux pratiquera la philosophie : sans philosophie en effet, il ne peut y avoir de piété profonde (ὁ δὲ εὐσεβῶν ἄκρως φιλοσοφήσει· χωρὶς γὰρ φιλοσοφίας ἄκρως εὐσεβῆσαι ἀδύνατον). Celui qui a appris de quelle nature sont les choses qui existent (ὁ δὲ μαθὼν οἷα ἔστι), dans quel ordre elles ont été rangées, par qui et en vue de quoi, rendra grâces de tout au Créateur...; rendant grâces, il sera pieux; étant pieux, il saura où est la vérité et ce qu'elle est : et, par cette connaissance, il deviendra plus pieux encore » (χάριν εἴσεται ὑπὲρ πάντων τῷ δημιουργῷ...· ὁ δὲ χάριν ὁμολογῶν εὐσεβήσει· ὁ δὲ εὐσεβῶν εἴσεται καὶ ποῦ ἐστιν ἡ ἀλήθεια καὶ τίς ἐστιν ἐκείνη, καὶ μαθὼν ἔτι μᾶλλον εὐσεβέστερος ἔσται). On voit ici l'implication : il n'y a qu'une route vers le Bien, la piété accompagnée de connaissance (= connaissance de Dieu, ἡ μετὰ γνώσεως εὐσέβεια, C. H. VI 5). La piété invite à connaître l'ordre de l'univers, Celui qui l'a créé, la fin de la création; cette connaissance inspire un sentiment de gratitude envers le Créateur; et de ce mouvement de piété découle une connaissance plus profonde qui conduit, à son tour, à une piété plus haute. Sagesse et piété vont de pair et se nourrissent l'une l'autre (1).

Ensuite la progression (*a*) admirer le Ciel, (*b*) désirer de connaître

---

en particulier sur le « petit nombre des élus » *Epin.* 992 c 5 οὐ δυνατὸν ἀνθρώποις τελέως μακαρίοις τε καὶ εὐδαίμοσι γενέσθαι πλὴν ὀλίγων (cf. 973 c 5) : cp. Cic., *div.*, I 111 *rarum est quoddam genus eorum, qui se a corpore avocent et ad divinarum rerum cognitionem cura omni studioque rapiantur.* Voir aussi *Asclep.* 22 *sunt autem non multi aut admodum pauci, ita ut numerari etiam in mundo possint, religiosi.*

(1) Voir aussi l'*Asclépius* hermétique, 12 *ego enim tibi quasi praedivinans dixero nullum post nos habiturum dilectum simplicem, qui est philosophiae, quae sola est in cognoscenda divinitate frequens obtutus et sancta religio.*

à fond l'ordre céleste, (c) obtenir ainsi la béatitude. C'est ici encore, un lieu commun hermétique, qui revêt d'ailleurs diverses formes. Comparons *Epin.* 986 c 5 (1) : ὃν (κόσμον) ὁ μὲν εὐδαίμων (a) πρῶτον μὲν ἐθαύμασε, (b) ἔπειτα δὲ ἔρωτα ἔσχεν τοῦ καταμαθεῖν ὁπόσα θνητῇ φύσει δυνατά, (c) ἡγούμενος ἄριστ᾽ οὕτως εὐτυχέστατά τε διάξειν τὸν βίον τελευτήσας τε εἰς τόπους ἥξειν προσήκοντας ἀρετῇ et Stob. Herm., Exc. VI 18 ὁ ταῦτα μὴ ἀγνοήσας ἀκριβῶς δύναται (a) νοῆσαι τὸν θεόν..., (b) καὶ αὐτόπτης γενόμενος θεάσασθαι, (c) καὶ θεασάμενος μακάριος γενέσθαι, C. H. XIV 4 οὕτως ἄξιόν ἐστι (a) νοῆσαι, (b) καὶ νοήσαντα θαυμάσαι, (c) καὶ θαυμάσαντα ἑαυτὸν μακαρίσαι τὸν πατέρα γνωρίσαντα, C. H. IV 2 θεατὴς γὰρ ἐγένετο τοῦ ἔργου τοῦ θεοῦ ὁ ἄνθρωπος, καὶ ἐθαύμασε καὶ ἐγνώρισε τὸν ποιήσαντα. Porphyre a une série à quatre termes, *ad Marcellam* 24 (298.19 N²) : (a) πιστεῦσαι γὰρ δεῖ ὅτι μόνη σωτηρία ἡ πρὸς τὸν θεὸν ἐπιστροφή, (b) καὶ πιστεύσαντα ὡς ἔνι μάλιστα σπουδάσαι τἀληθῆ γνῶναι περὶ αὐτοῦ, (c) καὶ γνόντα ἐρασθῆναι τοῦ γνωσθέντος, (d) ἐρασθέντα δὲ ἐλπίσιν ἀγαθαῖς τρέφειν τὴν ψυχὴν διὰ τοῦ βίου = « Il faut croire qu'il n'y a de salut que dans la conversion vers Dieu; quand on a cru, mettre tout son zèle à connaître la vérité sur Dieu; cette connaissance acquise, s'éprendre d'amour pour Celui que nous avons connu; et, lorsqu'on est ainsi épris d'amour, nourrir son âme, durant toute la vie, de belles espérances » (2).

Enfin l'alliance de mots καὶ ἐκ πολλῶν ἕνα γεγονότα (992 b 6), sans être encore ici figée comme dans l'hermétisme — εἷς étant au surplus explicité par ἐκ πολλῶν, — peut avoir influé sur la formule hermétique εἷς καὶ μόνος (3).

Mais, à vrai dire, l'importance de ce καὶ ἐκ πολλῶν εἷς dépasse de beaucoup le point de vue formel. Il y a là une doctrine de l'unification de l'âme dans la contemplation dont il faut saisir la portée.

J'ai longuement exposé ailleurs (4) comment, par le procédé de recueillement et la méthode dialectique ou, mieux, synoptique, l'âme du sage s'unifie en se concentrant en un seul acte où elle ras-

---

(1) Traduit *supra*, p. 211.
(2) Voir aussi *Ascl.*, c. 13 : *puram autem philosophiam eamque divina tantum religione pendentem tantum intendere in reliquas oportebit, ut... horum omnium* (sc. des 4 éléments) *effectus naturamque cognoscens miretur, adoret atque conlaudet artem mentemque divinam.*
(3) Cf. l'index de Ferguson, *Hermetica* IV, s. v. εἷς. L'ordre est toujours εἷς καὶ μόνος, sauf une exception dans un fragment du Λόγος τέλειος cité par Lactance, *Div. inst.*, IV, 6, 4 : *Hermes in eo libro qui* Λόγος τέλειος *inscribitur his usus est verbis* : ὁ κύριος καὶ τῶν πάντων ποιητής, ὃν θεὸν καλεῖν νενομίκαμεν, ἐπεὶ τὸν δεύτερον ἐποίησε, θεὸν ὁρατὸν καὶ αἰσθητόν (sc. le Monde),... ἐπεὶ οὖν τοῦτον ἐποίησε πρῶτον καὶ μόνον καὶ ἕνα, κτλ.
(4) *Contemplation... selon Platon*, pp. 69 ss., 223 ss., 232-234 : voir Index, p. 491, s. v. « Rassemblement synoptique ».

semble toutes ses puissances dans la considération d'un seul objet. Je n'avais envisagé alors que l'objet idéal qui est, au terme, l'Un-Bien. Or il apparaît que, prolongeant la doctrine du *Timée* et des *Lois*, l'*Epinomis* propose maintenant un mode de contemplation également unifiante où l'objet n'est plus idéal, mais concret, puisque cet objet est le système harmonieux des révolutions sidérales (τῆς τε τῶν ἄστρων περιφορᾶς τὴν ὁμολογίαν 991 e 3). Autrement dit, il semble que l'*Epinomis* transpose sur le plan de la contemplation du Monde ce qui caractérisait auparavant la contemplation des Idées unifiées par l'Un-Bien.

Rien ne prouve que ce nouveau mode de contemplation soit exclusif de tout autre. L'auteur ne dit nulle part que la contemplation de l'unité du Monde doive remplacer la contemplation de l'ordre des Idées. Mais il est notable cependant que, dans la série indiquée 991 e 1-3 : « toute figure géométrique et combinaison de nombres, toute composition harmonique de tons ainsi que le système bien accordé des révolutions sidérales », c'est à ce dernier point qu'on s'arrête. Et comme l'auteur s'est efforcé surtout, dans le dialogue, de nous montrer que le Dieu Ciel et les astres ont droit à notre principale adoration, on peut penser que le Ciel et les astres constituent à ses yeux l'objet premier de la contemplation. Il est sûr, en tout cas, que la philosophie hellénistique s'est arrêtée à ce terme. Encore faut-il bien comprendre comment la vue du Ciel tient lieu de contemplation véritable. Elle ne peut l'être que si elle unifie l'esprit. Et elle ne peut unifier l'esprit que si le Ciel lui-même se propose comme un objet « un ». D'où vient donc cette propriété unifiante de la vue du Ciel?

Les diverses sciences mathématiques, dans la *République*, jouent un triple rôle : elles purifient l'esprit parce qu'elles le tirent du sensible; elles éveillent l'esprit en ce qu'elles l'obligent à des opérations de discernement et de numération; elles unifient l'esprit parce qu'elles le conduisent à une vue synoptique où tous les rapports considérés (des nombres, des lignes, des tons) sont ramenés à l'unité d'un accord (1). L'*Epinomis* prolonge directement cet enseignement de la *République* quand il parle du lien qui existe en toute combinaison de nombres, de lignes ou de sons. Or il est arrivé que, dans le domaine de l'astronomie, des recherches contemporaines de Platon ont fait aboutir à un progrès analogue. Qu'on se rappelle la protestation des *Lois* (VII 821 b, tr. Robin) : « L'Ath. : Nous autres

---

(1) Cf. *Contemplation*, pp. 167 ss.

Grecs, tous, si je puis dire, nous tenons, chers amis, un langage erroné au sujet de grandes Divinités : c'est à la fois le Soleil et la Lune que je veux dire. — Clin. : Et en quoi consiste cette erreur? — L'Ath. : Nous disons de ces Divinités, ainsi que de certaines autres avec elles, qu'elles ne suivent jamais la même route, et, pour cette raison, nous les appelons des astres errants, des *planètes*... (822 a). Ce n'est pas une doctrine juste, mes chers amis, concernant la Lune, le Soleil et les autres astres, que celle qui est accréditée et d'après laquelle ce sont bien des astres errants, alors que c'est tout le contraire qui est là vérité : chacun d'eux parcourt en effet la même route, et, non pas plusieurs, mais en cercle une seule toujours, tandis que sa trajectoire est multiple, en apparence... ». Sans entrer ici dans le détail des doctrines, on voit clairement le problème. La terre étant supposée immobile au centre, le ciel des fixes se meut à la périphérie d'un mouvement régulier qui le fait tourner complètement sur lui-même en vingt-quatre heures. Or, par rapport à ce mouvement du Ciel, les mouvements des sept planètes sont apparemment irréguliers : les planètes sont des astres « vagabonds ». Il s'agissait donc de réduire ce désordre à un ordre, en manifestant, d'une part que le mouvement propre à chaque planète est, lui aussi, toujours unique et régulier, d'autre part que ces divers mouvements des planètes composent entre eux et avec celui du ciel, un ordre toujours immuable. Autrement dit, il s'agissait de trouver le δεσμός (991 e 5, cf. 984 c 2 συνδέσμου χάριν), le *lien*, qui unit tout l'ensemble bien accordé (ὁμολογία) des révolutions sidérales. On voit poindre ici une idée dont la fortune sera considérable à la période hellénistique. δεσμός avait déjà été employé en ce sens de « lien unifiant » dans un passage du *Timée* 31 c 1 ss. — « Que deux termes forment seuls une belle composition, cela n'est pas possible, sans un troisième : car il faut qu'au milieu d'eux, il y ait quelque lien qui les rapproche tous les deux (δεσμὸν γὰρ ἐν μέσῳ δεῖ τινα ἀμφοῖν συναγωγὸν γίγνεσθαι). Or, de toutes les liaisons, la plus belle est celle qui se donne, à elle-même et aux termes qu'elle unit, l'unité la plus complète (δεσμῶν δὲ κάλλιστος ὃς ἂν αὑτὸν καὶ τὰ συνδούμενα ὅτι μάλιστα ἓν ποιῇ), et cela, c'est la proportion (ἀναλογία) qui naturellement le réalise de la façon la plus belle » (1) — et, dans la *République* (X 616 e), le cercle lumineux qui entoure le ciel entier comme la préceinte d'un navire est dit σύνδεσμος τοῦ οὐρανοῦ. Mais, dans le premier cas, il ne s'agissait que des corps

---

(1) Trad. Rivaud légèrement modifiée.

intermédiaires (air et eau) entre les deux corps extrêmes, le feu et la terre; dans le second, l'image paraît toute concrète encore, la ceinture lumineuse du ciel est une sorte d'armature solide comme on en met autour des carènes de trières pour maintenir les ais. En revanche, le δεσμός de l'*Epinomis* est un lien *universel* — il unifie tout l'ensemble du Kosmos — et un lien *immatériel* : c'est l'esprit seul qui perçoit les rapports mathématiques entre les mouvements des sphères et l'intégration de ces rapports dans un système unifié. Tels seront bien les caractères de l'idée de δεσμός dans la philosophie hellénistique, idée capitale en deux chapitres au moins de cette philosophie : d'une part en ce qui regarde l'unité du Kosmos (1), d'autre part en ce qui regarde la doctrine de la Fatalité (2).

Le Ciel s'offre donc au regard du savant comme un objet un, où tout conspire à un ordre unique. Dès lors, la vue du Ciel est réellement très propre à unifier l'esprit qui le contemple, et cette fusion entre l'esprit et le Ciel visible peut être comparée à l'absorption dans l'Un qui caractérisait la fin de la contemplation dans le *Banquet* et la *République*. Μεταλαβὼν φρονήσεως εἰς ὢν μιᾶς (986 d 2). Que l'on traduise « Ayant participé, dans l'unité de son moi, à une *Pensée* qui elle-même est une » — c'est-à-dire à la Pensée divine qui règle l'ordre des mouvements célestes et qui est dite un peu plus haut (986 c 4) « la Loi de toutes la plus divine » (λόγος ὁ πάντων θειότατος) — ou « à une *Sagesse* qui elle-même est une », le sens général est le même : l'unité de l'objet fait l'unité du νοῦς contemplatif. De « plusieurs », l'homme devient « un » (3). Un texte de Proclus encore, bien longtemps après l'*Epinomis*, montre que la doctrine néoplatonicienne suppose, elle aussi, les conditions spirituelles énoncées dans ce dialogue, c'est-à-dire la nécessité d'unifier l'intellect pour qu'il adhère à un objet un (Procl., *in Tim.*, I, p. 212.12 ss. Diehl) : « Il faut donc que celui qui se met vaillamment à la prière,

---

(1) Cf. par exemple Cic., De nat. deor., II 7, 19 (d'après Posidonius) : *Quid vero tanta rerum consentiens conspirans continuata cognatio quem non coget ea quae dicuntur a me conprobare?* etc., et cp. *Ascl.* 13 *musicen vero* (sc. la vraie musique) *nosse nihil aliud est, nisi cunctarum omnium rerum ordinem scire quaeque sit divina ratio sortita* (cp. κόσμον ὂν ταξεν λόγος ὁ πάντων θειότατος *Epin.* 986 c 4) : *ordo enim rerum singularum in unum omnium artificii ratione conlatus concentum quendam melo divino dulcissimum verissimumque conficiet.*

(2) Cf. Alex. Aphrod., *de fato*, c. 22 = *St. V. Fr.*, II, 272-273 et cp. *Ascl.* 39.

(3) « Devenu lui-même unique » Robin. « Becoming a single instead of a multiple personality » Harward. La traduction de W. R. M. Lamb « having become one out of many », ainsi expliquée (en note) « having been singled out as fit to receive a rare blessing reserved for a chosen few » (cette rare élite étant celle qui constitue le Conseil Nocturne), me paraît erronée.

après s'être rendu les dieux favorables, éveille en lui-même la pensée du divin,... afin qu'il s'entretienne seul à seul avec Dieu et ne se perde pas en vains efforts pour s'attacher, avec des pensées multiples, à Celui qui est Un (ἵνα μόνος τις τῷ θεῷ μόνῳ συνῇ καὶ μὴ μετὰ πλήθους τῷ ἑνὶ συνάπτειν ἑαυτὸν ἐγχειρῇ 212.24-25)... Car, de même qu'il n'est pas permis, avec ce qui est néant, de converser avec l'Être, ainsi non plus n'est-il pas possible, avec ce qui est multiple, de s'attacher à l'Un » (212.26-27).

CHAPITRE VIII

ARISTOTE : LE DIALOGUE « SUR LA PHILOSOPHIE » (1).

§ 1. *L'ordonnance et l'esprit du dialogue.*

Aristote était entré à l'Académie (en 368/7) adolescent encore, à dix-sept ans. Il y demeura jusqu'à la mort du maître, en 348/7. Qu'il eût été un platonicien fervent, nous en avons la preuve non seulement dans l'*Eudème* et le *Protreptique*, mais dans l'*élégie à Eudème* qu'il écrivit à la louange de Platon (2).

« Et quand il (3) fut arrivé au sol illustre de la ville de Cécrops|, pieusement il dressa un autel à la sainte Amitié | d'un homme (4) qu'il n'est

---

(1) Cf. JAEGER (1923), pp. 125-170; BIGNONE (1936), I, pp. 227-272; II, pp. 335-538; MOREAU (1939), pp. 106-129. L'ouvrage de J. BERNAYS, *Die Dialoge des Aristoteles in ihrem Verhältniss zu seinen übrigen Werken* (Berlin, 1863) reste un travail d'une pénétration admirable : pour le π. φιλοσοφίας, cf. plus spécialement pp. 93-115. Important aussi l'article de I. BYWATER, *J. of Philology*, VII (1877), pp. 64 ss. (Plus généralement, sur l'Aristote perdu et retrouvé, voir l'excellente brochure de J. BIDEZ, *Un singulier naufrage littéraire dans l'antiquité : A la recherche des épaves de l'Aristote perdu*, Bruxelles, 1943). Il est intéressant de noter que les anciens avaient déjà conscience qu'Aristote, à un moment de sa vie, avait passé du platonisme à une autre forme de pensée, cf. JAEGER, *Hermes*, LXIV (1929), pp. 22-23, qui cite PLUT., *De virt. mor.*, c. 7, 447 F ἐπεὶ διὰ τί τοῖς ἐν φιλοσοφίᾳ σκέμμασιν οὐ πρόσεστι τὸ μετὰ λύπης ὑπὸ τῶν ἑτέρων ἄγεσθαι καὶ μετατίθεσθαι (t. techn. pour le changement de secte) πολλάκις, ἀλλ' αὐτός τ' Ἀριστοτέλης Δημόκριτός τε καὶ Χρύσιππος ἔνια τῶν πρόσθεν αὐτοῖς ἀρεσκόντων ἀθορύβως καὶ ἀδήκτως καὶ μεθ' ἡδονῆς ἀφεῖσαν.

(2) Il en reste un pentamètre et trois distiques = fr. 673 R². Sur ce poème, cf. J. BERNAYS, *Rh. Mus.*, 1878, pp. 232 ss. = *Ges. Abh.*, I, pp. 141 ss. ; WILAMOWITZ, *Aristoteles u. Athen.* 1893, II, pp. 412-416 ; O. IMMISCH, *Philol.*, LXV (1906), pp. 1-23 ; JAEGER, pp. 106-111, et *Class. Quart.*, XXI (1927), pp. 13-17 ; BIGNONE, I, pp. 213-225 ; BIDEZ, *A la recherche... de l'Ar. perdu*, Bruxelles, 1943. pp. 60 ss.

(3) Qui ? On ne saurait le dire. S'il s'agit d'Eudème (mais lequel ? Ce ne peut être Eudème de Chypre — en ce cas l'élégie daterait d'avant 354, donc du vivant de Platon, or nous voyons par le v. 7 que Platon est mort — : donc Eudème de Rhodes, cf. JAEGER, *Cl. Quart., l. c.*, p. 14), l'élégie ne peut lui être adressée, et il faudrait lire alors, dans Olympiodore, εἰς Εὔδημον au lieu de πρὸς Εὔδημον. Immisch (*l. c.*, pp. 14-15) conjecture que c'est Aristote lui-même qui consacra cet autel au « dieu » Platon, lors de son retour de Macédoine à Athènes en 335. Mais Jaeger et Bignone pensent plus justement que l'élégie doit être contemporaine du π. φιλοσοφίας.

(4) σεμνῆς Φιλίης ἱδρύσατο βωμὸν | ἀνδρὸς ὃν κτλ. Wilamowitz (pp. 414 ss.) fait dépendre ἀνδρός de βωμόν et prend σεμνῆς φιλίης pour un génitif de cause : σεβόμενος τὴν σεμνὴν φιλίαν βωμὸν ἱδρύσατο Πλάτωνος. Immisch entend de même « un autel de Platon » et corrige abusivement εὐσεβέως σεμνῆς φιλίης en εὐσεβέων σεμνὴν φιλίην. Bernays (*Ges. Abh., l. c.*, p. 141), Jaeger (p. 108 et n. 2) et Bignone (dans sa traduction, I, p. 214) font dépendre ἀνδρός de Φιλίης : « er stiftete einen Altar der hochehrwürdigen Philia zu Ehren der Freundschaft des Mannes, den etc. » (Jaeger). Les deux sens sont possibles, le second me paraît plus probable. Bernays (p. 141, n. 2) cite Tac., *Ann.*, IV 74 *aram amicitiae effigiesque circum Caesaris* (Tiberii) *et Seiani censuere senatores.*

même pas permis aux méchants de louer. | Car seul, ou, du moins, le premier des mortels, il a démontré clairement, ‖ ⁵ et par sa propre vie et par la suite logique de ses arguments (μεθόδοισι λόγων), | que l'excellence morale et le bonheur vont de pair. | Mais aujourd'hui nul ne peut plus atteindre à ce haut rang (1) ! »

S'agit-il d'un autel à Platon, en raison de la « sainte Amitié » qui l'unissait à ses disciples, ou, comme je le préfère, d'un autel à la « sainte Amitié » dont Platon, à l'Académie, avait été le vivant symbole? Ce qui importe pour nous, c'est la louange, si pleine en sa brièveté, de Platon par Aristote. Une fois, une seule fois, ou du moins pour la première fois ici-bas, on a pu voir, par l'exemple de Platon, que la sagesse parfaite menait au parfait bonheur ou, plutôt, s'identifiait avec lui.

Quand Aristote écrivit ces vers, Platon était mort. C'est assurément l'amitié du maître qui avait uni jusqu'alors, à l'Académie, des hommes de toute provenance et d'humeur diverse. A la mort de Platon, ce lien se rompit. Tandis que Speusippe, neveu de Platon, prenait à Athènes la direction de l'Académie, Xénocrate et Aristote se retirèrent à Assos en Troade (2). C'est là qu'Aristote, entre 348/7 et 345 (3), composa le dialogue en trois livres *Sur la Philosophie* (4).

En 348-7, il est âgé de trente-sept ans. Peut-on se faire quelque idée de son évolution intellectuelle et morale jusqu'à ce jour? Deux des principaux ouvrages qu'il écrivit à l'Académie, l'*Eudème* et le *Protreptique*, sont susceptibles d'être datés, l'un avec certitude, l'autre approximativement : l'*Eudème* a été composé à l'occasion de la mort d'Eudème de Chypre à Syracuse, en 354; le *Protreptique* a dû suivre de près l'*Antidosis* d'Isocrate, qui parut en 353 (5). Aristote avait alors de trente à trente et un ans. Or ce qui frappe en ces écrits, nous l'avons vu plus haut, c'est un profond pessimisme. Citons seulement ce passage de l'*Eudème*, tel qu'il nous a été transmis dans la *Consolation à Apollonius* du Ps. Plutarque (6) :

---

(1) οὐ νῦν δ' ἔστι λαβεῖν οὐδενὶ ταῦτα ποτέ. Les corrections μουνάξ (Bernays), οὐ δίχα (Gomperz) pour οὐ νῦν, et οὐδ' ἕνι (Immisch) pour οὐδενὶ n'ont point de fondement.
(2) Selon BIGNONE (I, pp. 223-224), c'est Speusippe et ses partisans qui, dans l'*Elégie*, seraient désignés par τοῖσι κακοῖσι, et que viserait aussi le dernier vers. De même, déjà JAEGER, *Cl. Quart., l. c.*, pp. 15, 17.
(3) Date où il quitte Assos pour Mitylène de Lesbos.
(4) Cf. JAEGER, pp. 125 ss.
(5) Cf. supra, p. 168, n. 2. Eudème est mort cinq ans après l'assassinat d'Alexandre de Phères, fr. 37 R².
(6) *Cons. ad Ap.*, c. 27 = fr. 44 R². Sur ce texte, voir J. BERNAYS, *Ges. Abb.*, I, pp. 130-140; H. SAUPPE, *Philol.*, XIX (1863), pp. 579-581. Je traduis d'après l'édition de Paton-Wegehaupt, *Plutarchi Moralia*, I (1925), p. 237. 25 ss.

« Bien des sages, au dire de Crantor, non pas aujourd'hui seulement mais depuis longtemps, ont déploré la condition de l'être humain : la vie, selon eux, est un châtiment, et, pour l'homme, le seul fait d'être né est le commencement de la pire infortune. Et c'est bien là aussi, à en croire Aristote, ce que Silène, capturé par Midas, fit entendre à son ravisseur. Mais il vaut mieux que je cite les propres paroles du philosophe. Voici donc comment il l'exprime dans le dialogue intitulé *Eudème* ou *De l'Ame :*

> « C'est pourquoi, ô le plus puissant et le plus heureux de tous les hommes (1), non seulement nous tenons les morts pour fortunés et bienheureux, mais nous regardons comme chose impie de mentir à leur sujet ou de mal parler d'eux, car nous pensons que, désormais, ils ont passé à un état meilleur et plus relevé que le nôtre. Et cet usage est consacré chez nous par une tradition si antique et si longue que nul absolument n'en connaît l'origine ni celui qui l'a établi d'abord, mais c'est depuis l'infinité des temps qu'il se trouve consacré jusqu'à ce jour. Outre cela, tu vois toi-même comme ce mot circule parmi les hommes, répété de bouche en bouche depuis un grand nombre d'années. » — « Quel mot veux-tu dire ? » fit-il. — Et lui de reprendre : « Que le meilleur de tout, assurément, est de ne point naître, et qu'être mort vaut mieux que de vivre (2) : au surplus, la divinité en a donné la preuve à beaucoup d'hommes. De fait, la légende rapporte que ce fameux roi Midas, lorsqu'il eut enfin, après une longue chasse, capturé Silène, se mit à l'interroger, le pressant de lui dire quel peut bien être, pour les hommes, le meilleur sort, celui qu'il faut choisir de préférence. Silène, d'abord, refusa de parler, mais garda un silence infrangible (3). Cependant, lorsque Midas, à force de stratagèmes, l'eut amené à lui adresser la parole, forcé de la sorte, Silène dit : « Rejeton éphémère d'un Génie affligeant et d'une Fortune pénible, pourquoi me contraindre à dire ce qu'il eût mieux valu pour vous ne point connaître ? C'est quand elle ignore ses propres maux que la vie est le moins douloureuse. Il est absolument impossible que le sort le plus heureux échoie à l'homme, et qu'il participe jamais à la nature du meilleur. Dès lors (4), pour tous et pour toutes, le meilleur serait de n'être point né. Toutefois, la seconde meilleure chose, après cela, et la première de celles que l'homme peut atteindre, c'est, une fois né, de mourir au plus vite. » Telle fut la réponse de Silène : et il est donc évident qu'elle se fonde sur l'idée que la condition des morts est meilleure que celle des vivants. »

Sept années au moins se sont écoulées entre l'*Eudème* (354) et le dialogue *Sur la Philosophie* (347/5). Or, dans cet ouvrage, le ton est entièrement différent. On a l'impression qu'Aristote est maintenant en possession d'une doctrine et d'une méthode. Il parle avec assu-

---

(1) Qui cela ? Nous ignorons quels sont les personnages du dialogue. Bernays (*l. c.*, p. 138), tient le texte ici pour gâté, mais il se peut que l'un des protagonistes fût un personnage considérable, auquel les épithètes κράτιστε πάντων καὶ μακαριστότατε conviennent bien.
(2) Cf. Théognis, 425 ; Soph., *Œd. Col.*, 1225-1227.
(3) ἀρρήκτως Reiske : ἀρρήτως codd., ἀρράτως Bernays. Voir *Addenda*.
(4) ἄρα Bernays : γάρ codd.

rance. Il a désormais un critère pour juger ses prédécesseurs, il s'est élevé à une vue générale de l'évolution de la philosophie. C'est cette vue d'ensemble qu'il devait faire connaître dans le Ier livre du dialogue. Quelques fragments, l'un surtout, mis en lumière par Bywater (1), permettent de reconstituer le cadre de cette « Archéologie » que Bignone (2) compare heureusement à celle de Thucydide (I 2-20). Il vaut la peine de la résumer, car elle témoigne déjà de cette confiance en soi-même qui caractérise l'état d'âme d'Aristote à l'heure où il compose le π. φιλοσοφίας.

Aristote part de l'idée, qu'on rencontre déjà dans le *Timée* (22 c ss.), le *Critias* (109 d-110 a), et les *Lois* (III 677 a ss.), de catastrophes cosmiques qui, à intervalles réguliers, détruisent l'humanité, sauf un petit nombre d'hommes. Le fr. 13 de Rose, qu'il faut, avec Walzer (fr. 8), rattacher au livre Ier, fait état de cette croyance (3). En raison de ces catastrophes, l'humanité doit rapprendre, chaque fois à nouveau, les arts de la vie et de la civilisation. Et ce sont les étapes de cette acquisition que décrit Philopon, d'après Aristote (expressément cité au début de la scholie), l'intermédiaire étant le traité en dix livres d'Aristoclès de Messine *Sur la Philosophie* (4).

« La Sagesse (σοφία) a été ainsi nommée comme si elle était une sorte de clarification (οἱονεὶ σάφεια τις οὖσα) (5), en ce sens qu'elle éclaire toutes choses. Quant à la clarté elle-même (τὸ σαφές), elle a été ainsi nommée comme si elle était quelque chose de lumineux (φαές τι), par derivation des mots qui expriment la lumière (παρὰ τὸ φάος καὶ φῶς), du fait qu'elle tire à la lumière les choses cachées. Puis donc, *comme le dit Aristote*, que les objets intelligibles et divins, bien qu'ils soient les plus évidents (φανότατα) selon leur propre essence, nous paraissent, à nous, obscurs et indistincts à cause des ténèbres corporelles qui pèsent sur nous, c'est à bon droit qu'on a nommé Sagesse (σοφία) la science qui tire pour nous ces objets à la lumière (ταῦτα εἰς φῶς ἄγουσαν).

Or, puisque nous employons ces mots « Sagesse » et « sage » de façon générale, il faut savoir que ces mots sont équivoques : les anciens les ont entendus en

---

(1) J. Philopon, Commentaire sur l'*Isagogé* de Nicomaque de Gérasa, éd. R. Hoche (Teubner, 1864), pp. 1.8-2.42. L'intermédiaire est le péripatéticien Aristoclès de Messine (IIe s. ap. J.-C. : cf. P. W., II, 934, n° 15 [Gercke]). Voir I. Bywater, *l. c.*, pp. 64 ss. Sur l'authenticité aristotélicienne de ce texte de Philopon et sur son appartenance au π. φιλοσοφίας, cf. Appendice I, *infra*, pp. 587 ss.

(2) Bignone, II, p. 341.

(3) Synes., *Calv. Encom.* 22 : « S'il y a quelque sagesse dans les proverbes. Et comment n'y en aurait-il point, alors qu'Aristote déclare à leur sujet qu'ils sont « *les restes d'une antique sagesse qui a péri dans d'immenses destructions de l'humanité*, restes sauvés en raison de ce qu'ils disent adroitement les choses en peu de mots ». L'idée est reprise plusieurs fois dans les œuvres ésotériques d'Aristote, cf. Jaeger, p. 131, n. 4.

(4) Je traduis d'après l'édition Hoche citée *supra*, n. 1.

(5) Sur cette étymologie qui reparaît, identiquement la même, chez Asclépius, cf. l'Appendice I, *infra*, pp. 587 ss.

effet de cinq manières, qu'Aristoclès énumère en ses dix livres *Sur la Philosophie*.

Il faut savoir en effet que l'humanité périt de façon diverse : par la peste, la famine, les séismes, la guerre, cent variétés de maladies, et par d'autres causes encore, mais surtout par des déluges massifs, comme celui par exemple qui, selon la légende, eut lieu sous Deucalion, et qui fut terrible, sans pourtant avoir fait périr tous les hommes. Car les pâtres, et tous ceux qui vivent sur les montagnes ou sur leurs pentes, échappent au cataclysme, tandis que les plaines sont submergées avec tous ceux qui y habitent (1). C'est ainsi du moins qu'on raconte que Dardanos fut sauvé du déluge après avoir nagé de Samothrace au pays qui, plus tard, fut nommé Troie : ceux qui avaient été sauvés des eaux habitaient, par nécessité, les pentes des monts comme le montre le poète en ces vers (*Il.* XX 215-218) (2) : « C'est l'assembleur des nuées, Zeus, qui d'abord engendra Dardanos. Celui-ci fonda Dardanie. La sainte Ilion ne s'élevait pas alors dans la plaine comme une cité, une vraie cité humaine : ses hommes habitaient encore les pentes de l'Ida aux mille sources. » Le mot « encore » (ἔτι) manifeste que les hommes ne s'enhardissaient pas encore à habiter dans les plaines. Ces hommes donc, échappés au déluge, n'ayant pas de quoi se nourrir, furent contraints par la nécessité d'inventer les moyens de subvenir à leurs besoins, comme de broyer le grain à l'aide de meules, d'ensemencer, et toutes choses analogues. Ils nommèrent ces inventions « Sagesse », cette sagesse qui découvre ce qui est utile aux premiers besoins de l'existence, et ils nommèrent « Sage », l'auteur de ces inventions.

Là-dessus, « par l'inspiration d'Athéné », comme dit le poète (*Il.* XV 412), ils inventèrent les arts, non pas seulement ceux qui se bornent à pourvoir aux nécessités de l'existence, mais ceux qui, poussant plus loin, contribuent à la noblesse et à l'ornement de la vie : et cela, de nouveau, ils l'ont appelé « Sagesse » et ils ont nommé « Sage » celui qui inventa ces arts, témoin le poète : « (les chevrons) qu'un sage charpentier assemble » (3) et « connaissant à fond son art (4) par l'inspiration d'Athéné ». De fait, en raison de la supériorité extraordinaire de ces arts, ils en rapportaient l'invention à un dieu (5).

Là-dessus, ils portèrent leur regard sur l'organisation de la cité, et ils inventèrent les lois et tous les liens qui assemblent les parties d'une cité; et cette invention encore, ils la nommèrent « Sagesse » : c'est de cette sagesse que furent pourvus les Sept Sages, qui précisément inventèrent les vertus propres au citoyen (6).

(1) Sur les antécédents platoniciens de cette doctrine, *Tim.* 22 c 1-23 b 3, *Critias* 109 d 2-110 a 6, *Lois*, III, 676 a-700 a, cf. *supra*, p. 99, n. 1.
(2) Trad. P. Mazon. Les vers 216-218 sont cités déjà par Platon, *Lois*, III, 681 e. Ces mêmes vers 216-218 sont cités par Asclépius qui rapporte explicitement tout le morceau (à partir du déluge de Deucalion) à Aristote.
(3) σοφὸς ἤραρε τέκτων, *Il.* XXIII 712. Le texte reçu porte κλυτός, mais σοφός se trouve également dans Eustathe 1023.41, Ammonius *in Porph. Isag.*, prooem. 42.30, Clem. Al. *Strom.* I 41. Sur la portée de cette leçon σοφός, cf. Bywater, *l. c.*, p. 74. J'ai traduit « sage » en raison du contexte, mais, à supposer que le mot fût déjà dans Homère, le sens ne pourrait être évidemment qu' « habile », comme dans tous les textes jusqu'au Ve siècle.
(4) εὖ εἰδὼς σοφίης Philop. : ὅς ῥά τε πάσης | εὖ εἰδῇ σοφίης *Il.* XV 411-412.
(5) Cf. Hippocr., π. ἀρχ. ἰητρικῆς, 14, p. 45.16 ss. Heiberg : ὡς δὲ καλῶς... εὗρον αὐτὰ οἱ πρῶτοι εὑρόντες καὶ ᾠήθησαν ἀξίαν τὴν τέχνην θεῷ προσθεῖναι, ὥσπερ καὶ νομίζεται.
(6) Cf. Aristote, fr. 1-5 Rose.

Puis, poussant plus loin leur enquête, ils s'avancèrent jusqu'à la considération des corps et de la Nature qui les fabrique. Cette démarche, ils la nommèrent du nom plus particulier de « Science de la nature » (φυσικὴ θεωρία) : de fait, nous nommons « Sages » ceux qui sont savants dans les choses de la nature.

En cinquième lieu enfin, ils parvinrent jusqu'aux objets divins (1), hypercosmiques et totalement immuables, et c'est la connaissance de ces objets qu'ils nommèrent « souveraine Sagesse » (2).

Ce texte si riche en souvenirs platoniciens (3) constitue, Bywater l'a montré, un cadre excellent pour les fragments qui nous restent du livre Ier du π. φιλοσοφίας. Le fr. 13 R. (8 Walzer) mentionne les catastrophes cosmiques et la préservation, dans les proverbes, de la sagesse antédiluvienne. Il ne reste plus trace du premier et du second stade qui, aussi bien, ne concernent pas encore « l'étude de la sagesse ». Mais c'est au troisième que reviennent les fragments sur la « sagesse » des Sept Sages en relation avec le sanctuaire de Delphes (fr. 1-5 R. = 1-5 Walzer), sur la « sagesse » des Mages perses, infiniment plus ancienne que celle des Égyptiens (fr. 6 R. = 5 W.) (4), sur la « sagesse » enfin du ps.-Orphée dont Aristote discutait la légende (fr. 7 R. = 7 W.). Venait ensuite, au quatrième stade, la « sagesse » des φυσικοί présocratiques : il est possible qu'il faille attribuer à ce stade un fragment sur Parménide (5) où Aristote nomme Parménide et Mélissos « partisans de la stabilité » (στασιώτας), et « non-savants en la science de la Nature » (ἀφυσίκους) pour la raison qu'ils suppriment le mouvement, dont la Nature est le principe.

Le cinquième stade enfin est celui de la vraie philosophie. Nous devons rapporter ici un passage très significatif (6), qui dénote bien l'assurance, voire l'enthousiasme d'Aristote à cette époque de sa

---

(1) ἐπ' αὐτὰ λοιπὸν ἔφθασαν τὰ θεῖα. La correction évidente ἔφθασαν pour ἔφρασαν (Hoche, Bywater, celui-ci avec un ?) m'était déjà venue naturellement sous la plume quand j'ai constaté qu'elle avait été faite antérieurement dans une note du même *J. of Philol.*, VII (1877), p. 315, par F. F(ield), qui cite Jo. Chrysost., I 378 B εἰ τοίνυν μείζονα ταύτης (ἀγάπην) οὐκ ἔστιν εὑρεῖν ἐπὶ τὸ τέλος αὐτῆς ἔφθασας, XII 198 D 'τότε ἥξει ːὸ τέλος'. ἰδοὺ πρὸς τὸ ːελος λοιπὸν ἐφθάσαμεν. On pourrait citer des exemples plus anciens, v. g. *Corp. Herm.*, IX 10 ὁ γὰρ λόγος οὐ φθάνει μέχρι τῆς ἀληθείας, IV 11 τοὺς φθάσαντας θεάσασθαι κατέχει (sc. ἡ θέα), καὶ ἀέλκ ι καὶ ːκπερ φασὶν ἡ μαγνῆτις λίθος τον σίδηρον.

(2) Ou « et c'est la connaissance suprême de ces objets qu'ils nommèrent sagesse », καὶ τὴν τούτων γνῶσιν κυριωτάτην σοφίαν ὠνόμασαν.

(3) Comme il est naturel qu'il le soit, en un temps où Aristote est encore tout nourri de platonisme.

(4) Cf. JAEGER, pp. 133 ss. Ajouter le fr. 34 R (= 6 Walzer). D'après les données chronologiques d'Eudoxe, suivi par Aristote (Jaeger, *l. c.*), les Mages sont de beaucoup les plus anciens (Zoroastre 6000 ans avant Platon).

(5) Fr. 10 Heitz = 9 Walzer, qui l'attribue au l. II. Voir déjà BERNAYS, *Die Dialoge*..., p. 98.

(6) **Fr. 13** Heitz = 53 R. (qui le rapporte au *Protreptique*) = Cic., *Tusc.*, III 28, 69.

vie : « Aussi Aristote taxe-t-il de présomption les anciens philosophes, de ce qu'ils se figuraient que la philosophie, grâce à leur génie, avait atteint déjà la perfection : il les déclare les plus fous ou les plus vains des hommes. Mais il ajoute que, si l'on considère les merveilleux progrès qu'a faits la philosophie en peu d'années (= depuis Socrate), on peut prévoir que, dans un court laps de temps, elle serait parvenue au terme final de son achèvement. » Bywater, qui cite ce texte (1), en rapproche heureusement quelques lignes de Proclus, dans la préface de son *Commentaire sur Euclide* (2). Pour montrer que l'étude des mathématiques est une chose préférable pour elle-même et non pour quelque utilité pratique qui en résulte (3), Proclus s'en rapporte à un témoignage d'Aristote : « Ce qui prouve que les mathématiques doivent être étudiées pour elles-mêmes, c'est, comme le dit quelque part (πού φησιν) Aristote, l'immense progrès que les mathématiques ont fait en peu de temps (4), bien que ceux qui s'y adonnent n'aient à attendre nul salaire de leur recherche ». Plus loin (p. 28.23 Fr.), Proclus poursuit ainsi : Il ne faut donc pas mépriser les mathématiques parce qu'elles n'ont point d'utilité pour nos besoins, mais au contraire admirer que tout ce qu'elles ont de bon réside en elles seules. « Et en effet, c'est seulement quand les hommes eurent été délivrés de tout souci quant aux nécessités de la vie qu'ils se sont tournés vers l'étude des mathématiques. Justement d'ailleurs. Ce à quoi les hommes aspirent en premier lieu, c'est ce qui est congénère et congénital à leur état d'êtres mortels : ce qui vient en second lieu, c'est ce qui délivre l'âme de cette condition et lui fait ressouvenir de l'être vrai. Aussi recherchons-nous les choses nécessaires à la vie avant les choses préférables en soi et les objets qui se réfèrent aux sens avant ceux qui ne sont connus que par l'intellect. » On retrouve ici, sous une forme très résumée, l'exposé des divers stades de la civilisation que nous avons rencontré déjà dans Philopon et Asclépius et qui dérive, on l'a vu, du dialogue *Sur la Philosophie*.

Enfin un dernier emprunt à ce même passage d'Aristote a été décelé par Bywater (5) dans le IIIe livre du traité de Jamblique περὶ τῆς κοινῆς μαθηματικῆς ἐπιστήμης (6) : « On s'accorde à dire que

---

(1) *L. c.*, p. 69. Cf. déjà BERNAYS, *Die Dialoge*..., pp. 98-99.
(2) Fr. 52 Rose (qui le rapporte au *Protreptique*) = p. 28.13 Friedlein.
(3) P. 27.27 Fr. καὶ τοίνυν καὶ τὴν μαθηματικὴν ἐπιστήμην αὐτὴν δι' αὐτὴν αἱρετὴν καὶ τὴν ἐξ αὐτῆς θεωρίαν εἶναι θετέον, ἀλλ' οὐ διὰ τὰς ἀνθρωπίνας χρείας.
(4) P. 28.16 Fr. ἐν ὀλίγῳ χρόνῳ τοσαύτην ἐπίδοσιν τὴν τῶν μαθημάτων θεωρίαν λαβεῖν = Cicéron (53 R.) *quod paucis annis magna accessio* (ἐπίδοσις !) *facta esset*.
(5) *L. c.*, p. 72.
(6) C. 26, p. 83.6 ss. Festa = fr. 53 Rose (qui le rapporte au *Protreptique*).

la recherche exacte de la vérité est venue en dernier parmi les occupations humaines. En effet, après la destruction du monde et le déluge (1), les hommes ont été forcés de s'occuper d'abord de ce qui regarde la nourriture et le vivre; puis, quand ils disposèrent de plus de ressources, ils s'appliquèrent aux arts qui procurent une jouissance, comme la musique et les arts analogues; enfin, c'est seulement quand ils eurent tout en abondance pour les besoins de la vie qu'ils se mirent à philosopher. Or, à cette heure, ceux qui se livrent à l'étude de la géométrie, de la philosophie (τοὺς λόγους) et des autres disciplines libérales (τὰς ἄλλας παιδείας) ont fait, dans le laps de temps le plus court, à partir des commencements les plus médiocres, des progrès si considérables qu'on n'en voit de semblables en aucune autre branche d'aucun autre des arts. Néanmoins, alors que partout on favorise le progrès des autres arts en accordant des honneurs publics et des salaires à ceux qui les pratiquent, ceux qui s'adonnent aux mathématiques non seulement ne sont l'objet d'aucun encouragement de notre part, mais souvent même trouvent en nous des obstacles, et pourtant ce sont ceux-là qui ont progressé le plus, parce que les objets qu'ils poursuivent sont par nature les plus dignes d'estime : en effet ce qui vient en dernier dans l'ordre du devenir tient le premier rang dans l'ordre de l'essence et de la perfection ».

Comme le remarque Bywater (2), les expressions « en dernier » (νεώτατον), « à cette heure » (νῦν), « dans le laps de temps le plus court » (ἐν ἐλαχίστῳ χρόνῳ), sont, dans ce texte de Jamblique, des transcriptions littérales qui prouvent que le morceau est cité d'après une source plus ancienne. Et les rapprochements avec Cicéron, Proclus, Philopon, Asclépius, prouvent que cette source ne peut être que le dialogue aristotélicien *Sur la Philosophie*. On aura noté en outre que, dans les deux derniers textes, il est parlé de l'essor des mathématiques, soit exclusivement (Proclus), soit à côté de la philosophie (Jamblique). Il pourrait sembler que ce trait nous ramène à l'Académie, où, comme l'on sait, les mathématiques avaient toujours joué un rôle éminent en tant que propédeutique à la Sagesse, et où même, depuis la vieillesse de Platon, et singulièrement sous l'influence de Speusippe, la philosophie avait tendance à se confondre avec la science des nombres (3) : dès lors, ce trait lui aussi conviendrait excellememnt au π. φιλοσοφίας, puisque ce dia-

---

(1) Cf. *supra*, fr. 13 Rose.
(2) *L. c.*, p. 72.
(3) γέγονε τὰ μαθήματα τοῖς νῦν ἡ φιλοσοφία, *Méta.*, A 9, 992 a 32.

logue fut écrit à un moment où le Stagirite venait à peine encore de quitter l'école de son maître Platon. Néanmoins, comme Aristote, dans le π. φιλοσοφίας, s'éloigne de cette philosophie mathématique, mieux vaut considérer que Proclus et Jamblique mentionnent ici les mathématiques à la place ou à côté de la philosophie parce que l'objet propre de leurs ouvrages est précisément cette science (1).

Aristote en effet, dans le dialogue *Sur la Philosophie*, ne juge pas seulement ses prédécesseurs lointains, il ne craint pas de s'émanciper des enseignements de l'École platonicienne (2). C'est qu'il tient à cette heure son propre système. Il a rejeté la doctrine des Idées, il n'éprouve plus de répugnance à l'égard du monde sensible. D'où vient cela? La longue suite de fragments tirés du IIIe livre du π. φιλοσοφίας (3) en livre l'explication. Nous verrons du même coup que, si le Stagirite abandonne l'une des formes du platonisme, cet idéalisme mathématique dont Speusippe accentuait encore la portée (4), il ne laisse pas que de suivre, inconsciemment peut-être, une autre forme du platonisme, celui du *Timée*, des *Lois* et de l'*Epinomis*. Aussi bien, selon une tradition solide (5), Aristote n'avait-il pas dédaigné de rédiger pour lui-même une « synopse » ou un « épitomé » du *Timée*; de fait, les œuvres ésotériques ne comportent pas moins de seize allusions directes, plus une vingtaine d'allusions indirectes, à cet ouvrage, le plus souvent cité avec la *République* et les *Lois*.

Ce qu'Aristote doit au *Timée*, c'est une explication en quelque sorte religieuse de l'Univers. N'est-il pas permis de croire que cette explication a le plus contribué à le tirer de la mélancolie où le plongeait, naguère, le spectacle des choses terrestres, de leur inconstance, de leur caducité? Maintenant, il voit Dieu dans le monde. Cette divine présence l'enthousiasme; il en parle sur un ton pénétré, avec une ferveur de croyant. Chose curieuse, le π. φιλοσοφίας est à peu près contemporain de l'*Epinomis* qui, nous l'avons marqué, peut être dit le manifeste d'une religion nouvelle. Or, si l'on compare

---

(1) Commentaire sur Euclide (Proclus), traité des notions universelles dans les mathématiques (Jamblique).
(2) Livre II du π. φιλ. Cf. les fr. 8-9 R. Au fr. 8 (Plut., *adv. Colot.*, 14), lire, avec Bignone (I, p. 28, n. 3; II, p. 362, n. 2) ἐκ<ποιεῖν ἑαυτὸν> τῶν δογμάτων τούτων, pour ἐκ τῶν ὀ. τ. codd. (ἔχειν τῷ δόγματι τούτῳ Rose).
(3) Fr. 10-12, 14-26 Rose. Liste plus complète dans Walzer. Certains textes, signalés par Bywater, sans être exactement des emprunts au π. φιλ., dérivent de ce dialogue.
(4) Cf. fr. 9 Rose, où la référence est explicite : ἐν τῷ β τῶν περὶ τῇ φιλοσοφίας.
(5) SIMPLIC., *in de caelo*, p. 379. 14 Heiberg, et *ib.*, p. 296.11 (= fr. 206 R.).

les deux écrits — et les points de contact ne sont pas rares (1) —, on observe avec étonnement que ce n'est pas dans l'*Epinomis*, mais dans le dialogue *Sur la Philosophie*, que l'accent est le plus religieux. Il semble que la découverte de Dieu dans le Kosmos ait été, pour le Stagirite, bien plus qu'un gain intellectuel, qu'elle lui ait apporté comme un affranchissement de l'âme. Aussi bien n'est-il pas impossible de mesurer la profondeur de la crise qu'il a dû traverser. Sous l'influence de Platon, il avait commencé par répudier tout le sensible pour se porter, avec l'ardeur du néophyte, vers les seuls Intelligibles. Puis la réflexion est venue. Poussé par cet esprit critique qui l'induira, jusqu'à la fin, à se poser des difficultés, le Stagirite ne se sent plus capable de « suivre complètement la doctrine des Idées Nombres » (2). Mais alors, si, après avoir rejeté le monde sensible, il rejette aussi maintenant le monde des Formes, que reste-t-il? Où est l'être? Où est le vrai? A quel objet appuyer sa pensée? Tout se résout pourtant si l'on admet qu'une région de l'Univers, le monde céleste, obéit à des lois immuables. En ce domaine tout au moins, l'alliance de la matière et de l'intelligible se montre, pour ainsi dire, à découvert. Et cette alliance, manifestée par le bel ordre du Ciel, atteste la présence d'une Pensée. Cette Pensée est l'Être, l'Être vrai. Aristote dira plus tard que, par le mouvement du premier ciel, tout l'Univers désire de s'unir à cette Pensée : κινεῖ ὡς ἐρώμενον. Mais, dès maintenant, la doctrine du Dieu cosmique lui permet de comprendre le monde. Tout est pénétré de Dieu. Il n'est que de savoir regarder pour que, jetant les yeux vers la voûte céleste, on y trouve la Divinité. De là vient sans doute ce ton si grave et si pieux qui transparaît encore en quelques-uns de nos extraits et qui faisait, du IIIe livre *Sur la Philosophie*, comme un livre de dévotion : c'est le ton d'un converti, d'un homme qui a « trouvé ».

Nos fragments peuvent se répartir en quatre chapitres (3) : le

(1) Cinq sortes de vivants, correspondant aux cinq régions de l'univers (feu, éther, air, eau, terre) : *Epin.* 981 c 5 ss., 984 d 3 ss. = Quatre sortes de vivants, correspondant aux quatre régions de l'univers (éther, air, eau, terre : manque le feu) : fr. 23 R. (Cic., *n. deor.*, II 15). La source commune est *Timée* 39 e-40 a; voir aussi 55 a-c (et, pour l'éther, 58 d), 91 d-92 c. Ailleurs, dans le même π. φιλ., il semble qu'Aristote ait admis cinq régions : feu, air, eau, terre, plus un *quintum genus, a quo essent astra mentesque*, cf. Cic., *Acad.*, I 7, 26; *Tuscul.*, I 10, 22; I 26, 65-29, 70, et, sur ces textes, Bignone, I, pp. 228 ss. — Deux sources de la croyance en Dieu, cf. déjà *supra*, p. 204, n. 3 : (a) songes et mantique, (b) spectacle des choses célestes : *Epin.* 985 c 1 ss. = fr. 10 R (Sext. Emp., *adv. dogm.*, III, 20-22). J. Moreau, *op. cit.*, pp. 106 ss., a déjà noté ces parallèles.

(2) μηδ' ὅλως παρακολουθεῖν τοῖς εἰδητικοῖς ἀριθμοῖς, fr. 9 R. = Syrian., *in Metaph* (12, 9), p. 922.6 Usener.

(3) Il va sans dire que, par ce classement, je ne vise qu'à mettre de l'ordre dans mon exposé, et que je ne prétends aucunement restituer le plan original de ce IIIe livre.

premier concerne les sources de la croyance en Dieu (1) ; le deuxième, le sentiment de solennelle révérence que l'homme doit éprouver dans ce sanctuaire qu'est le Kosmos (2) ; le troisième, la nature des dieux célestes vers qui se porte notre adoration (3) ; le quatrième, la parenté d'essence entre notre âme et les dieux astres (4).

Je voudrais citer ici quelques-uns des principaux documents relatifs à chacun de ces quatre sujets.

§ 2. *Les sources de la croyance en Dieu.*

Sextus Empiricus, *adv. dogm.*, III, 20-22 = fr. 10 R. (5).

Le concept du divin, dit Aristote, est né chez les hommes de deux causes originelles : des phénomènes qui concernent l'âme et des phénomènes célestes.

Des phénomènes qui concernent l'âme, par suite des inspirations divines que l'âme reçoit en songe et des oracles. « Quand l'âme », dit-il, « s'est recueillie sur elle-même dans le sommeil, alors, ayant recouvré sa vraie nature, elle voit à l'avance et prédit les choses futures. Tel est aussi son pouvoir à l'heure de la mort, quand elle se sépare du corps. » En tout cas, Aristote approuve aussi le poète Homère d'avoir observé ce phénomène. En effet, Homère a représenté Patrocle prédisant, au moment où il périt de mort violente, l'égorgement d'Hector (*Il.* XVI 851), et de même Hector prédisant la mort d'Achille (*Il.* XXII 358). « C'est pour ces raisons donc », dit-il (Aristote), « que les hommes en sont venus à concevoir l'existence d'un être divin (τι θεῖον) qui, selon son essence, ressemble à l'âme et qui est doué de la faculté de connaître la plus compréhensive » (6).

Mais aussi des phénomènes célestes. « En effet, comme les hommes voyaient, durant le jour, le soleil accomplissant sa course, durant la nuit, le mouvement bien ordonné des autres astres, ils ont jugé qu'il existe vraiment un Dieu qui est la cause et de ce mouvement et de cette belle ordonnance ».

Voilà ce que dit Aristote.

Sextus Empiricus, *adv. dogm.*, III, 26-27 = fr. 11 R. (7).

Certains ont recours au mouvement inaltérable et bien ordonné des êtres célestes, et disent que la première idée de concevoir la Divinité nous est venue, tout d'abord, de ce phénomène.

---

(1) Fr. 10-12, 17 R., plus le fr. 16 qui ressortit à une autre voie (par les degrés de l'être).
(2) Fr. 14-15 R., et nombreux textes parallèles signalés par Bywater, *l. c.*, pp. 75-87.
(3) Fr. 18-26 R.
(4) Fr. 42, 48 R. (= 23-24 W.) et autres fragments signalés par Jaeger et Bignone.
(5) Sur ce texte, cf. Bernays, *Die Dialoge*, pp. 104-106 ; Jaeger, pp. 164-167. Platon déjà (*Lois*, XII 966 d-e) enseigne qu'il y a deux voies pour mener à la croyance en Dieu (δύ' ἐστὸν τὼ περὶ θεῶν ἄγοντε εἰς πίστιν) : le mouvement de l'âme et l'ordre des astres.
(6) Posidonius, dans son traité sur la mantique, s'est inspiré de ce morceau, cf. Cic., *de div.*, I 63, et Jaeger, p. 166, n. 2.
(7) Cf. Bywater, *l. c.*, pp. 75-76, qui compare *Méta.*, Λ 10 (image de l'armée en bon ordre).

De même que si un spectateur, installé sur le mont Ida de Troade, avait vu l'armée des Grecs s'avancer dans la plaine en bel ordre et bien en rang — « en tête les meneurs de char avec leurs chevaux et leurs chars, en arrière, les gens de pied » (*Il.* IV 297-298) —, il en serait venu certainement à l'idée qu'il existe quelqu'un qui règle une telle ordonnance et qui encourage les soldats rangés sous ses ordres, comme Nestor par exemple ou quelque autre des héros bien instruits à « ranger en bel ordre les chars et les hommes d'armes » (*Il.* II 554); et de même que si un homme qui a l'expérience des bateaux, dès qu'il a vu de loin un bateau avec un bon vent derrière soi et toute son armature de voiles bien apprêtée, comprend qu'il y a quelqu'un qui dirige la marche du bateau et le mène au port désigné : de même aussi, quand les hommes qui les premiers levèrent les yeux vers le ciel eurent contemplé le soleil accomplissant sa course de son lever à son coucher ainsi que la belle ordonnance des chœurs des astres, ils se mirent à rechercher l'Artisan de cet ordre splendide, conjecturant que cet ordre n'était point dû au hasard, mais qu'il dépendait d'un être supérieur et immortel, qui est Dieu.

CICÉRON, *de nat. deor.*, II, 37, 95 = fr. 12 R. (1).

Magnifique est le langage d'Aristote : « Supposons », dit-il, « qu'il y ait eu des êtres qui eussent toujours habité sous la terre, dans de belles demeures bien éclairées *(inlustribus)*, ornées de statues et de fresques et pourvues de tout le mobilier qu'on voit abonder chez ceux qui passent pour les heureux du monde. Ces êtres ne seraient jamais sortis de leurs caves pour monter sur la terre, mais ils auraient entendu dire, par la rumeur publique, qu'il existe des dieux empreints de majesté et de puissance. Ensuite, après quelque temps, un passage s'étant ouvert dans le sol, ils auraient pu s'échapper de leurs demeures souterraines et parvenir jusqu'aux lieux que nous habitons. Alors, quand tout soudain ils auraient vu la terre, la mer et le ciel, qu'ils auraient observé la vaste extension des nuages et la force des vents, qu'ils auraient aperçu le soleil et reconnu non seulement sa grandeur et sa beauté, mais l'action efficace qu'il exerce en produisant le jour par sa lumière qui se répand dans tout l'espace du ciel; et quand, la nuit, alors que les ténèbres couvrent la terre, ils auraient vu le ciel entier orné de la tapisserie bigarrée des étoiles, les changements de la lune qui tantôt croît tantôt décroît, le lever et le coucher de tous les astres, leur course fixe et immuable durant toute l'éternité — quand ils auraient vu toutes ces choses, certes, ils croiraient qu'il y a des dieux et que de si grandes merveilles sont leur ouvrage ».

PHILON, *Leg. alleg.*, III, 32, 97-99 (I, 134.26 Cohn) = fr. 12 R. (2).

Les premiers philosophes ont cherché comment nous avons eu la notion du divin ; puis ceux qui paraissent avoir la meilleure philosophie ont dit que c'était d'après le monde, ses parties, et les puissances qui y résidaient, que nous nous sommes fait une impression de la Cause. Si l'on voit une maison construite avec soin, pourvue de vestibules, de portiques, d'appartements d'hommes et de

---

(1) Cf. BERNAYS, *Die Dialoge*, pp. 106-107; BYWATER, *l. c.*, pp. 82-83; JAEGER, pp. 167-168.

2) Cf. BYWATER, *l. c.*, pp. 83-84. J'ai suivi (sauf de légères modifications) l'excellente traduction d'E. Bréhier, Paris, 1909 (coll. Hemmer-Lejeay).

femmes et de ses autres bâtiments, on prendra une idée de l'artiste (car on ne pensera pas que la maison ait été faite sans art et sans artisan), et de même s'il s'agit d'une cité, d'un navire, et de tout objet construit, petit ou grand : de la même façon, celui qui est entré, comme dans une maison ou une cité immense, en ce monde que voici, quand il aura vu le ciel tournant en cercle et contenant tout en lui, les planètes et les astres fixes mus d'un mouvement identique à lui-même, juste, harmonieux, et utile à l'ensemble, la terre qui a reçu en partage la place du centre, et, dans la région intermédiaire, l'ordre hiérarchique que suivent, en leur diffusion, l'eau et l'air; outre cela, les vivants, tant mortels qu'immortels, et les variétés de plantes et de fruits, il conclura certes que tout cela n'a pas été construit sans un art achevé, mais qu'il a existé et qu'il existe un Dieu qui est l'artisan de cet Univers. Ceux-là donc qui raisonnant ainsi appréhendent Dieu par son ombre, c'est par les œuvres qu'ils s'élèvent jusqu'à l'idée de l'Ouvrier.

PHILON, *de praem.*, 7, 41-42 (V, 345.3 Cohn).

D'autres (1), par leur science, ont bien été capables de se représenter le Créateur et le Chef de l'univers, mais, selon le proverbe, ils ont suivi la route de bas en haut. Car, étant entrés dans ce monde comme dans une cité bien organisée, ils ont vu la terre florissant dans ses montagnes et ses plaines, remplie de plantes, d'arbres et de fruits ainsi que d'animaux de toute espèce; répandus sur la terre, les flots de la mer, des lacs ou des fleuves, tant de ceux qui jaillissent d'une source que de ceux que grossissent les pluies d'hiver; l'heureux tempérament de l'air et des vents; la succession harmonieuse des saisons annuelles; et, au-dessus de tout cela, le soleil, la lune, les planètes et les astres fixes, le ciel entier avec son armée d'étoiles bien disposées rang par rang, ce ciel qui accomplit sa révolution comme un vrai monde (= ordre) dans le monde (κόσμον ἀληθινὸν ἐν κόσμῳ περιπολοῦντα). Dès lors, frappés d'admiration et de stupeur, ils en sont venus à l'idée, en conséquence de ce spectacle, que de si grandes merveilles et un ordre si extraordinaire n'ont pu être l'effet du hasard, mais qu'ils sont dus à un Artiste fabricateur du monde, qui est nécessairement une Providence : car c'est une loi de nature que le Créateur prenne soin de l'objet qu'il a créé.

PHILON, *de spec. leg.*, III, 34, 187-191 (V, 202.12 Cohn).

De quelle façon donc notre sens de la vue a servi de guide à la philosophie, c'est ce qu'il faut dire maintenant. Notre œil, s'étant élevé vers l'éther, a contemplé le soleil, la lune, les planètes, les astres fixes, l'armée toute sainte des êtres célestes, monde dans le monde (κόσμον ἐν κόσμῳ), le lever et le coucher des astres, leurs évolutions harmonieuses comme dans un chœur, leurs rencontres à des périodes fixes de temps, et comment ils disparaissent pour revenir briller à nouveau; en outre, la croissance et la décroissance de la lune, les mouvements du soleil sur toute la largeur du ciel (κατὰ πλάτος) selon qu'il

---

(1) En 7, 40, Philon a montré que tous ne reconnaissent pas l'existence de Dieu ou ne savent pas aller à Dieu par la voie la meilleure. Les uns nient entièrement cette existence, d'autres demeurent dans le doute, d'autres s'en tiennent à la croyance traditionnelle. Pour Philon, ceux qui vont à Dieu par ses œuvres suivent encore une voie inférieure, ils « appréhendent Dieu par son ombre » (cf. texte précédent).

s'avance du sud au nord ou de nouveau fasse retraite du nord au sud, pour que se produisent juste à point les saisons de l'année grâce auxquelles tout vient à naître ; et, au surplus, une infinité d'autres merveilles : ayant donc embrassé, d'un regard circulaire, tout ce qui est sur la terre, la mer et l'air, notre œil, avec vigilance, a montré ce spectacle à l'intellect. Cependant notre intellect, après avoir saisi, grâce à la vue, ces phénomènes qu'il ne pouvait voir de lui-même, ne s'arrête point aux objets sensibles. Non, comme il aime à s'instruire et qu'il est épris de beauté, dans la joie que lui donne ce spectacle, il conçoit le raisonnement vraisemblable que ces choses ne se sont pas produites d'elles-mêmes, par des mouvements irrationnels, mais qu'elles sont dues à la pensée d'un Dieu qu'il est permis de nommer Père et Créateur ; qu'en outre, loin d'être en nombre infini, elles ont été délimitées par la circonférence d'un monde unique, puisqu'elles sont contenues, à la manière d'une cité, dans la sphère la plus extérieure des astres fixes ; qu'enfin un père, quand il a engendré, prend soin, par une loi naturelle, de son enfant, veillant à la fois sur le tout et sur les parties. Là-dessus, poursuivant son enquête, notre intellect s'est demandé quelle est l'essence du visible, si cette essence est la même pour tous les êtres du monde ou différente pour chacun, de quels éléments chaque être a été composé, par quelles causes il a été produit, quelles forces le maintiennent dans l'être et si ces forces sont corporelles ou incorporelles. La recherche relative à ces objets et aux objets analogues, comment la nommer autrement que philosophie?

Ces textes parlent d'eux-mêmes et il n'est pas besoin de les commenter. Ils mettent tous en relief l'idée d'ordre, et la nécessité de passer de l'ordre à un Ordonnateur : le κόσμος exige un κοσμητής. C'est ce qu'exprime le texte que je cite pour finir : l'argument y est présenté sous la forme d'une suite de dilemmes, et cette méthode fait pressentir le futur logicien que sera, bientôt, le Stagirite (1).

Schol. in Prov. Salomonis = fr. 17 R.

D'Aristote. « Le principe est ou unique ou multiple. S'il est unique, nous tenons ce qui est en question. S'il est multiple, ces principes sont ou ordonnés ou sans ordre.

S'ils sont sans ordre, ce qui dépend de ces principes sera moins ordonné encore, le monde n'est plus un ordre mais un désordre (οὐκ ἐστὶ κόσμος ὁ κόσμος ἀλλ' ἀκοσμία), et l'antinaturel existe alors que le naturel n'existe pas (καὶ ἔστι τὸ παρὰ φύσιν τοῦ κατὰ φύσιν μὴ ὄντος). Si ces principes sont ordonnés, ou ils se sont ordonnés d'eux-mêmes ou ils ont été ordonnés par une cause extrinsèque. Mais, s'ils se sont ordonnés d'eux-mêmes, ils possèdent un élément commun qui est ce qui les joint ensemble, et c'est ce lien qui est le principe » (2).

(1) Ce trait apparaît aussi dans le fr. 16 R. (par les degrés de l'être), que je néglige ici comme ne ressortissant pas directement à l'objet de cette étude. La formule du dilemme a été utilisée déjà par Aristote dans le *Protreptique*, fr. 51 R.
(2) L'autre branche du dilemme n'est pas explicitée, puisque c'est le cas de la Cause extrinsèque, dont l'existence est précisément l'objet en question.

§ 3. *Le monde temple de Dieu* (1).

Le prélude des *Astronomica* de Manilius s'achève sur ces beaux vers (I 20-24) :

bina mihi positis lucent altaria flammis,
ad duo templa precor duplici circumdatus aestu
carminis et rerum : certa cum lege canentem
mundus et inmenso vatem circumstrepit orbe
vixque soluta suis inmittit verba figuris.

Au moment de chanter le ciel et ses divins habitants, — tâche deux fois ardue, et par les difficultés du vers et par celles du sujet, — le poète ne se rend plus seulement, selon l'antique usage de l'épopée, au sanctuaire des Muses de l'Hélicon (*primusque novis Helicona movere | cantibus*, I 4), il vient prier dans le temple du monde. Car le monde est, lui aussi, un sanctuaire, et Manilius en est le prêtre *(vates)*. Il se sent tout pénétré d'une crainte sacrée. Autour de lui, l'orbe immense de l'Univers tourne en vrombissant. Comment célébrer un si grand être sans une faveur particulière du Ciel lui-même (cf. I 25 ss.)? Science et prière sont ici étroitement unies; et c'est la constante influence de ce souffle vraiment religieux tout au long des *Astronomica* qui fait la grandeur du poème.

Au siècle de Manilius (Ier s. ap. J.-C.), l'image du temple du monde est presque un lieu commun. Prenons par exemple le *Discours Olympique* de Dion Chrysostome (env. 40-120). Après un préambule assez diffus, l'auteur aborde son sujet; comme l'indique le sous-titre, c'est le thème, qui nous est devenu familier, des sources de la croyance en Dieu (περὶ τῆς πρώτης τοῦ θεοῦ ἐννοίας), sources qui se ramènent d'ailleurs à une seule : le spectacle du Kosmos (cf. XII 28 ss.). Nous ne vivons pas dans un état de dispersion et d'isolement loin de la Divinité et en dehors d'elle, mais c'est au milieu même du Divin que nous sommes nés; davantage, nous sommes de la race du Divin, attachés à lui. Comment les hommes auraient-ils tardé à reconnaître Dieu quand ils sont illuminés de tout côté par les divines et sublimes apparitions du ciel et des astres, du soleil et de la lune, quand, jour et nuit, leurs regards rencontrent tant de formes bigarrées et diverses, quand ils contemplent des visions merveilleuses et qu'ils entendent les voix infiniment variées des vents, des

---

(1) Pour ce § 3, voir surtout BYWATER, *l. c.*, pp. 75-87, où la plupart des **textes** ici traduits sont déjà indiqués.

forêts, des fleuves et de la mer? Bref, c'est la vue de la beauté du monde qui mène à Dieu. Or ce beau monde est un temple (XII 33-34, t. I, pp. 163.21 s. Arn.) :

> Voici une comparaison assez juste. Supposons qu'on invitât un Grec ou un Barbare en le conduisant dans un temple à mystères (1), d'une beauté et d'une grandeur prodigieuses. Il y verrait toutes sortes de visions secrètes, il entendrait toutes sortes de voix mystérieuses; les ténèbres et la lumière alterneraient à ses yeux (2), sans compter une infinité d'autres spectacles; en outre, comme on fait habituellement dans la cérémonie du *thronismos*, après avoir installé l'initié sur un trône, les initiants danseraient en chœur autour de lui. Est-il croyable qu'un tel homme n'éprouverait aucune émotion dans son âme et qu'il ne lui viendrait pas l'idée que tout cela s'accomplit en vertu d'un dessein et de préparatifs pleins de sagesse, — même s'il n'est qu'un Barbare des contrées les plus lointaines et innommées, même s'il n'y a là personne qui le guide et lui explique les rites, — pourvu qu'il ait une âme humaine? Mais, si cela n'est pas possible, peut-on croire que l'humanité dans son ensemble, — cette humanité qui est initiée aux mystères sans défaut et vraiment parfaits, non pas dans une étroite chapelle apprêtée par les Athéniens pour ne recevoir qu'une foule médiocre, mais dans ce monde que voici, dans cet ouvrage si divers et si sagement fait, alors que tant de merveilles lui apparaissent de tout côté et que les mystagogues ne sont pas des hommes pareils aux mystes mais les dieux immortels initiant des mortels, les dieux qui, nuit et jour, éternellement forment un chœur qui danse en rond, si l'on peut ainsi dire, autour du monde, — peut-on croire que l'humanité n'ait aucun sentiment de toutes ces merveilles et qu'elle ne conçoive aucun soupçon de l'existence du Chef suprême qui préside à l'ensemble et qui guide le ciel tout entier et le monde, tel un habile pilote dirigeant un navire parfaitement appareillé et pourvu de tous ses agrès?

Prenons maintenant un contemporain de Dion, Plutarque (env. 46-120), dans son traité *De la tranquillité de l'âme*, c. 20 :

> Bien me plaît le mot de Diogène. Il voyait son hôte lacédémonien s'apprêter avec grand soin pour assister à une fête : « Hé quoi », dit-il, « pour l'homme de bien chaque jour n'est-il pas une fête? » Et une fête splendide en vérité, si nous sommes de bon sens. Car ce monde est un temple très saint et d'une majesté toute divine. L'homme y pénètre le jour de sa naissance, et il y contemple non pas des statues faites de main d'homme et immobiles, mais les objets sensibles fabriqués, dit Platon, par l'Intellect divin pour être les copies des Intelligibles, et qui possèdent en eux le principe de la vie et du mouvement : le soleil, la lune, les astres, les fleuves d'où jaillit sans cesse une eau nouvelle, la terre qui nourrit les plantes et les animaux. Puis donc que notre vie est une initiation parfaite à ces mystères, il nous faut y garder toujours une âme confiante et joyeuse. N'imitons pas le vulgaire qui se rend aux fêtes de Kronos, aux Dionysies, aux

---

(1) L'allusion aux Athéniens plus loin montre que Dion pense très précisément à Eleusis.
(2) Sur l'effet de ces alternances, par exemple à Eleusis, cf. P. Foucart, *Les mystères d'Eleusis* (Paris, 1914), pp. 393 ss.; O. Kern, *Die griechischen Mysterien der klassischen Zeit* (Berlin, 1927), pp. 23-24, 61-62; Id., *Die Religion der Griechen*, II (Berlin, 1935), pp. 191-192, etc.

Panathénées et aux autres fêtes analogues pour s'y donner relâche et réjouissance par un rire qu'on achète, après avoir payé des mimes et des histrions. Dans ces fêtes-là, nous gardons le silence et un maintien composé. Nul ne gémit au moment de l'initiation, nul ne pleure quand il assiste aux jeux Pythiques ou quand il boit aux Kronia. Et ces fêtes que Dieu nous offre, où il se fait lui-même mystagogue, nous les déshonorons, nous qui ne cessons de gémir, de nous irriter, de fatiguer le ciel de nos plaintes!

Cependant, avant Manilius déjà, Cicéron n'avait-il pas écrit (*de leg.*, II 11) : « Certes, Pythagore a bien dit... que notre âme n'est jamais si pleine de piété et de religion que quand nous nous adonnons au service divin; et Thalès, ...que les hommes doivent penser que tout ce qu'ils voient est plein de dieux : car, alors, ils deviendront plus saints *(castiores)*, comme s'ils étaient toujours dans le plus sacré des temples »?

Selon Bywater (1), la source directe ou indirecte de ces développements pourrait être Cléanthe. Celui-ci compare en effet la religion cosmique à une initiation. Les dieux astres seraient des figures mystiques aux dénominations sacrées, le soleil un dadouque, le monde une salle d'initiation, ceux qui détiennent la science des choses divines (= les philosophes) des initiants (2). Il n'est pas douteux du moins, nous le verrons, que Cléanthe était d'un tour d'esprit très religieux, bien propre à lui faire regarder le monde comme un temple rempli d'une présence divine, un temple où l'on doit se conduire avec la sainte révérence d'un initié. Cependant, Bywater l'a montré lui-même (3), l'image du monde temple est plus ancienne que Cléanthe. On la trouve déjà chez Aristote, comme le prouve un texte de Sénèque à la fin du livre VII des *Questions Naturelles* (4). Ce livre VII, consacré aux comètes, débute et finit également par un morceau d'allure plus solennelle où se reflète l'influence du mysticisme cosmique. « Il n'est point de mortel si lent d'esprit, si hébété, si appesanti vers la terre, dont l'âme ne se réveille toute et ne s'élève vers les êtres divins lorsque du moins quelque merveille inattendue se met à briller aux cieux. Toute cette assemblée d'étoiles qui rehausse la beauté de l'immense voûte céleste n'attire point l'attention de la foule : mais si quelque

---

(1) *L. c.*, p. 78.
(2) *St. V. Fr.* 538 = Epiphan., *adv. haer.*, III 2, 9 (cf. *Dox.* 592.30) καὶ τοὺς θεοὺς μυστικὰ σχήματα ἔλεγεν εἶναι καὶ κλῆ εἰς ἱεράς, καὶ δαδοῦχος ἔφασκευ εἶναι τὸν ἥλιον, καὶ τὸν κόσμον μυστήριον (Diels : μύστας codd.) καὶ τοὺς κατόχους τῶν θείων τε ἑστὰς (Jahn : τελετὰς codd.) ἔλεγε. Pour μυστήριον au sens local, cf. *Sardis*, VII (*Greek and Latin Inscriptions*), Part 1, n° 17.6 : « hall used by μύσται ».
(3) *L. c.*, p. 79. Cf. déjà BERNAYS, *Die Dialoge*, pp. 166-167.
(4) SEN., *N. Q.*, VII 29-30 = fr. 14 R.

changement embrouille l'ordre habituel, tous les regards se portent là-haut... C'est ce qui a lieu dans le cas des comètes » (VII 1). A ce prélude majestueux répond la conclusion du livre VII, avec laquelle d'ailleurs s'achève tout l'ouvrage (VII 29-31) :

> Voilà donc, touchant les comètes, ce qui nous a frappés, d'autres savants et moi-même. Ai-je dit vrai? A ceux-là d'en juger qui connaissent, de science certaine, la vérité (1). Pour nous, nous ne pouvons que chercher à tâtons, avancer dans les ténèbres et par conjecture, sans avoir l'assurance, mais non plus sans désespérer, de trouver juste. Aristote dit admirablement : « Nous ne devons jamais être si pleins de révérence que lorsqu'il s'agit des dieux. Si nous entrons dans les temples avec recueillement, si, au moment de sacrifier, nous baissons les yeux et ramenons la toge sur la poitrine (2), si tout alors, dans notre maintien, est l'indice de notre respect, combien plus devons-nous agir ainsi quand nous traitons des astres, des étoiles, de la nature des dieux, pour ne point pécher par irréflexion ou inadvertance soit en affirmant des choses que nous ne savons point, soit en ne disant pas la vérité que nous savons. »

Sénèque revient alors sur la difficulté de bien comprendre la nature des comètes. Ce sont des astres mystérieux qui n'apparaissent qu'un instant pour rentrer dans le secret. Faut-il s'en étonner? Combien d'autres corps célestes se meuvent à l'abri de nos yeux! Ce n'est pas pour l'homme que Dieu a créé tout l'univers. De ce vaste ensemble, il n'a confié qu'une portion infime à nos regards. « Lui-même, qui dirige les cieux, qui les a créés, qui a solidement bâti ce grand Tout et s'en est constitué le centre, lui qui est la partie la plus noble de son ouvrage, et la plus belle, il échappe à nos regards et ne se rend visible qu'à la pensée. » Cette même veine se poursuit au chapitre trente et unième : Bien d'autres puissances, apparentées à l'Être Suprême, se dérobent à nous, soit qu'elles nous aveuglent par leur éclat trop vif, ou qu'elles soient de matière si subtile que notre œil ne les puisse discerner, « ou que leur majesté souveraine se cache dans une retraite plus inviolable où elles gouvernent leur empire, c'est-à-dire elles-mêmes, et ne donnent accès qu'à l'esprit (3). Nous ne pouvons savoir ce qu'est l'Être sans lequel rien n'existe, et nous nous étonnons de si mal connaître quelques flammes minuscules, alors que Dieu nous échappe, qui dans le monde tient la plus

---

(1) Ce sont les dieux (astres), comme la suite le montre.
(2) *Togam adducimus.* Trait romain, sans doute ajouté par Sénèque. Rose interrompt la citation après *compositi*, pour reprendre à *quanto hoc magis facere debemus* jusqu'à *scientes mentiamur.* J'arrête là aussi le texte, mais il me semble bien que la forme du raisonnement revient à Sénèque et que, seul, le premier terme de la comparaison est d'Aristote lui-même (jusqu'à « notre respect »).
(3) *Sive in sanctiore secessu maiestas tanta delituit, et regnum suum, id est se, regit, nec ulli aditum dat, nisi animo.*

grande place !... Quelle chose infime que le monde, si ce n'est qu'il enferme cette énigme que le monde entier doit chercher » (1). Vient alors, étroitement liée à l'argument, la comparaison des mystères de la Nature à ceux d'Éleusis : « *Il est des mystères où l'initiation ne se fait pas en un jour. Eleusis réserve des secrets qu'elle ne montre qu'à ceux qui la viennent revoir. La Nature, elle aussi, ne révèlera pas ses mystères tout à la fois.* Nous nous croyons initiés, quand nous n'en sommes encore qu'au vestibule. Ces arcanes ne se dévoilent pas pêle-mêle ni à tous les hommes : ils ont été retirés au fond du sanctuaire, bien à l'écart dans une chapelle intérieure. Notre siècle en a vu une partie, l'âge qui nous suivra en distinguera d'autres. Quand viendront-ils tout entiers à notre connaissance? Les grandes découvertes sont lentes, surtout lorsque l'effort languit ».

J'ai résumé ou traduit assez longuement cette page de Sénèque parce qu'elle est très caractéristique de la diffusion du mysticisme cosmique au Ier siècle. On y retrouve les thèmes familiers : fuite vers les θεῖα, seuls dieux omniscients; Dieu invisible en lui-même, visible à la pensée; nature ambiguë de Dieu qui est dit tout ensemble invisible (donc immatériel) et *maior pars operis sui ac melior, maxima pars mundi;* enfin le thème du monde temple, sur lequel il nous faut revenir. Ce n'est point hasard en effet si, après avoir rapporté le mot d'Aristote (*egregie Aristoteles ait*, VII 30) sur la crainte révérentielle *(verecundiores)* que doit nous inspirer le spectacle des dieux célestes, Sénèque fait allusion un peu plus loin (VII 31) aux mystères d'Eleusis, en y comparant, aussitôt après, les mystères du monde (2). Ce n'est point hasard parce que nous rencontrons la même comparaison et dans Dion Chrysostome, et dans Plutarque (3), et dans Cléanthe (ἐχέμυχος).

Cette comparaison est-elle déjà d'Aristote? Il subsiste d'Aristote un mot fameux relatif aux mystères d'Eleusis (4) — « selon Aristote, les initiés n'ont pas à apprendre quelque chose, mais à éprouver une certaine émotion et à se trouver dans une certaine disposition d'âme, évidemment après s'être rendus capables d'être ainsi

---

(1) *Pusilla res mundus est, nisi in illo quod quaerat omnis mundus habeat.*
(2) *Non semel quaedam sacra traduntur : Eleusin servat, quod ostendat revisentibus. rerum natura sacra sua non simul tradit,* où les parallélismes *non semel... non simul, sacra traduntur... sacra tradit* marquent évidemment que les deux « mystères » sont comparés l'un à l'autre.
(3) τον βίον μύησιν ὄντα καὶ τελετήν... ὀδύρεται μυούμενος, dans un contexte où il s'agit de fêtes *athéniennes :* Kronia, Dionysies, Panathénées.
(4) Ce sont bien les mystères d'Eleusis, cf. le texte parallèle de Psellos *(Cat. Man. Alch. Gr.,* VI, p. 161.12-13 Bidez) : ὁ δὴ καὶ μυστηριῶδες Ἀριστοτέλης ὠνόμασε καὶ ἐοικὸς ταῖς Ἐλευσινίαις (sc. ἑορταῖς).

disposés » (Synésius, *Dion* 10 = fr. 15 R.) — et la pensée vient tout naturellement de mettre cette sentence en rapport avec le fragment sur la *verecundia* du sage à la vue du ciel. Ainsi en ont jugé les éditeurs, qui font suivre immédiatement le fragment de Sénèque de celui de Synésius (1). Bywater (2) pensait de même qui écrit, à propos du fragment de Synésius (fr. 15 R.) : « Je suppose que l'idée d'Aristote a été que le premier effet de l'initiation dans le temple mystique (du monde) n'est pas une connaissance, mais une *impression*, un sentiment de crainte révérentielle et d'admiration à la vue du divin spectacle offert par le ciel visible. Et, si telle a bien été la pensée d'Aristote, une association naturelle a dû l'induire à ajouter : « Dans un pareil temple, et en présence de pareils dieux, notre attitude d'âme doit être nécessairement une attitude de révérence et de réserve sacrée. » Or c'est précisément ce que nous lisons... dans le fragment aristotélicien conservé par Sénèque (fr. 14 R.) ».

Il faut avouer néanmoins que nous ne savons rien du contexte du fr. 15. Synésius, qui le cite, et Psellos, qui en fait mention (3), l'utilisent tous deux dans un développement sans rapport avec le mysticisme cosmique : il s'agirait bien plutôt de la différence entre la réflexion discursive et la contemplation intuitive qui implique un état passif de l'affectivité (4). Concluons donc que l'image du monde-temple remonte sûrement à Aristote et sans doute au π. φιλοσοφίας. Peut-être cette image a-t-elle conduit déjà le Stagirite lui-même, avant Cléanthe, à comparer le monde avec le temple à mystères d'Eleusis et la contemplation du monde avec l'initiation éleusinienne : c'est une conjecture spécieuse, mais qui n'est point prouvée (5).

§ 4. *La nature du Dieu cosmique.*

Maintenant, quel est le Dieu qu'on atteint ainsi par la contemplation du monde? A première vue, la doctrine du π. φιλοσοφίας pré-

---

(1) Fr. 14-15 R., 14-15 Walzer.
(2) *L. c.*, p. 79. J'ai ajouté la parenthèse « du monde ». Le mot « impression » est entre guillemets dans le texte.
(3) Cf. *supra*, p. 237, n. 4.
(4) τοὺς τελουμένους οὐ μαθεῖν τι δεῖν, ἀλλὰ παθεῖν καὶ διατεθῆναι Synésius, ἐν ἐκείναις γὰρ (sc. ταῖς Ἐλευσινίαις) τυπούμενος ὁ τελούμενος τὰς θεωρίας ἦν, ἀλλ' οὐ διδασκόμενος Psellos. Il faut rapporter τὰς θεωρίας à τελούμενος, cf. Βακχεῖ' ἐτελέσθη Aristoph., *Ran.* 357, τελέους ἀεὶ τελετὰς τελούμενος Plat., *Phèdre* 249 c 8, ἐτελοῦντο τῶν τελετῶν ἣν θέμις λέγειν μακαριωτάτην, *ib.* 250 b 9. Donc : « Dans ces fêtes d'Eleusis, celui qui était initié aux spectacles mystiques était marqué d'une impression, il ne recevait pas un enseignement ». Sur la portée de ces deux textes de Synésius et de Psellos, cf. JEANNE CROISSANT, *Aristote et les mystères* (Liège, 1932), pp. 137 ss., J. BIDEZ, *A propos d'un fragment retrouvé de l'Aristote perdu*, Bull. Acad. roy. de Belg., Cl. des Lettres, 5ᵉ série, XXVIII (1942), p. 201 ss.
(5) Heitz se borne prudemment à référer le fr. de Synésius au π. φιλοσοφίας (fr. 31-49 c) sans lui assigner de place déterminée dans ce dialogue.

sente sur ce point une grande diversité. Examinons d'abord les fragments 18-36 (Rose) relatifs à ce problème.

Tout d'abord, c'est le Kosmos lui-même qui apparaît comme Dieu.

PHILON, *de aet. mundi* 3, p. 4.14 Cumont = fr. 18 R. (1).

<blockquote>
C'est d'une façon bien pieuse et bien sainte, me semble-t-il, qu'Aristote, combattant cette opinion (2), a déclaré que le *Kosmos* (3) est inengendré et indestructible. Quant à ceux qui soutiennent l'opinion contraire, il les a accusés d'un monstrueux athéisme (4), pour avoir osé comparer aux œuvres faites de main d'homme un si grand dieu visible, qui embrasse véritablement en lui-même le soleil, la lune, et ce « panthéon » des autres astres, planètes et astres fixes (5). Sur quoi, par une raillerie manifeste à l'égard de ces impies, Aristote ajoute : « Jadis, je n'avais d'inquiétude que pour ma maison, je craignais que, par la violence des vents ou des orages, ou par l'usure du temps, ou parce qu'on aurait négligé d'en prendre le soin convenable, elle ne vînt à s'écrouler : mais maintenant, c'est un péril bien plus grand qui nous menace du fait de ceux qui, par leurs théories, démolissent toute la fabrique du Kosmos. »
</blockquote>

Je reviendrai sur le sens de κόσμος dans ce document. Notons, au passage, l'admiration pour la *piété* d'Aristote (6). C'est par une raison religieuse que le Stagirite condamne comme impies les *physikoi* qui nient l'indestructibilité du monde. Un dieu est par définition immortel. Or le monde est dieu.

De ce caractère inengendré et indestructible du monde Philon avance un certain nombre de preuves aristotéliciennes (7) qui ne nous intéressent pas directement et qu'avec Cicéron d'ailleurs on peut résumer ainsi :

CIC., *Acad.*, II 38, 119 (p. 135.14 Plasberg) = fr. 22 R. (8).

<blockquote>
Ton sage stoïcien a beau dire avec ses explications mot à mot *(syllabatim)*, vienne seulement Aristote, et le fleuve d'or de son éloquence va te montrer que ce fameux sage n'est qu'un sot. Car le monde n'a jamais eu de commencement — quel dessein soudain aurait jamais pu mener à entreprendre un ouvrage si admirable ? — et il est si bien ajusté de toute part qu'il n'y a pas de force assez grande pour provoquer les mouvements et bouleversements incroyables que nécessiterait sa ruine, non plus que la longue durée du temps ne peut produire d'usure qui finisse par renverser et détruire ce bel ordre *(ornatus = κόσμος)* ».
</blockquote>

---

(1) Cf. BERNAYS, *Die Dialoge*, pp. 110-101 ; JAEGER, pp. 141-142.
(2) L'opinion que le « Kosmos » est engendré et destructible.
(3) C'est à dessein que je ne traduis pas Kosmos. Cf. *infra*, pp. 244 ss.
(4) δεινὴν δὲ ἀθεότητα : cf. déjà PLAT., *Phil.* 28 e 2 : que le Kosmos ne soit pas gouverné par un Intellect οὐδὲ ὅσιον εἶναί μοι φαίνεται.
(5) τὸ ἄλλο τῶν πλανήτων καὶ ἀπλανῶν... πάνθειον. Il n'est pas sûr que ce mot πάνθειον lui-même soit d'Aristote, cf. BERNAYS, *l. c.*, p. 166.
(6) Voir aussi le ch. 5, p. 7.6 Cum. τοὺς δὲ ἀγέννητον καὶ ἄφθαρτον κατασκευάζοντας λόγους ἕνεκα τῆς πρὸς τὸν ὁρατὸν <θεὸν> αἰδοῦς.
(7) Cf. fr. 19-21 R. = 19 a-c Walzer.
(8) Cf. BERNAYS, *Die Dialoge*, pp. 101-102.

Mais les ASTRES sont Dieux aussi. PHILON encore en témoigne (*de aet. n.* 9, p. 14.17 Cum.) (1), et d'autres textes confirment la vérité de cette assertion.

On se rappelle que, d'après Platon lui-même et l'*Epinomis* (2), il doit y avoir des êtres vivants correspondant à chacune des cinq régions du monde. Dès lors, raisonne Philon d'après Aristote, si l'une des régions du monde vient à périr, les êtres vivants correspondant à cette région périssent nécessairement. Si donc l'ouranos, cinquième région du monde, est détruit, il y aura destruction aussi du soleil et de la lune, des autres planètes et des astres fixes, bref, « *cette immense armée des dieux visibles* que, depuis si longtemps, on tient pour bienheureuse, périra également » (φθαρήσεται... ὁ τοσοῦτος αἰσθητῶν θεῶν εὐδαίμων τὸ πάλαι νομισθεὶς στράτος). L'accent est ici sur εὐδαίμων τὸ πάλαι νομισθείς. La félicité suprême est regardée depuis l'antiquité la plus haute comme un apanage des dieux : elle est, avec l'immortalité, la caractéristique de l'être divin. Prétendre que ces êtres bienheureux périssent, c'est dire une absurdité.

Que Philon ait bien emprunté ce trait au Stagirite, CICÉRON le confirme (3). Comme il naît, dit-il, des animaux appropriés dans chacune des régions du monde (4), sur la terre, dans l'eau, dans l'air, <dans le feu> (5), Aristote tient pour absurde de croire que la cinquième région du monde, qui est la plus apte à produire des êtres vivants, soit la seule à n'en pas produire. En fait, ce sont les astres qui occupent cette région de l'éther. Or, comme l'éther est composé de la matière la plus subtile, qu'il est toujours en mouvement et en activité, l'être produit dans l'éther sera doué nécessairement des facultés les plus pénétrantes et du mouvement le plus rapide.

Puis donc que, dans l'éther, ce sont les astres qui prennent naissance, il est hors de conteste que ces astres sont doués de sens et d'intelligence, d'où il résulte qu'on doit les tenir pour des dieux. En effet, il est loisible de voir que l'esprit est plus pénétrant et plus apte à comprendre chez ceux qui habitent des pays où l'air est pur et subtil que chez ceux qui respirent un air épais et lourd.

(1) Rose a négligé ce passage. Cf. JAEGER, pp. 149-150.
(2) Cf. *supra*, pp. 203, 228, n. 1.
(3) CIC., *de n. d.*, II 15, 42-16,44 (p. 278.17 ss. Pl.) = fr. 23-24 R. (qui ne cite pas tout). Cf. BERNAYS, pp. 102 ss., JAEGER, pp. 145-148 (qui a indiqué d'autres textes parallèles), J. MOREAU, pp. 106 ss.
(4) Cicéron ne compte que quatre régions, attribuant ainsi les astres à la région du feu, contrairement à la doctrine du π. φιλοσοφίας qui les attribue à la cinquième région, celle de l'éther. Comme l'a bien vu Jaeger, Cicéron adapte ici la **vraie doctrine** d'Aristote à celle des Stoïciens, qui ne connaissent que quatre éléments.
(5) Ces ζῷα πυρίγονα sont de certains insectes ailés qui traversent impunément le feu, ARIST., *H. An.*, V 19, 552 b 10; APUL., *de deo Socr.*, VIII, 137 (p. 15.12 Thomas), etc. : cf. JAEGER, *l. c.*, pp. 147-148.

Bien plus, la nourriture dont on use influe, dit-on, sur l'acuité de l'esprit. On est donc fondé à croire que l'intelligence des astres est particulièrement excellente puisqu'ils habitent la région éthérée du monde et se nourrissent de vapeurs terrestres et marines que la longue distance qui les sépare des astres subtilise jusqu'à l'extrême.

Cette première preuve, qu'on pourrait dire zoogonique, est appuyée aussitôt par l'argument tiré de l'ordre du monde (*ib.* 16, 43 = p. 279.10 Pl.) :

> Ce qui manifeste surtout que les astres sont doués de sens et d'intelligence, c'est leur ordre et leur régularité (car il n'est pas de mouvement empreint de raison et de mesure qui n'obéisse à un dessein), lesquels ne laissent point de place à l'aventure, ni à l'inconséquence, ni au hasard. Or l'ordre des astres, leur constance à l'observer durant toute l'éternité, ne sont pas le fait de la nature (car cette constance est toute pénétrée de raison), ni du hasard, car, ami de la fantaisie, celui-ci répugne à la constance. D'où il suit que les astres se meuvent d'un mouvement spontané grâce à leurs facultés sensibles et à leur intelligence.

Cette seconde preuve enfin est renforcée par une instance où l'on montre que le mouvement des astres est dû à un vouloir libre. Les corps se meuvent naturellement soit de haut en bas, soit de bas en haut. Tel n'est pas le cas des astres qui se meuvent en cercle. Or on ne peut dire que cette dérogation à la norme des mouvements naturels soit due à une contrainte : il n'y a pas de force qui puisse contraindre les astres. Les astres se meuvent donc volontairement (*ib.* 16, 44 = p. 279.17 Pl.) (1) :

> Certes Aristote est encore bien digne d'éloge quand il déclare que tout mouvement est dû ou à la nature ou à la contrainte ou au vouloir. Or le soleil, la lune et toutes les planètes sont en mouvement. Cependant, alors que les êtres qui se meuvent d'un mouvement naturel sont portés ou par leur poids vers le bas ou par leur légèreté vers le haut, aucun de ces mouvements n'a lieu chez les astres puisqu'ils se meuvent toujours en cercle. On ne peut dire non plus qu'il existe aucune force assez grande pour contraindre les astres à un mouvement antinaturel : car où trouver une force plus grande que la leur ? Il reste donc que le mouvement des astres soit volontaire.

Jaeger (2) a bien montré, d'une part la cohérence de ces trois preuves — qui font donc partie d'un même ensemble et d'un ensemble aristotélicien (3), — d'autre part l'étoile relation (4) de ces preuves

---

(1) Cf. BERNAYS, pp. 103-104. Aristote doit se souvenir de Platon, *Lois*, X 888 e πάντα ἐστὶ τὰ πράγματα γιγνόμενα καὶ γενόμενα καὶ γενησόμενα τὰ μὲν φύσει, τὰ δὲ τύχῃ, τὰ δὲ διὰ τέχνην. Voir aussi v. ARNIM, *Die Entstehung der Gotteslehre d. Aristoteles* (Vienne, 1931), p. 7 ; W. K. C. GUTHRIE, *Class. Quart.*, XXVII, 1933, p. 166.
(2) *L. c.*, pp. 150-158.
(3) Aristote est nommé en tête des preuves 1 et 3, pp. 278.18, 279.17 Pl.
(4) J'ai déjà noté cette relation plus haut pour ce qui regarde les animaux des cinq régions du monde, cf. *supra*, p. 240 et n. 2.

avec les *Lois* et l'*Epinomis*. L'action du climat sur l'esprit, lieu commun d'ailleurs depuis le traité ps.-hippocratique π. ἀέρων ὑδάτων τόπων, paraît dans le *Timée* (24 c 6-7), pour être reprise dans les *Lois* (V 747 d-e) qui marquent en outre l'influence de la nourriture (1). La preuve par le mouvement ordonné des astres, commune à Aristote et à l'*Epinomis* (982 a ss.), remonte également aux *Lois* (X 897 c) (2). La distinction des trois mouvements, naturel, contraint, volontaire, rappelle la distinction de *Lois* X 888 e en mouvements naturels, fortuits ou produits par l'art (3). Enfin, des trois hypothèses émises en *Lois* 898 e-899 a pour expliquer l'action motrice de l'âme sur l'astre qu'elle meut — (*a*) âme immanente à l'astre comme l'âme humaine dans le corps humain; (*b*) âme pourvue d'un corps de feu ou d'air et poussant, grâce à ce corps, par une sorte de contrainte mécanique, le corps de l'astre; (*c*) âme incorporelle, mais douée de certaines puissances merveilleuses grâce auxquelles elle dirige l'astre (4), — c'est la première qu'adoptent Aristote et l'*Epinomis* (5).

Nous n'avons pas achevé cependant la revue des dieux célestes selon le π. φιλοσοφίας. Il reste un texte de première importance que l'on rencontre, de nouveau, dans le *de natura deorum* de Cicéron. La référence au dialogue « Sur la Philosophie » est, cette fois explicite : *Aristotelesque in tertio de philosophia libro*.
Cic. *de n. d.*, I 13, 33, p. 217. 16 Pl. = fr. 26 R. (6).

(1) Jaeger, p. 153, n. 1, réfère aussi à *Epin.* 981 e : mais il n'est question, dans ce passage, que de la composition des corps.

(2) L'argument implique la doctrine du mouvement ordonné des planètes, *Tim.* 39 d ss., *Lois* VII 822 a ss. C'est à cette preuve par le mouvement ordonné des planètes qu'il faut peut-être rapporter le fr. 25 R. sur la grande année : ainsi Bernays *(Theophrastos... über Frömmigkeit*, p. 170) et, avec réserve, Bywater (*l. c.*, pp. 86-87). Cependant d'autres, après Usener, rapportent ce fr. au *Protreptique* (fr. 19 Walzer), cf. Jaeger, p. 158, n. 1.

(3) Cf. *supra*, p. 241, n. 1.

(4) J. Moreau, *op. c.*, p. 79, voit dans ce dernier trait une conception magique (« Enfin la troisième hypothèse est celle de l'action à distance, non pas réduite à une simple loi de déplacement, mais envisagée comme la réponse immédiate d'un effet à l'appel de la volonté, en l'absence de tout mécanisme intermédiaire, suivant les conceptions de la magie »). Je songerais bien plutôt à un pressentiment de l'idée aristotélicienne d'un Dieu Pur Intellect qui agit sur le mobile (animé) en tant qu'il l'attire comme Cause Finale, κινεῖ ὡς ἐρώμενον (*Meta.*, Λ 7, 1072 b 3). Tel est aussi l'avis de Jaeger, p. 144, et de W. D. Ross, *Aristotle's Physics* (Oxford, 1936), Introduction, p. 95.

(5) Du moins *Epin.* 983 b 2 dit-il que l'astre est ἔμψυχον, 982 c que l'astre possède le νοῦς et qu'il délibère : ailleurs pourtant, l'*Epin.* semble admettre pareillement l'une ou l'autre des deux premières hypothèses, 983 c 2 μὴ ψυχῆς πρὸς ἑκάστῳ γενομένης· ἢ καὶ ἐν ἑκάστοι..

(6) Cf. Bernays, pp. 99-100; Jaeger, pp. 140-141; v. Arnim, *l. c.*, pp. 3-7; W. K. C. Guthrie, *l. c.*, pp. 164-165; J. Moreau, pp. 117-123, Bignone, II, pp. 350 ss., 365 ss., 378 ss., 406-407; J. Pavlu, *Wien. Stud.*, LV, 1937, pp. 57 ss. Voir aussi le commentaire de J. B. Mayor dans son édition du *de n. d.* (Cambridge, 1880), I, pp. 120-123.

Aristote, dans le troisième livre du *De Philosophia*, embrouille considérablement les choses tout en se mettant en désaccord, sur un point, avec son maître [Platon] (1). Tantôt en effet, c'est à l'Intellect *(menti)* qu'il attribue toute l'essence de la divinité; tantôt c'est le *mundus* (2) lui-même qu'il déclare Dieu; tantôt il donne le gouvernement du *mundus* à un autre Dieu auquel il confie le rôle de diriger et maintenir le mouvement du *mundus* par une sorte de révolution rétrograde (3); tantôt enfin c'est l'élément incandescent du ciel (4) qu'il déclare Dieu, sans se rendre compte que le ciel est une partie de ce *mundus* qu'il a lui-même ailleurs désigné comme Dieu.

Suit alors la critique de l'épicurien Velléius :

« Mais comment se peut-il que ce fameux intellect divin du ciel puisse se maintenir en bon état dans une giration si rapide? » Voilà pour le Dieu *mens*. — « En second lieu, où situer cette grande

(1) Je lis avec tous les meilleurs manuscrits (ACPNB) *a magistro uno Platone dissentiens*. Quant au mot *Platone* qui, dans ces MSS., suit *uno*, je le tiens pour une glose de *magistro* (ainsi déjà Diels, *Dox.*, 539.6. Le texte de M : *a magistro Platone uno dissentiens* a toute l'apparence d'une correction). *Uno* a paru difficile, d'où diverses corrections : *a magistro suo Pl. d.* codd. dett., suivis par Plasberg., *a mag. Pl. non dissentiens* Lambin (d'après une conjecture de Manuce), suivi par tous les éditeurs anciens et encore par Diels, *Dox.* (avec l'exclusion de *Platone*). En fait, ces corrections sont arbitraires, chacune prétend se défendre par de bons arguments, et il semble donc plus sage de garder le texte des MSS. Maintenant, quel est le point précis où Velléius reconnaît une divergence entre Aristote et son maître? Il n'est peut-être pas impossible de le conjecturer. Si l'on compare I 33 avec I 30, p. 217. 4 ss., on s'aperçoit qu'Aristote ne diffère pas *en tout* de Platon. En effet *(Plato) et in Timaeo dicit et in Legibus et mundum deum esse et caelum et astra et terram et animos et eos quos maiorum institutis accepimus*. Nous retrouvons ici plusieurs des « Dieux Suprêmes » d'Aristote : le *mundus* = *caelum* (n. d. I 33), les astres (n. d. II 42-44), l'Intellect (n. d. I 33). Restent, comme doctrines propres à Aristote, le Dieu principe de la *replicatio* et l'éther. Mais le Dieu principe de la *replicatio* doit être, on le verra, le ciel des fixes et il rentre, dès lors, dans la catégorie *mundus* = *caelum*. Il n'y a donc plus que l'éther qui soit propre à Aristote. Or Pavlu (*l. c.*, pp. 55-56) a montré justement qu'Aristote se considère comme « l'inventeur » de l'éther, cinquième (ou premier) élément en outre des quatre. Aristote déclare que tous ses prédécesseurs, donc aussi Platon, n'ont connu que quatre éléments (v. gr. *de gen. et corr.* 330 b 7 : Pavlu en tire argument contre l'authenticité de l'*Epinomis*). Voilà peut-être le « seul point » où Aristote *dissentit* d'avec Platon. Mais, là où Platon était clair, son disciple *multa turbat*.

(2) Ici encore, je ne traduis pas; on verra pourquoi.

(3) *Replicatione quadam* = ἀνελίξει τινι. Cf. (avec Mayor, Plasberg) PLAT., *Pol.* 270 d, 286 b, ARIST., *Méta.*, Λ 8, 1074 a 2 σφαίρας... τὰς ἀνελιττούσας καὶ εἰς τὸ αὐτὸ ἀποκαθιστάσας τῇ θέσει τὴν πρώτην σφαῖραν ἀεί.

(4) *Ardorem caeli*. C'est l'éther, cf. I 14, 37 *tum ultimum et altissimum atque undique circumfusum et extremum omnia cingentem atque complexum ardorem, qui aether nominetŭr, certissimum deum indicat*, II 15, 41 *et quidem reliqua astra quae oriantur in ardore caelesti qui aether vel caelum nominatur*, II 24, 64 *caelestem enim altissimam aetheriamque naturam id est igneam*, II 36, 91 *inmensus aether qui constat ex altissimis ignibus*, 92 *ex aethere igitur innumerabiles flammae siderum existunt*. Tous ces exemples montrent que Cicéron fait de l'éther un élément igné, comme Anaxagore selon Aristote, *de caelo*, I 3, 273 b 20 ss. διόπερ ὡς ἑτέρου τινὸς ὄντος τοῦ πρώτου σώματος παρὰ γῆν καὶ πῦρ καὶ ἀέρα καὶ ὕδωρ, αἰθέρα προσωνόμασαν τὸν ἀνωτάτω τόπον, ἀπὸ τοῦ θεῖν ἀεὶ (cf. Plat., *Crat.* 410 b) τὸν ἀίδιον χρόνον θέμενοι τὴν ἐπωνυμίαν αὐτῷ. Ἀναξαγόρας δὲ καταχρῆται τῷ ὀνόματι τούτῳ οὐ καλῶς· ὀνομάζει γὰρ αἰθέρα ἀντὶ πυρός et III 3, 302 b 4 τὸ γὰρ πῦρ καὶ τὸν αἰθέρα προσαγορεύει ταὐτό (sc. Anaxagore). Anaxagore faisait dériver sans doute αἰθήρ de αἴθειν.

quantité de dieux (1), si nous comptons aussi le ciel comme Dieu? » Voilà pour le Dieu *caelum*. — « D'autre part, quand ce même Aristote veut que Dieu soit incorporel, il le prive de toute sensibilité, voire d'intelligence » (2) : nouvelle critique du Dieu *mens*. — « Et en outre, comment le *mundus* peut-il se mouvoir s'il n'a point de corps, ou comment, s'il est toujours en mouvement, peut-il être tranquille et bienheureux? »: ce dilemme apparemment doit réfuter et la notion du Dieu incorporel *(mens)* et celle du Dieu corporel (ciel, *mundus*, astres).

Essayons de sortir de ce maquis, embroussaillé à plaisir, par l'épicurien Velléius. A en croire nos documents, il faudrait compter comme Dieux suprêmes :

(*a*) Le Kosmos-*mundus* (Philon, Cic. *n. d.* I 33).

(*b*) Un Dieu différent du *mundus* qui dirige et maintient le mouvement du *mundus* par une révolution rétrograde (Cic. *n. d.* I 33).

(*c*) Les astres (Philon, Cic. *n. d.* II 42-44).

(*d*) L'éther (Cic. *n. d.* I 33).

(*e*) L'Intellect (Cic. *n. d.* I 33).

1) Tout d'abord, malgré ce qu'en pense Velléius (3), le *Kosmos* que traduit son *mundus*, désigne, non pas le monde, mais, selon un emploi bien connu de κόσμος (4), le Ciel, l'Ouranos. Ce sens est

---

(1) *illi tot dii*. Les interprètes ne sont pas d'accord : dieux du vulgaire (Heindorf), dieux astres (Schömann), dieux dont nous avons la notion innée en nous (Plasberg).

(2) *Cum autem sine corpore idem vult esse deum, omni illum sensu privat, etiam prudentia*, p. 218.9 Plasberg. Ce trait se réfère à la doctrine platonicienne que Dieu est étranger au plaisir comme à la peine (cf. *Philèbe* 33 b, *Epin.* 985 a 5 θεὸν μὲν γὰρ δὴ τὸν τέλος ἔχοντα τῆς θείας μοίρας ἔξω τούτων εἶναι, λύπης τε καὶ ἡδονῆς) et se retrouve chez Héraclide du Pont, Cic., *n. d.*, I 13, 34, p. 219. 4 Pl. *ex eadem Platonis schola Ponticus Heraclides... modo mundum tum mentem divinam esse putat* (cf. Aristote : *modo enim menti tribuit omnem divinitatem), errantibus etiam stellis divinitatem ribuit sensuque deum privat et eius formam mutabilem esse vult, eodemque in libro rursus terram et caelum refert in deos* (pour la divinité des planètes, cf. aussi Xénocrate, *ib.*, p. 218.14 *(Xenocrates) deos... octo esse dicit, quinque eos qui in stellis vagis nominantur, unum qui ex omnibus sideribus quae infixa caelo sint ex dispersis quasi membris simplex sit putandus deus, septimum solem adiungit octavamque lunam*), voir Bignone, *L'Aristotele perduto*, I, pp. 191 ss., qui, p. 194, n. 1, cp. Cic., *n. d.*, I 12, 30 (p. 216.11 Pl.) *quod vero, sine corpore ullo deum vult esse* (sc. *Plato*) — *ut Graeci dicunt* ἀσώματον, — *id quale esse possit intellegi non potest: careat enim sensu necesse est, careat etiam prudentia, careat voluptate, quae omnia una cum deorum notione conprehendimus*.

(3) Qui blâme Aristote de faire de l'éther (ciel) le Dieu suprême, puisque le Ciel est partie du *mundus* (« monde » à son sens) désigné plus haut comme Dieu suprême.

(4) Voici quelques exemples dans l'ordre chronologique : Philolaos (?) *ap.* Aétius, II 7, 7 (*Dox.*, 337.11 = Diels-Kranz 44 a 16, I p. 403.19). — Platon, *Tim.* 28 b 3 ὁ δὴ πᾶς οὐρανὸς ἢ κόσμος κτλ., 40 a 6 νείμας περὶ πάντα κύκλῳ τὸν οὐρανόν, κόσμον ἀληθινὸν αὐτῷ (sc. τῷ θείῳ) πεποικιλμένον εἶναι καθ' ὅλον, 92 c 7 ὅδε ὁ κόσμος... γέγονεν εἰς οὐρανὸς ὅδε μονογενὴς ὤν. — *Epinomis* 977 b 2 εἴτε κόσμον εἴτε ὄλυμπον εἴτε οὐρανὸν ἐν ἡδονῇ τῳ λέγειν, 987 b 6 ἕνα δὲ τὸν ὄγδοον χρὴ λέγειν, ὃν μάλιστά τις ἂν (Burnet : ἄνω libri) κόσμον προσαγορεύοι, ὃς ἐναντίως ἐκείνοις σύμπασιν (= aux sept planètes) πορεύεται (cf. *replicatione quadam* Cic.). — Isocrate, *Pan.* 179 τῆς γῆς ἁπάσης τῆς ὑπὸ τῷ

impliqué en effet par la teneur même du texte aristotélicien auquel fait allusion Philon : « le Kosmos, ce dieu visible qui contient le soleil, la lune et le panthéon des autres astres », comme par la raillerie du Stagirite : il craignait jadis que le toit de sa maison ne lui tombât dessus, maintenant il craint la chute du ciel. On obtient déjà, par suite, l'équivalence de *mundus* (*a*) et de *caeli ardor* (*d*).

2) Qu'en est-il maintenant du second Dieu de notre liste, le Dieu autre que le Ciel et qui dirige et maintient le mouvement du Ciel par une sorte de révolution rétrograde? Bernays (1) et, après lui Jaeger (2), ont conjecturé que c'était le Premier Moteur immobile de *Méta.* Λ. Mais outre que, selon une juste remarque de M. Moreau (3), « la théorie du premier moteur... ne peut guère avoir constitué pour Aristote un point de départ » (4), la phrase *eique eas partes tribuit ut replicatione quadam mundi motum regat atque tueatur* ne convient guère à ce moteur immobile, Pure Pensée, dont la seule fonction est de se contempler soi-même, et qui n'est moteur du Premier Ciel qu'en tant que Cause Finale. Enfin pourquoi *replicatione quadam?* M. Moreau et déjà Mayor l'ont bien vu : il ne peut s'agir que du mouvement dont est affecté le Premier Ciel (= l'enveloppe du Ciel), lequel tourne en sens inverse du mouvement des planètes, c'est-à-dire des sept autres sphères. Cicéron distingue le Ciel entier (*mundus = caelum = aether*) d'une part, et, d'autre part

κόσμῳ κειμένης. — ARISTOTE, *de caelo*, I 10, 280 a 21 ἡ δὲ τοῦ ὅλου σύστασίς ἐστι κόσμος καὶ οὐρανός, *Meteor.*, I 2, 339 a 19 ὁ περὶ τὴν γῆν ὅλος κόσμος (autres références en *Météor.*, cf. Bonitz 406 a 47), *Méta.*, K 6, 1063 a 10 τοιαῦτα (sc. ἀεὶ κατὰ ταὐτὰ ἔχοντα) δ' ἐστὶ τὰ κατὰ τὸν κόσμον (= les corps célestes), *Eth. Eud.*, I 5, 1216 a 11 (Anaxagore) τοῦ θεωρῆσαι τὸν οὐρανὸν καὶ τὴν περὶ τὸν ὅλον κόσμον τάξιν (cf. *Philon, de aet.* m. 2, p. 2. 16 Cum. τοῦτον κόσμον θεάσασθαι). — TIMÉE (IV/III) ap. Polybe XII |25, 7 τῆς γῆς τῇ. ὑπὸ τῷ κόσμῳ κειμένης. — *OGI* 56.47 (mon. Canopium, 238 a C.) συνέβη ταύτην παρθένον οὖσαν ἐξαίφνης μετελθεῖν εἰς τὸν ἀέναον κόσμον (les références à LXX *Gen.* 2, 1, *Deut.* 4, 19 données par Moulton-Milligan, s. v. κόσμος, sont fausses : ν. a le sens d'ordre ou d'ornement). — PHILON, *de aet.* m. 2, p. 12.12 Cum. λέγεται τοίνυν ὁ κόσμος καθ' ἓν μὲν πρῶτον σύστημα ἐξ οὐρανοῦ καὶ ἄστρων κατὰ περιοχὴν γῆς καὶ τῶν ἐπ' αὐτῆς ζῴων καὶ φυτῶν, καθ' ἕτερον δὲ μόνος οὐρανός. — Peut-être N. T., *Phil.* 2, 15 τέκνα θεοῦ ἄμωμα μέσον γενεᾶς σκολιᾶς καὶ διεστραμμένης, ἐν οἷς φαίνεσθε ὡς φωστῆρες ἐν κόσμῳ. — Ps. MANÉTHON, I 295, 309; IV 415, 537, 553. — *PSI*, III 157.39 (I p. C...?) φαινομέναω κόσμωι θειοτάτης φύσεως.

Sur l'histoire du mot κόσμος (au sens philosophique) jusqu'au *Timée*, voir surtout W. KRANZ, *Kosmos als philosophischer Begriff frühgriechischer Zeit*, ap. *Philologus* XCIII (1938), pp. 430-448. L'emploi de κόσμοι pour les astres, de κόσμος pour l'ensemble du monde, daterait d'Anaximandre, *ib.*, pp. 433-344; l'emploi de κόσμος pour le ciel daterait de Pythagore (ou Parménide ou Hésiode, *Vors.* 28 A 44); μικρὸς κόσμος = « homme » chez Démocrite (68 B 34), KRANZ, pp. 445-446.

(1) *Die Dialoge*, p. 100.
(2) *L. c.*, p. 141.
(3) *L. c.*, p. 118. Voir aussi les critiques antérieures de v. Arnim et de Guthrie (cités *supra*, p. 241, n. 1).
(4) Elle est absente du *de caelo*, cf. II 3, 286 a 8-12 et MOREAU, *l. c.*, pp. 118-119.

la sphère des fixes qui, de fait, domine tout l'ensemble du Ciel *(praeficit mundo)*. Il n'existe donc pas de différence essentielle entre le numéro (*b*) et les numéros (*a*) et (*d*) de notre liste : dans la source aristotélicienne dont dérive, avec ou sans intermédiaires, Velléius, la mention du Dieu assimilé à la sphère des fixes ne fait qu'introduire un élément de précision locale en ce qui avait été désigné d'abord, d'une manière générale, par κόσμος-*mundus*.

3) On jugera de même ce qui a trait à la divinité des astres. Sur ce point d'ailleurs, Aristote se borne à suivre une tradition inaugurée dès le *Timée*. Car si, dans le *Timée*, le κόσμος = Ciel est dit « Dieu visible, image du Dieu intelligible » (1), les astres que contient le Ciel n'en sont pas moins déclarés Dieux, à plusieurs reprises et de la manière la plus formelle (2). Cette doctrine de la divinité des astres (3) se poursuit dans les *Lois*. Au lever et au coucher du Soleil et de la Lune, qui ne voit et n'entend comment tous pareillement, Grecs et Barbares, se prosternent et prononcent des prières d'adoration, quelles que soient les circonstances, bonnes ou mauvaises : or on ne s'adresserait pas ainsi aux corps célestes si on ne les tenait pas pour des dieux ; bien au contraire, on les regarde comme les dieux les plus manifestes et qui ne laissent pas le moindre doute sur leur qualité d'êtres divins (X 887 d-e). Ailleurs, pour prouver qu'il y a des dieux, Clinias le Crétois en appelle simplement au spectacle qui s'offre à nos yeux (886 a) : la terre, le soleil, tout l'ensemble des astres, la suite bien ordonnée des saisons, que divisent l'année et le mois (cf. *Tim.* 37 e). Comme le remarque M. Nilsson (4), « la suite ordonnée des saisons et le calendrier dépendent des corps célestes, et c'est là, en toute certitude, l'argument le plus frappant à l'appui de son opinion (de Platon) que les corps célestes possèdent des âmes divines qui se meuvent d'elles-mêmes. » La divinité des astres est enfin l'un des dogmes de l'*Epinomis*. Il faut nommer divine toute la classe des êtres du ciel, car ils sont pourvus du corps le plus beau et de l'âme la plus heureuse et la plus excellente (981 e 4-6). Trois Moires veillent à ce que s'accomplisse ce qui a été délibéré selon le plus parfait dessein par chacun des dieux

---

(1) *Tim.* 92 c. 8 : cf. 34 a 9 οὗτος δὴ πᾶς ὄντος ἀεὶ λογισμὸς θεοῦ περὶ τὸν ποτὲ ἐσόμενον θεὸν λογισθείς.

(2) *Tim.* 39 e 10 εἰσὶν δὴ τέτταρες (sc. ἰδέαι), μίαν μὲν οὐράνιον θεῶν γένος, 40 a 2 τοῦ μὲν οὖν θείου (sc. γένους) τὴν πλείστην ἰδέαν, 40 d 4 τὰ περὶ θεῶν ὁρατῶν καὶ γεννητῶν εἰρημένα φύσεως, 41 a 3 ἐπεὶ δ' οὖν πάντες ὅσοι τε περιπολοῦσιν φανερῶς... θεοὶ γένεσιν ἔσχον.

(3) **Sur quoi**, cf. MARTIN P. NILSSON, *The origin of belief among the Greeks in the divinity of the heavenly bodies* ap. *Harv. Theol. Rev.*, XXXIII (1940), pp. 1 ss.

(4) *L. c.*, p. 4.

sidéraux (τὸ βελτίστῃ βουλῇ βεβουλευμένον ἑκάστοις θεῶν 982 c 4-5). On doit glorifier les astres comme étant les dieux réels ou les tenir pour des images de ces dieux (983 e 5). S'il s'agit de Zeus, d'Héra, et des autres dieux (mythologiques), que chacun en légifère à sa guise : mais, quant aux dieux visibles (les astres), qui sont les plus grands, les plus dignes d'honneur et qui, du regard le plus pénétrant, embrassent toutes choses, il faut leur donner le premier rang (984 d 3 ss.). Les démons sont intermédiaires entre les hommes et les dieux suprêmes (= qui habitent la région suprême, τοὺς ἀκροτάτους θεούς 985 b 2). Les Grecs sauront mieux servir les dieux (astres) que les Barbares (= Chaldéens), grâce à leur culture, aux oracles de Delphes et à leus antiques traditions cultuelles sanctionnées par la loi (988 a 3-5). Ces exemples (1) suffisent, et l'on peut dire, avec M. Guthrie (2), que « la divinité des astres était un article de la foi platonicienne qu'il ne pouvait jamais venir à l'idée d'Aristote de mettre en doute ».

Il ne nous reste donc, en définitive, que deux termes : le premier mobile, c'est-à-dire le Ciel — soit le Ciel en son entier avec les astres, soit la sphère des fixes ou premier ciel, — et le Premier Moteur, c'est-à-dire l'Ame ou l'Intellect du Ciel, la *mens* de Cicéron.

Faut-il aller plus loin, et assimiler ces deux termes l'un à l'autre? C'est ce que nous apprendront les textes sur la parenté de l'âme avec les êtres célestes.

§ 5. *La parenté d'essence entre notre âme et les dieux astres* (3).

Les textes relatifs à ce point sont les suivants :

(a) CICÉRON, Acad., I 7, 26, p. 47.14 Plasberg = fr. 27 Walzer.

Aussi l'air (car nous nous servons, nous aussi, de ce mot *aer* (4) en place d'un mot latin), le feu, l'eau, la terre, ont-ils rang de « premiers » : et c'est d'eux que dérivent les formes corporelles des êtres animés et de tout ce qui prend naissance dans la terre (= les plantes). D'où vient qu'on les appelle « principes » *(initia)* et, pour traduire le grec, « éléments » (= ἀρχὰς καὶ στοιχεῖα). Parmi ces éléments, l'air et le feu ont pour fonction de mouvoir et d'opérer, les autres, je veux dire l'eau et la terre, de recevoir et de pâtir. Selon Aristote, il existerait une certaine quintessence, d'où seraient issus les astres et les intelligences, unique en son genre et toute dissemblable des quatre espèces que j'ai dites.

(1) Voir aussi *Epin.* 984 b 2 : « Maintenant, au sujet des dieux (les astres) … ».
(2) Cité par M. P. NILSSON, *l. c.*, p. 7.
(3) Sur ce paragraphe, voir surtout BIGNONE, I, pp. 196, 228 ss., 250 ss.; II, pp. 353 ss.
(4) Cicéron s'excuse en quelque sorte de l'emploi du mot *aer*, qui n'est que la transcription du grec ἀήρ.

(*b*) Cicéron, *Tuscul.*, I 10, 22 = fr. 29 (49) Heitz = **fr. 27** Walzer (1).

Aristote — qui l'emporte de loin sur tous (j'en excepte toujours Platon) par l'acuité de l'esprit et par l'application à l'étude, — après avoir exposé la doctrine bien connue des quatre espèces d'éléments d'où sont issus tous les êtres, estime qu'il existe une certaine quinte essence, d'où dérive l'intelligence. En effet, réfléchir et prévoir, apprendre et enseigner, inventer une chose ou en conserver tant d'autres dans sa mémoire, aimer ou haïr, désirer ou craindre, être dans l'affliction ou dans la joie, tout cela et tous les états analogues ne peuvent trouver place, selon Aristote, en aucune des quatre espèces (d'éléments) susdites. Il a donc recours à une cinquième espèce, qui n'a pas de nom : aussi donne-t-il à l'âme elle-même le nom nouveau d'*endéléchie*, comme pour dire qu'elle est une sorte de mouvement ininterrompu et perpétuel.

ἐνδελέχεια est la leçon de tous les manuscrits et doit être conservé (2). Le substantif est rare et poétique (3), mais l'adjectif ἐνδελεχής, dont il dérive, et l'adverbe ἐνδελεχῶς (4) sont beaucoup plus communs. L'idée est celle de continuité, perpétuité : comme le note M. Moreau (5), la définition du terme ἐνδελέχεια dans les *Tusculanes* « traduit exactement la formule aristotélicienne qui exprime l'étymologie du mot éther (ἀπὸ τοῦ θεῖν ἀεί) ».

(*c*) Id., *Tuscul.*, I 26, 65.

Dès lors l'esprit lui aussi est, selon moi, divin ou même, selon le langage audacieux d'Euripide, il est dieu. Or, si Dieu est âme ou feu, tel est aussi l'esprit de l'homme : car, de même que cette sublime nature céleste ne contient aucune parcelle de terre ou d'eau, de même l'esprit humain ne contient-il non plus aucun de ces deux éléments. Si d'autre part la quintessence, dont Aristote est le premier à avoir parlé, existe, c'est d'elle que sont issus et les dieux (astres) et les esprits (6).

(*d*) Olympiodore, *in Phaed.*, p. 26.22 Norvin = fr. 48 R., **fr. 24** Walzer (7).

Proclus veut que les corps célestes ne possèdent que la vue et l'ouïe, ainsi d'ailleurs qu'Aristote. Ils ne possèdent en effet que ceux d'entre les sens qui contribuent à la perfection de l'être, et non ceux qui contribuent à l'être seul :

---

(1) Cf. Bignone, I, pp. 196, 228 ss., 250 ss. (sur le mot ἐνδελέχεια); Moreau, pp. 121-123. Le même argument se retrouve *Tusc.*, I 26, 66.
(2) Cf. Moreau, p. 121; Bignone, I, pp. 250 ss. Voir *Addenda*.
(3) Choirilos, poète épique de la seconde moitié du ve s.; Ménandre, fr. 744 Kock.
(4) Déjà dans Critias, *Vorsokr.*, 88 B 19, 5.
(5) *L. c.*, p. 121.
(6) Sur la quintessence, voir encore Heitz, fr. 29 (Cic., *Tusc.*, I 17, 41; *de Fin.*, IV 5 12). Pour d'autres textes parallèles dans les *Tusculanes*, cf. Bignone, I, pp. 229-231.
(7) Cf. Bignone, II, pp. 358 ss.

or les autres sens contribuent seulement à l'être. Le poète confirme cette opinion, par ces paroles :

«Soleil, qui vois toutes choses et qui entends toutes choses » (*Il.*, III, 277), dans la pensée que les astres ne possèdent que la vue et l'ouïe. En outre, la faculté de ces sens-là s'exerce d'une manière active plutôt que passive, et ils sont plus appropriés aux corps célestes, qui sont inaltérables. Cependant Damascius veut que les corps célestes possèdent aussi les autres sens...

Cf. Olympiodore, *ib.*, p. 200. 7 N. (scholie sur *Phéd.* 111 b 3-4 καὶ ὄψει καὶ ἀκοῇ... ἡμῶν ἀφεστάναι) :

Pourquoi le dialogue ne donne-t-il ici aux hommes (de la terre supérieure) que ces deux sens-là? Serait-ce que, comme il (1) le dit, ces sens sont les seuls aussi à trouver place dans les corps célestes? Mais, touchant les corps célestes, nous avons établi ailleurs, à l'encontre d'une telle doctrine, que ces sens ne sont pas les seuls (à trouver place dans les corps célestes). Maintenant, touchant les hommes à la longue vie, s'ils comportent l'élément tangible, la terre, comment n'auraient-ils pas le sens correspondant du toucher? S'ils se nourrissent, comment n'auraient-ils pas le sens du goût? Et si la terre, en ce lieu-là, est réduite à l'état de vapeur ou de fumée sous l'action du soleil, comment ces hommes n'auraient-ils pas d'odorat?

On notera que cette scholie fait suite immédiatement à la scholie sur la nourriture solaire des hommes de la terre supérieure, scholie qui dérive d'un texte d'Aristote (cf. *infra*, e) : il est donc probable, comme le marque Bignone (2), que dans la source aristotélicienne la doctrine relative aux deux sens et celle de la nourriture solaire étaient conjointes.

(*e*) Olympiodore, *in Phaed.*, p. 199.31 N. (scholie sur *Phéd.* 111 b 3 καὶ χρόνον τε ζῆν πολὺ πλείω τῶν ἐνθάδε) = fr. 42 R., fr. 23 Walzer (3).

Bien que la vie de ces hommes-là soit de longue durée, leurs corps (4) n'en sont pas moins de nature corruptible et, dans ce cas, il se fait en eux quelque perte de substance. Dès lors, nécessairement ils se nourrissent. Cette nourriture leur est fournie par les fruits de ce lieu-là, qui sont de nature intermédiaire entre les fruits d'ici-bas et les fruits célestes que les Hespérides présentent à ceux qui ont atteint le terme final de la vie. Il faut bien qu'une certaine race d'hommes, et cette race tout entière, se nourrisse de la sorte : à preuve l'homme qui, ici-bas même, ne se nourrissait que des rayons du soleil, comme le raconte Aristote qui avait vu cet homme.

Ibid., p. 239.19 N. (scholie sur le même passage).

(1) Qui ? Ni le *Phédon* ni Platon ailleurs. Peut-être Proclus, cf. p. 26.22 N.
(2) *L. c.*, II, p. 359.
(3) Cf. Bignone, II, pp. 353 ss.
(4) Littéralement leurs tuniques.

S'il est vrai que, ici-bas même, Aristote rapporte le cas d'un homme qui vivait sans sommeil (1) et ne se nourrissait que d'air solaire, que faut-il penser des êtres de ce lieu-là?

Ces deux scholies identiques concernent le passage du *Phédon* (111 b) où Platon décrit le genre de vie des habitants de la terre supérieure, de cette terre toute pure qui se trouve placée en la partie pure du monde, où sont les astres, et que la foule des doctes qui traite de ces questions (physiques) nomment éther (*Phéd*. 109 b 6-c 2). C'est donc l'éther que ces hommes-là respirent, comme nous respirons l'air. Dès lors, ces hommes sont exempts de maladies et vivent très longtemps. Pour les sens (la vue et l'ouïe sont seules nommées) et l'intelligence, il y a autant de différence entre ces hommes et nous qu'entre leur éther et notre air. Ils ont continuellement commerce avec les dieux, face à face. Ils voient le soleil, la lune et les autres astres tels qu'ils sont en réalité. D'où résulte, pour eux, un bonheur indicible (111 b-c). On ne peut s'empêcher de reconnaître dans ce morceau comme le modèle de ce que sera, chez Aristote, la description de la vie des dieux astres. Certains parallélismes sont frappants : sens de la vue et de l'ouïe, seuls nommés dans *Phéd*. 111 b 4, seuls dévolus aux astres chez Aristote (Olymp., *in Phaed*., 26.22 = n° d, *supra*); les hommes d'en haut respirent l'éther (*Phéd*. 109 b, 111 b) et se nourrissent de rayons solaires (Olymp., n° e, *supra*), les astres vivent dans l'éther dont ils sont issus (Cicéron, n°s *a, b, c, supra*) et se nourrissent de vapeurs subtiles (2).

(*f*) PLUTARQUE, *De musica*, c. 23 ss. = fr. 47 R., fr. 25 Walzer (3).

(1) Le texte aristotélicien auquel se réfèrent ces deux scholies devait mentionner une expérience de fakirisme comme en pratiquaient, dès l'antiquité, les gens de l'Inde. J. BERNAYS, *Theophrastos' Schrift über Frommigkeit*, p. 187, rapproche les deux scholies d'un fragment du περὶ ὕπνου de Cléarque de Soles, disciple d'Aristote (Procl., *in remp*., II, 122.22 ss. Kroll : cf. J. BERNAYS, *Zwei Abhandlungen über die aristotelische Theorie des Drama*, Berlin, 1880, pp. 90-92), selon qui Aristote aurait assisté à une expérience de magnétisme durant laquelle le magnétiseur tirait l'âme du sujet endormi puis la ramenait dans le sujet. Comme l'ἄυπνο. du texte d'Olympiodore ne serait guère en place s'il s'agissait du même phénomène que celui qui est rapporté par Cléarque, Bernays corrigeait, dans Olympiodore, ἄυπνον en ἄπνουν. Mais cette correction est fausse (cf. Bignone, II, pp. 354-356) et, par suite, le rapprochement entre Cléarque et Olympiodore n'est pas solide.

(2) CICER., *de n. d*., II 16, 43 = *supra*, p. 241. Cf. BIGNONE, II, p. 354, n. 1.

(3) Cf. BIGNONE, I, p. 264; II, p. 361. La question de l'authenticité du *de musica* n'a pas d'importance pour notre sujet. Le texte est difficile, souvent corrompu. Pour notre passage, le commentaire de R. VOLKMANN (Leipzig, 1856, pp. 113-114) n'offre aucun secours. R. WESTPHAL (Breslau, 1865), jugeant sans doute le morceau trop corrompu, omet les ch. 23-25 dans sa traduction allemande : son commentaire s'arrête au ch. 16. H. WEIL-Th. REINACH (Texte, tr. fr. et notes, Paris, 1900) n'obtiennent un sens un peu clair qu'à force de corrections textuelles (j'ai néanmoins suivi de près la traduction de Th. REINACH, expert éminent en musique ancienne). Voir aussi E. FRANK, *op. cit*., pp. 276-277.

Maintenant, que l'harmonie soit auguste, chose divine et grande, Aristote, disciple de Platon, le marque en ces termes :

« L'harmonie (1) est céleste, et sa nature est divine, toute belle et merveilleuse. Constituée en valeur par quatre membres (2), elle comporte deux moyennes (3), l'une arithmétique, l'autre harmonique. Tout en elle, membres, grandeurs et excédents, obéit manifestement au nombre et à l'isométrie (4) : c'est en effet selon deux intervalles de quatre notes que se mesure le rythme du chant » (5).

Vient alors, d'après Aristote, un exposé sur l'harmonie (c. 23-24), que suit immédiatement un morceau où les principes indiqués sont appliqués à l'activité des sens (c. 25). Je reprends le texte à la conclusion du chapitre 24 sur l'harmonie :

Ainsi constituée, elle-même et ses parties, quant aux excédents et aux rapports mutuels, l'harmonie consonne dans sa totalité et avec chacune de ses parties (6).

[25] En outre, des sens qui prennent naissance dans les corps en vertu de l'harmonie (7), les uns, célestes et divins, qui par la faveur de la Divinité (8), viennent fournir aux hommes la faculté de sentir — ce sont la vue et l'ouïe, — manifestent l'harmonie du ciel (9) grâce au son et à la lumière. Les autres

(1) Il s'agit apparemment de la gamme limitée à l'étendue d'une octave, et, plus spécialement encore, des quatre sons fixes de la gamme (Weil-Reinach). Néanmoins, au ch. 25, ἁρμονία a certainement un sens plus large et désigne l'harmonie des cieux (« La vue manifeste l'harmonie probablement par les mouvements des astres qu'on croyait soumis à la loi des proportions musicales... Le mot ἁρμονία paraît être pris ici dans un sens plus large que dans les chapitres précédents », Weil-Reinach, note 251). Dès lors, on peut se demander si le sens n'est pas tel déjà dans le début de la citation aristotélicienne. En adoptant, au ch. 23, τὰ μέρη (Westphal) pour τὰ μέλη (la confusion est constante dans les MSS.), on pourrait entendre τὰ μέρη τοῦ οὐρανοῦ : les huit sphères célestes forment, elles aussi, une octave, que divisent les deux tétracordes. Noter que, dans le *Timée*, la théorie de deux médiétés pour quatre termes est déjà énoncée à propos de la doctrine des quatre éléments, 31 b-32 c. L'ambiguïté du mot ἁρμονία est constante depuis le pythagorisme.
(2) Les quatre sons fondamentaux ou fixes de la gamme : hypate, mèse, paramèse, nète.
(3) τετραμερὴς δὲ τῇ δυνάμει πεφυκυῖα δύο μεσότητας ἔχει. Weil-Reinach préféreraient τ. δὲ π. δύο μ. τῇ δυνάμει ἔχει = elle comporte deux moyennes « numériques ».
(4) W-R. corrigent ἰσομετρίαν (égalité de mesure) en γεωμετρία. Mais ἰσ. désigne sans doute les deux tétracordes dont il est question plus loin et qui s'équilibrent exactement.
(5) ἐν γὰρ δυσὶ τετραχόρδοις ῥυθμίζεται τὰ μέλη. Le tétracorde vaut 2 tons et demi. W.-R. excluent τὰ μέλη. Je préférerais lire, avec Westphal (et Rose), τὰ μέρη, en l'entendant des huit sphères célestes, cf. *supra*, n. 1.
(6) ὅλη θ' ὅλῃ καὶ τοῖς μέρεσι συμφωνεῖ : texte et trad. de W.-R.
(7) διὰ τὴν ἁρμονίαν, exclu par W.-R., est transféré par Volkmann après τὴν αἴσθησιν = « qui ... viennent fournir aux hommes, en vertu d'une harmonie, la faculté de sentir ».
(8) μετὰ θεοῦ τὴν αἴσθησι παρεχόμενα τοῖς ἀνθρώποις. Tout ce membre est exclu par W.-R. comme étant une glose des mots ἅμα θεοῦ παρουσίᾳ παραγιγνόμεναι τοῖς σώμασι. J'avais pensé d'abord exclure μετά, qui aurait été interpolé ici en vertu du μετὰ φωνῆς de la ligne suivante, car on obtient alors le sens excellent : « qui donnent aux hommes le moyen de percevoir la Divinité », cf. Plat., *Tim.* 47 a-e. Mais l'idée que les sens supérieurs nous sont donnés par la Divinité est classique depuis Platon.
(9) τὴν ἁρμονίαν ἐπιφαίνουσι. Cf. *supra*, n. 1.

sens, qui font cortège à ces premiers, sont aussi, en tant que sensations, réglés par l'harmonie. Car ils ne produisent aucun acte, eux non plus, sans l'aide d'une harmonie : certes ils sont inférieurs aux premiers, mais non pas d'une essence opposée. Quant à ces premiers, dont la venue dans les corps coïncide avec la présence de la Divinité, ils ont, comme de raison (1), une nature particulièrement vigoureuse et belle.

On peut ramener à quelques traits les données de nos six témoignages :

1) Il existe une quinte essence, d'où ont été tirés les astres et les intelligences (*a, c*).

2) Cette quinte essence, d'où dérive l'intelligence, est douée d'un mouvement continuel (*b*).

3) En tant qu'inaltérables, les corps célestes ne possèdent que les sens de la vue et de l'ouïe, les plus nobles parce qu'ils contribuent à la perfection de l'être (*d*).

4) Les corps célestes se nourrissent d'éther et n'ont pas besoin de sommeil (*e*).

5) Leurs mouvements produisent un concert harmonieux auquel s'apparente, dans l'homme, l'harmonie des sens supérieurs (vue et ouïe) et, à un degré moindre, celle des autres sens (*f*).

Le point capital est ici la doctrine, enseignée déjà dans le *Timée* (90 a-b), de la parenté de nature entre l'âme humaine et les astres. L'âme intellectuelle, qui habite dans la tête comme un δαίμων en son temple (2), nous tire vers le haut en raison de son affinité avec le ciel, car elle est une plante non pas terrestre, mais céleste (90 a 5-7). Quelle est la nature de cette affinité ? Tout d'abord, l'âme individuelle est composée des résidus de la substance qui a servi à la composition de l'Ame du monde (41 d). En second lieu, les âmes individuelles sont d'abord placées dans des astres (3), cha-

---

(1) κατὰ λογισμόν. J'ai rattaché ces mots, avec W.-R., à la suite ἰσχυράν τε καὶ καλὴν φύσιν ἔχουσι. Néanmoins la construction et le sens me restent peu clairs.

(2) οἰκεῖν μὲν ἡμῶν ἐπ' ἄκρῳ τῷ σώματι 90 a 5, ἅτε δὲ ἀεὶ θερα εὐοντα τὸ θεῖον ἔχοντά τε αὐτὸν εὖ κεκοσμημένον τὸν δαίμονα σύνοικον ἐν αὐτῷ 90 c 4. On sait combien cette doctrine de l'habitation d'un Dieu en nous sera familière à la mystique postérieure, chez les païens (hermétisme, gnose) et dans le christianisme orthodoxe. Pour n'en donner qu'un exemple, citons ce passage des Actes (tardifs) de sainte Lucie, vierge martyre de Syracuse, sous Dioclétien (13 décembre) : *quam cum Paschasius interrogasset, Estne in te Spiritus Sanctus? respondit: Caste et pie viventes templum sunt Spiritus Sancti* (cf. Corp. Herm. I 22 παραγίνομαι αὐτὸς ἐγὼ ὁ Νοῦς τοῖς ὁσίοις καὶ ἀγαθοῖς καὶ καθαροῖς καὶ ἐλεήμοσι, τοῖς εὐσεβοῦσι, καὶ ἡ παρουσία μου γίνεται βοήθεια καὶ εὐθὺς τὰ πάντα γνωρίζουσιν). *at ille : Iubebo te ad lupanar duci, ut te Spiritus Sanctus deserat. Cui virgo : Si invitam iusseris violari, castitas mihi duplicabitur ad coronam* (Leçon du 2ᵉ nocturne au Bréviaire Romain). On aimerait que ce bout de dialogue pût être considéré comme authentique.

(3) Ici les étoiles, non les planètes : cf. TAYLOR, *ad loc.*

cune en un astre différent qui est, pour elle, un « partenaire » (σύννομον ἄστρον, 41 d/e, 42 b 4) ; à ces âmes ainsi dispersées dans les astres, qu'il faut imaginer comme groupées autour de Dieu, formant une sorte d'auditoire, Dieu adresse un discours où il leur annonce leur destin : en vertu d'une Nécessité (ἐξ ἀνάγκης 42 a 3), elles seront implantées en des corps humains, et connaîtront par suite les désirs naturels et les passions qui tiennent à la nature corporelle (41 a/b) ; après cette épreuve de la vie terrestre (1), les âmes subiront des fortunes diverses selon la manière dont elles se seront conduites à l'égard des passions corporelles : l'âme qui aura bien vécu durant le temps fixé pour son épreuve (τὸν προσήκοντα χρόνον 42 b 3, cf. 89 b 6) retournera de nouveau dans la demeure de l'astre qui est son partenaire, pour y mener une vie bienheureuse et pareille à celle de l'astre (βίον εὐδαίμονα καὶ συνήθη ἕξοι 42 b 5) ; l'âme mauvaise, par une suite de métamorphoses, passera d'un corps d'homme en un corps de femme, puis en un corps d'animal, etc., jusqu'à ce que, s'étant purifiée, elle revienne enfin à son état premier et meilleur, c'est-à-dire revienne habiter « son » astre (42 b-d).

Maintenant, durant la vie terrestre elle-même, l'âme individuelle ne sera pas sans correspondre avec le ciel. Par la vue, elle contemple le bel ordre céleste et règle ses pensées en harmonie avec celles de l'Intellect qui se meut dans le ciel (47 b-c). Par l'ouïe, elle entend l'harmonie céleste, « dont les mouvements sont de même espèce que les révolutions régulières de notre âme » (47 d 1-2), ce qui l'incite à ramener à l'ordre et à l'unisson tout ce qui est déréglé en nous (47 d).

Il n'est pas jusqu'aux mouvements corporels qui ne devront se conformer aux mouvements de l'Ouranos. L'éducation grecque était fondée sur la μουσική — qui concerne tout ce qui regarde la culture de l'esprit — et la gymnastique. De là vient qu'après avoir brièvement esquissé le programme de la μουσική (47 a-e) (2), Platon traite de la gymnastique. Pour se maintenir en équilibre et en santé, il faut

---

(1) Ou planétaire, car Dieu ne sème pas seulement des âmes sur la Terre, mais aussi sur la Lune et « dans chacun des instruments du Temps » (= les planètes), 42 d 4-5. Sur les difficultés des anciens dans l'interprétation de ce passage, cf. Proclus, in Tim., III, 304 ss. Diehl. J'ai adopté l'exégèse de Taylor, pp. 255-258. Contra Wilamowitz, Platon, II, p. 390.

(2) On notera, dans ce programme, le rôle que joue l'astronomie, non nommée à vrai dire, mais évidemment impliquée par la connaissance rationnelle des mouvements célestes, — toutes choses qui μεμηχάνηνται μὲν ἀριθμόν, χρόνου δὲ ἔννοιαν περί τε τῆς τοῦ παντὸς φύσεως ζήτησιν ἔδοσαν· ἐξ ὧν ἐπορισάμεθα φιλοσοφίας γένος 47 a 7. On notera aussi qu'il est déjà fait allusion à la gymnastique dans la conclusion de l'esquisse sur la μουσική, 47 d 6 καὶ ῥυθμὸς αὖ διὰ τὴν ἄμετρον ἐν ἡμῖν... γιγνομένην... ἕξιν ἐπίκουρος· ἐπὶ ταὐτὰ ὑπὸ τῶν αὐτῶν (sc. τῶν Μουσῶν) ἐδόθη.

exercer le corps en même temps que l'âme (88 b). Dès lors le mathématicien et quiconque se voue aux travaux de l'esprit cultivera aussi la gymnastique; inversement, l'athlète doit s'adonner à la μουσική et à la philosophie (88 c). Par ce double exercice, l'homme qui veut être, dans la vérité du terme (1), « beau et bon » imitera la figure du Tout, qui est éminemment belle et bonne (τὸ τοῦ παντὸς ἀπομιμούμενον εἶδος 88 d 1). « Si, par des secousses pleines de mesure, l'homme dispose en un bel arrangement, l'une avec l'autre, les qualités et les particules qui se portent çà et là, selon leurs affinités (2), à travers le corps, ainsi qu'on l'a décrit plus haut relativement à l'Univers » (3), on donnera au corps la santé (88 e). Plus loin encore, il est déclaré que le meilleur mouvement est celui qui naît dans le mobile par la vertu propre du mobile, parce que c'est le mouvement le plus conforme au mouvement de l'intelligence et à celui de l'Univers (89 a 1-3) : dans ce cas en effet, l'homme se meut de lui-même, à l'exemple de l'âme qui est essentiellement αὐτοκίνητος.

On le voit donc, la correspondance entre le microcosme et le macrocosme est constante dans le *Timée*. Elle se fonde sur une ressemblance originelle entre les âmes individuelles et l'Ame du monde — toutes les âmes individuelles sont tirées d'une substance pareille (encore que moins parfaite) à celle de l'Ame du monde, — et sur une sorte d'affinité spéciale, au reste mystérieuse (4), entre chacune des âmes individuelles et chacune des étoiles au ciel.

Partant de ces données, il semble qu'Aristote ait éliminé la part du mythe (composition de l'Ame du monde et des âmes individuelles) et de la fantaisie (âme et astre σύννομος) dans le *Timée* pour y substituer la doctrine plus positive, et proprement physique, d'une identité de substance entre l'âme humaine et les astres. Essayons de voir comment Aristote en est venu à cette doctrine.

Le ciel et les astres se meuvent d'un mouvement régulier et éternel. Ciel et astres sont des vivants (cf. *supra*, pp. 240-242) et leur mouvement est donc dû à une âme : à une âme intelligente, puisque

(1) ὀρθῶς 88 c 7, et non pas au sens vulgaire de la formule καλός τε κἀγαθός.
(2) Avec Taylor et Cornford, je crois préférable de joindre κατὰ συγγενείας (88 e 3) à πλανώμενα (88 e 2), et non, comme la plupart des traducteurs (Martin, Archer-Hind, Fraccaroli, Moreau), à κατὰ ὀσμῇ. Voir Taylor, *ad loc.*
(3) Cf. 69 b, 53 a : il s'agit des secousses mesurées qui, de la masse d'abord inorganique du monde, font un Kosmos organisé.
(4) Il est probable que Platon prend ici à son compte (plus ou moins sérieusement) et généralise l'antique croyance qui associe l'apparition ou la disparition d'un astre à la naissance ou à la mort d'un grand personnage (cf. Virg., *Bucol.*, IX 46-47 *Daphni, quid antiquos signorum suspicis ortus?* | *Ecce Dionaei processit Caesaris astrum*), croyance bien antérieure à l'astrologie proprement dite.

l'ordre et la régularité sont le fait d'une raison (*supra*, p. 241); à une âme volontaire et libre, puisque le mouvement circulaire ne peut résulter ni de la nature ni de la contrainte (cf. *supra, ib.*). Cette âme est, pour le ciel ou l'astre, principe de mouvement en tant qu'elle se meut elle-même d'un mouvement spontané, et ce mouvement spontané de l'âme est éternel, puisque le ciel et les astres ne cessent jamais de se mouvoir : dès lors on peut nommer l'âme du ciel ou de chacun des astres une *endéléchie*, c'est-à-dire une force douée d'un mouvement ininterrompu et perpétuel (*supra*, p. 248).

Maintenant, de quel élément dérive le corps du ciel et des astres? Chaque élément donne naissance à des êtres qui lui sont essentiellement congénères : la terre, l'eau, l'air, le feu produisent ainsi des animaux dont la nature est spécifiée par l'élément qui en eux prédomine, d'où ils ont été tirés, et dans la région duquel ils séjournent habituellement. Or les astres, vu la nature toute parfaite, on peut dire tout intellectuelle, que dénote la régularité de leurs mouvements, ne peuvent être tirés d'aucun des quatre éléments (*supra*, p. 248). Ils dérivent donc d'un cinquième élément, qui produit, lui aussi, des vivants : c'est l'éther (*supra*, p. 240). Quelles sont donc les caractéristiques de l'éther? Nous ne pouvons les connaître que par ce que nous observons de l'activité du ciel ou des astres. Or, tout ce que nous voyons du ciel ou des astres manifeste une intelligence que rien jamais ne trouble, qui suit son dessein éternel avec une constance immuable. Puis donc que les astres dérivent de l'éther, puisque ces astres faits d'éther se révèlent à nous comme des êtres dont toute l'essence se ramène à l'essence intellectuelle, il ne reste que de regarder l'élément éthéré d'où sont issus les astres comme identique à cette essence intellectuelle en qui se résume l'être des astres. D'où l'on aboutit à cette conclusion : « la cinquième nature, ou éther, est l'élément commun et des astres et des esprits », *sin autem est quinta quaedam natura, ab Aristotele inducta primum, haec et deorum* (les astres) *et animorum* (1). Il se peut, d'ailleurs, qu'une fausse étymologie du mot αἰθήρ ait confirmé, aux yeux d'Aristote, ce résultat : l'âme est une *endéléchie*, c'est-à-dire un mouvement perpétuel; l'αἰθήρ est ainsi nommé parce qu'il est sujet à une course incessante, ἀεὶ θεῖ (*supra*, p. 243, n. 4).

Mais, s'il en va de la sorte, on voit aussitôt que l'intelligence *humaine* est, elle aussi, en rapport direct avec le ciel et les astres.

---

(1) Cic., *Tuscul.*, I 26, 65 : cf. *supra*, p. 248.

Platon avait émis l'idée d'une communauté de nature entre l'Ame du monde et les âmes individuelles, et il avait pris à son compte la croyance d'une parenté mystérieuse entre telle âme humaine et tel astre. La doctrine mathématique de la composition de l'Ame universelle et des âmes particulières ne trouve point grâce devant le Stagirite, mais tant s'en faut qu'il abandonne pour cela l'idée d'une communauté de nature entre ces âmes et le ciel, qu'il croit la fonder au contraire d'une manière plus solide par la doctrine de l'éther. Les astres sont faits d'éther et l'âme intelligente est faite d'éther. Dès lors, il est tout naturel que l'âme se sente apparentée aux astres : par la vue et l'ouïe, elle perçoit l'harmonie des sphères, et elle se met elle-même en accord avec cette harmonie du ciel.

Entre le Platon du *Timée* et l'Aristote du π. φιλοσοφίας, les ressemblances sont flagrantes. C'est, au fond, la même doctrine essentielle. Ciel et astres sont des êtres animés doués d'une perfection totale que manifeste la périodicité de leurs révolutions. Ciel et astres d'une part, intelligence humaine d'autre part, sont étroitement liés en vertu d'une commune origine, et cet accord initial doit se traduire, dans l'homme, par une morale appropriée qui trouve à la fois sa base et son couronnement dans l'adoration du Kosmos. Musique des sphères et harmonie de l'âme se font, l'une à l'autre, écho. Ces grands thèmes de la religion hellénistique ont rencontré, dès maintenant, leur expression définitive : on pourra bien les développer à l'infini, ils ne changeront plus en substance.

Davantage, outre ces ressemblances générales, on discerne, dans le *Timée* lui-même, des points de doctrine dont on voit qu'ils ont pu conduire le Stagirite à la théorie du cinquième corps. Ce qui caractérise ce cinquième corps, c'est qu'il est tout ensemble la substance du ciel visible et la substance de l'âme. Or, à condition de prendre en un sens concret et matériel des termes qui, chez Platon, n'ont valeur que de symboles (1), il est indubitable que certaines expressions du *Timée* mènent à identifier le Ciel et l'Ame du monde.

Après avoir établi que le monde *dans son ensemble* (2), étant visible et tangible, suppose l'élément visible, le feu, et l'élément tan-

---

(1) On sait que ce mode d'exégèse littérale sera précisément celui d'Aristote, par exemple pour l'interprétation de γέγονεν, *Tim.* 28 b 8. Pour l'Académie, le monde n'a eu un commencement qu'en tant qu'il suppose une Cause extrinsèque qui le fait venir à l'être : le monde n'en est pas moins éternel. Pour Aristote, ce γέγονεν du *Timée* signifie un commencement temporel : le Kosmos de Platon serait à la fois devenu dans le temps et éternel, ce qui est absurde. Cf. la discussion du *de caelo*, I, 10-12, en particulier I 10, 279 b 32 ss. (contre l'interprétation symboliste de Xénocrate).

(2) οὐρανός (*Tim.* 32 b 8 et 34 b 5) a le sens d'Univers, non de ciel.

gible, la terre, ces deux extrêmes impliquant à leur tour deux médiétés, l'eau et l'air (*Tim.* 31 b-32 c), bref, après avoir adopté, pour le monde en sa totalité, la doctrine des quatre éléments, Platon poursuit en ces termes (34 b 3-9) : « Quant à l'Ame, l'ayant placée au centre du monde, il l'étendit tout au travers du corps du monde, et en outre il en enveloppa ce corps de l'extérieur, et ainsi il établit un Univers (οὐρανόν) seul et unique (ἕνα μόνον b 5), circulaire et se mouvant en cercle, solitaire, mais, en vertu de son excellence, capable de se tenir compagnie à lui-même sans nul autre compagnon, car il se suffit à lui-même et n'a besoin ni de connaissances ni d'amis. » Sans doute, Aristote ne pouvait guère se tromper ici sur le sens d'οὐρανός qui désigne, cette fois encore, l'Univers et s'identifie au θεὸς ἐσόμενος dont il est parlé deux lignes plus haut (34 b 1). Mais il a pu prendre en un sens matériel cette Ame qui enveloppe le corps du monde et qui désigne, d'une manière symbolique, le ciel des astres fixes. D'autres passages, dans la suite, autorisent cette confusion. L'Ame du monde est issue d'un mélange de la substance tout intellectuelle du Même et de la substance divisible qui est dans les corps (τῆς αὖ περὶ τὰ σώματα γιγνομένης μεριστῆς, sc. οὐσίας 35 a 2). Cette Ame n'est donc pas tout incorporelle. Davantage, le mélange composant est découpé en bandes de manière à former, outre le cercle extérieur du premier ciel, les sept cercles intérieurs et concentriques des planètes (36 b-d). Enfin, « quand toute la fabrique de l'Ame du monde eut été achevée au gré de son auteur, celui-ci façonna ensuite à l'intérieur de cette Ame tout ce qui est corporel, et il raccorda les deux ensemble, les ajustant centre à centre. Ainsi l'Ame, intimement mêlée à la trame (διαπλεκεῖσα) du corps du monde en toutes ses parties, depuis le centre jusqu'au ciel extrême, et enveloppant le ciel circulairement de l'extérieur, tournant dans ses propres limites, a commencé, d'un commencement divin, sa vie inextinguible et douée de pensée pour toute la durée des temps » (36 d 7-e 5).

Répétons-le, il suffisait d'entendre ces propos en un sens concret et matériel pour qu'on regardât comme identiques l'Ame qui enveloppe le corps du monde et le premier Ciel enveloppant. Dès lors, si, tout en renonçant au mythe du *Timée* sur la genèse de l'Ame, on ne laissait pas que de chercher la substance de cette Ame-Ciel, puisque, pour les raisons qu'on a dites, aucun des quatre éléments ne convenait, il ne restait que de supposer un cinquième corps, l'éther, dont la caractéristique essentielle serait, comme pour l'Ame-Ciel, le fait d'une motion régulière et perpétuelle.

Voilà, semble-t-il, la suite de démarches qui a conduit le Stagirite à la notion de l'éther.

En tant qu'élément commun des astres et des intelligences, l'éther offre une base solide à la doctrine de la parenté entre l'âme humaine et le monde céleste. Ainsi, loin de contredire Platon, le π. φιλοσοφίας vient-il à l'appui de la religion nouvelle. Ce qui, dans le *Timée*, était fondé sur une doctrine difficile, où la fantaisie se mêlait à une mathématique abstruse, trouve désormais son explication dans une théorie physique que les esprits les moins philosophiques comprennent aisément. La genèse de l'Ame du monde dans le *Timée* est restée, chez les Anciens, un problème d'école qui a donné lieu à un grand nombre de commentaires. « Le sujet n'est pas facile à manier (οὔτ' ἄλλως εὐμεταχείριστον ὄντα, sc. τὸν λόγον τοῦτον) », dit Plutarque au début du *de animae procreatione in Timaeo* (1, p. 1012 B); et Proclus, au Vᵉ siècle, avant d'aborder le passage afférent du *Timée* (35 a ss.), déclare que, pour l'expliquer dans la mesure de ses forces, il ne lui faudra pas résoudre moins de sept questions préalables (Procl., *in Tim.*, II, 119.29-120.7 D.). Ce n'est donc pas là que le grand public, même cultivé, pouvait chercher un aliment pour la religion cosmique. Il en va tout autrement du dialogue *Sur la Philosophie*, dont Cicéron vante à plusieurs reprises l'éloquence, qu'il compare à un « fleuve d'or » (1). De fait, le π. φιλοσοφίας n'est pas cité seulement par des auteurs qu'on peut nommer, en un sens, des philosophes de profession, comme Sénèque, Plutarque, Sextus Empiricus : d'autres aussi, qui n'avaient point fait de la philosophie leur étude particulière, un Cicéron, un Philon, un Dion Chrysostome, témoignent de l'influence qu'exerçait cet ouvrage à la fin de la République et sous l'Empire, alors même que commençaient à se répandre les écrits didactiques, nouvellement découverts, du Stagirite. On peut conjecturer avec vraisemblance que le π. φιλοσοφίας a plus contribué que le *Timée* lui-même à la diffusion de la religion du monde. Or l'Aristote qui parle en ce dialogue, s'il s'éloigne de Platon à d'autres égards (doctrine des Idées), s'accorde étroitement avec le platonisme sur ce point-là. Sa cosmologie est celle du *Timée*, et les conséquences qu'on peut tirer de cette cosmologie pour la religion du monde sont exprimées avec plus de chaleur par le disciple que par le maître.

Maintenant, rappelons-nous que, jusque vers le milieu du Iᵉʳ siècle

---

(1) *Acad.*, II 38, 119 : cf. *supra*, p. 239.

avant notre ère, on n'a connu d'autre Aristote que celui des Dialogues (1). C'étaient donc les deux grands coryphées de la pensée grecque qui prônaient ensemble le culte du ciel et des dieux astres. Si les hommes cultivés étaient las des dieux traditionnels et souhaitaient pourtant de s'adresser à un Être divin que leur raison pût admettre, comment n'eussent-ils pas écouté de tels prophètes? Leur voix prévalut en effet. Dès la fin du IVe siècle, deux traits manifestent quelle emprise a sur les âmes la théologie du *Timée* et du π. φιλοσοφίας. Par la personne de son fondateur lui-même, l'épicurisme ne va pas tarder à protester contre la doctrine des dieux astres (2). En revanche, cette théologie passera presque tout entière dans la Stoa, qui s'en fera le véhicule durant la période hellénistique.

---

(1) Ce seul fait suffit à exclure du présent ouvrage l'étude de l'évolution de la théologie aristotélicienne, quelque intérêt qu'offre ce sujet en lui-même. Voir A. Mansion, *Rev. Néoscol.*, XXVIII (1927), pp. 338-341; von Arnim, *Die Entstehung der Gotteslehre des Aristoteles, Sitz. Ber. Wien*, 212, 5 (1931); W. K. C. Guthrie, *The development of Aristotle's Theology, Class. Quat.*, XXVII (1933), pp. 162 ss. et préface à l'éd. du *de Caelo* (Loeb Coll., 1945). pp. xv ss.; W. D. Ross., *Aristotle's Physics* (Oxford, 1936), pp. 94-102; M. P. Nilsson, *Harv. Th. Rev.*, XXXIII (1940), pp. 6-7.; Ph. Merlan, *Aristotle's Unmoved Movers' Traditio*, IV (1946), pp. 1-30 (cf. *Rev. Philos.*, 1949, pp. 66-71). Parmi les travaux plus anciens, je signale une note très pertinente d'Usener dans son étude « Sur le fragment métaphysique de Théophraste », *Rh. Mus.*, XVI (1861), pp. 265-266 = *Kl. Schr.*, I, p. 97, n. 1.

(2) Cf. mon livre *Épicure et ses dieux*, Paris, 1946.

TROISIÈME PARTIE

L'ANCIEN STOICISME

CHAPITRE IX

ZÉNON

S'il suffisait, pour être heureux, de fuir toute société humaine ou, retiré dans un petit jardin, de n'aspirer qu'aux joies exquises de l'amitié et à la culture de l'âme, Epicure et Pyrrhon eussent pleinement répondu à l'inquiétude des esprits en la fin du IVe siècle. Mais ces sages négligeaient un facteur essentiel : le besoin d'agir, le besoin d'entreprendre de nobles tâches, le besoin de servir une cause qui vous dépasse. Jusqu'alors, c'est la Cité qui s'était offerte à l'homme grec comme le plus bel objet à aimer et à servir. Sans doute, l'ambition égoïste, la passion de dominer ou de s'enrichir fut-elle, pour plus d'un politique, le seul motif d'action. Mais d'autres pouvaient être animés par des raisons plus hautes et moins intéressées. L'étude attentive des inscriptions athéniennes du IVe siècle montre qu'il s'était constitué à Athènes, au temps de Démosthène, un personnel politique capable et honnête, d'assez bonne naissance et assez pourvu de biens de fortune pour avoir joui d'une instruction étendue et n'être pas séduit avant tout par l'appât du gain (1). Des noms tels que ceux d'Eubule, de Phocion, de Lycurgue feraient honneur à quelque régime que ce soit. Or il est évident qu'autre chose est de travailler à la grandeur d'un État libre, autre chose d'administrer simplement un municipe qui, par des liens plus ou moins étroits, dépend d'un maître étranger. Dans le premier cas, la Cité peut être vraiment un idéal pour lequel on vit et s'expose à mourir. Dans le second, cet idéal manque, et il faut le chercher

---

(1) Cf. J. Sundwall, *Epigraphische Beiträge zur sozialpolitischen Geschichte Athens im Zeitalter des Demosthenes*, Leipzig, 1906 (*Klio*, Beiheft IV), en particulier ce qui regarde les stratèges (pp. 29-31), les administrateurs des finances (pp. 41-44), les ambassadeurs et orateurs du peuple (pp. 59 ss.) et la conclusion (pp. 68-74).

ailleurs. Voici donc un premier problème qui se posait aux meilleurs parmi les contemporains de Zénon (1). Où trouver une raison de vivre? A quelle cause se dévouer?

Le Grec était éminemment un être social. Le comportement de l'homme privé ne se concevait à ses yeux que dans le cadre de l'État, si bien que l'étude de ce comportement et les règles propres à le guider n'étaient point séparées de l'étude et des règles qui concernent l'homme en société (2). Or nul groupe social, quel qu'il soit, ne peut subsister si les membres qui le composent n'adhèrent, du moins en principe, à de certaines règles et n'encouragent la pratique de certaines vertus. Le groupe veut être défendu en cas de péril : cela exige la vertu de courage. Le groupe ne peut souffrir qu'un de ses membres en vienne, par son inconduite, à nuire aux autres membres : cela exige, chez les individus, la vertu de tempérance. Le groupe n'est bien ordonné que si chaque membre occupe la place qui lui revient et y accomplit sa tâche particulière : cette bonne ordonnance est l'effet et la propre manifestation de la vertu de justice. Que cette façon purement sociale d'envisager les mœurs fût encore bien familière aux contemporains de Zénon, on le voit par ce mot de Métrodore à Pythoclès brûlé de désirs sensuels : « Tu me dis que les mouvements de la chair te rendent trop enclin aux choses de l'amour. Si tu n'enfreins pas les lois ni ne troubles les bonnes coutumes, si tu ne fais aucun tort à tes voisins ni n'épuises tes forces ni ne prodigues ta fortune, livre-toi à tes inclinations selon ton bon plaisir » (*Gn. Vat.* LI) (3). Une pareille morale, on le voit, reste encore tout utilitaire et n'a point de valeur positive. Tout est permis, à condition de ne point nuire ni aux autres ni à soi-même. Cela peut empêcher de mal faire : mais où trouver là un encouragement à bien agir ? Néanmoins, depuis plus d'un demi-siècle déjà, Platon avait purifié cette notion de la « vertu-échange » (4). Il avait montré

---

(1) Pour être tout à fait exact, il faut reconnaître qu'Athènes ne renoncera vraiment à être puissance autonome qu'après la guerre de Chrémonide, 267-262 (cf. W. W. Tarn, *Antigones Gonatas*, pp. 305 ss., W. S. Ferguson, *Hellenistic Athens*, pp. 184-185). Mais beaucoup déjà, au début du IIIe siècle, devaient avoir perdu confiance dans l'avenir de la Cité, et ce que je marque ici me semble donc vrai *in globo*.

(2) Cf. Platon, Aristote. De ce point de vue, il n'est pas douteux que l'épicurisme devait heurter un sentiment profondément enraciné dans l'âme grecque, comme chez les Latins. D'où vient que, même au temps de son plus grand rayonnement, au IIe siècle de l'Empire, l'épicurisme ne fut jamais représenté que par de petits cercles d'initiés, îlots perdus dans un monde profane qui se défiait de leurs croyances.

(3) Cf. *Epicuri Ethica*, ed. C. Diano, Florence, 1946, p. 140.

(4) Cf. ma *Contemplation... selon Platon*, pp. 131-156.

que la vertu, pour être vraie, doit se rapporter à la connaissance de l'Être réel, du Bien en soi. Il avait montré encore que ce Bien en soi ne diffère pas de notre bien, puisque notre bien est d'agir conformément à notre nature et que, la vraie nature de l'homme étant d'être une intelligence apparentée aux Êtres immuables et divins, **agir selon la nature c'est se conformer à Dieu** : φυγὴ ὁμοίωσις θεῷ (1). Davantage, dans le *Timée* (47 a-c, 89 d-90 d), Platon avait établi que le monde, du moins dans sa partie la plus haute et céleste, imite l'ordre des Idées. En sorte que se conformer à la nature, c'était aussi se conformer à l'ordre du monde, mettre son âme en harmonie avec l'harmonie des cieux. Enfin cette morale platonicienne, fondée sur la contemplation, ne concernait pas seulement l'homme privé : elle s'intéressait au plus haut point à la réforme de l'État. L'idée qui en faisait le centre était l'idée de justice, de la Justice véritable qui règne parmi les Idées et qui gouverne l'ordre du monde. Et elle obligeait donc le contemplatif à quitter la θεωρία pour établir dans la Cité un régime qui fût vraiment juste puisqu'il imiterait l'Ordre idéal. Ainsi obtenait-on l'accord nécessaire entre les obligations sociales, qu'un Grec ne pouvait négliger, et la recherche du bonheur individuel en quoi se résumait, pour l'hellénisme, tout l'effort de la morale privée.

Maintenant, il faut avouer que ces divers éléments de la morale platonicienne, dispersés en de nombreux écrits, ne formaient point un système. Ici, dans le *Phédon* et la *République*, on voyait sans doute une théorie de la vertu fondée sur la contemplation et un programme de réforme de l'État, mais il n'était question ni de l'ordre du monde ni du bonheur individuel. Là, dans le *Timée*, il était bien conseillé d'accorder l'âme à l'ordre du Kosmos, mais cette doctrine n'était point liée, du moins en termes explicites, au problème des rapports entre l'individu et l'État. Ailleurs, dans les *Lois*, ce problème était assurément traité, mais l'on ne parlait, cette fois, sauf par allusions fugitives, ni de la contemplation de l'Idée ou du monde, ni du bonheur individuel. Ailleurs enfin, dans le *Philèbe*, si Platon s'étendait longuement sur les éléments constitutifs du bonheur, c'est tout le reste — contemplation de l'Être, ordre du Kosmos, réforme de l'État — qui faisait défaut. Il manquait un catéchisme platonicien, un manuel court et précis où fussent rassemblées, pour les honnêtes gens, les règles du bien agir conformes à

---

(1) Voir *Contemplation*, p. 151 et s.

une vue d'ensemble sur Dieu, le monde et l'homme (1). L'initiation à la sagesse de Platon exigeait une longue et pénible propédeutique. Il fallait consacrer sa vie entière à l'acquisition de la vertu : que resterait-il, alors, pour la pratiquer? Voici donc un second problème. Comment inculquer aux jeunes gens, dans un temps limité, une doctrine de la vertu qui répondît aux besoins nouveaux issus des changements politiques et conciliât les exigences du groupe social et les aspirations individuelles au bonheur?

Ni le pyrrhonisme ni l'épicurisme n'apportaient de solution au problème religieux qu'avaient posé Platon dans le *Timée*, l'auteur de l'*Epinomis*, Aristote dans le traité *Sur la Philosophie*. De Pyrrhon nous ne savons guère ce qu'il pensait de la religion traditionnelle : néanmoins, comme il se laissa nommer grand prêtre par ses concitoyens d'Elis (2), on peut conjecturer que, sur ce point comme en toutes choses, il pratiquait l'indifférence. Le cas d'Épicure est plus clair. Loin de combattre les dieux anthropomorphes, il ne reconnaissait que ces dieux-là, en leur retirant, il est vrai, toute action sur les choses humaines; par ailleurs, il s'élevait avec force contre la religion des astres divinisés. Le problème restait donc entier. L'homme de science, ou simplement l'homme instruit, ne pouvait plus se contenter du culte des Olympiens qui, pourtant, était inextricablement lié à la structure même de l'État; d'autre part l'homme de science tenait pour divins les astres du ciel, dont la course régulière manifeste une intelligence et une volonté excellentes, et il adorait donc des dieux qui n'étaient plus, d'aucune façon, liés à la Cité. Ainsi, d'un côté une religion civique et traditionnelle, mais qui répugnait aux esprits éclairés (3); de l'autre, une religion scientifique et raisonnable, mais sans attaches dans les traditions nationales. Plus le temps passerait, plus il y aurait danger que l'abîme s'approfondît entre la religion de la Cité et la religion du sage.

Ce n'est pas tout. L'idée même d'État impliquait, dans l'antiquité, la communauté des croyances ou, tout au moins, du culte. Or les conquêtes d'Alexandre avaient élargi le concept de Cité. Ce

---

(1) Au vrai, ce catéchisme se fera désirer longtemps encore, jusqu'à l'école de Gaïus (Albinus, Apulée) au IIe siècle de notre ère.
(2) Diog. La., IX 64.
(3) Cf. par exemple les anecdotes au sujet de Stilpon, l'un des maîtres de Zénon, Diog. La., II 116-117. Cratès ayant demandé à Stilpon si les dieux prennent plaisir aux prières et aux adorations des hommes : « Malheureux », répond-il, « ne m'interroge pas sur ces choses en pleine rue, attends que nous soyons seuls ».

n'était plus, comme en Grèce, une petite ville formant avec sa campagne (χώρα) un territoire bien limité, borné par des montagnes, incliné vers la mer. Ç'avait été, avec Alexandre, presque tout le monde antique et c'était encore, avec les Diadoques, des monarchies immenses dont quelques-unes, celle des Séleucides par exemple, englobaient des éléments très disparates. Quel lien réunirait des parties si diverses? Par quel symbole religieux cimenter les nouveaux États? Les circonstances avaient fait naître l'idée d'une communauté des hommes, et, pour manifester son loyalisme politique, il était indispensable que cette communauté adorât un même objet divin et participât au même culte : quels seraient ce Dieu et ce culte? Voilà un problème essentiel : il se posera aux Empereurs de Rome comme aux successeurs d'Alexandre, et l'on peut dire que de la solution de ce problème dépendra, pour une grande part, le destin du monde antique.

Ce fut le mérite de Zénon d'avoir compris ces nécessités spirituelles et d'y avoir porté remède. Il sut répondre au premier problème en transposant la notion de Cité par la doctrine d'une Cité du monde, qu'il était beau de servir. On retrouverait donc ainsi un idéal de la vie pratique : et ce devait être désormais l'idéal, avoué, sinon toujours suivi, des monarques, des gouverneurs de province et de leurs fonctionnaires subalternes (1). De cette transposition du concept de Cité dépend une doctrine philosophique de la vertu qui concilie les obligations sociales et l'aspiration au bonheur : le vertueux est nécessairement heureux puisque l'eudémonie consiste dans la vertu même ; et tout ensemble le vertueux est le citoyen par excellence, puisqu'il obéit au Logos qui gouverne la Cité du monde. Enfin la religion stoïcienne offre la solution du problème religieux. C'est une religion scientifique : le Dieu de Zénon n'est rien d'autre que cette Raison souveraine qui pénètre et dirige tous les êtres du kosmos. Mais c'est aussi bien une religion civique, s'il est vrai que la cité de droit est maintenant le monde en sa totalité régi par le Dieu Logos (2), s'il est vrai aussi que les dieux traditionnels sont les symboles des éléments qui constituent le kosmos. Ainsi se dessine le plan de notre exposé. Tout dépend de la première et principale découverte : la découverte que notre vraie Cité est la Cité du monde, qu'ainsi nous sommes les frères non pas uniquement de ceux qui sont nés sur le même sol, mais de tous les hommes, bien

---

(1) Cf. l'intéressante étude de W. SCHUBART, *Das hellenistische Königsideal nach Inschriften und Papyri*, Arch. f. Pap., XII (1936), pp. 1 ss.
(2) Logos qui est en même temps la Loi de la cité cosmique, cf. *infra*, p. 277.

plus, de tous les êtres du kosmos. Ce principe commande, d'une part la doctrine de la vertu et du bonheur, d'autre part la doctrine religieuse, ces deux étroitement liées d'ailleurs : car on ne peut être vraiment sage sans être conduit à l'adoration du monde, et l'on ne peut s'unir au monde, et au Logos du monde, sans être porté à vivre en sage.

Dans ce système de Zénon, tout n'était pas original, loin de là. Aussi bien, dès qu'il fut arrivé à Athènes en 311 (1) — peut-être pour s'y exercer à la philosophie qu'il aimait depuis l'adolescence (2), peut-être pour y faire le commerce de la pourpre (3), — Zénon se mit à l'école des sages d'alors, entre autres le cynique Cratès, Stilpon de Mégare, l'académicien Polémon, et ce n'est qu'à partir de 301 qu'il prit lui-même des disciples à son compte, les « zénoniens », plus tard appelés « stoïciens » d'après le portique (Stoa) où se tenaient leurs réunions (4). Il est donc tout naturel que le jeune (5) Zénon ait introduit dans son propre système des notions empruntées d'ailleurs. On l'avait constaté dès l'antiquité (6), et les modernes n'ont pas eu de peine à montrer les relations du Stoïcisme avec Antisthène, Platon-Aristote, les Présocratiques (7). Mais ce n'est pas là ce qui importe. La force d'un système philosophique ne tient pas tant à la nouveauté des doctrines qu'à leur cohérence et à

---

(1) Pour la chronologie de Zénon, je suis W.-S. FERGUSON, *Hellenistic Athens*, p. 185, n. 5. D'après Persée, son disciple immédiat, Zénon meurt en 261 /0 à l'âge de soixante-douze ans (DIOG. LA., VII 28). Il est donc né en 333 /2. Arrivé à Athènes à vingt-deux ans (Persée *ap.* D. L., VII 28), donc en 311 /0, il est disciple de Cratès, Stilpon et Polémon durant dix ans (D. L., VII 2 où il faut lire sans doute Κράτητος pour Ξενοκράτους : Xénocrate était mort depuis 314!), donc jusqu'en 301 /0. Il préside à sa propre école durant trente-neuf ans et trois mois, donc jusqu'au troisième mois de 261 /0, où il meurt, la ville sortant à peine de la guerre contre Antigone. Le décret honorifique (voir *infra*) daterait de deux mois plus tard, cinquième mois de 261 /0 (novembre 261).

(2) Son père, au cours de ses voyages de commerce, lui rapportait d'Athènes des « livres socratiques » qui lui auraient donné, très jeune, le goût de la philosophie, DIOG. LA., VII 31.

(3) DIOG. LA., VII 2. Zénon était de Kition, dans l'île de Chypre. Or, dès l'an 333 /2 au moins, les marchands de Kition formaient au Pirée une colonie assez importante pour désirer et obtenir du peuple d'Athènes la concession d'un terrain en vue d'y bâtir un sanctuaire à leur Aphrodite Ourania, cf. *Syll.*³ 280.

(4) DIOG. LA., VII 5.

(5) Il n'a que trente-deux ans quand il se met à tenir école, en 301 /0.

(6) Polémon aurait reproché à Zénon d'avoir habillé à la phénicienne des dogmes du platonisme, D. L., VII 25.

(7) Cf. par exemple A. C. PEARSON, *The fragments of Zeno and Cleanthes* (Londres, 1891), Introd., pp. 17-26. On peut se demander si Zénon a dû quelque chose à Stilpon et, dans ce cas, ce qu'il lui doit. Or il y a deux points au moins où cette influence est possible : sur le rejet de la doctrine platonicienne des Idées, R.-P. 300 (= D.L., II 119 : Stilpon est franchement nominaliste) et sur la notion d'ἀπάθεια, R. P. 298 (= SEN., *Ep.*, I 9, 1-3) : *hoc inter nos* (sc. Stoicos) *et illos* (Stilpon et ses disciples) *interest: noster sapiens vincit quidem incommodum omne, sed sentit; illorum ne sentit quidem. illud nobis et illis commune est sapientem se ipso esse contentum* (αὐτάρκης).

la belle simplicité de leur ordonnance. Or on ne peut méconnaître que le stoïcisme, à cet égard, l'emportait sur d'autres sagesses. Zénon simplifiait peut-être à l'excès, mais c'était justement une vue d'ensemble claire et simple que réclamaient les esprits.

Zénon de Kition fut-il amené à simplifier ainsi les choses par sa qualité d'étranger (1)? C'est possible. En tout cas, malgré la pauvreté de nos sources sur l'évolution de la pensée grecque dans cette période, il apparaît bien qu'à Athènes, au tournant du IVe et du IIIe siècle, maints philosophes se perdaient en des subtilités sans nombre. Qu'il s'agisse de Ménédème, ou de certains Mégariques, ou bientôt d'Arcésilas, on a l'impression d'une nouvelle orgie de λόγοι (2). C'est à qui prouvera que nos sens nous abusent, qu'il n'est pas de critère de la certitude, que le rapport d'attribution n'est qu'un fantôme, qu'on peut pousser tout argument à l'absurde, qu'il

---

(1) Je dis étranger, et non pas Sémite. Sans doute la population de Kition, au sud-est de Chypre (face à la côte de Phénicie), comptait-elle beaucoup de Phéniciens. Mais il est impossible de savoir si Zénon lui-même était ou non Sémite, ou de sang mêlé, ou de pure race grecque. Le nom de Zénon en tout cas est purement grec. Quant à celui de son père, Mnaséas, W. SCHULZE ap. Ed. MEYER, *Die Israeliten u. ihre Nachbarstämme*, Halle, 1906, p. 515 (= Schulze, *Kl. Schriften*, Göttingen, 1934, p. 394) a conjecturé que ce devait être une hellénisation de *M'naśśe* Μνασση, en raison de la fréquence de ce nom de Μνασέας chez les Sémites (Μνασέας Ἀψῆτος père d'un Γηρύσμων = Gêr-e'mûn, à Idalion, *R. Arch.*, N. S., XXVII, 1874, p. 90; Μνασέας Τύριος, *Ind. Acad.*, p. 109 Mekler; Δάμων Μνασέου à Arados, *CIG*, 4536 e = Lebas-Waddington, III, 1840; Δημήτριος Δημητρίου τοῦ Μνασαίου, propriétaire du village de Baitocécé dans la Syrie du Nord, *OGI*, 262.8 : ajouter un Μνασέας de Beyrouth à Délos, *OGI*, 591.6; peut-être (selon la 4e Vie) le père d'Aratos de Soloi en Cilicie, cf. Tarn, *Antig. Gon.*, p. 227) et de l'anomalie de l'ᾱ dans un nom propre appartenant à la Koiné. Wilamowitz, *Staat u. Gesellschaft*, 1910, p. 167, a repris cette thèse (sans nommer Schulze) et il a été suivi par Tarn, *Antig. Gon.*, p. 31, n. 53. Mais une formation Μνασέας sur le radical grec μνα- (ion. att. μνη-) n'a rien d'anormal dans l'île de Chypre, et Schulze, *Kl. Schriften*, p. 664 (recension de Meister, *Die griech. Dialekte*, II, 1889), citant lui-même (après Meister, p. 198) une épitaphe de Kition qui porte le nom de Μνασίας, n'y voit rien d'autre qu'une formation grecque. On rencontre des Μνασέας à Athènes aux IIe et Ier siècles avant notre ère, quelques-uns comme magistrats (magistrat monétaire, Kirchner, *Pr. Att.*, 10228; στρατηγὸς ἐπὶ τοὺς ὁπλίτας, *ib.*, 10229; un Μνασέας fait partie de la procession des ἱππεῖς οἱ ἀγαγόντες τὴν Πυθαΐδα d'Athènes à Delphes en 105 av. J.-C., *Syll*^{3} 711 C, 44), et l'on a peine à croire que tous ces Mnaséas d'Athènes soient des Orientaux. Pour Μνασέας à côté de Μνασίας, cf. Πυθέας à côté de Πυθίας.

Pour l'origine sémitique de Zénon, on ne peut rien tirer non plus, même s'il est authentique, du mot de Cratès (D. L., VII 3 τί φεύγεις, Φοινικίδιον;) qui n'est qu'une taquinerie de maître à élève. En tout cas, il faudrait des arguments plus solides pour parler de l'*orientalisme* de Zénon et pour caractériser le stoïcisme comme l'invasion du mysticisme oriental dans la pensée grecque. Que sait-on de l'influence de la pensée orientale à Chypre dans la seconde moitié du IVe siècle? Et qu'est-ce que la pensée orientale, ou le mysticisme oriental? Et quels éléments reconnaît-on comme orientaux dans le stoïcisme? Quant à l'origine « orientale » de beaucoup de Stoïciens (Chrysippe et Antipater de Tarse, Posidonius d'Apamée, Boëthus de Sidon, Diogène de Babylone = Séleucie, etc.), on oublie que ces villes d'Orient, sous les Diadoques, sont ou des fondations grecques (Apamée, Séleucie) ou des villes presque complètement hellénisées.

(2) **Nouvelle**, car Athènes avait déjà subi une crise analogue au temps des Sophistes, rivaux de Socrate, ou de ceux que vise Platon dans l'*Euthydème* par exemple.

est donc également vain de prétendre rien connaître, rien affirmer, ou démontrer quoi que ce soit. Ces jeux dialectiques mènent à une sorte de nihilisme au bout duquel non seulement il n'y a plus, bien sûr, aucune science possible, mais même aucune action. Pyrrhon, dégoûté de ces querelles sophistiques, de l'imposture et des raisons fallacieuses (1), se réfugie dans une vie cachée : fuyant tout contact des hommes, il se tient en des lieux déserts et ne se montre qu'en de rares occasions, même à ses proches (2). Le grand mot de tous ces dialecticiens ou sceptiques, c'est l'indifférence absolue, l'ataraxie, l'apathie (3); on ne sait rien, toute action est vaine, il faut aspirer à l'immobilité du fakir. Il était temps de réagir. Et c'est bien comme une réaction qu'on peut considérer, quelles que soient les différences qui les séparent sur d'autres points, le dogmatisme des deux grandes écoles qui se fondent alors, celle d'Épicure (306) et celle de Zénon (301). Certes, on parlera encore d'ataraxie dans l'épicurisme et d'apathie chez les Stoïciens. Mais ces états ne seront plus la conséquence d'un doute universel, bien au contraire. Le sage épicurien vit sans trouble parce qu'il sait de science certaine qu'il n'y a dans le monde aucune cause surnaturelle capable de lui nuire et que les causes naturelles de chagrin ne peuvent lui nuire longtemps. Et le stoïcien demeure inaccessible à la douleur et à la crainte parce qu'il s'est démontré à lui-même que tout est conduit par une Raison sage et juste qui veille au bien de l'Univers. L'attitude morale de l'épicurien n'est donc plus entièrement négative; et celle du stoïcien ne l'est pas du tout. Cela vient de ce que ces écoles sont dogmatiques en matière de connaissance. Ce que nos sens nous livrent est vrai et il faut le regarder comme tel, en toute rencontre. L'erreur n'est jamais due aux données sensibles, mais aux jugements que nous formons à leur sujet. Tant pis si cette intransigeance dogmatique mène à des conclusions absurdes. Le soleil, pour Épicure, ne sera pas plus grand que nous ne le voyons; et, selon Zénon, puisqu'il n'y a de réel que le matériel et le concret, notre âme, et le Logos universel, et nos propres idées, l'idée de justice par exemple, seront des réalités concrètes et matérielles. On peut bien supposer qu'Épicure et Zénon ressentaient eux-mêmes l'étrangeté de ces conséquences où les conduisaient leurs principes : mais il fallait tenir mordicus aux principes. Sans quoi toute certitude était impossible, et l'on se remettait toujours à disputer. Or il y a mieux à faire. Il y a

(1) Timon ap. Diog. La., IX 65 (= p. 48 Diels).
(2) D. L., IX 33 ἐκπατεῖν τ' αὐτὸν καὶ ἐρημάζειν, σπανίως ποτ' ἐπιφαινόμενον τοῖς οἴκοι.
(3) Pyrrhon : tout est également indifférent, R. P., 446, 449; ataraxie ou apathie du sage, ib., 446, 452. — Stilpon : apathie, ib., 298.

à vivre. Le temps est court et nous n'avons rien de plus précieux (1). Faut-il le perdre à de si futiles amusements?

Voilà ce qu'a compris Zénon. Il est allé droit à l'essentiel. Les hommes voulaient vivre, donc agir. Ils voulaient une règle d'action. Et non pas seulement un précepte de conduite immédiate, pour aujourd'hui, un impératif à suivre aveuglément — la Grèce ne pouvait accepter cela, étant à la fois trop mûre pour ne pas exiger une vue rationnelle des choses et trop jeune encore pour être fatiguée du rationalisme, — mais une règle fondée sur une explication de l'Univers, qui donnât à chacun le sentiment que son action avait une raison d'être, qu'elle servait à quelque chose, qu'elle contribuait à un vaste dessein qui continuerait de s'accomplir lors même qu'on ne serait plus. D'un mot, une règle appuyée sur un Ordre. Mais les hommes voulaient aussi que cet Ordre fût aisé à entendre et que l'intelligence qu'on en prît soutînt et fortifiât le sentiment religieux. C'est à tous ces besoins que répondit Zénon.

Il réussit par la simplicité et la cohérence de sa doctrine, mais aussi par l'éminence de ses qualités morales. Nous possédons sur ce point un témoignage unique. Zénon, à Athènes, avait vécu en étranger. En outre, rien ne le disposait à admirer le gouvernement démocratique que le peuple athénien continuait d'associer au souvenir de ses gloires passées et de sa liberté perdue. Par les traditions de l'ancienne Académie qu'il avait pu connaître auprès de Polémon (2), par son propre système, Zénon était conduit à favoriser un régime monarchique auquel présiderait un roi philosophe, image ici-bas du Logos Roi qui guide l'Univers. De fait, il était l'ami du roi de Macédoine, Antigonos Gonatas, souvent en guerre avec Athènes, et cette amitié même n'était point faite pour lui gagner le cœur des Athéniens. Enfin c'était un homme austère, de peu de paroles, de sourire rare : à la différence de son maître Stilpon que les Athéniens prisaient si fort que, lorsqu'il sortait, les artisans quittaient leurs boutiques et accouraient pour le voir (3), Zénon, sans manquer de savoir-vivre (4) et sans se laisser aller aux grossièretés des Cyniques (5),

(1) Diog. La., VII 23 ἔλεγε (Zénon) ... μηδενός θ' ἡμᾶς οὕτως εἶναι ἐνδεεῖς ὡς χρόνου.
(2) Xénocrate, l'ami d'Antipater, n'était mort qu'en 314, trois ans seulement avant l'arrivée de Zénon à Athènes.
(3) Diog. La., II 119. D'où l'apophtegme : « Stilpon, on t'admire comme une bête curieuse (θηρίον). — Non certes, mais comme un homme vrai. »
(4) Voir sur ce point les justes remarques de Wilamowitz, *Antigonos v. Karystos*, pp. 115-116.
(5) Dès le début de son « noviciat » auprès de Cratès, Zénon avait été choqué par l'ἀναισχυντία des Cyniques, cf. Diog. La., VII 3 ἐντεῦθεν ἤκουσε τοῦ Κράτητος, ἄλλως μὲν εὔτονος πρὸς φιλοσοφίαν, αἰδήμων δὲ ὡς πρὸς τὴν κυνικὴν ἀναισχυντίαν, et la suite, où l'anecdote est charmante.

n'était point tel pourtant qu'on dût l'aimer de prime abord. Et cependant quand il mourut, quelque six mois après la prise d'Athènes par Antigone (261), et que le roi demanda pour le sage une tombe officielle au Céramique (1), le peuple décréta volontiers ce privilège, le plus glorieux, car la cité ne l'accordait qu'à ses enfants tombés au champ d'honneur. Voici ce beau texte, où l'on sent encore une sobriété tout attique, digne des plus purs modèles (2).

« Arrhénéidos étant archonte, sous la prytanie de la tribu Akamantide, la cinquième en tour, le 21e du mois Maimaktèrion, 23e jour de la prytanie, l'assemblée étant régulière, le président des proèdres Hippon, fils de Kratistotélès, du dème Xypété, d'accord avec ses collègues, a proposé la question, Thrason, fils de Thrason, du dème Anakaia, a pris la parole.

« Attendu que Zénon, fils de Mnaséas, de Kition, qui de longues années a vécu selon la philosophie dans la cité, non seulement s'est montré homme de bien en toute occasion, mais en particulier, par ses encouragements à la vertu et à la tempérance, a excité à la conduite la meilleure ceux des jeunes gens qui venaient se mettre à son école, offrant à tous le modèle d'une vie qui s'accordait toujours aux principes qu'il enseignait (3).

« A la Bonne Fortune. Plaise au Peuple de décréter des louanges publiques à Zénon, fils de Mnaséas, de l'honorer d'une couronne d'or, selon la loi, pour sa vertu et sa tempérance, et de lui dresser aussi une tombe dans le Céramique, aux frais de l'État. Pour la confection de la couronne et la construction de la tombe, le Peuple désignera sur l'heure cinq hommes parmi les Athéniens, avec mission d'y veiller. Le secrétaire du Peuple fera graver ce décret sur deux stèles de pierre, il pourra en placer une à l'Académie (4), l'autre au Lycée (5), afin que tout le monde sache que le Peuple d'Athènes honore les gens de bien durant leur vie et après leur mort. Le trésorier pourvoira aux frais de gravure des deux stèles.

« Ont été désignés pour veiller à la confection de la couronne et à la construction de la tombe Thrason d'Anakaia, Philoklès du Pirée, Phaidros d'Anaphlyste, Ménon d'Acharnes, Mikyttos de Sypallèttos. »

---

(1) Diog. La., VII 15.
(2) Diog. La., VII 10-11. Cf. Wilamowitz, *Antigonos v. Karystos*, pp. 231-232, 340-344; W. S. Ferguson, *Hellenistic Athens*, pp. 185-187; W.-W. Tarn, *Antigonos Gonatas*, pp. 308-310. Je traduis d'après le texte grec donné par Wilamowitz, *l. c.*, pp. 340-341.
(3) Expression quasi proverbiale, cf. Epic., *K. D.* XXV αἱ πράξεις τοῖς λόγοις ἀκόλουθοι.
(4) C'est-à-dire le gymnase de l'Académie.
(5) Cf. n. 4. J'ai transposé ici, parce que cette transposition s'impose à l'évidence, la phrase « afin que... » qui, dans Diogène Laërce, suit la phrase suivante « Le trésorier... stèles ».

CHAPITRE X

LE SYSTÈME MORAL (1).

1) Dans la *Politéia* qu'il écrivit encore jeune, sous l'influence peut-être des Cyniques (2), plus sûrement de Platon (3), Zénon avait établi le dogme de la Cité du Monde (4) : « A vrai dire, la fameuse *République* de Zénon, le fondateur de la secte stoïcienne, se ramène à ce seul point. Nous ne devons pas vivre ici-bas (5) répartis en cités et en dèmes, et nous séparer les uns des autres en usant, chacun, d'un droit propre, mais nous devons tenir tous les hommes pour nos compagnons de dème et nos concitoyens; qu'unique soit le genre de

---

(1) Les textes sont cités d'après H. v. ARNIM, *Veterum Stoicorum Fragmenta* (I Zénon, Cléanthe; II-III Chrysippe. Je cite par tome et n°). Pour Zénon et Cléanthe, j'ai utilisé aussi le recueil (avec commentaire) de A. C. PEARSON (Londres, 1891); pour Zénon, la traduction annotée de N. FESTA (Bari, 1932). Bibliographie la plus récente : J. HAUSSLEITER, *Bursian's Jahresber.*, 1937 (littérature de 1926 à 1930), pp. 18-22. Dans la vaste littérature relative au stoïcisme, les études de G. RODIER, *La cohérence de la morale stoïcienne* ap. *Études de philosophie grecque* (Paris, 1926), pp. 271 ss., E. BEVAN, *Stoïciens et Sceptiques* (tr. fr., Paris, 1927) et G. MURRAY, *The stoic philosophy* ap. *Stoic, Christian and Humanist* (Londres, 1940), pp. 89-118, m'ont paru particulièrement suggestives. Pour l'atmosphère dans laquelle s'est formée la philosophie de Zénon et l'influence de cette philosophie au IIIe siècle, les ouvrages de WILAMOWITZ, *Antigonos von Karystos* (Berlin, 1881 : cité *Ant. Kar.*), J. KAERST, *Geschichte des Hellenismus* (I : 2e éd., Berlin, 1917; II : 1re éd., Berlin, 1909), W.-S. FERGUSON, *Hellenistic Athens* (Londres, 1911), W.-W. TARN, *Antigonos Gonatas* (Oxford, 1913 : cité *Ant. Gon.*) et *Hellenistic Civilisation* (2e éd., Londres, 1930), restent indispensables. Voir *Addenda*.
(2) Cratès : cf. D. L., VII 4. L'influence des Cyniques ne me paraît pas certaine. Sans doute, on attribue à Diogène la création du mot κοσμοπολίτης (cf. D. L., VI 63 ἐρωτηθεὶς πόθεν εἴη, 'κοσμοπολίτης', ἔφη), mais tout ce qu'on sait de Diogène oblige à entendre le propos, s'il est authentique, en un sens négatif : le Cynique n'est citoyen d'aucune cité, tout lieu du monde lui est aussi bon (cf. D. R. DUDLEY, *A History of Cynicism*, Londres, 1937, p. 35). Il n'y a là aucun rapport avec l'attitude du Stoïcien qui est, positivement, citoyen du monde en tant qu'il tient le monde pour la vraie Cité.
(3) ἀντέγραψε μὲν πρὸς τὴν Πλάτωνος Πολιτείαν, SVF. I 260. L'influence de Platon — qu'il s'agisse d'influence directe ou, au contraire, d'opposition à Platon — est manifeste. Comme Platon, Zénon prend pour base la ps.-constitution de Lycurgue (I 261), et préconise la communauté des femmes (I 269). Éducation des νέοι (I 248, 252 : probablement tout le groupe 245-253). Platon veut une longue propédeutique pour parvenir à la sagesse : Zénon repousse l'ἐγκύκλιος παιδεία (I 259). Les n°s 264-267 peuvent viser ce qui a trait au culte civique dans les *Lois*. Le n° 263, sur l'Amour qui lie entre eux tous les citoyens du monde, n'a rien de Cynique, mais rappelle l'Amour συναγωγεύς du *Banquet* (191 d ἔστι δὴ οὖν... ὁ ἔρως ἔμφυτος ἀλλήλοις τοῖς ἀνθρώποις καὶ τῆς ἀρχαίας φύσεως συναγωγεὺς καὶ ἐπιχειρῶν ποιῆσαι ἓν ἐκ δυοῖν καὶ ἰάσασθαι τὴν φύσιν τὴν ἀνθρωπίνην).
(4) SVF. I 262 = Plut., *de Alex. virt.* 329 AB. Festa (n° 19) y joint la suite dans Plutarque (329 CD), peut-être avec raison. Les fragments de la *Politéia* dans Festa comptent 31 n[os], mais il ne me paraît pas sûr que les fameux paradoxes sur le Sage doivent être rapportés à cet ouvrage.
(5) Ou « nous administrer », μὴ οἰκῶμεν.

vie comme est unique le monde, à la manière d'un troupeau qui paît ensemble le même pâturage, régi par une même loi. Voilà comment Zénon a ébauché l'image d'une constitution bien ordonnée et conforme à la sagesse, et, pareille à une image de rêve, il l'a couchée par écrit. » Cette cité donc est le monde; et, puisque tous les hommes sont, au même titre, habitants du monde, le principe qui doit les unir les uns aux autres est l'Amour. Platon avait écrit dans le *Banquet* (1) : « C'est ainsi que... l'amour des uns pour les autres est enraciné dans le cœur des hommes, l'amour qui rassemble et restaure notre nature première, puisqu'il entreprend, avec deux êtres, de n'en faire qu'un seul et de guérir ainsi la nature humaine »; en outre ce même Amour y avait été dépeint comme l'intermédiaire par excellence (2) et le meilleur collaborateur de l'homme dans son effort vers la vertu (3). Transposant cette notion de l'amour sur le plan « politique », Zénon aboutit à l'idée grandiose que nous fait connaître Athénée (4) : « Pontianos dit que, selon Zénon de Kition, l'Amour est dieu, un dieu qui produit l'amitié, la liberté, voire l'union des cœurs parmi les hommes, et qui n'a point d'autre rôle. Aussi Zénon écrit-il dans sa *République :* « L'Amour est dieu, son rôle est de collaborer à la conservation de la cité » (5).

2) La raison fondamentale de cette doctrine doit être cherchée dans l'ensemble du système de Zénon. Si le monde est un grand Animal doué d'une Ame qui est tout à la fois « feu artiste » et raison universelle (6), et si l'âme humaine n'est qu'une parcelle de cette Ame du Tout, qui est Dieu (7), il va de soi que tous les hommes

---

(1) *Banq.* 191 d 1 ss. (discours d'Aristophane). Cf. *supra*, p. 270, n. 3.
(2) En raison de sa nature « démonique » : 201 e-204 c (Diotime).
(3) 212 b 1 ss. τούτου τοῦ κτήματος τῇ ἀνθρωπείᾳ φύσει συνεργὸν ἀμείνω Ἔρωτος οὐκ ἄν τις ῥᾳδίως λάβοι.
(4) Ath., XIII 561 C = SVF. I 263.
(5) συνεργὸν ὑπάρχοντα πρὸς τὴν τῆς πόλεως σωτηρίαν, cf. *Banqu.* 212 b 1.
(6) SVF. I 110 : τὸ πᾶν... εἶναί φησιν... ζῷον ἔμψυχον νοερόν τε καὶ λογικόν (d'après Sext. Emp. qui marque sur ce point l'accord entre Zénon et Platon [*Timée*]). I 120 : Ζήνων τὸν ἥλιόν φησι καὶ τὴν σελήνην καὶ τῶν ἄλλων ἄστρων ἕκαστον εἶναι νοερὸν καὶ φρόνιμον, πύρινον <δὲ> πυρὸς τεχνικοῦ· δύο γὰρ γένη πυρός, τὸ μὲν ἄτεχνον καὶ μεταβάλλον εἰς ἑαυτὸ τὴν τροφήν, τὸ δὲ τεχνικόν, αὐξητικόν τε καὶ τηρητικόν, οἷον ἐν τοῖς φυτοῖς ἐστι καὶ ζῴοις, ὃ δὴ φύσις ἐστὶ καὶ ψυχή. Je ne vois pas d'équivalent français de πῦρ τεχνικόν. L'expression grecque désigne le principe intérieur aux vivants, qui non seulement cause la chaleur de la vie, l'assimilation des aliments et la croissance, mais qui tout ensemble est la raison : SVF. I 126 *animalium semen ignis is, qui anima ac mens,* cf. Cic., *n. d.,* II 15, 40-41 (Cléanthe). La distinction des deux sortes de feu est déjà dans Aristote, *Gen. An.*, B 3, 736 b 35, mais l'expression πῦρ τεχνικόν est due aux Stoïciens.
(7) SVF. I 124 *Zenon Citieus... putavit primos homines ex solo, adminiculo divini ignis id est dei providentia, genitos,* cf. I 134-135. Dieu est l'Intellect igné du monde (157), qui pénètre partout (153, 159), et qui, selon la nature des êtres où il pénètre, est tantôt νοῦς (hommes), tantôt ψυχή (animaux), tantôt φυσις (plantes), tantôt ἕξις (pierres), dès lors le νοῦς humain est parcelle du νοῦς divin (146).

sont unis entre eux par leur nature spécifique, dans la mesure où ils sont des êtres vivants doués de logos. D'autre part, si Dieu est ainsi la Raison universelle partout présente, il ne convient pas de lui bâtir des temples ou de lui consacrer des statues de culte. Ces images ne représentent pas la vraie Divinité, qui réside essentiellement dans l'intellect de l'homme : « Zénon, le fondateur de la secte stoïcienne, déclare en son livre sur la *République* qu'il ne faut faire ni temples ni statues de culte, ces ouvrages n'étant point dignes des dieux, et il n'a pas craint d'écrire ces propres mots : « Il n'y a aucun besoin de bâtir des temples. Car il ne faut pas regarder un temple comme chose précieuse ou sainte : nulle œuvre de maçons ou d'artisans n'est chose précieuse ou sainte » (1). Ce témoignage de Clément d'Alexandrie est explicité par celui d'Épiphane : « Zénon de Kition, le Stoïcien, dit qu'il ne faut pas bâtir de temples aux dieux, mais qu'on doit tenir la divinité dans le seul intellect (humain), ou plutôt regarder l'intellect comme Dieu : en effet il est immortel » (2).

On le voit donc, dès la Πολιτεία, Zénon a construit un système où tout se tient (3). Si les hommes doivent se considérer comme citoyens du monde, c'est en tant qu'ils possèdent tous une parcelle de la Raison divine qui anime et dirige le Kosmos.

3) Mais ce n'est pas entre les hommes seulement, je veux dire la totalité des hommes, que subsiste ainsi un lien de communauté, de fraternité. La Cité du Monde s'étend au delà : elle comprend aussi les dieux astres.

Zénon déjà avait prononcé que la substance de Dieu est le Kosmos en son entier, spécialement le ciel (SVF. I 163), et il avait attribué la divinité aux astres, ainsi qu'à tous les phénomènes qui dépendent de leur course, années, mois, changement des saisons (I 165). Ces maigres indications sont grandement explicitées par le troisième chef du Portique, Chrysippe, qu'on a justement appelé le second fondateur de la secte (4) : « Le monde est l'ensemble bien lié (σύστημα) que

---

(1) SVF. I 264, cf. 265-267. Ce passage a été particulièrement remarqué dans l'antiquité, témoin les citations de Plutarque, Cassius Scepticus *ap.* Diog. Laerce, Clément d'Alexandrie, Origène, Théodoret, Epiphane, Stobée.

(2) SVF. I 146. Ce fragment doit être rattaché à la Πολιτεία et prendre rang de n° 9 bis dans la liste d'Arnim, I, p. 72. L'influence de Platon paraît certaine, cp. ἀλλ' ἔχειν τὸ θεῖον ἐν μόνῳ τῷ νῷ, μᾶλλον δὲ θ ὂν ἡγεῖσθαι τὸν νοῦν et *Tim.* 90 c 4 ἅτε δὲ ἀεὶ θεραπεύοντα τὸ θεῖον ἔχοντά τε αὐτὸν εὖ κεκοσμημένον τὸν δαίμονα σύνοικον ἐν αὐτῷ.

(3) C'est plus vrai encore si, avec Festa, on attribue à la Πολιτεία les morceaux sur le Sage.

(4) Zénon fonde la Stoa en 301 et meurt en 261. Cléanthe lui succède en 261 et meurt en 231. Chrysippe succède à Cléanthe en 231 et meurt en 206.

constituent les dieux (astres) et les hommes ainsi que tout ce qui existe en vue de ces deux classes d'êtres » (1). Pour faire concevoir cet ensemble, Chrysippe (2) le comparait à une cité. Cette comparaison, reprise par Posidonius (3), fut célèbre, car on la retrouve, plus ou moins nette ou diluée, chez Cicéron, Arius Didyme, Philon, Sénèque, Plutarque, Dion Chrysostome. Je traduis ici les textes principaux.

Cicéron, *n. d.*, II 31, 78 = SVF. II 1127.

« Certes, puisque les dieux (4) existent — si du moins ils existent, ce qu'il faut croire assurément, — c'est une nécessité qu'ils soient animés, et non pas seulement animés, mais doués de raison, et qu'ils soient unis entre eux par cette espèce d'association et d'accord qui subsiste entre citoyens d'une même cité dirigeant ainsi le monde, qui est unique, comme une république et un État communs. [79] Il s'ensuit que c'est la même raison qui est en eux et dans le genre humain, la même vérité de part et d'autre et la même loi, laquelle consiste à commander le bien et à défendre le mal. »

Cicéron, *n. d.*, II 62, 154 = SVF. II 1131.

« Tout d'abord, le monde lui-même a été créé pour les dieux et les hommes, et tout ce qui existe dans le monde a été découvert et préparé pour la jouissance des hommes. Le monde en effet est comme une maison ou une cité qu'habitent en commun les dieux et les hommes : car, seuls, dieux et hommes, grâce à la raison, vivent en faisant usage du droit et de la loi » (5).

Arius Didyme, fr. 29 Diels = SVF. II 528, p. 169.23 ss. Arn.

« On appelle aussi monde l'habitacle commun des dieux et des hommes, et l'ensemble bien lié que constituent les dieux et les hommes ainsi que tout ce qui existe en vue de ces deux classes d'êtres. En effet, de même que « cité » se dit en deux acceptions, et de l'habitat et de l'ensemble de ceux

---

(1) SVF. II 527, p. 168.13 Arn. (c'est la deuxième des trois définitions du monde).

(2) Et peut-être déjà Zénon lui-même. Il nous reste si peu de fragments du fondateur qu'on ne peut, en rigueur, lui retirer tel point de doctrine sous le prétexte qu'il n'y en a point trace.

(3) D. L., VII 138 καὶ ἔστι κόσμος, ὥς φησι Ποσειδώνιος ἐν τῇ μετεωρολογικῇ στοιχειώσει, σύστημα ἐξ οὐρανοῦ καὶ γῆς καὶ τῶν ἐν τούτοις φύσεων, ἢ σύστημα θεῶν καὶ ἀνθρώπων καὶ τῶν ἕνεκα τούτων γεγονότων. C'est, à la lettre, la définition de Chrysippe citée par Arius Didyme *ap.* Stobée, SVF. II 527.

(4) Dans tous ces passages, *dieux* désigne, au premier chef, les dieux astres. Cf. Cic., *n. d.*, II 31, 80 *postremo cum satis docuerimus hos esse deos,* (a) *quorum insignem vim et inlustrem faciem videremus, solem dico et lunam et vagas stellas et inerrantes et caelum* (b) *et mundum ipsum* (c) *et earum rerum vim quae inessent in omni mundo cum magno usu et commoditate generis humani.* Sur la divinité des astres, voir aussi *ib.* §§ 39-44 (Cléanthe); sur celle du monde, §§ 20-22 (Zénon). La source paraît être Posidonius.

(5) Pour d'autres textes de Cicéron, cf. *de fin.*, III 19, 64 = SVF. III 333 *(mundum autem censent regi numine deorum, eumque esse quasi communem urbem et civitatem hominum et deorum), de leg.,* I 7, 22-23 = SVF. III 339, *de rep.,* I 19 = SVF. III 338. Voir aussi J. B. Mayor *ad* Cic., *n. d.,* II 31, 78. Comme le note Mayor, l'idée de la communauté entre dieux et hommes est déjà dans le *Gorgias* 507 e-508 a (Pythagoriciens).

qui y résident en communauté avec les citoyens, ainsi le monde est-il comme une cité constituée par les dieux et les hommes, où les dieux ont rang de chefs et les hommes celui de sujets. Il y a communauté entre les uns et les autres du fait qu'ils participent tous à la raison, qui est la loi naturelle : tout le reste n'existe qu'en vue de ces deux classes d'êtres. »

Philon, *de op. m.*, 142-144 (I, p. 50.2 ss. Cohn) = SVF. III 337 (en partie seulement).

« Cet Adam archégète de l'humanité, si nous le disons non seulement le premier homme mais encore le seul « citoyen du monde » (1), nous parlerons en toute vérité. Sa demeure en effet et sa cité, ce n'était point une construction faite de main d'homme, assemblage de pierres et de poutres, mais le monde, dans lequel il séjournait en toute assurance comme en une patrie; car il vivait à l'abri de la crainte, puisqu'il avait été favorisé du commandement sur tous les animaux terrestres, voire sur tout ce qu'il y a d'êtres mortels rampant au sol, qui avaient appris ou avaient été contraints à lui obéir comme à un maître, et il menait une existence pure de tout blâme dans les douces impressions d'une paix que nulle guerre ne vient troubler. En outre, puisque toute cité bien ordonnée comporte une constitution, nécessairement notre citoyen du monde se gouvernait par la constitution qui règle le monde en son entier : or cette constitution, c'est la droite raison de la nature, raison qui, par un nom plus propre, est appelée *thesmos*, qui est la loi divine, selon laquelle il est distribué à chaque être ce qui lui convient et lui profite. De cette cité, de cette république, il fallait que, avant l'homme même, il y eût des citoyens : et c'est à juste titre qu'on les nommerait « citoyens de la Grande Cité » (2) puisqu'ils ont reçu en partage d'habiter le territoire le plus vaste et qu'ils ont été inscrits au rôle civique le plus important et le plus parfait. Que peuvent bien être ces citoyens sinon les natures raisonnables et divines, celles-ci incorporelles et intelligibles, celles-là pourvues d'un corps, tels que se trouvent être les astres ? C'est avec ces êtres-là que conversait et passait sa vie le premier homme, et de là vient qu'il jouissait d'un bonheur sans mélange. »

Philon, *de spec. leg.*, I 33-36 (V 9.1 ss. Cohn) = SVF. II 1010 (3).

« Toujours l'ouvrage d'un artisan renseigne en quelque manière sur l'artisan lui-même. Qui peut voir des statues ou des peintures sans reconnaître aussitôt la main du sculpteur ou du peintre ? Ou des vêtements, des navires, des maisons, sans que vienne à l'esprit la notion de tailleur, de constructeur de navires, d'architecte? Si l'on pénètre dans une cité bien ordonnée, où tout ce qui regarde le gouvernement est parfaitement réglé, comment ne

---

(1) κοσμοπολίτην. Philon affectionne ce mot, cf. *de op. m.* 3 (I, 1.12 C.), *de migr. Abr.* 59 (II, 279.24 W. ὁ κοσμοπολίτης σοφός), *de somn.* I 243 (III, 256.15 W. κοσμοπολίτιδες ψυχαί).

(2) μεγαλοπολῖται : cf. *ib.* 19 (p. 6.4 C. τὴν μεγαλόπολιν), *de spec. leg.* I 34 (V, 9.7 C. τὴν ἀληθῶς Μεγαλόπολιν, τόνδε τὸν κόσμον).

(3) Je ne cite ici ce texte que pour la comparaison de la Cité. Pour l'argument général — Dieu visible en sa création — cf. les passages du *de Mundo* et des *Tusculanes* cités *supra*, pp. 84-85.

pas concevoir qu'à la tête de cette cité il y a des chefs excellents ? Eh bien donc, quand on est entré dans cette véritable Mégalopolis qu'est le monde, quand on a vu plaines et montagnes couvertes d'animaux et de plantes, quand on a admiré le cours des fleuves qui ont jailli du sol même ou qui sont nés des pluies, la vaste étendue des mers, l'heureux mélange des climats et les changements des saisons annuelles, et encore le soleil et la lune, guides du jour et de la nuit, les circuits et les mouvements cadencés des autres planètes et des astres fixes comme de tout l'ensemble du ciel, n'est-il pas vraisemblable, que dis-je, nécessaire qu'on prenne conscience du Créateur, du Père, voire du Guide de l'Univers ? En effet nulle production artistique ne se fait d'elle-même : or ce monde est le produit de l'art le plus achevé et de la plus haute science, en sorte qu'il a été fabriqué par un Artisan bien savant et vraiment parfait en toutes choses. Voilà comment nous prenons conscience de l'existence de Dieu. »

Sénèque, *ad Marciam*, 18, 1 (1).

« Suppose qu'au jour de ta naissance je vienne à toi pour te conseiller : « Tu vas entrer dans une cité où dieux et hommes habitent en commun, qui embrasse toutes choses, qu'enchaînent des lois fixes, éternelles, qui déroule indéfiniment le livre des destinées qu'accomplissent les astres dans leur infatigable ministère (2). Tu verras là d'innombrables étoiles.... ».

Plutarque, *de comm. not.*, 34,6 (3) = SVF. II 645.

« Admettons donc que le monde soit une cité et que les astres en soient les citoyens; dès lors ils y sont aussi, évidemment, membres d'une tribu et archontes, et le soleil est bouleute, l'astre du soir est prytane ou astynome — mais je ne sais s'il n'est pas plus absurde encore de réfuter de telles fadaises que de les dire et démontrer. »

Dion Chrysostome, *Or.*, XXXVI 22-23 (II, p. 6-7 A.) (4).

(1) Manque dans SVF. Sur ce texte, cf. REITZENSTEIN, *Poimandres*, pp. 253-256 (la source serait Posidonius, p. 255), et les notes de CH. FAVEZ en son édition de l'*ad Marc.* (Paris 1928), pp. 60-62.
(2) *Indefatigata caelestium officia volventem* : on ne peut rendre cette belle image sans la paraphraser quelque peu.
(3) Contre Chrysippe, cf. *ib.* 34,5 = SVF. II 937 : εἰ δέ, ὥς φησι Χρύσιππος, οὐδὲ τοὐλάχιστόν ἐστι τῶν μερῶν ἔχειν ἄλλως ἀλλ' ἢ κατὰ τὴν τοῦ Διὸς βούλησιν κτλ.
(4) Quelques lignes seulement dans SVF. III 334. Je rappelle le plan de ce discours prononcé en 102/3 à Pruse. I) *Préambule* 1-17 : Description de la basse région du Borysthène (Dniéper) et de la ville établie dans son embouchure (1-6). Rencontre, hors de la ville, de Dion et de Kallistratos. Goût des Borysthénites pour les poèmes d'Homère (7-9). Dion oppose Phocylide à Homère et cite Phoc. 5 (Edm.) sur la cité κατὰ κόσμον οἰκεῦσα (10-14), d'où il passe à la notion de cité bien gouvernée, sujet qu'il propose de traiter dans la ville devant le temple de Zeus (15-17). — II) *Discours sur la cité* εὔνομος 18-61 : Définition de la cité (18-21). La seule cité parfaite est la cité du monde (22-23). Interruption d'un Borysthénite qui demande à Dion de traiter le sujet de la cité selon l'esprit de Platon (24-29). La cité du monde selon la sagesse grecque (stoïcienne, cf. τῶν ἡμετέρων, II, p. 9. 2 A. : 25-38). Le char du monde selon les mages iraniens (39-61 : sur ce morceau, cf. Bidez-Cumont, *Les mages hellénisés*, II, pp. 142-153).
Les passages qui nous intéressent sont 22-23, 29-32, 35-38. On trouve des développements analogues dans l'*Or.* I (περὶ βασιλείας A), § 42 = SVF. III 335.

« Une cité vraiment bonne, personne n'en a connu dans le passé et il n'y a pas lieu non plus de croire qu'il en doive exister de telle à l'avenir, sauf la cité des dieux bienheureux dans le ciel, qui n'est nullement immobile et oisive, mais fortement active et progressante. Le premier rang y revient aux dieux, qui la régissent sans querelle et sans échec — de fait, il ne se peut que des dieux se querellent ou soient vaincus, ni par eux-mêmes puisqu'ils sont liés d'amitié, ni par d'autres êtres plus puissants qu'eux, mais ils accomplissent sans entraves leurs œuvres propres, en une amitié totale qui toujours leur est commune à tous, — les plus manifestes de ces dieux (= les planètes) s'avançant chacun selon sa voie sans se laisser détourner dans une course aveugle et aventureuse, mais formant tous ensemble un bienheureux chœur que règlent la pensée et la sagesse la plus haute, tandis que la masse restante des étoiles est entraînée par le mouvement universel, sous l'unique impulsion et par l'unique vouloir du ciel. Unique en effet, il faut le dire, est cette pure et bienheureuse république ou cité, où les dieux font société avec les dieux, où même, si l'on embrasse d'une seule vue tout l'ensemble des êtres raisonnables, les hommes prennent rang auprès des dieux, de même que les enfants sont dits participer avec les adultes à la cité, puisqu'ils sont citoyens par nature, sinon par l'exercice actuel de leurs droits civiques en pensée et en acte ni par la participation à la loi, dès lors qu'ils n'en ont pas encore l'intelligence. »

Ib. 29-32 (II, p. 8-9 A.) = SVF. II 1130 (en partie seulement).

« Quant au point de la cité, voici comment il faut l'entendre. Ce n'est pas ouvertement que nos sages ont déclaré que le monde est une cité. Car cela eût été contre la définition qu'ils ont donnée de la cité, savoir, comme je l'ai dit, un ensemble d'êtres humains. En même temps, il n'eût guère été convenable ni croyable, après avoir déclaré proprement que le monde est un être vivant, de dire ensuite qu'il est une cité : car, selon moi, nul n'admettrait aisément que cité et être vivant soient identiques. Toutefois, comme l'Univers a été divisé et distribué en un grand nombre de catégories de plantes et d'êtres vivants mortels ou immortels, en celles aussi de l'air, de la terre, de l'eau et du feu, bien qu'il n'en conservât pas moins son unité naturelle en toutes ces parties et qu'il soit gouverné par une âme une et une puissance unique, on compare tant bien que mal l'actuelle ordonnance du monde à une cité à cause du grand nombre d'êtres qui naissent et meurent dans le monde, et à cause de l'ordre et de la belle ordonnance du gouvernement divin. Par cette manière de dire, on s'est efforcé brièvement de conjoindre le genre humain au divin et d'embrasser en un seul mot toute la catégorie du raisonnable, parce qu'on ne trouvait que la cité pour être un principe de communauté et de justice solide et infrangible. Que le monde soit donc appelé une cité en ce sens. Elle jouit, par Zeus, de maîtres qui ne sont ni méprisables ni médiocres, elle a vécu un temps infini non pas dans les déchirements et les luttes intérieures que soulèvent tyrannies ou gouvernements populaires, décarchies ou oligarchies et autres maladies pareilles, mais au contraire dans le bon ordre, sous la monarchie la plus sage et la plus excellente, régie qu'elle est par un roi qui suit réellement la loi en toute amitié et concorde : et c'est cela aussi que ce chef et législateur infiniment sage et digne de respect enjoint à tous de faire, mortels et immortels, lui-même prenant la tête et nous donnant, par sa propre manière de gouverner, l'exemple d'une constitution parfaitement heureuse. C'est lui que, instruits par les Muses, les divins poètes célèbrent dans leurs chants quand ils le nomment Père des dieux et des hommes. »

Ib., 35-38 (II, p. 10.21 ss. A.) = SVF. II 1129 (en partie seulement).

« Tous ces poètes donc, pour les mêmes raisons, désignent généralement le Dieu premier et suprême comme Père, et aussi comme Roi, de tout l'ensemble des êtres raisonnables. A leur suite, les hommes dressent des autels de Zeus Roi, et certains n'hésitent pas à le nommer Père dans leurs prières, conscients que le gouvernement et l'organisation de l'Univers sont bien empreints de cet esprit de paternité. C'est dans la même pensée que, selon moi, ils n'hésitent pas non plus à déclarer que le monde entier est la maison de Zeus, s'il est vrai que Zeus est le Père des êtres du monde, et à dire le monde, par Zeus ! une cité, ce à quoi nous le comparons nous-mêmes d'après la forme de gouvernement la plus élevée (1). Car « royauté » se dirait plus convenablement d'une cité que d'une maison. En effet, dès là qu'ils appellent roi celui qui règne sur toutes choses, ils ne sauraient nier que l'Univers ne soit soumis à un régime monarchique, et, s'ils admettent ce régime, il leur faut bien dire que le monde est gouverné comme un État et qu'il possède une constitution. Mais s'ils accordent cette constitution, comment nieraient-ils que l'État ainsi formé ne soit une cité ou quelque chose d'approchant? Tel est donc l'argument des philosophes, qui manifeste le lien de communauté entre dieux et hommes, lien excellent et tout imbu d'amour des hommes, puisqu'il fait participer à la loi et à la constitution de la cité non pas n'importe quel être vivant, mais ceux-là seuls qui jouissent de la raison et de la pensée. »

4) Ainsi réunis dans la même communauté civique du Kosmos, hommes et dieux astres, régis par le même Dieu, obéissent à la même Loi qui est la Raison divine. L'idée est déjà chez Zénon. La loi naturelle est la loi divine, et cette loi se confond avec Dieu même (2). Selon le résumé stoïcien que copie Diogène Laerce (3), « la loi est universelle; c'est la droite Raison qui pénètre en toutes choses et qui est identifiée à Zeus, lequel préside au gouvernement de l'Univers. D'où il résulte que, malgré la diversité des lois positives et des religions civiques instituées par ce lois, il n'y a en fait qu'une seule Loi et un seul Dieu, communs à tout l'Univers » (4).

---

(1) ὥσπερ ἡμεῖς προσεικάζομεν κατὰ τὴν μείζονα ἀρχήν, p. 10.29 A. Je ne suis pas sûr du sens.
(2) SVF. I 162.
(3) D. L., VII 88 = SVF. I 162, p. 43. 1.
(4) SVF. I 164.

Ce point de doctrine a été longuement développé par Chrysippe (1), dont le traité *De la loi* débutait ainsi (2) : « La loi règne sur toutes choses, divines et humaines. C'est à la loi qu'il revient de prescrire le bien et de défendre le mal, c'est elle qui commande et dirige. A ce titre, elle est la règle du juste et de l'injuste. Régnant sur tous les êtres vivants qui, par nature, sont membres de la cité, elle prescrit ce qu'il faut faire, elle interdit ce qu'il ne faut pas faire. » Et ce même philosophe ajoute, dans le 3e livre de son traité *Des dieux* (3) : « On ne peut trouver d'autre principe, d'autre point d'origine pour la justice que ceux qui dérivent de Zeus et de la Nature universelle : c'est de là donc qu'il nous faut partir si nous voulons traiter de ce qui est bien et de ce qui est mal. »

5) Sous des formes et des noms divers (Intellect, Ame, Nature, ἕξις) (4), le Logos divin pénètre en tous les êtres du Kosmos. Selon ce dogme essentiel, affirmé déjà par Zénon (5), tous les êtres du monde sont donc naturellement apparentés, il y a familiarité (οἰκείωσις) entre l'un et l'autre. Néanmoins cette « familiarité », dont parle déjà Zénon (6) et dont il fait le vrai fondement de la justice, comporte des degrés divers : d'où vient qu'il y a aussi différents degrés dans la justice. Tous les êtres de la nature sont liés, mais tous ne font pas partie, au propre, de la cité du monde. Cette cité ne comprend ni les minéraux, ni les plantes, ni même, puisqu'ils sont privés de logos, les animaux (7). En revanche, elle unit de la manière la

---

(1) Cf. toute la section SVF. III 308 ss. : *de iure et le*
(2) SVF. III 314.
(3) SVF. III 326.
4) Cf. SVF. I 158.
(5) SVF. I 158-161.
(6) SVF. I 197-198 et 181. Pour Chrysippe, voir l'Index de SVF., s. v. οἰκειόω. οἰκείωσις. Pour l'origine de cette notion, voir *Addenda*.
(7) Encore Cléanthe hésitait-il sur ce point, témoin la charmante anecdote rapportée par Plutarque et Elien, SVF. I 515. Je suis le texte d'Elien (*Nat. An.*, VI 50) : « Voici l'expérience qui contraignit Cléanthe d'Assos, malgré lui et bien qu'il s'y opposât de toutes ses forces, à reconnaître que les animaux ne sont pas sans posséder quelque faculté de raisonnement. Cléanthe était assis un jour, ne songeant qu'à se donner un bon repos et n'ayant point d'autre but. Or il y avait à ses pieds une grande quantité de fourmis. Il se mit à les regarder et vit que d'autres fourmis étaient en train de porter, par un couloir resserré qui n'était pas le chemin habituel de la fourmilière, le cadavre d'une fourmi à cette fourmilière qui n'était pas la leur et dont les habitantes leur étaient étrangères. Parvenues au bord de la fourmilière, elles s'arrêtèrent avec le cadavre. Il vit alors des fourmis monter du fond du trou, se rencontrer avec les étrangères comme pour un entretien, puis redescendre, et ainsi de suite plusieurs fois. A la fin elles apportèrent une larve d'insecte pour servir de rançon. Les étrangères la reçurent et tout ensemble firent livraison du cadavre qu'elles avaient amené jusque-là. Les autres s'en emparèrent avec joie, comme s'il s'était agi d'un fils ou d'un père. » Cet exemple des fourmis était célèbre dans l'antiquité. Celse le reprend dans son *Discours Vrai*, cf. Origène, *c. Cels.*, IV 81 : « Si l'on estime que les hommes diffèrent des animaux parce qu'ils ont fondé des cités et qu'ils ont un gouvernement, des magistratures et des offices publics, cela ne va nullement à la chose : car les fourmis en font autant, et les abeilles. » A quoi Origène répond, en utilisant

plus étroite tous les êtres dans lesquels le Logos divin pénètre sous forme d'intellect. Un texte de Cicéron, inspiré de Chrysippe (1), marque bien la différence entre λογικοί et ἄλογα en même temps qu'il définit la nature du droit qui régit les λογικοί : « De même que les hommes sont unis entre eux par des liens de droit naturel, de même n'y a-t-il point de droit qui associe l'homme à l'animal. Chrysippe le dit admirablement : « Hommes et dieux existent en vue de la communauté et de la société qu'ils font ensemble. Tout le reste n'existe qu'en vue des hommes et des dieux. En sorte que les hommes peuvent, sans injustice, faire servir les animaux à leur usage. » Et puisque la nature de l'homme est telle qu'il soit lié au genre humain par une sorte de droit civil (2), qui respecte ce droit est juste, qui le viole est injuste. »

6) Cette haute dignité des hommes et des dieux (astres) les oblige à vivre moralement. Et c'est ici qu'apparaît, sous l'influence d'ailleurs de Platon *(Timée)* et en contraste avec Aristote, l'un des traits les plus caractéristiques du Portique : la morale stoïcienne n'est pas tirée, comme chez le Stagirite, de la seule analyse de l'homme même, elle est en dépendance immédiate d'une doctrine du monde, c'est-à-dire d'une explication universelle de l'ordre total des choses.

Le Logos divin qui pénètre en tous les êtres se manifeste, dans l'être humain, comme intellect. Dès lors l'homme est capable de *connaître* la Raison divine, qui se définit, on l'a vu, comme la Loi de la cité du monde. Le vrai sage sera donc par excellence, pour le Stoïcisme comme pour Platon, un homme qui sait. Sous cet aspect, la morale stoïcienne reste essentiellement intellectualiste.

Maintenant, cette Raison ou Loi divine exprime un Ordre nécessaire : elle est le Fatum (3). L'antique antinomie de la religion

---

un argument de Chrysippe (SVF. III 368) : « Sur ce point non plus Celse n'a pas vu en quoi les œuvres accomplies par suite d'un calcul et d'un raisonnement diffèrent de celles qui résultent d'un instinct irrationnel et d'une pure constitution de nature, dont il ne faut nullement attribuer la cause à une raison inhérente aux agents : car, de fait, ces agents n'ont pas la raison... C'est donc chez les hommes qu'il y a des cités, pourvues d'un grand nombre d'arts et de tout l'ordre des lois; c'est à leur sujet qu'on emploie ces mots de gouvernement, de magistratures, d'offices, soit au sens propre et premier, pour désigner des états et des activités également nobles, soit même d'une manière un peu abusive, en raison de ce que les hommes imitent, de tout leur pouvoir, ces beaux modèles : car c'est à l'exemple de ces modèles que les législateurs qui ont légiféré avec succès ont établi les plus excellents gouvernements, magistratures et offices, toutes choses dont on ne trouverait aucun équivalent chez les animaux. » Voir aussi toute la section SVF. III 367-376.

(1) Cic., *de fin.*, III 20, 67 = SVF. III 371.
(2) *Civil*, puisque l'ensemble des hommes et des dieux constitue une cité.
(3) Cf. déjà Zénon, SVF. I 160 : *Zeno rerum naturae dispositionem atque artificem universitatis* λόγον *praedicat, quem et fatum et necessitatem rerum et deum et animum Iovis nuncupat,* Lact., *de vera sap.*, c. 9. Même formule *Inst. div.,* IV 9 et Tertull., *Apol.* 2.

grecque entre Zeus et la Nécessité est désormais abolie : Zeus est la Raison, et la Nécessité s'identifie à cette Raison. En d'autres termes, la Nécessité n'est plus une Force aveugle, opaque à la pensée, et qui opposerait comme une résistance, une limitation, à notre perception de l'ordre des choses. Elle est cet ordre des choses; et c'est dire que non seulement elle se laisse pénétrer d'intelligibilité, mais qu'elle est l'intelligible par excellence, lors même que, pour l'ordinaire, nous n'en prenons que difficilement conscience. Sans doute le sage n'embrasse-t-il pas toujours à plein la cohérence du système actuel du monde et la contexture des événements dans la durée : mais il est fermement persuadé que cette cohérence existe, et il trouve sa paix dans cette conviction.

7) Connaissant l'ordre des choses, le sage y adhère amoureusement. Dès là qu'il connaît, il adhère : la volonté en lui ne peut que se porter avec élan vers l'objet que lui propose l'intellect. En effet tout ce qui existe actuellement dans le monde et tout ce qui se produit successivement dans la durée est conduit par cette Nécessité qui est en même temps la Raison divine. Donc tout est parfait — parfait non seulement pour le monde, mais pour chaque individu dans le monde, — et la sagesse du sage consiste à vouloir spontanément ce qui est ainsi décrété par le Vouloir divin. C'est ce que, dès Zénon, l'École exprime par la formule « vivre en accord avec la Nature » (1). Vivre selon la Nature, pour Zénon, Cléanthe (2) et Chrysippe (3), c'est essentiellement vivre en accord avec la Raison divine qui s'explicite dans la Nécessité inhérente aux événements du monde : « Vivre selon la vertu, dit Chrysippe au 1er livre du traité *Sur les Fins*, est même chose que vivre selon l'expérience des événements conduits par la Nature. Nos natures sont en effet parties de la Nature du Tout. Dès lors la fin suprême est de vivre en accord avec la Nature : ce qui signifie vivre selon sa propre nature et tout ensemble selon la Nature universelle, sans commettre aucune des

---

(1) SVF I 179-183. Sur ce point encore, le Portique continue Platon. C'est Platon qui le premier, avait résolu l'antinomie dénoncée par les Sophistes entre φύσις et νόμος (loi civile) en montrant que le vrai νόμος s'identifie à la φύσις, cf. *Contemplation... selon Platon*, pp. 136-138, 151-153. G. Rodier, *l. c.*, p. 279, a bien expliqué le sens de cette formule ὁμολογουμένως ζῆν et montré que, dès là que le sage comprend la nécessité rationnelle des événements, il la veut : « Le bien se confond à cet égard avec l'utile... Il y a toujours une parfaite ὁμολογία entre les actes du sage et son caractère. » Noter encore, avec Rodier *(ibid.)*, que la nécessité des stoïciens est la nécessité *analytique :* toute erreur est donc une contradiction. Or puisque tout péché est une erreur, admettre que le sage puisse pécher, ce serait admettre qu'il cesse de comprendre au moment même où il comprend.
(2) SVF. I 552.
(3) SVF. III 4.

actions généralement défendues par la Loi commune, c'est-à-dire la droite Raison, qui pénètre à travers toutes choses et qui s'identifie à Zeus, puisque Zeus est le chef du gouvernement de l'univers. Telle est bien l'excellence de l'homme parfaitement heureux : l'adhérence spontanée au courant de la vie (εὔροια βίου), quand nous agissons en toutes choses selon l'accord établi entre le Génie qui habite chacun de nous (1) et la volonté de Celui qui gouverne l'univers » (2).

8) Maintenant, si la vertu consiste en l'accord de la raison et du vouloir individuels avec la Raison et le Vouloir universels, il s'ensuit que la vertu, dans son être propre, est une disposition, une attitude de l'âme (3). Et cette disposition est constante, elle inspire nécessairement toutes les actions du sage. Dès lors, la vertu ne peut être que complète à tout instant. Il va de soi que si le sage, à un moment quelconque, cessait d'adhérer à la Nature, il ne serait plus vertueux. On possède toute la vertu, ou bien on ne la possède aucunement, on est tout sage ou tout méchant. De là vient aussi que la vertu est une et indivisible : toutes les vertus se ramènent à une seule, qui est l'accord foncier de l'âme avec la Raison divine. Ces conséquences inéluctables du principe sont déjà formulées par Zénon (4) : « Alors que les philosophes précédents ne faisaient pas dépendre toute vertu de la raison, mais que, selon eux, certaines vertus étaient dues à la nature, d'autres acquises par l'exercice moral, Zénon mettait toutes les vertus dans la raison. Et tandis que ces philosophes estimaient qu'on pouvait distinguer les diverses espèces de vertus que j'ai énoncées plus haut, Zénon déclarait que c'est absolument impossible, et que ce n'était pas seulement l'exercice actuel de la vertu, comme on le disait jusqu'alors, qui valait par lui-même, mais le seul fait de posséder la vertu, bien qu'il fût impossible de posséder la vertu sans en faire toujours usage. » La vertu est donc essentiellement une intention, une direction habituelle imprimée à tout l'agir humain. Dès lors, elle est unique : il n'y a pas la vertu de force, et la vertu de tempérance, et la vertu de justice, mais une seule et même attitude de sagesse (φρόνησις) qui, orientant tous nos actes dans un même sens, s'explicite et en appa-

---

(1) La raison individuelle, cf. PLAT., *Tim.* 90 c. 5.
(2) D. L., VII 87 = SVF. III 4.
(3) PLUT., *de virt. mor.* 3, p. 441 C = SVF. I 202 : κοινῶς δὲ ἅπαντες οὗτοι (Ménédème, Zénon, Ariston, Chrysippe) τὴν ἀρετὴν τοῦ ἡγεμονικοῦ τῆς ψυχῆς διάθεσίν τινα καὶ δύναμιν γεγενημένην ὑπὸ λόγου, μᾶλλον δὲ λόγον οὖσαν αὐτὴν ὁμολογούμενον καὶ βέβαιον καὶ ἀμετάπτωτον ὑποτίθενται.
(4) CIC., *Acad. Post.*, I 38 = SVF. I 199.

rence se diversifie selon les objets et les circonstances de notre action (1).

D'où résulte enfin ce qu'on a nommé les « paradoxes » stoïciens relatifs à la merveilleuse excellence du vrai sage. On a là encore des suites du principe : vivre en accord avec la Loi divine. Et il ne faut donc pas s'étonner que Zénon y ait abouti par la logique même de son système (2) : « C'est l'opinion de Zénon et des philosophes stoïciens qui l'ont suivi qu'il existe deux classes d'hommes : celle des bons et celle des méchants. La classe des bons ne cesse jamais, durant la vie entière, d'agir vertueusement, celle des méchants d'agir d'une manière vicieuse : d'où vient que la première atteint correctement la fin suprême (κατορθοῦν) (3) en toutes les actions auxquelles elle s'applique, tandis que l'autre manque le but (ἁμαρτάνειν). Comme le vertueux se fonde sur l'expérience qu'il a de la nécessité inhérente aux événements de la vie (4) dans toutes les actions qu'il accomplit, il agit bien, conformément à la prudence, à la tempérance, et aux autres vertus. Au contraire, le méchant agit d'une manière vicieuse. En outre, le vertueux est grand, robuste (ἁδρόν), de haute taille,

(1) SVF. I 200-201.
(2) Stob., II 7, 11 g, p. 99.3 W. = SVF. I 216. Festa attribue ce fragment à la Πολιτεία (n° 3).
(3) Tel est le sens proprement stoïcien de κατορθοῦν, d'où les termes κατόρθωμα et κατορθώσει pour désigner, dans le stoïcisme, la disposition vertueuse du sage, qui consiste essentiellement dans l' « intention droite » (κατόρθωμα), à la différence des actions prises en détail, pour lesquelles, vu la complexité des choses humaines, on ne peut viser qu'au « convenable » (καθῆκον), c'est-à-dire à ce qui comporte des raisons vraisemblables (ἔτι δὲ νοθῖ όν φασιν εἶναι ὃ πραχθὲν εὔλογον ἴσχει ἀπολογισμόν SVF. I 230). Dans la langue commune, κατορθοῦν, c'est maintenir toute droite la direction vers le τέλος, d'où « réussir, prospérer ». Or le τέλος, la fin dernière, dans la Stoa, c'est l'accord avec le Logos universel. Toute action conforme à cette intention foncière est un κατόρθωμα. La matière de l'action compte à peine : seule vaut l'intention. Et cette intention ne peut faillir : elle est toujours présente ou elle n'est pas. (M. van Straaten, *Panétius*, Amsterdam, 1946, pp. 196-197, a bien vu le point). Touchant le κατορθοῦν, il y a de grandes analogies entre la sagesse stoïcienne et la sainteté chrétienne. Celle-ci a son principe dans l'amour de Dieu ou charité. La charité doit « informer » tous les actes du chrétien. Même les vertus naturelles (les quatre vertus des païens) n'ont plus valeur aucune, au sens chrétien (cf. S. Augustin), si cette «information» manque. Saint Augustin dira que les vertus des païens sont des vices : un stoïcien de l'ancien stoïcisme aurait pu, à la rigueur, comprendre ce paradoxe.
(4) τὸ περὶ τοῦ βίου ἐμπειρίαις χρώμενον. Je paraphrase quelque peu pour expliciter le sens, qui est indiqué par la formule plus complète κατ' ἐμπειρίαν τῶν φύσει συμβαινόντων ζῆν (*vivere adhibentem scientiam earum rerum, quae natura evenirent*, Cic., *de fin.*, IV 14 = SVF. III 13). Cette formule paraît due à Chrysippe, cf. SVF. III 4 παντὸς δ' ἴσον ἐστὶ τὸ κατ' ἀρετὴν ζῆν τῷ κατ' ἐμπειρίαν τῶν φύσει συμβαινόντων ζῆν, ὥς φησι Χρύσιππος ἐν τῷ πρώτῳ περὶ τελῶν ib. III 12 (p. 5.16 A.) Κλεάνθης γὰρ πρῶτος διαδεξάμενος αὐτοῦ (sc. τοῦ Ζήνωνος) τὴν αἵρεσιν προσέθηκε 'τῇ φύσει' καὶ οὕτως ἀπέδωκε 'τέλος ἐστὶ τὸ ὁμολογουμένως τῇ φύσει ζῆν'. ὅπερ ὁ Χρύσιππος σαφέστερον βουλόμενος ποιῆσαι, ἐξήνεγκε τὸν τρόπον τοῦτον 'ζῆν κατ' ἐμπειρίαν τῶν φύσει συμβαινόντων. « Nature », dans cette formule, signifie la Nature universelle, cf. *ib.* III 12 (p. 5. 13) κατ' ἐμπειρίαν τῶν κατὰ τὴν ὅλην φύσιν συμβαινόντων ζῆν. Voir aussi I 555 : Cléanthe n'aurait eu en vue que la Nature universelle, Chrysippe la Nature universelle et la nature humaine.

fort. Grand, parce qu'il est capable d'atteindre les objets qu'il a lui-même choisis ou qui se sont proposés à lui; robuste, parce qu'il s'est bien développé en tout point; de haute taille, parce qu'il a acquis la taille appropriée à un homme valeureux et sage; fort, parce qu'il s'est procuré la force convenable, étant invincible, impossible à soumettre. Il ne subit et il n'exerce ni contrainte, ni entrave, ni violence, ni pouvoir tyrannique, ni mauvais traitement; il ne tombe pas dans le malheur et il n'y fait pas tomber autrui; on ne l'abuse pas, il n'abuse personne; il ne pèche ni par erreur ni par ignorance ni par méconnaissance de soi-même; d'un mot il ne conçoit aucune forme de mensonge. Suprêmes sont ses avantages : bonheur, heureuse fortune, félicité, prospérité; il est pieux, cher aux dieux, constitué en dignité; il a les qualités du roi et du chef de guerre, du politique, de l'administrateur, de l'homme d'affaires. Pour les méchants, c'est tout à l'opposé. »

9) La morale de Zénon, comme toutes les morales de l'antiquité, vise au Souverain Bien. Or ce Souverain Bien est, on l'a vu, la vertu, c'est-à-dire l'immuable conformité à la Raison et au Vouloir divins (1). En cette conformité réside le parfait bonheur, et la définition même que Zénon donnait du bonheur : « le libre cours de la vie », εὔροια βίου (2), indique déjà le sens de la doctrine. Il faut se plier de soi-même à l'ordre des choses, accepter spontanément ce qui, de toute façon, doit s'accomplir : la vie coule alors facile, on est en paix, donc heureux. Mais alors, si rien ne compte que cette conformité même, tout le reste est indifférent : « Rien n'est pour nous un mal, dit Zénon, sauf l'action honteuse et le vice... Que tu souffres ou non, cela n'importe aucunement pour la vie bienheureuse, qui consiste toute dans la seule vertu » (3). Et encore (4) : « Zénon proclame et toute la secte fameuse du Portique ne cesse de crier que la vie humaine n'a pas d'autre fin que la noblesse morale *(honestas)*. C'est par son seul éclat que cette noblesse attire les âmes, elle n'a besoin d'aucun bien extérieur, d'aucune récompense qui ajoute à son attrait. Quant à la volupté d'Épicure, il n'y a que les bêtes pour se la partager. Or mettre l'homme et le sage dans la compagnie des bêtes, c'est une violence impie. » Dès lors, la vertu *se suffit*. Elle est ce bien totalement indépendant des circonstances

---

(1) Ζήνων... τέλος ἡγεῖται τὸ κατ' ἀρετὴν ἦν SVF. I 180, *honeste autem vivere, quod ducatur a conciliatione naturae Zeno statuit finem esse bonorum* I 181.
(2) SVF. I 184 (Zénon), 554 (Cléanthe), III 4 (Chrysippe).
(3) SVF. I 185, cf. 183 στοιχεῖα τῆς εὐδαιμονίας τὴν φύσιν καὶ τὸ κατὰ φύσιν.
(4) SVF. I 186.

auquel l'homme du IIIᵉ siècle, secoué par tant de fortunes diverses, sans cesse ballotté au gré de la Tyché, aspire comme à un port tranquille et sûr. Au temps de Cicéron encore, la fière intransigeance de Zénon arrache à l'orateur un cri d'admiration : « Vraiment, c'est une magnifique parole et comme un oracle inspiré que prononce Zénon quand il dit : « la vertu se suffit à elle-même pour vivre heureux » (1).

La vertu étant ainsi le bien suprême, indépendant des circonstances, il est clair que le sage est, lui aussi, αὐτάρκης, et qu'il échappe aux coups de la Fortune. Qu'il s'applique seulement à faire la distinction entre ce qui dépend de lui et ce qui ne dépend pas de lui (2)! Le sage est le seul être libre : « Il vaut la peine de rapporter le mot de Zénon, qu'on aurait plus vite fait d'enfoncer dans l'eau un ballon gonflé d'air que de forcer le sage à accomplir malgré lui un acte contraire à son vouloir : son âme est inflexible et invincible, car c'est la droite raison qui l'a tendue par ses décrets solides » (3). Comme le monde se suffit à lui-même puisque, à lui seul, il possède tout ce dont il a besoin (4), ainsi le sage. Qu'il se contente de maintenir le logos qui est en lui accordé au Logos du monde : cela seul dépend de lui, mais cela seul est suffisant aussi pour le bonheur. Quel mal en effet peut m'atteindre, puisque tout ce qui doit m'advenir est conforme à un Ordre juste, déterminé par une Loi qui est la Raison parfaite? Vie ou mort, gloire ou obscurité, plaisir ou peine, richesse ou pauvreté, santé ou maladie, tout cela est indifférent. Il n'y a de bien que la vertu et tout ce qui entre dans la catégorie de la vertu, il n'y a de mal que le vice et tout ce qui entre dans la catégorie du vice (5).

10) Comme celle du Jardin mais par d'autres voies, cette doctrine comportait un danger. L'ataraxie d'Épicure pouvait mener à l'inaction totale du fakir. Pareillement l'apathie stoïcienne risquait d'aboutir à une sorte de résignation fataliste où l'on se bornerait à attendre les événements sans chercher un seul instant à influer sur leur cours. Le sage contemplerait l'ordre du monde et, se laissant glisser au long de la vie, n'aurait pas d'autre soin que de reconnaître

---

(1) Cic., *de fin.*, V 79 = SVF. I 187, cf. D. L., VII 127 αὐτάρκη τε εἶναι αὐτὴν (τὴν ἀρετήν) πρὸς εὐδαιμονίαν, καθά φησιν Ζήνων.
(2) SVF. I 177 τὰ μὲν τῶν πραγμάτων ἐφ' ἡμῖν, τὰ δὲ οὐκ ἐφ' ἡμῖν. Seule mention pour Zénon. La doctrine a été longuement explicitée par Chrysippe.
(3) SVF. I 218.
(4) SVF. II 604 (p. 186. 4). Cf. Plat., *Tim.* 33 d 2 ἡγήσατο γὰρ αὐτὸ (sc. τὸ πᾶν) συνθεὶς αὔταρκες ὂν ἄμεινον ἔσεσθαι μᾶλλον ἢ προσδεὲς ἄλλων.
(5) SVF. I 190.

et d'admirer en toutes choses le doigt de Dieu. Cependant ce quiétisme, on l'a souvent noté, ne se rencontre guère en Grèce : il est aussi éloigné que possible de l'attitude du sage stoïcien. A propos du rôle de Sphairos auprès de Cléomène (1), Plutarque fait une observation bien suggestive (2) : « La doctrine stoïcienne comporte une part de risque (ἐπισφαλές) et de péril (παράβολον) pour les natures généreuses et résolues (πρὸς τὰς μεγάλας φύσεις καὶ ὀξείας) : en revanche, quand elle se mêle à un caractère calme (3) et doux, elle y fait germer le bien qui lui est propre. » Zénon ne détournait pas des charges de la vie familiale : « Le sage prendra femme, dit Zénon dans sa *République*, et il aura des enfants » (4). On sait du reste toute l'importance que Zénon, et les Stoïciens après lui, attachaient à l'éducation. Persée sera l'éducateur d'Halkyoneus, le fils illégitime d'Antigonos Gonatas, Sphairos, de Cléomène III et de la jeunesse spartiate; à Athènes même, Zénon exercera une action particulière sur les éphèbes (5), et de même ses successeurs Cléanthe (6) et Chrysippe, dont la cité dressa la statue dans le gymnase de Ptolémée, rendez-vous des éphèbes (7). A la différence d'Épicure, Zénon n'éloignait pas non plus des affaires publiques : « Le sage, dit Zénon, prendra part au gouvernement de la cité, à moins que quelque raison ne l'en empêche » (8). D'ailleurs, si le stoïcisme avait détourné de l'action noble, comment comprendre l'influence qu'il exerça sur tant de gouvernants hellénistiques ou romains, témoin les relations de Zénon et de Persée avec Antigonos, de Sphairos avec Ptolémée Philadelphe (9), Agis et Cléomène, ou des Stoïciens postérieurs avec un Caton et un Marc-Aurèle? Comment comprendre aussi, dans le système, la doctrine des καθήκοντα? Si le sage n'avait dû être qu'un pur contemplatif et un fataliste, cette doctrine, si mal comprise dans l'École elle-même, eût été tout à fait inutile. Ce qui l'explique et la justifie, c'est que le sage doit entrer dans le vif des affaires du monde, qui sont infiniment diverses, et ne réclament pas seulement

---

(1) Sur quoi, cf. l'ingénieux article de F. OLLIER, *Rev. Et. Gr.*, XLIX (1936), pp. 536 ss.
(2) PLUT., *Cleom.* 2, 3 = SVF. I 622.
(3) βαθεῖ... ἤθει : l'image est celle d'une eau profonde et dès lors calme.
(4) SVF. I 270.
(5) Cf. FERGUSON, *Hell. Athens*, pp. 128-129.
(6) D. L., VII 169 = SVF. I 463 : ἡγούμενόν τε (sc. Κλεάνθην) τῶν ἐφήβων ἐπί τινα θέαν κτλ.
(7) FERGUSON, p. 129, n. 4., p. 260. Le décret honorifique en faveur de Zénon doit être placé aux *gymnases* de l'Académie et du Lycée.
(8) SVF. I 271.
(9) Cf. F. OLLIER, *l. c.*, p. 546.

la rectitude de l'intention en plein accord avec la Loi divine (κατόρ-θωμα), mais veulent aussi qu'on tienne compte de « ce qui convient » selon l'heure et les circonstances (καθῆκον) (1).

Tel est, en résumé, quant aux points qui importent surtout à notre objet, le système moral de Zénon.

**

On voudrait sortir de l'abstrait, on voudrait pénétrer dans le secret de ces âmes si étonnamment modernes, parce que complexes, des hommes du iiie siècle, on voudrait voir le point précis où le Portique a agi sur elles en leur apportant de nouveaux motifs de s'exalter dans l'action ou de prendre courage dans l'infortune.

1) Ce qui frappe d'abord l'attention, c'est le *primat de la vertu*. « La fin de l'homme, c'est de vivre selon la vertu » (2). Zénon assurément n'était pas le premier à parler ainsi. Platon, après Socrate, avait proclamé qu'il faut tendre avant tout à être juste et que cette « justice intérieure » se suffit à elle-même (3). Aristote avait célébré en beaux vers la déesse vierge Arétè, pour qui son ami Hermias n'avait pas craint de mourir (4).

« Arétè (5), dont la poursuite cause aux mortels tant de souffrances, le plus noble objet de conquête que puisse se proposer une vie humaine, il n'est destin plus enviable dans l'Hellade que de mourir pour ta beauté, ô Vierge (6), ou d'endurer pour toi de dévorantes, d'infatigables peines : si précieux est le grain que tu jettes dans l'âme et qui nous fait pareil aux dieux! (7) Ni l'or n'a autant de prix, ni le lignage, ni le sommeil à l'éclat languide.

---

(1) Cet emploi particulier du mot καθῆκον est dû, en premier, à Zénon, cf. SVF. I 230. Sur le sens, cf. Pearson, *op. cit.* (*Zeno*), n° 145.

(2) Cf. SVF. I 180-181.

(3) Cf. *Gorgias*, *République*, ma *Contemplation... selon Platon*, pp. 138 ss., 381 ss.

(4) Texte : *Arist. fragm.*, n° 675 R². = J. M. Edmonds, *Lyra Graeca*, III (Loeb Cl. L., 1927), p. 400 = Didyme, *Berl. Kl. Texte*, I 25. Cf. Wilamowitz, *Aristoteles und Athen*, II, pp. 403-412, W. Jaeger, *Aristoteles*, pp. 117 ss. L'hymne a dû être composé peu après 342/1, date de la mort d'Hermias (Jaeger, p. 117, n. 2), Aristote se trouvant alors à Pella. Voir *Addenda*.

(5) L'Arétè est personnifiée et doit donc se rendre par le nom propre. Au surplus, « Vertu » ne conviendrait pas. L'ἀρετή est ici la « force d'âme ».

(6) ἇς πέρι, παρθένε, μορφᾶς | καὶ θανεῖν ζαλωτὸς ἐν Ἑλλάδι πότμος. Les réminiscences ne manquent pas, cf. Eurip., *Troy.* 401-2 στέφανος οὐκ αἰσχρὸς πόλει | καλῶ ὀλέσθαι, 386-7 Τ ὡς δὲ πώτον μέν, τὸ κάλλιστον κ ἐος, ὑπὲρ πατρας ἔθνησκον, Hiller v. Gaertringen, *Hist. Gr. Ep.*, 31 (Platées?) εἰ τὸ καλῶς θνῄσκειν ἀρετῆς μέρος ἐστί μέγιστον ν, Simon, 4 Bgk = 21 Edmonds τῶν ἐν Θερμοπύλαισι θανόντων | εὐκλεὴς ἀ τύχα καλὸς δ' ὁ πότμος, | βωμὸς δ' ὁ τάφος, πρὸ γοῶν δὲ μνᾶστις, ὁ δ' οἶκτος ἔπαινος, etc.

(7) καρπὸν ἰσαθάνατον Wilamowitz (et Didyme) : κ. εἰς ἀθαν. Diog. L., κ. τ' ἀθαν. Athénée.

C'est pour toi que les fils de Zeus (1), Héraclès et les Jumeaux de Léda, ont supporté de si grands maux dans leurs épreuves, à la poursuite de ta force secrète. C'est pour t'avoir passionnément aimée qu'Achille et Ajax sont allés dans l'Hadès. Et c'est aussi l'amour de ta beauté chérie qui a privé le fils d'Atarnes de la lumière du jour.

C'est pourquoi l'on chantera l'exploit de ce héros, et les Muses, filles de Mnémosyne, le proclameront immortel. Elles diront son saint respect pour Zeus, protecteur de l'hôte; elles diront l'honneur d'une amitié qui tint ferme jusqu'au bout (2) ».

Il n'y avait rien non plus d'absolument neuf dans l'affirmation que la vertu se suffit, même sans l'appoint des biens extérieurs : ç'avait été en effet la thèse de Platon dans le *Gorgias* et la *République*, et l'on sait combien Aristote, du moins dans ses écrits scolaires, puis Épicure, s'étaient opposés à cette vue platonicienne. Néanmoins la formule de Zénon offrait quelque chose de net, de tranchant, d'absolu; et surtout le caractère de celui qui la prononçait donnait à sa parole une autorité si évidente qu'on ne pouvait s'empêcher d'en être impressionné. G. Murray l'a dit très finement (3) : « Si l'objectant n'était pas entièrement satisfait, Zénon usait d'un autre argument. Il le priait de répondre, en toute sincérité, à cette question : « Aimeriez-vous réellement être riche et débauché? Avoir tous les plaisirs du monde et être un vicieux? » Apparemment, quand les yeux de Zénon étaient fixés sur vous, il était difficile de répondre oui.... On rendait les armes et l'on confessait que la vertu, et non pas aucune sorte de plaisir, était le Bien ».

Or il semble que, pour des raisons diverses, à la fin du IVe siècle et dans la première moitié du IIIe, la vertu eût été précisément l'un des articles que les jeunes gens demandaient aux maîtres de sagesse. Peut-être Athènes avait-elle connu une vie trop lâche et trop facile : *de medio leporum surgit amarum aliquid*. Peut-être la défaite de Chéronée et l'abaissement de la cité lui avaient-ils ouvert les yeux sur cette vérité d'expérience que, pour un État démocratique,

---

(1) Je lis οἱ Διός avec Wilamowitz : ὁ Διός Ath., ἐκ Διός D. L.

(2) Allusion à la noble conduite d'Hermias, qui, lié d'alliance et d'amitié avec Philippe de Macédoine, fut traîtreusement emmené d'Atarnes à Suse, mis à la torture et, sur son refus de livrer aucun secret, condamné à mourir en croix. Cf. les textes cités par Didyme, entre autres l'*Éloge d'Hermias* par Callisthène, col. V, ll. 64 ss. (voir P. Foucart, *Études sur Didymos*, Mém. Acad. Inscr. et B. L., XXXVIII 1, 1907, pp. 112-113), la dédicace par Aristote du μνημεῖον (ou de la statue) d'Hermias à Delphes, fr. 674 R², et en outre Strabon, XIII, 57, p. 610. Voir aussi P. v. d. Mühll, Suppl. P. W., Bd. III, 1126-1130 (littérature jusqu'en 1918), Jaeger, *Aristoteles*, pp. 117 ss., J. Bidez, *Hermias d'Atarnée*, Bull. Ac. roy. de Belg., Cl. d. L., XXIX, 1943, pp. 133 ss., et infra *Add*.

(3) G. Murray, *Stoic, Christian and Humanist*, p. 99.

l'indépendance et l'autonomie ne vont pas sans quelque austérité dans les mœurs ni des règles de conduite bien assurées. Quoi qu'il en soit, quand on compare l'attitude des jeunes gens à l'égard des Sophistes à la fin du ve siècle et celle de leurs successeurs, cent ans plus tard, à l'égard d'un Ménédème, d'un Polémon, d'un Cratès, d'un Zénon, on a bien l'impression que quelque chose a changé. Ce qu'on demandait à ceux-là, et à Socrate lui-même, c'était la σοφία, c'est-à-dire cette sorte d' « habileté » qui permettrait de réussir universellement dans le maniement des affaires publiques. Ce qu'on demande à ceux-ci, ou du moins ce qu'on s'attend à ce qu'ils enseignent le mieux, c'est la vertu. Et l'on est si convaincu que le caractère d'hommes vertueux est en eux le principal qu'on n'ose s'abandonner à certains plaisirs, de crainte de s'attirer les remontrances de ces sages (1).

Un autre fait témoigne dans le même sens. La première moitié du IIIe siècle est l'époque où apparaît ce type nouveau du sage qu'on rencontrera si souvent plus tard, à la fin de la République romaine et sous l'Empire : le prédicateur ambulant (2). Ce n'est pas un intellectuel. Alors que Xénocrate renvoie un jeune homme qui veut le suivre sans avoir appris la musique, la géométrie et l'astronomie, parce qu'il lui manque « les anses de la philosophie » (3), Bion de Borysthène, qui pourtant a été l'élève de Xénocrate (4), méprise ces sciences comme un vain jeu (5). C'est un homme du peuple (6), et qui s'adresse au peuple (7), en de courts sermons pleins de verve et d'action qui formeront le genre nouveau de la diatribe. Son auditoire préféré est celui des jeunes gens. « Toi », dit Bion au roi Antigonos Gonatas, « tu gouvernes des multi-

---

(1) Sur ce point, il y a des analogies entre Ménédème, par exemple, et Socrate. Cp. D. L., II 126 (gravité de M.) ταῦρον Ἐρέτριον et *Phéd.* 117 b 5 ἀλλ' ὥσπερ εἰώθει ταυ ἡδον ὑπ᾽ διέψα: πρὸς τὸν ἄνθρωπον. D. L., II 127 (honte d'Euryloque devant M.) et *Banqu.* 216 a-c (honte d'Alcibiade devant Socrate).

(2) Bion : D. L., IV 53 ἦν δὲ πολυτελής· καὶ διὰ τοῦτο πόλιν ἐκ πόλεως ἠμειβεν (cf. Hense, *Teletis reliqu.*, p. LXXV). Il n'y a pas à tenir compte de la raison indiquée, ἦν... πολυτελής, qui provient d'une source hostile à Bion, cf. *ib.*, pp. LIX ss., en particulier LXV, LXXIII. Télès, p. 25. 6 H. δύναμαι δὲ μεταβαῖν ὥσπερ ἐξ ἑτέρας νεώς εἰς ἑτέραν ὁμοίως εὐπλοεῖν· οὕτω ἐξ ἑτέρας πόλεως εἰ ἑτέραν ὁμοίως εὐδαιμονεῖν. Wilamowitz, *Ant. Kar.*, pp. 292 ss., en particulier pp. 307-319, a excellemment marqué ce type de prédicateur et les besoins auxquels il répondait. Voir aussi Dudley, *op. cit.* (supra, p. 270, n. 2), pp. 62 ss.

(3) D. L., IV 10.
(4) D. L., IV 10.
(5) ὅλως καὶ μουσικὴν καὶ γεωμετρίαν διέπαιζεν, D. L., IV 53.
(6) D. L., IV 46-47. Pour Bion, voir surtout Tarn, *Ant. Gon.*, pp. 233-239. Sources dans l'*index Bioneus* de Hense, *Tel. rel.* (2e éd., 1909), pp. 100-102.
(7) Si délaissé, au vrai, pour ce qui regarde l'éducation morale.

tudes; moi, je n'ai que ce seul élève à gouverner » (1). Et Télès (2) répète après lui, dans un sermon aux adolescents de Mégare (3) : « Tu gouvernes une multitude d'adultes ; moi je n'ai pour élèves qu'un petit nombre d'impubères » (4). Quelle morale le sage ambulant enseigne-t-il à cette jeunesse? Rien, sans doute, de bien original. Bion et Télès n'ont point de système, mais ils popularisent les vertus les plus courantes : leur apport est dans la forme, non dans la pensée. Le dogme fondamental de cette morale est une vérité banale en Grèce depuis Homère et son Ulysse « vaillant à l'épreuve » (πολύ-τλας, πολυτλήμων Ὀδυσσεύς), c'est qu'il faut être fort, supporter avec courage l'infortune, quelle qu'elle soit. Si la vertu de prudence vaut surtout pour les vieillards, celle qui convient aux jeunes gens est la vertu de force, de virilité (5). A ce dogme s'ajoute maintenant l'idée, cynique peut-être, en vérité commune à toutes les sectes de l'époque (Cyniques, Épicure, Zénon), qu'on donne d'autant moins de prise à la Tyché qu'on reste plus détaché de tous les biens du monde, qu'on porte en soi-même toute sa suffisance, bref, qu'on est vraiment libre (6). Le morceau sur l'indépendance du sage (περὶ αὐταρκείας), traduit en appendice (7), donne le ton de cette prédication. On n'y trouve nulle vérité nouvelle : mais précisément ce manque d'originalité nous instruit. C'est parce que Bion, sous une forme d'ailleurs vivante et proche du réel, se bornait à répéter des lieux communs, qu'il se faisait écouter du menu peuple dans les villes qu'il traversait. Telle était sa faconde qu'un jour, à Rhodes, il sut gagner jusqu'à de jeunes matelots qui, revêtus du petit manteau philosophique, lui

---

(1) TÉLÈS, p. 6. 2-3 H.
(2) Qui écrit vers 241.
(3) οὐδὲ τὰ μειράκια ταυτί, TÉLÈS, p. 24.1 H.
(4) TÉLÈS, p. 24. 4-6 H. Cf. Hense, p. xxxix. Télès (d'après Bion), nous a laissé un charmant tableau des misères de l'adolescent à Athènes, au IIIe siècle, p. 50. 3 H. (cf. Ps. Plat., *Axioch.* 366 d ss.) : « A peine l'enfant échappe-t-il à la nourrice qu'il retombe entre les mains du pédagogue, du pédotribe, du professeur de lettres, des maîtres de musique et de dessin. L'âge s'avance : c'est le tour du professeur de calcul, du professeur de géométrie, du maître d'équitation. On l'éveille dès l'aube, nul loisir permis. Le voilà éphèbe : derechef le cosmète est sa terreur, avec le pédotribe, le maître d'armes, le gymnasiarque. Tous ces gens-là ont constamment l'œil sur lui, le fouettent, le giflent. Il sort de l'éphébie, il a vingt ans : ce n'est pas fini de craindre et d'obéir, au gymnasiarque, au stratège. Faut-il découcher dans un baraquement? il découche; faire la garde toute une nuit de veille? il fait la garde ; prendre la mer? il prend la mer. »
(5) τῇ μὲν ἀνδρείᾳ νέους ὄντας ἔφη (Bion) χρῆσθαι, D. L. IV 50.
(6) Cf. D. L., II 115. Démétrios Poliorcète, s'étant emparé de Mégare, ordonne qu'on épargne la maison de Stilpon et lui rende tous ses biens : « Je n'ai rien perdu », répond le sage; « personne ne m'a pris ma culture, j'ai encore mon éloquence et ma science. »
(7) Voir APPENDICE II, *infra*, pp. 592. Le morceau de Télès est farci d'emprunts à Bion.

firent escorte au gymnase (1). Si un prêcheur ambulant pouvait réussir ainsi auprès du vulgaire, on doit bien penser que les sages installés et tenant école obtenaient mieux encore l'audience des fils de la bourgeoisie d'Athènes. Recueillons donc quelques traits sur les figures marquantes parmi les sages d'alors.

On vante la gravité de Ménédème (2). Euryloque de Kassandréia, ayant été invité par Antigonos Gonatas à dîner avec un adolescent, Kléippidès de Cyzique, n'ose accepter cette invitation de crainte que Ménédème ne le sache : « car il reprenait avec beaucoup de mordant et de franchise » (3). Antigonos lui-même n'était pas à l'abri de ces blâmes, mais il n'en avait que plus de respect pour le philosophe d'Érétrie (4). Comme il lui faisait demander un jour s'il devait se rendre à une beuverie, Ménédème se contenta de répondre : « Qu'Antigonos se souvienne qu'il est fils de Roi » (5). Ce sage se montrait surtout sévère pour les jeunes insolents (6), les ramenant à plus d'humilité par le rappel du caractère particulièrement ridicule de leurs amours (7). La frugalité de ses *symposia* philosophiques, célèbre dans l'antiquité (8), n'était pas due à quelque avarice, car il réprouvait de même toute somptuosité dans les repas où on l'invitait (9).

Passons à l'Académie. Nous avons là quelques anecdotes ou expressions saisissantes sur les « conversions » de Polémon par Xénocrate et de Cratès par Polémon. La « conversion » de Polémon est bien connue (10). Il avait été, dans sa jeunesse, un franc libertin,

---

(1) D. L., IV 53, d'après la source hostile à Bion. Originalement à l'éloge de Bion, l'anecdote est tournée en blâme, en ce qu'on montre Bion se faisant accompagner de ces marins au gymnase pour mieux étaler sa vanité (ἦν δὲ... ἐνίοτε καὶ φαντασίαν ἐπιτεχνώμενος), cf. Hense, p. XLII.

(2) D. L., II 126, 127. La source de Diogène est ici excellente : c'est Antigonos de Carystos, cf. Wilamowitz, *Ant. Kar.*, pp. 86-102.

(3) D. L., II 127. La même chose est dite d'Arcésilas, IV 33.

(4) D. L., II 141 ἠγάπα δὲ αὐτὸν καὶ Ἀντίγονος καὶ μαθητὴν ἀνεκήρυττεν αὐτόν. Voir aussi II 142.

(5) D. L., II, 128. Sur Antigonos et Ménédème, cf. Tarn, *Ant. Gon.*, pp. 22-27.

(6) μειρακίου καταθρασυνομένου D. L., II 127, πρὸς δὲ τὸν θρασυνόμενον μοιχὸν 128, πρὸ δὲ τὸν νεώτερον ἐκραγότα 128. C'est le défaut principal des jeunes, cf. Plat. *Euthyd.* 273 a 8 ὅσον μὴ ὑβριστὴς διὰ τὸ νέος εἶναι, Arist., *Rhét.*, II 2, 1378 b 26 αἴτιον δέ τις ἡδονῆς τοῖς ὑβρίζουσιν, ὅτι οἴονται κακῶς δρῶντες αὐτοὺς ὑπερέχειν μᾶλλον. διὸ οἱ νέοι καὶ οἱ πλούσιοι ὑβρισταί· ὑπερέχειν γὰρ οἴονται ὑβρίζοντες.

(7) τὸ περαίνεσθαι, D. L., II 127, 128.

(8) D. L., II 139-140 = Athénée X 419 c. La source est Antigonos de Carystos, Wilamowitz, *l. c.*, pp. 99-101.

(9) D. L., II 129-130.

(10) D. L., IV 16. Même si le récit n'est pas d'Antigonos de Carystos, il faut le tenir pour « typiquement vrai », Wilamowitz, *Ant. Kar.*, p. 56. Dans le lieu parallèle de Philodème, dont la source est Antigonos, on a θηραθεὶς ὑπὸ Ξενοκράτους, cf. Wilamowitz, p. 63.10 (*Academicorum Index Herculanensis*, p. 48.10 Mekler).

adonné à toutes les sortes de plaisirs, amour des femmes, des enfants et des adolescents (1). Or, un jour que, ivre et couronné de fleurs, il avait fait irruption dans la salle où Xénocrate tenait école, celui-ci, sans changer de visage, continua son exposé : il traitait de la tempétance (2). S'étant mis à écouter, le jeune homme fut peu à peu conquis (κατ' ὀλίγον ἐθηράθη), et il devint par la suite le plus zélé des disciples de Xénocrate. Comme son maître, il visait à l'imperturbabilité ; jamais il ne changeait de visage et de voix : c'est cette gravité constante qui captiva Crantor (διὸ καὶ θηραθῆναι Κράντορα ὑπ' αὐτοῦ) (3). Voici maintenant la conversion de Cratès par Polémon. Autant qu'on en peut juger par un texte fort mutilé (4), il semble que Cratès se soit laissé séduire par une bande de jeunes fous qui cherchaient à entraîner les sages disciples de l'Académie. Je traduis ici, non sans réserves, le texte tel qu'il a été restauré par Mekler : « Il (Arcésilas, nommé plus haut) dit aussi qu'il se donnait alors dans la ville, chez certains libertins, des banquets où l'on cherchait à débaucher les éphèbes et à les détacher de l'Académie et de l'abstinence de vin. A ce point que l'un de ces débauchés paraissait mettre tout en œuvre pour que la soif du vin et des amours vulgaires rendît les jeunes gens impropres au noble désir de la sagesse » (5). Sans doute alors Polémon, chef de l'Académie, se préoccupa-t-il de gagner (ou de retenir) le jeune Cratès, « et il lui parla comme devait le faire l'un des chefs de l'Académie, en homme du moins qui estimait qu'il jouissait d'un meilleur état physique que les débauchés et qu'il était du nombre des gens qui avaient vécu avec des moyens suffisants. Cependant, alors que (l'un des adversaires) cherchait à arracher l'adolescent des mains de Polémon, celui-ci ne céda point et n'en ressentit nul saisissement de crainte, mais il fit si bien la guerre à cet homme et lutta si éner-

(1) εἶναι γὰρ φιλόπαιδα καὶ φιλομειράκιον, Philodème, p. 63.5-6 Wil. (*Acad. Ind.*, p. 47.5 M.).
(2) La continence de Xénocrate est louée et illustrée d'exemples, D. L., IV 6-7.
(3) Crantor et Polémon : D. L., IV 17 et 24. Austérité de Polémon : *Acad. Ind.*, pp. 49-50 M., de Xénocrate : D. L., IV 6 σεμνὸς δὲ τά τ' ἄλλα Ξ. καὶ σκυθρωπὸς ἀεὶ et l'anecdote IV 16. Admiration de Polémon pour Xénocrate : *Acad. Ind.*, p. 54.41 M.
(4) *Acad. Ind.*, p. 56.20 ss. M. (les compléments de Mekler paraissent quelque peu audacieux) : ἔφη δ' (sc. Ἀρκεσίλαος, cf. 55.3) ἐν ἄσ(τει ὑφ' ὑπάρχ)ειν παρ' ἐν(ίοις ἀσώτοις σ)ιτήσεις, ἵν' (ἀκολασίαις ἀφισ)τῶσ(ιν) τοὺ(ς ἐφήβ)ους τῆ(ς Ἀκαδη)μείας (τε καὶ κώθωνος ἀ)ποχῆς· κα(ὶ δή τις) ἅπαν(τ') ἐδόκει ζη(τεῖν ὅπως αὐτοὺς ἀ)κράτου δι(ψ)ῶ(ντας καὶ ἔρωτος) π)ανδ(ή)μ(ου δυσχρήστους π)ο(ή)σει πρ(ὸς ἱ)με(ρ)ον (ἅμ)α σεμνόν τε καὶ φιλ(όλο)γον.
(5) Le texte poursuit selon Mekler (p. 56.31) : μετὰ ταῦ'τα μέντοι Πολέμω)ν Κράτητο(ς ἐρωτικῶς) διατεθεὶς (τοσοῦτον τῆς) σε(μν)ῆς ἀ(ταραξίας ἐξ)έστη ὥ(σ)τε λέ(γονθ' κτλ. Mais, outre qu'il n'y a aucune raison de supposer de tels débordements chez Polémon dont l'auteur a tant vanté plus haut la σωφροσύνη, cette conjecture ne va pas avec la suite où précisément Polémon lutte pour gagner Cratès à la sagesse.

giquement contre lui qu'à la fin il remporta la victoire et persuada Cratès de le suivre » (1).

Gravité du visage et du maintien, sévérité à l'égard des disciples, frugalité, continence, maîtrise continuelle de soi-même, tels sont donc les caractères qu'on se plaît à reconnaître chez les sages du temps (2) et qui leur font une physionomie commune, nouvelle d'ailleurs en Grèce, tout étrangère aux Sophistes du Ve siècle, à Platon, à Aristote, et qui fait plutôt songer aux yoguis de l'Inde. Or, où pouvait-on trouver meilleur exemple de ces qualités que dans le sage de Kition, maigre, élancé, au teint basané (3), qui soumettait à de rudes épreuves ceux qui venaient à lui (4), d'une sobriété légendaire (5), assez maître de lui pour quitter la place quand il se sentait sur le point de céder à la volupté? (6). Faut-il s'étonner, dès lors, de la faveur qu'il s'acquit en prêchant, avec tant de force, le primat de la vertu? Comme le marque le décret de Thrason, on en croyait plus volontiers un homme dont la vie avait toujours été conforme à la doctrine. La cité lui envoyait donc ses jeunes classes : Zénon leur recommandait surtout d'éviter l'orgueil (τῦφος) et de garder la bienséance (κοσμιότης) dans la démarche, l'allure et l'habillement (7). Un heureux hasard nous a conservé un fragment des préceptes du maître (8) : « Zénon de Kition semble avoir tracé le portrait du jeune homme. Voici comment il le dépeint : « Qu'il ait,

---

(1) P. 57.2 ss. M. : ὥ(σ)τε λέ(γονθ' οἱάπερ εἱ)ς τῶν ἀφηγουμένων τῆ(ς) Ἀκαδημείας (ὡι) γ' ἐ(ψ)κει καὶ τῶι σώματι βελ(τίο)να (ego : βέλ(τισ)τα M.) διακεῖσθαι τῶν ἐγλυ(ομ)ένων καὶ τῶν ἱκανῶς βε(6)ιωκότων εἶναι, π(ερι)σπῶντος τὸ μειράκιον μήτ' εἴ(ξ)αι μήτε καταπλα-γῆναι, μέχρι δὲ τούτου πολεμῆσαι καὶ διαντᾶ(ι)ρ)αι πρὸς αὐτόν, (ἕω)ς ἐξηργάσατο καὶ μετή αγε τὸ(ν) Κράτητα πρὸς ἑαυ(τό)ν.

(2) L'atmosphère change avec Arcésilas qui est surtout un merveilleux dialecticien. Sans doute Antigonos de Carystos rapporte, comme pour Ménédème, qu'il reprenait ses élèves avec mordant et une grande liberté de langage (D. L., IV 34), mais le trait suivant (IV 37) montre qu'il s'agit, dans bien des cas, de bévues dans les exercices d'école plutôt que de fautes morales.

(3) D. L., VII 1 : d'après le stoïcien Apollonius de Tyr (Ier s. av. J.-C.).
(4) D. L., VII 22 : d'après Antigonos de Carystos, comme pour les références suivantes.
(5) Il ne se nourrissait que de petits pains, de miel, et d'un peu de vin aromatique, D. L., VII, 13.
(6) D. L., VII 17.
(7) D. L., VII 22 δεῖν τ' ἔλεγε τοὺς νέους πάσῃ κοσμιότητι χρῆσθαι ἐν πορείᾳ καὶ σχήματι καὶ περιβολῇ. Il est intéressant de comparer les décrets éphébiques, p. gr. celui de 334/3 (Syll.[3]. 957.54 ss.) où la tribu Cécropide et la Boulè louent les éphèbes pour leur κοσμιότης et leur εὐταξία. Les noms mêmes des magistrats chargés des éphèbes indiquent les dispositions dans lesquelles la cité veut que soit formée sa jeunesse. C'étaient primitivement le κοσμητής et le collège de surveillance des douze σωφρονισταί (un par tribu). En 301, la durée de l'éphébie (qui n'était plus un service obligatoire) ayant été réduite de deux à un an et le nombre des éphèbes ayant beaucoup diminué, on supprima, pour raisons d'économie, la charge des σωφρονισταί : cf. FERGUSON, Hell. Ath., pp. 127-129.
(8) CLEM. AL., Paed., III 11, 74 = SVF. I 246.

dit-il, le visage pur, les traits non relâchés (1), le regard ni impudent ni languide, sans rejeter la tête en arrière (2); qu'il n'y ait rien d'abandonné dans son maintien, mais qu'il se tienne bien droit comme une corde fortement tendue; qu'il ait l'esprit attentif à ce qu'on lui dit, prompt à comprendre, capable de retenir les bons préceptes; que ni son allure ni ses gestes ne donnent le moindre espoir aux débauchés. Que la pudeur et la' virilité fleurissent sur son visage pur. Qu'il fuie les vains bavardages dans les boutiques de parfumeurs, d'orfèvres et de marchands de laine et dans les autres mauvais lieux où l'on en voit qui, fardés comme des courtisanes, passent tout le jour comme s'ils s'offraient à l'étalage » (3).

D'une certaine manière, l'attrait qu'exerçait ainsi Zénon peut se comparer à celui d'Épicure, moins le charme propre au sage du Jardin. L'un et l'autre répondaient à ce besoin de direction morale que ressentaient alors les jeunes gens, en raison du désordre et de la confusion des événements, du désarroi des esprits, de l'extrême liberté des mœurs, dans une cité dont les cadres avaient fléchi et qui n'avait plus elle-même assez de ressort pour guider, dès l'enfance, vers des buts de vie où toutes les facultés humaines trouvassent leur plein épanouissement. De ce point de vue, on peut dire que la crise qu'Athènes traversa au début du IIIe siècle continue celle du Ve siècle, au temps des Sophistes. Le moment décisif pour la vie spirituelle d'Athènes fut celui où, durant les cinquante années qui suivent les guerres médiques, l'armature traditionnelle de la Cité, d'essence religieuse, vint à se défaire et à s'effriter (4). Socrate, et surtout Platon et Aristote, avaient cherché à remplacer ces cadres religieux par un système philosophique qui se fixât et prît valeur institutionnelle dans des lois. Il faut bien reconnaître que

---

(1) ὀφρὺς μὴ καθειμένη. Froncer ou lever les sourcils était signe d'arrogance et de hauteur, cf. ANTH. PAL., X 122 σοῦ τὴν ὀφρὺν καὶ τὸν τῦφον καταπαύσει et notre « sourcilleux ». Inversement, « déplier » ou « relâcher » le front dénotait le laisser-aller de la bonne humeur (EURIP., *Iph. Aul.* 648 [Iphigénie à Agamemnon] μέθες νῦν ὀφρὺν ὄμματ' ἔκτεινον φίλον, *Hippol.* 290, ANTH. PAL., XII 42, PLUT., *De comm. not.* 10, 3 p. 1062 F ταῦτα γὰρ εἰ μὲν παίζοντες λέγουσιν, κατατεθέσθωσαν τὰς ὀφρῦς) ou d'une vie lâche et dissolue (Silène en parlant de l'ivresse, EURIP., *Cycl.* 167 ἅπαξ μεθυσθεὶς καταβαλών τε τὰς ὀφρῦς). C'est ici le sens, exprimé encore par ὄμμα διακεχλασμένον, ἀνειμένα τὰ τοῦ σώματος μέλη.

(2) Litt. « le cou », μὴ ὕπτιος ὁ τράχηλος : signe d'arrogance, cf. *Sirac.*, 7, 23 τέκνα σοί ἐστιν ; παίδευσον αὐτά, καὶ κάμψον ἐκ νεότητος τὸν τράχηλον αὐτῶν.

(3) ὥσπερ ἐπὶ τέγους καθεζόμενοι, litt. « comme s'ils se tenaient assis sur le toit (en terrasse »), mais ce qui précède, ἑταιρικῶς κεκοσμημένοι, et le sens connu de τέγος (bordel) indique bien qu'il s'agit de femmes qui s'offrent aux passants. Festa cp. LYSIAS XXIV 20. Voir aussi ESCHINE, c. *Tim.* 40 οὗτος γὰρ..., ἐπειδὴ ἀπηλλάγη ἐκ παίδων, ἐκάθητο ἐν Πειραιεῖ ἐπὶ τοῦ Εὐθυδίκου ἰατρείου, προφάσει μὲν τῆς τέχνης μαθητής, τῇ δ' ἀληθείᾳ πωλεῖν αὐτὸν προῃρημένος.

(4) Voir *Contemplation... selon Platon*, Ire et IIIe Parties.

cet effort avait échoué. La Cité idéale de Platon ne fut jamais réalisée. Et la cité réelle n'adopta que sur des points de détail (éphébie) les réformes proposées par l'Académie ou le Lycée. Au surplus, ces deux écoles péchaient par un excès d'intellectualisme, elles imposaient au futur sage de trop longues années d'études et, de ce fait, éloignaient de l'action. En sorte qu'au temps d'Épicure et de Zénon, on s'en trouvait au même point que lorsque Mélésias et Lysimaque venaient confier leurs fils à Socrate pour qu'il en fît des hommes de mérite (1).

2) Que Zénon enseignât la vertu avec ce caractère de force et d'autorité, cela explique donc, pour une part, son succès. Mais pour la moindre part seulement. Car, nous venons de le voir, ce n'était pas là un trait singulier : et ceux de l'Académie, et les Cyniques, et Ménédème, et, bientôt, Bion de Borysthène, tous les sages se déclaraient plus ou moins professeurs de vertu. Tous portaient l'enseigne du Sage idéal (2). Tous vendaient également le secret de la paix et du bonheur. Zénon ne se distinguait pas d'eux.

Mais il y avait, dans le Stoïcisme, deux points de doctrine qui devaient lui gagner les âmes généreuses. D'abord, la fière affirmation que la vertu compte seule, qu'elle se suffit à elle-même. Ensuite, le principe fondamental de la secte que « vivre selon la vertu », c'est « vivre selon la Nature universelle », c'est-à-dire selon la Raison divine dont chaque homme possède une étincelle. Le premier dogme garantissait à l'action une liberté totale. Rien ne compte que la vertu. Et donc la souffrance et la mort ne comptent pas, et il n'y a aucunement à les craindre. Les opinions du vulgaire ne comptent pas : qu'il adule ou bafoue, c'est chose indifférente. Et de même pour la richesse ou la pauvreté, l'euphorie ou le mauvais état du corps, bref, pour toutes les circonstances qui entravent, chez la plupart des hommes, l'autonomie de l'action, parce qu'elles forcent à calculer, parce qu'elles nous font dépendre de volontés ou de conditions extrinsèques à notre seul vouloir, et qu'ainsi elles nous empêchent de poursuivre le grand dessein que nous avons conçu.

Or ce dessein compte seul. C'est ce dont nous persuade le second dogme du stoïcisme. En effet, si mon action est vertueuse, elle l'est par l'intention, qui est conforme à l'intention de Dieu. Dès lors, je collabore à la Divinité, j'ai, pour me soutenir dans mon effort, le sentiment exaltant que la Raison divine est avec moi, que je m'in-

---

(1) πῶς ἂν θεραπευθέντες γένοιντο ἄριστοι, PLAT., *Lachès* 179 b 1-2.
(2) Cf. EM. BRÉHIER, *Chrysippe* (Paris, 1910), pp. 221-222.

sère en son plan, que je participe dans ma sphère, si petite soit-elle, au gouvernement de l'Univers. J'ai donc raison d'agir comme je fais ; et celui qui s'oppose à moi a tort. J'ai raison d'une manière absolue. Car la bonté de mon jugement ne m'est pas garantie seulement par tout le soin que j'aurai pris de bien juger ; ce qui l'authentique et la consacre, c'est ma ferme assurance que j'obéis à la Loi du monde, que je marche d'accord avec Dieu.

Voilà bien ce qui faisait observer à Plutarque, par une remarque profonde, que « le stoïcisme a, pour les grands cœurs, quelque chose de risqué et de hardi ». Cependant, ce qui a le plus attiré dans cette sagesse n'est peut-être pas tant les deux principes susdits — théorie des indifférents, accord au Vouloir divin — qu'une conséquence de ces principes. Il en résulte en effet que le succès ou l'insuccès n'importe pas : rien n'importe que notre effort. Cléanthe avait coutume d'exprimer cette idée par une sorte d'apologue, qu'on lisait dans son traité *des Bienfaits* (1). Sans doute l'intention pure ne suffit-elle pas pour qu'un bienfait soit actuellement réalisé : il faut encore l'aide des circonstances. Mais, quand même la Fortune aurait tout secondé, il n'y a pas bienfait non plus si l'intention de rendre service n'a pas existé d'abord. « Supposons, dit Cléanthe, que j'envoie chercher Platon à l'Académie par deux petits esclaves. L'un a examiné à fond toute la longueur de la galerie, il a parcouru tous les autres lieux où il espérait de pouvoir trouver Platon, et le voici de retour après une course aussi fatigante qu'inutile. L'autre s'est assis devant le premier bateleur qu'il rencontre, et, tandis que, flâneur et vagabond, il joue en compagnie d'autres esclaves, il voit passer Platon qu'il n'avait pas cherché. Nous louerons, dit Cléanthe, le premier esclave qui a fait tout ce qu'il a pu pour accomplir l'ordre reçu, et nous châtierons le second, qui a eu de la chance, mais n'a rien fait ».

Maintenant, si l'intention compte seule et suffit, comment se pourrait-il jamais qu'on perdît courage ? Quelle prise laisser à la Fortune ? Si mon intention est bien dirigée, si j'ai toujours en vue de bien agir, il suffit que j'aille de l'avant : nul échec ne doit m'arrêter. Dieu met-il des obstacles sur ma route ? C'est qu'il m'éprouve (2). Il veut mesurer ma force d'âme. Et c'est cette force seule qui a du prix.

(1) περὶ χάριτος. Quelques fragments conservés par Sénèque, cf. *de benef.*, VI 10,2 = SVF. I 579.
(2) Pour le développement de ce thème chez Sénèque et Épictète, cf. *La Sainteté*, pp. 63-68.

Car il faut se souvenir que, pour le Grec, le mot « vertu » a toujours désigné essentiellement la vertu de force. Dans le catalogue des vertus cardinales, la force vient en premier (1). Ce à quoi aspire normalement un Grec bien né, c'est à accomplir une action grande et difficile qui lui procure de l'honneur. Et sans doute, avec le stoïcisme, la notion d'honneur a changé, mais voyons en quel sens. Honneur et déshonneur impliquent qu'on agit devant des spectateurs qui tantôt louent et approuvent, tantôt réprouvent votre action. Tout dépend cependant de ce que valent les spectateurs. S'il s'agit de la foule, son opinion n'est d'aucun poids et il est vrai de dire, alors, que δόξα et ἀδοξία tombent au rang des choses indifférentes (2). Dans le cas du sage au contraire, son approbation est indispensable ; car, puisqu'il est ici-bas le portrait même de la Raison divine, être d'accord avec lui, c'est être d'accord avec la Loi de Dieu. De là vient qu'Antigonos Gonatas déclare à la mort de Zénon : « Quel spectateur j'ai perdu » (3), et que Zénon à son tour définissait l'ami « un autre soi-même » (4), c'est-à-dire un sage comme lui, un sage dont le jugement eût vraiment du prix. On voit donc que ce grand ressort de la vie morale grecque, l'honneur ou la gloire, loin de disparaître avec le stoïcisme, prend au contraire avec lui une sorte de valeur absolue.

Et c'est bien cela qui aiguillonnait les âmes. De fait, relisons, dans Plutarque, les vies d'Agis et de Cléomène : que ce dernier ait subi l'influence du stoïcien Sphairos, la chose est sûre, et elle est probable pour le premier (5). « L'homme de bien parfait et accompli ne saurait désirer aucunement la gloire, sauf dans la mesure où elle lui ouvre accès aux affaires et lui assure la confiance publique. Mais on peut pardonner à un homme jeune et passionné d'honneur si le sentiment de ses belles actions et de la gloire lui donne quelque peu d'élévation et de superbe. Car, selon le mot de Théophraste, les vertus qui naissent et germent en de tels sujets se fortifient heureusement (τὸ κατορθούμενον ἐκβεβαιοῦνται) par l'éloge et ne cessent de grandir à mesure que s'exalte le sentiment de la gloire » (6).

---

(1) Cf. ARIST., *Eth. Nic.*, III 8 *(in.)* κοινῇ μὲν οὖν περὶ τῶν ἀρετῶν εἴρηται ἡμῖν... ἀναλαβόντες δὲ περὶ ἑκάστης εἴδωμεν..., καὶ πρῶτον περὶ ἀνδρείας.
(2) SVF. I 190.
(3) D. L., VII 15 οἷον εἴη θέατρον ἀπολωλεκώς. TARN, *Ant. Gon.*, p. 236 n. 47, cp EPICURE, fr. 208 Us. *satis magnum alter alteri theatrum sumus.* Au contraire, Bion de Borysthène « jouait » pour la foule, ἦ, δὲ καὶ θεατρικός, D. L., IV 52.
(4) ἐρωτηθεὶς τί ἐστι φίλος, 'ἄλλος ἐγώ', ἔφη, D. L., VII 23. Cf. WILAMOWITZ, *Ant. Kar.*, p. 12. n. 23.
(5) Cf. F. OLLIER, *l. c.*, pp. 536 ss. La source de Plutarque est ici Phylarque, contemporain des événements.
(6) PLUT., *Agis* 2, 1-2.

Voilà le thème auquel la vie des deux rois de Sparte servira d'illustration. Plutarque montre donc, chez Agis et Cléomène, l'inclination naturelle à la vertu : « Par son heureuse nature (εὐφυίᾳ) et l'élévation de son âme, Agis se distinguait si bien, non seulement de Léonidas (1), mais de presque tous les autres rois qui ont régné depuis le grand Agésilas, qu'avant même d'avoir atteint ses vingt ans, et bien qu'il eût été élevé dans l'abondance et le luxe auprès de sa mère Agésistrata et de son aïeule Archidamia, les plus riches propriétaires de Lacédémone, il se fortifia d'emblée contre les plaisirs et, méprisant une beauté dont la grâce faisait surtout le charme, rejetant et fuyant toute vaine parure, il se glorifia du petit manteau des philosophes, rechercha les repas, les bains et le mode de vie des anciens Spartiates, aimant à dire qu'il ne désirait le pouvoir que pour restaurer grâce à lui les lois et les mœurs traditionnelles » (2). Quant à Cléomène, « s'il était passionné de gloire et de grands desseins, et si la nature ne le portait pas moins qu'Agis à la maîtrise de soi et à la simplicité des mœurs, il n'avait pas ce grand fond de timidité et de douceur qui caractérisait Agis, mais il se mêlait à sa nature un aiguillon de colère, une fougue violente qui le poussait vers tout ce qui lui semblait beau. Or, s'il ne voyait rien de plus beau que de régner sur des volontés libres, il lui paraissait beau aussi de contraindre des volontés rebelles et de les tourner de force vers le meilleur » (3). Telle était la riche matière qui s'offrait au stoïcien Sphairos quand il vint à Sparte pour l'éducation des jeunes gens et des éphèbes (4). Cléomène, tout adolescent encore, se mit sous sa gouverne; le philosophe se prit d'affection pour le caractère viril du jeune roi, et il enflamma chez lui l'amour de la gloire (προσεκκαῦσαι τὴν φιλοτιμίαν). « On rapporte », continue Plutarque, « que l'ancien Léonidas, interrogé sur ce qu'il pensait de Tyrtée, aurait répondu : « c'était un poète excellent pour enflammer l'âme des jeunes gens ». En effet, remplis d'une fureur divine par ses poèmes, ils se jetaient au combat sans épargner leur personne. Or la doctrine stoïcienne comporte une part de risque et de péril pour les natures ardentes et résolues; en revanche, quand elle se mêle à un caractère calme et ceux, elle y fait germer le bien qui lui est propre ». J'ai répété ici cette dernière phrase parce qu'elle semble bien s'appliquer aux deux jeunes rois de Sparte, et qu'elle montre comment le stoïcisme a pu

---

(1) Collègue d'Agis dans la royauté.
(2) Plut., *Agis*, 4.
(3) Plut., *Cleom.* 1, 3.
(4) *Ib.* 2, 2.

développer chez l'un et l'autre les tendances naturelles à l'action noble.

3) Il apparaît aussitôt qu'une telle morale convenait éminemment aux monarques du IIIe siècle, pour peu qu'ils voulussent asseoir leur domination sur des principes philosophiques. Ce n'est pas par la richesse qu'Agis entend rivaliser avec un Ptolémée ou un Séleucos : les serviteurs de leurs satrapes, les esclaves de leurs intendants sont plus riches que n'ont jamais été tous les rois de Sparte ensemble. Mais il veut que sa tempérance, sa frugalité, sa grandeur d'âme aient plus d'éclat que tout leur faste; il veut instaurer l'égalité et la communauté parmi ses concitoyens. Voilà comment il obtiendra, à juste titre, le renom et la gloire d'un grand roi (1).

Antigonos Gonatas lui aussi voulut être un grand roi (2). Et sans doute l'eût-il été de toute façon, même sans l'appoint de la philosophie. Il tient de son père, Démétrios Poliorcète, une énergie indomptable; mais il y joint, qui manquait à son père, la rare vertu de modération (3). En tout cas, lorsque Démétrios, en 285, se rend à Séleukos, Antigonos, âgé déjà de trente-cinq ans, a été à l'école de la vie, et cette rude maîtresse s'est montrée pour lui plus sévère que tous les philosophes. Il part de rien. Son aïeul Antigonos a porté sans doute, quelque temps (4), le titre de roi, et son père, qui a pris lui aussi le titre royal en 306, a régné en fait, durant six ans (294-288) sur la Macédoine. Mais, en 285, tout l'héritage que reçoit Antigonos se borne à quelques ports en Grèce même (Démétrias, Chalcis, le Pirée, Corinthe). Il n'est donc roi ni de nom ni de fait. Et le droit ou la naissance ne lui servent ici à rien. C'est à la pointe de la lance qu'il lui faudra conquérir son royaume. Le mot que recueille Suidas (5) s'applique exactement à lui : « Ni la naissance ni le droit ne confèrent aux hommes la royauté, mais la capacité de commander à la guerre et de manier les affaires publiques avec prudence et jugement. Tel était Philippe, tels, les successeurs d'Alexandre : car, au fils d'Alexandre, la filiation naturelle ne fut d'aucun profit parce qu'il avait l'âme lâche ». Pour se faire reconnaître roi des phalanges macédoniennes, il ne faudra rien de moins,

---

(1) Plut., *Agis*, 7, 1.
(2) Sur le caractère d'Antigonos, cf. Tarn, *Ant. Gon.*, pp. 15-36, 223-256, en particulier p. 235, n. 46, p. 236, n. 47 et pp. 249 ss.
(3) Qu'il hérite peut-être de sa mère Phila, fille d'Antipater. Antigonos ἄτυφος καὶ μέτριος Plut., *Mor.* 545 B, πρᾶος καὶ ἄτυφος Ael., *V. H.*, II 20 : cf. Tarn, *Ant. Gon.*, p. 250, n. 103 et, sur le sens de τῦφος, p. 240, n. 70.
(4) Depuis la victoire navale de Démétrios sur Ptolémée à Salamine de Chypre (306) jusqu'à Ipsos (301).
(5) S. v. βασιλεία 2 (I, p. 457.29 Adler).

à Antigonos, qu'une victoire éclatante (1), après six années d'efforts constants (285-279). Antigonos est donc le fils de ses œuvres. Il le sait et en a conscience. A un jeune homme qui, né d'un centurion de mérite, mais lui-même sans courage et sans énergie, réclamait de l'avancement, il répond : « Chez moi, mon fils, c'est la valeur de l'individu qu'on honore, non le mérite de ses parents » (2). Il disait encore : « Les biens les plus grands ne peuvent s'obtenir sans de grandes peines » (3).

Ce qui domine donc, en la figure d'Antigonos, c'est l'effort soutenu, le πόνος. Il fit effort pour être roi ; une fois sur le trône, il fit effort pour être un bon roi, c'est-à-dire pour chercher non pas son bien propre, comme le tyran, mais le bien de ses sujets (4). Un jour que son fils Halkyoneus se montrait violent et impérieux à l'égard de ses domestiques : « Ne sais-tu pas, mon enfant, » dit Antigonos, « que la royauté que nous exerçons est un glorieux esclavage? » (5). La monarchie est un fardeau qu'on assume pour le service des autres. A l'encontre des rois ses contemporains, et de son père Démétrios, et du grand Alexandre lui-même, Antigonos ne voulut jamais admettre qu'on le regardât comme un dieu. Un certain Hermodote, pour le flatter, l'ayant appelé dans un poème fils du Soleil et dieu, il le reprend par ce mot brutal : « L'esclave qui vide mes eaux (6) n'a nullement conscience que je sois un dieu » (7). Et à une vieille qui le félicitait de son bonheur, il répond, montrant son diadème : « Ah! mère, si tu savais tout ce qu'il y a de misères dans cette guenille, tu ne la ramasserais pas sur un tas de fumier » (8). Il n'est de grandeur, pour le monarque, que dans l'accomplissement du devoir, sans autre spectateur que Dieu, et le sage, qui incarne ici-bas la Raison divine (9). Agis ne voulait régner que pour mettre

---

(1) Sur les Celtes, à Lysimachéia (279).
(2) παρ' ἐμοί, φησίν, ὦ μειράκιον, ἀνδραγαθίας εἰσίν, οὐ πατραγαθίας τιμαί, Plut., *de vitioso pudore* 534 C = Stob., IV 29 b 39 : cf. Hense, *Teles*, p. lxxxviii, Tarn, p. 235, n. 46.
(3) Stob., III 7, 19 : τὰ μέγιστα καλὰ ἄνευ μεγάλων κακῶν οὐκ εἶναι.
(4) C'est là ce qui, dans les théories politiques grecques, distingue le roi du tyran : cf. Pol., VII, 6 τυράννου μὲν γὰρ ἔργον ἐστὶ τὸ κακῶς ποιοῦντα τῷ φόβῳ δεσπόζειν ἀκουσίων, μισούμενον καὶ μισοῦντα τοὺς ὑποταττομένους· βασιλέως δὲ τὸ πάντας εὖ ποιοῦντα, διὰ τὴν εὐεργεσίαν καὶ φιλανθρωπίαν ἀγαπώμενον, ἑκόντων ἡγεῖσθαι καὶ προστατεῖν.
(5) τὴν βασιλείαν ἡμῶν ἔνδοξον εἶναι δουλείαν, Ael., *V. H.*, II 20. Cf. Tarn, *Ant. Gon.*, p. 256, n. 122.
(6) ὁ λασανοφόρος, littéralement « qui vide mon pot de chambre ».
(7) Plut., *de Is. et Os.* 24, p. 360 C.
(8) Stob., IV 8, 20.
(9) De là le mot, déjà cité, d'Antigonos à la mort de Zénon : « Quel spectateur j'ai perdu », D. L., VII 15.

fin, par une véritable égalité, aux luttes intérieures de Sparte. Et l'on peut appliquer justement à Antigonos ce principe de morale politique recueilli lui aussi par Suidas : « Loin que les biens du peuple soient la propriété du monarque, c'est bien plutôt la royauté qui est la propriété du peuple » (1). Les anciens l'ont considéré comme un bon roi. Plutarque, dans son traité *Des délais de la justice divine*, le cite comme un exemple de ce que les dieux ne frappent pas toujours le méchant dans sa descendance : « Lorsque le fils d'un méchant est bon, comme il arrive que le fils d'un malade puisse être vigoureux, Dieu le libère des châtiments de sa race, comme s'il était devenu étranger au mal... En effet ni Antigonos ne fut puni pour Démétrios, ni, parmi les héros d'autrefois, Phyleus pour Augias, ni Nestor pour Nélée. Car ils étaient des hommes bons, fils de pères mauvais » (2).

Si la nature, dans la personne d'Antigonos, offrait à la sagesse un terrain de choix, on ne peut nier que celle-ci ait contribué à parfaire ces qualités. Dans sa jeunesse, le futur roi de Macédoine fut en relations étroites avec Ménédème et Zénon. Il ne cessa de vénérer Zénon, voulut le faire venir à sa cour, et ce n'est qu'à défaut du maître qu'il confia le soin d'éduquer Halkyoneus à un autre stoïcien, Persée. En outre, par Bion de Borysthène, il entra en contact avec la sagesse cynique. On est donc fondé à se demander comment la philosophie a pu stimuler son énergie naturelle, cette passion de l'effort qui est sa marque propre.

Or, depuis les Cyniques, ce qui caractérise essentiellement le monarque, à l'exemple d'Héraklès, c'est le πόνος (3). Et il est manifeste que le stoïcisme est, avant tout, une morale de l'effort, jusque là même que les anciens déjà lui reprochaient ce qu'elle a d'excessif, et presque d'inhumain, dans son exigence d'une tension continuelle du vouloir. Cette manière d'insister sur l'effort tient aux principes du système. Comme on l'a vu, l'important, pour le sage stoïcien, est d'être toujours en accord avec le Logos universel. Quelque action qu'il entreprenne, il lui est essentiel de se sentir soutenu et justifié par cet accord : car, en ce cas, il a pour lui tout l'Ordre du monde,

---

(1) Suid., βασιλεία 3 (I, p. 458. 1 Adl.) : cf. Tarn, p. 255 et n. 120. Suidas ajoute : « De là vient qu'il faut haïr comme débordements tyranniques les taxations exigées par la force avec l'emploi de la manière violente, mais respecter comme preuves de sollicitude les justes demandes d'impôts fondées sur la raison et perçues avec douceur (σὺν φιλανθρωπίᾳ ».

(2) Plut., *De sera num. vind.* 21, p. 562 F. Traduction G. Méautis (Lausanne, 1935), p. 119.

(3) Cf. Kaerst, *Gesch. d. Hell.*, I², pp. 500-501, II 1, pp. 118-124.

et son action est donc parfaitement sage. Il ne lui est pas essentiel de réussir : succès ou insuccès ont été fixés là-haut, de toute éternité, par un décret excellent et juste. Mais il lui importe souverainement d'avoir eu une intention correcte et de donner tout son effort pour la conduire à son terme. Dès lors, c'est l'effort seul qui vaut, l'effort constant, renouvelé chaque jour, jamais vaincu. Nous dirions aujourd'hui, et ce serait la traduction la plus exacte du mot πόνος, que le sage fait chaque jour son devoir et qu'il trouve sa récompense dans ce seul accomplissement. Philon, d'après les stoïciens, le marque en propres termes : « L'effort pour le bien et le beau parfaits, même s'il n'atteint pas le but, procure par lui-même un avantage suffisant à qui l'accomplit » (1). Bien des siècles plus tard, aux derniers jours du paganisme, Sallustius, dans la conclusion du traité *Des Dieux et du monde*, témoigne encore de la durable emprise de ce dogme stoïcien. Il vient de rappeler la doctrine de l'immortalité, alors banale dans les écoles, puis il ajoute (§ 21) : « Et encore, dût-il même n'arriver rien de tel (2), la vertu à elle seule, le plaisir et la gloire que l'âme en tire, la vie sans chagrin et sans maître suffiraient à rendre heureux ceux qui ont choisi de vivre conformément à la vertu et qui en ont été capables ».

4) A côté du πόνος, les traités des devoirs des rois à l'époque hellénistique mettent en relief la φιλανθρωπία, c'est-à-dire une disposition générale de bienveillance et de bienfaisance à l'égard des hommes. Les textes abondent : n'en citons qu'un seul, la *Lettre d'Aristée*, selon laquelle Ptolémée Philadelphe aurait consulté sur les devoirs du roi, durant sept banquets successifs, les soixante-douze vieillards d'Israël chargés de traduire la Bible d'hébreu en grec (3). L'idée de φιλανθρωπία revient à plusieurs reprises au cours de ces entretiens. Le deuxième jour, Ptolémée demande comment un roi se montre *philanthrôpos*. — Réponse : en étant miséricordieux (§ 208). Le sixième jour, Ptolémée demande quelle est la possession la plus nécessaire à un roi. — Réponse : la bienveillance et l'amour qu'il porte à ses sujets (§ 265) (4). Le septième jour, Ptolémée demande : « Que vaut-il mieux pour un peuple ? Qu'il se donne pour roi un simple particulier, ou que le roi hérite du trône ? » — Réponse :

---

(1) Phil., *de Sacr. Abel* 115 (I, p. 249.4 Cohn) = SVF. III 505.
(2) *Sc.* quand même les âmes ne seraient pas unies aux dieux après la mort.
(3) Arist., §§ 182-300.
(4) τῶν ὑποτεταγμένων φιλανθρωπία καὶ ἀγάπησις. Je prends τῶν ὑποτ. pour un génitif objectif, φιλανθρωπία convenant mieux au roi qu'aux sujets, de même que ἀγάπησις qui, à la différence d'ἔρως, implique une volonté désintéressée de faire du bien, de rendre service, cf. *La Sainteté*, pp. 91-98.

« Il faut élire celui qui possède la meilleure nature... Un naturel vertueux et qui a été perfectionné par l'éducation est capable de régner. Ainsi toi, tu es un grand roi, non pas tant par l'avantage de la gloire et de la richesse que parce que tu l'emportes sur tous en modération et en *philanthrôpia* » (§ 290) (1). Ces lieux communs ont leurs parallèles dans maints textes épigraphiques du temps des Diadoques et il est donc permis de penser, à priori, que la philosophie a exercé dans ce domaine une réelle influence sur la pratique du gouvernement. En réalité, le problème est ici plus complexe qu'il ne semble à première vue. Il vaut la peine de le montrer (2).

L'un des caractères de l'âge hellénistique est le progrès, notamment dans les faits de guerre, de la notion d'humanité. L'usage se répand alors de considérer certains lieux sacrés comme soustraits à la rapine des deux partis (3). Les mœurs sont devenues moins cruelles, et c'est un signe des temps que le scandale provoqué par la brutalité des Celtes au début du IIIe siècle (4) ou par les ravages de Philippe V chez les Etoliens après la prise de Thermum en 218 (5). Polybe rappelle à ce sujet les exemples de mansuétude donnés par Antigonos Doson vainqueur de Sparte (à Sellasia, en 222), de Philippe II vainqueur d'Athènes qu'il gagna à sa cause moins par la victoire de Chéronée que par sa clémence et son humanité (6), d'Alexandre qui, même à Thèbes et chez les Perses, respecta partout les temples des dieux (7). Puis il distingue les destructions utiles et les destructions sans objet (8). Ruiner les forts, les ports, les villes, les navires, les maisons, faire périr les hommes, c'est là en quelque sorte une des nécessités de la guerre : mais se livrer à des ravages superflus sur les temples, les statues de culte et toutes choses qui n'ont aucune valeur militaire, c'est faire acte de folie furieuse. « Car

---

(1) ὅσον ἐπιεικείᾳ καὶ φιλανθρωπίᾳ πάντας ἀνθρώπους ὑπερῆρκας. Pour l'association des deux termes ἐπιείκεια et φιλ., cf. *infra*, n. 6.

(2) Sur la φιλ. cf. S. LORENZ, *De progressu rationis* φιλανθρωπίας, Diss. Leipzig., 1914, H. BOLKESTEIN, *Wolhtätigkeit u. Armenpflege im vorchlistichen Altertum* (Utrecht, 1939); en particulier, pp. 110-111, 124-128, 140-141, 163-165, 426-428, 482-483. Pour les inscriptions et papyrus, cf. W. SCHUBART, *Arch. f. Pap.*, XII (1936), pp. 1-26.

(3) Cf. TARN, *Hell. Civilisation*, 2e éd., pp. 74 ss.

(4) Cf. TARN, *Ant. Gon.*, pp. 145-147.

(5) Le prétexte en était les destructions opérées par les Etoliens eux-mêmes à Dium et Dodone. Cf. POL., V 9, 1 ss.

(6) οὐ τοσοῦτον ἤνυσε διὰ τῶν ὅπλων ὅσον διὰ τῆς ἐπιεικείας καὶ φιλανθρωπίας, POL., V 10, 1.

(7) L'ὠμότης des Celtes et de Philippe V consiste principalement dans la destruction des temples. Cf., pour Philippe, POLYBE, *l. c.*; pour les Celtes, v. gr. *OGI.* 765 (décret de Priène, peu après 278/7), ll. 10 ss. ἀλλὰ κ]αὶ τὸ θεῖον ἠσέβουν κείροντες τὰ τεμένη καὶ [κατακαίοντες] τοὺς ναοὺς κτλ.

(8) POL., V 11, 3-4.

l'homme de bien ne doit pas faire la guerre aux coupables pour les anéantir et les exterminer, mais pour les corriger et les faire revenir de leur erreur, il ne doit pas non plus englober les innocents dans le châtiment des coupables, mais plutôt étendre aux présumés coupables les mesures de protection et de salut qu'on prend pour les innocents » (1).

C'est dans ce mouvement général vers des mœurs plus humaines que s'insèrent l'idée et le mot de *philanthrôpia*. Dès le ive siècle, φιλανθρωπία apparaît chez Isocrate et les orateurs pour désigner, par exemple, l'humanité des juges à l'égard des accusés (2) ou les dispositions de bienveillance et de bienfaisance d'un citoyen à l'égard des autres membres de la cité. Par lui-même, le mot n'a pas d'autre sens. Les *Définitions* platoniciennes (non antérieures au Stoïcisme) le définissent ainsi (412 e) : « une inclination habituelle du caractère à l'amitié envers les hommes; une disposition de bienfaisance à l'égard des hommes; une habitude de bienveillance; le fait d'être attentif aux besoins du prochain et de le manifester par des services ». Le petit traité pseudo-aristotélicien *Des Vertus et des Vices* voit dans la *philanthrôpia* une conséquence de la libéralité (3) : « La libéralité a pour conséquences la souplesse et la facilité du caractère, la *philanthrôpia*, la disposition à la miséricorde, à l'affection pour ses amis, à l'hospitalité, à l'amour des belles choses. » Pour les stoïciens (4), « c'est une disposition amicale dans le commerce des hommes ». Le résumé platonicien suivi par Diogène Laerce distingue trois éléments dans la *philanthrôpia* (5) : le *philanthrôpos* se reconnaît tout d'abord dans l'attitude et les gestes, il se montre aimable à l'égard de tout venant, prompt à saluer et à tendre la main; en second lieu, il est enclin à prêter assistance à quiconque est dans l'affliction; enfin il est hospitalier et invite facilement à dîner.

Cette disposition de bienveillance et de bienfaisance devait être naturellement fort prisée chez un peuple aussi sociable que les Grecs, dans ces petites cités où la plus grande partie de la vie se passait dehors à communiquer avec ses semblables. Comme en tout groupe humain, on y appréciait davantage celui qui est toujours d'humeur facile et prêt à rendre service. Les villes grecques n'ont pas attendu

---

(1) Pol., V 11, 5.
(2) Cf. Lorenz, *op. cit.*, pp. 19-30.
(3) ἐλευθεριότης, 1250 b 32.
(4) SVF. III 292, p. 72.3 A.
(5) D. L., III 98.

la philosophie pour louer citoyens ou métèques en qui elles voyaient ces qualités. Dès le milieu du iv⁰ siècle, un certain Damasias de Thèbes, résidant à Eleusis, est loué pour sa bonne tenue dans les fonctions de chorège et pour la gentillesse qu'il a toujours manifestée aux habitants du dème (1). Et la longue inscription où Sestos loue le citoyen Ménas (2) pour sa vertu et ses bons sentiments (εὔνοια) envers la ville signale en particulier qu'il a étendu ses bienfaits (τὴν φιλανθρωπίαν) aux étrangers qui fréquentaient le gymnase et s'est montré accueillant (προσηνέχθη δὲ φιλανθρώπως) à l'égard des artistes ambulants qui étaient venus se faire entendre à Sestos, « voulant par cela aussi contribuer au bon renom de la cité » (ll. 73-76). On pourrait multiplier les exemples.

Or, si l'on compare l'emploi du mot φιλανθρωπία dans les documents issus des monarques hellénistiques ou de leurs fonctionnaires avec ce même emploi dans les décrets de cité à partir du iv⁰ siècle, on constate que le sens est exactement le même. La philosophie n'a rien à voir ici. *Philanthrôpia* (3) dans ces textes n'a jamais par lui-même le sens d' « amour de l'humanité », mais désigne cette gentillesse, cette bienveillance que nous avons dites. Prenons, par exemple, les lettres royales (4). Ziaelas, roi de Bithynie, écrivant à Kos, vers 240, au sujet de l'asylie du temple d'Asklépios (5), déclare avoir reçu les ambassadeurs de Kos qui lui demandaient de montrer la même bienveillance pour la cité que son père Nicomède (6). En conséquence, il promet de garder ces sentiments favorables à l'égard de chaque citoyen et de l'ensemble du peuple de Kos (7). Antiochos III, écrivant à Magnésie, vers 205, au sujet des jeux panhelléniques d'Artémis Leukophryènè (8), parle des dispositions les plus amicales qu'il a eues dès le début envers Magnésie en raison des bons sentiments de la cité elle-même, à l'égard de sa personne et de son État (9). Le sens, on le voit, est tout banal et ne comporte

---

(1) φιλανθρώπως ἔχει πρὸς πάντας τοὺς ἐν τοῖ δήμοι οἰκοῦντας, *Syll.*³ 1094.3-5.
(2) *OGI.* 339 : environ 129-120.
(3) Οu φιλανθρώπως ἔχειν, φιλάνθρωπον εἶναι, φιλανθρωπεῖν, etc.
(4) Cf. B. B. WELLES, *Royal Correspondence in the hellenistic period*, New Haven, 1934.
(5) WELLES 25 = *Syll.*³ 456.
(6) Ll. 7 ss. καὶ τὰ λοιπὰ φιλανθρωπεῖν τῆι πόλει, καθάπερ καὶ Νικομήδης ὁ πατὴρ ἡμῶν εὐνόως διέκειτο τῶι δήμωι.
(7) Ll. 29-31 ἔν τε τοῖς λοιποῖς καθ' ὃ ἂν ἡμᾶς ἀξιῶτε, πειρασόμεθα καὶ ἰδίαι ἑκάστωι καὶ κοινῇ πᾶσι φιλανθρωπεῖν, cf. *OGI.* 90-12 (Mon. Rosette, 196 av. J.-C.) ταῖς τε ἑαυτοῦ δυνάμεσιν περιανθρώπηκε πάσαις, « il a répandu ses bienfaits selon tout son pouvoir » (φιλανθρωπεῖν = φιλάνθρωπον εἶναι, cf. déjà Dittenberger *ad loc.*. Welles s'y est trompé, *l. c.*, p. 373).
(8) WELLES 31 = *OGI.* 231.
(9) Ll. 16-20 ἔχοντες οὖν ἐξ ἀρχῆς π[ερὶ] τοῦ δήμου τὴν φιλανθρωποτάτην διάλη[η]ψιν διὰ τὴν εὔνοιαν ἣν τυγχάνει ἀποδεδειγμένος ἐμ πᾶσι τοῖ καιροῖς εἴς τε ἡμᾶς καὶ τὰ πρά[γ]ματα. Même sens dans la lettre d'Antiochos, fils d'Antiochos III, WELLES 32 (*OGI.* 232), l. 16.

aucunement l'idée d' « amour de l'humanité ». Il ne faut donc pas découvrir en ces textes une influence de la philosophie et les citer, comme on a fait (1), pour montrer que la *philanthrôpia* des rois hellénistiques dérive du portrait du roi idéal, selon la sagesse cynique ou stoïcienne. Sur ce point, il y a parfaite conformité entre la phraséologie des chancelleries royales et celle des décrets de cités. Comment d'ailleurs s'en étonner, puisque ces chancelleries royales étaient composées en grande partie de Grecs cultivés d'Athènes ou des îles, qui connaissaient de longue date le langage des inscriptions honorifiques (2).

Mais alors, demandera-t-on, où trouver la marque de la sagesse stoïcienne dans l'emploi hellénistique de l'idée et du mot de *philanthrôpia?* On la trouvera, me semble-t-il, non pas dans le mot lui-même — qui désigne, comme par le passé, une gentillesse, une bien-

(1) Ainsi LORENZ, *op. cit.*, p. 45 : *atque id, quod iam supra cognovimus philanthropiam, ab exemplari regis ad regnantes delatam esse, paulatim increbruit.*
(2) SCHUBART, *l. c.*, p. 26, observe justement : « Wenn der Beamte (le fonctionnaire royal), wie er sein soll, in vielem die Züge des philosophishen Idealmannes trägt, so muss er auch den idealen Polisbürger ähnlich sehen. » Et il conseille à ce sujet de comparer ces éloges de fonctionnaires (ou de rois) avec l'éloge de Ménas à Sestos, *OGI.* 339. Voici en effet quelques rapprochements (je cite l'inscription de Ménas par M.) :
πρὸ πλείστου θέμενος τὸ πρὸς τὴν πατρίδα γνήσιον καὶ ἐκτενές M. 7, τοῖς πολίταις ἐκτενῶς προσηνέχθη M. 5, ἀνθ'ὧν ὁ δῆμος ἀποδεχόμενος αὐτοῦ τὸ φιλόσπουδον καὶ ἐκτενές M. 39 = τῆς εἰς ἡμᾶς (Antiochos III) ... διαθέσεως πολλάς... ἀποδείξεις πεποιημένον ἐκτενῶς *OGI.* 244 in., τὴν ἐκτενεστάτην ποιήσασθαι πρόνοιαν *UPZ.* 110, cf. Schubart, p. 19.
διὰ τῆς ἰδίης σπουδῆς M. 8 = τὴν πλείστην σπουδὴν ποιοῦ Tebt. III 703, μετὰ πάσης σπουδῆς καὶ φιλοτιμίας (décret d'Ilion pour Antiochos I) *OGI.* 219.13, ἠξίουν μετὰ πάσης σπουδῆς τε καὶ προθυμίας φιλικῶς διακεῖσθαι ὑμῖν (Antiochos I à Erythrées) *OGI.* 223. 10.
τὰς πίστεις ὁσίως διεφύλαξεν M. 11-12, διὰ τὴν ἐν τοῖς πιστευομένοις καθαρειότητα M. 14 = ἄξιος τῆς... ὑπαρχούσης αὐτῶι... καθαρειότητός τε καὶ δικαιοσύνης Inscr. Délos 1517. 16-18, μετὰ τῆς πάσης καθαρειότητος *OGI.* 329,9, cf. Schubart, p. 22.
διδοὺς ἀπροφασίστως ἑαυτόν M. 19-20 = ἐπιδοὺς μεγαλοψύχως ἑαυτόν *OGI.* 194. 11, ἀπροφασίστως ἑαυτὸν ἐπιδούς Inscr. Délos 1517.14, σαυτὸν δίδου Tebt. III 703, cf. Schubart, pp. 19, 23.
τὰς τε πρεσβείας ἀνεδέχετο προθύμως M. 20 = προθύμως ἑαυτοὺς ἐπιδιδόντων Tebt. III 703, προθύμως ἑαυτόν... ἐπιδίδωσιν Inscr. Délos 1517.24, μετὰ πάσης προθυμίας *OGI.* 150.9-10, ἐπειδὴ Ἀντίοχος πολλὴν εὔνοιαν καὶ προθυμίαν παρεχόμενος διετέλει *OGI.* 213.3 (Milet pour Antiochos I).
ἀνὴρ ἀγαθὸς ὢν M. 26, ἀγαθὸν ἄνδρα γεγονότα M. 100 = *OGI* 45.8, 150.5.
φιλαγαθὸς M. 22, 68 = φιλαγαθεῖν Welles 45.18 (décret de Séleucie), φιλαγαθίας ἕνεκα *OGI.* 146, 148, 163, cf. Schubart, p. 20.
ἴσον ἑαυτὸν καὶ δίκαιον παρείσχηται M. 50 = Aristéas 191 εἰ πᾶσιν ἴσος γένοιο, 282 ἴσον πᾶσιν ὄντα.
τῆι πρὸς τὸ πλῆθος εὐνοίαι M. 52, ἐφ' ἧι ἔχων εὐνοίαι διατελεῖ πρὸς τὸν δῆμον M. 93, ὁ δῆμος... ἀρετῆς ἕνεκεν καὶ εὐνοίας M. 99 = cf. Schubart, pp. 8 ss. (du roi à l'égard des sujets), 20 ss. (des fonctionnaires à l'égard des sujets).
φιλαγαθῶς καὶ μεγαλομερῶς M. 68 = ὁ δῆμος... ἀρετῆς ἕνεκεν καὶ μεγαλομερείας τῆς εἰς ἑαυτόν (décret d'Elaia ou de Pergame pour Attale III) *OGI.* 332.46.
κοινὴν ποιούμενος τὴν φιλανθρωπίαν M. 73, προσηνέχθη δὲ φιλανθρώπως M. 74 = cf. Schubart, pp. 9-11 (du roi à l'égard des sujets), 21 (des fonctionnaires).

veillance amicale, — mais dans le fait que la *philanthrôpia* s'étend maintenant à tous les hommes. Il n'est pas douteux que le stoïcisme ait grandement contribué à cette extension universelle : il justifia en raison le mélange des peuples qui fut la conséquence des conquêtes d'Alexandre et dont certains diadoques, surtout les Séleucides, firent le fondement de leur politique. Alexandre avait projeté « des synoecismes de cités (1) et des transferts de populations d'Asie en Europe et inversement d'Europe en Asie afin d'amener ces continents énormes, par les mariages mixtes (2) et les relations familières de race à race, à un état de concorde commune et d'affection fondée sur les liens du sang » (3). Zénon à son tour, dans la *Politéia*, avait déclaré que les hommes ne devaient pas se tenir séparés les uns des autres en nations, cités ou bourgs distincts, mais se réunir tous en une même famille qui serait unique comme le monde (4). Enfin la doctrine théophrastienne de l'οἰκείωσις, adoptée par Zénon (5), avait établi les bases rationnelles de la notion de « famille humaine ». Un texte de l'*Anthologion* de Stobée, que Stobée attribue à Aristote et aux Péripatéticiens, mais qui comporte aussi des éléments de doctrine stoïcienne (6), expose très clairement les degrés de l'οἰκείωσις et les fondements naturels de la φιλανθρωπία :

« Que les enfants ne soient pas seulement précieux à leurs parents pour les services qu'ils en tirent mais pour eux-mêmes, c'est ce qu'on peut connaître par l'évidence des faits. Il n'est pas d'être si cruel et si proche des bêtes qu'il ne veille à ce que ses enfants soient heureux et continuent de prospérer après sa mort : c'est tout le contraire, plutôt. Aussi, par suite de cette tendresse, fait-on, près de mourir, un testament, on se préoccupe de ceux qui sont encore à la mamelle, on institue pour après sa mort des tuteurs et des gardiens, on confie les enfants à ses amis les plus chers, on les conjure de leur venir en aide; il y a même des parents qui, si leurs enfants meurent, meurent avec eux.

Les enfants étant ainsi chéris comme un objet aimable par lui-même, il va de soi que les parents, les frères et sœurs, la compagne de lit, les consan-

---

(1) πόλεων συνοικισμούς. Le συν. est la réunion en un seul État de deux ou plusieurs cités ou communautés auparavant distinctes, cf. Tarn, *Hell. Civil.*, pp. 63 ss. L'expression vise plus particulièrement ici les colonies fondées par Alexandre, où Grecs et indigène devaient former une seule unité politique.

(2) ταῖς ἐπιγαμίαις. L'ἐπιγαμία est littéralement le mariage entre personnes de villes différentes.

(3) Diod. Sic., XVIII 4, 4. Cf. Ed. Meyer, *Blüte und Niedergang des Hellenismus in Asien* (Berlin 1925), pp. 11-12.

(4) SVF. I 262, cf. *supra*, pp. 270-271.

(5) Cf. *Addenda*, ad p. 278, n. 6.

(6) Stob., II 7, 13 (II, p. 119.22 ss. Wachsm.). Ce passage fait partie du long morceau éthique d'Arius Didyme, qui a suscité déjà mainte étude. Voir *Addenda*.

guins et autres membres de la famille, enfin les concitoyens sont aussi objet d'affection pour eux-mêmes : car nous ne leur sommes pas moins unis par un lien naturel de familiarité, puisque l'homme est un être qui aime son prochain et qui vit en société. Que, parmi ces liens d'affection, les uns soient plus éloignés, les autres tout proches de nous, cela ne fait rien à la chose : toute affection est précieuse pour elle-même et non pas seulement pour les services qu'on en tire. Si donc l'affection pour les concitoyens est précieuse pour elle-même, il faut nécessairement en dire autant pour les gens de même nation et de même race, en sorte qu'il en va pareillement de l'affection pour tous les hommes. De fait, les sauveteurs sont ainsi disposés à l'égard du prochain qu'ils accomplissent le plus souvent leurs sauvetages non pas en vue d'une récompense, mais parce que la chose vaut d'être faite pour elle-même. Qui donc, voyant un homme écrasé par une bête, ne s'efforcerait, s'il le pouvait, d'arracher à la bête sa victime? Qui refuserait d'indiquer la route à un homme égaré? Ou de venir en aide à quelqu'un qui meurt de faim? Ou, s'il a découvert une source dans un désert aride, ne la ferait connaître par des signaux à ceux qui suivent la même route? Qui oserait ne pas veiller avec le plus grand soin à ne dire que des paroles de bon augure sur les morts? Qui donc enfin n'entendrait avec horreur, comme contraires à la nature humaine, des propos tels que ceux-ci : « Moi mort, que la terre soit livrée aux flammes » (1) ! ou : « Que m'importe le reste, mes affaires à moi prospèrent » (2) ?

De toute évidence il y a en nous un sentiment de bienveillance et d'amitié pour tous les hommes, qui manifeste que ce lien d'humanité est chose précieuse par elle-même, selon le mot du poète : « Une est la race des hommes et des dieux; hommes ou dieux, nous avons reçu le souffle d'une même mère » (3), la Nature.

Puis donc que l'amour des hommes nous est commun à tous, il est bien plus clair encore que ce lien a plus de prix quand il s'agit d'êtres chers avec qui nous vivons habituellement. »

Voyons maintenant comment ces doctrines ont laissé leurs traces dans les textes épigraphiques. Athènes loue Eumène II d'avoir témoigné de sa bienveillance « envers tous les hommes » par l'empressement qu'il a mis à secourir Antiochos IV (4). En Égypte, Grecs et indigènes recourent également au monarque comme au Sauveur ou au Bienfaiteur commun de « tous les hommes » (5). C'est en de telles expressions qu'on peut reconnaître, semble-t-il, l'esprit de la

(1) *Fr. trag. adesp.*, 430, 1 N.
(2) *Ib.*, 430, 2 N.
(3) Pind., *Ném.*, VI 1, 1-2.
(4) *OGI*. 248.33 ἀρετῆς ἔνεκεν καὶ εὐνοίας καὶ καλοκαγαθίας, ἣν ἀπεδείξατο πᾶσιν ἀνθρώποις σπεύσας ὑπὲρ τοῦ βασιλέως· Ἀντιόχου. Ainsi Fränkel et Schubart, *l. c.*, p. 11. Mais le sens peut être : « de la bienveillance (pour Antiochos) dont il a témoigné devant tous les hommes en portant secours au roi », cf. Dittenberger *ad loc.*, n. 19.
(5) πάντων κοινὸς σωτήρ Tebt. III 769, UPZ. 20, Ent. 2, 9, 11, 37, 75 etc., πάντων σωτήρ PSI. IV 383, cf. Schubart, p. 13; πάντων ou κοινὸς εὐεργέτης (v. gr. Ent. 15 ἐπὶ σὲ βασιλεῦ καταφυγὼν τὸν πάντων κοινὸν εὐεργέτην) Ent., 4, 15, 33, 34, 46, 70, 71, 78; δι' ἣν ἔχετε... πρὸς πάντας ἀνθρώπους εὐγνωμοσύνην UPZ. 41, cf. Schubart, pp. 11, 14.

sagesse stoïcienne. Mais c'est plus encore en quelque chose qui, sans être exprimé dans les textes, tient à la situation où se trouvent, l'un par rapport aux autres, dans la plupart des cas, le fonctionnaire royal et ses administrés. Le Grec des temps classiques pouvait être *philanthrôpos*, ou bienfaiteur, ou même sauveur. Mais il ne l'était que pour ses concitoyens, voire pour une catégorie seulement de ses concitoyens(1). Ainsi Damasias le Thébain est-il loué par les démotes d'Eleusis pour ses dispositions bienveillantes à l'égard des habitants du dème (2). Maintenant, les jeunes gens entreprenants de la Grèce continentale ou des îles, qui vont chercher fortune auprès des puissants rois d'Égypte ou de Syrie, sont appelés à gouverner des populations indigènes, ou mêlées de Grecs et d'indigènes, ou des populations grecques sans doute, mais totalement diverses de leur propre ville. Quel autre lien les lie à leurs administrés que la seule commune nature de l'être humain? Ils ne travaillent pas pour la gloire de leur patrie. Ils ne sont point mus par l'attrait spontané qu'un homme éprouve pour ses compatriotes. Ils sont dans la situation d'un gouverneur colonial de nos jours. Leur seule règle de conduite ne pourra être, dès lors, que cette loi universelle de justice, de bienveillance, d'humanité, qui s'impose à eux du seul fait qu'ils sont hommes et qu'ils ont charge d'autres hommes. Quelques exemples de l'âge hellénistique marqueront la différence. La ville de Séleucie en Piérie loue quatre citoyens, Konon, Zèthos, Androklès, Artémidore, pour s'être montrés, dans la fonction d'ambassadeurs auprès de Séleukos IV, « pleins de zèle pour contribuer au salut de leurs concitoyens » (3) : c'est là encore, si je puis dire, l'attitude classique. Voici maintenant un citoyen de Kos, Aglaos fils de Théoklès, qui est devenu un grand personnage à la cour de Ptolémée VI (181-146). Dans ces hautes fonctions, il a montré de la bienveillance à l'égard des mercenaires crétois. Et ceux-ci le louent donc « de ce qu'il s'efforce de faire du bien à chacun de ceux qui le prient, jugeant toujours que le mieux est d'user non seulement de sa valeur personnelle, mais des avantages de la fortune pour obliger les hommes autant qu'il en est capable » (4). De même Kléon, stratège d'Attale II (159-144) à Égine, est loué « de n'avoir été, pour la cité dans l'ensemble et chacun des particuliers, cause d'aucun mal, autant qu'il

---

(1) Cela vaut aussi pour le citoyen d'une ville étrangère résidant par exemple à Athènes, cf. le cas de Damasias de Thèbes résidant à Eleusis.
(2) *Syll.*³ 1094-4 = environ 350 av. J.-C.
(3) συνσώιζειν τοὺς πολίτας ζηλωταὶ γινόμενοι, WELLES 45, p. 187. 18-19.
(4) Inscr. Délos 1517. 25-30. Traduction DURRBACH, *Choix Inscr. Délos*, n° 92.

dépendait de lui, mais en revanche de tout bien, comme il est juste »
(1). Ce qui est vrai des fonctionnaires l'est à fortiori des rois. Si
Eumène II n'est dit encore qu'Évergète commun de tous les
Grecs (2) parce qu'il s'agit là d'une circonstance particulière où les
Grecs s'opposent aux Barbares (3), ce sont bien tous les sujets,
Grecs et indigènes, de leurs royaumes que les monarques protègent.
Ptolémée V est loué par les prêtres d'Égypte (4) d'avoir allégé les
impôts pour que tous en Égypte, la masse des paysans et artisans
ainsi que toutes les classes de la population, jouissent d'une condition prospère. Le monument de Canope loue pareillement Ptolémée III d'avoir veillé au salut de tous (5). Plus tard, quand l'Empereur de Rome régnera sur le monde entier tel que le connaissent
les anciens, il sera dit le Sauveur de tout l'ensemble du genre
humain (6). Nul doute que la philosophie stoïcienne n'ait aidé à la
genèse de cette idée, comme elle a contribué aussi à la formation
du *ius gentium* et à l'éducation de ce grand nombre de légats et de
gouverneurs qui firent la solidité et la gloire de l'Empire romain.

(1) *OGI*. 329. 23-24.
(2) Welles 52 (*OGI*. 763) : réponse d'Eumène au Koinon d'Ionie, hiver 167/6. Ll. 7 ss. κοινὸν ἀναδείξας ἐμαυτὸν εὐεργέτην τῶν Ἑλλήνων.
(3) Eumène II a combattu contre les Celtes.
(4) Monument de Rosette : *OGI*. 90. 12-13.
(5) ἕνεκα τῆς τῶν ἀνθρώπων σωτηρίας, *OGI*. 60. 16-17.
(6) Inscr. Brit. Mus. 894 (Halicarnasse, 2 av. J.-C.), ll. 6-7 Δία πατρῷον καὶ σωτῆρα τοῦ κοινοῦ τῶν ἀνθρώπων γένους.

CHAPITRE XI

LA RELIGION DU MONDE

I. L' « hymne à Zeus » de Cléanthe (1).

§ 1. *Analyse de l'hymne.*

Un même système philosophique peut avoir différentes nuances, selon l'âme de qui le porte. Ainsi l'ancien stoïcisme, qui paraît plus strictement moral chez Zénon, plus savant et dialectique chez Chrysippe, revêt-il, avec Cléanthe, une couleur proprement religieuse et, pourrait-on dire, mystique. L'homme est l'une des figures les plus curieuses de l'antiquité. Fils d'un certain Phanias d'Assos en Troade, d'abord pugiliste de métier (2), il arrive pauvre à Athènes (3) et s'y attache à la personne de Zénon avec la même ferveur qu'un novice du Moyen Age à son père spirituel. C'était un grand garçon lourd et fort — on le surnommait un second Hercule (4), — de peu de culture, lent à apprendre (5). Mais il était doué de cette vertu d'endurance que le maître prisait par-dessus tout : c'était un véritable φιλόπονος (6). Le jour, il s'instruisait auprès de Zénon. La nuit, pour gagner sa subsistance, il puisait de l'eau chez un jardinier ou cuisait le pain chez une boulangère. Il eût pu cesser ce travail. S'il est peu vraisemblable que les Aréopagites, dans leur admiration, aient voulu lui décerner dix mines (7), il y a tout lieu d'en croire la tradition selon laquelle Antigonos Gonatas lui offrit trois mille drachmes, car nous connaissons d'autres traits généreux de ce prince à l'égard de Zénon et de son école (8). Mais Cléanthe était trop ardent à la peine pour ne pas refuser cette offre. Un mot

---

(1) Voir en dernier lieu E. Neustadt, *Hermes*, LXVI (1931), pp. 387-401, M. Pohlenz, *ib.*, LXXV (1940), pp. 117-123.
(2) Diog. La., VII 168.
(3) Il n'aurait eu, dit-on, que 4 drachmes en poche, D. L., *ibid.*
(4) D. L., VII 170.
(5) D. L., VII 170, cf. VII 37.
(6) D. L., VII 168 διεβοήθη δ' ἐπὶ φιλοπονίᾳ, 170 ἦν δὲ πονικὸς μέν, ἀφυὴς δὲ καὶ βραδὺς ὑπερβαλλόντως, 172 Λάκωνός τινος εἰπόντος ὅτι ὁ πόνος ἀγαθόν, διαχυθεὶς φησιν 'αἵματος εἶ ἀγαθοῖο, φίλον τέκος'.
(7) D. L., VII 169.
(8) Cf. D., L. VII 14.

de lui le peint à merveille. Comme Antigonos lui demandait pourquoi il s'obstinait à puiser de l'eau : « Puiser de l'eau ? Je fais bien davantage ! Est-ce que je ne bêche pas et n'arrose pas la terre ? Est-ce que je ne fais pas tout au monde par amour pour la philosophie » (1) ? Ses condisciples avaient beau le railler, il n'en poursuivait pas moins son genre de vie. On le nommait un âne, il répondait : « Oui, je suis l'âne de Zénon, car je suis le seul à pouvoir porter sa doctrine » (2). Aussi bien Zénon, en bon connaisseur des âmes, savait-il ce qu'on pouvait attendre d'un tel disciple. Il le maintint rigoureusement dans la voie de l'effort (3) : chaque jour, il exigeait de lui la remise d'une obole, comme faisait le maître d'un esclave qui travaillait pour son compte (4).

Or cet homme dur à la peine était un être profondément religieux, un contemplatif, un poète. Dans ses longues heures de travail solitaire, quand il ne se parlait pas à lui-même pour rabrouer son esprit lent et gauche (5), il méditait : sur le destin des mortels, sur ce qu'il est vain de se révolter contre l'ordre du monde, sur la paix que procure même à l'ouvrier le plus humble le consentement à cet ordre. Ce que d'autres ne professaient que des lèvres, lui le vivait (6). Il avait été touché par la Muse. Quelques-uns de ses poèmes, ou fragments de poèmes, nous ont été conservés (7). L'un au moins, en forme d'hymne à Zeus, est l'une des reliques les plus touchantes de la piété antique (8).

« Le plus glorieux des Immortels, toi qu'on invoque sous tant de noms,
[éternellement tout-puissant,
Zeus, auteur de la Nature, qui dans la Loi (9) gouvernes toutes choses,
Je te salue : car tout homme, sans impiété, peut t'adresser la parole.
Car c'est de toi que nous venons, puisque seuls, de tous les êtres mortels
5   Qui ont vie et mouvement sur la terre, nous avons reçu en partage le son
[qui imite les choses (10).

(1) D. L., VII 169.
(2) Littéralement « son fardeau », τὸ Ζήνωνος φορτίον, D. L., VII 170.
(3) καὶ γὰρ ὁ Ζήνων αὐτὸν συνεγύμνασεν εἰς τοῦτο, D. L., VII 169.
(4) Cf. TÉLÈS, p. 7 H., cité *infra*, p. 592.
(5) D. L., VII 171.
(6) STOB., II 2, 16 W. Κλεάνθης ἐρωτώμενος διὰ τί παρὰ τοῖς ἀρχαίοις οὐ πολλῶν φιλοσοφησάντων ὅμως πλείους διέλαμψαν ἢ νῦν, Ὅτι, εἶπε, τότε μὲν ἔργῳ ἠσκεῖτο, νῦν δὲ λόγῳ.
(7) Voir en dernier lieu J. U. POWELL, *Collectanea Alexandrina* (Oxford 1924), pp. 227-231.
(8) STOB., I 1, 12, p. 25.3 W. = PEARSON, fr. 48 = SVF. I 537 = POWELL, p. 227 = Wilamowitz, *Hellenistische Dichtung*, II, pp. 257-261.
(9) νόμου μέτα : cf. *infra*, p. 327.
(10) ἐκ σοῦ γὰρ γένος ἐσμὲν ἤχου μίμημα λαχόντες (cod.) fait un vers faux et il faut corriger ou γ. ἐ (γενόμεσθ' Meineke) ou ἤχου (ὅλου Bergk) ou les deux (γενόμεσθα, θεοῦ Powell). J'ai gardé ἤχου qui explique προσαυδᾶν (v. 3) en fonction d'une doctrine spécifiquement stoïcienne, cf. Pohlenz, *op. cit.*, pp. 117 ss.

C'est pourquoi je te chanterai, et toujours louerai ta puissance.
Oui, toute cette masse du ciel qui tourne autour de la terre
T'obéit là où tu la mènes, et c'est de bon gré qu'elle se laisse soumettre
[par toi :
Quel ministre ne tiens-tu pas en tes mains invincibles,
10 Le foudre au double tranchant, au corps de feu, éternellement vivant!
Qu'il frappe, et tout frissonne dans la Nature (1).
C'est par lui que tu diriges le Logos universel qui circule à travers tous les
[êtres,
Mêlé aux astres immenses comme à la poussière des étoiles... (2) :
C'est par lui que tu as acquis tant de puissance, Roi suprême pour toute
[la durée (3).
15 Rien, Seigneur, ne se produit sans toi, ni sur la terre,
Ni dans l'éther divin de la voûte céleste, ni dans la mer,
Sauf les crimes qu'en leur folie commettent les méchants.
Mais tu sais, toi, ramener à la mesure ce qui excède,
Ramener à l'ordre ce qui est sans ordre, et ce qui est ennemi, pour toi
[devient ami (4).
20 Ainsi toutes choses, par toi, s'ajustent dans l'unité, les nobles aux viles,
En sorte que d'elles toutes résulte un Logos unique qui dure éternellement.
Cependant ils le négligent et ils le fuient, ceux d'entre les mortels qui sont
[méchants :
Les malheureux! Dans leur désir sans trêve de posséder ce qu'ils croient
[bon pour eux,
Ils ne perçoivent pas l'universelle Loi de Dieu, ni ne l'écoutent,
25 Eux qui, s'ils la suivaient avec intelligence, jouiraient d'une noble vie (5).
C'est d'eux-mêmes, fols, qu'ils se jettent qui dans un mal, qui dans
[l'autre (6) :
Ceux-ci, pour conquérir la gloire, remplis d'un zèle nourricier de querelles,
Ceux-là, sans mesure aucune, tournés vers les gains pleins de fraude,
Et d'autres vers un mol repos et les voluptés du corps.

(1) La fin du vers est gâtée (ἔρηγα et blanc de 10 lettres) : ἔρριγεν ἅπαντα Wil. (que j'ai traduit), ἔργα βέβηκεν Powell, ἔργα πέπηγε Pohlenz (qui cp. SVF. II 407), alii alia..

(2) Ici, lacune d'un ou plusieurs vers où devaient être énumérées les parties du kosmos pénétrées par le Logos (Wilamowitz). Pas de lacune, mais il faut exclure le v. 14. (Pearson). Lacune après v. 13 et exclusion de 14 (Powell).

(3) ὡς τόσσος γεγαώς· ὕπατος βασιλεὺς διὰ παντός cod. : ᾧ σὺ τόσος Arn. (que je traduis), ὃς τόσσος Wil. J'entends διὰ παντὸς (χρόνου) selon le sens le plus ordinaire, mais διὰ παντὸς (κόσμου) reste possible, cf. 12 διὰ πάντων. Pour le sens temporel dans la poésie religieuse, cf. par exemple Soph., Aj. 705 (à Apollon) ἐμοὶ ξυνείης διὰ παντὸς εὔφρων, h. orph. LIX 14 Μοῖρά τε καὶ Διὸς οἶδε νόος διὰ παντὸς ἅπαντα, PGM. I 347 (à Hélios) ἀλλ' εὐμενὴς γένοιεν διὰ παντός, Greg. Naz., I 37 διὰ παντὸς θεραπεύειν | τὸ σέβασμα τοῦτο δός μοι et Keyssner (cf. infra, p. 313, n. 3), p. 34.

(4) καὶ οὐ φίλα σοὶ φίλα ἐστιν cod. : σοὶ φιλί' ἐστιν Wil., à cause de l'hiatus. Mais cf. 29 ἡδέα ἔργα, 37 τὰ σὰ ἔργα, fr. 4. 1 Pow. ὅρα, ἐθέλων (au vers 18 de l'hymne, τὰ περισσὰ ἐπίστασαι, l'hiatus est licite à la césure). D'autre part, la répétition de φίλα paraît voulue, cf. κοσμεῖν τἄκοσμα ib. et Eur., Troy. 287 (ὃς) ἄφιλα τὰ πρότερα φίλα τιθέμενος πάντων, 466 οὕτω φίλα τὰ μὴ φίλ', ὦ κόραι.

(5) βίον ἐσθλὸν ἔχοιεν 25, cf. 20 ἐσθλὰ κακοῖσιν et, pour la notion d'ἐσθλός, Keyssner, p. 158.

(6) ἄνοι κακὸν ἄλλος ἐπ' ἄλλο Pearson : ἄνευ κακοῦ... ἄλλα cod., ἄνευ νόου... ἄλλα Wil. Peut-être ἄνευ καλοῦ, comme déjà Ursinus : cf. οὐδενὶ κόσμῳ 28.

30   < Or, loin d'avoir rien accompli > (1), ils se laissent porter d'un objet
[à l'autre,
Et déploient un zèle infini pour que se produise, en fin de compte, le
[contraire même de ce qu'ils voulaient.

Mais, ô Zeus donneur de tous bien, dieu des sombres nuées, qui commandes
[à la foudre,
Sauve les hommes de la triste ignorance ;
Chasse-la, Père, loin de nos cœurs, donne-nous d'obtenir
35 Ce droit jugement sur lequel tu t'appuies pour gouverner avec justice tout
[l'Univers (2).
Puissions-nous, pour cette faveur dont tu nous auras honorés, te rendre
[honneur à notre tour
En chantant continuellement tes hauts faits, ainsi qu'il sied
A un mortel : car il n'est pas pour l'homme de plus haut privilège,
Ni pour les dieux, que de chanter toujours, comme il se doit, la Loi uni-
[verselle. »

Il importe en premier lieu de montrer combien le poème de Cléanthe se rattache, pour la forme, aux lois du genre. Marquons d'abord ces emprunts : ce que l'hymne contient d'original n'en paraîtra qu'en meilleur jour (3).

Comme en tout pays, l'hymne grec est essentiellement une prière : aussi bien, dans la plupart des textes conservés, s'achève-t-il d'ordinaire en prière. Cette prière s'adresse à un dieu, de qui l'on suppose à priori et qu'il a puissance d'accorder la prière et qu'il est disposé à l'accorder : dès lors, l'hymne commence par une invocation où, tout naturellement, le fidèle magnifiera la puissance du dieu et ses bonnes dispositions à l'égard des hommes. Invocation initiale et prière finale sont de l'essence même de l'hymne. A elles seules, elles suffisent à le constituer : de fait, plus d'un des petits hymnes homériques et la totalité des hymnes orphiques ne comportent que ces deux parties. Cependant l'invocation initiale, où l'on célèbre la grandeur du dieu, est susceptible de développement. Pour mieux

(1) <οὐδέ ποτ' ἐξετέλεσσαν> suppl. Wil. *exempli gratia*.
(2) γνώμης, ᾗ πίσυνος σύ..., πάντα κυβερνᾷ; 35, cf. Hés., *Théog.* 506 τοῖς (tonnerre, foudre, éclair) πίσυνος θνητοῖσι καὶ ἀθανάτοισι ἀνάσσει.
(3) Sur la composition des hymnes antiques, voir surtout l'article *Hymnos* dans P. W., IX 140-183 (R. Wünsch). Sur le style, Ed. Norden, *Agnostos Theos* (2ᵉ éd. 1929), pp. 143-239, en particulier 143-176. Sur le formulaire et les expressions typiques, K. Keyssner. *Gottesvorstellung u. Lebensauffassung im griechischen Hymnus* (Würzburger Stud. z. Altertumswiss. II, Stuttgart, 1932), où l'on trouvera pp. x-xi la bibliographie (jusqu'en 1932), pp. xi-xvi la liste des hymnes connus jusqu'à ce jour (manque, semble-t-il, l'hymne à Zeus de Pergame, *Inschr. Pergamon* 324). Bonnes remarques ausi dans J. Amann. *Die Zeusrede des Ailios Aristeides* (Tübinger Beitr. z. Altertumswiss. 12, 1932, en particulier pp. 1-14 *(Die Topik der Gotterreden nach der rhetorischen Schultheorie)*, et dans Neustadt, *l. c. (supra,* p. 310, n. 1). Pohlenz (cité *ib.*) s'intéresse plus aux doctrines.

marquer cette grandeur, le fidèle est amené à dire soit les hauts faits de la divinité (ἔργα), soit le nombre et la diversité de ses fonctions ou « vertus » (δυνάμεις, ἀρεταί). Dans le cas des hauts faits, la partie intermédiaire prend l'allure d'un récit. Sous l'influence de l'épopée d'Homère, par suite aussi de l'imagination fabulatrice du génie grec, il se peut même que ce récit prenne presque toute la place, comme dans les grands hymnes homériques et dans ceux de Callimaque, qui les imite (surtout I-IV). Néanmoins on n'a pas là l'élément constitutif de l'hymne. Cet élément est et demeure l'invocation initiale suivie d'une prière. Dans le cas où le poète expose les δυνάμεις du dieu, la partie intermédiaire s'offre tout naturellement, comme ici, pour une digression philosophique. Les vers 7-31 ne veulent être, en principe, qu'une explicitation de la puissance de Zeus, annoncée déjà dans les deux premiers vers de l'invocation. Zeus règne sur tout l'Univers, ensemble et parties. Tout lui obéit. Tout, oui, sauf les crimes des méchants (v. 17). D'où le problème : comment accorder ces crimes des méchants avec l'omnipotence de Zeus ? C'est à résoudre ce problème que Cléanthe s'emploie dans la deuxième section de la partie intermédiaire (v. 18-31).

Pour le reste, la composition de l'hymne est toute classique. On a donc :

I. Invocation 1-6.
II. Partie intermédiaire sur les grandeurs du dieu 7-31.
 (A) Règne universel de Zeus 7-16.
 (B) Crimes des méchants 17-31.
III. Prière finale 32-39 (noter ἀλλά 32).

Il est intéressant de comparer cette disposition de l'hymne de Cléanthe avec les règles que donnent les rhéteurs de l'époque impériale, Quintilien (III 7, 7), Alexandre (1), Ménandre (2). Ces auteurs s'accordent pour distinguer, dans l'hymne, trois τόποι principaux (3) : *a*) la nature (φύσις) du dieu; *b*) sa puissance, qui se manifeste dans les fonctions (ou inventions, εὑρήματα) et les

---

(1) SPENGEL, *Rhet. Gr.*, III, pp. 4-6. Sous Hadrien.
(2) Ou le ps. Ménandre. On sait que la question des deux traités περὶ ἐπιδεικτικῶν attribués à Ménandre (*Rh. Gr.*, III, 331-367, 368-446) n'est pas résolue. Cf. Schmid-Stählin, II 2, pp. 938-939, AMANN, pp. 1-2. Je les distingue, comme Amann, par Mén. I et Mén. II. Ce qui a trait aux hymnes se trouve Mén. I 333-344, Mén. II 437-446 (modèle d'h. à Apollon : il s'agit ici, bien entendu, d'hymnes en prose, comme les grands hymnes d'Aristide à Zeus, Sarapis et Asklépios).
(3) Cf. AMANN, pp. 5-6.

exploits (ἔργα); c) l'illustration et l'antiquité de son origine (1). Certes, il serait absurde de vouloir appliquer rigoureusement à Cléanthe des schèmes scolaires établis du Ier au IIIe siècle, quand les rhéteurs pouvaient s'appuyer sur une tradition huit ou dix fois séculaire. Cléanthe n'en a pas moins suivi un modèle déjà fixé. Comme il chante en philosophe, il néglige évidemment tout récit mythique sur la génération — aussi bien Zeus est-il éternel; — et, s'il promet de célébrer continuellement les hauts faits de Zeus (ὑμνοῦντες τὰ σὰ ἔργα διηνεκές 37), il ne s'agit pas alors de légendes mythologiques, mais de manifestations de la puissance du dieu. On revient donc au schème des rhéteurs : d'abord la *nature* de Zeus, indiquée dès le début de l'épiclèse; puis l'*omnipotence* de Zeus, qui fait l'objet de la partie médiane.

Quant au style, le trait le plus notable est l'accumulation des épithètes ou appositions : κύδιστ' ἀθανάτων, πολυώνυμε, παγκρατὲς αἰεί, | Ζεῦ, φύσεως ἀρχηγέ, νόμου μέτα πάντα κυβερνῶν, | χαῖρε, soit cinq épithètes accompagnant le nom de Zeus dans les deux premiers vers de l'invocation. De même, en tête de la conclusion (v. 32) : ἀλλὰ Ζεῦ πάνδωρε, κελαινεφές, ἀρχικέραυνε, cf. aussi 10. Ce tour est rare dans les hymnes homériques anciens. On n'y trouve en général, accolée au nom divin, qu'une seule épithète, parfois deux (2), rarement trois (3). En revanche, ce trait de style devient plus fréquent au début de la période alexandrine, ainsi Théocrite XXII (Dioscures) 135-136 σὲ δέ, Κάστορ, ἀείσω, | Τυν-

---

(1) QUINTIL., III 7, 7 *verum in deis generaliter primum maiestatem ipsius eorum* naturae *venerabimur, deinde proprie* vim cuiusque et inventa, quae utile aliquid hominibus attulerint. vis ostenditur, ut in Iove, regendorum omnium... : *tum si qua ab iis* acta vetustas tradidit, commemoranda : *addunt etiam dis honorem parentes..., addit antiquitas*. Alex., 4-26 Sp. πρῶτον λέγοις ἂν τὸν σοφώτερον (λόγον), διότι καὶ καθόλου ἐστὶ περὶ θεοῦ φύσεως, 5.27 εἶτα τὴν δύναμιν αὐτοῦ ἥ τις ἐστί, καὶ ἐπὶ τίνων ἔργων, ἔνθα δὴ καὶ περὶ ἀρχῆς δεῖ λέγειν τοῦ θεοῦ, 6.2 εἶτα τίνα εὑρήματα ἐνένετο τοῦ θεοῦ ἢ λέγονται (Alexandre place le τόπος du γένος en second lieu, après la φύσις, cf. 4. 32 δεῖ λέγειν περὶ τοῦ γένους). Men. I, 341.9 Sp. τούτους [γὰρ] τοὺς ὕμνους ποικίλως σφόδρα πλάσις, τοὺς μὲν περὶ φύσιν, τοὺς δὲ περὶ δύναμιν, τοὺς δὲ περὶ γένος. Dans le modèle qu'il donne d'un discours épidictique à la louange d'Apollon Smintheus, Men. II commence de même par la φύσις, 438.10 μετὰ τὰς ἐννοίας ταύτας τὰς προοιμιακὰς ἐρεῖς εἰς αὐτὸν ὕμνον τὸν θεον, ὅτι.. Σμίνθιε Ἄπολλον, τίνα σε χρὴ προσειπεῖν, πότερον ἥλιον κτλ., continue par le γένος, 438.29 εἶτα ἐρεῖς κεφάλαιον μετὰ τὸν ὕμνον δεύτερον, τὸ γένος, ἄρξη δὲ ἐκεῖθεν, d'où il passe à la δύναμις, 440.24 εἶτα μετὰ τοῦτο τὸ κεφάλαιον πάλιν διαιρήσεις εἰς τέσσαρα μέρη τὴν δύναμιν τοῦ θεοῦ.

(2) *Aphrod.* II 19 χαῖρ', ἑλικοβλέφαρε, γλυκυμείλιχε, *Dionys.* III B 8 ἴληθ', εἰραφιῶτα, γυναιμανές, *Poséid.* 6 χαῖρε, Ποσείδαον γαιήοχε, κυανοχαῖτα, *Dionys.* II 1 κισσοκόμην Διόνυσον ἐρίβρομον ἄρχομ' ἀείδεν (je cite d'après la numérotation d'Humbert).

(3) *Dém.* I 492, *Aphrod.* II 1 αἰδοίην χρυσοστέφανον καλὴν Ἀφροδίτην | ἄορμα Rien que par l'accumulation des épithètes, l'h. *à Arès* se révèle de date très tardive. Peut-être le plus ou moins grand nombre d'épithètes pourrait-il, dans une certaine mesure, servir de critère pour établir l'ancienneté *relative* de tel ou tel hymne.

δαρίδη ταχύπωλε, δορύσσόε, χαλκεοθώρηξ, I (Thyrsis) 100-101 Κύπρι βαρεῖα, | Κύπρι νεμεσσατά, Κύπρι θνατοῖσιν ἀπεχθής, Callimaque I (Zeus) 91 χαῖρε μέγα, Κρονίδη πανυπέρτατε, δῶτορ ἑάων, | δῶτορ ἀπημονίης, III (Artémis) 269 πότνια Μουνυχίη λιμενοσκόπε, χαῖρε Φελαίη, V (Bains de Pallas) 43-44 ἔξιθ' Ἀθαναία, περσέπτολι, χρυσεοπήληξ, | ἵππων καὶ σακέων ἀδομένα πατάγῳ, *Anth. Pal.* VI 10 (Antipater) Τριτογενές, σώτειρα, Διὸς φυγοδέμνιε κούρα, | Παλλάς, ἀπειροτόκου δεσπότι παρθενίης (1). Il est enfin tout à fait habituel dans les hymnes orphiques et les œuvres contemporaines, sous l'Empire (2).

Examinons plus en détail chacune des trois parties de l'hymne.

I *Prélude* 1-6.

Vv. 1-2. Tout d'abord l'invocation solennelle du dieu, dont on marque aussitôt le caractère prééminent : κύδιστ' ἀθανάτων. Zeus est, par excellence, le dieu aux noms multiples, cette multiplicité dénotant et l'omniprésence en tout lieu et l'omnipotence en toute opération qui se produit dans le monde : d'où πολυώνυμε. De cette épithète, fréquente dans les hymnes (3), le plus ancien exemple s'applique à Zeus, *h. hom. à Dém.* 18 et 32 Κρόνου πολυώνυμος υἱός. C'est à dessein que le nom même de Zeus n'apparaît que dans le second vers, préparé par une suite d'épithètes dont πολυώνυμε. De tous les noms que possède le Cronide, celui de Zeus est sans doute celui qu'il préfère, son πρῶτον ὄνομα (4), cf. Esch. *Ag.* 160 ss. Ζεὺς ὅστις ποτ' ἐστίν, εἰ τόδ' αὐ|τῷ φίλον κεκλημένῳ, | τοῦτό νιν κεκλήσομαι (5). Mais donner au dieu ce nom de Zeus, c'est déjà limiter de quelque manière sa puissance, et voilà pourquoi le poète commence par la désignation : « Toi qu'on invoque sous tant de noms » (6). Les autres désignations des deux premiers vers, παγκρατές, ἀρχηγέ, sont d'un emploi tout classique (7). Je reviendrai sur αἰεί (v. 1).

---

(1) C'est peut-être dès la période alexandrine que cet abus des épithètes a été raillé dans *Anth. Pal.*, V 135 « A un flacon » (cf. Wünsch, P. W., IX 167.39 où il faut lire 135 pour 134) : στραγγυλή, εὐτόρνευτε, μονούατε, ὑακροτράχηλε, | ὑψαύχην κτλ. jusqu'au v. 5.

(2) Ainsi par exemple *Anth. Pal.*, IX 524 (Dionysos), 525 (Apollon), cf. Wünsch, P. W. IX 171-61 ss. Ces deux poèmes sont composés uniquement d'épithètes, quatre par vers, ces quatre commençant par la même lettre de l'alphabet, depuis α jusqu'à ω. Soit donc 24 vers. Vient en outre, en tête, un vers d'introduction (μέλπωμεν ou ὑμνέωμεν) qui commande toute la suite des épithètes : ce vers est répété en conclusion.

(3) Cf. Keyssner, pp. 46-47.

(4) Cf. *Rev. Bibl.*, 1932, pp. 260-261.

(5) Voir aussi Plat., *Crat.* 400 e 1 ὥσπερ ἐν ταῖς εὐχαῖς νόμος ἐστὶν ἡμῖν εὔχεσθαι, οἵτινές τε καὶ ὁπόθεν χαίρουσιν ὀνομαζόμενοι, ταῦτα καὶ ἡμᾶς αὐτοὺς καλεῖν, *Phèdre* 246 d, *Phil.* 12 b-c, etc. Cf. *infra*, p. 258 n. 1.

(6) Même tour Soph., *Antig.* 1115 πολυώνυμε... (1121) Βακχεῦ.

(7) Pour παγκρατές, cf. Keyssner, p. 45 (Esch., *Suppl.* 816 παγκρατὲς Ζεῦ, H. Zeus Dict. = Powell, p. 160, v. 3 παγκρατὲς γάνος). Pour ἀρχηγέ, Keyssner, pp. 16-17.

Vv. 3 ss. Il faut garder ici à θέμις (v. 3) son sens original *(fas)* : « ce qu'il est permis de faire sans impiété ». Si Cléanthe prend la liberté d'invoquer le tout-puissant Zeus, c'est que (γάρ) Zeus lui-même le permet, tout être humain peut s'adresser à lui : comme le dira un hymne hermétique (C. H. I 31), ἅγιος ὁ θεός, ὃς γνωσθῆναι βούλεται καὶ γινώσκεται τοῖς ἰδίοις. Et la raison de l'assurance du fidèle (1) est aussitôt indiquée : Zeus est notre père, nous sommes de sa race, ἐκ σοῦ γὰρ γενόμεσθα (2). L'idée que *toute* la race humaine soit issue de Zeus n'est pas « très antique », comme le dit Keyssner (p. 21) qui se réfère aux généalogies « où les hommes faisaient dériver des dieux leur origine ». Car il s'agit alors d'une catégorie d'hommes fort restreinte, les rois et les nobles : cf. Callim. *ad Iov.* 73 σὺ δ' ἐξέλεο πτολιάρχους | αὐτούς (seuls), 79 ἐκ δὲ Διὸς βασιλῆες (d'après Hés. *Théog.* 96, cf. Hom. διοτρεφέες, διογενέες βασιλῆες), ἐπεὶ Διὸς οὐδὲν ἀνάκτων | θειότερον (joindre Διὸς et ἀνάκτων). Maintenant au contraire, c'est de tous les hommes qu'il est question. Cette idée est empruntée à la philosophie. Dans ses sources lointaines, elle est contemporaine de l'opposition radicale entre le corps et l'âme : le corps vient de la terre et y retourne, l'âme vient de l'éther où elle remonte après la mort, cf. l'inscription des morts de Potidée (IG I² 945 = *Hist. Gr. Ep.* 53) αἰθὲρ μὲμ φσυχὰς ὑπεδέχσατο, σόμ[ατα δὲ χθὸν] | τόνδε, Eurip. fr. 839 N². Au IVᵉ siècle, ce dualisme pénètre toute l'œuvre de Platon, jusqu'au *Timée*, cf. 90 a 7 l'âme ἡμᾶς αἴρει ὡς ὄντας φυτὸν οὐκ ἔγγειον ἀλλὰ οὐράνιον. Enfin, si le stoïcisme n'est plus dualiste, il n'en maintient pas moins le dogme de l'origine divine de l'homme par la doctrine du Logos inhérent en nous et qui nous met, seuls de tous les êtres vivants terrestres (μοῦνοι 5) (3), en société avec les dieux (4). De fait, Cléanthe est le premier peut-être à formuler ce dogme de la paternité divine d'une manière aussi nette et précise : Aratos sans doute s'est inspiré de lui, *Phain.* 5 τοῦ γὰρ καὶ γένος εἰμέν (5).

Quant à l'idée d'ensemble des vv. 3-5 (χαῖρε. σὲ γὰρ... ἐκ σοῦ γὰρ...) : « Salut, car tout homme peut te saluer puisque tout homme

---

(1) Sur la παρρησία, cf. *Rev. Bibl., l. c.*, p. 261.
(2) Sur cette formule typique ἐκ σοῦ γὰρ, cf. Keyssner, pp. 20, 29-30. Voir en particulier *PGM.*, IV 961 ἐκ σοῦ γὰρ, 2836 ἐκ σέο γὰρ πάντ' ἐστί.
(3) Pour la suite ὅσα ζώει τε καὶ ἕρπει θνήτ' ἐπὶ γαῖαν, cf. *h. hom. ad Dem.* 365 δεσπόσσεις πάντων, ὁπόσα ζώει τε καὶ ἕρπει.
(4) V. *supra*, pp. 272 ss.
(5) A moins que le rapport ne soit contraire, cf. Powell, n. cr. *ad* v. 4. Voir, plus tard, *h. orph.*, XXVII 7, XXXVII 6.

est ton fils », elle est habituelle aux religions à mystères, depuis les tablettes ps.-orphiques des IVe-IIIe siècles jusqu'à la gnose sous l'Empire, — avec cette restriction que la filiation divine est alors réservée au seul initié, cf. par exemple *Orph. fr.* 32 c-e K., v. 3 καὶ γὰρ (!) ἐγὼν ὑμῶν γένος ὄλβιον εὔχομαι εἶμεν (Thourioi), 32 a 6-7 εἰπεῖν· Γῆς παῖς εἰμι καὶ Οὐρανοῦ ἀστερόεντος, | αὐτὰρ ἐμοὶ γένος οὐράνιον (Pétélie) : si le myste peut s'adresser sans crainte aux dieux chtoniens, c'est qu'il est de leur race.

Le dernier vers du prélude tire la conclusion : si Zeus est le dieu suprême, si les hommes peuvent s'adresser à lui en raison de leur état de fils, il convient au poète de le chanter toujours. Cet αἰεί est un lieu commun (1). Dans le style hyperbolique de l'hymnodie, on aime à célébrer la durée éternelle de l'être et de la puissance de la divinité, ici παγκρατὲς αἰεί 1, ἀεὶ ζώοντα (le foudre) 10, αἰὲν ἐόντα (Logos) 21, βασιλεὺς διὰ παντός (χρόνου) 14. En retour, il convient que le poète élève vers le dieu une louange continuelle, σὸν κράτος αἰὲν ἀείσω 6, κοινὸν ἀεὶ νόμον ἐν δίκῃ ὑμνεῖν 39. Keyssner (pp. 13, 42) cite de nombreux exemples, dans les hymnes homériques (*Apoll.* I 299 ἀοίδιμον ἔμμεναι αἰεί, *Apoll.* II 3-4 σὲ δ' ἀοιδός... αἰὲν ἀείδει), chez Hésiode *Théog.* 34 αἰὲν ἀείδειν (répondant à ἀεὶ ἐόντων 33), Théognis 3-4 ἀλλ' αἰεί... ἀείσω, Aratos *Phain.* 14 τῷ μὲν (cf. τῷ σὲ Cléanthe 6) ἀεί... ἱλάσκονται, Mésomède 10, 19 μέλος αἰὲν ἀείδων. Le tour négatif exprime la même idée, *h. hom. Apoll.* I 177-178 αὐτὰρ ἐγὼ οὐ λήξω... | Ἀπόλλωνα ὑμνέων, Arat. *Phain.* 1-2 ἐκ Διὸς ἀρχώμεσθα. τὸν οὐδέποτ', ἄνδρες, ἐῶμεν | ἄρρητον (2).

II. *Partie intermédiaire* 7-31.

Annoncée au v. 6 (τῷ σε καθυμνήσω), la louange elle-même commence au v. 7 (σοὶ δή...) et s'achève au v. 31. C'est donc là le corps de l'hymne. Le thème général est celui de l'omnipotence de Zeus. Tout lui obéit, rien ne s'accomplit sans lui. Le morceau, comme on l'a vu, se divise en deux sections : (A) 7-16. Le monde, considéré dans son ensemble, obéit sans cesse au Vouloir divin qui le guide (7-8). A son service, Zeus a d'ailleurs le foudre tout-puissant (9-11) (3), qui sans doute n'est pas proprement identifié au Feu-Logos (puisque c'est par ce foudre que Zeus dirige le Logos, ᾧ σὺ κατευθύνεις κοινὸν λόγον 12), mais dont il ne se peut que le corps igné ne fasse songer à la

---

(1) Cf. KEYSSNER, pp. 42-43.
(2) Pour σὸν κράτος 6, cf. KEYSSNER, p. 53.
(3) Pohlenz cp. HÉRACL., fr. 64 'τὰ δὲ πάντα οἰακίζει Κεραυνός', τουτέστι κατευθύνει, κεραυνὸν τὸ πῦρ λέγων τὸ αἰώνιον.

nature, ignée aussi, du Logos qui circule à travers toutes choses (1), mêlé aux corps ignés des astres (φάεσσιν 13). — (B) 15-31. De l'ensemble du monde, Cléanthe passe à chaque partie (15-16), pour s'arrêter plus particulièrement au problème du mal moral (17-31). Sur la terre comme au ciel et dans la mer, tout dépend de Zeus, sauf les crimes des méchants (17). Encore ces crimes eux-mêmes finissent-ils par se résorber dans le Bien universel (18-21, v. *infra*). Que les méchants le veuillent ou non, le monde accomplit sa course : leur révolte ne sert qu'à les rendre malheureux (22-31 : cf. δύσμοροι 23, ἐναντία τῶνδε γενέσθαι 31).

Dans tout ce morceau 7-31, les formules stéréotypées ne manquent pas, propres au style hyperbolique. Ainsi ὕπατος βασιλεύς 14 : cf., pour ὕπατος, *h. hom. Dem.* 21 κεκλομένη πατέρα Κρονίδην ὕπατον καὶ ἄριστον, pour βασιλεύς, *ib.* 358 Διὸς βασιλῆος (Keyssner, p. 83). Ainsi surtout l'emphatique πᾶς au début de la section A (σοὶ δὴ πᾶς ὅδε κόσμος... | πείθεται 7-8), à quoi répond la reprise de la même idée, sous forme négative οὐδέ τι γίγνεται ἔργον... σοῦ δίχα 15) au début de la section B. Cet emploi de πᾶς, qui revient comme un « leitmotiv » dans le poème (πάντα κυβερνῶν 2, πᾶς ὅδε κόσμος πείθεται 7-8, ἔρριγεν ἅπαντα 11, λόγος ὃς διὰ πάντων | φοιτᾷ 12-13, πάντα συνήρμοκας 20, πάντων λόγον 21, πάντα κυβερνᾷς 35, sans compter les épithètes παγκρατές 1, πάνδωρε 32), convient sans doute excellemment ici au dieu suprême, mais, de fait, il est d'usage courant à l'époque hellénistique, et on l'applique à toute divinité dont on veut relever la grandeur pour l'établir en quelque sorte sur le plan cosmique (2). Les hymnes orphiques se servent ainsi de πᾶς non seulement pour Zeus (3), mais encore pour Némésis (LXI 8), les Moires (LIX 13), Protée (XXV 4), Poséidon (XVII 3), Nikè (XXXIII 6), Eros (LVIII 4). Et il en va de même pour les dieux d'Égypte, Anubis (Kaibel 1029), Isis (*ib.* v. 8, h. Cyrène [= Peek 129] v. 7), et les dieux des hymnes magiques, Artémis Sélènè (*PGM.* IV 2533), Arsemphemphôt (*PGM.* XII 243, 246-247).

A l'emphase du « Tout l'Univers t'obéit » (πᾶς ὅδε κόσμος... πείθεται 7) correspond le tour négatif « Rien, dans aucune partie de l'Univers, ne se fait sans toi » (οὐδέ τι γίγνεται ἔργον... σοῦ δίχα,

---

(1) Pohlenz cp. SVF. II 1044 τὸν διαπεροιτηκότα τῆς ὕλης καὶ ὄντα ἐν αὐτῇ θεόν.
(2) Cf. KEYSSNER, pp. 28-32, et (avec Neustadt) déjà ESCH., *Ag.* 1485 s. διαὶ Διὸς παναιτίου πανεργέτα (suivi du tour négatif τί γὰρ βροτοῖς ἄνευ Διὸς τελεῖται, cf. *infra*). Voir *Addenda*.
(3) Cf. KEYSSNER, pp. 30-31.

δαῖμον 15). Cette double construction est banale (1). Dans l'hymne de Cyrène (Peek, p. 129), Isis commence par dire (v. 7) : « Tous m'appellent la déesse suprême (ὑψίστην θεόν), la plus puissante de tous les dieux du ciel. Car c'est moi qui ai découvert toutes choses et qui ai supprimé la peine », pour continuer (v. 15) : « Sans moi rien jamais à aucun moment ne se produit. Car ni les astres ne suivent identiquement leur course s'ils n'en ont reçu de moi le commandement, ni la terre au printemps ne <portera> de fruits si je n'y consens et ne fais tout <venir bellement à maturité> (2) ». Mais il est d'autres exemples bien plus anciens : Pindare, *Ném.* VII 3 (à Ilithye) « *Sans toi* (ἄνευ σέθεν) nous ne verrions pas le jour, ni l'heure bienfaisante des ténèbres... 9 *Grâce à toi* (σὺν δὲ τίν) le fils de Théarion » a remporté la victoire. *Olymp.* XIV 5 (aux Charites) « C'est *grâce à vous* (σὺν γὰρ ὔμμιν) qu'arrivent aux mortels toutes leurs joies et leurs délices... 10 *Sans* les augustes Charites (σεμνᾶν χαρίτων ἄτερ) les dieux eux-mêmes ne peuvent mener ni danses ni festins. » Ariphron, péan à Hygie (3) : « C'est *grâce à toi* (μετὰ σεῖο), Hygiéia bénie, que toutes choses fleurissent et brillent dans le commerce des Charites; et *sans toi* (σέθεν δὲ χωρίς) il n'y a pas d'être qui soit heureux. » Après Cléanthe, outre l'hymne isiaque, citons encore *h. orph.* LXVIII 3 (à Hygie) : « C'est *grâce à toi* (ἐκ σέο) que les mortels voient leurs maladies s'éteindre, par toi (εἵνεκα σεῖο) toute maison fleurit dans la joie... 8 Car, *sans toi* (σοῦ γὰρ ἄτερ), rien n'a plus d'utilité pour l'homme... 10 *Sans toi* (ἄτερ σέο) le vieillard chargé de peines n'est plus un homme (4). »

III. *Prière finale* 32-39.

L'hymne, je l'ai dit, aboutit normalement à une prière. On a invoqué le dieu par son vrai nom, on se l'est rendu favorable par une louange qui magnifiait sa grandeur et rappelait ses bonnes dispositions envers les hommes. Maintenant, pour conclure, on lui expose ses besoins. Il n'y a rien là d'égoïste. La prière de demande résulte et de la condition même où se trouvent les deux êtres que la prière met en rapport, — le dieu est tout-puissant, l'homme a tant de besoins, — et de ces bonnes dispositions divines que le fidèle vient de louer : si nous sommes vraiment les enfants de Zeus, n'est-il pas naturel qu'il prenne soin de nous?

(1) Cf. KEYSSNER, pp. 29, 36 (nombreux exemples aussi, p. 29, du tour « sans toi »... à l'état isolé). On la retrouve même dans le prologue de l'évangile johannique, 1, 3 πάντα δι' αὐτοῦ ἐγένετο, καὶ χωρὶς αὐτοῦ ἐγένετο οὐδὲ ἕν.
(2) Suppl. Peek (p. 130) *ex. gr.*
(3) EDMONDS, III, pp. 401-402. Début du IV⁰ siècle.
(4) Voir *Addenda.*

V. 32. Cette prière débute par une invocation où l'on retrouve la solennité de l'épiclèse initiale. Un mot y est en relief, πάνδωρε. Zeus est donneur de tout bien. Le mot n'est pas neuf. Si Hésiode (*Trav.* 81) l'avait employé au sens passif comme nom propre de la Femme « don de tous les dieux » (1), Pandora, dans un oracle des *Oiseaux* (972), désignait la Terre, qui donne tous biens et Bacchylide (fr. 48 Edm.) avait parlé de la Destinée « qui donne tout », biens et maux, « et qui fait peser un nuage tantôt sur un lieu de la terre, tantôt sur l'autre ». Ici, au seuil de la prière, πάνδωρε marque d'emblée l'aspect de générosité sous lequel Cléanthe veut considérer le dieu, cependant que les deux autres épithètes (κελαινεφές, ἀργικέραυνε) dénotent sa puissance.

Vv. 33-35. Après l'invocation, la demande proprement dite, qui est formulée selon un double schème : que Zeus délivre du mal (ῥύου μέν 33), qu'il accorde ses bienfaits (δὸς δὲ κυρῆσαι 34) (2). Ces deux expressions sont, l'une et l'autre, consacrées. Pour ῥύεσθαι, qui varie d'ordinaire avec σῴζειν, Keyssner (pp. 106-107) cite de nombreux exemples, depuis *h. hom. Athèna* II 4, Eschyle *Sept.* 91, 164, 822 (ὦ μεγάλε Ζεῦ καὶ πολιοῦχοι | δαίμονες, οἳ δὴ Κάδμου πύργους | <ἐθελή-σατε Wil.> τούσδε ῥύεσθαι) jusqu'à *h. orph.* LXVIII (Hygie) 12 ῥυομένη νούσων χαλεπῶν κακόποτμον ἀνίην (acc. rei), LXXV (Palémon) 8, ῥυόμενος μῆνιν χαλεπὴν κατὰ πόντιον οἶδμα, *Anth. Pal.* VI 231 (Philippe à Isis) : εἰ δ' ὡς ἐκ πελάγους ἐρρύσαο Δᾶμιν, ἄνασσα, | κἠκ πενίης, Proclus I (Hélios) 36 ἐκ δέ με λυγρῶν ῥύεο κηλίδων, III (Muses) 5. Dans son modèle de discours à Apollon, Ménandre loue le dieu d'être celui qui délivre des périls, ῥυόμενος κινδύνων (440. 2, 444.16). Il est à peine besoin de montrer que la délivrance du mal a pour complément naturel le don du bien. La prière chrétienne donne l'exemple classique, Math. 6, 11 τὸν ἄρτον ἡμῶν τὸν ἐπιούσιον δὸς ἡμῖν σήμερον... 13 ἀλλὰ ῥῦσαι ἡμᾶς ἀπὸ τοῦ πονηροῦ. Résumant la tradition païenne, Ménandre joint de même les deux verbes (444.15) : καὶ ὁ μὲν (Apollon) διατελεῖ καρπῶν ἀφθόνων διδοὺς φορὰν καὶ ῥυόμενος κινδύνων.

Ce que demandent habituellement les hommes, c'est d'être délivrés des maux terrestres et de jouir de la félicité matérielle (ὄλβος) (3). Il est normal que la prière du philosophe soit d'ordre plus spirituel : Cléanthe demande à Zeus qu'il tire les hommes de l'ignorance et

---

(1) Cf. P. Mazon, Commentaire des *Travaux* (Paris, 1914), p. 56.
(2) Pour la suite ῥύου... σκέδασον... δός (33-34), Neustadt cp. heureusement *Il.*, XVII 645 ss. (prière d'Ajax) : Ζεῦ πάτερ, ἀλλὰ σὺ ῥῦσαι..., δός... 649 αὐτίκα δ' ἠέρα μὲν σκέδασεν κτλ.
(3) Cf. Keyssner, pp. 139 ss.

leur accorde le droit jugement (γνώμη) avec lequel Zeus lui-même gouverne le monde. Cette noble prière, à laquelle l'invocation « Père » (1) donne un accent plus touchant, n'est pas, elle non plus, entièrement neuve (2). Dès le ve siècle tout au moins, Euripide, Socrate, voire Aristophane (3), avaient fait place, dans leurs prières, aux biens de l'âme. « Déméter », dit Eschyle dans les *Grenouilles* (886-887), « toi qui as nourri mon esprit, accorde-moi d'être digne de tes mystères ». Euripide fait prononcer à un héros ces anapestes d'une mystérieuse beauté (fr. 912 N²) : « A toi qui veilles sur tous les êtres, quel que soit le nom qui te plaise, Zeus ou Hadès, j'apporte la libation et le gâteau. Reçois de moi cette offrande que la flamme n'a point touchée, où sont mêlés tous les fruits de la terre : je la répands devant toi. Car c'est toi qui, parmi les dieux fils d'Ouranos, tiens en mains le sceptre de Zeus, et toi aussi qui partages avec Hadès le règne sur les dieux infernaux. Envoie la lumière de l'âme à ceux des hommes qui veulent apprendre par avance d'où viennent les combats de la vie, quelle est la racine des maux, et auquel sacrifier d'entre les bienheureux pour obtenir que s'arrêtent nos peines. » Socrate enfin, d'après Xénophon, se bornait à demander aux dieux de nous donner « les choses bonnes », persuadé que les dieux savent le mieux en quoi consistent ces choses (4). On se rappelle aussitôt la belle prière du *Phèdre* (279 b-c) : « O cher Pan, et vous toutes, divinités de ce lieu, donnez-moi d'être beau, oui, pour les choses du dedans (5) : quant aux choses du dehors, que celles que je possède aient de l'amitié pour celles du dedans ! Faites aussi que je tienne le sage pour vrai riche (6), et que j'aie d'or juste la somme que ne pourrait emporter nul autre que le tempérant. »

Vv. 36-39. Dans la seconde partie de la prière, l'idée caractéristique est celle d'échange (ἀμειβώμεσθα) entre le dieu et l'homme. L'homme reçoit une faveur de la divinité, ici le don du « droit

---

(1) V. 34. Cf. Keyssner, p. 23.
(2) L'objet de la prière chez les philosophes grecs n'a pas été encore bien étudié. Quelques indications seulement dans H. Schmidt, *Veteres philosophi quomodo iudicaverint de precibus* (RGVV, IV 1, 1907), livre confus où l'auteur n'a pas distingué assez nettement (1) ce que les philosophes grecs pensent de la prière en général (convient-il de prier les dieux?) et (2) ce qu'ils pensent de l'objet de la prière (que faut-il demander aux dieux ?)
(3) Ou plutôt Eschyle dans Aristophane. Serait-ce un souvenir direct du poète tragique?
(4) Xén., Mem., I 3, 2 καὶ ηὔχετο δὲ πρὸς τοὺς θεοὺς ἁπλῶς τἀγαθὰ διδόναι, ὡς τοὺς θεοὺς κάλλιστα εἰδότες ὁποῖα ἀγαθά ἐστι.
(5) Il y a ici une allusion évidente au skolion attique (III, p. 564, n° 7 Edm., v. 2 δεύτερον δὲ καλὸν φυὰν γενέσθαι). Socrate aussi demande à être beau (δοίητέ μοι καλῷ γενέσθαι), oui, mais τἄνδοθεν.
(6) Cf. Skol., v. 3 τὸ πρίτον δὲ πλουτεῖν ἀδόλως.

jugement » : en retour, il lui offre sans cesse une louange. On ne pourrait s'étonner de trouver cette idée d'échange dans un hymne philosophique que si l'on y concevait l'ἀμοιβή comme un marché. Sans doute rien n'est plus foncièrement enraciné dans l'âme humaine, en matière de religion, que l'idée de marché. On la trouve en Grèce comme en tout pays, parce qu'elle est humaine. Platon l'expose dans l'*Euthyphron*. Trois textes contemporains, l'arétalogie de Maiistas (1) et les péans delphiques d'Aristonoos à Apollon et à Hestia (2), composés peu d'années après la mort de Cléanthe (232), l'expriment de façon naïve. L'arétalogue Maiistas, qui écrit pour le compte d'Apollonios, prêtre de Sarapis, décrit ainsi la prière que fit ce prêtre un jour de grande détresse (vv. 43-45) : « Dans son instante prière il te demandait, avec des larmes, de le défendre, te conjurant de ne pas donner en échange à ton prêtre qui te suppliait un sort inglorieux » (3). Et voici les demandes d'Aristonoos à Apollon (vv. 45-47) : « Puisque nos hymnes t'ont réjoui, en retour de nos actes de religion, donne-nous une continuelle félicité » (ὄλβον ἐξ ὁσίων διδοὺς | ἀεί) et à Hestia (vv. 14-17) : « En retour de nos actes de religion, donne-nous pour récompense, Hestia, de posséder toujours une abondante félicité (ἴσου δ'ἀμοιβὰς | ἐξ ὁσίων πολὺν ἡμᾶς | ὄλβον ἔχοντας ἀεί) afin que nous dansions en chœur autour de ton autel au siège brillant. » On le voit, les loyaux services constituent, aux yeux du fidèle, une sorte de droit. Il attend qu'en récompense le dieu le protège (Maiistas) ou lui accorde le bonheur (Aristonoos) : et ce bonheur à son tour incitera le fidèle à une dévotion plus grande (ὄλβον ἔχοντας ἀεί λιπαρόθρονον | ἀμφὶ σὰν θυμέλαν χορεύειν, Ariston., *Hestia* 16-17). Il n'est guère besoin d'insister sur une idée si commune : nulle âme religieuse qui n'en ait eu l'expérience. Toute la société humaine, dans la mesure où elle s'organise, repose sur la notion de contrat : et c'est donc par un mouvement invincible que nous appliquons cette même notion à nos rapports avec le divin. On donne et l'on reçoit, tout est fixé d'avance, et, si le malheur nous frappe, nous avons le sentiment que le partenaire ne remplit pas son rôle, qu'il manque aux conditions.

(1) POWELL, pp. 69-71. Cf. P. ROUSSEL, *Les cultes égyptiens à Délos* (Paris-Nancy, 1916), pp. 72 ss., 245 ss. Date : environ 220 av. J.-C.
(2) POWELL, pp. 162-165. Date : environ 222 av. J.-C.
(3) σὲ δὲ σταλάων ἅμα δάκρυ | λίσσετ' ἀλεξῆσαι μηδ' ἀκλέα τεῦξαι ἀμοιβὴν | σῶι ἱκέτει. Je pense que σῶι ἱκέτει dit plus que « à ses supplications (présentes) », mais désigne tout le service religieux du prêtre Apollonius et, avant lui, de son père et de son aïeul, cf. vv. 11, 19-20 (πᾶν δὲ κατ' ἦμαρ | σὰς ἀρετὰς ἤειδον, ἀεὶ δ' ἐλλισ<σ>ετο , 34-36). C'est en retour de tout ce dévot service qu'Apollonius attend une juste récompense.

Ainsi la fin de l'hymne de Cléanthe paraît-elle suivre un type commun. L'idée d'ἀμοιϐή est classique (1), le choix de τιμᾶσθαι « recevoir une faveur divine » tout habituel (2), et il n'est même pas jusqu'à l'emploi d'ὄφρα (v. 36) qui ne semble resserrer le lien entre la condition exigée par le fidèle (τιμηθέντες 36) et le chant de louange dont à son tour il rend hommage à Zeus (ἀμειϐώμεσθα σὲ τιμῇ | ὑμνοῦντες 36-37) (3). Regardons cependant notre texte de plus près. Cléanthe vient de demander la lumière spirituelle : que, du cœur de l'homme, Zeus chasse l'ignorance, et qu'il y mette le droit jugement qui est le sien, sur lequel il s'appuie lui-même pour gouverner avec justice tout l'Univers. D'un mot, les hommes ont besoin de l'esprit même de Dieu. *Sans* cet esprit divin, ils se laissent entraîner, de côté et d'autre, vers des fins terrestres qui les déçoivent, la gloire, le gain ou le plaisir (vv. 26-31). *Avec* cet esprit, ils reconnaissent l'ordre du monde, la souveraine autorité de Zeus par qui toutes choses s'accomplissent. N'y a-t-il pas, dès lors, un lien nécessaire entre la grâce reçue (τιμηθέντες) et l'hommage qu'en retour les hommes rendent à Zeus ? Pour connaître vraiment Zeus, et l'ordre établi par Zeus, il faut la γνώμη qui est un don divin : que Zeus donne donc cette γνώμη (c'est ce don qui est la τιμή), et les hommes seront alors capables de louer. Ainsi la formule est classique, mais la perspective change entièrement. Il reste bien, sans doute, un lien conditionnel entre un don divin et un hommage des hommes. Mais la nature de cette condition est toute diverse. Dans le type habituel, c'est une condition de marché, en quelque sorte étrangère à la substance même de la prière : « si le dieu me donne ceci, en retour je lui donnerai cela ». Mais, à la rigueur, même si le dieu ne donnait rien, je pourrais encore le prier, j'aurais en moi-même assez de lumière pour le prier. Dans l'hymne de Cléanthe, la condition est intérieure à la substance de la prière : « si Zeus ne me donne pas sa γνώμη, je demeure dans l'ignorance de Zeus et de son ordre, je suis incapable de prier ». On perçoit ici, à vrai dire, une idée toute neuve, qui ne prendra sa pleine valeur que dans la gnose. L'homme, sans doute, possède le Logos puisqu'il est doué de raison. Mais il ne peut faire correctement usage de sa raison que si Dieu chasse les ténèbres, illumine l'âme. La notion de grâce apparaît. Elle n'a pu

---

(1) KEYSSNER, pp. 134-135.
(2) KEYSSNER, pp. 56, 60-61, 67-70.
(3) Cf. KEYSSNER, p. 135, qui cite THEOGN. 775 αὐτὸς δὲ στρατὸν ὑϐριστὴν Μήδων ἀπέρυκε | τῆσδε πόλεως, ἵνα σοι λαοὶ ἐν εὐφροσύνῃ |... κλειτὰς πέμπωσ' ἑκατόμϐας, H. de Gomphoi (Peek 135, vv. 7-9) ὄφρα ἐν εὐ[σεϐίαι (Hiller : εὐ[φροσύνηι, Keyssner).... | λοιϐὰν [... | [π]έμπω 'Οσείρ[ιδι.

surgir, au iiie siècle, dans la secte stoïcienne, qu'en vertu des méditations d'une âme aussi profondément religieuse que le fut celle de Cléanthe. L'humble ouvrier de l'École avait su entendre ce que peu de sages ont compris : pour entrer en contact intime avec Dieu, il ne suffit pas d'un lien originel qui nous rattache à l'être divin (ici vv. 3-5), il faut encore que la Divinité nous éclaire continuellement de sa lumière, sans quoi, malgré notre parenté avec le ciel, nous ne pouvons faire bon usage de notre esprit.

§ 2. *La mystique du consentement.*

L'hymne de Cléanthe est une prière à Zeus, bâtie, je l'ai montré, sur un type traditionnel. Mais quel est ce Zeus? Comment se représente-t-il à l'âme religieuse? C'est là un point important pour notre enquête. Car, jadis comme aujourd'hui, l'attitude à l'égard du divin dépend surtout de l'idée qu'on se fait du divin. Et cette conception domine ce qu'on pourrait appeler l'atmosphère religieuse d'une époque : atmosphère de joie ou de crainte, de confiance ou de résignation, d'enthousiasme lyrique ou de calme recueillement.

Au iiie siècle avant notre ère, il y a longtemps déjà que le nom de Zeus peut servir à désigner non plus un dieu particulier de l'Olympe, mais cela même que nous voulons exprimer par le mot « Dieu ». L'assimilation est courante dès Euripide (*Troy.* 884 ss.) : « O toi, qui portes la terre et de qui la terre est le siège, qui que tu sois (1), énigme impénétrable, Zeus, Contrainte inflexible de la nature ou Intelligence des mortels, je t'adore. (2). » Or, dans cette notion grecque de Dieu, trois traits ressortent davantage.

D'abord la toute-puissance. Quelles que soient les origines de Zeus, et de quelque manière que le dieu aryen se soit fondu, en Grèce, avec diverses entités locales préaryennes, ce qui caractérise Zeus, au temps d'Homère, c'est qu'il est le plus puissant des dieux. Il se tient dans les hauts lieux, en particulier sur l'Olympe (ὕψιστος, κορυφαῖος, Ὀλύμπιος), il est le maître du tonnerre et de la foudre (ὑψιβρεμέτης, ἀργικέραυνος). Et voici comment, dans l'*Iliade* (VIII 5 ss.), ce Zeus Tonnant (τερπικέραυνος) s'adresse aux autres dieux : « Entendez-moi, tous, et dieux et déesses : je veux dire ici ce qu'en ma poitrine me dicte mon cœur. Qu'aucun dieu, qu'aucune

---

(1) ὅστις ποτ' εἶ σύ,... Ζεύς *Troy.* 884-5. Cf. *Her. Fur.* 1263, *Melanipp.* fr. 1, *Or.* 418 et *supra*, p. 316, n. 5.
(2) Cf. mon article *La religion d'Euripide*, *Vie Intellectuelle*, avril 1945, pp. 136 s.

déesse ne tente d'enfreindre mon ordre : acceptez-le, tous, d'une voix, afin que j'achève l'affaire au plus tôt. Celui que je verrai s'éloigner délibérément des dieux, pour aller porter secours aux Troyens ou aux Danaens, sentira mes coups et s'en reviendra dans l'Olympe en piteux état » (tr. Mazon). Alors, pour montrer combien il l'emporte sur tous les dieux, Zeus propose une épreuve. Qu'on prenne un câble, que tous les dieux s'y suspendent et cherchent à faire tomber Zeus du haut de l'Olympe, ils n'obtiendront rien, mais c'est lui, bien plutôt, qui les tirera tous en haut, et, avec eux, la terre et la mer (*Il.*, VIII 18 ss.).

En second lieu, l'idée de Dieu s'est associée, en Grèce, aux principes qui ont longtemps fondé la civilisation occidentale : la fidélité au contrat sanctionné par la foi jurée, le respect de l'hôte et du suppliant, les soins dus aux morts. D'un mot, Dieu est le symbole et le garant de la justice, tout ensemble de la justice positive consacrée par la loi civile et de la justice immanente qui s'inscrit dans l'événement (1).

Enfin Dieu est le principe de l'ordre du Kosmos, lequel, pareil à une cité, est, comme une cité, gouverné par des lois. L'idée paraît déjà chez les philosophes ioniens ; elle est répandue au temps d'Euripide (2) ; le *Timée* de Platon en marque l'épanouissement.

On retrouve ces traits dans notre hymne. Dès le premier vers, Dieu y est invoqué comme le Tout-Puissant (κύδιστ' ἀθανάτων, παγκρατές v. 1) ; tel le Zeus homérique il assemble les nuages (κελαινεφές v. 32) et tient le foudre (v. 10, ἀρχικέραυνε v. 32). Roi suprême, tout tremble devant lui (v. 14, 11).

Comme la pensée des Stoïciens est plus tournée vers la Cité du Monde que vers la cité terrestre, c'est l'idée du Dieu cosmique qui domine le poème. Mais il faut se souvenir que les notions de loi civile et de justice avaient été, dès le ve siècle, appliquées au monde. Les lois qui gouvernent l'Univers sont des lois justes. Il y a une justice cosmique qui se manifeste dans l'équilibre des parties. Un mouvement lent, mais sûr, conduit toutes choses vers une harmonie où les désordres mêmes se résorbent dans l'Ordre. En fin de compte, c'est le bien qui prévaut. Ce qu'Euripide déclarait touchant les affaires humaines est vrai aussi du monde en sa totalité : « Zeus va sans bruit son chemin ; mais toujours, en toutes choses d'ici-bas, il fait triompher la justice » (*Troy.* 888-9).

---

(1) *La religion d'Euripide, l. c.*, pp. 139-142.
(2) *Ibid.*, pp. 142 ss.

Ces idées ne sont pas nouvelles. Platon, dans les *Lois*, les avait exprimées avec un accent de gravité, une noblesse inégalables (X 903 b-d). Mais ce qui est neuf ici, c'est qu'elles nourrissent la prière, c'est que nous les voyons à l'œuvre dans l'intime d'une âme, pour guider, soutenir, conforter l'exercice difficile de la vertu.

Dieu donc est le maître suprême, le souverain ordonnateur. Il gouverne toutes choses et ce gouvernement est juste. Cette idée qu'expriment d'une manière tout explicite les mots « avec justice » (δίκης μέτα v. 35) à la fin du poème est indiquée dès le début par la formule « dans la loi » (νόμου μέτα v. 2). Car le νόμος, en Grèce, désigne proprement la règle d'action instituée non point par le vouloir capricieux d'un tyran, mais par la décision réfléchie (1) des citoyens réunis en assemblée. Puisque le citoyen, quand on a proposé la loi, a été libre d'attaquer cette proposition, puisque, la loi ayant passé sans son aveu, il reste libre de l'attaquer comme contraire aux institutions fondamentales de la cité, toute loi définitivement acceptée peut être tenue pour représenter le vouloir de l'ensemble civique. Elle est donc conforme au droit civil, au δίκαιον (2), à ce qui est juste pour les membres de la cité. Dans ce sens, νόμος et δίκη font bloc (3) et le mot νόμος, par lui-même, implique l'idée d'une justice raisonnée. Il n'en va pas autrement dans le cas où la loi est l'œuvre, non plus de l'Assemblée, mais d'un monarque. Car le βασιλεύς grec diffère radicalement du τύραννος. Loin de faire la loi selon son caprice, le pouvoir royal obéit à la loi : c'est la loi qui reste maîtresse et qui règne effectivement (4). Le régime idéal, parce que vraiment philosophique (5), est celui « où les sujets sont libres sous le pouvoir royal, et où l'autorité royale est responsable, puisqu'elle est soumise à des lois qui commandent et aux citoyens et aux rois eux-mêmes, s'ils n'agissent pas légalement » (6). C'est le régime idéal, car il est le plus conforme à la raison (7). Le

---

(1) Cf. PLAT., *Lois*, I 644 c-d. L'homme a deux conseillers, le plaisir et le chagrin. L'attente du chagrin est la *crainte*, celle du plaisir la *confiance* (θάρρος). En outre l'homme possède la réflexion (λογισμός), qui lui fait juger quels plaisirs et quels chagrins sont bons ou mauvais : ὃς (λογισμός) γενόμενος δόγμα πόλεως κοινόν νόμος ἐπωνόμασται.

(2) νόμος lié au δίκαιον, v. g. PLAT., *Apol*. 32 b 8 μετὰ τοῦ νόμου καὶ τοῦ δικαίου ᾤμην μᾶλλόν με δεῖν διακινδυνεύειν. Voir au surplus la prosopopée des Lois dans le *Criton*.

(3) PLAT., *Ep*., VIII 354 e 2 ἵνα δὴ δουλεύοιεν μηδενὶ μήτε σὺν δίκῃ μήτε νόμῳ δεσπότῃ.

(4) νόμος ἐπειδὴ κύριος ἐγένετο βασιλεὺς τῶν ἀνθρώπων, ἀλλ' οὐκ ἄνθρωποι τύραννοι νόμων, PLAT., *Ep*., VIII 354 c 1-3. Cf. Pohlenz, *l. c.*

(5) Cf. PLAT., *Rép*., V 473 c 11-e 2 = *Ep*., VII 326 a 8-b 4.

(6) νῦν οὖν τοῖς μὲν ἐλευθερία γιγνέσθω μετὰ βασιλικῆς ἀρχῆς, τοῖς δὲ ἀρχὴ ὑπεύθυνος βασιλική, δεσποζόντων νόμων τῶν τε ἄλλων πολιτῶν καὶ τῶν βασιλέων αὐτῶν, ἄν τι παρανόμον πράττωσιν, PLAT., *Ep*., VIII 355 d 9-e 4.

(7) νόμος lié à λόγος, *v. g.* PLAT., *Rép*., IX 587 c 1 : le tyran fuit νόμον τε καὶ λόγον pour vivre dans les plaisirs serviles.

νόμος est l'expression du λόγος. Maintenant, dans le cas de Dieu, on voit aussitôt que pouvoir royal, loi et raison ne font qu'un. Le roi ne se distingue pas de cette loi qui est raison. C'est par le foudre, symbole de son autorité, que Dieu dirige le Logos universel qui pénètre à travers tous les êtres. De là vient que le gouvernement de Dieu est, de toute nécessité, un gouvernement juste.

A ce Dieu qui commande, le monde obéit de plein gré (ἑκών v. 8). Par « monde », entendez surtout la sphère extérieure du Kosmos et les astres qui gravitent au ciel (1). Le stoïcisme sur ce point reste étroitement dépendant du *Timée* et des *Lois*. La régularité, la constance des mouvements célestes témoignent en faveur d'une raison. Le monde est comme un grand corps doué d'une âme; chaque astre est également animé; et toutes ces âmes cosmiques sont habitées par la Raison divine dont elles suivent de plein gré les impulsions (v. 7-8).

Le problème se complique quand on en vient à l'homme. Pour comprendre la doctrine de Cléanthe et en général des partisans de la religion hellénistique du Dieu cosmique, il faut prendre garde au principe qui la domine tout entière. Aux yeux du sage tel que le conçoit le *Timée*, l'homme n'est pas un terme isolé qui se relierait à cet autre terme isolé qu'est Dieu. Les relations entre l'homme et Dieu ne sont pas celles d'une amitié, qui se suffirait à elle-même, entre ces deux termes. Le Dieu du sage hellénistique est, par essence, un Dieu du monde. Et l'homme du sage hellénistique est, par essence, une partie du monde, qu'on ne peut considérer un instant comme détachée de cet ensemble. Pour les esprits du ve et du ive siècle, l'homme avait été avant tout membre de la cité terrestre. C'est cet ensemble plus vaste de la cité qui lui conférait son être propre, par quoi il se distinguait de l'animal, se caractérisait comme être raisonnable : l'homme se définissait un ζῷον πολιτικόν. Quand, à la fin du ive siècle, on passa de la cité terrestre à la cité du Kosmos, les traits spécifiques de l'homme comme tel ne changèrent point. L'homme se définit essentiellement comme la partie d'un tout. Et ce qui compte principalement, c'est le Tout. Car, à la différence des conceptions modernes, ce Tout lui-même est tenu pour un Vivant, voire un Vivant plus excellent que l'homme. Doué d'une âme,

---

(1) Mais aussi la terre et la mer, cf., dans la partie négative (15-16) οὐδέ... ἐπὶ χθονί... οὔτε κατ᾽ αἰθέρεον... πόλον οὔτ᾽ ἐνὶ πόντῳ. Cette division trinaire, qui est classique (PLAT., *Lois*, X 896e 8-9), devait se trouver aussi dans la partie positive : ciel (12-13), puis lacune. Cf. WILAMOWITZ, *op. cit.*, II, p. 259, NEUSTADT, *l. c.*, p. 395, qui cp. LUCR., I, 2-5.

le monde obéit spontanément à Dieu. En sorte que le comportement de l'homme se qualifiera dans le bien et dans le mal d'après la ressemblance de l'homme au monde. L'homme sera bon s'il imite le monde, s'il obéit, de plein gré lui aussi, au Vouloir divin. Il sera mauvais s'il suit sa voie propre, si son vouloir se rebelle contre la volonté de Dieu (v. 17).

Qu'arrivera-t-il en ce cas? Rappelons-nous que ce qui importe aux yeux de Dieu, c'est le bien, non pas de l'individu isolé, mais de l'ensemble. De même que le chef d'une cité terrestre ne se préoccupe pas du bonheur individuel, mais de la prospérité générale, de même le chef de la cité du monde n'a-t-il en vue que le bien du Tout. Ce bien doit être réalisé nécessairement. Le Démiurge étant bon, le monde, à son tour, doit être bon, c'est-à-dire pourvu de toutes les qualités dont il a besoin pour être effectivement un Ordre (1). Dès lors, les désordres particuliers dus aux individus humains ne peuvent pas empêcher la bonté essentielle du Kosmos. Le poète vient à peine de signaler, dans l'harmonie générale du monde, ces fausses notes que constituent les actions rebelles des méchants (πλὴν ὁπόσα ῥέζουσι κακοὶ σφετέραισιν ἀνοίαις v. 17), qu'il se reprend aussitôt : « Mais tu sais, toi, ramener à la mesure ce qui excède (τὰ περισσὰ ...ἄρτια θεῖναι), ramener à l'ordre ce qui est sans ordre (κοσμεῖν τἄκοσμα), et ce qui est ennemi pour toi devient ami » (v. 18-19). Ainsi, pour Dieu, tout se résout en harmonie. Les dissonances mêmes tiennent leur partie dans ce concert. Finalement, tout conspire à un parfait achèvement : « Toutes choses, par toi, s'ajustent dans l'unité (εἰς ἓν πάντα συνήρμοκας), les nobles aux viles, en sorte que d'elles toutes résulte un Logos unique qui dure éternellement » (ὥσθ' ἕνα γίγνεσθαι πάντων λόγον αἰὲν ἐόντα v. 20-21). D'où il ressort qu'au fond les actions des hommes n'ont pas grande importance. L'homme a beau faire, le monde progresse vers sa fin. « Guide-moi, ô Zeus, et toi, ma Destinée, vers cette place que vos décrets m'assignent. Je suivrai sans murmure. Si je refuse, me voilà un méchant, et je ne devrai pas moins suivre » (2).

Ainsi le Kosmos, qui est Ordre, poursuit, imperturbable, sa course. Que les hommes soient bons ou mauvais, les planètes n'en continuent pas moins de tracer leurs cercles, le soleil de luire, les saisons

---

(1) Sur la bonté du Démiurge, cf. *Tim.* 29 a, 29 e-30 c. Sur la beauté du monde, *ib.* 30 c-34 b.
(2) Cléanthe *ap.* Epict., *Enchir.* 53 = Powell, p. 229, n° 2. Sur ce texte, cf. W. Theiler, *Phyllobolia für P. v. d. Mühll*, Bâle, 1946, pp. 54, 86-87, et sur le sens général, déjà Neustadt qui cp. Héracl., fr. 102. Voir aussi Ps. Arist., *de mundo* 396 b 7 ss.

de revenir au temps fixé, la terre de porter fruit, le feu de brûler, l'eau de mouiller, et de même pour toutes les choses de ce monde. Le seul désordre vient des méchants. Mais les crimes des méchants, leurs vaines querelles, les guerres, les pillages, les massacres, qu'est-ce que tout cela dans l'histoire d'un univers qui est fait pour durer sans fin? Comment ne pas reconnaître la folie des hommes? Ils ne veulent pas voir, ils ne veulent pas entendre la loi universelle de Dieu (v. 24). Ils cèdent aveuglément à leurs petits désirs, et ainsi se privent du seul moyen d'obtenir la vie heureuse : car le secret de la béatitude, c'est de suivre, pour l'avoir comprise (σὺν νῷ, v. 25), la loi divine. Dans ce contexte la prière finale prend son vrai sens : que Dieu chasse les ténèbres de nos cœurs et nous fasse participer à son propre entendement (v. 33-35). Alors nous verrons le plan de Dieu, nous en admirerons la sagesse, et c'est de nous-mêmes que, par une conduite ordonnée à l'exemple du monde notre modèle, nous nous insérerons dans ce plan.

Si l'on voulait résumer d'un mot l'esprit de cette sagesse stoïcienne, il faudrait choisir, je crois, le mot de *consentement*. L'Ordre existe, ce n'est pas nous qui le faisons, il existe en dehors de nous. Il est déjà tout achevé. N'y eût-il aucun être humain, le monde resterait ce qu'il est, tout beau, parfaitement accompli. Mais voilà l'homme sur la terre, doué d'une âme raisonnable qui l'apparente à Dieu : quel est donc son rôle? Son rôle est de connaître et de comprendre le plan divin, tel qu'il se manifeste dans l'ordre du Kosmos. Puis encore, lorsqu'il a pris intelligence du plan divin, l'homme doit agir selon ce plan. Depuis le *Timée*, la morale du sage devient ainsi une morale cosmique. Agir selon le plan de Dieu, c'est agir selon l'ordre du monde, c'est être, dans sa conduite, ordonné comme le monde (*Tim.* 90 a-d).

Pour beaucoup sans doute, la religion cosmique ne fut rien de plus que cette conformité à l'Ordre. «Quand un homme», écrit Platon, « a cultivé en lui-même l'amour de la science et des pensées vraies, quand, de toutes ses facultés, il a exercé principalement celles-là, il en résulte nécessairement sans doute qu'un tel homme, s'il parvient à toucher la vérité, ait des pensées immortelles et divines, que, dans la mesure où la nature humaine peut participer à l'immortalité, il n'en laisse lui échapper aucune parcelle, et que, comme il ne cesse de rendre un culte à la divinité et d'entretenir, bien paré, le dieu qui habite en lui, jouisse d'une béatitude ineffable »

(*Tim.* 90 b 6-c 6). On le voit, l'intime accord avec le Tout est ici l'essence même de la religion. Dans cet accord se résume le culte. Il était d'usage de parer de couronnes la statue du dieu domestique (1) : ainsi fait aussi le sage, mais sa couronne, à lui, n'est autre que sa conduite, le soin qu'il met à conformer son âme aux mouvements réguliers du ciel (*Tim.* 90 c 6-d 7).

On l'a dit plus haut, la grande force du stoïcisme a été d'apporter une raison de vivre qui pouvait contenter les esprits les plus divers.

Aux hommes assoiffés de grands exploits il fournissait un principe, puisqu'il reliait l'acte individuel à l'action bienfaisante du Logos. Tout plan de réforme était ainsi justifié. Le politique stoïcien, tel le roi Cléomène, s'efforçait de rendre le canton de l'univers où s'exerçait son pouvoir plus conforme à l'Ordre universel, plus pénétré de raison.

A ceux qui inclinaient davantage à la science pure, à la vie théorétique comme l'entend Aristote, le stoïcisme offrait un bel objet de contemplation : retrouver, jusque dans le morcellement des choses et le détail des événements, l'Ordre que manifeste la course des astres du ciel; découvrir partout le doigt de Dieu, prendre conscience de l'harmonie, de l'unité du Tout, comprendre comment chaque objet, chaque fait d'ici-bas, s'ajoute dans un ensemble qui, malgré les douleurs humaines, doit apparaître, en définitive, sage et bon.

Il se pouvait enfin que pour certaines âmes, moins portées à l'action, moins soucieuses de pur savoir, plus méditatives, d'un mot plus religieuses, ce consentement à l'Ordre universel se tournât en prière, en union à Dieu. Tel fut, semble-t-il, le cas de Cléanthe. Son panthéisme ne paraît pas fondé sur la contemplation esthétique de la beauté des choses. Il ne parle point, comme, plus tard, un Vettius Valens, un Ptolémée, de l'émotion que suscite la vue du ciel étoilé. Quant au sentiment religieux de la nature, des arbres, de la mer, de la montagne, il est fort rare chez l'homme ancien. Le mysticisme de Cléanthe, si le mot n'est pas trop fort, jaillit d'une source plus intellectuelle et plus abstraite. Le sage obéit à la Destinée, il voit l'Ordre. Il sait que cet Ordre est bon. Et, remontant de là jusqu'au principe de l'Ordre, jusqu'à ce Logos divin qui pénètre tous les êtres, il s'emplit de cette présence. Il connaît que Dieu est en lui, comme il est dans la pierre, dans l'herbe des champs, dans l'oiseau qui vole. A la vue du moindre objet, il peut communiquer

---

(1) Cf. Eurip., *Hippol.* 73 ss.

avec Dieu. Il a conscience aussi que le sentiment qu'il a du Dieu partout présent est une grâce qui lui fut donnée. Alors, en retour de ce don (τιμή v. 36), son âme chante Dieu. Il n'est qu'un humble tâcheron, qui puise l'eau pour le jardin, qui cuit le pain chez une boulangère. Mais il est plus riche que les riches, plus savant que les savants. Il voit, il sait, il touche Dieu, il chante. « Car il n'est pas pour l'homme de plus haut privilège, ni pour les dieux, que de chanter toujours, comme il se doit, la Loi universelle » (v. 38-39).

II. Le sentiment religieux du Monde dans Aratos.

Je l'ai marqué plus haut, la religion cosmique a pu, en certains cas, répondre à un pessimisme initial. Désespérant de la cité terrestre qui n'était plus, au sens propre, une cité, certaines âmes ont pu vouloir se retirer dans l'idée et dans le sentiment de la cité du Monde, comme en un refuge, qui n'était d'ailleurs accessible qu'à des esprits déjà habitués à la méditation philosophique. Gardons-nous toutefois de généraliser. L'idée de la cité du Monde était propre à contenter aussi nombre d'esprits fort satisfaits de l'état présent. En matière de psychologie historique, il faut tenir compte des dates. La génération qui assista aux événements de la fin du IVe siècle est sans doute empreinte d'une certaine mélancolie, témoin Ménandre. Mais la vie va de l'avant. D'autres hommes viennent au monde, qui, n'ayant pas connu l'ancien état, n'inclinent nullement au regret. Pour les garçons tentés par l'aventure, les royaumes hellénistiques offraient des perspectives bien séduisantes. On ne se sentait plus lié à un petit coin de terre, on n'éprouvait plus la même angoisse à quitter sa petite patrie (1), on partait joyeux pour la cour des princes où l'on espérait bien, avec quelque chance, obtenir une place, puisque les pays à gouverner étaient immenses et que les postes d'administration y étaient confiés à des Grecs. Ainsi la terre presque entière s'ouvrait comme champ d'exploit. Et, loin que le premier siècle hellénistique (c. 300-200) offre l'image du désespoir, il témoigne au contraire d'une étonnante vitalité dans tous les domaines. Sans parler de l'incroyable dépense d'énergie que représentent les guerres des Diadoques, qu'on imagine tout

---

(1) Socrate n'est jamais sorti d'Athènes, sinon pour se battre au service d'Athènes. Nul malheur ne paraissait plus grand, au Ve siècle, que celui de l'exilé, cf. les belles paroles d'accueil de Thésée à Œdipe, *Œdipe Col.* 560 ss. Thésée est disposé à tout accorder à Œdipe, car il sait lui aussi ce qu'est l'exil : il y a grandi, et il a durement peiné sur une terre étrangère.

ce qu'il fallut d'ardeur, de patient travail, pour organiser à la grecque l'Égypte et les pays d'Orient conquis par Alexandre. Qu'on mesure l'essor merveilleux des sciences à Alexandrie. Qu'on songe enfin à la belle floraison littéraire durant la première moitié du IIIe siècle (1).

De là vient sans doute, du moins en partie, que la religion stoïcienne respire un optimisme tranquille. Le Monde est bon. Et le Monde est bon parce qu'il est gouverné par une Raison sage et juste, qui le pénètre tout entier, qui siège plus particulièrement dans l'homme « enfant de Dieu », et qui dispose toutes choses pour le plus grand bien de l'homme. Ce dogme de la Providence, formulé par Platon dans le *Timée*, joue, on le sait, un grand rôle dans le stoïcisme. Or, et c'est un point bien notable, l'idée de Providence ne découle pas nécessairement des prémisses du système stoïcien. Ou, pour être plus exact, il n'appartenait pas nécessairement à ce système de mettre la Providence en un tel relief.

L'une des vérités premières du stoïcisme, c'est que tout, dans le monde, est lié. Le Feu ou Souffle pénètre tous les êtres, il constitue en chacun d'eux le principe qui tient ensemble et unifie les parties composantes, et ne diffère d'un genre d'êtres à l'autre que par une différence de degré. En certains êtres il y a plus de « tension », plus d'unité, partant plus de Feu-Souffle, de Logos. Tel est le cas de l'homme et, à un degré moindre, de l'animal. Mais tous les êtres de l'univers sont conjoints par la présence, en eux tous, du même et unique Feu-Souffle.

Non seulement tous les êtres du Monde sont liés dans le présent, mais tout le sort du Monde, qu'il s'agisse des événements humains ou des événements cosmiques, est lié dans le devenir. Le Monde forme un Tout un. Et l'histoire du Monde fait une chaîne sans fissure, une série indéfinie de causes produisant nécessairement leurs effets, en sorte que le moindre accident individuel se rattache à tout l'ensemble de la destinée du Kosmos.

Rien n'est plus connu que cette doctrine de la Fatalité dans le Portique. Mais il faut prendre garde qu'une telle doctrine ne se concilie pas nécessairement avec la notion de Providence. L'idée que tout, dans le Monde, est décrété d'avance par une loi inéluctable,

---

(1) Cf. WILAMOWITZ, *Hell. Dicht.*, I, p. 2 : « Dagegen (*sc.* en contraste avec le temps de Posidonios, et même de Polybe) darf die Zeit bis etwa 250 geradezu als der Zenith seiner (*sc.* de l'hellénisme) weltbeherrschenden Macht bezeichnet werden... Nur aus jener ersten Periode des Hellenismus besitzen wir Werke bedeutender Dichter; das kann kein Zufall sein. »

tout, donc le mal comme le bien, la douleur comme la joie, toutes les misères, toutes les détresses individuelles comme le rayonnement du soleil et le cours des saisons, cette idée peut conduire, et elle a effectivement conduit plus tard, sous l'Empire, à une profonde désespérance, à un « mal de vivre » si extrême que l'instinct religieux des hommes les a poussés alors à chercher des dieux dont le rôle fût de sauver précisément de la Fatalité (1). Rien n'est plus déprimant en soi, qu'une telle idée. Rien n'est plus propre à éloigner de l'effort, à mener à un état d'attente, de crainte ou de mélancolique résignation. Or il ne semble pas que le stoïcisme ait eu généralement cet effet. La morale stoïcienne ne détournait pas de l'action : les anciens n'ont jamais porté contre elle cette accusation, qu'ils répètent si volontiers à l'endroit de l'épicurisme. C'est que, malgré le dogme de la Fatalité, et sans bien résoudre les difficultés où les mettaient des thèses divergentes (2), les stoïciens affirmaient avec non moins de force le dogme de la Providence, ils croyaient et ils enseignaient que le Logos qui pénètre et régit le Monde est parfaitement sage, juste et bon. Dès lors il fallait bien conclure — nous l'avons vu dans l'hymne de Cléanthe — que tous les maux d'ici-bas, y compris les fautes des hommes, se résorbent finalement dans un bien. Il fallait le conclure, parce qu'on ne pouvait admettre que le Logos divin ne fût point parfait : ainsi la Providence est de l'être de Dieu comme la blancheur et la froidure de l'être de la neige (3). Il ne restait donc plus qu'une voie : identifier Fatalité et Providence : c'est ce qu'a fait, déjà, Zénon (4). Mais on eût pu tout aussi bien concevoir une autre solution, celle qu'adopta la gnose. Soumis à la Fatalité, le Monde est essentiellement mauvais, il n'est donc pas pénétré de Logos, il n'est pas l'œuvre d'un Dieu bon, mais d'un Dieu mauvais, et il existe, au-dessus de ce Dieu mauvais, un autre Dieu entièrement séparé du Monde et, si je puis dire, pur du Monde, un Dieu qui n'a eu nulle part à sa création, qui n'est point responsable de ce qui s'y fait, qui ne marque son amour des hommes que par le soin qu'il met à les délivrer du Monde.

On le voit donc. Si la Providence tient si grande place dans le stoïcisme, et non pas seulement en théorie, mais en pratique, c'est que les stoïciens *croyaient* au Dieu provident, ils étaient convaincus et ils persuadaient les autres que le Monde est bon, que la vie est

---

(1) Cf. *Idéal rel. d. Grecs*, pp. 101 ss.
(2) Sur ces difficultés, voir par exemple E. Bréhier, *Chrysippe*, pp. 205-212.
(3) SVF. II 1118.
(4) SVF. I 176.

bonne, qu'il vaut la peine d'aimer, de procréer, d'entreprendre, de concevoir de longs desseins et de les exécuter, bref, d'agir en homme.

Cela vaut à coup sûr pour certains d'entre eux et spécialement pour le poète stoïcien (1) Aratos dont je voudrais citer ici quelques extraits pour illustrer ces remarques.

Les *Phainomena* d'Aratos sont un poème didactique, à la manière d'Hésiode, sur les constellations. Le poème est divisé en deux parties qui forment un tout bien lié et répondent à un dessein unique. Après le prélude (1-18), Aratos décrit les constellations elles-mêmes (19-732), puis il reconsidère ces mêmes étoiles et groupes d'étoiles en tant qu'ils permettent de prévoir le temps (733-1154) (2). Loin donc que cette seconde partie soit comme un appendice, plus ou moins cohérent avec la première, elle détermine le sens de tout l'ouvrage, qui ne vise pas à la pure *théôria*, mais veut être pratique et rendre service : car la connaissance des signes célestes est de grande importance pour le laboureur et le marin (3). Ce dessein général est indiqué dès le prologue, v. 11-13 : Dieu s'est dressé, pour toute l'année, le plan d'une suite d'astres qui serviront de signes afin que, dans chaque saison, tout vienne sûrement à maturité. Il est rappelé à la transition entre la première et la seconde partie (v. 725-732) :

« Que le coucher d'Ophiouchos, depuis les deux pieds jusqu'aux genoux, soit un signe du lever des Jumeaux, du côté opposé du ciel (= à l'Est). A ce moment, il n'est plus une partie de la Baleine qui se contracte sous l'horizon, mais on la voit désormais tout entière. Alors aussi le matelot qui vogue en pleine mer peut observer, sortant de l'onde, la première courbe d'Eridanos, lorsqu'il surveille Orion dans l'espoir de quelque indication sur la longueur de la nuit ou du voyage. Car c'est de tout côté que les dieux révèlent, en multitude, des signes aux humains. »

(1) Ou du moins influencé par le stoïcisme. Voir, sur ce point, KAIBEL, *Hermes*, XXXIX (1904), p. 84, ED. SCHWARZ, *D. L. Z.*, 1893, pp. 745 ss. Avant de se rendre à la cour d'Antigonos Gonatas à Pella (277), Aratos a fait un long séjour à Athènes où il a été disciple de Zénon. Pour la date des *Phainomena*, Knaack propose 276, Wilamowitz plutôt 260 environ. Le poème aurait été composé en Macédoine, à l'instigation d'Antigonos. — Sur Aratos (c. 315/305-240/239), outre l'article de KNAACK, P. W., II, 391-399, cf. W. W. TARN, *Antigonos Gonatas*, pp. 226 ss. et index, *s. v.*, WILAMOWITZ, *Hell. Dicht.*, II, pp. 274-276. E. MAASS, *Aratea* (*Philol. Unters.*, XII, 1892), traite de plusieurs problèmes concernant Aratos, en particulier des écrits perdus, pp. 211-248. Je traduis d'après l'édition de Maass (Berlin, 1893), m'aidant aussi de Wilamowitz, *Hell. Dicht.*, II, pp. 262-274 (choix d'extraits annotés) et de l'édition (avec traduction anglaise) de G. R. MAIR (Loeb Coll., 1921).
(2) Cette 2ᵉ partie, en certains MSS., porte le titre διοσημίαι ou προγνώσεις (*prognostica* Cicéron) : cf. l'app. crit. de Maass, ad v. 732.
(3) Maass a bien vu cette unité du poème, *Aratea*, p. 326.

Il paraît enfin dans toute la deuxième partie, par exemple v. 765-772 :

« Oui, souvent, par une nuit sereine, le matelot ramène les voiles sur le navire, car il craint la mer du matin. Parfois c'est le troisième jour que la tempête assaille, parfois le cinquième, mais quelquefois aussi le fléau vient à l'improviste. Car Zeus ne nous a pas encore tout fait connaître, à nous mortels, mais bien des choses restent cachées que, s'il lui plaît, il nous révélera plus tard : car c'est ouvertement qu'il rend prospère la race des hommes, lui qui se manifeste de toutes parts et qui de tout côté fait paraître des signes. »

Quelle est donc la méthode du poète ? Il prend pour modèles des ouvrages scientifiques déjà existants : pour la première partie, la description du ciel d'Eudoxe de Cnide (1); pour la seconde, un ouvrage péripatéticien sur les signes (περὶ σημείων) (2). Et il met tout cela en vers, avec une grande habileté, il faut le reconnaître, et parfois même avec un réel sentiment poétique, quand il lui arrive d'animer la sèche description des astres par quelque trait émouvant. Voici, par exemple, l'épisode de la Justice (v. 96-136) :

« Sous les deux pieds de Bootès, considère la Vierge, qui dans ses mains porte l'épi de blé. Qu'elle soit de la race d'Astraios qui, dit-on, fut dans les temps anciens le père des astres, ou qu'elle soit née d'un autre père, laissons-la suivre tranquillement sa course! Mais il circule, parmi les hommes, une autre histoire : comment, jadis, elle vivait sur la terre et s'adressait aux humains face à face; elle ne dédaignait point, autrefois, la race des hommes et des femmes, mais siégeait au milieu de nous, bien qu'immortelle. Les hommes la nommaient Dikè. Et elle, rassemblant les vieillards autour d'elle, sur une place de marché ou dans une large rue, elle prenait la parole et les exhortait à rendre des jugements favorables au peuple. On ne savait rien encore, en ce temps-là, de la discorde lamentable, de la brouille qui nourrit les récriminations, ni du tumulte des batailles. On vivait sans façon. La mer cruelle était encore bien loin, et les vaisseaux n'apportaient pas encore, des terres lointaines, la subsistance : les bœufs de labour, la charrue, et elle-même, la reine des peuples, Dikè, qui donne ce qui est juste, fournissaient surabondamment toutes choses (3). Il

---

(1) Auquel il fait allusion v. 373-382 (c'est Eudoxe qui le premier a groupé les étoiles fixes en constellations et qui leur a donné un nom). Sur Eudoxe (*flor.* 368-365), qui fréquenta l'Académie, cf. l'important article de HULTSCH, P. W., VI 930-950. Eudoxe a donné sa description du ciel en deux éditions, les *Phainomena* et le *Miroir* (Ἔνοπτρον), cf. MAASS, *Aratea*, pp. 282-283 (*ib.*, pp. 283-304, édition des fragments de ces deux ouvrages d'Eudoxe, tirés d'Hipparque), et HULTSCH, *l.c.*, 940-944.

(2) Cf. KNAACK, *l. c.*, 397, et HULTSCH, *l. c.*, 941, 943.

(3) ἀλλὰ βόες καὶ ἄροτρα καὶ αὐτὴ πότνια λαῶν | μυρία πάντα παρεῖχε Δίκη 112-113. Selon Wilamowitz, le seul sujet de παρεῖχε serait Dikè, μ. π. π.ρ. ne pouvant convenir qu'à elle. Ce n'est pas sûr. Sous le règne de la Justice, grâce à la prospérité qu'assurait l'état de paix, le travail des champs fournissait toutes choses : on n'avait pas besoin de les chercher ailleurs. Plus que nul autre, l'Athénien pouvait comprendre cette remarque. Quand l'ennemi ravageait les champs de l'Attique, il n'avait plus d'autre ressource que le blé venu par mer. Bœufs et labour d'une part, Justice de l'autre me paraissent ici conjoints comme les deux éléments qui conditionnent nécessairement le bonheur simple des hommes d'antan.

en fut ainsi, tant que la terre nourrit la race d'or. Avec la race d'argent, Dikè se fit plus rare et ce n'est plus de bon cœur qu'elle fréquenta les hommes, car elle regrettait les mœurs de l'ancien temps. Néanmoins cet état dura encore sous la race d'argent : mais maintenant, c'est au crépuscule que, des montagnes résonnantes, Dikè descendait solitaire (1), et elle ne se mêlait plus, par de douces paroles, à personne. Mais quand, à son appel, les hautes collines s'étaient remplies de foule, alors elle se répandait en menaces, accusait leurs voies mauvaises et déclarait que jamais plus elle ne se montrerait face à face quand les hommes l'invoqueraient : « Ah! la race que vos pères de l'âge d'or ont laissée après eux, elle n'a pas été aussi bonne! Et vous, vous engendrerez des fils plus mauvais que vous. Oui, et il y aura des guerres, voire des meurtres implacables parmi les hommes, et une peine cruelle pèsera sur les cœurs. » Elle dit, puis s'en fut retrouver les montagnes, et, comme elle quittait la foule, tous les yeux restaient fixés sur elle. Cependant, quand ceux-là aussi furent morts, et que d'autres furent nés, la race d'airain, hommes plus meurtriers que leurs pères, qui les premiers forgèrent le glaive criminel dont on use sur le chemin (2), et les premiers se repurent de la chair des bœufs de labour, c'est alors que la Justice, dans sa haine pour cette race d'hommes, prit son vol jusqu'à la voûte céleste. Et elle s'en vint occuper cette place où maintenant encore, la nuit, la Vierge brille aux yeux des hommes, toute proche de Bootès qu'on voit de loin. »

Mais il importe davantage à notre objet de montrer le sens religieux du Monde qui traverse tout le poème. De ce point de vue, deux traits frappent surtout.

C'est d'abord qu'on y voit paraître, pour la première fois d'une manière aussi nette, le sentiment esthétique du ciel étoilé, sentiment qui donnera lieu plus tard à ce qu'on a pu appeler le « mysticisme astral » (3). Et c'est, en second lieu, le sentiment de la Providence.

Le court morceau sur la contemplation du ciel s'insère dans un exposé plus large relatif aux cercles célestes (462-558). Avec la mention de Prokyon (450), Aratos vient d'achever la nomenclature des étoiles fixes. Le poète déclare alors (454-461) qu'il ne traitera pas des cinq planètes : il ne se sent pas la force de décrire leurs circuits, tant leur course est vagabonde (μετανάσται), si longue est la période de leurs révolutions. Mais il parlera des cercles célestes en indiquant les étoiles qui reviennent à chacun d'eux (462-468) : « Or

---

(1) La remarque de Wilamowitz (p. 269) : « Sie spricht einen einzelnen an » suppose le rattachement de μουνάξ à la suite οὐδέ τεῳ ἐπεμίσγετο μειλιχίοισιν 119, et non à ἤρχετο 118. En ce cas le sens est : « et elle ne s'adressait plus seule à seul à aucun homme. » C'est possible, mais l'image de Dikè descendant seule des montagnes, où elle a fait sa retraite, est pourtant bien belle.
(2) μάχαιραν εἰνοδίην 130/1. On pense aussitôt à l'histoire d'Œdipe, tuant Laïos à la croisée des chemins. Le meurtre ἐν ὁδῷ restait impuni.
(3) L'expression, comme on sait, est de F. Cumont, *Le mysticisme astral dans l'antiquité*, Bull. Ac. roy. de Belg., Cl. des Lettres, n° 5, 1909, pp. 256-286. Voir aussi F. Boll, *Vita Contemplativa*, Heidelberg, 1922.

donc ces cercles (célestes) sont disposés comme des anneaux (1), quatre en nombre (2), et il y a tout intérêt et profit à les connaître si l'on veut observer avec soin les limites des saisons dans leur déroulement. Tout le long de ces cercles se trouvent, bien visibles, des signes célestes, en grande multitude, tous étroitement enchaînés l'un à l'autre (3) de tout côté. Les cercles eux-mêmes n'ont pas de corps (4) et s'ajustent l'un à l'autre : quant à leur taille, ils sont assortis deux à deux » (5). Ici se place notre morceau (469-479) :

« Si jamais, par une nuit claire, quand le ciel nocturne fait luire aux yeux des hommes tous les astres dans leur splendeur, qu'aucune étoile n'est ternie par l'éclat de la pleine lune, mais qu'elles brillent d'une vive lumière, au travers de l'obscurité, si jamais, à pareille heure, il vient à l'âme un émerveillement quand on voit, au ciel, le large cercle qui le divise, ou que quelqu'un, près de toi, te montre ce bandeau incurvé tout ruisselant de diamants, c'est ce qu'on nomme la Voie Lactée (6). Aucun des autres cercles ne lui peut être comparé pour la couleur; quant à la taille, deux des quatre sont aussi larges, et les deux autres lui sont bien inférieurs. »

Le thème de la Providence nous est apparu déjà dans les extraits que nous citions sur les desseins de l'ouvrage. De toute part les dieux révèlent, en multitude, des signes aux humains (732). Si Dieu n'a pas encore révélé toutes choses, s'il en reste beaucoup de cachées, Dieu les fera connaître plus tard : car il a soin des hommes et il multiplie de tout côté les indications qui peuvent nous aider dans notre tâche (768-772). Mais c'est surtout dans le prologue (1-18) que se manifestent l'idée de l'omniprésence et de la providence de Dieu, ainsi que le sentiment de gratitude que ces dons divins éveillent en l'homme.

« Que tout chant commence par Zeus (7)! Ne laissons jamais, ô mortels, son nom sans louange. Tout est rempli de Zeus, et les rues et les places où s'assem-

---

(1) δινωτά. Les cercles célestes forment comme des anneaux sur la surface entière de la sphère du ciel.
(2) Équateur, écliptique (cercle du Zodiaque), tropiques du Cancer et du Capricorne. A ces quatre cercles imaginaires, Aratos ajoute (469 s.) le cercle visible de la Voie Lactée.
(3) συνεερμένα (*vinctos inter* Cicéron) Buttmann : συνεεργμένα cod. (retin. Mair).
(4) Littéralement « n'ont pas de largeur », ἀπλατέες (comme il faut lire v. 467, et non ἀπ. ἀνέες). Aratos veut dire qu'ils sont purement imaginaires, νοητοί ainsi que l'explique le scholiaste.
(5) Équateur = écliptique; les deux tropiques sont égaux l'un à l'autre.
(6) J'adopte, au v. 476, la ponctuation de Maass : point après Γάλα μιν καλέουσιν, l'apodose répondant à la protase εἴ ποτέ τοι (469, repris 473). De même G. R. Mair (point en haut après καλέουσιν). Wilamowitz fait de Γάλα μ. κ. une incidente, lit ensuite τῷ δή τοι pour τῷ δ' ἤτοι, et tient ce τῷ δή τοι κτλ. pour l'apodose.
(7) ἐκ Διὸς ἀρχώμεσθα, v. 1. Cf. Ach. Tat., *in Ar.*, p. 81.25 M. ἁρμόττον γὰρ ἂν εἴη ἀπ' αὐτοῦ τὴν ἀρχὴν ποιησάσθαι τὸν περὶ τῶν οὐρανίων ἐξηγούμενον. πρέπει δὲ καὶ ποιηταῖς μάλιστα αὕτη ἡ ἀρχή, ἐπεὶ καὶ ἐν τοῖς συμποσίοις τρεῖς κρατῆρας ἐκίρνων. καὶ τὸν μὲν πρῶτον Διὸς Ὀλυμπίου, τὸν δὲ δεύτερον Διοσκούρων καὶ ἡρώων, τὸν δὲ τρίτον Διὸς Σωτῆρος. διὸ καὶ ὁ Θεόκριτος (XVII 1) 'ἐκ Διὸς ἀρχώμεσθα' φησὶ 'καὶ ἐς Δία λήγετε Μοῖσαι', ὁ δὲ

blent les hommes, et la vaste mer et les ports : en quelque lieu que nous allions, nous avons tous besoin de Zeus. Aussi bien nous sommes de sa race. Et lui, comme un très doux père, donne aux hommes des signes propices, il nous excite au travail, nous rappelant le soin du pain de chaque jour. Il révèle le moment où la terre est la meilleure pour le labour des bœufs et pour la pioche, il dit quand la saison est bonne pour ameublir le sol autour des plants (1) et pour semer toutes les graines. Car c'est lui qui a fixé les signes dans le ciel en séparant les constellations ; et il s'est dressé le plan, pour toute l'année, d'une suite d'astres qui pourraient le mieux nous indiquer la tâche (2), afin que, pour les humains, tous les fruits des saisons viennent sûrement à maturité (3). Aussi les hommes l'invoquent-ils toujours le premier et le dernier (4).

« Salut, Père, souveraine merveille (5), puissant bienfait pour les mortels, Toi-même et la race première (6). Salut aussi à vous toutes, Muses très douces. Mon vœu, autant qu'il est permis, est de dire le los des astres : menez à terme (7) tout le chant. »

Dieu est donc partout. Selon le mot célèbre de saint Paul dans le discours d'Athènes (*Act. Ap.*, 17, 27-28) : « De fait, Dieu n'est pas loin de chacun de nous, car c'est en lui que nous avons la vie, le mouvement et l'être, comme aussi bien l'ont dit certains de vos poètes : « car c'est de lui aussi que nous sommes la race ». Ce propos a été souvent commenté, et il y a longtemps qu'on en a décelé le saveur stoïcienne. Citons seulement, avec Norden (8), le poète Manilius (IV 916 ss.) : « pourquoi Dieu se montre-t-il à nous dans le ciel, pourquoi s'offre-t-il, se jette-t-il en quelque sorte au-devant de

---

Ὀρφεὺς πάντα καιρὸν ἀνατίθησι Διὶ λέγων 'Ζεὺς ἀρχή κτλ.' ὅθεν ἀκολούθως καὶ τῷ ἔθει τῷ παλαιῷ καὶ τῇ ὑποκειμένῃ ὑποθέσει ἀπὸ Διὸς πεποίηται τὴν ἀρχήν.

(1) « φυτὰ γυρῶσαι (v. 9), en conjonction avec les semailles, ne signifie pas *planter des arbres*, mais *ameublir le sol autour des plants* de vignes et d'oliviers : l'image est très claire pour qui a l'expérience du jardinage », WILAMOWITZ, *Hell. Dicht.*, II, p. 263. Le γῦρος est proprement le fossé qu'on creuse autour d'un arbre (γυρῶσαι· κύκλῳ περισκάψαι. πᾶν γὰρ τὸ κυκλοτερὲς γυρόν, ACH. TAT., *in Ar.*, p. 84.27 Maass).

(2) τετυγμένα· παρῳχηκμένου χρόνου ἀντὶ μέλλοντος, dit bien Achille Tatius (p. 85.1 M.) qui cite *Od.* V 90 εἰ δύναμαι τελέσαι γε, καὶ ε τετελεσμένον ἐστίν, pour τελεσθησόμενον. Donc « la tâche à faire ».

(3) V. 11-13. Texte, ponctuation et interprétation de Wilamowitz (*l. c.*, p. 262) : ἐσκέψατο δ' εἰς ἐνιαυτὸν ἀστέρας, οἵ κε μάλιστα τετυγμένα σημαίνοιεν, | ἀνδράσιν ὡράων ὅφρ' ἔμπεδα πάντα φύωνται.

(4) πρῶτόν τε καὶ ὕστατον. Cf. *Orph. fr.* 21 a (p. 91 Kern) Ζεὺς πρῶτος γένετο, Ζεὺς ὕστατος ἀργικέραυνος, PLAT., *Lois* IV 715 e ὁ μὲν δὴ θεός, ὥσπερ καὶ ὁ παλαιὸς λόγος, ἀρχήν τε καὶ τελευτὴν καὶ μέσα τῶν ὄντων ἁπάντων ἔχων κτλ. ; et déjà HES., *Theog.* 34 σφᾶς δ' αὐτὰς (les Muses) πρῶτόν τε καὶ ὕστατον αἰὲν ἀείδειν.

(5) μέγα θαῦμα v. 15. Wilamowitz cite Mélanippide le Jeune, contemporain d'Euripide (*ap.* Clem. Al., *Strom.*, V 112, 1 = fr. 6, t. III p. 236 Edmonds) κλῦθί μοι, ὦ μάκαρ, θαῦμα βρο ῶν, | τᾶς ἀειζώου μεδέων ψυχᾶς (il ne peut s'agir que de l'Ame du Monde, Wil., *l. c.*). Rohde (*Psyche*, tr. fr., p. 431) voit dans cette prière une invocation à Dionysos.

(6) Selon Wilamowitz (*l. c.*, p. 264), il s'agirait des dieux, qui, dans le système stoïcien, constituent avec les hommes une πολιτεία θεῶν καὶ ἀνθρώπων où ils représentent nécessairement la première génération.

(7) τεκμήρατε· μέχρι τέλους· εἴπατε· τέκμωρ γὰρ τὸ τέλος, ACH. TAT., *in Arat.*, p. 85.30 M.

(8) *Agnostos Theos* (2e éd., Berlin, 1929), pp. 16, 18-19.

nous *(seque ipsum inculcat et offert)*, si ce n'est pour se faire bien connaître *(ut bene cognosci possit)* », et l'orateur Dion de Pruse (1) : « puisque les hommes ne sont pas établis sur terre dans l'isolement, loin de Dieu, en dehors de l'être divin, mais qu'ils sont par nature en plein milieu de Dieu, ou, mieux encore, naturellement attachés à Dieu et fixés à lui de toute manière », ils n'ont pas pu rester longtemps dans l'ignorance de Dieu, mais l'ont découvert par le spectacle du monde. En vérité, pareils témoignages sont innombrables, toute la littérature à partir du Ier siècle avant notre ère ayant subi plus ou moins l'influence de ces doctrines. Mais, dans ce vaste chœur, Aratos se distingue par un trait notable. Il ne fait aucune allusion à l'idée de « connaissance de Dieu » qui deviendra, plus tard, si banale, par exemple dans l'hermétisme. Dieu est partout, il se manifeste en tout lieu : ce n'est pas, aux yeux du poète — du moins n'en dit-il rien —, pour se révéler aux hommes, mais pour leur rendre service, pour leur accorder ses dons. Dieu, qui est bienveillant (2), indique aux hommes les temps favorables pour les travaux des champs. Dieu a configuré les astres, non pas, comme le dit Manilius, *ut bene cognosci possit*, mais pour signifier aux hommes ce qu'ils doivent faire en chaque saison, afin que tout vienne à point (v. 10-13). Voilà le thème de l'ouvrage. On ne voit pas trace, ici, de mysticisme, d'union à Dieu : même le beau passage sur la Voie Lactée n'en porte point. Cela ne tient pas au sujet du poème, puisque Manilius, dans ses *Astronomiques*, est au contraire pénétré de l'idée que la principale raison d'être de l'ordre du ciel est de nous révéler Dieu et de nous mener à lui. Ce n'est pas non plus que l'heure n'était pas venue encore du mysticisme cosmique, puisque nous avons vu, dans Cléanthe, un sentiment religieux du Monde qui en approche bien. C'est affaire, je pense, de tempérament. Cléanthe contemple le Monde pour aller à Dieu et se remplir de la pensée que Dieu dirige toutes choses vers une fin bonne. Aratos est plus sensible aux marques temporelles de la bonté divine, au soin que Dieu prend des hommes. Les deux traits reparaîtront, cette fois unis, dans l'hermétisme. On voit qu'ils sont familiers déjà en la première période de l'hellénisme et qu'ils fournissent, dès cette heure, tous les éléments essentiels de la religion cosmique (3).

(1) XII 28, t. I, p. 162. 10 Arn.
(2) ἤπιος. Sur ce qualificatif, cf. KEYSSNER (*supra*, p. 313, n. 3), pp. 93-95.
(3) Notons en passant combien il est abusif de rapporter toujours cette religion à Posidonios, v. g. NORDEN, p. 16 : « Manilius, der hier erwiesenermassen Gedanken des Posidonios paraphrasiert... » L'hymne de Cléanthe, le prologue d'Aratos montrent assez que l'idée de l'omniprésence et de la providence divines est bien plus ancienne.

QUATRIÈME PARTIE

LE DOGMATISME ÉCLECTIQUE

CHAPITRE XII

LES ORIGINES DE L'ÉCLECTISME

§ 1. *Le changement de perspective.*

Telle que nous l'avons vue jusqu'ici, la religion du Dieu cosmique nous avait paru liée à un système d'idées. Chez le Platon du *Timée*, l'auteur de l'*Epinomis* et l'Aristote du π. φιλοσοφίας, le Dieu cosmique était essentiellement l'Ame motrice du ciel, Ame qui est en même temps un Intellect, et un Intellect parfait, comme en témoignent la régularité et la parfaite ordonnance des mouvements des corps célestes. Pour ces philosophes, le sentiment religieux était en connexion étroite avec une science, l'astronomie, qui, au IVe siècle, avait fait d'importants progrès. C'était donc, si l'on peut dire, une religion scientifique, du moins une religion de savants. Il en allait de même avec le stoïcisme. Le Dieu de Zénon, de Cléanthe, de Chrysippe est tout ensemble le principe moteur et la Raison ordonnatrice de tous les êtres du monde. Selon le degré de ces êtres dans la hiérarchie universelle, la pénétration divine en chacun d'eux aboutit à des effets plus ou moins relevés — soit au seul fait de l'existence en tant qu'être individuel, soit à la vie, sit à la motricité, soit à la raison, — mais c'est le même Dieu qui circule en eux tous. Dès lors, c'est une certaine physique (au sens ancien du mot) qui soutient l'idée de Dieu ; il y a un fondement scientifique du sentiment religieux. Là encore, science et religion vont de pair.

Davantage, si, chez Platon et Aristote comme chez les Stoïciens, la science — astronomie d'une part, physique de l'autre — menait à une théologie, elle commandait aussi une éthique. Le Platon du *Timée* exhorte à conformer les mouvements de l'âme humaine à ceux du ciel, il nous rappelle que notre âme et les corps célestes ont même origine, idée qui prendra grande importance dans l'*Epinomis* et le π. φιλοσοφίας. L'union entre science et morale est plus étroite encore, peut-être, chez les Stoïciens. Car la raison humaine n'est rien d'autre, pour eux, qu'une parcelle du Feu-Logos divin. Agir conformément à ce Logos, c'est donc agir conformément à sa nature d'homme, mais aussi conformément à la Nature universelle, qui est Dieu même. Au contraire, s'écarter de la Raison, c'est nécessairement se perdre. Et se perdre sans nul profit. Car le monde n'en continuera pas moins d'obéir à la Loi divine, les événements suivront leur cours, en sorte qu'il faudra bien, en définitive, que l'homme se soumette au plan de Dieu. On le voit donc : dans l'Académie (dont le jeune Aristote fait encore partie) et dans la Stoa, physique (ou astronomie), théologie, éthique font un système.

Ce n'est pas tout. A ce bloc tripartite il faut ajouter enfin la logique ou, pour mieux dire, la critique de la connaissance, qui est le point de départ de toute recherche philosophique, et qui a été très précisément, dans le cas de Platon du moins, le point de départ de l'enquête.

Après la critique, utile mais en apparence subversive, des Sophistes, il s'agissait, pour Platon, de découvrir un objet du connaître qui ne fût pas sujet au flux perpétuel des phénomènes sensibles ni à l'antilogie sophistique. C'est le monde des Idées qui constitue cet objet. Mais quel lien établir entre ce monde immuable des Intelligibles et l'univers sensible, qui change toujours? Où trouver, dans l'univers sensible, une catégorie de phénomènes présentant assez de constance et de régularité pour qu'y apparaisse, à l'homme de science, un ordre fixe, et, partant, un lien direct avec l'intelligible? Les progrès de l'astronomie, au IVe siècle, permirent de répondre à cette question. Du jour où l'on reconnut que les astres jusqu'alors tenus pour aberrants suivaient, en réalité, des lois constantes de récurrence, que chacun avait son cycle propre, et que ces sept cycles divers soutenaient mutuellement et à l'égard du ciel des astres fixes des rapports réguliers, susceptibles de mesure et de calcul, de ce jour même il fut permis aussi de voir dans les mouvements célestes comme un reflet de l'ordre intelligible. Ces mouvements supposaient une Ame motrice intelligente; cette Ame contemplait les Idées; et c'est en fonction de cette contemplation qu'elle dirigeait l'ordre du ciel. Ainsi la science, d'où devaient dépendre et la théologie et la morale, était-elle rattachée elle-même aux premiers principes de la réflexion platonicienne; et tout cet ensemble — critique de la connaissance, astronomie, théologie, éthique (politique) — s'ordonnait en un système.

Entre la science (physique) et la critique de la connaissance, le lien n'est pas moins étroit dans la doctrine du Portique. En effet, s'il n'y a de réel que le corporel, il faut bien admettre que toute impression produite en l'âme par un objet corporel, donc réel, porte la marque, et comme la signature, de cette réalité même : de là vient que, spontanément, notre raison y adhère, qu'elle saisit l'objet ainsi représenté et que, par cette saisie, elle lui confère l'évidence. Peu importe ici la valeur de la thèse : il en ressort du moins que la théorie du connaître est, pour le stoïcien, immédiatement liée aux premiers principes de la physique, d'où dépendent, à leur tour, la théologie et la morale. D'un mot, la théologie stoïcienne fait partie intégrante de l'ensemble du système stoïcien. C'est en qualité de disciple de Zénon, le fondateur de la Stoa, que Cléanthe adore et célèbre le Dieu cosmique.

Or, quand, après une éclipse d'un siècle et demi (1), nous voyons reparaître la religion du Monde, au temps de Cicéron (*Songe de Scipion :* 54 a. C.), de Philon (c. 20 a. C.- 40 p. C.) et très probablement du *de Mundo*, cette religion garde bien, sans doute, un aspect scientifique, en ce sens qu'elle est rattachée à une certaine idée du monde et de l'âme humaine et qu'elle n'est en usage que chez des hommes cultivés sans jamais se répandre dans la masse, mais elle n'est plus en dépendance d'un système philosophique déterminé. Elle n'est plus pratiquée seulement par des disciples de Platon ou de la Stoa. Elle transcende les doctrines d'école, elle est devenue le bien commun de tout individu qui a participé à la παιδεία grecque, — nous dirions « qui a fait ses classes ». Et tel sera, désormais, son caractère, jusqu'à l'hermétisme, et Plotin (2), et, au delà encore, jusqu'aux derniers philosophes d'Athènes et d'Alexandrie. On aura là, en toute vérité, un dogme du paganisme. Tenir que le monde est beau, qu'il est une grande merveille digne d'adoration et d'amour parce que, dieu lui-même, il manifeste la raison et la providence du Dieu qui le dirige, telle sera la position inébranlable des derniers philosophes païens dans leur polémique contre ceux des chrétiens qui inclinaient à ravaler le monde sensible (3). Il ne sera

---

(1) Soit de la mort de Chrysippe (206) au *Songe de Scipion* (54 av. J.-C.).

(2) Je songe en particulier au 9ᵉ traité de la IIᵉ Ennéade (contre les Gnostiques) où Plotin se montre tout imbu du sentiment religieux du Kosmos sans faire appel à des thèses proprement « plotiniennes ».

(3) Un exemple seulement, SIMPLICIUS, *in de Caelo*, p. 370.29 ss. Heiberg, sur *de caelo* II 1, 284 a 2 διόπερ καλῶς ἔχει συμπείθειν αὐτόν... 284 a 14 ἔτι δ' ἀπαθῆς πάσης θνητῆς δυσχερείας ἐστιν (cf., sur ce texte, K. PRAECHTER, *Hermes*, LIX (1924), pp. 118-119) : « Qu'il soit connaturel à l'âme humaine de regarder les corps célestes comme divins, c'est ce que prouvent le plus clairement possible ceux qui, en vertu

plus question, chez ces païens, d'une thèse d'école, mais d'une vérité universelle qui leur paraîtra s'imposer si évidemment à l'être pensant qu'il leur suffira de la voir méconnaître par les « athées » (chrétiens) pour rejeter en bloc toute la doctrine chrétienne.

D'où vient donc ce changement? Pour l'expliquer, il nous faudrait bien connaître ce siècle et demi (c. 200-50 av. J.-C.) qui, du point de vue spirituel, reste malheureusement pour nous l'une des périodes les plus obscures de l'antiquité.

D'une façon générale, le fait nouveau qui se montre à nous au temps de Cicéron et du *de Mundo* est celui d'un dogmatisme religieux uni à un éclectisme philosophique. Mais ce sont les causes de cet éclectisme qu'on voudrait saisir. Or il est au moins une cause, me semble-t-il, qu'on peut tenir avec quelque certitude. C'est la diffusion, et, partant, la vulgarisation de la culture. Ce phénomène se manifeste par plusieurs traits : d'une part, l'usage de plus en plus constant des εἰσαγωγαί, c'est-à-dire des manuels qui « introduisent » à l'étude des disciplines philosophiques et dont, la plupart du temps, les esprits même cultivés se contentent toute leur vie ; d'autre part, à côté de ces « Introductions », l'usage presque exclusif des doxographies, par où l'on remplace la lecture directe et personnelle des anciens sages, en particulier des φυσικοί présocratiques. Ces deux faits, à eux seuls, eussent rendu compte de l'éclectisme. Quand les esprits se satisfont de « lieux communs » et d'opinions de manuels, comme c'est le cas, presque universellement, à partir de Cicéron, il est clair que les doctrines s'émoussent, perdent de leur originalité propre et tendent à se confondre. Mais une troisième raison y conduisit aussi : c'est la manière dont la Nouvelle Académie, puis les sceptiques du Ier siècle (Enésidème) usèrent des doxographies pour opposer les philosophes l'un à l'autre et les renvoyer dos à dos. Or l'attitude sceptique est la plus difficile à tenir. Et c'est une

---

de préjugés impies, lancent des calomnies (*a*) contre les astres. Car eux aussi, ils déclarent bien que le ciel est l'habitacle et le trône de la divinité et qu'il est seul capable de révéler à ceux qui en sont dignes la gloire et l'excellence de Dieu : que pourrait-on trouver de plus majestueux ? Et néanmoins, comme s'ils oubliaient ces vérités, ils tiennent pour plus honorables que le ciel des choses qu'il faudrait mettre au rebut plus encore que du fumier (*b*), et ils rivalisent à qui le rabaissera le plus comme s'il n'avait été créé que pour être en butte à leurs outrages ».

(*a*) οἱ πρὸς τὰ οὐράνια διαβεβλημένοι Praechter : διαβλεπόμενοι F (Heiberg), δὲ βλεπόμενοι A. — (*b*)τὰ κοπρίων ἐκβλητότερα. Praechter cp. Héracl., fr. 96 Diels-Kranz νέκυες γὰρ κοπρίων ἐκβλητότερα et voit ici une allusion au cadavre du Christ, cf. ul., c. *Christ.*, p. 225.9 N. « Toutes vos inventions successives, tous ces cadavres nouveaux (*sc.* ceux des martyrs) que vous ajoutez à ce cadavre d'il y a longtemps (*sc.* celui de Jésus), qui ne le repousserait avec un juste dégoût ? », *Epist.* 52 Hertl. = 114, p. 178.21 Bid.-Cum. « Voilà le châtiment qui attend ceux qui se sont détournés des dieux (astres) pour s'adresser à des cadavres et à leurs reliques. »

vérité constante que le scepticisme chez les habiles a pour conséquence dans le grand public, moins subtil, l'avènement de l'éclectisme et de cette sorte de dogmatisme vague que nous voyons précisément fleurir à l'époque gréco-romaine.

Je voudrais donc montrer, par quelques exemples, comment les progrès mêmes de la culture à l'époque hellénistique, joints à l'influence plus particulière des Probabilistes et du Scepticisme, ont favorisé l'essor de cette *Koinè* spirituelle, dont nous trouvons tant de marques depuis Cicéron jusqu'au Trismégiste.

§ 2. *La littérature des* Introductions.

Dans une étude très pénétrante sur l'*Art Poétique* d'Horace (1), Norden, après y avoir reconnu une sorte de manuel, un « art » au sens qu'avait pris le mot τέχνη dès le IVe siècle, a réuni les titres d'un certain nombre d'ouvrages analogues ressortissant à d'autres disciplines : rhétorique, musique, philosophie, médecine et physiognomonie, jurisprudence, gromatique et agronomie, art de la guerre, architecture, orchestique. La plupart de ces écrits, qui se présentent tous comme des « Introductions » (εἰσαγωγαί), sont, au vrai, des premiers siècles de notre ère. Mais Norden a fait observer que l'usage technique du mot εἰσαγωγή en ce sens de « traité élémentaire » date de Chrysippe (2), que plusieurs de ces manuels offrent des traits empruntés au stoïcisme, et qu'il est donc loisible de penser que leurs modèles remontent assez haut dans la période hellénistique (3).

---

(1) Ed. Norden, *Die Composition und Litteraturgattung der horazischen Epistula ad Pisones, Hermes,* XL (1905), pp. 481 ss., en particulier 508-528.

(2) Εἰσαγωγὴ τῆς περὶ ἀγαθῶν καὶ κακῶν πραγματείας, SVF., III, p. 196.17 ss. Il semble que les mots εἰσαγωγή et εἰσαγωγικὴ τέχνη aient été d'abord employés pour désigner les manuels d' « introduction » à la logique, cf. les titres d'ouvrages de logique dans l'index des écrits de Chrysippe, SVF., II, p. 6.28 περὶ τῆς εἰς τὰς ἀμφιβολίας εἰσαγωγῆς α' — ε', 6.30, 7.16 τῶν πρὸς εἰσαγωγὴν τρόπων... α' — γ', 7.34 περὶ τῆς εἰς τὸν ψευδόμενον εἰσαγωγῆς... α', 7.35 λόγοι ψευδόμενοι πρὸς εἰσαγωγὴν α', Diog. La., VII 48 ἐν οὖν τοῖς λογικοῖς ταῦτά τε αὐτοῖς (= les Stoïciens) δοκεῖ κεφαλαιωδῶς καὶ ἵνα καὶ κατὰ μέρος εἴποιμεν καὶ τάδε, ἅπερ αὐτῶν εἰς τὴν εἰσαγωγικὴν τείνει τέχνην, Gell., XVI 8, 1 *cum in disciplinas dialecticas induci atque imbui vellemus, recessus fuit adire atque cognoscere quas vocant dialectici* εἰσαγωγάς *; tum quia in primo* περὶ ἀξιωμάτων *discendum, quae M. Varro alias profata, alias proloquia appellat, commentarium De Proloquiis L. Aelii, docti hominis, qui magister Varronis fuit, studiose quaesivimus.* Comme Varron a vécu de 116 à 27, que son maître est bien d'une génération au moins antérieure, que ce maître lui-même a évidemment puisé dans des traités grecs, il faut faire remonter ceux-ci au début du IIe siècle ou à la fin du IIIe siècle avant notre ère. Aulu Gelle mentionne d'ailleurs lui-même de pareils traités grecs, *ib. : redimus igitur necessario ad graecos libros.*

(3) En vérité, on pourrait remonter plus haut encore, jusqu'aux τέχναι du Ve siècle, voir sur ce point mon édition d'Hippocrate, *Ancienne Médecine* (Paris, 1948), p. 32, n. 10 fin. Mais ce qui nous intéresse ici, c'est la renaissance de ce genre, **en fonction de la diffusion de la culture, à partir du IIIe siècle avant notre ère.**

Or que demande-t-on à une « Introduction » pour qu'elle rende service à un débutant? Il faut que ce manuel présente une vue d'ensemble de tout l'objet en question. A vrai dire, cette vue synoptique des choses n'est pas requise du seul genre de l'*eisagôgè*. Polybe en fait déjà l'une des règles de l'histoire, et peut-être témoigne-t-il d'une aspiration de son âge quand il écrit ces lignes fameuses (I 4, 1) : « Car ce qui donne à mon ouvrage sa qualité particulière et ce qu'il y a de merveilleux dans le temps présent est ceci : de même que la Fortune a incliné presque toutes les affaires du monde vers un seul point et qu'elle a forcé toutes choses à tendre vers un seul et même but, de même faut-il aussi que l'historien ramène pour ses lecteurs sous un seul point de vue synoptique la gestion de la Fortune et tout ce dont elle use en vue de l'accomplissement de l'ensemble. » Et encore (I 4, 6-7) : « Cela (= la gestion de la Fortune), on ne peut pas plus en prendre une vue d'ensemble dans les histoires où ne sont traitées que des choses particulières qu'on ne peut se faire d'un seul coup une idée tant de la figure de l'univers que de son arrangement et de son ordre en visitant tour à tour les villes les plus célèbres ou même, par Zeus, en examinant séparément les plans de chacune d'elles ». En tout cas, la vue synoptique est chose indispensable dans un manuel d'étudiant, et, à cet égard, il est intéressant de noter que notre dernière phrase de Polybe se retrouve, presque à la lettre, dans le *de Mundo*, qui est bien, cette fois, sous un certain aspect du moins (1), un traité élémentaire (2). C'est dans le chapitre initial qui indique que le monde en sa totalité sera le sujet de l'ouvrage (391 a 18-b 3) : « Ceux-là donc qui ont mis tant de soin à nous décrire la nature d'un pays unique ou le plan d'une unique ville, ou la grandeur d'un fleuve, ou les beautés d'une montagne, comme ont fait jusqu'ici certaines gens, qui traitent soit de l'Ossa, soit de Nysa, soit de l'antre Corycien, soit de n'importe lequel des lieux particuliers, on devrait les prendre en pitié pour la mesquinerie dont ils font preuve quand ils s'étonnent devant des choses tout ordinaires et se prévalent d'un spectacle insignifiant. Cela leur vient de ce qu'ils ne savent pas contempler les réalités sublimes, je veux dire le monde et ce qu'il y a de plus grand dans le monde. Car, s'ils avaient vraiment donné leur attention à ces choses, ils n'auraient jamais d'admiration pour aucune autre, mais tout le

---

(1) Cf. *infra*, pp. 479 ss.
(2) Cf. 394 a 8 (au début du ch. 4 sur la météorologie) : αὐτὰ τὰ ἀναγκαῖα κεφαλαιούμενοι, 397 b 9 (au début du ch. 6 sur le Dieu cosmique) : λοιπὸν δὴ... κεφαλαιωδῶς εἰπεῖν, ὃν τρόπον καὶ περὶ τῶν ἄλλων.

reste leur paraîtrait petit et sans valeur au regard de l'excellence de ces premières. »

Il faut donc que le manuel offre une synthèse complète en sa brièveté. Mais on n'exige pas moins que tout, dans cet exposé, soit exact et précis. Sur ce point encore, Polybe fait une remarque suggestive (IV 39-40) : « Les causes véritables de ce que le Pont s'écoule au dehors sont donc celles-ci. Leur crédibilité ne se fonde pas sur des récits de marchands, mais sur la considération des données naturelles, et l'on ne peut rien trouver de plus exact. Or, puisque nous nous sommes arrêtés à ce lieu, il ne faut rien négliger de ce qui reste à dire sur cette question même, comme font habituellement la plupart des historiens; il faut plutôt exposer la matière en montrant bien toutes choses, afin qu'il n'y reste plus aucune difficulté pour le lecteur attentif. C'est là en effet une obligation propre à ce temps, où, alors que toutes les mers sont devenues navigables et que toutes les terres se sont ouvertes à l'exploration, il y aurait indécence à se servir encore, touchant des faits inconnus, du témoignage des poètes et des mythographes, comme ont fait nos prédécesseurs sur la plupart des questions, lesquels n'offrent, au dire d'Héraclite, sur des matières disputées, que des garants peu solides (1) : c'est par la seule enquête méthodique (δι' αὐτῆς τῆς ἱστορίας) que nous devons essayer de fournir aux lecteurs une explication digne de foi » (2). Ainsi le progrès des voyages, les facilités nouvelles qui permettent d'accéder désormais à tous les pays du monde alors connu ont-ils rendu les esprits plus exigeants. Si le grand public ne peut se livrer lui-même à de longues recherches, s'il se plaît à des *résumés*, à des *précis*, du moins veut-il qu'on l'instruise avec exactitude. C'est à ces besoins que répondent, par exemple, les chapitres 2, 3 et 4 du *de Mundo* relatifs à l'astronomie (3), à la géographie et à la météorologie, où l'auteur, d'après des sources hellénistiques, résume clairement (4) les connaissances acquises de son temps dans ces diverses disciplines.

Ce souci d'exactitude, même dans des ouvrages d'initiation,

---

(1) Le mot ne se retrouve pas textuellement dans nos fragments d'Héraclite; il devait prendre place dans la polémique contre les poètes, cf. fr. 42, 56-57, 104 Diels-Kranz.
(2) Voir aussi IX 2, 4-5 : « J'ai donc décidé d'écrire une histoire pragmatique (cette épithète est amphibologique chez Polybe. Le sens paraît être ici : « des événements actuels »), premièrement..., et deuxièmement à cause de l'extrême utilité d'une pareille histoire, auparavant déjà mais surtout aujourd'hui, alors que les techniques et les arts ont tant progressé sous nos yeux qu'il n'est pas de conjecture dont ne puissent se tirer les gens désireux de s'instruire, s'ils la prennent en main avec méthode. »
(3) Celle-ci est traitée, au vrai, d'une façon très superficielle : ce ne sont que les tout premiers rudiments.
(4) Voir surtout le ch. 4 dont le plan, comme l'a montré Capelle, est très bien ordonné

manifeste sans doute l'une des tendances principales de l'époque. L'âge hellénistique est caractérisé, on le sait bien, par l'essor des sciences positives et des techniques. Or il est remarquable que ce beau développement s'est produit à l'écart des écoles philosophiques. La science, au sens moderne du mot, est désormais séparée de la sagesse. Non seulement l'épicurisme et le stoïcisme sont hostiles à l'ἐγκύκλιος παιδεία (1), non seulement le platonisme, qui jusqu'alors avait noué avec les mathématiques les relations les plus étroites, s'en détache dans la Nouvelle Académie, mais, de leur côté, les sciences naissent et progressent en toute indépendance de la philosophie. Depuis Euclide (vers 300), les mathématiques forment un ordre de savoir entièrement distinct des théories platoniciennes (2). C'est plus vrai encore des autres sciences, plus tournées vers la pratique, qui sont une création propre de l'ère hellénistique. Cet âge est celui des machines. Archimède au IIIe siècle fonde la mécanique, et ses émules d'Alexandrie, Ctésibios et Philon de Byzance (IIIe/IIe s.) (3), construisent des instruments de toute sorte qui témoignent du goût nouveau pour les réalisations positives (4).

Des travaux des savants, ce goût pour le positif et pour l'exact a passé dans les *Introductions* et les manuels d'école, où il a fort contribué à éloigner de la spéculation pure. La raison en est claire. S'il est vrai que l'âge hellénistique est caractérisé par la diffusion de la culture — c'est le temps où, dans les pays hellénisés d'Égypte et d'Orient, s'établissent partout des gymnases à la grecque et où les cités se préoccupent d'assurer une instruction convenable à leurs enfants (5), — il est non moins vrai qu'en se répandant, la culture se simplifie et tend à l'utile. Tous les jeunes Grecs qui, sortis des mains du grammatikos, prolongeaient leurs études à Athènes, Alexandrie ou Pergame, ne se souciaient pas de devenir philosophes de profession. Comme aujourd'hui encore, la plupart voulaient acquérir, le plus vite possible, le savoir qui leur ouvrirait l'accès aux innombrables postes que nécessitait l'administration des nouveaux royaumes. Un peu de philosophie sans doute servait à délier l'esprit et, sous ce rapport, on s'explique le succès des joutes dia-

(1) Epic., fr. 163 Us., Cic., *de fin.*, I 7, 26 ; 21, 71-72 ; Zénon, S. V. F., I 259.
(2) Bien que le platonisme ait pu influer sur les fondements des *Stoichéia* d'Euclide.
(3) Sans parler d'Héron d'Alexandrie dont la date est discutée. Vers 200 ap. J.-C. Heiberg, *Gesch. d. Math... im Altertum* (1925), p. 37, n. 4 ; vers 100 av. J. C. : Tittel. P. W., VIII, 996-1000, en particulier 1000.51 ss.
(4) Cf. Heiberg, *op. cit.*, pp. 67-73.
(5) Cf. *Monde gréco-romain* (Paris, 1935), I, pp. 64 ss.

lectiques d'un Arcésilas ou d'un Carnéade. Mais on n'avait guère le temps de s'attarder à ces jeux. Il fallait vivre et parvenir.

Quelques-uns parmi ces étudiants pouvaient souhaiter davantage et demander à la sagesse ce que justement elle prétendait offrir, et qu'elle était seule en mesure d'offrir puisque les religions ne comportaient ni dogme ni morale : une vue générale de Dieu, du monde, de l'homme, et, en conséquence de ces principes, une règle pour la conduite de la vie. Or les mêmes besoins qui, en d'autres domaines, avaient fait apparaître l'usage des *Introductions* devaient, en celui-ci, favoriser la production de manuels synoptiques, sortes de catéchismes où seraient résumées les vérités fondamentales. Le *de Mundo* ressortit à ce genre (1), qui débute par un éloge de la sagesse (I), traite ensuite brièvement de la structure du monde, de ses éléments, des régions correspondant à ces éléments et des phénomènes propres à chacune de ces régions (II-IV), pour passer à l'unité du Kosmos (V) et conclure enfin sur un traité de Dieu, du gouvernement divin et de la multiplicité de ses effets (VI-VII). Or il va de soi qu'en de tels ouvrages on ne pouvait s'arrêter aux disputes des écoles, à ce que chacune d'elles comportait de plus singulier. Il fallait dégager d'elles toutes (l'épicurisme ordinairement exclu) un certain fond commun, une certaine *Koinè* philosophique où seraient rassemblés ce qu'on pourrait nommer déjà les « dogmes » de la sagesse : grandeur et utilité de la philosophie; Dieu, à la fois unique et polyonyme; création et providence; unité du monde, interdépendance de toutes ses parties. Platon et Aristote (l'Aristote qu'on connaissait alors (2) et qui était précisément l'Aristote platonicien) d'une part, la Stoa de l'autre devaient porter leur pierre à cet édifice. Chacun de ces systèmes perdait de ses aspérités; on négligeait le spécifique, on ne retenait que certains traits qui, dans une vue assez superficielle, semblaient se retrouver partout. Et de fait, ils s'y retrouvaient. Entre le Dieu du *Timée* ou du π. φιλο-σοφίας et celui des Stoïciens il y a très véritablement des ressemblances; on peut en dire autant du Kosmos de part et d'autre, et aussi du rôle dévolu à l'homme dans le Kosmos. Ainsi se constituait une sorte de dogmatisme. On en attribue la création à Antiochus d'Ascalon et à Posidonius vers le tournant du IIe et du Ier siècle

---

(1) Sous les réserves indiquées *infra*, pp. 488 ss., 500 s.
(2) Jusque vers le milieu du Ier siècle avant notre ère. Première mention, semble-t-il, des deux sortes d'écrits aristotéliciens dans le *De finibus* de Cicéron (écrit en 45), V 5, 12 : *de summo autem bono, quia duo genera librorum sunt, unum populariter scriptum, quod* ἐξωτερικόν *appellabant, alterum limatius, quod in commentariis reliquerunt* (sc. Peripatetici). *Ibid.* mention de l'*Ethique Nicomachéenne*.

avant notre ère. Mais peu importent les noms. Ce dogmatisme était inévitable parce qu'il était exigé par les besoins du temps. Du jour où la réunion des cités en royaumes, puis des royaumes en un seul Empire eut entraîné une administration immense qui nécessitait un grand nombre d'offices, du jour aussi où la civilisation de plus en plus complexe eut requis une infinité d'industries et de techniques, ces besoins mêmes devaient faire naître des vocations et des métiers nouveaux. La philosophie ne pouvait plus suffire à toutes ces tâches, elle ne pouvait plus constituer l'essentiel de la formation humaine. Ce qu'on lui demandait, c'était un art de raisonner correctement et une vue synoptique des vérités premières. Après quoi, l'on passait à des études plus spéciales qui préparaient directement à la vie réelle.

Voilà, me semble-t-il, l'une des causes principales qui ont conduit au nouveau dogmatisme, cette fois éclectique, où s'émoussent les différences des systèmes, où se rassemblent et se fondent les traits communs.

Mais d'autres causes, issues des mêmes besoins, ont conduit à ce même effet. Pour les mettre en lumière, nous avons, cette fois, des documents précis dans les ouvrages philosophiques de Cicéron.

§ 3. *L'usage des doxographies.*

On rencontre à plusieurs reprises dans les ouvrages philosophiques de Cicéron des doxographies, c'est-à-dire des listes d'opinions (δόξαι) de philosophes sur un thème donné, qui tranchent, ne fût-ce que par la forme littéraire, avec les exposés où elles prennent place. Alors que ces exposés, adaptés par Cicéron d'après ses modèles grecs, sont en général d'un style coulant, alors que le thème y est ordinairement développé avec abondance parce que l'orateur, on le sent bien, se trouve ici sur un terrain connu et qu'il n'a qu'à faire appel aux trésors de sa mémoire (1), ces listes d'opinions sont en revanche extrêmement sèches, comme rugueuses, d'une expression si ramassée qu'elle en devient parfois presque inintelligible. On perçoit aussitôt que l'auteur romain se borne ici à traduire, et que, comme le remarque Diels, il se refuse tout développement parce que, ne se sentant pas dans son domaine propre, il ne peut que transcrire

---

(1) Cela est vrai surtout quand il s'agit de politique et de morale. Sur ce que, malgré l'opinion commune, il faut attribuer à Cicéron une très réelle originalité dans l'organisation des matériaux dont il se sert et la composition de ses ouvrages philosophiques, cf. A. LÖRCHER, *Bursian's Jahresb.*, 235 (1932), p. 1.

littéralement son modèle (1). On voit aussi de quelle nature est ce modèle : ce ne peut être qu'un ouvrage didactique, du genre du manuel ou de l'épitomé. Voici quelques exemples de ces listes. Je les emprunte à la série d'ouvrages que Cicéron composa en 45-44 pour se consoler de la mort de sa fille.

Lucullus **36**, 116 ss.

Pour prouver que l'attitude de réserve, de suspension (ἐποχή **48**, 148), conseillée par la Nouvelle Académie à l'égard des affirmations des philosophes est fondée en raison, Cicéron passe en revue les trois parties de la philosophie, physique (**37**, 116 *in tres igitur partes* — **41**, 128 *definitio conprehendendi*), morale (**42**, 129 *sed quod cœperam* — **46**, 141 *dialecticae nulla sint*), dialectique (**46**, 142 *venio enim* — **48**, 147 *Stoici texuerunt*), et il s'applique à montrer que dans chacune de ces parties, étant donné le grand nombre d'opinions émises par les philosophes, l'impossibilité qu'elles soient toutes vraies et néanmoins l'extrême difficulté de choisir entre elles, le comportement le plus sage est de se tenir sur la réserve. Les opinions des philosophes sont donc successivement résumées, pour ce qui regarde soit les principes constitutifs des choses (p. 133.19-20 Pl.) (2), soit les termes extrêmes (*fines*, τέλη) des biens et des maux (p. 142.20-21), soit le critère du vrai (*iudicium veritatis*, p. 150-21-22).

Dans la première discipline, nous rencontrons : THALÈS = eau; ANAXIMANDRE = *infinitas naturae*; ANAXIMANDRE = air; ANAXAGORE = *materia infinita*, formée de molécules très petites et semblables entre elles; XÉNOPHANE = un seul Tout, immuable, dieu, inengendré, éternel, sphérique; PARMÉNIDE = feu moteur, terre formée par le feu; HÉRACLITE = feu; MÉLISSOS = être infini, immuable, qui a toujours été et sera toujours; PLATON = monde éternel, formé par Dieu d'une matière réceptrice; PYTHAGORICIENS = nombres et principes des mathématiques. Voilà pour la physique.

Quant à la morale, Cicéron commence par éliminer les systèmes qui lui paraissent abandonnés de son temps : (*a*) HÉRILLUS, qui met le

---

(1) DIELS, *Dox.*, p. 119 (à propos de *Lucull.* **37**, 118) : « ex graeco haec versa esse et solito quidem durius neminem fugit. scilicet Romanum qua gloriatur verborum abundantia deficit impeditum nimia vetustae philosophiae ignorantia. inde graeca vacillans et anxius ut caecus sequitur. »
(2) Je cite d'après l'*editio maior* de Plasberg, *Ciceronis Scripta Philosophica*, t. I, Teubner, 1908.

souverain bien dans la connaissance et la science (1); (*b*) l'école de Mégare, dont il fait brièvement l'historique (2) : le bien est un, toujours semblable et identique; (*c*) l'école d'Érétrie (fondée par Ménédème) : le bien réside dans l'esprit et le regard de l'esprit qui saisit le vrai; (*d*) Ariston, disciple de Zénon : un seul bien, la vertu, un seul mal, le vice; à l'égard des « choses moyennes », le sage garde l'ἀδιαφορία; (*e*) Pyrrhon : le sage n'a même plus le sentiment des « choses moyennes », il demeure dans l'ἀπάθεια.

Ces doctrines éliminées, on en vient aux systèmes qui trouvent encore leurs partisans. (A) Une première série gravite autour de la notion de *plaisir* : Aristippe et les Cyrénaïques = plaisir; Épicure = plaisir, mais non dans le même sens qu'Aristippe; Calliphon = moralité *(honestum)* unie au plaisir; Hiéronyme = absence de toute gêne; Diodore = cette même absence jointe à la moralité. A propos de Calliphon et de Diodore, Cicéron note ici en passant qu'ils sont péripatéticiens. Ailleurs (*de fin.* II 6, 19), il les nomme après Aristote, comme les tenants d'un souverain bien composé. On a le sentiment très net que ces philosophes ne sont plus pour lui que des noms : il ne les connaît que par des notices de manuels et ne sait trop dans quelle catégorie les ranger. — (B) L'autre série comporte les philosophes qui définissent le souverain bien par la *vie morale (honeste vivere)*, mais en y adjoignant l'usage des biens que la nature met au premier rang : ce sont donc les tenants du souverain bien composé. On trouve ici d'une part l'Ancienne Académie (Polémon, dont Antiochus prétend reprendre l'héritage), d'autre part Aristote et ses disciples. Cicéron met auprès d'eux Carnéade parce que, sans approuver entièrement cette doctrine, il l'accepte dans sa lutte contre les Stoïciens. — (C) Restent

(1) Cf. *de fin.* II 11, 35 *nam Pyrrho, Aristo, Erillus iam diu abiecti*, V 8, 23.
(2) « Fondée par Xénophane, suivi de Parménide et Zénon ([d'Élée], d'où le nom d'éléates), puis d'Euclide (de Mégare, d'où le nom de mégariques). » Ces sortes de filiations entre les écoles remontent à Sotion d'Alexandrie (entre Chrysippe † 206 et Héraclide Lembos, contemporain de Ptolémée Philométor 181-145) et à sa Διαδοχή τῶν φιλοσόφων en 13 livres, cf. Diog. La. II 12 et Diels, *Dox.*, pp. 147-148. De Sotion lui-même, Héarclide Lembos tira un *Epitome* en 6 livres, cf. Diog. La. V 94 et Diels, pp. 148-153. Que ces tableaux de succession (πίνακες) des philosophes, qui, non moins que les Manuels et Introductions, sont le fait d'une époque où la culture devient chose que l'on veut apprendre et retenir aisément, soient devenus assez tôt un des instruments habituels de la παιδεία, c'est ce dont témoignent, au Ier siècle avant notre ère, les deux *index* retrouvés dans les papyrus d'Herculanum et qui sont probablement l'œuvre de Philodème : (a) *Academicorum philosophorum index herculanensis*, ed. S. Mekler, Berlin, 1902 (pour Philodème, cf. *ib.*, pp. xxxi-xxxii et p. xxxi, n. 4); (b) index jumeau des Stoïciens, édité par D. Comparetti ap. *Riv. di fil.*, III, 1875, pp. 449 ss. (cf. Ueberweg-Praechter[12], 1926, p. 441). Noter que l'auteur lui-même qualifie son ouvrage d'*epitomé*, οὐκ ἀπει(κότως ἐπι)τευ(ὼν οἱ); ἄλλοι συν(ῃδ.)ν ἐ(πι)τρέ(χω) τὰ γεγρα(μ)μέν(α περ)ὶ Π(λά)τωνος (ἄ)π(α)νθ, ὑπογρα(φ)ὰς ἔχων τούτ(ων), *Ind. Acad.*, p. 6.1-5 Mekler.

ceux qui définissent le souverain bien par la *vie morale toute pure*, c'est-à-dire la vie en conformité avec la nature : le protagoniste est ici ZÉNON, fondateur du stoïcisme.

Pour ce qui concerne enfin le critère de la vérité, nous trouvons l'énumération suivante : (*a*) PROTAGORAS : est vrai pour chacun ce qui lui paraît tel; (*b*) CYRÉNAIQUES : le seul critère est le mouvement intérieur de l'âme; (*c*) ÉPICURE : le critère est dans les sens, la perception des réalités *(notitiae rerum)* et le plaisir qu'on en tire; (*d*) PLATON : le critère du vrai et la vérité elle-même, soustraits au domaine de l'opinion et des sens, n'appartiennent qu'à la pensée et à l'intelligence; (*e*) quant à ANTIOCHUS « notre maître » *(Antiochus noster)*, il ne suit ni l'Ancienne Académie (Xénocrate), ni Aristote, mais Chrysippe.

De Finibus, V, **6,** 16-**8,** 23.

Il s'agit de connaître le terme dernier des biens, cela à quoi tout se rapporte *(quo quidque referatur)*. Pour cela, on suivra la division établie par Carnéade *(Carneadia divisio)* dont « notre maître » Antiochus se plaît à faire usage. Dans cette division, Carnéade n'énumère pas seulement les opinions (*sententiae* = δόξαι ou δόγματα) émises par ses prédécesseurs, il montre combien en tout il peut y avoir d'opinions (**6,** 16-17).

Pour bien commencer l'enquête sur le souverain bien, il nous faut trouver la « source des premières sollicitations de la nature » (*in quo sint prima invitamenta naturae* **6,** 17); autrement dit, il faut se demander vers quoi se porte spontanément l'être humain quand il n'écoute que le premier élan de la nature (ὁρμή **6,** 17). A cet égard, on obtient le tableau suivant :

L'objet de l'ὁρμή est : (*a*) le plaisir (l'objet de la répulsion première étant la douleur); (*b*) l'absence de douleur; (*c*) les choses premières selon la nature — soit, pour le corps, le parfait état et la bonne conservation de tous les membres, la santé, l'intégrité des sens, l'absence de douleur, la vigueur; pour l'âme, les premiers germes innés des vertus (**7,** 17-18).

De la détermination de ces premiers mobiles naturels dépendra la notion de ce qui est droit et moral; mais, sous ce rapport, l'attitude peut être double. La moralité consistera à tout faire en vue d'atteindre la fin, même si on ne l'atteint pas en pratique; ou bien elle consistera à obtenir effectivement cette fin (**7,** 19). En conséquence, voici, sur le souverain bien, les opinions possibles :

(A) La moralité consiste à obtenir effectivement la fin, cette fin étant ou le plaisir (Aristippe), ou l'absence de douleur (Hiéronyme), ou les choses premières selon la nature (Carnéade, après d'autres, et seulement pour les besoins de la discussion).

(B) La moralité consiste à tout faire en vue de la fin, même si on ne l'atteint pas. Dans cette classe, puisqu'il serait absurde de se proposer le plaisir ou l'absence de douleur sans y atteindre vraiment, il n'a été soutenu, en fait, qu'une opinion, celle où l'on se propose comme fin dernière « les choses selon la nature » (Stoïciens, **7**, 20).

A côté de ces six opinions possibles — quatre de fait — qui sont des opinions *simples*, comptons encore trois opinions *doubles*, celles où, après avoir identifié la moralité avec la vertu, on ajoute à cette fin suprême, sur le même rang, ou le plaisir (Calliphon et Dinomaque), ou l'absence de douleur (Diodore), ou les choses premières selon la nature (Académie, Lycée et, sous d'autres noms, Stoïciens) (**8**, 21-22).

Enfin on laissera de côté la « quiétude » (*securitas*, εὐθυμία) de Démocrite et les systèmes, d'ailleurs abandonnés, de Pyrrhon, d'Ariston et d'Hérillus (1) qui ne rentrent pas dans ce cadre (**8**, 23).

Tusculanes, I, **9**, 18-**11**, 22.

Dans le Ier Livre des *Tusculanes*, Cicéron développe ce thème classique que la mort n'est pas un mal. Pour le prouver, il faut dire d'abord ce qu'est la mort (**9**, 18). Deux opinions là-dessus, dont la première comporte elle-même trois subdivisions. La mort est donc (**9**, 18) :

(A) soit séparation du corps et de l'âme, celle-ci

(*a*) se dissipant aussitôt ;

(*b*) ou subsistant longtemps ;

(*c*) ou subsistant toujours.

(B) Soit destruction totale et du corps et de l'âme, celle-ci s'éteignant dans le corps.

Cette première doxographie sur la mort conduit à une seconde, relative à l'âme, à son siège et à son origine. Dans cette deuxième doxographie (2), on distinguera d'abord les opinions courantes

---

(1) Cf. *Lucull.* **42**, 129-130 et *supra*, p. 352, n. 1.
(2) Sur cette 2e doxographie, cf. R. M. Jones, *Posidonius and Cicero's Tusculan Disputations* I 17-81, *Class. Philol.*, XVIII, 1923, pp. 203-205.

(**9**, 18-**10**, 19), puis les opinions propres à tel ou tel philosophe (**10**, 19-**11**, 22).

I. *Opinions courantes.*

(A) Pour les uns donc, l'âme *(animus)* se confond avec une partie ou un élément déterminé du corps humain :

(a) le cœur lui-même (d'où les expressions *excors, vecors, concors*);

(a^1) le sang qui baigne le cœur (EMPÉDOCLE);

(a^2) une certaine partie du cerveau (correspondant à l'ἡγε-μονικόν de l'âme).

(B) Pour d'autres, cœur ou cerveau ne sont pas l'âme même, mais le siège de l'âme, celle-ci étant :

(b) un souffle (*anima* : cf. *agere, efflare animam; animosus, bene animatus, ex animi sententia*, et *animus* qui dérive de *anima*);

(b^1) du feu (ZÉNON).

II. *Opinions particulières des philosophes.*

1) ARISTOXÈNE : l'âme est ἁρμονία du corps (opinion déjà réfutée par Platon, *Phéd.* 85 e ss.), **10**, 19-20.

2) XÉNOCRATE : l'âme est nombre, d'ailleurs sans forme et incorporelle.

3) PLATON : l'âme est tripartite (ἡγεμονικόν dans la tête, θυμός dans la poitrine, ἐπιθυμητικόν sous le diaphragme), **10**, 20.

4) DICÉARQUE : l'âme n'existe pas, il n'y a que le corps, organisé de telle sorte qu'il possède naturellement la vie et le sentiment, **10**, 21.

5) ARISTOTE : l'âme (intellectuelle) est ἐνδελέχεια, mouvement ininterrompu et perpétuel (1), et elle est issue du cinquième élément, qui n'a pas de nom (= l'éther), **10**, 22.

6) DÉMOCRITE : l'âme résulte de l'assemblage fortuit de corpuscules lisses et arrondis, **11**, 22.

De natura deorum, I, **10**, 25-**15**, 41.

Après avoir raillé le Dieu démiurge de Platon et le monde que ce Dieu produit (**8**, 18-**10**, 24), Velléius, défenseur d'Épicure, procède à une revue d'ensemble de toutes les opinions des philosophes sur la nature de Dieu.

---

(1) Il faut garder ἐνδελέχεια et ne pas corriger en ἐντελέχεια, cf. *supra*, p. 248.

1) THALÈS : Dieu est l'Intellect qui forme toutes choses de l'eau, premier principe matériel, p. 212.1-5 Pl. (1).

2) ANAXIMANDRE : les dieux sont les mondes innombrables qui, à de longs intervalles, naissent, puis meurent, 212.5-7.

3) ANAXIMÈNE : Dieu est l'air, qui est produit (2), immense, infini, toujours en mouvement, 212.7-11.

4) ANAXAGORE : Dieu est l'Esprit infini qui a formé le plan et réalisé le système et l'arrangement de l'univers, 213.1-214.5.

5) ALCMÉON DE CROTONE : attribue la divinité au soleil, à la lune et aux autres astres, ainsi qu'à l'âme, 214.5-7.

6) PYTHAGORE : Dieu est une Ame qui s'étend et réside dans tous les êtres de la nature, et d'où est tirée l'âme humaine, 214.-7-14.

7) XÉNOPHANE : Dieu est le Tout infini que constitue la somme des êtres, ce Tout étant doué d'une intelligence, 214.15-215.2.

8) PARMÉNIDE : Dieu est une sorte de couronne (στεφάνη), un orbe qui enveloppe la lumière et qui encercle le ciel, 215.2-10.

9) EMPÉDOCLE : tient pour divins les quatre éléments, 215.10-13.

10) PROTAGORAS : ne sait ni si les dieux existent ou non, ni ce qu'ils sont, 215.13-216.1.

11) DÉMOCRITE : compte pour dieux (*a*) les images qu'envoient en nous les objets corporels, (*b*) la nature qui produit ces images, (*c*) les sens et l'intellect humain qui les appréhendent, 216.1-7.

12) DIOGÈNE D'APOLLONIE : Dieu est l'air, 216.7-8.

13) PLATON : Doctrine incohérente. (*a*) On ne peut ni nommer ni connaître vraiment Dieu *(Timée, Lois)*; (*b*) Dieu est incorporel; (*c*) Platon regarde comme dieux le monde, le ciel, les astres, la terre, les âmes, les dieux traditionnels *(Timée, Lois)*, 216.8-217.7.

14) XÉNOPHON *(Mémorables)* : Même incohérence. (*a*) Il ne faut pas chercher à connaître la forme de Dieu; (*b*) le soleil est dieu, ainsi que l'âme; (*c*) Dieu est dit tantôt unique, tantôt multiple, 217-7.12.

15) ANTISTHÈNE *(Physicus)* : Bien que le vulgaire admette plusieurs dieux, il n'y en a qu'un selon la nature, 217.12-14.

16) SPEUSIPPE : Dieu est une certaine force vitale qui régit l'univers, 217.14-16.

17) ARISTOTE (π. φιλοσοφίας III) (2) : Doctrine pleine de confusion *(multa turbat)*. Dieu est (*a*) l'Intellect; (*b*) le ciel; (*c*) un Dieu préposé au ciel, qui en dirige et en maintient le mouvement par une

---

(1) Je cite d'après l'*editio maior* de Plasberg, *Cic. Scr. Phil.*, t. II, Teubner, 1911.
(2) *eumque gigni*, inintelligible : cf. Diels, *Dox.*, p. 531, ad l. 18.
(3) Sur ce passage, cf. *supra*, pp. 242 ss.

sorte de révolution rétrograde; (*d*) l'élément incandescent du ciel, 217.16-218.12.

18) Xénocrate : Il y a huit dieux, les cinq planètes, les étoiles fixes, le soleil et la lune, 218.12-219.4.

19) Héraclide du Pont : Attribue la divinité (*a*) au monde, (*b*) à l'Intellect (1), (*c*) aux planètes, (*d*) à la terre et au ciel. — Dieu est privé de sentiment et change sans cesse de forme, 219.4-8.

20) Théophraste : Non moins inconstant. Dieu est (*a*) l'Intellect, (*b*) le ciel, (*c*) les astres du ciel, 219.8-11.

21) Strabon : Dieu est la nature, qui fait naître, croître et périr tous les êtres, et qui n'a ni forme ni sentiment, 219.11-14.

22) Zénon : Dieu est (*a*) la Loi divine, qui commande le bien; défend le mal; (*b*) l'éther; (*c*) la Raison qui pénètre toute la nature, (*d*) les astres, les années, les mois, les saisons. — Dans le Εἰς Ἡσιόδου Θεογονίαν, Zénon enseigne que Zeus, Héra, Hestia, etc., ne sont pas dieux, mais qu'on a ainsi nommé des choses inanimées, 219.14-220.14.

23) Ariston : Impossibilité de comprendre la nature de Dieu. Les dieux sont privés de sentiment. On doute si Dieu est ou non un être animé, 220.14-16.

24) Cléanthe : Dieu est (*a*) le monde, (*b*) l'Intellect et l'Ame de l'univers, (*c*) l'élément incandescent du ciel suprême = l'éther (2); dans le π. ἡδονῆς, Cléanthe attribue la divinité aux astres et à la raison (3), 220.17-221.9.

25) Persée : Les dieux sont (*a*) les hommes qui ont inventé les choses utiles à la vie, (*b*) ces choses elles-mêmes, 221.9-16.

26) Chrysippe (π. θεῶν I) : Dieu est (*a*) la Raison, l'Ame, l'Intellect de l'univers; (*b*) le monde et l'Ame du monde qui le pénètre tout entier; (*c*) l'ἡγεμονικόν de l'âme = l'intellect et la raison; (*d*) la Nature universelle; (*e*) le Destin, la Nécessité qui régit les choses futures; (*f*) le feu et l'éther; (*g*) les autres éléments, terre, eau, air; (*h*) le soleil, la lune, les astres, l'univers; (*i*) les hommes qui ont obtenu l'immortalité. — Zeus est l'éther, la Loi éternelle et le Destin, Poséidon est l'eau, Déméter la terre, etc., 221.16-223.12.

27) Diogène de Babylone (περὶ τῆς Ἀθηνᾶς) : ramène également les mythes à une explication physique, 223.12-14.

Enfin il est fait mention des doctrines des Mages et des Égyptiens, p. 223.23-24.

---

(1) Ou : à l'intelligence (humaine)?
(2) Cf. *supra*, p. 243, n. 4.
(3) Raison humaine ou Raison universelle?

Maintenant, il est clair, et d'ailleurs prouvé depuis longtemps, que Cicéron n'a pas colligé lui-même ces longues séries de δόξαι. Il les emprunte à des recueils déjà faits, ou à des intermédiaires qui utilisent ces recueils.

Les doxographies du *Lucullus* sur les premiers principes de la nature (116-128), les termes extrêmes des biens et des maux (129-141), le critère de la vérité (142-147), prennent place dans la réponse de Cicéron à Lucullus (**20**, 64 ss.) et plus spécialement dans la seconde partie de cette réponse (**35**, 112 ss.). La source est très certainement un partisan de la Nouvelle Académie, mais l'on dispute sur son nom. Diels (1) et encore Reid (2) tiennent pour Clitomaque de Carthage (c. 175-110), disciple de Carnéade, auteur d'un ouvrage en quatre livres περὶ ἐποχῆς (mentionné *Lucull.* **31**, 98) et de deux manuels d'introduction au scepticisme de la Nouvelle Académie (dédiés à C. Lucilius et L. Censorinus), auxquels Cicéron fait allusion *Lucull.* **32**, 102. Hirzel (3) et en dernier lieu Philippson (4) tiennent pour Philon de Larisse : l'ouvrage de Philon qui aurait servi de modèle à Cicéron serait celui-là même contre lequel s'était élevé Antiochus (*Lucull.* **4**, 11-12) et auquel il répondit dans son *Sosus* (qui est la source de l'exposé de Lucullus, **4**, 11-**19**, 62) (5), ou bien une réplique de Philon au *Sosus* d'Antiochus (6). Peu importe d'ailleurs pour nous. Car il est sûr, en tout cas, que l'auteur académicien dont s'est inspiré Cicéron a utilisé les Φυσικαὶ δόξαι de Théophraste, et que c'est par l'intermédiaire de cet auteur que Cicéron a eu connaissance des doxographies physiques reproduites dans le *Lucullus* (**37**, 118).

Les doxographies critiques dans l'exposé de Velléius (*n. d.*, I, **10**, 25-**15**, 41) présentent, on le sait, les plus grandes analogies avec la liste du π. εὐσεβείας de Philodème (7). La source directe de Cicéron serait donc ou cet écrit de Philodème (8), ou bien, comme le préfère

---

(1) Diels, *Dox.*, pp. 119-121.
(2) J. S. Reid., éd. des *Academica* (Londres, 1885), pp. 53 et VII *(Addenda)*.
(3) R. Hirzel, *Untersuchungen zu Cicero's philosophischen Schriften*, III (Leipzig, 1883), pp. 282 ss. : Clitomaque source de la première partie de la réponse de Cicéron (**20**, 64-**34**, 111), Philon source de la deuxième partie (**35**, 112 ss.).
(4) *Ap.* P. W., VII A, 1132-1134.
(5) Ainsi Hirzel, pp. 288 ss., 301 ss., 306-308, 337 ss.
(6) Ainsi Philippson, *l. c.* Les citations de Clitomaque seraient empruntées à Philon (1134.1-2). — Ad. Lörcher, *Bursian's Jahresb.*, CLXII, 1913, pp. 84-85, tient que les sources de *Lucull.* **61** ss. sont Philon et Clitomaque, l'un et l'autre cités d'ailleurs § 78.
(7) Pp. 65 ss. Gomperz = Diels, *Dox.*, pp. 530-550. Cf. Philippson, *Hermes*, LV (1920), pp. 364-372, complète le texte en plusieurs endroits.
(8) Ainsi Hirzel, *op. cit.*, I (1877), pp. 1 ss., et la plupart, en dernier lieu Philippson, P. W., VII A, 1153.26 ss.

Diels (1), le π. θεῶν de Phèdre (qui aurait également servi à Philodème), ainsi qu'un ouvrage de Zénon (l'épicurien), qui est nommé à côté de Phèdre en I **33**, 93 et déclaré le coryphée des Épicuriens en I **21**, 59 (2). Il n'importe guère d'ailleurs pour notre sujet, car, de toute façon, ou bien l'auteur épicurien utilisé par Cicéron a emprunté, du moins pour les philosophes ioniens, éléates, peut-être aussi Empédocle et Démocrite, à un recueil de *Placita* rédigé dans la première moitié du Ier siècle d'après les Φυσικαὶ δόξαι de Théophraste (ou l'*Epitomé* de cet ouvrage) (3), ou encore, et peut-être plus probablement, il a trouvé ces δόξαι utilisées déjà dans un ouvrage antérieur, soit un ouvrage épicurien de critique contre les dieux (4), soit un ouvrage académicien de critique des doxographies (5).

Les doxographies sur l'âme dans les *Tusculanes*, I, 9-10 ne sont pas moins un emprunt. On trouve une liste analogue dans Tertullien, *de anima*, c. 14, 15, 43, 54 (6) : cette liste concorde avec les *Placita*, mais en partie seulement, et n'est donc pas tirée des *Placita* eux-mêmes. En effet, la source directe de Tertullien est le médecin Soranus d'Éphèse, contemporain de Trajan, qui à son tour emprunte à Énésidème, contemporain de Varron et de Cicéron. Énésidème enfin dérive des *Placita*. C'est donc toujours à ce recueil qu'on revient, soit que Cicéron l'ait utilisé directement, soit qu'il ait emprunté à Énésidème (ce qui paraît douteux), soit qu'il ait fait usage d'une compilation analogue aux *Placita* (7), soit enfin qu'il ait trouvé déjà ces doxographies dont l'une des sources qui lui ont servi pour le Ier livre des *Tusculanes*.

(1) DIELS, *Dox.*, pp. 126-127. Diels se fonde sur ce que les critiques injurieuses adjointes à chaque δόξα dans Cicéron manquent dans Philodème. Cicéron n'a donc pas copié directement Philodème, mais il a puisé, comme Philodème, à la même source (Phèdre, π. θεῶν) et pris en outre ces critiques à Zénon. Selon Philippson en revanche, ces critiques auraient été ajoutées par Cicéron à sa source (Philodème), qu'il traduit ou, par endroits, résume.

(2) Zénon et Phèdre sont nommés également *de fin*. I **5**, 16 où Cicéron déclare les avoir entendus eux-mêmes lors de son séjour à Athènes en 79, Philodème et Siron *de fin.* II **35**, 119 où Cicéron les appelle *familiares nostros, ... cum optimos viros, tum homines doctissimos*. Zénon est utilisé aussi par Philodème, du moins dans le IIe livre du π. εὐσεβείας (exposé de la religion d'Épicure), cf. PHILIPPSON, *Hermes*, LVI, pp. 364, qui cite les fr. 100 (p. 118 G.) αἱ Ζήνωνι γενόμεναι συναγωγαὶ διασαφοῦσιν, 114 (p. 131 G.) τὰς δὲ νῦν φάσεις Ζήνων ἐξέθηκεν ὁ ἐξηγητὴς ἡμῶν, 120 (p. 135 G.) μυριάκις δὲ Ζήνων περὶ τῶν θεῶν νοεῖ γ' εὐλογώτερον. Pour Zénon source de ce IIe livre, et de l'exposé analogue dans Cicéron (**17**, 44 ss.), voir déjà HIRZEL, *l. c.*, pp. 26 ss.

(3) Ainsi DIELS, pp. 202 ss.

(4) Selon PHILIPPSON, *Hermes*, LV, p. 224, de tels ouvrages épicuriens de critique des dieux ont existé dès le IIe siècle avant notre ère. Cette critique des Épicuriens se serait fondée sur celle des Cyniques, en y ajoutant des éléments empruntés à Evhémère. C'est cette critique épicurienne qui aurait servi de modèle à celle de la Nouvelle Académie.

(5) Cf. *infra*, pp. 362 ss. Zénon auditeur de Carnéade, *infra*, p. 366, n. 1.

(6) Cf. DIELS, pp. 203-206. Voir maintenant l'éd. Waszink (Amsterdam, 1947).

(7) Ces trois solutions sont indiquées par DIELS, pp. 211-212. Pour la 4e, cf. *infra*, p. 367

Pour les δόξαι du *de finibus* sur le souverain bien, la source nous est expressément indiquée : c'est la *Carneadia divisio* « dont notre maître Antiochus se plaît à faire usage » (*de fin.*, V, **6**, 16). Cicéron a donc tiré cette doxographie d'un écrit d'Antiochus lui-même, dont il avait suivi les leçons à Athènes en 79 (1).

Ainsi donc il a circulé, dès la première moitié du Iᵉʳ siècle avant notre ère, un recueil d' « opinions des philosophes » sur les principaux problèmes de la physique (2), compilé d'après les Φυσικαὶ δόξαι de Théophraste ou l'*Epitomé* de cet ouvrage. Ce recueil d'opinions, les *Vetusta Placita* de Diels (3), comprenait six livres : I. sur les principes, II. sur le monde, III. sur les phénomènes célestes, IV. sur les phénomènes terrestres, V. sur l'âme, VI. sur le corps. C'est de ce recueil que proviennent, en dernière analyse, toutes les doxographies sur Dieu, le monde ou l'âme humaine dans les auteurs du Iᵉʳ siècle avant et du Iᵉʳ siècle après notre ère (4). On ne lisait donc plus les auteurs originaux : toute la culture philosophique se fondait désormais sur une littérature de seconde main. Varron déjà le constate vers le milieu du Iᵉʳ siècle (*Sent. Varr.*, p. 266.28 Riese) : « La philosophie aujourd'hui en est venue à ce point (de décadence) qu'il nous semble avoir magnifiquement travaillé si nous passons toute notre vie à exposer des doctrines que les anciens n'ont mis que quelques années à ourdir. Nous mangeons le miel des abeilles, ce n'est plus nous qui le faisons » (5). Et, de fait, ce même Varron, dans

---

(1) Cf. *de fin.*, V, §§ 8, 14, 16, 81. Dans cet écrit d'Antiochus, l'exposé dogmatique de la morale académico-péripatéticienne (source de *fin.* V) était sans doute précédé d'une partie critique où Antiochus s'en prenait aux autres systèmes moraux alors en vogue, l'épicurisme et le stoïcisme (source de *fin.* II, IV, cf. Hirzel, II 2, pp. 638 ss., 656 ss., 681 ss., Philippson, P. W., VII A, 1140.68 ss., 1137.18 ss., 59 ss.).
Quant aux exposés dogmatiques de *fin.* I (épicurisme) et III (stoïcisme), le premier doit être emprunté à Zénon ou Philodème (nommé II, **35**, 119 avec Siron), Hirzel, pp. 689-690 (plutôt Philodème, Philippson, *l. c.*, 1137.8 ss.), le second peut-être à Hécaton, disciple de Panétius, auteur d'un περὶ τελῶν d'au moins 7 livres (Hirzel, pp. 592 ss.), ou à un autre stoïcien récent, postérieur à Antipater, antérieur à Antiochus ou contemporain de celui-ci (Philippson, *l. c.*, 1139.34 ss., 62 ss.). — Noter que la classification des souverains biens de V, 6, 16 (Carnéade par Antiochus) se retrouve un peu différente (il manque la mention des souverains biens possibles) en II, **11**, 34 s. (Antiochus). Celle de III, **9**, 30-31, comme l'auteur est en tout cas un stoïcien tardif, peut avoir été empruntée par lui à la Nouvelle Académie, cf. Hirzel, pp. 642 ss.
(2) Laquelle, comme on sait, comprend chez les anciens Dieu et l'âme (théologie et psychologie).
(3) Diels, pp. 181 ss. Ces *Placita* sont dits *Vetusta* par rapport au recueil plus récent d'Aétius (Iᵉʳ/IIᵉ s. ap. J.-C.), Diels, pp. 99-102.
(4) Jusqu'au recueil d'Aétius qui sera utilisé de préférence à partir du IIᵉ s. de notre ère, Diels, pp. 1 ss.
(5) *Eo hodie philosophia perducitur ut praeclare nobiscum agatur si in his aetatem consumimus exponendis quibus antiqui suae portionem commodabant contexendis. apum mella comedimus, non ipsi facimus*, cité par Diels, p. 202.

ses *Logistorici* (« Discours Philosophiques »), se borne à compiler des auteurs grecs (1). Un peu plus tard l'ami d'Auguste, Arius Didyme, compose, lui aussi, un recueil d' « opinions », sur un plan un peu différent de celui des *Placita*. Alors que ceux-ci divisent leur sujet selon les matières et, à propos de chaque matière, énumèrent les δόξαι des philosophes, Arius divise le sien selon les trois grandes écoles philosophiques — Platoniciens (surtout d'après Philon de Larisse), Stoïciens (de Zénon à Panétius), Péripatéticiens (d'après Antiochus et d'autres sources) — et, à propos de chacune d'elles, étudie successivement les trois branches de la philosophie, logique, physique, éthique (2). Enfin on a vu plus haut que les écrits philosophiques de Cicéron sont une mosaïque d'emprunts et que le sceptique Enésidème travaille, lui aussi, d'après les collections de δόξαι.

Or il importe d'observer qu'une telle méthode de travail devait conduire presque inévitablement à émousser les doctrines. Une « opinion » de philosophe n'a de valeur vraie que comprise en son cadre, liée à l'ensemble du système. C'est cette relation qui lui confère son propre sens. Plus encore, le système lui-même, du moins quand il s'agit des maîtres, ne prend sa pleine signification que rattaché à la personne de celui qui le créa. On ne peut séparer la doctrine platonicienne des Idées du problème de la Justice, ni ce problème de l'impression que fit, sur le jeune Platon, l'exemple de Socrate. On ne peut séparer les enseignements physiques d'Épicure du problème du plaisir, ni ce problème des dures années d'apprentissage où le jeune Épicure se forgea pour lui-même une doctrine de vie. On ne peut séparer le précepte moral de Zénon, « vivre selon la nature », de ses vues générales sur la nature et sur le monde, et ces vues générales ne s'expliquent à leur tour que par les changements spirituels qui ont été l'effet des conquêtes d'Alexandre. Détachée de son contexte, telle ou telle opinion de Platon, d'Épicure, de Zénon, n'est plus qu'un aphorisme brut dont on méconnaît la portée. Et cette méconnaissance ne fait que croître si, détachée de son contexte, l'opinion est insérée dans une liste d'opinions également isolées, partant également faussées; si, en outre, du fait même de leur assemblage, ces opinions se heurtent et s'entrechoquent, d'où résulte une impression d'incohérence, un sentiment d'incertitude, de fatigue et de dégoût.

Par leur seule existence déjà, et l'usage presque exclusif qu'on en

---

(1) Il fait d'ailleurs usage des *Vetusta Placita*, cf. DIELS, pp. 186 ss.
(2) DIELS, pp. 69-88, en particulier pp. 72-73.

faisait, les doxographies étaient amenées à produire une telle impression. Mais cet effet fut augmenté, comme je l'ai dit, par la manière dont certains membres de la Nouvelle Académie ou de l'école sceptique usèrent des doxographies pour leur dessein propre. La trace de leur influence paraît souvent encore dans les écrits philosophiques de Cicéron. Prenons-le donc comme témoin.

§ 4. *Le Scepticisme et les doxographies.*

Voyons d'abord les doxographies du *Lucullus* qui proviennent d'un membre de la Nouvelle Académie, Clitomaque (c. 175-110/9) ou Philon de Larisse (c. 147/0-79). L'objet de ce morceau est clair. Les dogmatiques prétendent atteindre à une certitude inébranlable en des matières où pourtant l'on voit subsister, entre les philosophes les meilleurs, les plus grandes contradictions (*est enim inter magnos homines summa dissensio*, **36,** 117, p. 133.20-21 Pl.). Les doxographies qui suivent sont donc destinées à montrer cette *dissensio* des philosophes. Et en effet, après l'énumération des δέξαι relatives à la physique (**37,** 118, p. 133.21-135.2 Pl.), Cicéron reprend aussitôt (je résume) : Entre tous ces maîtres, le dogmatique se choisira un guide, un seul, et rejettera tous les autres. S'il est Stoïcien, par exemple, il affirmera avec assurance — car il en est aussi certain que de ce qu'il fait jour à présent — que le monde est sage, régi par une Intelligence qui l'a formé et s'est formée elle-même, qui règle, meut et gouverne tout; que le soleil, la lune, les étoiles, la terre, la mer, sont des dieux; qu'enfin ce monde tout entier doit se consumer un jour dans le feu (**37,** 119). Mais alors vient Aristote qui n'admet ni que le monde ait été engendré, ni qu'il ait une fin. Comment décider avec certitude entre ces deux opinions contradictoires? Ne vaut-il pas mieux, n'est-il pas plus prudent, de s'en tenir au doute? *(mihi ne ut dubitem quidem relinquatur?* **38,** 120, p. 136.3 Pl.). Et encore : Les Stoïciens affirment que tous les êtres, même les abeilles et les fourmis, ont été formés par un Dieu sage et provident, que, sans un Dieu, rien ne peut exister (*negas sine deo posse quicquam,* **38,** 121, p. 136.12 Pl.). Cependant voici Straton qui décharge Dieu d'un si grand travail, qui déclare que, pour former le monde, il n'est nul besoin du secours des dieux, tout ayant été produit par la Nature grâce au jeu naturel du poids et du mouvement propres à chaque être (**38,** 121). Que conclure de tout cela? C'est que « tous ces secrets, ô Lucullus, sont cachés et enveloppés dans d'épaisses ténèbres » (*latent ista omnia, Luculle, crassis occultata et circumfusa tenebris,*

39, 122, p. 137.10 Pl.). Nous ne pouvons ni percer la voûte céleste ni pénétrer dans le sein de la terre, nous ne connaissons ni le corps (malgré la dissection, **39,** 122, p. 137.13-16 Pl.) ni l'âme, et, des opinions même les plus incroyables sur le monde (lune habitée, hommes aux antipodes, petitesse du soleil, etc.), nous n'avons aucun moyen de prouver qu'elles soient fausses. En conséquence, il ne reste qu'une attitude vraiment sage, c'est de demeurer dans la réserve et de prendre la liberté d'ignorer ce qu'on ignore (*licetne per vos nescire quod nescio...?,* **41,** 126, p. 140.16 Pl.).

La discussion est conduite selon la même méthode en ce qui regarde les δόξαι sur le souverain bien et le critère du vrai. Le résultat est partout le même. Il y a imprudence à rien affirmer avec certitude, il est sage de ne s'arrêter qu'à des opinions vraisemblables. Ainsi donc le modèle académicien du *Lucullus* — c'est, en dernière analyse, Carnéade — emploie les doxographies dans un dessein particulier : l'histoire de la philosophie ne lui sert pas à construire (comme faisait, par exemple, Aristote dans le premier livre des *Métaphysiques*), mais à détruire, ou du moins il en tire argument pour incliner les esprits à l'ἐποχή. Les autres doxographies de Cicéron nous laissent-elles reconnaître la même méthode?

Parmi ces doxographies, il en est deux, celle du *de nat. deor.* I et celle du *de fin.* V, **6,** 16, qui ont un trait commun. Elles servent à déblayer le terrain, à éliminer les théories fausses avant qu'on n'expose celle qui, dans la pensée de l'interlocuteur, est la vraie. Ainsi les doxographies sur Dieu dans le *de nat. deor.* précèdent-elles l'exposé dogmatique du système d'Épicure, la *Carneadia divisio* dans le *de finibus* l'exposé dogmatique (par Pison, porte-parole d'Antiochus) de la morale péripatéticienne. Or, en ce qui regarde le *de finibus*, il est évident que cette division n'avait pas, pour Carnéade, le même sens. Tout comme, dans le *Lucullus*, le modèle académicien de Cicéron, Clitomaque ou Philon (celui-là disciple de Carnéade, celui-ci, de Clitomaque), utilise les δόξαι des philosophes pour en montrer la discordance et conclure de ce fait au doute, ainsi Carnéade devait-il manifester le désaccord des opinions sur le souverain bien dans un esprit de critique négative. On l'a fort bien dit (1), « s'il (Carnéade) catalogue ainsi les thèses sur le Souverain Bien, c'est pour les réfuter les unes par les autres et les renvoyer toutes dos à dos. Que telle ou telle opinion paraisse avoir ses sympathies, ce n'est que pour des motifs extrinsèques, étrangers

---

(1) L. ROBIN, *Pyrrhon et le Scepticisme grec*, Paris, 1944, p. 78.

à toute conviction personnelle ». Et de fait, Carnéade ne prend pas position. Sans doute, d'après le témoignage de Cicéron (qui suit ici Antiochus), Carnéade représenterait l'opinion selon laquelle le souverain bien s'identifie avec la jouissance des choses premières *secundum naturam* (V, **7**, 20). Mais Cicéron ajoute aussitôt : « à vrai dire, Carnéade n'a pas pris cette théorie à son compte, il s'en est fait seulement l'avocat (contre les Stoïciens) pour les besoins de la discussion (*non ille quidem auctor, sed defensor disserendi causa fuit*) » (1). La méthode de Carnéade, vue à travers le *de finibus*, paraît ainsi tout analogue à celle de l'Académicien du *Lucullus*, lequel d'ailleurs s'inspire de Carnéade : là encore, on utilise l'histoire de la philosophie dans un dessein de critique.

Quant à la doxographie du *de nat. deor.* I, dont la source immédiate — Philodème, Phèdre ou Zénon, peu importe — est un épicurien du Ier siècle, il me paraît clair qu'elle n'est pas l'œuvre propre de cet épicurien lui-même. Tout d'abord, en effet, la mise en œuvre des δόξαι théophrastiennes en vue d'éliminer toutes les doctrines autres que celle d'Épicure aurait représenté un effort de construction personnelle dont on ne voit pas qu'aucun des épicuriens du Ier siècle ait donné la preuve. Philodème n'est qu'un compilateur des plus médiocres qui se borne à démarquer des modèles antérieurs. Il y a grande chance que Phèdre et Zénon n'aient guère mieux valu. A priori, on pensera plutôt que l'épicurien modèle de Cicéron a trouvé la besogne toute mâchée. Par qui a-t-elle pu l'être? Nous avons vu plus haut, par l'exemple du *de finibus* et du *Lucullus*, comment la Nouvelle Académie faisait usage des doxographies dans un esprit de critique négative, pour renvoyer dos à dos tous les auteurs de systèmes. Quoi de plus facile, pour un dogmatique, que de profiter de ce travail de déblaiement pour éliminer, non plus tous les philosophes, mais tous sauf un, sauf celui qu'on veut défendre? C'est ainsi qu'Antiochus en avait agi à l'égard de la *Carneadia divisio* sur le souverain bien, pour préparer son exposé de la thèse péripatéticienne. Ne peut-on conjecturer que Philodème, Zénon ou Phèdre n'en a pas agi autrement à l'égard d'un ouvrage de critique sur la notion de Dieu, pour préparer l'exposé du système épicurien? Maintenant, il est sûr que Carnéade, par son disciple Clitomaque ou par le disciple de celui-ci, Philon (2), est la source première du *de*

---

(1) Même remarque dans le *Lucullus* **42**, 131 *(non quo probaret* — sc. *Carneades* — *sed ut opponeret Stoicis)*.

(2) La plupart des modernes penchent pour Clitomaque, par exemple Hirzel, *op.cit.*, I, pp. 243-244. Cependant Philippson donne de bonnes raisons en faveur de Philon, P. W., VII A, 1155-1156 (*n. d.* III), 1154.10 ss. (*n. d.* I 57 ss.).

nat. deor. III (et de I 57-119 = réponse de Cotta à Velléius); il est également certain que Carnéade a critiqué les diverses notions de Dieu, en s'en prenant surtout au stoïcisme (1). Ce même Carnéade est la source indirecte (par Clitomaque ou Philon) du *Lucullus*, dont la première doxographie est consacrée aux *principia rerum* (**36**, 117, p. 133.19 Pl.) qui comprennent, chez les anciens, le problème de Dieu (2). Voyons donc s'il n'y a pas des points communs entre cette doxographie du *Lucullus* et celle du *de nat. deor.* I.

Sans doute on ne doit pas s'attendre à ce que les deux listes soient exactement pareilles l'une à l'autre. Tout d'abord, il est normal que la première soit plus courte que la seconde (3). Celle-ci veut comme épuiser la matière, énumérer toutes les opinions sur Dieu pour les détruire et exalter, par contraste, l'opinion d'Épicure. Celle-là ne vise qu'à donner une idée des *infinitae quaestiones* (**36**, 117, p. 133.19 Pl.) dont traite la physique. Cicéron ne se propose pas de tout dire, il fait un choix, comme il choisit aussi pour l'éthique et la dialectique. En outre, les deux listes diffèrent parce qu'elles ne visent pas le même objet. La première concerne les problèmes généraux de la physique (**37**, 118-**38**, 121), avec seulement une allusion à l'âme (**39**, 124) et une autre aux dissensions des Stoïciens sur Dieu (Dieu éther : Zénon et la plupart des Stoïciens; Dieu soleil : Cléanthe, **41**, 126). La seconde concerne le problème de Dieu, et seulement ce problème. Il est donc naturel que des noms paraissent dans la première liste qui manquent dans la seconde (Leucippe, Héraclite, Mélissos) et réciproquement (Alcméon de Crotone, Protagoras, Diogène d'Apollonie).

Sous ces réserves, si l'on compare les deux listes (nommons-les A et B), on ne peut s'empêcher d'être frappé des ressemblances. Même suite pour Thalès-Anaxagore. Puis Xénophane et Parménide viennent aussitôt après dans A, seulement après Alcméon et Pythagore dans B. Suivent, dans A, après Leucippe (omis en B), Démocrite et Empédocle; ces deux noms suivent aussi en B, mais intervertis, et séparés par Protagoras (omis en A). A a seul ici Héraclite et Mélissos, B seul Diogène d'Apollonie, mais A et B se rencontrent de nouveau avec Platon, qui occupe à peu près la même place dans les deux listes. Laissons de côté les noms particuliers à chaque liste, nous obtenons :

---

(1) Cf. en dernier lieu L. Robin, *op. cit.*, pp. 106-112.
(2) Cf. le plan des *Vetusta Placita* dans Diels, *Dox.*, pp. 181 ss. On y trouve, dès les premières lignes du L. I. *(de principiis)* : (a) I 3 περὶ ἀρχῶν ; (b) I 7, 11-34 περὶ θεοῦ.
(3) La liste du *Lucullus* s'arrête aux *Pythagorei* et néglige les philosophes après Platon.

366 LA RÉVÉLATION D'HERMÈS TRISMÉGISTE.

A (*Lucullus*, **37**, 118 ss.)	B (*n. d.*, I, **10**, 25 ss.)
1) Thalès	1) Thalès
2) Anaximandre	2) Anaximandre
3) Anaximène	3) Anaximène
4) Anaxagore	4) Anaxagore
5) Xénophane	7) Xénophane
6) Parménide	8) Parménide
8) Démocrite	9) Empédocle
9) Empédocle	11) Démocrite
12) Platon	13) Platon

Mais, plus que cette succession elle-même, il importe de considérer l'esprit dans lequel est traité chacun des deux morceaux. C'est, de part et d'autre, un esprit de critique. Sans doute, ici encore, n'y a-t-il pas ressemblance parfaite. Dans le *Lucullus*, les opinions des philosophes sont indiquées sans plus, et c'est ensuite seulement que Cicéron relève toutes leurs contradictions. Dans le *de nat. deor.*, chacune des opinions est aussitôt suivie d'une note de blâme. Cependant l'effet est le même ici et là. On aboutit, chaque fois, à un sentiment d'incohérence, on doute si aucun de ces sages a vu la vérité, si même cette vérité existe. Il y a donc d'assez fortes raisons pour penser que la source première de la doxographie du *de nat. deor.* est un ouvrage de la Nouvelle Académie, composé dans le même esprit et en vue de la même fin que les ouvrages de Carnéade ou de ses disciples, Clitomaque et Philon, qui ont servi de modèle pour le *Lucullus* et le *de finibus* (1).

(1) On notera que l'épicurien Zénon (qui, d'après Diels, *Dox.*, pp. 126-127, serait la source immédiate du catalogue *n. d.* I 10, 25 ss.) avait été l'auditeur de Carnéade : cf. *Academ.*, I, **12**, 46 *Carneades autem nullius philosophiae partis ignarus et, ut cognovi ex iis qui illum audierant maximeque ex Epicureo Zenone, qui cum ab eo plurimum dissentiret, unum tamen praeter ceteros mirabatur, incredibili quadam fuit facultate.* — Ce paragraphe était écrit quand je me suis aperçu que, dès 1913, Ad. Lörcher était parvenu à une opinion analogue, *Bursian's Jahresb.*, CLXII (1913), pp. 28-29. Lörcher fait remarquer que, chez Sextus Empiricus, *adv. math.*, IX 12 ss., le résumé historique est commandé par le problème de la connaissance du divin : πῶς εὐθὺς ἔννοιαν ἐλάβομεν θεοῦ (cf. §§ 12, 13, 19, 24, 29, 33 s., 42 πῶς νόησιν θεῶν ἔσχον ἄνθρωποι). Or cette même question paraît en *n. d.* à diverses reprises, surtout I, **11**, 27 *quod quoniam non placet, aperta simplexque mens, nulla re adiuncta quae sentire possit, fugere intellegentiae nostrae vim et notionem videtur*, mais aussi § 25 fin *sed nos deum nisi sempiternum intellegere qui possumus?*, § 28 début *cur autem quicquam ignoraret animus hominis, si esset deus?* De toute façon, ce qui ressort du présent exposé, c'est un point de vue sceptique, non positif. Dans les §§ 30 ss. (*inconstantia* de Platon et de ses successeurs), l'auteur utilise le même argument sceptique qui paraît *Lucull.* 116 ss. Enfin la liste s'achève avec Diogène de Babylone, le contemporain de Carnéade. Joints à d'autres indices (cf. Lörcher, p. !29), ceux-ci donnent à penser que Cicéron utilise ici Clitomaque, comme il l'a fait dans la partie critique du l. I (**21**, 57 ss.). Quant aux rapprochements entre Cicéron et Philodème π. εὐσεβείας, en particulier dans la seconde partie du résumé historique, ils s'expliquent par le fait que Cicéron et Philodème ont emprunté à une même source académique, à savoir Clitomaque.

Reste la doxographie sur l'âme de *Tusculanes* I. Cette fois, l'intention de Cicéron n'est sûrement pas de polémique. Il veut montrer simplement que, quelle que soit l'opinion qu'on tient sur l'âme — que l'âme périsse avec le corps ou qu'elle subsiste après la mort, — il n'y a pas à craindre de mourir. Néanmoins, dans ce cas aussi, notre auteur garde la réserve de l'Académicien sceptique. Une fois achevée la revue des δόξαι, il ajoute (I, **11**, 23) : « Maintenant, de ces opinions, quelle est la vraie, c'est à un dieu de le voir; quelle est la plus vraisemblable, c'est une grande question ». Prudemment, il s'arrange pour n'avoir pas à se prononcer (le sujet ne l'exige pas!), et passe d'emblée à la question principale : Quelle que soit, de ces opinions, celle qui est la vraie, de toute manière la mort n'est pas un mal, ou même elle est un bien. Notons en outre qu'une partie de cette doxographie se retrouve, exactement identique, dans le *Lucullus*, où elle dérive, on l'a vu, d'une source académique : *Tusc.* I, **10**, 20-21 : Xénocrate = l'âme est un nombre, elle n'a ni figure ni corps; Platon = l'âme est triple; Dicéarque = l'âme n'existe pas ∽ *Lucull.* **40**, 124 : Dicéarque = l'âme n'existe pas; Platon = l'âme est triple; Xénocrate = l'âme est purement un nombre et n'a point de forme corporelle. On est donc fondé à croire que la doxographie des *Tusculanes* remonte, comme celle du *Lucullus*, à un ouvrage de la Nouvelle Académie, et sans doute au même ouvrage (1). Enfin, lors même qu'on n'accepterait pas cette conjecture, il paraît établi qu'au Ier siècle du moins, le sceptique Enésidème a fait usage de ces δόξαι sur l'âme, évidemment dans l'esprit de son école, pour ruiner toute certitude en cette matière.

Ainsi nous avons montré, par deux exemples certains (*Lucullus*, *de finibus*) et par deux exemples assez probables (*de nat. deor.*, *Tusculanes*), que les doxographies utilisées par Cicéron ont leur source première dans la Nouvelle Académie, que Carnéade en particulier en a fait usage, et que ce philosophe les a employées dans un dessein de critique négative. Or on a souvent observé que cette méthode de critique négative devait conduire à l'éclectisme. Bornons-nous à reproduire ici quelques lignes du dernier historien du Scepticisme grec (2) : « Une telle attitude (celle de Carnéade) com-

---

(1) On sait que la détermination de la source (ou des sources) du Ier livre des *Tusculanes* est un problème fort discuté : Posidonius, selon P. Corssen, suivi par Diels et Zeller (cf. Hirzel, *op. cit.*, III, pp. 342 ss.); Philon de Larisse selon Hirzel (pp. 389-392); Antiochus selon K. Reinhardt, *Poseidonios*, pp. 471 ss.; un traité populaire, source également d'*Axiochos* 369 b-370 e, selon Philippson, *l. c.*, 1144.46 ss. (la doxographie des §§ 18-22 ne viendrait d'ailleurs pas de ce traité, *ib.*, 1145.48 ss.).
(2) L. Robin, *op. cit.*, p. 129.

portait toutefois des risques graves. A force de dégager ce qu'il y a de « probable » chez les divers philosophes pour les retourner ensuite les uns contre les autres, ne s'exposait-on pas, si le penchant naturel à dogmatiser prenait insensiblement le dessus, si l'on était d'une intelligence incapable de se maintenir résolument dans une position exclusivement critique, à finir par effacer les traits caractéristiques qui distinguent chaque doctrine? par se persuader que les différences résident seulement dans la façon de les présenter? bref, de glisser peu à peu à un éclectisme par voie de confusion, à un « syncrétisme » qui, sacrifiant ce qu'en chacune il y a d'original, les brouille toutes et finalement, fausse l'histoire? C'est ce qui advint aux successeurs de Carnéade dans l'Académie ». Du moins, ajouterons-nous, au temps d'Antiochus (scholarque de l'Académie d'environ 83 à 68/7). Avec lui s'instaure ce dogmatisme éclectique qui, d'une part, identifie l'Académie avec le Lycée, d'autre part, assimile cette doctrine académico-péripatéticienne à celle des Stoïciens mitigés, Panétius et Posidonius. Après lui, avec les « platoniciens » qui sont de sa lignée (Eudore, Arius Didyme), « l'exégèse et l'histoire sont les formes où se manifeste désormais l'éclectisme stoïcisant de l'Académie » (1).

Cette évolution des esprits, dont j'ai cherché à marquer quelques traits, permet de mieux comprendre pourquoi et comment il s'est formé, au Ier siècle avant notre ère, une sorte de dogmatisme religieux indépendant de tout système philosophique aux lignes nettes. Et l'on comprend aussi le succès de ce dogmatisme. Tout y a contribué. Les besoins de plus en plus amples d'une civilisation plus complexe exigeaient un plus grand nombre de têtes qui, pourvues d'une certaine culture, ne fussent pas pourtant des philosophes de profession. L'éducation morale et religieuse des futurs administrateurs du monde hellénistique, puis de l'Empire, voulait qu'on se bornât, sur Dieu, le monde et l'homme, à quelques vérités généralement admises, à quelques « lieux communs » qu'on pût facilement rassembler en manuels. Ainsi se constitua une *Koinè* spirituelle, née des mêmes besoins qui avaient conduit à l'unification de la langue, des procédés artistiques et des moyens de la technique. Ainsi fleurit, pour toutes les disciplines, une littérature nouvelle d'*Introductions*, de *Résumés*, qui permettait à tout venant de se donner une teinture de science ou de sagesse. A cet égard, la philosophie ne fit que suivre un mouvement qui dépassait son champ propre, car il était déterminé et par les vicissitudes politiques dans l'univers et

---

1) L. ROBIN, *op. cit.*, p. 134.

par les changements qui en étaient résultés dans les esprits. Mais la philosophie elle-même, sur son domaine particulier, ne laissa pas que de mener au même effet. C'est qu'après les grandes constructions du IVe et du IIIe siècles, par un retour naturel, l'on y était revenu à la critique, à une critique infiniment subtile, qui se voulait exhaustive, n'épargnait aucune doctrine et risquait ainsi de frapper à tort et à travers (1). Si bien que, par un nouveau renversement, cette critique à son tour avait favorisé un dogmatisme. Mais c'était, cette fois, un dogmatisme éclectique. De tant d'édifices démolis, on gardait les bonnes pierres, celles du moins qu'on croyait telles, et qui semblaient susceptibles de continuer à servir, même détachées de l'ensemble auquel elles appartenaient d'abord. C'est ce genre de dogmatisme que nous rencontrerons désormais dans les modèles grecs de Cicéron, dans le *de Mundo*, dans Philon, enfin dans l'hermétisme. Voilà le caractère le plus marquant de la culture spirituelle sous l'Empire. On se devait de montrer comment un tel phénomène a pu se produire et s'étendre.

(1) Cf. L. Robin, p. 129.

CHAPITRE XIII

LE TÉMOIGNAGE DE CICÉRON SUR LA RELIGION COSMIQUE

§ 1. *Les écrits philosophiques de Cicéron* (1).

Cicéron est le type même de cet éclectisme dont nous cherchions plus haut les origines. Sans doute se déclare-t-il Académicien. Il fait profession de l'être dès sa première jeunesse dans le *de inventione* (2) et il se montre fidèle encore à cette méthode dans son dernier ouvrage théorique, le *de officiis* (3). Mais il faut observer que cette

---

(1) Il ne saurait être question d'aborder ici, ni même d'effleurer seulement, la multitude de problèmes que soulèvent les écrits philosophiques de Cicéron. Comme l'écrit T. FRANK, *Roman life and literature in the Roman Republic* (Berkeley, 1930), p. 197, « a shelf of books has been written upon the Greek sources of Cicero's ideas, and if one were to discuss the manner in which Cicero's own experiences modified those ideas before he accepted them for his own use one would ask for a second shelf of at least equal length ». — Bibliographie *jusqu'à* 1926 : UEBERWEG-PRAECHTER [12], pp. 143*-149* (voir aussi, à l'index, les mots « Panaitios », « Poseidonios »). Depuis 1902, les rapports du *Bursian's Jahresbericht* sont dus à AD. LÖRCHER : pour les années 1902-1911, t. CLXII, 1913, pp. 1-183; pour 1912-1921, t. CC, 1924, pp. 71-165, CCIV, 1925, pp. 59-154, CCVIII, 1926, pp. 23-66; pour 1922-1926, t. CCXXXV, 1932, pp. 1-98. — *Après* 1926, voir surtout l'article de PHILIPPSON dans le P. W., VII A, 1104-1192 (1939). — Pour la « Stimmung » de l'époque, outre W. WARDE FOWLER, *La vie sociale à Rome au temps de Cicéron* (tr. fr., Paris, 1917) et *The religious experience of the Roman People* (Londres, 1911), pp. 357-402, cf. W. KROLL, *Die römische Gesellschaft in der Zeit Ciceros*, Neue Jahrb. f. Wiss. u. Jugendbildung, IV (1928), pp. 308 ss., *Die Religiosität in der Zeit Ciceros, ib.* pp. 519 ss., et surtout *Die Kultur der Ciceronischen Zeit*, 2 vol., Leipzig, 1933. — Sur la personne même de Cicéron, outre le long article de M. GELZER, P. W., VII A, 827-1091 (1939), l'ouvrage de TH. ZIELINSKI, *Cicero im Wandel der Jahrhunderte* (que je cite d'après la 2ᵉ éd., Leipzig-Berlin, 1908) reste très suggestif. Voir aussi O. PLASBERG, *Cicero in seinen Werken und Briefen*, Leipzig, 1926, qui m'a surtout servi pour la *République*.

(2) Écrit c. 84, à vingt-deux ans. Cf. *inv.* II **3**, 10 *quare nos quidem sine ulla affirmatione simul quaerentes, dubitanter unumquodque dicimus, ne, dum parvulum hoc consequimur, ut satis commode haec praescripsisse videamur, illud amittamus, quod maximum est, ut ne cui rei temere atque arroganter assenserimus.*

(3) Écrit oct.-déc. 44, à soixante-deux ans. Cf. *off.* II **2**, 7 ss. *occurritur autem nobis... satisne constanter facere videamur, qui, cum percipi nihil posse dicamus, tamen... praecepta officii persequamur.* A quoi Cicéron répond : *non... sumus ii, quorum vagetur animus errore, ne habeat unquam, quid sequatur. Quae enim esset ista mens vel quae vita potius, non modo disputandi, sed etiam vivendi ratione sublata? nos autem, ut ceteri alia certa, alia* incerta *esse dicunt, sic ab his dissentientes alia* probabilia (= « dignes d'approbation »), *contra alia, dicimus. Quid est igitur, quod me impedit ea, quae probabilia mihi videantur, sequi, quae contra, improbare, atque* affirmandi arrogantiam *vitantem fugere* temeritatem (cf. *temere atque arroganter* plus haut), *quae a sapientia dissidet plurimum?* On voit donc que rien n'empêchait Cicéron, en tant qu'Académicien, de donner son adhésion, sur telle ou telle

profession d'Académisme n'implique pas l'adhésion à un système « académique » en ce qui regarde Dieu, le monde et l'âme humaine, car, sur ces points, la Nouvelle Académie n'offre pas de système. Elle est une attitude d'esprit; et elle est précisément cette attitude d'esprit qui permet de cueillir, dans les systèmes dogmatiques, ce qui s'y montre de plus digne d'approbation. Or rien ne convenait mieux à Cicéron. Non pas seulement, comme on l'a dit, à cause de son tempérament d'avocat, qui le portait à préférer la méthode où l'on expose tour à tour les deux thèses adverses (1). Mais parce que, au temps de Cicéron, pour un homme aussi intelligent qu'il l'était, aussi cultivé, chargé pour ainsi dire des trésors de sagesse acquis par quatre siècles au moins de réflexion philosophique, le sentiment de la relativité des systèmes, et, partant, une certaine réserve, une certaine modération dans l'affirmation des doctrines était l'attitude en quelque sorte la plus naturelle, celle à laquelle un tel esprit se trouvait comme à l'avance disposé par l'énorme travail intellectuel dont il héritait. D'un mot, ce même Cicéron qui, dans le temps qu'il initie les Romains à la sagesse, fait figure de novateur, en réalité transmet à ses concitoyens une sagesse extrêmement vieille, qui a dit tout ce qu'elle avait à dire, qui s'est appliquée cent fois aux mêmes problèmes, heurtée cent fois aux mêmes mystères, en sorte qu'il paraît prudent, à cette heure, de répudier toute affirmation trop exclusive, pour rassembler, d'un peu partout, ce qui à l'usage s'est révélé viable, propre à favoriser la bonne marche de l'État et le droit comportement de l'individu. Joignez-y le tempérament romain, qui incline surtout aux résultats pratiques. On voit donc que l'Académisme de Cicéron le conduisait normalement à l'éclectisme. Mais on voit aussi que cette démarche n'est pas chez lui, ainsi qu'on le répète trop souvent, preuve de médiocrité intellectuelle; elle témoigne au contraire d'une intelligence extrêmement souple, trop souple peut-être, si consciente de tous les aspects des problèmes qu'elle répugne à dogmatiser.

Aussi bien le témoignage de Cicéron sur les philosophies hellé-

---

matière, soit à l'Ancienne Académie (Platon, Aristote), soit au stoïcisme, soit même à l'épicurisme s'il l'eût voulu. Philippson n'a pas vu ce point, *l. c.*, 1156.12, à propos de la conclusion de *nat. deor.* III 95 où Cicéron penche pour le stoïcien Balbus *(mihi Balbi ad veritatis similitudinem videretur esse propensior,* sc. *disputatio).*

(1) Cf. *Tusc.* II 3, 9 *itaque mihi semper Peripateticorum Academiaeque consuetudo de omnibus rebus in contrarias partis disserendi non ob eam causam solum placuit, quod aliter non posset quid in quaque re veri simile esset inveniri, sed etiam quod esset ea maxuma dicendi exercitatio,* de même *de Fat.* 1 *quod autem in aliis libris feci qui sunt de natura deorum, itemque in iis quos de divinatione edidi, ut in utramque partem perpetua explicaretur oratio, quo facilius id a quoque probaretur quod cuique maxime probabile videretur, id,* etc.

nistiques n'a-t-il pas partout le même caractère. Dans certains de ses ouvrages théoriques, Cicéron se borne à exposer : ainsi dans le *de finibus* sur le souverain bien, dans le *de natura deorum* sur les preuves de la divinité. Il met là ses compatriotes au courant des résultats divergents auxquels les Grecs ont abouti en ces domaines où ils sont maîtres. Lui-même ne prend pas parti : sans doute, comme on l'a observé (1), parce que ni sur les preuves de la divinité, ni sur la question de savoir si le souverain bien est la vertu seule ou la vertu accompagnée d'autres biens, il n'est arrivé à une solution ferme (2). Néanmoins il marque incontestablement des répugnances et des préférences. Cicéron n'a jamais accepté l'épicurisme, qu'il connaissait pourtant de première main (3) et que professait son meilleur ami, Atticus. D'autre part, s'il expose, d'après des sources académiques (4), les objections usuelles contre la théodicée stoïcienne, encore laisse-t-il entendre que ces objections ne sont pas décisives (5) : « Voilà à peu près ce que j'avais à dire sur la nature des dieux » (6), conclut Cotta, « non pas pour détruire leur existence, mais seulement pour vous faire comprendre combien la question est obscure et dans quelles difficultés on s'engage quand on la veut expliquer » (*n. d.* III, **39,** 93). Et ce même Cotta ayant ajouté plus loin (III, **40,** 95) : « Dans toute cette discussion, j'ai plutôt exposé mes doutes que formulé un jugement *(disserere malui quam iudicare)* », Cicéron déclare à la fin que, si l'épicurien Velléius approuve pleinement les objections de Cotta — on devait s'y attendre! —, lui-même, pour sa part, penche plutôt en faveur de Balbus. Il n'affirme rien — peut-on rien affirmer en pareille matière? —, mais l'on voit où vont ses préférences. Notons d'ailleurs, j'y reviendrai bientôt, qu'il ne s'agit pas ici de la religion proprement dite telle qu'elle a été pratiquée à Rome depuis les origines, mais des opinions des philosophes relativement aux dieux. Durant toute l'antiquité,

---

(1) PHILIPPSON, *l. c.*, 1149.46-51, 1156.12-25.
(2) Non plus d'ailleurs que sur l'immortalité de l'âme, cf. PHILIPPSON, *ib.*, 1146.6-12, sauf, peut-être, pendant la courte période de « mysticisme » (*sic* WARDE FOWLER, *Religious experience...*, pp. 385-389, T. FRANK, *op. cit.*, pp. 217-222) où il fait édifier un *fanum* à sa fille Tullia.
(3) Par Phèdre, Zénon, Philodème.
(4) Clitomaque selon l'opinion commune (*v. g.* HIRZEL, I, pp. 243-244) : cf. AD. LÖRCHER, *Bursian's. Jahr.*, CLXI, 1913, pp. 12 ss., en particulier pp. 30-41. — Plutôt Philon de Larisse, nommé quatre fois *n. d.* I : PHILIPPSON, *l. c.*, 1156.2 ss. — De toute façon, une partie des arguments antistoïciens de *n. d.* III est empruntée à Carnéade, dont deux longs fragments sont cités *n. d.* III, **12,** 29-**14,** 34; **17,** 44-**19,** 50.
(5) A la différence de celles qu'on fait à l'épicurisme (sur la critique de l'épicurisme *n. d.* I **21,** 57 ss., cf. LÖRCHER, *l. c.*, pp. 19-30, PHILIPPSON, 1154.10 ss.).
(6) C'est-à-dire, ici, sur la doctrine stoïcienne relative aux dieux.

ces deux domaines restent bien distincts, et il est très possible à un ancien de formuler des doutes sur la théodicée des philosophes sans être aucunement un athée (1).

Dans une autre série d'ouvrages, ceux qui ont trait aux matières qui font l'objet propre de l'activité du Romain bien né (2), Cicéron s'engage plus à fond. C'est qu'alors il ne s'exprime pas seulement d'après des livres : il a mis lui-même la main à la pâte, il parle d'expérience. Quand il écrit la *République* (en 54) et le traité des *Lois* (en 51), il a rempli déjà toutes les charges jusqu'au consulat (en 63), il a pris ses responsabilités d'homme d'État, et il en a été payé par l'amère expérience de l'exil (58-57). Aussi bien a-t-il passé la cinquantaine. C'est maintenant un homme mûr, riche, non pas seulement de lectures, mais d'observations sur les hommes, sur l'homme. Et, malgré qu'il en ait au moment même, il doit bien sentir que cet *otium* que lui réservent temporairement les circonstances est au fond, pour lui, une bonne chose : cela lui permet de faire le point, de considérer, à la lumière des théories philosophiques et de sa propre vie, l'évolution de la *res publica* romaine et le moyen d'appliquer à la chose romaine proprement dite les règles générales du bon gouvernement. Ce faisant, il fait encore œuvre de politique.

Le problème des sources est donc ici différent. Cicéron ne se borne plus à traduire ou paraphraser. Comme l'écrit Tenney Frank (3), « s'il doit sans doute beaucoup d'heureuses suggestions à Platon, Polybe et Panétius, c'est en homme d'État plein d'expérience qu'il prononce le dernier mot sur chaque problème en question ».

Dans notre brève étude sur la religion philosophique du Monde vue à travers Cicéron, nous pourrons donc distinguer à bon droit deux aspects du témoignage cicéronien.

Tantôt, comme dans le livre II du *de natura deorum*, Cicéron témoigne sur la doctrine religieuse stoïcienne telle que l'ont formulée l'ancien et le moyen Portique. Son témoignage ne va pas plus loin. On ne peut rien tirer de ce seul écrit ni sur ses dispositions personnelles *à l'endroit du stoïcisme* (4) — sauf la brève remarque de la

---

(1) Cf. les justes remarques de Kroll, *Kultur des Cic. Zeit*, II, pp. 1 ss., qui montre qu'il faut bien distinguer entre *Religion* et *Religiosität* (idées et sentiments relatifs à la religion).
(2) Cf. Kroll, *op. cit.*, I, pp. 5 ss. *(Die Staatsidee)*.
(3) *Life and literature...*, p. 197.
(4) Je souligne car, comme on le verra, le *de n. d.* nous renseigne sur les dispositions personnelles de Cicéron à l'endroit de la religion romaine telle qu'elle est pratiquée en fait. N'oublions pas qu'il faut toujours distinguer entre *religion* proprement dite et *religiosité*, cf. *supra*, n. 1, et *infra*, pp. 377 ss.

fin (III, 95) — ni sur la diffusion de la théologie stoïcienne chez les Romains cultivés de son temps.

Tantôt, comme dans la *République* et les *Lois*, Cicéron, tout en utilisant des sources grecques, témoigne en partie sur lui-même, dans la mesure où il prend position et juge en dernier ressort. Aussi bien nous dit-il explicitement dans les *Lois* que le doute académique n'est plus de mise. Après avoir établi (I, **13**, 37-38) que son argumentation sur le droit naturel doit obtenir l'audience de tous ceux qui identifient le désirable par soi-même (*per se expetenda* = l'αἱρετόν d'Aristote) avec ce qui est droit et vertueux *(honesta)*, et qu'elle doit par conséquent être acceptée soit de l'Ancienne Académie (Speusippe, Xénocrate, Polémon) et du Lycée (Aristote, Théophraste) — qui, dit-il, malgré de légères différences quant à la manière de présenter les choses, s'accorde avec l'Académie pour le fond (1), — soit de Zénon, qui ne diffère des précédents que par des changements de mots, mais nullement pour les idées (2), et après avoir rejeté dédaigneusement les Épicuriens « qui ne comprennent rien, et d'ailleurs n'ont jamais voulu rien comprendre, aux choses de l'État », Cicéron passe enfin à la Nouvelle Académie, pour laquelle, depuis le *de inventione*, il avait marqué ses préférences (I, **13**, 39) : « Quant à l'Académie, je veux dire la Nouvelle, fondée par Arcésilas et Carnéade, puisqu'elle ne peut qu'apporter le trouble dans toutes ces questions, supplions-la de se taire. Car, si elle se met à attaquer cet édifice que, me semble-t-il, j'ai construit et arrangé avec beaucoup d'art, elle n'en fera qu'un tas de ruines. » Remarquable désaveu, au seuil d'un traité où doit parler le législateur romain. Et non moins remarquable l'invitation, où Cicéron s'adresse conjointement aux trois grandes écoles dogmatiques de l'antiquité — l'épicurisme toujours exclu — comme si, en réalité, elles n'en formaient qu'une seule. Académie, Lycée, Portique : nous reconnaissons ici les éléments du dogmatisme éclectique. Si notre auteur garde sa pleine liberté de doute dans des questions qui lui paraissent purement théoriques et personnelles, sans lien avec l'État, en revanche, lorsque l'État est en cause, il reconnaît aussitôt la nécessité d'affirmer, de dogmatiser. Et les dogmes auxquels alors il fait appel sont ce fond commun de doctrines sur Dieu et la Raison universelle que les disciples de Platon, d'Aristote, de Zénon, peuvent également accepter.

Voyons donc tour à tour ces deux aspects du témoignage de Cicé-

---

(1) *Sive Aristotelem et Theophrastum cum illis* (sc. *Speusippe*, etc.) *congruentis re, genere docendi paulum differentis secuti sunt.*

(2) *Sive, ut Zenoni visum est, rebus non commutatis inmutaverunt vocabula.*

ron, soit qu'il se borne à faire connaître la théologie stoïcienne, soit qu'il la prenne à son compte, du moins en quelques-uns de ses dogmes, pour en faire le fondement d'une doctrine de l'État romain.

§ 2. *La religion cosmique dans le* de natura deorum, II.

I. Objet et esprit du dialogue.

Deux voies s'ouvrent à nous pour savoir dans quel dessein et dans quel esprit Cicéron a écrit le *de nat. deor.* : la préface de Cicéron lui-même (I, **1,** 1-**6,** 14) et le personnage de Cotta au cours du dialogue.

Voyons d'abord la préface. Parmi toutes les questions mal expliquées encore de la philosophie, celle de la nature des dieux est assurément la plus difficile et la plus obscure, et néanmoins c'est une question qui aide excellemment à mieux connaître l'âme humaine (1) et qui est nécessaire pour bien régler ce qui a trait à la religion. Malheureusement, en cette matière, les dissensions des philosophes sont infinies. Si la plupart, s'attachant à l'opinion la plus vraisemblable et suivant d'ailleurs une inspiration de la nature, admettent que les dieux existent, ils se disputent à l'envi quant à la forme, au lieu de séjour et à l'occupation des dieux. Le plus grave, c'est qu'on n'est pas d'accord sur un point tout essentiel : les dieux demeurent-ils dans le loisir sans se soucier aucunement des choses du monde ou, au contraire, l'univers a-t-il été créé dès le principe par les dieux et continue-t-il d'être, jusqu'à la fin des temps, mû et gouverné par eux ? (I, **1,** 1-2, en particulier p. 201.2-6 Pl.).

Il s'est trouvé des philosophes (les Épicuriens) pour nier que les dieux s'occupent de l'univers ou des hommes. Mais, en ce cas, que deviennent la piété, la sainteté, la religion ? Les devoirs envers les dieux n'ont de sens que si les dieux prennent conscience de nos hommages et nous accordent leurs faveurs. Mais si les dieux ne peuvent ni ne veulent nous aider, s'ils n'ont aucun souci de nous, si nos actes leur sont indifférents et s'il n'y a aucune communication des dieux à nous, à quoi bon le culte, les honneurs divins, les prières ? Comme les autres vertus, la piété ne peut se suffire d'un faux semblant. Or, avec la piété disparaissent aussi la sainteté et la religion, d'où résultent, pour la vie entière, trouble et confusion. Ruiner la piété envers les dieux, c'est anéantir la bonne foi, fondement de la société humaine, et la justice qui est la plus excellente des vertus (**2,** 2-3).

---

(1) En raison de la parenté entre notre âme et les dieux.

D'autres philosophes sans doute (les Stoïciens) maintiennent non seulement que l'univers est gouverné et régi par les dieux, mais qu'ils prennent soin des hommes et pourvoient à nos besoins : la terre et toutes ses productions, le ciel et tous ses mouvements qui font croître et mûrir les fruits de la terre ne semblent avoir été créés que pour l'utilité des hommes. Cependant Carnéade a lancé contre cette doctrine de si fortes objections qu'il n'est esprit assez endormi pour n'en pas être excité à la recherche de la vérité. Il faut donc examiner cette question. Peut-être toutes les opinions seront-elles reconnues également fausses : s'il en est une de vraie, elle est seule à être telle (**2,** 4-5).

Cicéron expose ensuite (ch. 3-4) pourquoi il se livre aux études philosophiques, puis il fait l'apologie de son attitude d'Académicien (ch. 5-6). Ceux qui lui demandent de faire connaître sa propre pensée exigent plus qu'il n'est nécessaire : ce n'est pas le nom de l'auteur qui compte ici, mais le poids des arguments. Quant à la méthode de l'Académie, elle a été suffisamment défendue dans les *Academici libri :* son mérite est de tout soumettre à l'examen sans se décider nettement sur rien *(haec in philosophia ratio contra omnia disserendi nullamque rem aperte iudicandi* **5,** 11, p. 205.6). En montrant ainsi le pour et le contre, on excite à la recherche du vrai *(quibus propositum est veri reperiendi causa et contra omnes philosophos et pro omnibus dicere,* 205.12-13). Au surplus cette méthode n'aboutit pas à un doute universel. La Nouvelle Académie ne professe pas qu'il n'y a rien de vrai, mais qu'en toute matière certains éléments sont si mêlés au vrai et y ressemblent tellement qu'il n'y a pas de marque certaine pour les distinguer. D'ailleurs nombre de doctrines sont dignes d'approbation *(probabilia).* Quand même elles ne s'imposeraient pas avec évidence, elles font assez bonne figure pour régler la vie du sage (**5,** 10-12).

On fera donc ici la revue des opinions des philosophes sur la nature des dieux. On invite tous les philosophes à reconnaître et à noter avec soin ce qu'il faut penser de la religion, de la sainteté, de la piété, des cérémonies, de la bonne foi, du serment, et aussi de tout ce qui regarde le culte, sanctuaires, temples, sacrifices, auspices, puisque tout cela dépend du problème des dieux. Or, à l'expérience, on verra que les philosophes soutiennent des opinions si divergentes que ceux-là mêmes qui croient pouvoir dogmatiser en seront bien forcés de se poser des doutes (**6,** 13-14).

Que résulte-t-il de cette Préface?

Tout d'abord Cicéron semble très conscient de la gravité de **son** sujet. Ce n'est ici ni une entreprise de démolition ni un jeu d'esprit. Otez la croyance aux dieux, singulièrement à la Providence divine, il n'y a plus de bonne foi, plus de justice, plus de société civile (**2, 4**). Or, si quelque chose a jamais compté pour Cicéron, c'est bien la société civile fondée sur la *fides* et la *iustitia*. De là vient qu'on peut être assuré d'emblée que Cicéron sera tout sincère quand il fera répudier, par son porte-parole Cotta, la doctrine épicurienne. On le présume déjà d'après la solennité du morceau où il indique ce qui doit résulter d'une doctrine qui renonce à la Providence. Les griefs qu'il met ici en avant sont ceux-là mêmes que Cotta reprend à la conclusion du livre I (**44**, 121 ss.) (1) : si les dieux ne veillent pas sur nous, à quoi bon les honorer et leur adresser des prières ? pourquoi les pontifes président-ils aux sacrifices, les augures aux auspices ? pourquoi faire des demandes ou adresser des vœux aux dieux immortels ? (**44**, 122). La « quaestio de natura deorum » (**1, 1**) est donc une question sérieuse, qui veut être traitée sérieusement.

On verra d'ailleurs dans le cours de l'ouvrage que Cotta ne met en doute ni l'existence des dieux ni même le fait de la Providence, du moins en ce qui concerne Rome (2). Aussi bien la religion romaine proprement dite, telle qu'on la pratique en fait, est-elle hors de discussion. Ce qui est en cause, ce sont « les opinions des philosophes sur la nature des dieux ». Cicéron l'indique dès la préface (I, **1, 1** *doctissimorum hominum sententiae*, **6, 13** *sententiae philosophorum*, **6, 14** *doctissimorum hominum... tanta dissensio*) et, par la bouche de ses personnages, il y revient à plusieurs reprises dans la suite du dialogue (v. g. I, **16**, 42 *non philosophorum iudicia sed delirantium somnia*, **34**, 94 *tu ipse paulo ante cum tamquam senatum philosophorum recitares*, etc.). Ces opinions pourront se contrarier l'une l'autre, et l'on pourra émettre des doutes sur chacune d'elles, sans que la religion réelle, c'est-à-dire pratiquée en fait, en soit troublée : car, d'une part, la religion n'est pas fondée sur les opinions des habiles (cf. *infra*), d'autre part notre doute initial ne tend pas à tout détruire, mais à tout examiner. En attendant cet examen, il convient, à priori, de rester sur la réserve, d'abord parce que cette attitude critique excite l'esprit à la recherche du vrai, et aussi parce qu'en une matière aussi obscure, il y a quelque outrecuidance à dogmatiser sans bonnes preuves.

(1) Noter qu'en ce lieu Cotta ne craint pas d'affirmer sa préférence pour les Stoïciens (*quanto Stoici melius* 257.17) et cf. Cicéron lui-même à la fin de l'ouvrage (III **40**, 95) *mihi Balbi (disputatio) ad veritatis similitudinem videretur esse propensior*.

(2) Ici même Cicéron reconnaît que le premier point (existence des dieux) est **comme une vérité innée (1, 2)**.

Trois points me paraissent donc ressortir de la Préface du *de nat. deor.* :

1) Cicéron est augure (*auspiciis, quibus nos praesumus* 6, 14) (1) et il n'entend pas qu'on touche à la religion romaine : or, on touche à cette religion si l'on nie l'existence des dieux et leur Providence sur Rome.

2) Si les opinions des philosophes vont à nier cette Providence, ces opinions sont inadmissibles puisqu'une telle négation aboutit à ruiner la société civile : la fausseté de la conséquence prouve la fausseté de la thèse.

3) Mais encore faut-il que les opinions des autres sages, qui démontrent la Providence, soient solidement fondées. Il ne suffit pas de dogmatiser, il faut prouver, et vaincre la critique. De toute façon, la critique en pareille matière n'est jamais vaine : elle excite l'esprit et le porte à la recherche du vrai.

Cette première ébauche de la pensée de Cicéron va se préciser à nos yeux si nous considérons le personnage qui lui sert de porte-parole, le sénateur et pontife Cotta.

Cotta a une double personnalité. D'une part, il est Académicien et orateur (2). D'autre part, il est Cotta, un citoyen de premier rang (*principem civem* II, 67, 168) et un pontife (I, 22, 61 ; II, 67, 168 ; III 2, 5-6). A ce titre, il doit veiller à ce qu'on garde le plus scrupuleusement possible toutes les cérémonies et les rites du culte public (I, 22, 61 *ego ipse pontifex, qui caerimonias religionesque publicas sanctissime tuendas arbitror*, cf. III, 2, 5). Quelle est donc, au juste, sa position religieuse ? Il nous la fait connaître lui-même très clairement lorsqu'il entreprend de répondre à Balbus (III, 2, 5-6), qui, au début et à la fin de son exposé (II, 1, 2 et 67, 168), l'a pressé, en tant que pontife, de ne pas parler contre les dieux, ne fût-ce que par feinte (3). Balbus lui a rappelé qu'il est Cotta et pontife (*ut meminis-*

---

(1) Il fut nommé augure à la place de Crassus en 53.

(2) I, 7, 17 (Velléius) : *ambo enim* (Cicéron et Cotta) *ab eodem Philone nihil scire didicistis ;* II, 1, 1 (Velléius) : *ne ego... incautus, qui cum Academico, et eodem rhetore congredi conatus sum ;* II, 59, 147 (Balbus) : *de quo dum disputarem tuam mihi dari vellem Cotta eloquentiam ;* ib. (Balbus) *quanta vero illa sunt quae vos Academici infirmatis et tollitis ;* II, 65, 162 (Balbus) : *Cotta quia Carneades lubenter in Stoicos invehebatur ;* II, 67, 168 (Balbus) : *quoniam in utramque partem vobis licet disputare, hanc potius sumas eamque facultatem disserendi, quam tibi a rhetoricis exercitationibus acceptam amplificavit Academia.* Voir aussi I, 7, 16 (Cicéron) : *tres enim trium disciplinarum principes convenistis,* sc. Velléius = Epicurisme, Balbus = Stoïcisme, Cotta = Nouvelle Académie.

(3) En défendant la thèse adverse selon la méthode académique. *Sive simulate* (II, 67, 168) ne peut avoir que ce sens, cf. II, 1, 2 *est enim et philosophi et pontificis et Cottae de dis immortalibus habere non errantem et vagam ut Academici... sententiam.*

sem me et Cottam esse et pontificem) : c'est donc en cette double qualité qu'il va répondre *(habes Balbe quid Cotta quid pontifex sentiat).* Il ne doute pas un instant que les dieux existent, il ne renonce pas un instant à maintenir les croyances et les rites reçus des ancêtres. Mais cette ferme attitude est de l'ordre de la foi, non du raisonnement. Et le fondement de cette foi est la *tradition* (*opiniones, quas* a maioribus accepimus *de dis immortalibus* III, **2,** 5 ; *ex ea opinione, quam* a maioribus accepi *de cultu deorum immortalium* ib.). « Lorsqu'il s'agit de religion, déclare-t-il, ce sont les grands pontifes que je suis, T. Coruncanius, P. Scipio, P. Scaevola, et non Zénon, Cléanthe et Chrysippe. » L'augure Zélius a pour lui plus de prix que les plus illustres Stoïciens. Non seulement il ne répudie aucun des éléments de la « religion du peuple romain » — auspices, sacrifices, prédictions sous forme de prodiges tels que les interprètent les livres sibyllins et l'haruspicine, — mais encore il est persuadé que la grandeur de Rome, dès les origines, dès les temps de Romulus et de Numa, est fondée sur le culte des dieux *(nostrae civitatis, quae numquam profecto sine summa placatione deorum immortalium tanta esse potuisset).* Il ne peut donc être question un seul moment de rejeter quoi que ce soit de la religion comme telle : celle-ci, au vrai, n'a pas besoin d'autres preuves que ce long héritage de la foi des ancêtres, foi parfaitement valable puisqu'elle est confirmée par la gloire du nom de Rome *(debeo... maioribus autem nostris etiam nulla ratione reddita credere).* Ainsi Cotta est-il tout pénétré de ce qu'il doit aux dieux traditionnels, en tant que noble de Rome. Mais c'est un noble du Ier siècle avant notre ère : un esprit cultivé, qui a beaucoup lu et réfléchi, qui s'est assimilé la sagesse grecque, qui peut même être regardé comme le représentant d'une des écoles philosophiques de la Grèce. Il est donc double, et il se sent double. Romain, grand pontife, il croit aveuglément que les dieux ont partie liée avec Rome : c'était là un sentiment commun dans cette aristocratie qui, en moins de cent cinquante ans, avait conquis l'univers. Disciple des philosophes, il cherche à mettre en accord cette foi reçue des ancêtres avec les enseignements de la sagesse.

Or c'est ici que commencent ses doutes. Il est très assuré, *sur la foi des ancêtres* (1), que les dieux existent et qu'ils protègent Rome : aussi bien a-t-il, sur ce point, une preuve de fait, la grandeur de

---

(1) Outre les textes déjà cités, cf. encore III, **4,** 9 *mihi enim unum sat erat, ita nobis maioris nostros tradidisse;* III, **3,** 7 *mihi quidem ex animo exuri non potest, esse deos, id tamen ipsum, quod mihi persuasum est auctoritate maiorum, cur ita sit nihil tu me doces.*

Rome. Mais les *preuves rationnelles* qu'on lui apporte de l'existence des dieux et de leur Providence lui paraissent sujettes à caution. Plus il y songe, plus la question lui paraît obscure (I, **7**, 17 *de natura agebamus deorum, quae cum mihi videretur perobscura, ut semper videri solet;* I, **22**, 60 d'après un mot de Simonide : *quanto diutius considero... tanto mihi spes videtur obscurior*). Son esprit est ainsi fait qu'il a peine à formuler lui-même l'objet de sa croyance, mais que, si quelqu'un lui propose une définition des dieux, il en voit aussitôt le point faible (1). Or, dans le discussion présente, il ne s'agit que de ces preuves rationnelles. En les soumettant à la critique, Cotta ne touche en rien à la religion : celle-ci est à part, appuyée sur la tradition, qui suffit à l'établir (III, **4**, 9). Ce à quoi il se livre, en ce jour de loisir (2), où il est donc permis de traiter de choses moins sérieuses (3), c'est à une dispute qui est de l'ordre de la « religiosité », c'est-à-dire des sentiments et des opinions « grecques » touchant les dieux (4).

Maintenant, on a observé depuis longtemps que ce Cotta ainsi portraituré ressemble de fort près à Cicéron (5). Tous deux ont rempli des charges considérables dans l'État, tous deux sont Académiciens, tous deux rejettent la doctrine épicurienne sur les dieux, et pour la même cause : en ruinant le dogme de la Providence, on subvertit la religion romaine, partant la société civile et la cité

---

(1) I, **21**, 57 *mihi enim non tam facile in mentem venire solet quare verum sit aliquid quam quare falsum.... roges me qualem naturam deorum esse dicam : nihil fortasse respondeam; quaeras putemne talem esse qualis modo a te sit exposita : nihil dicam mihi videri minus.* II, **1**, 2 *an oblitus es quid initio dixerim, facilius me talibus praesertim de rebus quid non sentirem quam quid sentirem posse dicere.*

(2) II, **1**, 3 *nam et otiosi sumus.* La suite *(et his de rebus agimus, quae sunt etiam negotiis anteponenda)* correspond mieux aux sentiments de Cicéron qu'à l'opinion commune de ses contemporains. Cf. note suivante.

(3) *Otium* comporte toujours cette nuance un peu dédaigneuse, cf. KROLL, *Kultur*, I, pp. 5-6.

(4) Ajoutons qu'il s'agit ici d'une réunion de gens sensés, dont aucun ne s'avisera d'appliquer à la religion « civique » les difficultés et les doutes que soulève la religion « physique », c'est-à-dire les systèmes théologiques des philosophes, cf. la division de Varron (d'après le pontife Scaevola), fr. 6 Agahd (*Jahrb. f. class. Phil.*, Suppl. XXIV, 1898) : *Tria genera theologiae dicit* (sc. Varro) *esse,...eorumque unum* mythicon *appellatur,* alterum physicon, *tertium* civile... *Mythicon appellant, quo maxime utuntur poetae; physicon, quo philosophi; civile quo populi,* avec la remarque du même Varron sur le second genre (fr. 10 a) : *Secundum genus est... de quo multos libros philosophi reliquerunt; in quibus est, dii qui sint, ubi, quod genus, quale est... Sic alia, quae facilius* intra parietes in schola quam extra in foro *ferre possunt aures.* Non seulement la connaissance de la diversité des systèmes est inutile au peuple, mais il vaut même mieux pour lui se tromper que de se laisser prendre à ces doutes (fr. 10 b) : *dicit* (sc. Varro) *multa esse versa, quae non modo vulgo scire non sit utile, sed etiam tametsi falsa sunt, aliter existimare populum expediat,* cf. fr. 54 a : *ait enim* (sc. Varro) *ea, quae scribunt poetae, minus esse, quam ut populi sequi debeant; quae autem philosophi, plus quam ut ea vulgum scrutari expediat.*

(5) Cf. LÖRCHER, *Burs. Jahr.*, CLXII (1913), p. 30 : « *Dieser* (souligné par l'auteur) Cotta ist Cicero ».

même de Rome. Mais, si le pontife Cotta et l'augure Cicéron sont également conscients de leurs devoirs à l'endroit du culte public, ils inclinent également aussi, par le fait de leur éducation et de leur culture, à une attitude d'examen et de critique. Cette sagesse grecque qu'ils ont assimilée a traversé tant de périodes de construction et de doute qu'elle se présente plutôt à cette heure, du moins pour les plus intelligents, comme une suite de problèmes. Comment ne pas se défier des affirmations tranchantes quand tout paraît complexe et qu'on découvre, en chaque question, une multiplicité d'aspects divergents (1) ? De là vient qu'en matière de religion, ce n'est pas sur des opinions philosophiques que Cotta et Cicéron se décident en dernier ressort : le dernier critère n'est pas là, mais dans la foi traditionnelle. Et c'est d'après cette foi traditionnelle qu'ils jugeront les opinions des sages. Si ces opinions ruinent la Providence, elles sont fausses; elles sont vraies dans le cas contraire, et c'est pourquoi, malgré le tour dogmatique qui leur en déplaît, le stoïcisme leur paraît plus vraisemblable (Cotta I, 44, 121; Cicéron III, 40, 95) (2).

Tel Cotta se montre à nous dans le *de nat. deor.*, tel Cicéron se révèle dans l'un des discours qu'il prononça pour recouvrer sa maison après son retour d'exil, en 56 (*de har. resp.*, 9, 18-19). Le morceau est très significatif pour l'intelligence de la position religieuse de Cicéron. Il vaut la peine de le traduire en entier.

On connaît le fond de l'affaire. Quelque temps après le retour de Cicéron, divers prodiges répandirent l'effroi dans Rome. On consulta les haruspices. Ils répondirent, comme ils faisaient toujours, que les dieux étaient irrités et qu'il les fallait apaiser. Cette réponse des haruspices indiquait plusieurs manquements, entre autres que des lieux saints avaient été profanés et souillés. Clodius s'empara du mot et soutint que Cicéron seul était désigné par la voix du ciel. Les lieux saints dont parlaient les haruspices, c'était le terrain de sa

---

(1) On retrouve la même attitude chez un autre païen cultivé, le Caecilius de Minucius Felix, *Octav.* 5, 2 *omnia in rebus humanis dubia, incerta, suspensa magisque omnia verisimilia quam vera....* (4) *Itaque indignandum... est audere quosdam, et hoc studiorum rudes, ...certum aliquid de summa rerum ac maiestate decernere, de qua tot omnibus saeculis sectarum plurimarum usque adhuc ipsa philosophia deliberat*, et tout ce qui suit, de même que la conclusion, c. 13 : Caecilius commence par rappeler le doute prudent, en matière divine, de Socrate, de la Nouvelle Académie, de Simonide, puis il ajoute (13, 5) *mea quoque opinione quae sunt dubia, ut sunt, relinquenda sunt, nec, tot ac tantis viris deliberantibus, temere et audaciter in alteram partem ferenda sententia est, ne aut anilis inducatur superstitio aut omnis religio destruatur.* Les réminiscences de Cicéron sont d'ailleurs manifestes, cf. les notes de Waltzing dans son édition (Teubner, 1931).

(2) Dans le *de officiis* aussi, bien qu'il se soit déclaré, là encore, pour l'Académie, (II 7 ss.), Cicéron n'en suit pas moins le stoïcien Panétius.

maison qui avait été consacré à la Liberté durant son exil, et qu'il faisait maintenant rebâtir pour son usage.

Dans sa réponse, Cicéron commence par prouver que, son terrain lui ayant été rendu par une série de sénatus-consultes et cette reddition confirmée par tout le collège des pontifes, il n'est pas de citoyen à Rome dont la maison soit garantie par un droit plus incontestable et plus sacré (ch. 1-8). Puis il passe à cette question des prodiges et aux réponses qu'ont faites à leur sujet les haruspices. Cependant, avant de traiter de ces réponses mêmes, il veut élever le débat et, pour ce faire, expose son propre point de vue sur la religion.

« Puisque ma cause ne laisse plus de difficultés, voyons donc ce que disent les haruspices. Je l'avoue, et la grandeur du prodige, et le poids de la réponse, et l'accord unanime des haruspices n'ont pas été sans me troubler profondément. Car, s'il peut sembler à quelques-uns que, parmi tant de personnes également livrées aux affaires, je donne plus de temps que tous autres à l'étude des lettres, je ne suis pas homme pourtant à me délecter ou même seulement à faire usage de disciplines telles qu'elles nous détournent et nous éloignent de la religion.

« Et tout d'abord, ceux que je regarde comme mes guides et mes maîtres en tout ce qui concerne le culte des dieux, ce sont nos ancêtres, dont la sagesse me paraît avoir été si grande qu'on montrerait assez d'intelligence en ces matières, et même une intelligence suréminente, si l'on était capable, je ne dis pas d'atteindre à la leur, mais seulement d'en mesurer l'étendue. Ce sont eux en effet qui ont assigné aux pontifes la garde des solennités annuelles et des rites du culte, aux augures l'explication des heureux présages, aux livres sibyllins le dépôt des anciennes prédictions d'Apollon, et les expiations que nécessitent les prodiges à la discipline des Etrusques, discipline si admirable que, de nos jours même, elle nous a clairement prédit, peu avant l'événement, d'abord les funestes commencements de la guerre sociale, puis la crise presque fatale des temps de Sylla et de Cinna, enfin, tout récemment, cette conjuration qui visait à l'embrasement de la ville et à la destruction de tout notre empire.

« C'est seulement en second lieu que, dans la mesure de mes loisirs, j'ai pris conscience que des hommes sages et doctes avaient longuement traité de la majesté des dieux immortels et laissé sur ce sujet nombre d'ouvrages. Or, tels sont ces livres que, tout écrits qu'ils m'apparaissent comme sous la dictée d'un dieu, il semble que ce soit nos ancêtres qui se sont faits les maîtres des philosophes en ces matières, bien loin d'en avoir été les disciples. En effet, où trouver un être si stupide que, lorsqu'il a élevé les yeux vers le ciel, il ne voie pas que les dieux existent et tienne pour le produit du hasard ces ouvrages qui dénotent tant d'intelligence qu'aucun art n'en pourrait imiter l'ordre et l'enchaînement nécessaire, ou que, lorsqu'il a compris que les dieux existent, il ne comprenne pas aussi que c'est la majesté des dieux qui a créé, qui fait croître et qui empêche de se perdre cet admirable empire de Rome ? Flattons-nous tant que nous voulons,

Sénateurs, nous ne l'emportons cependant ni sur les Espagnols pour le nombre, ni sur les Gaulois pour la vigueur, ni sur les Carthaginois pour l'astuce, ni sur les Grecs pour les arts, ni enfin sur les Italiens et les Latins eux-mêmes pour cette finesse native qui appartient en propre à notre race et à notre sol : non, c'est par la piété, la religion, et cette unique sagesse qui nous a fait reconnaître que tout est gouverné et régi par les dieux, c'est en cela que nous l'emportons sur tous peuples et toutes nations » (1).

Certes, il faut tenir compte de ce que ce morceau est tiré d'un discours au Sénat, où certaines conventions et, si l'on peut dire, certains couplets de bravoure sont de règle. Néanmoins on retrouve ici la double personnalité de Cicéron. Il affirme sa foi aux dieux traditionnels, il croit que le maintien de la religion romaine est la condition de la grandeur de Rome. D'autre part, il a beaucoup lu, il connaît toute cette belle littérature, presque inspirée, des sages grecs sur la nature des dieux. Or nous voyons que sa croyance n'est pas fondée sur ces écrits des sages, mais sur la tradition des ancêtres; car « d'eux-mêmes », dit-il, « avec une prudence étonnante, ils ont si bien réglé d'avance tout ce qui concerne nos rapports avec le divin qu'ils semblent, non pas les disciples, mais bien les maîtres des philosophes grecs ». Ce point de vue de Cicéron dans le *de har. resp.* apparaît si conforme à celui de Cotta dans le *de nat. deor.* qu'il est permis d'estimer qu'on tient ici la vraie pensée de notre auteur en matière de religion (2).

(1) Cf. POLYBE, VI, 56, 6 et, avec Kroll (*Kultur*, II, p. 1), Cic., *n. d.*, II, **3**, 8 *et si conferre volumus nostra cum externis, ceteris rebus aut pares aut etiam inferiores reperiemur, religione id est cultu deorum multo superiores*, III, **2**, 5 *mihique ita persuasi, Romulum auspiciis Numam sacris constitutis fundamenta iecisse nostrae civitatis, quae numquam profecto sine summa placatione deorum immortalium tanta esse potuisset.* Pour le mouvement, VIRGILE, *Aen.*, VI, 847-853. — Pour la conjonction de la tradition romaine et de la preuve philosophique par l'ordre du monde, voir aussi *de divin.*, II, 72, 148 *nam, ut vere loquamur, superstitio fusa per gentis oppressit omnium fere animos atque hominum imbecillitatem occupavit. Quod et in iis libris dictum est, qui sunt de natura deorum, et hac disputatione id maxume egimus; multum enim et nobismet ipsis et nostris profuturi videbamur, si eam funditus sustulissemus. Nec vero (id enim diligenter intellegi volo) superstitione tollenda religio tollitur. Nam et maiorum instituta tueri sacris caerimoniisque retinendis sapientis est, et esse praestantem aliquam aeternamque naturam, et eam suspiciendam admirandamque hominum generi pulchritudo mundi ordoque rerum caelestium cogit confiteri. Quam ob rem, ut religio propaganda etiam est*, quae est iuncta cum cognitione naturae, *sic superstitionis stirpes omnes eligendae.*

(2) Ce paragraphe était écrit quand j'ai pris connaissance de l'étude de A. S. PEASE. *The Conclusion of Cicero's De Natura Deorum*, Trans. Amer. philol. assoc., XLIV, 1913, pp. 25-37. La thèse générale est que le dialogue est descriptif, non polémique. Cicéron veut être impartial. Ses sympathies sont divisées. Si donc il avait « voté » pour Cotta, dont la réponse à Balbus est purement critique, le poids de cette double critique constituerait une sorte de dogme antistoïcien, ce que Cicéron veut éviter par dessus tout. Je m'accorde entièrement avec l'auteur quand il écrit, p. 36, n. 52 : « It is repeatedly made clear that it is not the existence of the gods but the Stoic argument for their existence which is being attacked, *e. g.* III 10, III 44, III 93, *Div.* I 8, II 148 ». Et de même avec la remarque, p. 36 : « To suppose, then, that he (Cicéron) really accepts the Stoic's *disputa-*

II. Analyse du l. II du de natura deorum (1).

PLAN DE N. D. II

Indiqué 1, 3 : existence et nature des dieux ;
providence des dieux sur le monde et les hommes.
D'où deux parties, quatre subdivisions :

$$A = 2, \quad 4\text{-}16, \quad 44$$
$$B = 17, \quad 45\text{-}28, \quad 72$$
$$C = 29, \quad 73\text{-}61, \quad 153$$
$$D = 61, \quad 154\text{-}66, \quad 167$$

B et D commençant par un *restat* (λοιπόν) *ut* { *consideremus* / *doceam.*

$$A = 2, \quad 4\text{-}16, \quad 44.$$

I. Preuves d'évidence **2**, 4-**4**, 12.

II. Arguments des philosophes **5**, 13-**8**, 22.
    Cléanthe **5**, 13-15.
    Chrysippe **6**, 16-**7**, 19.
    Zénon **8**, 21-22.

III. Arguments tirés des sciences de la nature, **9**, 23-**16**, 44.

---

tio is, I think, wrong ; it is the positive convictions which lie beneath it to which, « believing where he cannot prove », his assent is inclined ». De même enfin avec la conclusion, p. 37 : « The formal assent to Stoic principles which he gives in the final sentence of the dialogue is an example alike of the freedom from dogmatic requirements allowed to the Academics and of the possibility of using such individual liberty for the acceptance of any practical working principle ».

(1) On sait qu'il n'existe pas moins de diversité entre les savants sur le plan du livre II du *de n. d.* que sur les sources de ce livre II, les deux problèmes étant d'ailleurs liés inextricablement. Cf. jusqu'en 1926 : UEBERWEG-PRAECHTER, p. 146* (ajouter AD. LÖRCHER, *Burs. Jahr.*, CLXII, 1913, pp. 13-19, 30, CC, 1924, pp. 101 ss., en particulier 112-120 : recension de K. Reinhardt, *Poseidonios*, et M. Pohlenz, *Gött. Gel. Anz.*, CLXXXIV, 1922, pp. 161-187). Après 1926, cf. K. REINHARDT, *Kosmos u. Sympathie*, pp. 60-177 (et la recension de LÖRCHER, *Burs. Jahr.*, CCXXXV, 1932. pp. 39 ss., en particulier 41-53) ; M. POHLENZ, *Gött. Gel. Anz.*, CLXXXVIII, 1926, pp. 273-306, CXCII, 1930, pp. 138-156 ; PH. FINGER, *Rh. Mus.*, LXXX, 1931, pp. 151-200, 310-320 ; M. van den BRUWAENE, *La théologie de Cicéron*, Louvain, 1937, pp. 84-121 ; R. PHILIPPSON, P. W., VII A (1939), 1154-1155, et *Symb. Osl.*, XXII, 1943, pp. 39 ss., XXIII, 1944, pp. 7 ss. ; M. van STRAATEN, *Panétius*, Amsterdam, 1946, pp. 240-255. — Je ne crois pas, pour ma part, que la question soit susceptible d'une solution certaine. Et je reconnais, tout le premier, que l'analyse ici offerte n'a que valeur relative. Si j'y ai tenu compte, assez sérieusement, des observations de Reinhardt, *Poseidonios*, pp. 208 ss., approuvées d'ailleurs par Lörcher (recension citée) et confirmées en somme par les articles de Philippson (cf. surtout *Symb. Osl.*, XXIII, pp. 29-31 « Gesamtergebnis »), c'est qu'elles m'ont paru apporter un progrès décisif en distinguant nettement deux sources : l'une, sur l'existence et la nature des dieux, d'allure plutôt doxographique, l'autre, sur la Providence, ressortissant plutôt au genre de l'exposé suivi.

1) Chaleur universelle (Cléanthe) **9, 23-10, 28 + 11, 30-12, 32 + 15, 39-41**.

2 $\begin{cases} 2^a)\ \text{Argument de l'ἡγεμονικόν } \mathbf{11, 29\text{-}30}. \\ 2^b)\ \text{Arg. à fortiori } \mathbf{12, 32}. \\ 2^c)\ \text{Arg. de l'échelle des êtres (Cléanthe) } \mathbf{12, 33\text{-}13, 36}. \\ 2^d)\ \text{Confirmation par l'absurde } \mathbf{13, 36}. \\ 2^e)\ \text{Arg. de Chrysippe } \mathbf{14, 37\text{-}39}. \end{cases}$

3) Arg. d'Aristote **15, 42-16, 44**.

$$B = \mathbf{17, 45\text{-}28, 72}.$$

I. Le Dieu Monde et les astres **17, 45-23, 60**.
   Excellents :

   1) Quant à leur forme (sphérique) **17, 45-19**-49.
   2) Quant à la beauté et à l'harmonie de leurs mouvements **19, 49-22, 58**.

II. Dieux populaires **23, 60-28, 72**.

$$C = \mathbf{29, 73\text{-}61, 153}.$$

Annonce et plan **29,73-30,75**.

1re preuve (si les dieux existent, ils gouvernent le monde) **30, 76-31, 80**.

2e preuve (tout est régi par une Nature intelligente) **32, 81-38, 97**.

3e preuve (merveilles du monde) **38, 98-61, 153**.
    beauté du monde **39, 98-44, 115**.
    permanence du monde **45, 115-61, 153**.
        permanence de l'univers **45, 115-46, 119**.
        permanence des vivants (autres que l'homme) **47, 120-52, 130**.
        permanence de l'homme **54, 133-60, 152**.
            nutrition et respiration **54, 134-55, 138**.
            charpente du corps **55, 139**.
            organes des sens **56, 140-58, 146**.
            esprit humain **59, 147-148**.
            instruments de l'esprit **59, 149-60, 152**.
                parole articulée **59, 149**.
                mains **60, 150-152**.
Conclusion **61, 153**.

D = **62, 154-66, 167**.

Providence sur l'humanité en général **62, 154-65,** 163.
Providence sur les États et les individus **65, 164-66,** 167.
   Conclusion générale : Appel de Balbus à Cotta **67,** 168.

Le plan de l'exposé de Balbus, annoncé dès le début (**1,** 3), doit comporter quatre parties (1) :

l'existence des dieux *(esse deos)* ;
la nature des dieux *(quales sint)* ;
la providence des dieux sur le monde *(mundum ab his administrari)* ;
la providence des dieux à l'égard des hommes *(consulere eos rebus humanis)*.

Ces quatre parties sont effectivement traitées :
A = **2,** 4-**16,** 44.
B = **17,** 45 *(restat ut qualis eorum natura sit consideremus)*-**28,** 72.
C = **29,** 73-**61,** 153.
D = **61,** 154 *(restat ut doceam)*-**66,** 167.

A) Existence des dieux, **2,** 4-**16,** 44.

I. *Preuves d'évidence*, **2,** 4-**4,** 12.

L'existence des dieux est manifestée par un certain nombre de faits d'évidence (2) :

  1) le spectacle du ciel **2,** 4 ;
  2) le consentement universel **2,** 5 ;
  3) les épiphanies divines : les dieux ont donné par leur présence *(et praesentes* 262.8) des manifestations visibles de leur puissance *(vim suam declarant)* **2,** 6 ;
  4) le fait de la divination *(praedictiones et praesensiones rerum futurarum* 263.3) **3,** 7-**4,** 12.

---

(1) Noter que, au dire de Balbus, ce plan est traditionnel chez les Stoïciens (*omnino dividunt nostri* **1,** 3, p. 260. 22). De ce que nous ne possédons aucun autre ouvrage théologique de l'antiquité ainsi divisé, on ne peut nullement conclure qu'il n'en ait point existé Presque toute la littérature stoïcienne est perdue.
(2) Noter *qui enim est hoc illo evidentius?* (261.17).

II. *Arguments des philosophes*, **5,** 13-**8,** 22.

1) *Cléanthe* **5,** 13-15 :
a) divination **5,** 13 (267.2-3);
b) abondance des biens que nous procure l'univers (267.3-5);
c) phénomènes effrayants au ciel et sur la terre **5,** 14;
d) ordre du ciel **5,** 15.

2) *Chrysippe* **6,** 16-**7,** 19 :
a) S'il y a dans l'univers des choses que l'homme ne puisse pas produire, l'être qui les produit est meilleur que l'homme.
Or l'homme n'a pas fait le ciel.
Donc l'être qui a fait le ciel est meilleur que l'homme **6,** 16 (268.7-14).

b) En outre, s'il n'y a pas de dieux, l'homme est ce qu'il y a de meilleur dans l'univers puisqu'il possède la raison.
Or une telle prétention est d'une arrogance insensée.
Donc il y a dans l'univers un être meilleur que l'homme, qui est Dieu **6,** 16 (268.14-18) (1).

c) Pas plus qu'une superbe maison dont on ne voit pas le maître n'est faite pour les souris, le monde, qui est si beau, ne peut être fait pour l'homme seul : il est donc fait pour loger des dieux **6,** 17 (268.18-269.2).

d) Dans les régions du monde les plus élevées, l'air est plus pur que cet air terrestre que respirent les hommes : <ces régions doivent donc contenir des êtres d'une nature meilleure que la nôtre> (2) **6,** 17 (269.2-8).

e) L'homme possède une intelligence divine.
Or il n'a pu la recevoir que du monde, tout de même qu'il en a reçu les éléments qui composent son corps.
Donc le monde est doué d'un esprit divin **6-7,** 18 (269.8-18).

f) Rien n'est meilleur que le monde. Il doit donc contenir toutes les perfections et, entre autres, la Raison <qui est Dieu> **7,** 18 (269.18-22).

g) La sympathie *(consentiens conspirans continuata cognatio* 269.23, cf. III, **11,** 28) qui unit entre elles toutes les parties du monde ne peut subsister sans un Pneuma divin qui pénètre toutes choses **7,** 19.

---

(1) La critique de Cotta III **10,** 26 *(idemque si dei non sint* 356.5) prouve que c'est là un nouvel argument. Cf. la note de Mayor à *etenim* II, **6, 16** (p. 268.14).

(2) Cette addition est indispensable. Il s'agit ici de l'argument d'Aristote, reproduit d'ailleurs *infra,* II, **15,** 42. Cf. la note de Mayor ad *crassissima regione,* II, **6,** 17 (269.7).

3) *Zénon* **8**, 21-22 :

a) Ce qui est doué de raison est meilleur que ce qui n'est pas doué de raison.

Or le monde est ce qu'il y a de meilleur.

Donc le monde est doué de raison.

On démontre de même que le monde est sage, bienheureux, éternel, et qu'en conséquence il est Dieu **8**, 21.

*b*¹) Nulle partie d'un Tout insensible ne peut être douée de sensibilité.

Or des parties du monde sont douées de sensibilité.

Donc le monde n'est pas insensible.

*b*²) Nul être dépourvu d'âme et de raison ne peut engendrer des êtres animés et raisonnables.

Or le monde engendre des êtres animés et raisonnables.

Donc il est animé et raisonnable **8**, 22.

III. *Arguments tirés des sciences de la nature*, **9**, 23-**16**, 44.

Puisque Balbus, malgré son dessein initial de ne s'en tenir qu'à l'évidence (cf. **1**, 4), a usé déjà d'arguments philosophiques, il continuera en apportant des *physicae rationes* **9**, 23 (271.11-14).

1) *Argument de la chaleur universelle* (Cléanthe).

L'argument, emprunté à Cléanthe (**9**, 24, p. 271.20), commence à **9**, 23 (271.14) et se poursuit jusqu'en **15**, 39 (277.21)-41, où Cléanthe est encore nommé (**15**, 40, p. 277.26). Mais cet exposé suivi est coupé par d'autres arguments. Dans l'état actuel, il faut le reconstituer comme suit :

9, 23 (271.14)-**10**, 28.

11, 30 (*atque etiam mundi ille fervor* 274.13)-**12**, 32 (*animantem esse mundum* 275.6).

15, 39-41.

Le thème général est le suivant (1) : Tout ce qui se nourrit et s'accroît contient en soi un principe de chaleur, qui est en même temps, dans l'être qui se nourrit et s'accroît, principe de mouvement

---

(1) Le mérite d'avoir reconnu cette suite et dégagé le thème d'ensemble revient à K. REINHARDT, *Poseidonios*, pp. 224-234. L'attribution de cet exposé à Posidonius a paru abusive puisque Cléanthe est, deux fois, nommément cité, cf. LÖRCHER, *Burs. Jahr.*, CC, 1924, pp. 116-117. Néanmoins, comme la forme de l'exposé dans l'argument d'ensemble diffère assez nettement de la manière assez sèche et scolastique des premiers stoïciens, on peut se demander s'il n'est point dû, en effet, à Posidonius qui aura utilisé (et cité) Cléanthe. Comme il ne nous reste que des bribes de celui-ci, la question est, à vrai dire, insoluble.

autonome et de sensibilité. Bref, tout être vivant, plante ou animal, vit grâce à cette chaleur intérieure. D'où il résulte que le feu intérieur possède en soi une *vis vitalis* (ζωτικὴ δύναμις) qui pénètre tout l'univers **9, 24-25**.

On peut s'en rendre compte si l'on considère les parties du monde. La *terre* est toute pénétrée de chaleur. Si l'on frotte deux cailloux, il jaillit une étincelle; de la terre récemment retournée monte une vapeur; la terre fait sourdre des sources chaudes; toutes les semences que le sol féconde contiennent en soi un principe de chaleur qui les fait pousser et croître **9, 25-10, 26 (272.18)**.

L'*eau* est toute mêlée de chaleur, comme l'atteste son état liquide. Sans chaleur en effet, elle se coagule et devient glace. La mer, agitée des vents, s'échauffe **10, 26 (272.18-273.6)**.

L'*air* lui-même, le plus froid des éléments, n'est pas privé de chaleur. On voit des vapeurs se dégager des cours d'eau sous l'action de leur chaleur intérieure, de même qu'on voit une fumée s'élever de l'eau qui bout **10, 26-27 (273.6-11)**.

Enfin le quatrième élément, le *feu*, n'est que chaleur **10, 27 (273. 11-13)**.

Puis donc que toutes les parties du monde sont pénétrées de chaleur, il en faut conclure que c'est grâce à la chaleur que le monde lui-même se conserve pendant une durée infinie et qu'il est capable d'engendrer des êtres vivants **10, 28**.

Ce feu du monde est infiniment plus pur, plus clair, plus vif, que le feu qui est en nous. Or, s'il est vrai que les êtres d'ici-bas, grâce à leur feu intérieur, sont doués de mouvement et de sensibilité, il est absurde de penser que le monde ne le soit pas, lui qui est vivifié par un feu beaucoup plus dégagé et plus pur **11, 30-31 (274.13-19)**.

Cela est vrai surtout si l'on songe que ce feu du monde se meut par lui-même et n'est pas mis en mouvement par une force extérieure (car il n'y a pas de force extérieure au monde, qui puisse le mouvoir du dehors). Or, selon Platon, le mouvement autonome n'est propre qu'aux êtres doués d'une âme. Puis donc que tout mouvement dans le monde est dû au feu intérieur, et puisque ce feu se meut d'un mouvement spontané et n'est pas mû par une force étrangère, il en faut conclure que ce feu est une âme. D'où il résulte que le monde est animé **11, 31 (274.19)-12, 32 (275.6)**.

Il en faut dire autant des astres. Nés de la partie la plus pure et la plus mobile de l'éther, tout entiers chaleur et lumière, ceux-ci sont nécessairement des êtres vivants, doués de sentiment et d'intelligence. Que les astres soient purement du feu, c'est ce que prouve, selon Cléanthe (277.26), le témoignage des sens (vue et toucher). En effet le soleil éclaire et échauffe tout l'univers, ce qu'il ne pourrait faire s'il n'était du feu. Mais il n'est pas cette espèce de feu qui brûle et consume, il ressemble au feu intérieur qui nourrit et fait croître. Puis donc que le soleil est semblable au feu intérieur des êtres vivants d'ici-bas, il en résulte que le soleil est doué d'une âme, et il en faut juger pareillement des autres astres **15,** 39 (277.21)-41.

Comme il a été dit plus haut, cet argument d'ensemble, qui ressortit plutôt au genre de l'exposé suivi, est entrecoupé, en divers lieux, de preuves qui n'offrent pas le même caractère et ne témoignent pas du même esprit. Dans l'argument d'ensemble, on a affaire à un certain principe physique (chaleur universelle) dont on marque l'application dans toutes les parties de l'univers. Dans ces preuves interpolées, qui se ramènent presque toutes à des arguments à fortiori ou à la confirmation de ceux-ci par l'absurde, le raisonnement est abstrait, syllogistique et rappelle la manière de Chrysippe. On se trouve, en fait, devant deux méthodes de raisonnement dont les anciens avaient déjà reconnu la diversité en nommant l'une dialectique, l'autre physique.

Pour marquer le lien entre ces preuves accessoires, je les ai désignées par 2ª, 2ᵇ, etc. Il est notable que la dernière (2ᵉ) est explicitement attribuée à Chrysippe. Avec l'argument final (**15,** 42 ss.) emprunté à Aristote, on rejoint la dernière partie de l'exposé d'ensemble. Cet argument final vient en effet à l'appui du paragraphe **15,** 39-41 sur la divinité des astres.

2ª) *Argument de l'ἡγεμονικόν,* **11,** 29-30.

Puisque l'univers est un Tout composé de parties liées entre elles (273.22), il doit comporter un principe dominant (*principatus,* ἡγεμονικόν 274.2) du même ordre que l'intellect dans l'homme, l'instinct dans l'animal, et ce principe dominant est évidemment ce qu'il y a de plus excellent dans l'univers **11,** 29.

Or certaines parties de l'univers sont douées de sentiment et de raison (en effet tous les êtres de l'univers sont parties de l'univers).

Donc la partie du monde où se trouve l'ἡγεμονικόν doit être elle aussi douée de sentiment et de raison, et d'une façon bien plus excellente. Dès lors, le monde est nécessairement sage, doué d'une raison parfaite et par conséquent Dieu **11,** 30 (274.5-12).

2ᵇ) *Argument du type à fortiori* (1), **12,** 32.

---

(1) Cf. *supra* Zénon b¹, Chrysippe b.

Le monde en sa totalité a plus de perfections que chacune de ses parties.

Or l'homme, partie du monde, est doué de raison.

A fortiori le monde est doué d'intelligence et de raison **12**, 32 (275.7-14).

2^c) *Argument de l'échelle des êtres* (1), **12**, 33-**13**, 36.

Plus on monte dans l'échelle des êtres (plantes, bêtes, homme), plus on y trouve de perfection. Si l'on veut donc trouver une perfection absolue, il faut remonter jusqu'à une quatrième espèce d'êtres, parfaitement raisonnable et sage : c'est Dieu, c'est-à-dire le monde. Il ne peut en être autrement, car la nature vise nécessairement à la perfection. Or, si les êtres particuliers ne peuvent atteindre toujours leur perfection à cause de forces étrangères qui s'y opposent, cela ne vaut plus pour le monde qui contient tout. Il y a donc dans le monde une quatrième espèce d'êtres absolument parfaite. Cette quatrième espèce ne peut être que le monde lui-même en sa totalité : d'où il résulte que le monde est intelligent et sage **12**, 33-**13**, 36 (276.13).

2^d) *Confirmation par l'absurde*, **13**, 36.

Si le monde, reconnu comme absolument parfait, n'est ni intelligent ni sage, il est inférieur à l'homme et ramené au rang des bêtes et des plantes, ce qui est absurde.

Si le monde, reconnu comme doué de raison, n'est pas éternellement sage, il est inférieur à l'homme (car l'homme peut devenir sage, non pas le monde), ce qui est absurde. Le monde est donc éternellement sage, et dès lors Dieu. **13**, 36.

2e) *Arguments de Chrysippe*, **14**, 37-39.

a^1) Tout être inférieur est fait pour l'être supérieur, la plante pour l'animal, l'animal pour l'homme, l'homme pour contempler et imiter l'univers (Chrysippe, sans doute d'après Aristote).

Or, en cette progression, on ne peut s'arrêter à l'homme, qui n'est qu'une petite partie du Tout.

<Donc la perfection totale n'est accomplie que dans l'univers, qui est l'être absolument parfait> **14**, 37.

a^2) L'univers contient toutes les perfections.

Or il n'y a rien de plus excellent que l'intellect et la raison.

---

(1) Peut-être inspiré d'Aristote, π. φιλ., fr. 16 R, mais l'argument a été repris par Cléanthe, cf. Sext. Emp., *adv. phys.* I 88-91.

Donc l'univers est intelligent et raisonnable **14,** 38 (277.8-12).

b) Tout ce qui atteint son point de perfection et de maturité est supérieur à ce qui est en voie vers ce point (ainsi le cheval est supérieur au poulain, l'homme à l'enfant).

Or l'homme, en voie vers la perfection, est vertueux.

A fortiori le monde est donc vertueux et sage, et dès lors Dieu **14,** 38-39 (277.12-20).

3) *Argument d'Aristote,* **15,** 42-**16,** 44.
Confirmation de la dernière partie de la première preuve (**15,** 39-41).

a) Chaque région de l'univers produit des êtres vivants correspondant à cette région. La région de l'éther doit donc, elle aussi, produire des êtres vivants correspondant à l'éther (= les astres). Et comme l'éther est la région la plus pure du monde, les êtres qu'il produit seront les plus excellents, doués de sensibilité et d'intelligence, et donc dieux **15,** 42-**16,** 43 (278.17-279.10).

b) L'intelligence des astres est manifestée par le bel ordre qu'ils conservent éternellement dans leurs mouvements qui ne sont pas contraints, mais volontaires **16,** 43-44 (279.10-25).

B) Nature des dieux, **17,** 45-**28,** 72.

I. *Le Dieu-Monde et les astres.* **17,** 45-**23,** 60.

On a établi que Dieu doit se définir un être animé et souverainement excellent. Or cette définition s'applique éminemment au monde et aux astres, qui sont excellents.

1) *Quant à leur forme* **17,** 45-**19,** 49.
En effet, monde et astres sont de forme sphérique.

a) Forme de toutes la plus belle **18,** 47 (malgré ce qu'a dit Velléius **10,** 24).

b) Seule forme qui permette aux astres de conserver la régularité de leurs mouvements et l'ordre constant de leurs rangs, *aequabilitatem motus constantiamque ordinum* (283.1) **18,** 48-49 (282.8).

Ce premier paragraphe s'achève sur une critique de l'ignorance d'Épicure (282.2-8).

2) *Quant à la beauté et à l'harmonie de leurs mouvements.*
Ce long développement continu qui commence **19,** 49 (282.9) et s'achève **22,** 58 (286.10) constitue en réalité l'introduction à un

traité sur la Providence dont nous verrons la suite dans la IIIe partie (1).

Après quelques mots de transition où l'ordre régulier des mouvements des astres fixes (*spatiis immutabilibus... nullum umquam cursus sui vestigium inflectat* 282.9-11) et des planètes (*isdem spatiis cursibusque* 282.12) est déduit de la figure sphérique de ces astres, Balbus expose avec ampleur la beauté des mouvements :

   du soleil **19**, 49;

   de la lune **19**, 50;

   des autres planètes **20**, 51-**21**, 54 (284.23);

   des astres fixes **21**, 54 (284. 24)-56,

pour marquer qu'une telle harmonie et une telle constance dans des mouvements si divers ne peut être que le fait d'une intelligence, d'une raison, d'un jugement *(non possum intellegere sine mente ratione consilio*, au sujet des planètes **21**, 54; *eandem mentem atque prudentiam* **21**, 54, *in his vim et mentem esse divinam* **21**, 55, au sujet des astres fixes), d'où il ressort que ces astres sont des dieux (*non possumus ea ipsa non in deorum numero reponere* **21**, 54 : planètes, *haec ipsa qui non sentiat deorum vim habere is nihil omnino sensurus esse videatur* **21**, 55 : astres fixes).

On a donc démontré que l'ordre du ciel, d'où dépend la conservation et le salut de tous les êtres (*ex qua conservatio et salus omnium omnis oritur*) manifeste une intelligence (**21**, 56). Ceci mène à une nouvelle considération (*huius disputationis principium* **22**, 57, p. 285.18) dans laquelle on prendra Zénon pour guide. Zénon définit la nature « un feu plein d'art qui procède avec méthode à la génération des êtres » (fr. 171 Arn.). Mais en vérité, comme le dit le même Zénon, la nature n'est pas seulement « pleine d'art » (*artificiosa*, τεχνική), mais toute « artiste » (*artifex*, τεχνῖτις), et, de ce fait, elle prévoit et pourvoit (*consultrix et provida*, συμβουλευτικὴ καὶ προνοητική) à nos besoins et à nos commodités. De même que les êtres naturels naissent, croissent et se maintiennent en vertu de la force inhérente à leur germe premier, de même la nature est-elle douée de mouvements volontaires et spontanés (ὁρμάς), analogues à ceux des êtres animés. Puis donc qu'il existe une Intelligence du Kosmos, il faut tenir cette Intelligence pour une Providence qui veille :

1) à ce que le monde soit parfaitement organisé pour durer toujours *(quam aptissimus sit ad permanendum)*;

---

(1) Le mérite d'avoir reconnu ce point revient, ici encore, à K. REINHARDT, *Poseidonios*, pp. 217-224. Voir aussi, du même, *Kosmos und Sympathie*, pp. 121 ss.

2) à ce qu'il ne manque de rien *(nulla re egeat)* ;
3) à ce qu'il brille d'une beauté souveraine *(eximia pulchritudo atque omnis ornatus)* **22**, 57-58.

Le développement ainsi annoncé avec sa triple division est brusquement interrompu pour faire place à la section sur les dieux populaires (transition en **23**, 59-60, p. 286.21).

II. *Dieux populaires* **23**, 60 (286.22)-**28**, 72.

Ont également (mais en second lieu) reçu le nom de dieux :
1) les bienfaits de première importance conférés par les dieux (froment : Cérès, vin : Liber, etc.) **23**, 60;
2) les qualités douées d'une force particulière (vertus et passions personnifiées) **23**, 61;
3) les grands bienfaiteurs de l'humanité **24**, 62;
4) les dieux mythologiques expliqués par des phénomènes de la nature (d'après Zénon, Cléanthe, Chrysippe) **24**, 63-**28**, 70.

En réalité ces dieux multiples ne sont tous que les divers aspects d'un seul et même Dieu pénétrant toutes choses, nommé Cérès en tant qu'il pénètre la terre, Neptune en tant qu'il pénètre la mer, etc. Différence entre *religio* et *superstitio*, **28**, 71-72.

C) Providence des dieux a l'égard du monde **29**, 73-**61**, 153.

Annonce du traité, **29**, 73-74.
Plan du traité **30**, 75. La Providence se fonde sur trois preuves :
1) Dès là qu'on reconnaît des dieux, on doit admettre qu'ils gouvernent le monde.
2) Tout dans le monde apparaît comme admirablement régi par une Nature douée de sentiment : il faut donc admettre que le monde a été engendré <et qu'il est conservé> au moyen de « raisons séminales » (c'est-à-dire grâce à l'action d'une Providence raisonnable).
3) Les merveilles du ciel et de la terre forcent à admettre une Providence.

1re *preuve* **30**, 76-**31**, 80.
1) Si l'on reconnaît l'existence des dieux, il faut admettre aussi qu'ils sont actifs, et occupés à l'action la plus excellente.
Or rien n'est aussi excellent que le gouvernement du monde.
Le monde est donc gouverné par les dieux **30**, 76 (296.13-17).

2) Si le monde n'est pas gouverné par les dieux, il l'est par une force supérieure aux dieux (Nature inanimée ou Nécessité toute puissante).
Or il n'est rien de supérieur aux dieux.
Donc les dieux gouvernent le monde **30**, 76-77 (296.17-297.7).

3) Si (1) l'on admet que les dieux soient intelligents, ils doivent prendre soin des chose les plus importantes, car on ne peut croire, sans ruiner la notion de « dieu », ni que les dieux ignorent quelles sont ces choses ni que, les connaissant, ils soient incapables d'en prendre soin. Donc les dieux gouvernent le monde **30**, 77 (297.7-14).

4) Si les dieux existent, ils sont doués d'âme et de raison, et, formant entre eux une société, ils gouvernent le monde comme une seule et même cité. Il n'y a donc, pour le monde entier, dieux et hommes, qu'une même raison, une même vérité, une même loi qui prescrit le bien et défend le mal. De fait, raison, vérité, loi existent dans la société humaine où elles ne peuvent être venues que des dieux. Elles existent donc à fortiori, et en toute excellence, chez les dieux eux-mêmes, qui les font servir à l'objet le plus important, le gouvernement du monde **31**, 78-80 (298.8).

5) Enfin, puisqu'on a établi que les dieux sont les astres tout parfaits, le ciel, l'univers, ainsi que, dans l'univers, toutes les choses douées d'une force particulière qui profitent à l'humanité, on en doit conclure que tout est régi par une divine Providence **31**, 80 (298.8-14).

2ᵉ *preuve* **32**, 81-**38**, 97.
Tout dans le monde est régi par une « Nature intelligente ».
1) Définition du mot « Nature ».
La Nature n'est pas une force aveugle imprimant aux corps des mouvements nécessaires, mais une force intelligente qui procède selon un plan (*tamquam via progredientem*, ὁδῷ βαδίζον Zénon). Nul art humain ne peut égaler l'œuvre parfaite que réalise la Nature quand, d'une toute petite semence, elle fait sortir et croître un être vivant, capable de se mouvoir, de sentir, de désirer, de reproduire d'autres êtres vivants de la même espèce **32**, 81.

La Nature n'est pas un Tout incohérent (vide, atomes, rencontres accidentelles entre ces atomes), mais un principe de liaison organique et d'adhérence *(cohaerendi natura)* entre toutes les parties d'un même corps, comme il se voit dans la plante et l'animal, à la différence d'une masse inorganique, motte de terre ou fragment de roche **32**, 82.

---

(1) *Etenim* **30**, 77 (297.7) introduit une nouvelle preuve, cf. **6**, 16 (268.14).

2) Selon cette dernière définition, tout l'univers apparaît comme un vaste organisme dont toutes les parties sont en sympathie ensemble :

a) La terre, qui contient et produit les plantes, nourrit de ses vapeurs l'air et l'éther; en retour, elle est nourrie par les éléments supérieurs (1).

b) L'air, qui nourrit les animaux, voit, entend, profère des sons et même se déplace avec nous **33**, 83.

c) Tout l'univers, soit ce qui tombe au centre, soit ce qui s'élève du centre en haut, soit ce qui tourne autour du centre, ne forme qu'un seul et même organisme naturel. Par leurs changements mutuels, les quatre éléments manifestent cette *continuatio* de la nature : de la terre naît l'eau, de l'eau l'air, de l'air l'éther, et inversement de l'éther l'air, de l'air l'eau, de l'eau la terre. Toutes les parties de l'univers sont ainsi liées entre elles *(coniunctio)* **33**, 84.

d) En plus, cette structure organique de l'univers est soit éternelle soit destinée à durer un temps immense. Dans les deux cas, c'est la Nature qui gouverne le monde **33**, 85 a (300.8-11).

3) De même qu'on voit la marque d'un art dans l'organisation d'une armée (2) ou d'une flotte, ou dans la configuration de la vigne, d'un arbre, d'un animal, à fortiori dans l'univers. Si les parties de l'univers dénotent un art, à fortiori l'univers, qui contient toutes ces œuvres d'art, est-il régi par une Raison artiste **33**, 85 b-**34**, 87 (301.4).

Développement du thème : « la Nature est une œuvre d'art ». Comparaison avec la sphère de Posidonius (**34,** 88) ou d'Archimède (**35,** 88). Un berger ignorant, s'il voit pour la première fois un bateau en marche, s'en effraie d'abord comme d'un prodige; puis, s'il découvre et entend chanter les mariniers, il comprend que cette masse est mue par une intelligence. De même, à la vue des mouvements célestes, le philosophe, d'abord frappé de stupeur, se rend-il compte qu'il y a là un ordre, donc un Intellect qui est comme l'architecte de ce bel ouvrage **34, 87-35,** 90.

Nouveau développement du même thème.

a) Description de l'ordre du monde **36,** 91-92.

b) Impossibilité d'admettre que cet ordre soit dû au hasard (comparaison des lettres jetées au hasard et qui ne forment pas un livre) **37,** 93-94.

---

(1) Cf. *Asclépius*, 2-3; Cléomède, I 11, p. 110.10 ss. Ziegler.
(2) Cf. Ps.-Aristote, *de mundo*, 6, 399 a 30 ss. (*supra*, p. 84 et *infra*, p. 473).

LE TÉMOIGNAGE DE CICÉRON SUR LA RELIGION COSMIQUE. 397

c) Citation d'Aristote, π. φιλοσοφίας fr. 12 R. (1) **37,** 95.

d) C'est l'habitude qui nous empêche d'être frappés par la beauté du monde **38,** 96.

e) Comparaison avec les machines, horloge ou sphère. A plus forte raison l'horlogerie céleste prouve-t-elle une Intelligence excellente et divine **38,** 97.

Comme l'a reconnu K. Reinhardt (2), il semble qu'on ait dans cette seconde preuve de la IIIe Partie (**32,** 81-**38,** 97) la contamination de deux thèmes.

D'une part, la Nature est considérée comme *natura sentiens*, douée d'intelligence et de raison, construisant le monde avec un art qui manifeste précisément cette raison. Le type de l'argumentation est celui que nous avons rencontré déjà souvent : si une œuvre d'art humaine dénote un artiste intelligent, à fortiori le monde est-il l'œuvre d'une Nature providente.

Ce premier argument comporte les paragraphes suivants :

32, 81. Définition de la Nature comme *vis particeps rationis*, par opposition à la Nature épicurienne *(vis sine ratione)* (3).

33, 85 b (300.11)-**35,** 90. Après la définition donnée plus haut, la preuve elle-même. Rien ne peut égaler la perfection artistique que l'on trouve dans la plante, l'arbre, l'animal. Or ces œuvres parfaites sont contenues dans le Kosmos, et le Kosmos entier doit donc être considéré à fortiori comme une œuvre d'art fabriquée par la Nature intelligente (*necesse est mundum ipsum natura administrari* 300. 25) **33,** 85 b-**34,** 87 (p. 301.4).

On ne peut rien imaginer de plus parfait que le monde. Or les œuvres d'art humaines (4) obligent à reconnaître la main d'un artiste intelligent : à fortiori le monde. Le monde est donc régi par une Providence (5) **34,** 87-**38,** 97.

---

(1) Cf. *supra*, p. 230.
(2) *Poseidonios*, pp. 234-239; *Kosmos und Sympathie* (1926), pp. 92-111. Voir *infra*, pp. 416 ss.
(3) C'est par une opposition à Épicure que débute aussi la première preuve (**30,** 76).
(4) Tableau ou statue (**34,** 87, p. 301.11); sphère astronomique (**34-35,** 88 sphère de Posidonius et d'Archimède, **38,** 97 *ut sphaeram*) ou horloge (**34,** 87 *solarium vel descriptum vel ex aqua*, **38,** 97 *ut horas*) ; lettres formant un livre (**37,** 93); portique, temple, maison, ville (**37,** 94), palais orné de fresques et de statues (**37,** 95 : citation d'Aristote); armée et flotte (**33,** 85, **35,** 89-90). K. Reinhardt tient ce dernier exemple pour interpolé du fait qu'on ne peut considérer armée ou flotte comme une œuvre d'art comparable aux œuvres d'art de la nature (*Kosmos u. Symp.*, pp. 93-94). Mais, outre que ces exemples sont classiques à côté de ceux tirés de l'architecture (cf. Reinhardt lui-même, *ib.*, p. 93], l'idée qui prévaut dans cette argumentation est celle d'ordre (lequel implique une intelligence), et cet ordre est manifeste dans une armée ou une flotte.
(5) *Nisi sensu moderante divinaque providentia* (**34,** 87, p. 301.8), *dubitamus quin ea non solum ratione fiant sed etiam excellenti divinaque ratione?* (**38,** 97, p. 306.6-8).

Dans cet ensemble parsemé de τόποι bien connus s'insère un morceau (**32,** 82-**33,** 85 a) (1) qui témoigne d'une autre définition de la Nature. Cette définition, ici encore, est donnée en tête (**32, 82**: *sunt autem... sed nos*). Dans la première définition (**32,** 81), on opposait à la Nature *vis sine ratione* (Épicure) la Nature *vis particeps rationis* : l'accent était mis sur le mot *ratio*, la Nature était *natura sentiens*. Dans la seconde, à la Nature entendue comme Tout non cohérent (atomes et vide d'Épicure) on oppose la Nature comme Tout cohérent, formant un organisme bien lié *(cohaerendi natura)* : ce n'est plus l'idée d'intelligence qui prévaut, mais celle de loi organique.

3e *preuve: les merveilles du monde* **38,** 98-**61,** 153.

On se souvient que, dans la II⁰ partie, à la fin de la section **19,** 49-**22,** 58 qui annonçait un traité sur la Providence et en constituait l'introduction, le plan de ce traité avait été indiqué (**22,** 58). Il devait comporter trois parties. L'Intellect du monde, identique à la Providence, veille à ce que :

1) le monde soit parfaitement disposé pour durer toujours ;
2) le monde ne manque de rien ;
3) le monde soit souverainement beau.

Sur quoi ce traité ainsi amorcé tournait court, Balbus passant tout soudain à un développement sur les dieux populaires (**23,** 59 ss.).

Or la III⁰ partie du *de n. d.*, consacrée au problème de la Providence, reprend deux des sujets indiqués en **22,** 58, en sorte que le long exposé **39,** 98-**60,** 152 constitue la suite immédiate de la section **19,** 49-**22,** 58 (2). Mais cet exposé de la III⁰ partie intervertit l'ordre indiqué en **22,** 58 : en effet il commence par la *beauté* du monde **39,** 98-**44,** 115 (3) pour continuer par la *permanence* du monde **45,** 115-**60,** 152. La transition d'une partie à l'autre est nettement marquée en **45,** 115 (315.10) *nec vero haec solum admirabilia, sed nihil maius quam quod ita* stabilis *est mundus atque ita* cohaeret, ad permanendum *ut nihil excogitari quidem possit aptius.*

Cette troisième preuve se divise donc en deux parties : un exposé

---

(1) Ce morceau s'achève p. 300.10 *sequitur natura mundum administrari* qui fait doublet avec le *necesse est mundum ipsum natura administrari* (**34,** 86, p. 300.25) du premier argument. Ce doublet suffirait à lui seul à marquer l'indépendance des deux sources.

(2) Cf. K. Reinhardt, *Poseidonios*, pp. 219-224. Voir aussi *Kosmos u. Sympathie*, pp. 139 ss.

(3) Cf. le début de l'exposé **38,** 98 (306.9) : *licet enim iam remota subtilitate disputandi oculis quodam modo contemplari* pulchritudinem rerum earum quas divina providentia *dicimus constitutas.*

sur la beauté du monde, où domine l'idée de diversité dans l'ordre (1); un exposé sur la permanence du monde, où domine l'idée, que nous avons déjà rencontrée, de liaison organique et de parfaite cohérence entre toutes les parties de l'univers (2). Cette dualité de points de vue explique qu'il puisse être question des différentes parties de l'univers — terre, mer, air, ciel — tout à la fois dans la première partie (**39,** 98-**44,**115) et dans la seconde partie (**45,** 115-**46,** 119) de la preuve. Ces deux développements ne se recouvrent pas, car, s'ils considèrent le même objet, ils n'en mettent pas en valeur le même aspect.

1) *Beauté du monde* **39,** 98-**44,** 115.
 a) La terre, **39,** 98-99.
 b) La mer, **39,** 100.
 c) L'air **39,** 101.
 d) Le ciel **40,** 101-**44,** 115.
  α) Soleil **40,** 102.
  β) Lune **40,** 103 (308.8-14).
  γ) Autres planètes **40,** 103 (308.14-16).
  δ) Étoiles fixes **40,** 104-**44,** 115.

2) *Permanence du monde* **45,** 115-**61,** 153.
 a) Permanence de l'univers **45,** 115-**46,** 191.

Ce qui est beau surtout dans l'univers, c'est la cohésion des parties (3). Tout est uni par un lien, œuvre propre de la nature (*vinculo... quod facit ea natura* 315.14-15), selon lequel tout ce qui est aux extrémités tend vers le centre **45,** 115.

Comme le monde est sphérique, et que par conséquent toutes ses parties s'équilibrent, elles se maintiennent spontanément l'une l'autre dans une ferme stabilité (*omnes eius partes undique aequabiles* (= ἰσόρροποι) *ipsae per se atque inter se continentur* 315.17-18). La terre tend vers le centre, sans que rien lui fasse obstacle puisqu'elle est déjà au centre; la mer, bien que plus élevée que la terre, tend néanmoins vers le centre et ainsi se contracte au lieu de déborder sur la terre; l'air contigu à la mer (*huic autem continens* (= συνε-

---

(1) Cf. **39,** 98 *incredibilis multitudo insatiabili varietate distinguitur,* 99 *quae vero et quam varia genera bestiarum,* 100 *quae species universi, quae multitudo et varietas insularum, ...quot genera quamque disparia... beluarum,* **40,** 101 *cursus ordinatos definiunt.*
(2) Reinhardt, *Poseidonios,* pp. 248 ss.
(3) *Ita cohaeret* 315.11, *corpora inter se iuncta permanent cum quasi vinculo circumdato colligantur* 315.13, *(aer) mari continuatus et iunctus est* 316.7, *(aether) cum aeris extremitate coniungitur* 316.11.
(4) Sur cette συνέχεια, cf. Ps.-Arist., *de mundo,* 2, 392 a 23 ss. (*infra,* pp. 462 s.).

χής) 316.6) fait le lien entre celle-ci et le ciel; enfin l'éther, qui est relié à l'air, et les astres, de nature ignée, qui roulent dans l'éther, une fois qu'ils ont été nourris par les vapeurs de la terre et de la mer, leur renvoient à leur tour ces vapeurs pour qu'elles les nourrissent. Ainsi rien ne se perd, ou presque rien, dans le monde (*nihil ut fere intereat aut admodum paululum* 316.19) **45,** 116-**46,** 118 (1).

De leur côté, les astres, bien que leurs mouvements soient dissemblables, font un accord très juste (*stellarum... quarum tantus est concentus ex dissimillimis motibus* 317.7). Comment cet ordre constant des astres (2) pourrait-il être maintenu sans une Intelligence divine? **46,** 119 (3).

b) Permanence des êtres vivants (autres que l'homme) **47,** 120-**52,** 130.

La permanence des êtres vivants est assurée par le fait que ces êtres sont aptes à se protéger, à se nourrir et à se reproduire. De cette considération découle le plan de la section (4) :

α) Protection et nourriture :
des plantes **47,** 120;
des animaux **47,** 121-**50,** 127 (323.2).

β) Reproduction :
des plantes **51,** 127 (323.3-10);
des animaux **51,** 128-**52,** 130 (324.19).

Vient ensuite (**52,** 130-**53,** 133) un morceau qui fait transition entre la section précédente sur les êtres vivants autres que l'homme et la section suivante sur l'homme (5). On pourrait intituler ce morceau : « la terre comme cadre de la vie humaine ». Le thème est indiqué dès les premières lignes (324.20) : « La terre offre partout, diverses selon les lieux, de grandes commodités pour faire vivre les hommes et pourvoir à tous leurs besoins. » Il y a d'abord les fleuves (Nil, Euphrate, Indus) qui arrosent partout le sol et le fécondent (**52,** 130). Partout l'on trouve des champs fertiles, qui portent

---

(1) Argument déjà utilisé *supra*, §§ 83-85.
(2) Saturne, Jupiter, Mars, Vénus, Mercure, Soleil, Lune. C'est l'ordre dit « égyptien » (Macrobe, *in Somn. Scip.*, I 19, 2) par opposition à l'ordre « chaldéen » où le soleil tient le milieu après Mars et avant Vénus. Cet ordre « égyptien », qui se retrouve dans le *de mundo* 392 a 23 (cf. Capelle, *Neue Jahrb.* XV 1905, p. 557, n. 4), est le même que *supra nat. deor.* II, **20,** 52-53. En revanche dans *rep.* VI 17 et dans *divin.* II 91 Cicéron a l'ordre « chaldéen », cf. BOLL. *ap.* P. W., VII 2565 ss.
(3) Argument déjà utilisé §§ 52-53.
(4) Cf. REINHARDT, *Poseidonios*, pp. 250-252.
(5) Cf. REINHARDT, *ib.*, pp. 252-254.

les productions les plus variées, et cela en toute saison. Les vents eux-mêmes conspirent avec la configuration de la terre pour le profit des êtres humains : ainsi les vents étésiens qui, en été, tempèrent la chaleur et dirigent les courants marins (**52-53,** 131) (1). Comment énumérer tous les avantages qu'apportent à l'homme les rivières, les marées, les montagnes couvertes de plantes et d'arbres, les mines de sel aux lieux les plus éloignés de la mer, toutes les sortes de plantes médicinales que fait pousser la terre? Bref, tout contribue aux besoins de l'homme, jusqu'à la succession régulière du jour et de la nuit. Le monde est fait pour le salut et la conservation de tous les vivants (**53,** 132).

On est donc amené, tout naturellement, à se poser la question : pour quels vivants surtout le monde a-t-il été fait? Ce ne peut être pour les arbres et les végétaux, puisqu'ils sont privés de sentiment. Ni, non plus, pour les animaux, car il est tout improbable que les dieux aient accompli un tel travail pour des bêtes sans nulle intelligence. Il reste que le monde, et tout ce qui existe dans le monde, ait été créé pour les êtres vivants qui jouissent de la raison, c'est-à-dire les dieux et les hommes **53,** 133 (2).

On passe ainsi à la section sur la

c) *Permanence de l'être humain* **54,** 133-**60,** 152 (3).

Le thème général, indiqué dès le début (**54,** 133, p. 326.15-17), est que la structure de l'être humain, des parties les plus matérielles aux plus spirituelles, est commandée par une même fin : la conservation de l'homme. Or une telle disposition téléologique dénote un plan, un art, l'action d'une intelligence. D'où l'on conclut que la structure naturelle de l'homme *(humanae naturae figura atque perfectio)* est l'œuvre de la Providence divine (4).

Pour le montrer, l'auteur examine tour à tour :

α) *Les organes de nutrition et de respiration* **54,** 134-**55,** 138.

β) *La charpente du corps humain (os et muscles)* **55,** 139.

(1) On trouve la même union entre météorologie (cosmologie) et géographie dans le *de mundo*.

(2) Selon K. REINHARDT, *Poseidonios*, p. 254, ce raisonnement, sous sa forme actuelle (dialectique), doit être emprunté à une autre source que les développements précédents, fondés sur des recherches expérimentales et conduits selon la méthode des sciences positives.

(3) Sur cette section, cf. REINHARDT, *Poseidonios*, pp. 254-262. Voir aussi LÖRCHER, *Burs. Jahr.*, CCXXXV, 1932, pp. 41-47.

(4) Cf. le début et la conclusion de l'exposé : **54,** 133 *faciliusque intellegetur a dis immortalibus hominibus esse provisum, si erit tota hominis fabricatio perspecta omnisque humanae naturae figura atque perfectio,* **61,** 153 *ex quo debet intellegi nec figuram situmque membrorum nec ingenii mentisque vim talem effici potuisse fortuna.*

Ici s'ajoute en corollaire, et peut-être d'après une autre source (1) un paragraphe (**56,** 140) sur le τόπος bien connu de la station droite privilège exclusif de l'homme. Les dieux nous ont donné une taille droite et élevée pour que nous fussions capables de voir le ciel et par suite d'atteindre à la connaissance des dieux *(ut deorum cognitionem caelum intuentes capere possent)*. Car nous ne sommes pas seulement ici-bas pour habiter la terre, mais pour contempler le ciel, et nul autre vivant ne jouit de ce privilège (330.7-11).

γ) *Les organes des sens* **56,** 140 (330.11)-**58,** 146.
— répartition des sens sur la surface du corps **56,** 140-141.
— structure et disposition des organes des sens **57,** 142-145.
— utilité et perfection des sens de l'homme **58,** 145-146.

Cette fois encore la notion qui prévaut est celle de protection et de conservation de l'homme. Les yeux sont placés dans la tête comme des guetteurs; les oreilles et le nez sont également dans la partie supérieure du corps parce que le son et l'odeur se portent vers le haut. En revanche le tact est répandu sur toute la surface du corps pour que nous puissions sentir partout (et donc nous protéger aussitôt contre) les chocs extérieurs et les atteintes du froid et de la chaleur. Les organes bas et vils ont été éloignés de la tête pour éviter tout incommodement à la vue et à l'odorat (Xénoph., *Mem.*, I, 4, 6). Et ainsi du reste (2).

δ) *L'esprit humain* **59,** 147-148.
L'esprit humain a une double fonction. Premièrement il nous permet de comprendre la nature des choses *(intellegentia)* et de saisir la liaison des causes et des effets (*consequentium rerum cum primis coniunctio et conprehensio* 334.9), d'où résulte la science, qui, en Dieu lui-même, est la plus haute excellence. Deuxièmement, par la perception et l'intellection, il nous permet de saisir et de comprendre les objets extérieurs, d'où résulte l'invention des arts qui pourvoient aux nécessités de la vie et à nos plaisirs **59,** 147-148 (334.18).

Parmi ces arts, on ne s'étonne pas que Cicéron accorde une place particulière à l'éloquence **59,** 148.

ε) *Les instruments de l'esprit* **59,** 149-**60,** 152.
1) *La parole articulée* **59,** 149.

---

(1) Cf. REINHARDT, *Poseidonios*, pp. 260-261 et cp. *Asclépius* 6 suspicit caelum. Voir aussi F. CUMONT, *Mysticisme astral* (Bull. Ac. roy. Belg., Cl. des lettres, 1909), p. 262, n. 3.
(2) Cf. REINHARDT, *l. c.*, pp. 256-257.

Selon Reinhardt (1), ce morceau, dans l'original, devait comporter deux paragraphes : l'un, qui subsiste chez Cicéron, sur la physiologie de la parole (**59,** 149); l'autre, sur les fonctions psychologiques de la parole, a été transformé par Cicéron en un éloge de l'éloquence et rattaché à la section précédente (c'est **59,** 148).

2) *Les mains* **60,** 150-152.
— structure de la main **60,** 150 (335.15-336.2);
— utilité de la main **60,** 150 (336.2)- 152.

C'est grâce à la main que l'homme a été capable d'inventer tous les arts de la vie (culture du sol, domestication des animaux, extraction des métaux, construction des navires, etc.). Bref, avec le secours de la main, l'homme a pu, dans la nature, créer une seconde nature (337.12-13).

Ici s'arrêterait l'extrait de cet exposé téléologique sur la Providence commandé par l'idée de permanence du Kosmos et des êtres du Kosmos, et plus généralement par l'idée de fin (2). Le reste de la IIIe partie (**61,** 153) serait emprunté à une autre source et pénétré d'un autre esprit, cet esprit d'édification religieuse qu'on a rencontré déjà à propos de la rectitude de la taille (*supra* **56,** 140).

L'homme est le seul des êtres vivants qui ait pu pénétrer jusqu'au ciel par la pensée (3), contempler l'ordre des mouvements célestes et, par cette connaissance du ciel, non seulement mesurer les jours, les mois, les années, mais encore prévoir, pour toute la durée des temps, les éclipses de soleil et de lune. Cette connaissance des astres mène à celle des dieux, d'où naît la piété, à laquelle sont jointes la justice et les autres vertus. Dans la possession de ces vertus consiste la vie bienheureuse, qui ressemble à celle des dieux, sauf sur le point de l'immortalité laquelle n'est nullement nécessaire pour bien vivre (4).

Conclusion : Ni la structure du corps de l'homme ni les qualités de son esprit ne peuvent être l'œuvre du hasard **61,** 153 (337.23-26).

---

(1) *Poseidonios*, p. 257.
(2) Cf. Reinhardt, *Poseidonios*, pp. 259-260.
(3) Cf. *Asclepius* 6 *(homo) colit terram, elementis velocitate miscetur, acumine mentis in maris profunda descendit. Omnia illi licent, non caelum videtur altissimum; quasi e proximo enim animi sagacitate metitur,* 8 *itaque hominem conformat* (sc. *deus*) *ex animi et corporis..., ut animal ita conformatum utraeque origini suae satisfacere possit, et mirare atque adorare caelestia et incolere atque gubernare terrena,* 10 *unde efficitur, ut, quoniam est ipsius una conpago, parte, qua... divinus est, velut ex elementis superioribus inscendere posse videatur in caelum.*
(4) Sur la discussion, relativement à ce passage, entre Reinhardt et M. Pohlenz (*Gött. Gel. Anz.*, 1922, pp. 161-175), cf. Lörcher, *Burs. Jahr.*, CCXXXV, 1932, pp. 41-44. Voir aussi *infra*, p. 366.

D) Providence particulière des dieux sur les hommes (1),
62, 154-66, 167.

I. *Providence des dieux sur l'humanité en général* **62**, 154-**65**, 163.

1) 1ʳᵉ *preuve* **62**, 154-**64**, 162.

Le monde a été fait pour les dieux et pour les hommes, et tout ce qui existe dans le monde a été préparé et disposé (par la Providence) pour l'utilité des hommes. Car le monde est comme la maison ou la cité commune des hommes et des dieux, puisqu'ils font seuls usage de la raison et qu'ils vivent sous le régime du droit et de la loi **62**, 154 (cf. *supra* **31**, 78-80).

a) Le ciel et les astres servent de spectacle aux hommes (*spectaculum hominibus praebent* 338.13). L'observation des astres a permis de mesurer les saisons. Puisque cette connaissance n'est ici-bas propre qu'à l'homme, le ciel ne peut avoir été créé que pour l'homme **62**, 155.

b) Même raisonnement en ce qui regarde la terre, dont les fruits ne profitent qu'à l'homme. Les animaux ne touchent pas aux produits de la vigne et de l'olivier, ils ne savent pas cultiver **62**, 156-**63**, 158 (339.13).

c) Loin que les fruits de la terre soient faits pour les animaux, les animaux eux-mêmes sont faits pour l'homme **63**, 158 (339.14)-**64**, 161 (341.4).

d) La terre entière prouve partout l'industrie de l'homme. C'est lui qui sillonne les mers, découvre et extrait les métaux **64**, 161-162 (341.4-10).

2) 2ᵉ *preuve* **65**, 162-163.

La divination manifeste la Providence universelle des dieux **65**, 162-163.

II. *Providence des dieux sur les États particuliers et les individus*
65, 164-**66**, 167.

1) Les dieux ne veillent pas seulement sur l'ensemble, mais sur les parties :

a) Sur notre continent, qui n'est qu'une grande île (2).

---

(1) *Restat ut doceam...* 338.1.
(2) *Sin autem consulunt qui quasi magnam quandam insulam incolunt quam nos orbem terrae vocamus* **66**, 165 (342.14). Cf. Ps.-Arist., *de mundo* 3, 393 a 9 τῶν δὲ νήσων αἱ μέν εἰσι μεγάλ. ι, καθάπερ ἡ σύμπασα ἥδε οἰκουμένη λέλεκται, Cléom. I, 15. La source est Posidonius, cf. p. 101 s. Bake.

b) Sur les parties de ce continent, Europe, Asie, Afrique.

c) Sur les parties de ces parties, Rome, Athènes, Sparte, Rhodes.

d) Sur les individus particuliers dans chacun de ces États **65,** 164-**66,** 165 (342.19).

2) Exemples de cette providence particulière sur les héros de Rome et sur les héros d'Homère **66,** 165-166 (342.19-343.5).

3) Manifestations de cette providence : apparitions divines, pressentiments, annonce de l'avenir **66,** 166 (343.5-10).

4) Tel malheur frappant un particulier ne prouve pas que les dieux le haïssent ou le négligent. *Magna di curant, parva neglegunt* **66,** 167 (343.11-15).

5) Tout vient à bien pour les grands hommes, c'est-à-dire les vertueux **66,** 167 (343.15-17).

Le reste du livre II (**67,** 168) est un appel pressant de Balbus à Cotta pour qu'il reconnaisse la vérité de ces doctrines.

III. Les sources et les idées(1).

Le livre II du *de n. d.* comporte, somme toute, deux parties essentielles qui correspondent aux deux premiers points de la division du livre X des *Lois* de Platon : d'une part l'existence et la nature des dieux, d'autre part la Providence, soit à l'égard du monde et des êtres du monde en général, soit à l'égard de tel individu particulier (2). Que ces deux parties aient dû constituer chacune, originellement, un même ensemble, certains indices le prouvent. Ainsi le *restat* qui, dans chacune des deux parties, se lit en tête de la deuxième subdivision (restat *ut qualis eorum natura sit consideremus* **17,** 45; restat *ut doceam* **61,** 154). On s'est étonné du premier de ces deux *restat*, et il est assez étrange, en effet, s'il doit désigner le commencement de la seconde seulement de quatre parties (3). Mais l'anomalie disparaît si chacune des deux parties constitue en réalité un même tout, qui ne comporte que deux subdivisions. Ainsi encore, on a remarqué depuis longtemps que la série d'arguments qui commence, dans la première partie, avec les *physicae rationes* (**9,** 23 ss.), ou même, plus haut, avec une partie au moins des arguments des philosophes (**5,** 13 ss.) ne convient pas à la subscription « existence des dieux », mais bien à celle de « nature des dieux » :

---
(1) Sur le problème des sources et la bibliographie, cf. *supra*, p. 384, n. 1.
(2) Existence et nature des dieux (ciel et astres), *Lois* X 887 c 4-899 d 5; providence des dieux, *Lois* X 899 d 5-905 d 3. Le troisième point de *Lois* X (905 d 4-907 d 3 : les dieux ne se laissent pas corrompre) ne se retrouve pas chez Cicéron.
(3) Cf. Lörcher, *Burs. Jahr.*, CLXII, 1923, p. 14; Philippson, P. W., VII A, 1154.60.

aussi bien la conclusion de la première section sur les preuves d'évidence — « il apparaît donc, par le consentement universel de tous les peuples, qu'ils possèdent tous la conviction innée que les dieux existent : *quales sint varium est, esse nemo negat* » (**4**, 12) — montre-t-elle quelque flottement dans la pensée. Mais cette fois encore l'anomalie disparaît si l'on veut bien se souvenir que, depuis le *Timée*, le problème de l'existence des « vrais » dieux, qui sont le ciel et les astres, est immédiatement dépendant du problème de la nature de ces dieux : c'est en manifestant la nature du ciel et des astres, en faisant ressortir la parfaite régularité de leurs mouvements, en prouvant que ces mouvements ont nécessairement pour cause une Ame et un Intellect excellents qu'on démontre du même coup que le ciel et les astres sont dieux et, par conséquent, que les dieux existent. Quant à la seconde partie essentielle, consacrée à la Providence, il va de soi que la Providence à l'égard des individus particuliers n'est qu'un corollaire de la Providence universelle à l'endroit de l'homme en général. Aussi bien cette seconde subdivision (la 4ᵉ partie de *n. d.* II) forme-t-elle seulement, dans le dialogue de Cicéron, un court appendice à la première, tout en fournissant la conclusion du livre II.

Étant donc admis que le livre II ne comporte, en réalité, que deux parties essentielles (existence et nature des dieux, providence des dieux), on voit aussitôt que, pour ces deux parties, Cicéron n'a pas consulté les mêmes sources. C'est là un fait assuré, quelle que soit d'ailleurs l'attribution de l'une ou l'autre de ces sources à tel ou tel auteur. En gros, la première de ces sources a toutes les apparences d'une collection de syllogismes non liés, simplement juxtaposés bout à bout, sur l'existence et la nature du dieu ciel et des dieux astres, alors que la seconde fait figure de traité continu où se trouve exposé, par une suite logique de pensées, le thème de la Providence (1).

Examinons d'un peu plus près ces deux éléments.

1) Le meilleur parallèle à notre première partie essentielle de *n. d.* II (existence et nature des dieux) est la collection de syllogismes

---

(1) Il faut se rappeler que ce thème de la Providence est déjà engagé dans la 2ᵉ partie (sur la Nature des dieux), là où Cicéron traite de l'excellence du monde et des astres, eu égard à la beauté et à l'harmonie de leurs mouvements, **19**, 49-**22**, 58. Ce traité, comme on l'a vu, tourne court, Cicéron passant à l'exposé des dieux populaires **23**, 60 ss. Il est repris dans la 3ᵉ preuve de la Providence (par la beauté et la permanence du Kosmos) **39**, 98 ss. Je le considère ici comme un tout, en le rapportant à la 3ᵉ partie (ou à la 1ʳᵉ subdivision de la 2ᵉ partie essentielle si l'on ne compte que deux parties) consacrée à la Providence.

qui fait la substance du περὶ θεῶν de Sextus Empiricus dans le premier des deux traités contre les φυσικοί (*adv. phys.* I [= adv. dogm. III = *adv. math.* IX] 13-193). Voici brièvement le plan de ce traité :

1) *Sources de la croyance aux dieux* 13-48.
Différentes opinions 13-28.
Réfutation de ces opinions 29-48.

2) *Si les dieux existent* 49-193.
Position du problème 50 (1) :

a) les dieux existent = dogmatistes;

b) les dieux n'existent pas = athées;

c) il n'y a pas plus de raisons de croire en l'existence qu'en la non existence des dieux = sceptiques.

Les athées (Evhémère, Diagoras, Prodicos, Critias, Théodore, Protagoras, Épicure) 51-58.
Les sceptiques 59.
Les dogmatistes 60-190.
A) Position de la thèse des dogmatistes 60. Ils se fondent sur quatre preuves :

I. Consentement universel 61-74.
II. Ordre de l'univers 75-122.
III. Conséquences absurdes de la négation des dieux 123-132.
IV. Réfutation des arguments contraires 133-136.

B) Critique des dogmatistes (2) 137-190.
C) Conclusion : s'en tenir à l'ἐποχή des sceptiques 191-193.

Dans chacune de ces deux sections du περὶ θεῶν — sources de la croyance aux dieux, existence des dieux, — nous allons trouver des analogies avec le traité de Cicéron.

Tout d'abord, on peut se demander si Cicéron n'a pas rencontré dans son modèle une division pareille à celle de Sextus. Un indice le ferait croire. Balbus commence par dire qu'il n'a pas besoin de donner des preuves : ne suffit-il pas de regarder le ciel pour qu'un tel spectacle oblige, de l'assentiment universel, à conclure à l'exis-

---

(1) C'est avant de traiter de ce problème que Sextus Empiricus définit son attitude, qu'on comparera à celle de Cicéron (49) : « Peut-être bien sera-t-il manifeste que le sceptique a une position plus solide que les philosophes qui adoptent d'autres vues. En effet, conformément aux coutumes traditionnelles et aux lois, il déclare que les dieux existent et il accomplit tout ce qui contribue à leur culte et à la piété envers eux, mais en ce qui regarde la recherche philosophique, il évite toute précipitation. »

(2) Cette critique est dans l'ensemble empruntée à Carnéade, cf. 140, 182, 190.

tence des dieux (**2**, 4) ? Or ce spectacle du ciel est précisément l'une des sources principales de la croyance aux dieux, témoin Cléanthe, dont Cicéron déclare un peu plus loin (**5**, 13) qu'il rapporte à quatre causes l'origine de la croyance aux dieux : *Cleanthus quidem noster quattuor de causis dixit in animis hominum informatas deorum esse notiones* (αἱ τῶν θεῶν ἔννοιαι, S. E. 29).

Quoi qu'il en soit, plusieurs des arguments de la première section de Sextus Empiricus se retrouvent dans le début de l'exposé de Balbus (**2**, 4-**5**, 15). Sextus énumère en effet, sans ordre aucun, une dizaine d'opinions relatives à l'origine de la croyance aux dieux :

a) Dieux inventés par le législateur 14-16.

b) Dieux = hommes déifiés après leur mort (Evhémère) 17.

c) Dieux = soleil, lune, rivières et fontaines, tout ce qui avantage la vie humaine (Prodicos) 18.

d) Dieux = images gigantesques de forme humaine qui apparaissent aux hommes (Démocrite) 19.

e) Sources de la croyance : 1) phénomènes de l'âme dans les songes, prophéties ; 2) spectacle du ciel (Aristote, π. φιλοσοφίας) 20-22.

f) Si l'homme a une âme cognitive, à fortiori l'univers 23.

g) Sources de la croyance : phénomènes effrayants du ciel et de la terre (Démocrite) 24.

h) Dieux = images de forme humaine paraissant durant le sommeil (Épicure) 25.

i) Ordre du ciel : comparaison de l'armée, du bateau 26-27.

j) Doués d'une intelligence supérieure (parce que plus près de leur origine divine), les premiers hommes ont acquis (et nous ont transmis) la croyance aux dieux (Stoïciens tardifs) 28-29.

Vient ensuite la réfutation de ces opinions, du moins pour les n^os *a* (30-33), *b* (34-38), *c* (39-41), *d* (42) et *h* (43-47).

Cicéron sans doute n'a pas repris tout cet arsenal. Il n'avait pas à le faire puisqu'il expose la thèse des seuls stoïciens et que nombre des opinions énumérées dans Sextus ne s'accordent pas avec cette thèse (1). Mais certaines rencontres n'en sont pas moins remarquables.

---

(1) L'opinion des Stoïciens tardifs (τῶν δὲ νεωτέρων στωικῶν φασί τινες) dans Sextus (n° j) paraît être celle de Stoïciens de l'Empire, cf. R. G. Bury *ad loc.*, qui cite Sénèque, *Ep.* 90 *sed primi mortalium quique ex his geniti naturam incorrupti sequebantur... non tamen negaverim fuisse alti spiritus viros et, ut ita dicam, a dis recentis.* Mais elle est antérieure à l'Empire puisque Cicéron déjà la mentionne, à coup sûr d'après des sources grecques, cf. *de leg.*, II 11, 27 iam « *ritus familiae patrumque servare* » *id est, quoniam antiquitas proxume accedit ad deos, a dis quasi traditam religionem tueri, Tusc.*, I 12, 26 *auctoribus quidem ad istam sententiam... uti optimis possumus, ...et primum quidem omni anti-*

Selon Balbus, certains faits d'évidence obligent à croire aux dieux : le spectacle du ciel, le consentement universel, les épiphanies divines, la divination (**2**, 4-4, 12). Pour le spectacle du ciel, cf. S. E. 22 (Aristote), 26-27 (armée : cf. *n. d.* II **33**, 85 ; bateau : *ib.* **34**, 86). Pour les épiphanies divines, cf. S. E. 19, 25. Pour la divination (*praedictiones vero et praesensiones rerum futurarum, n. d.* II **3**, 7), cf. S. E. 21-22 (Aristote).

Selon Cléanthe, les sources de la croyance aux dieux sont (**5**, 13-15) : la divination, l'abondance des biens que procure l'univers, les phénomènes effrayants du ciel et de la terre, l'ordre du ciel. Deux de ces points (ordre du ciel et divination) nous sont déjà connus, un autre ne paraît pas chez Sextus, mais le quatrième est littéralement le même de part et d'autre : Cicéron **5**, 14 *tertiam quae terreret animos fulminibus tempestatibus nimbis nivibus grandinibus vastitate pestilentia terrae motibus et saepe fremitibus..., tum facibus visis caelestibus tum stellis is quas Graeci* κομήτας... *vocant,... tum sole geminato..., quibus exterriti homines vim quandam esse caelestem et divinam suspicati sunt* = S. E. 24 εἰσὶ δὲ οἱ ἀπὸ τῶν γιγνομένων κατὰ τὸν κόσμον παραδόξων ὑπονοήσαντες εἰς ἔννοιαν ἡμᾶς ἐληλυθέναι θεῶν (Démocrite)· ὁρῶντες γάρ... τὰ ἐν τοῖς μετεώροις παθήματα οἱ παλαιοὶ τῶν ἀνθρώπων, καθάπερ βροντὰς καὶ ἀστραπὰς κεραυνούς τε καὶ ἄστρων συνόδους ἡλίου τε καὶ σελήνης ἐκλείψεις, ἐδειματοῦντο, θεοὺς οἰόμενοι τούτων αἰτίους εἶναι.

Passons à la seconde section de Sextus, celle qui est consacrée à l'existence des dieux. La thèse des dogmatistes y est fondée sur quatre preuves (60), dont les deux premières, le consentement universel et l'ordre de l'univers, nous intéressent surtout.

Ces deux preuves sont liées dès le temps de Platon (*Lois* X 886 *a*) (1) et l'on peut dire qu'à l'époque hellénistique elles sont l'une et l'autre un lieu commun. La preuve par le consentement universel apparaît en tête et chez Cicéron (**2**, 4-5) et chez Sextus

---

quitate, quae quo propius aberat ab ortu et divina progenie, *hoc melius ea fortasse quae erant vera cernebat*. Ici, comme dans Sextus, le recours à l'autorité des premiers hommes sert à fonder une doctrine spiritualiste (survivance de l'âme). Comme l'a montré R. M. JONES, *art. cit.* (*supra* p. 354, n. 2), pp. 206-208, ce τόπος de l'antiquité de certaines croyances religieuses, ainsi que le τόπος du consentement universel, a dû sans doute être utilisé par les Stoïciens, mais il remonte plus haut, *v. g.* à l'*Eudème* d'Aristote (fr. 44 καὶ ταῦθ' οὕτως· ἀρχαῖα καὶ παλαιὰ διατελεῖ νενομισμένα παρ' ἡμῖν, ὥστε κτλ.), à Crantor (cf. Plut., *Cons. ad Apoll.* 115 A), à Platon lui-même (*Tim.* 40 d-e, *Phil.* 16 c), en sorte que Cicéron a pu l'emprunter à d'autres sources que stoïciennes et que Posidonius n'est pas le seul intermédiaire possible.

(1) πρῶτον μὲν γῆ καὶ ἥλιος ἄστρα τε καὶ τὰ σύμπαντα... καὶ ὅτι πάντες Ἕλληνές τε καὶ βάρβαροι νομίζουσιν εἶναι θεούς, cf. S. E. 61 ἅπαντες ἄνθρωποι σχεδὸν Ἕλληνές τε καὶ βάρβαροι νομίζουσιν εἶναι τὸ θεῖον.

(61-65 : thèse, 66-74 réfutation). De part et d'autre, elle comporte le même raisonnement : si la croyance aux dieux était fausse, elle aurait disparu dans le cours des temps comme a disparu la croyance aux peines de l'Hadès (Cicéron 2, 5 = S. E. 66-74) (1). On notera que, chez Cicéron, cette preuve ou plutôt ce fait d'évidence qu'est la beauté du ciel n'est pas seulement lié à cet autre fait patent qu'est le consentement universel, mais qu'il fait corps avec lui. Quand nous avons contemplé le ciel, nous sommes forcés d'admettre l'existence d'un Intellect souverainement parfait qui dirige l'ordre céleste. S'il n'en était pas ainsi, comment Ennius aurait-il pu dire, « avec le consentement de tous » *(adsensu omnium)* : « Regarde là-haut cet espace étincelant que tous invoquent sous le nom de Jupiter », et qui est Dieu? Oui, si cette vérité n'était pas connue de tous, la croyance universelle aux dieux n'aurait pu s'établir ni durer si longtemps à travers toutes les générations. Il est clair que, sous cette forme, la preuve par le consentement universel fait reconnaître tout ensemble et l'existence des dieux et leur nature, ou plutôt même que le problème de l'existence des dieux est ici en dépendance immédiate du problème de leur nature.

C'est surtout dans la deuxième preuve des dogmatistes (75-122), par l'ordre de l'univers, qu'il apparaît combien la source de Sextus a le caractère d'une collection de syllogismes.

Ces syllogismes constituent une suite incohérente de onze arguments :

1) La matière étant informe et sans mouvement, il faut une Cause pour l'informer et lui donner le mouvement. De même qu'il faut un bronzier pour faire une statue de bronze, il faut un Artisan pour façonner l'univers.

Cet Artisan n'est rien d'autre qu'une force (δύναμις) qui pénètre la matière comme l'âme pénètre le corps. Or cette force est ou automotrice ou mue par un autre. Si elle est mue par un autre, on va à l'infini; donc elle est automotrice et dès lors divine et éternelle.

En effet ou elle se meut de toute éternité ou elle est mise en mou-

---

(1) Chez S. E., la croyance aux peines de l'Hadès sert d'abord à titre de **réfutation de la** preuve par le consentement universel, 66-70, puis cette réfutation appelle une contre-réfutation des Stoïciens, qui montrent que la croyance n'a pas même valeur dans les deux cas, 71-74, cf. 74 ῥητέον καὶ θεοὺς ὑπάρχειν, μηδὲν αὐτῶν τὴν ὕπαρξιν βλαπτούσης τῆς περὶ τῶν ἐν ᾅδου μυθευομένων προλήψεως. — Cicéron emploie aussi l'exemple de l'Hippocentaure *(quis enim Hippocentaurum fuisse... putat)* qui paraît également chez S. E., sans doute dans un autre contexte, à l'appui de la preuve par les conséquences absurdes de la négation des dieux (il n'y a pas de science de l'hippocentaure parce que l'hippocentaure n'existe pas; s'il y a donc une science du service des dieux (= εὐσέβεια), c'est que les dieux existent, cf. 123, 125), mais avec appel, ici encore, au consentement universel (cf. κατὰ τὰς κοινὰς ἐννοίας καὶ προλήψεις πάντων ἀνθρώπων, 124).

vement en un point du temps. Mais elle ne peut être mise en mouvement à un certain point du temps, car il n'y a pas de cause qui la mette en mouvement. Donc elle est éternelle et dès lors Dieu 75-76.

Sous cette forme, l'argument ne se rencontre pas dans la collection de syllogismes de la première partie de l'exposé de Balbus, bien que l'idée d'un Artisan de l'univers y soit partout sous-entendue. Le lieu le plus analogue dans Cicéron est l'argument de Cléanthe (**9**, 23 ss.) où l'on retrouve la ζωτικὴ δύναμις *(vis vitalis)* qui pénètre toutes choses (**9**, 24-25) et les deux sortes de mouvements autonome et dépendant d'un autre (**12**, 32).

2) Ce qui engendre des êtres raisonnables est raisonnable 77 = c'est l'argument b^2 de Zénon (**8**, 22).

3) Les corps sont ou ἡνωμένα (plantes et animaux) ou ἐκ συναπτομένων (câbles, tourelles, bateaux) ou ἐκ διεστώτων (armée, troupeau, chœur) (1). Le monde est un corps ἡνωμένον comme le prouvent les συμπάθειαι entre ses diverses parties 78-80.

Or les corps ἡνωμένα sont unis soit par simple ἕξις (pierre, poutre), soit par φύσις (plante), soit par ψυχή (animal). Le corps du monde n'est pas uni par ἕξις puisqu'il subit des altérations considérables que ne subissent pas les corps ἡνωμένα par ἕξις. Il est donc uni par φύσις, et par la meilleure φύσις puiqu'il contient toutes les φύσεις.

Or si le monde contient toutes les φύσεις, il contient aussi les φύσεις raisonnables. Dans ce cas il est lui aussi raisonnable, car la partie ne peut être supérieure au tout.

Si le monde est donc la meilleure φύσις et une φύσις raisonnable, il est intelligent, vertueux et immortel, et dès lors Dieu 81-85.

Pour la sympathie, cf. Cicéron **7**, 19; en particulier pour l'influence de la lune (S. E. 79), cf. Cic., **19**, 50. L'idée du corps ἡνωμένον paraît aussi dans l'argument de l'ἡγεμονικόν (**11**, 29-30), mais il n'y a pas d'équivalent, dans Cicéron, à la division des trois sortes de corps. Pour la seconde partie de l'argument (81-85), cf. Cicéron **8**, 21-22 (arguments de Zénon) et l'argument à fortiori **12**, 32.

4) S'il y a des êtres vivants sur la terre, dans l'eau et dans l'air, il y en a aussi dans l'éther 86-87.

Cf., dans Cicéron, l'argument d'Aristote **15**, 42-**16**, 43.

5) Argument de l'échelle des êtres, attribué ici à Cléanthe comme chez Cicéron. Là où l'on voit progrès dans la perfection, il y a un point extrême. Or ce point extrême ne peut être l'homme, eu

---

(1) Sur cette doctrine, cf. REINHARDT, *Kosmos u. Sympathie*, pp. 34 ss., en particulier sur notre texte pp. 45 ss.

égard à ses nombreuses déficiences. Il y a donc dans le monde un être parfait qui est Dieu 88-91.

Cf., dans Cicéron, **12**, 33-**13**, 36 et l'argument de Chrysippe **14**, 37-39.

6) De même que l'homme reçoit les éléments de son corps des éléments du corps du monde, de même a-t-il reçu son intellect de l'Intellect du monde (Xénophon, *Mem.*, I, 4, 2) 93-100.

Cf., dans Cicéron, **6-7**, 18.

7) Argument de Zénon. Ce qui projette le σπέρμα λογικοῦ est λογικόν 101-103.

Cf., dans Cicéron, **8**, 22 (Zénon b²).

8) Argument de Zénon. Le raisonnable est meilleur que le non raisonnable. Or rien n'est meilleur que le monde. Donc le monde est raisonnable 104.

Cf., dans Cicéron, **8**, 21 (Zénon a). La réfutation de cet argument est la même dans Sext. Emp. 108-110 (d'après Alexinos) et dans Cicéron, *n. d.*, III, **9**, 22-23.

9) Argument des stoïciens. Le mouvement de l'univers n'est ni ὑπὸ δίνης ni κατ' ἀνάγκην, mais ὑπὸ προαιρήσεως, ce qui implique une Intelligence, qui est Dieu 111-114.

C'est, dans Cicéron, l'argument d'Aristote sur le mouvement volontaire des astres **16**, 44. Cf. la triple division *(nec vero Aristoteles non laudandus in eo quod omnia quae moventur aut natura moveri censuit aut vi aut voluntate)* et la conclusion *(restat igitur ut motus astrorum sit voluntarius)*.

10) Argument des stoïciens. Les machines qui se meuvent spontanément (αὐτομάτως) sont plus admirables que les machines mues par autrui, ainsi admire-t-on à l'extrême la sphère d'Archimède, c'est-à-dire Archimède lui-même, qui l'a construite. Or, dans la mesure où le sujet qui conçoit est plus admirable que l'objet conçu, dans cette mesure aussi admire-t-on davantage la cause motrice du sujet, et plus ce sujet est énorme, plus on admire la cause qui le meut. Rien n'est donc plus admirable que la Cause motrice du soleil, de la lune et des astres, et pour tout dire de l'univers. Cette Cause est tout excellente, partant intelligente, raisonnable, éternelle et dès lors Dieu 115-118.

Sous cette forme, l'argument ne se rencontre pas chez Cicéron, mais l'exemple de la sphère d'Archimède est cité dans la 3ᵉ partie de *n. d.* II (**35**, 88).

11) Argument de l'ἡγεμονικόν (dit ici τὸ κυριεῦον) 119-122.

Cf., dans Cicéron, **11**, 29-30.

La preuve par les conséquences absurdes de la négation des dieux comporte cinq arguments qui sont tous construits sur le même modèle : Si les dieux n'existent pas, il n'y a ni science du service des dieux (= piété, 123), ni sainteté (124), ni science des choses divines et humaines (= sagesse, 125), ni justice (qui implique la connexion des hommes entre eux et avec les dieux, 126-131), ni divination (1) (132). Or, selon les conceptions universelles de l'humanité (cf. 124), ces choses existent. Donc les dieux existent.

Sous cette forme, l'argument ne paraît pas chez Cicéron. Mais si, comme dans le cas de la sphère d'Archimède, il laisse choir l'argument, il n'en garde pas moins, à titre de lieu commun, l'idée que sans croyance aux dieux il n'y a plus de piété et de justice, et il conserve aussi le fait de la divination, qui constitue à ses yeux une preuve d'évidence de l'existence des dieux (3, 7-4, 12; 5, 13).

Plus remarquable encore que ces rencontres matérielles est la similitude formelle entre la collection de syllogismes de Sextus Empiricus et celle de Cicéron. Sans doute, pour joindre l'un à l'autre les arguments, Cicéron ne se borne-t-il pas aux simples particules de Sextus (οὐ μὴν ἀλλά, καὶ ἔτι, καὶ πάλιν, πρὸς τούτοις, καὶ μήν, δέ, τε ou γε). Il soigne davantage ses transitions. Mais ce sont là des artifices purement verbaux qui n'empêchent pas de constater que, de part et d'autre, le lien est aussi lâche, il y a aussi peu de progrès logique dans la pensée, tout se passe comme si l'on avait choisi au hasard dans une collection de preuves.

Il est donc raisonnable d'estimer que Reinhardt a vu juste quand il a comparé le recueil de Cicéron et de Sextus au chapitre sur la *thèse* dans les *Progymnastica* de Théon (ıer-ııe s.?) (2). En langage de rhétorique, la thèse est la « considération générale d'un thème sujet à discussion, sans personnages définis et sans aucune circonstance particulière, par exemple s'il faut se marier, s'il faut avoir des enfants, si les dieux existent » (3). Soit, par exemple, la thèse : « Y a-t-il une Providence des dieux sur le monde? » (4). Suivent, à l'appui de cette thèse, dix-sept arguments parmi lesquels nous en reconnaissons plusieurs. Ainsi la preuve par le consentement uni-

---

(1) μαντική, définie comme « science qui observe et explique les signes donnés par les dieux aux hommes », et jointe à l'inspiration, à l'astromantique, à la thytique (observation des victimes de sacrifice) et à l'oniromantique.

(2) *Rhet. Graeci*, II, pp. 120 ss. Spengel. Pour le point qui nous occupe, pp. 126.2-128.1.

(3) θέσις ἐστὶν ἐπίσκεψις λογικὴ ἀμφισβήτησιν ἐπιδεχομένη ἄνευ προσώπων ὡρισμένων καὶ πάσης περιστάσεως, οἷον εἰ γαμητέον, εἰ παιδοποιητέον, εἰ θεοί εἰσι 120.13-15 Sp.

(4) P. 126. 2 ss. Sp.

versel (1), l'argument d'autorité (2), la preuve par le bon arrangement de l'univers où tout est disposé pour notre avantage, saisons, pluies, croissance opportune des fruits de la terre, etc. (3), la preuve selon laquelle la Providence divine se tire, comme une conséquence nécessaire, de l'existence même des dieux (4), la preuve par l'analogie (5), la preuve où l'on conclut de la partie au tout (6), la preuve par l'inclusion (7).

On accordera volontiers aussi à Reinhardt (8) que Cicéron, Théon et Sextus n'ont pas copié un ouvrage bien défini d'un auteur unique, mais qu'ils suivent une tradition d'origine évidemment scolaire; ils ont puisé dans l'une ou l'autre de ces collections de syllogismes, susceptibles de s'augmenter à l'infini (9), qui constituaient un matériel pour les disputes où l'on soutenait tour à tour le pour et le contre. Or cette méthode de dispute est propre à la Nouvelle Académie. Arcésilas, nous dit-on, faisait soutenir une thèse par l'un de ses disciples, après quoi il soutenait lui-même l'antithèse. Carnéade se chargeait à lui seul de la thèse et de l'antithèse, et l'on sait de reste combien les deux conférences qu'il prononça à Rome, en 156/5, pour et contre la justice (*de rep.*, III, **6,** 8-9), eurent de retentissement dans l'antiquité. Des écoles philosophiques cette méthode de dispute passa ensuite à celles des rhéteurs. Rien n'est plus familier à Cicéron que la « disputatio in utramque partem » (10).

(1) N° 4, p. 126.9 εἶθ' ὅτι πάντες ἄνθρωποι Ἕλληνές τε καὶ βάρβαροι ἔννοιαν περὶ τῶν θεῶν ἔχουσιν ὡς προνοοῦσιν ἡμῶν.
(2) N° 5, p. 126.15 ἑξῆς δὲ ὅτι καὶ τοῖς σοφοῖς δοκεῖ, οἷον Πλάτωνι Ἀριστοτέλει Ζήνωνι.
(3) N° 10, p. 126.24 ἔπειθ' ὅτι ἡ φύσις τῶν ὅλων μαρτυρεῖ κατὰ πρόνοιαν πάντα γεγενῆσθαι τῆς σωτηρίας ἕνεκα τῶν ἐν τῷ κόσμῳ... καθάπερ καὶ Ξενοφῶν... δηλοῖ.
(4) N° 12, p. 127.4 εἶθ' ὅτι ἀναγκαῖόν ἐστι τὸ πρόνοιαν εἶναι· εἰ γάρ τις τὸ προνοεῖν περιέλοι τοῦ θεοῦ, ἀνήρηκε καὶ ἣν ἔχομεν περὶ αὐτοῦ ἔννοιαν, δι' ἣν καὶ τὸ εἶναι αὐτὸν ὑπολαμβάνομεν, cp. n.d., II, **30,** 76, p. 296.13 *primum igitur aut negandum est esse deos... aut qui deos esse concedant, iis fatendum est eos aliquid agere idque praeclarum* (pour cette seconde partie de l'argument, cf. Théon, n° 11, p. 126.31 εἶθ' ὅτι τοῦτο πάντων μάλιστα ἁρμόττει τῷ θεῷ τὸ προνοεῖν τοῦ κόσμου· οὐ γὰρ δὴ ὅσιον ἀργὸν καὶ ἄπρακτον τὸν θεὸν εἰπεῖν). Noter que la 1ʳᵉ preuve de la Providence dans Cicéron, II, **30,** 76-**31,** 80, est aussi de forme syllogistique et donc vraisemblablement empruntée à la même collection de syllogismes.
(5) Pas de maison, de bateau, d'œuvre d'art sans ouvrier : à fortiori pas de monde sans Dieu = nᵒˢ 13 et 15, p. 127.8 et 20.
(6) N° 16, p. 127.24 πρὸς δὲ τούτοις ἐκ τοῦ μέρους κτλ.
(7) ἐκ τῆς περιοχῆς : supprimée la Providence des dieux, il n'y a ni justice, ni piété, ni fidélité au serment, ni courage, ni tempérance, ni amitié, ni bienveillance et, d'une façon générale, aucune vertu : or tout cela existe, donc... = n° 17, p. 127.28.
(8) *Op. cit.*, p. 211.
(9) Cf., dans Sextus, l'argument emprunté aux « nouveaux Stoïciens » de l'Empire, *adv. phys.*, I, 28-29.
(10) *N.d.*, II, **67,** 168 *tu autem Cotta si me audias eandem causam agas... et*, quoniam in utramque partem vobis licet disputare, *hanc potius sumas eamque facultatem disserendi, quam tibi a rhetoricis exercitationibus acceptam amplificavit Academia, potius huc conferas.* Comme l'a vu Zielinski, *op. cit.* (*supra* p. 370, n. 1), pp. 204-208, c'est là le fond de son

L'origine et le caractère de cette méthode étant ainsi reconnus, il va de soi qu'on n'en peut rien déduire sur l'extension de la religion du Dieu cosmique aux deux derniers siècles avant notre ère. Ce sont là des exercices purement formels où le thème devient en quelque sorte indifférent. On peut aller plus loin encore. Il n'est pas exagéré de dire que si cette méthode a sans doute beaucoup contribué à former l'esprit des étudiants et à développer en eux l'art du raisonnement et de la parole, en revanche, quand on l'appliquait à des sujets aussi graves que l'existence et la providence des dieux, elle ne pouvait qu'induire à une attitude sceptique en matière de religion. A force de soutenir tour à tour, avec un égal succès, le pour et le contre, on devait fatalement en venir à penser que toute proposition peut être, avec autant de raison, affirmée et niée, qu'il y a des arguments pour tout, et que par suite le plus sage est de pratiquer l'ἐποχή.

Que, chez beaucoup d'esprits en Grèce, le sentiment religieux ait dû pâtir de cette méthode, on peut l'entrevoir encore à travers le *de natura deorum*. Ce qui fait, dans cet écrit, la substance positive de la religion, ce ne sont pas les doctrines philosophiques sur Dieu — celles-ci, bien plutôt, mèneraient à l'indifférence, — mais des considérations politiques, la notion de l'État romain, lequel ne peut subsister sans religion. La fortune de l'État romain est liée au culte des dieux. Mais il s'agit, en ce cas, des dieux de Rome, des dieux traditionnels, bref, de la religion civique. C'est la religion civique qui met un frein au scepticisme où conduirait inévitablement la méthode académique. Or, en Grèce même, la religion civique, du moins chez l'homme cultivé, a beaucoup perdu de son prestige depuis l'affaiblissement et l'asservissement des cités. Rien n'empêche plus, dès lors, le disciple de l'Académie d'aboutir à l'indifférence qui paraît comme une conséquence inéluctable de sa position philosophique. Il faut observer, en outre, que l'habitude de ramener les problèmes de la religion à une pure syllogistique était bien propre à dessécher le sentiment religieux. Le Moyen Age finissant, par l'abus de la scolastique, souffrira du même mal.

caractère, cf. v. gr. *Att.*, IX 4 *sumpsi mihi quasdam tamquam* thesis, *quae et politicae sunt et temporum horum, ut et abducam animum ab querelis et in eo ipso, de quo agitur, exercear; eae sunt huiusmodi:* εἰ μενετέον ἐν τῇ πατρίδι τυραννουμένῃ... (suivent 10 θέσεις analogues). *In his ego me consultationibus exercens et* disserens *in utramque partem tum Graece tum Latine et abduco parumper animum a molestiis et* τῶν προὔργου τ᾽ *delibero.* — *Att.*, XIV 13,4 (après le meurtre de César, 15 mars 44) *suscipe nunc meam deliberationem, qua sollicitor; ita multa veniunt in mentem in utramque partem. proficiscor, ut constitueram, legatus in Graeciam...sin autem mansero*, etc. *Fam.*, XI 29, 1 (à Oppius, juillet 44) *dubitanti mihi... de hoc toto consilio profectionis, quod in utramque partem in mentem multa veniebant, magnum pondus accessit ad tollendam dubitationem iudicium et consilium tuum.*

Gardons-nous toutefois de généraliser, ne croyons pas que les Grecs cultivés des deux derniers siècles hellénistiques (IIᵉ/Iᵉʳ s.) aient tous été sceptiques ou irréligieux. Ce même livre II du *de n. deor.* nous en empêche. Car nous voyons qu'il emprunte, non pas seulement à une,aride collection de syllogismes, mais à un traité continu sur la Providence qui, par le mouvement de la pensée, par la gravité et comme la solennité du tour, est dans la ligne authentique du *Timée* de Platon, du περὶ φιλοσοφίας d'Aristote et même de l'hymne à Zeus de Cléanthe.

Il est possible, comme le veut K. Reinhardt, que l'auteur de ce traité ait été Posidonios. Peu importe ici pour notre objet. Ce qui compte pour nous, c'est qu'il ait existé, entre Chrysippe et Cicéron, donc au IIᵉ siècle ou au début du Iᵉʳ siècle avant notre ère, un témoin assez chaleureux de la religion cosmique pour que le Latin l'ait pris comme modèle quand il s'avise de magnifier le rôle de la Providence dans l'univers (1).

Résumons donc brièvement l'idée fondamentale de cette doctrine. Mais nous voici arrêtés, tout aussitôt, par une nouvelle difficulté. Selon K. Reinhardt, dans l'exposé spécifiquement « posidonien », de type scientifique (vitaliste), fondé sur l'idée que la Nature est tout à la fois la Force qui pénètre et vivifie tous les êtres et la Providence qui, du dedans, les maintient et les ordonne, Cicéron aurait inséré des morceaux d'une autre source (éclectique), de type littéraire, fondés sur l'idée banale que la Nature est régie, comme du dehors, par une Intelligence ordonnatrice et providente (2). En d'autres termes nous trouverions ici une difficulté analogue à celle que nous rencontrions plus haut sur l'Ame du Monde et le Démiurge du *Timée*, celle-là mouvant les êtres du dedans, celui-ci les organisant du dehors (3). C'est à la seconde source, littéraire, qu'appartiendrait l'argument analogique de l'Ouvrier, avec toutes les comparaisons classiques de la maison, du portique, du temple (**37**, 97), du bateau (**35**, 89), de l'armée (**33**, 85), etc. (4). C'est d'elle aussi que dépendraient, dans le dernier et long extrait « posidonien » (**38**, 98-**61**,

---

(1) Ces documents seront donc traités ici comme « posidoniens », les guillemets servant à indiquer que l'attribution reste hypothétique.
(2) La contamination serait surtout manifeste dans la section **32**, 81 ss. Voir *supra*, pp. 395 ss. et p. 397, n. 2.
(3) Avec cette différence que l'Ame du Monde, selon Platon, ne meut directement que les êtres du ciel, ces mouvements du ciel déterminant à leur tour, mais indirectement, les mouvements des êtres sublunaires, au lieu que la Nature « posidonienne » est immanente à tous les êtres du Kosmos, depuis la pierre ou la poutre unifiées par une simple ἕξις jusqu'à ce vaste organisme vivant qu'est l'univers en sa totalité.
(4) Cf. *supra*, p. 397, n. 4.

153), les paragraphes dévots sur la station droite de l'homme (**55**, 139) et sur la contemplation du ciel (**61**, 153).

Cette conjecture est possible, et il est de fait que les paragraphes incriminés ne rendent pas exactement le même son que leur contexte. Mais, quand il s'agit d'un auteur hellénistique, il est bien difficile de prononcer entre ce qu'il peut et ce qu'il ne peut pas avoir dit. Le même Aristote qui montre tant de précision et de savoir technique dans le traité sur les *Parties des animaux* commence ce traité par un morceau de considérations générales sur la finalité de la Nature dont l'accent est presque religieux. On ne peut être nullement assuré que l'auteur à qui Cicéron emprunte la doctrine d'une Force qui, présente dans tous les êtres du Kosmos, les conduit tous à leur fin ne soit pas le même qui ait reconnu la fin propre de l'homme dans la contemplation du ciel et expliqué par cette fin la station droite de l'homme et l'excellence de l'intellect humain. Dès lors, rien n'oblige à exclure les paragraphes **55**, 139 et **61**, 153 de l'exposé « posidonien ».

J'en dirais autant de la section **32**, 81-**38**, 97 où se trouvent mêlées deux conceptions de la Nature, l'une où la Nature est regardée comme une Raison démiurgique extrinsèque aux êtres qu'elle ordonne, l'autre où elle est regardée comme une Force immanente à toutes les parties du Kosmos. Les deux thèmes sont divers sans doute, mais cette diversité ne prouve pas absolument la diversité des sources. Car l'équivoque remonte au *Timée* de Platon, où Démiurge et Ame du Monde se présentent comme deux aspects différents d'une seule et même réalité, dans un seul et même ouvrage. En rigueur de pensée, c'est à l'Ame du Monde que doit être attribuée, dans le *Timée*, la fonction démiurgique. Car c'est elle qui est principe de mouvement, du mouvement ordonné des astres, et qui peut servir ainsi d'intermédiaire authentique entre le domaine des Intelligibles et celui des êtres sensibles. Mais cette Ame du Monde, dans l'affabulation du *Timée*, devient tout naturellement un Démiurge qui semble agir du dehors. Tout naturellement, dis-je, car c'est le propre de l'imagination que de donner chaleur et vie aux principes et de les faire agir comme des personnes. Et quoi de plus naturel que de personnifier l'Ame ordonnatrice de l'univers, de la montrer comme un grand Architecte qui travaille la matière du monde comme un ouvrier humain travaille la pierre ou le métal dont il tirera par exemple une statue ? On conçoit fort bien que, dans une telle affabulation, l'auteur passe constamment d'un aspect à l'autre, de la notion purement philosophique d'Ame du Monde à celle, plus littéraire, de Démiurge. C'est ce qui apparaît dans le *Timée*. L'hymne à Zeus de Cléanthe offre le même mélange. Il n'est pas douteux qu'en rigueur de pensée le Zeus de Cléanthe ne soit la Force immanente au Kosmos qui, du dedans, le meut vers le but qu'il doit atteindre (σοὶ δὴ πᾶς ὅδε κόσμος... πείθεται ᾗ κεν ἄγῃς 7-8), le Souffle ou le Feu qui réside en tous les êtres, ici principe de cohésion (ἕξις), là principe de liaison organique et de développement naturel (φύσις), ailleurs principe de mouvement autonome et de sensibilité (ψυχή), ailleurs enfin principe raisonnable (λόγος), en sorte que le monde tout entier soit pénétré d'une même Raison (ὥσθ' ἕνα γίγνεσθαι πάντων λόγον ἀεὶν ἐόντα 20). Et pourtant ce Logos est Zeus. Et toutes les vieilles représentations que l'on se faisait de Zeus — Zeus assembleur de nuages, Zeus lanceur de la foudre, Zeus parèdre de Dikè, etc., — toutes les idées plus évoluées que l'Athènes du ve et du ive siècle avait formées sur le dieu des hautes cimes et le maître de l'Olympe se retrouvent en cette prière. C'est un Dieu personnel, un Dieu qu'on peut prier, un Dieu qui prend soin des hommes, qui récompense le vertueux et laisse le coupable se précipiter à sa perte. Rien ne prouve que ce double aspect de la Nature Providence, à la fois Force immanente et Raison architecte, n'ait pas été visible aussi dans l'exposé « posidonien ». Sans doute chaque aspect devait-il prévaloir dans des morceaux différents et Cicéron, qui a travaillé vite, a-t-il mêlé ce qui, dans l'original, était probablement distingué. Mais il semble abusif d'affirmer avec tranchant qu'une des deux conceptions exclut l'autre, et que si « Posidonius » a choisi l'une, il ne peut pas avoir exprimé l'autre.

Ajoutons enfin, avant de caractériser nos extraits « posidoniens », qu'il faut sans doute leur rattacher le court paragraphe **7**, 19 sur la sympathie universelle (1).

Quelle est donc l'idée fondamentale que l'on retrouve en tous ces extraits? C'est l'idée de *sympathie*. Le monde est un organisme unifié (ἡνωμένον), et un tel organisme se reconnaît à ceci que tout ce qui en affecte une partie affecte les autres parties.

L'idée paraît d'abord en **7**, 19 : « Et que dire aussi de cet accord de l'univers qui communie dans un même sentiment, dans un même souffle, dans une même continuité entre toutes ses parties (*consentiens conspirans continuata cognatio*)? Cela ne force-t-il pas à approuver ce que j'avance? La terre pourrait-elle tour à tour se couvrir de fleurs puis se dessécher? Pourrait-on, alors que tant de choses se

---

(1) Cf. Reinhardt, *Kosmos u. Sympathie*, pp. 111-121.

transforment, reconnaître comment le soleil se rapproche puis s'éloigne aux solstices d'été et d'hiver? Verrions-nous cette correspondance entre les mouvements des flots de la mer (marées) ainsi que des courants dans les détroits et le lever ou le coucher de la lune? Quand le ciel tout entier opère sa conversion d'un mouvement unique, se pourrait-il que les astres conservassent avec tant de régularité leurs circuits si divers? Tout cela ne pourrait arriver, avec une telle concordance dans toutes les parties du monde, si un même Souffle divin ne les unissait toutes et ne les maintenait ensemble ».

L'idée reparaît dans la section **19**, 49-**22**, 58 qui développe l'un des arguments du morceau précédent (**7**, 19) : de l'ordre et de la constance des mouvements célestes dépendent la conservation et le salut de tous les êtres (*ex qua conservatio et salus omnium omnis oritur* **21**, 56). En effet, par la direction de sa course vers le Nord ou le Midi le soleil détermine les saisons d'été et d'hiver avec les deux saisons qui leur sont connexes : or ces quatre saisons déterminent à leur tour toute la production des fruits de la terre (**19**, 49). Par ses phases diverses, mais aussi par la direction qu'elle prend vers le Nord ou le Midi, la lune exerce un influx continuel (*multaque ab ea manant et fluunt*) sur la naissance, la croissance, la maturation des fruits de la terre (**19**, 50). Enfin c'est à l'ordre et à la régularité des circuits des planètes que sont dus la conservation et le salut de tous les êtres (**21**, 56).

L'idée de sympathie universelle n'est pas moins dominante dans la section **32**, 82-**33**, 85 *a* où prévaut la notion de Nature entendue comme principe de cohésion dans l'univers (*cohaerendi natura* **32**, 82). Terre, eau, air, éther changent sans cesse l'un dans l'autre et, par ces mutations réciproques, maintiennent le lien organique entre toutes les parties du monde (*naturis is... sursus deorsus ultro cito commeantibus* mundi partium coniunctio *continetur* **33**, 84).

Enfin cette idée commande tout le long exposé **45**, 115-**60**, 152 sur la permanence de l'univers et des êtres qu'il contient. Le thème est indiqué dès les premières lignes : Le monde tient si bien ensemble et il a tant de cohésion (*ita stabilis est mundus atque ita cohaeret*) qu'il est destiné à durer toujours. Toutes ses parties s'équilibrent (*nituntur aequaliter*). Les corps les plus assurés de maintenir leur cohésion sont ceux qui sont pressés et unis ensemble par une sorte de lien : c'est l'effet de la nature qui pénètre le monde entier et qui, par la loi de gravité, entraîne tout vers le centre (**45**, 115). Ce principe de permanence est ensuite illustré d'exemples, d'abord quant à l'univers (terre, mer, air, éther, astres du ciel), puis quant aux êtres vivants contenus dans l'univers. Or c'est ici qu'on constate, par rapport à l'ancien stoïcisme, une importante nouveauté.

L'idée de sympathie n'était certes pas absente chez les anciens stoïciens. Elle résultait de leur thèse fondamentale que le monde est pénétré partout d'un même Feu-Logos qui en est le principe de cohésion, de mouvement et de vie. Le monde étant un grand Vivant, il allait de soi que toutes les parties du monde communient dans un même sentiment et un même souffle (*consentiens conspirans continuata cognatio*). Ce qui affectait l'une des parties affectait toutes les autres : c'est ce que rendait le mot même de συμπάθεια. Mais cette sympathie n'était en général explicitée, dans l'ancien stoïcisme, qu'en ce qui touche les relations entre les οὐράνια et les ἐπίγεια. Deux textes le montrent. Sextus Empiricus, dans son argument sur les trois sortes de corps (1), donne les exemples suivants : « Le monde n'est ni un corps composé de parties conjointes (ἐκ συναπτομένων) ni un assemblage de parties séparées (ἐκ διεστώτων), comme on le voit aux *sympathies* qui se manifestent en lui. En effet, c'est en correspondance avec les accroissements et les décroissements de la lune que croissent et décroissent beaucoup des animaux terrestres et marins et que se produisent, en certaines régions, les marées et les flux de mer. Tout de même, il y a correspondance entre le lever de la lune et bon nombre de changements et d'altérations dans l'atmosphère et dans l'air, soit que le ciel se rassérénère, soit au contraire que l'air se charge de pestilence ». L'un des exemples ici mentionnés (marées et flux de mer) est celui de *n. d.* II **7**, 19 (*aut aestus maritimi*, etc.), et le morceau dans son ensemble est tout analogue à la section II, **19**, 49-**21**, 56 (influence du soleil, de la lune, des astres sur les productions de la terre). L'analogie est plus frappante encore dans l'autre texte que je voudrais citer, *de divin.*, II, **14**, 33-34 (2), qui est emprunté aux Stoïciens (3) : « Quelles affinités d'ailleurs peuvent avoir ces sortes de prédictions (tirées des *exta*) avec la nature universelle? A supposer que la nature forme un Tout bien lié et cohérent, comme l'ont soutenu les *physici*, ceux-là surtout qui veulent que tout l'univers soit un, quel rapport peut-il y avoir entre le monde entier et la découverte d'un trésor?... Je veux bien croire que tout se

---

(1) *Adv. phys.*, I 79 = S. V. F., II 1013 (Chrysippe).
(2) = St. V. F., II 1211 (Chrysippe).
(3) *Multa enim Stoici colligunt* **14**, 33. Un peu plus loin (**15**, 35), Chrysippe, Antipater et Posidonius sont cités pour la notion d'une *vis sentiens atque divina quae tota confusa mundo est*.

tienne dans la nature universelle (1) — de fait les Stoïciens en donnent plus d'un exemple : les foies des souris grossissent en hiver; le pouliot fané refleurit au jour même du solstice d'hiver et les capsules qui contiennent les semences s'enflent alors, éclatent et se retournent; si l'on touche les cordes d'une lyre, les autres cordes résonnent; les huîtres et les autres coquillages croissent et décroissent avec la lune; quand la lune est dans son décours, en hiver, les arbres sont tout desséchés, aussi est-ce le bon temps pour les couper;... le flux et le reflux de la mer sont commandés par les phases de la lune; mille exemples semblables pourraient manifester les conjonctions naturelles qui existent entre les choses les plus éloignées, — accordons tout cela !.... Mais comment cette affinité naturelle, ce concert, cet accord interne que les Grecs nomment συμπάθεια pourront-ils faire que les fissures d'un foie aient relation avec mes petits profits, et ces gains minuscules avec le ciel entier, la terre et tout l'ensemble de la nature? » Ici encore, c'est la sympathie générale entre les choses du ciel et celles de la terre qui est mise en relief. Il n'est pas question de ces sympathies et antipathies entre les êtres terrestres qui ont fait l'objet, à l'époque hellénistique, d'une si vaste littérature de *mirabilia*, en particulier dans la médecine populaire (2).

Or c'est précisément à ces *mirabilia* qu'est consacré un développement dans le dernier exposé « posidonien » du *de n. d.* (II, **47**, 120 ss.). Non seulement, dans le chapitre sur les plantes (**47**, 120), Cicéron relate l'antipathie entre la vigne et les choux (3), mais encore, dans le chapitre sur les animaux (**50**, 126-127), il rapporte les remèdes merveilleux dont usent les animaux par une sorte de connaissance instinctive des sympathies et antipathies qui subsistent entre les êtres : « Que dire aussi de ces remèdes étonnants (4) (des animaux) que l'ingéniosité des médecins n'a fait tout juste que découvrir, je veux dire il y a peu de siècles (5)? Les chiens se guérisssent par des

---

(1) *Ut enim iam sit aliqua in natura rerum contagio, quam esse concedo* **14**, 33. Cf. *n. d.*, III, **11**, 28 *itaque illa mihi placebat oratio de conuenientia consensuque naturae, quam quasi cognatione continuatam conspirare dicebas*.

(2) Cf. ma *Rév. d'H. Tr.*, t. I, pp. 195 ss. et p. 90, n. 1.

(3) *Quin etiam a caulibus [brassicis]... refugere dicuntur*, sc. *vites*. Si on lit *a caulibus brassicae* (Plasberg), il s'agirait de l'antipathie entre deux espèces de choux.

(4) *Atque illa mirabilia*. « Mirabilia » (παράδοξα) est le terme technique pour désigner ces remèdes : cf. l'ἱστοριῶν παραδόξων συναγωγή d'Antigonos de Carystos (IIIe s. av. J.-C.), les ἱστορίαι θαυμάσται d'Apollonios (IIe s. av. J.-C.?), le περὶ θαυμασίων de Phlégon de Tralles (IIe s. ap. J.-C. Tous les trois sont édités dans les *Rerum naturalium scriptores graeci minores*, t. I, de O. Keller, Teubner, 1877).

(5) Garder *id est paucis ante saeclis* avec Plasberg. Ce que la nature a enseigné de tout temps aux animaux, l'homme vient seulement de l'apprendre : qu'est-ce en effet qu'un ou deux siècles dans l'histoire du monde?

vomissements, l'ibis d'Égypte en se purgeant le ventre. C'est un fait connu que les panthères qui, dans les pays barbares, ont été tentées par de la viande empoisonnée, possèdent un remède qui les empêche d'en mourir. Les chèvres sauvages, en Crète, quand elles ont été percées de flèches empoisonnées, cherchent une herbe nommée dictame, et à peine l'ont-elles goûtée que les flèches tombent du corps. Les biches, un peu avant que d'enfanter, se purgent avec une petite herbe qu'on nomme le séséli ». Pour chacun de ces exemples, les commentateurs (ainsi Mayor) offrent des parallèles, depuis Aristote (*Hist. Anim.*) et Théophraste (*Hist. Plant.*) jusqu'à Dioscoride (Ier s. ap. J.-C.), Pline et Plutarque. Mais il est bien évident que Cicéron n'a pas colligé lui-même ces *mirabilia*, choisis entre cent autres (*multa eius modi proferre possum* 49, 126). Il les prend directement à l'auteur hellénistique qui lui sert de modèle pour tout l'exposé sur la permanence de l'univers. Or nous possédons un texte qui nous permet de reconnaître encore quel devait être le caractère de cet écrit. C'est le fragment intitulé Νεπουαλίου περὶ τῶν κατὰ ἀντιπάθειαν καὶ συμπάθειαν (1). Weidlich paraît avoir démontré que ce petit ouvrage peut être contemporain de Tatien (c. 150), voire de Plutarque (2). On peut se demander s'il ne remonte même pas plus haut, quand on voit que quatre sur cinq des faits rapportés par Cicéron (chien, ibis, panthère, chèvres de Crète) se retrouvent chez Népoualios (3). Quoi qu'il en soit, nous voyons ici à coup sûr d'après une source hellénistique, une longue suite de remèdes usités par les animaux en vertu des sympathies et antipathies. C'est assurément une collection de ce genre que devait présenter la source de Cicéron en ce passage.

Dès lors, nous constatons un progrès, non pas tant dans la notion elle-même de sympathie — qui remonte, on l'a vu, à l'ancien stoïcisme — que dans l'extension de cette idée à tous les êtres de la nature. Il n'y a plus seulement un lien entre les astres du ciel et les flots de la mer ou la croissance des animaux et des plantes : c'est sur la terre même que tous les êtres exercent une influence les uns sur les autres, ces actions et réactions mutuelles étant dues à des

---

(1) Édité par Fabricius, *Bibl. Gr.* (1711), IV pp. 296-301, puis par W. Gemoll, Progr. Striegau, 1884. Sur Népoualios (ou peut-être Neptounianos ou Neptounalios, cf. W. Kroll dans P. W., XVI 2535-7), voir Th. Weidlich, *Die Sympathie in der antiken Litteratur*, Progr. Stuttgart, 1894, pp. 39-43; M. Wellmann, *Die Φυσικά des Bolos Demokritos* (Abh. Berlin, 1928, n° 7), p. 4 (date : c. 120 ap. J.-C.); W. Kroll, *l. c.*

(2) Weidlich, *op. cit.*, pp. 41-42.

(3) κύνες νοσοῦντες χλωρὰν ἄγρωστιν ἐσθίουσι καὶ ἐμοῦσι χολήν..., πάνθηρ νοσῶν αἷμα κυνὸς πίνει..., αἲξ τοξευθεῖσα δίκταμον ἐσθίει καὶ τὸ βέλος ἐκβάλλει..., ἶβις νοσοῦσα ὕδωρ ἁλικὸν πίνει καὶ ἐμεῖ καὶ οὐ νοσεῖ.

vertus occultes qui émanent de la même Force vitale partout présente. Bref, la doctrine philosophique de la sympathie universelle s'est enrichie par l'observation des faits de la nature qui, depuis les *Enquêtes sur les animaux* d'Aristote, est un des traits de l'âge hellénistique (1).

Mais, du même coup, la religion cosmique a elle aussi élargi son domaine. C'est sans doute la Nature qui dépose en tous les êtres d'ici-bas les vertus occultes d'où dépendent sympathies et antipathies. Mais cette Nature qui pourvoit au bien de tous, cette Nature-Providence est identique à Dieu. Après avoir, avec Zénon, défini la Nature « un feu plein d'art qui procède avec méthode à la génération de tous les êtres » (**22**, 57), l'auteur hellénistique, avec Zénon encore (**22**, 58), reconnaît en elle une force douée de jugement (*consultrix*) et prévoyante (*provida*) qu'il assimile enfin à l'Intellect du monde et à la divine Providence. En conséquence, Dieu est réellement partout. Il est au ciel sans doute, je veux dire que c'est le spectacle du ciel qui mène le plus immédiatement à la connaissance de la Raison universelle. Mais on se rend compte maintenant que le spectacle des choses terrestres n'est pas moins instructif. Dieu est dans le vermisseau, dans la fleur, dans le plus humble vivant. Cette force secrète qui de la petite graine fait un arbre, ou qui transforme la chenille en chrysalide et celle-ci en papillon, ce sûr instinct qui fait découvrir à l'animal l'herbe qui le guérira ou qui pousse l'oiseau à mettre dans son nid telle plante qui éloigne le rapace (cf. Népoualios) n'est pas moins admirable, ne témoigne pas moins d'un conseil et d'une prévoyance que la force qui meut les astres. Tout est divin dans le monde, Dieu se montre partout.

On devine quel vaste champ une pareille doctrine pouvait ouvrir au sentiment religieux. A la fin de sa vie, dans l'admirable introduction du traité *Sur les parties des animaux*, Aristote avait mis en garde les tenants de l'Académie qui, tout occupés des êtres célestes (mathématiques et astronomie), auraient eu tendance à négliger, comme inférieurs, les êtres terrestres. Là aussi, leur disait-il, il y a du divin : « Oui, même dans les êtres qui sont moins plaisants à la

(1) Noter, dans les écrits hellénistiques de *mirabilia*, le goût pour le mot πεῖρα. Ainsi Nepoualios, p. 296 Fabr. ἐπιστάμενός σου τὸ φιλομαθὲς... ἐσπούδασα συναγαγεῖν καὶ γράψαι σοι βιβλίον συμπαθειῶν καὶ ἀντιπαθειῶν, οὐχ ὥσπερ οἱ πρότερον συγγραψάμενοι πολλὰ ἄπιστα..., ἀλλ' ὀλίγα καὶ πάντα ἡμῶν διὰ πείρας ἐληλυθότα, ἵνα ἐκ τούτου ἐπιγνῷς τὴν πολυπειρίαν τὴν ἐμήν, Ps. Démocrite, p. 334 Fabr. ὁκόσα ἡ γῆ ὧν ἐστι ξυγγεννήσασα ἢ λίμναις συγκαταπήξασα ἐν ψύχεσιν, ὁκόσον τε ἐν ἁλίῃσι ἔκειθε τὰ βυθοῦ, ταῦτα εἰς ἐμὴν ἐμόλε πειρίην, ἄγνωστα μὲν εἰς γνῶσιν καὶ πολυπειρίην, ἀγαθὰ δὲ εἰς ὠφελίην (pour ce traité ps. démocritéen περὶ συμπαθειῶν καὶ ἀντιπαθειῶν, cf. Weidlich, *op. cit.*, pp. 35-39).

vue (que les astres), dès l'instant où on les considère scientifiquement, la Nature qui les façonne procure des joies incroyables à ceux qui savent discerner les causes et qui ont l'âme naturellement philosophique... Il ne faut donc pas s'irriter, comme des enfants, contre cet examen des êtres inférieurs (1). Car, dans tous les êtres de la Nature, il y a quelque chose d'admirable. Héraclite, dit-on, alors que des étrangers voulaient le visiter et que, s'étant approchés de son seuil et l'ayant vu qui se chauffait près du fourneau de cuisine, ils n'osaient aller plus loin, leur dit d'entrer sans crainte, « car là aussi il y a des dieux » : tout de même faut-il se porter aussi, sans faire la moue, vers la considération de chaque animal, convaincu qu'il y a en tous quelque marque de la Nature et quelque chose de beau » (2). On peut dire que notre auteur hellénistique a fait faire à la notion de sympathie un progrès analogue. Suivant la tradition de Platon, les premiers Stoïciens avaient borné leur étude aux choses du ciel, aux *sublimiora* (3). Et certes il n'était pas difficile d'y découvrir le doigt de Dieu : « le ciel proclame la gloire de Dieu », chantait déjà le Psalmiste. Les astres étaient les êtres nobles et divins (4), et la science qui les prenait pour objet était donc, elle aussi, la plus noble et la plus divine puisqu'elle faisait connaître Dieu (5). Maintenant, grâce à la curiosité de l'homme hellénistique pour tous les faits étranges de la nature, on s'était pris à considérer aussi les êtres inférieurs, les ἀτιμότερα, les êtres « bas et vils » comme eût dit notre XVIIe siècle. Et, dans la meilleure tradition d'Aristote, il s'était trouvé des esprits pour discerner, là aussi, un plan divin, une Providence divine.

Voilà ce qui transparaît encore à travers l'abondance un peu molle de l'écrivain romain. Il n'a guère saisi la grandeur et la beauté d'une telle doctrine, non plus qu'il n'a compris combien elle était propre à approfondir et à enrichir le sentiment religieux. Mais vienne après lui une âme vraiment religieuse, vienne un Virgile, et

---

(1) Littéralement « moins nobles (que les astres) », τὴν περὶ τῶν ἀτιμοτέρων ζῴων ἐπίσκεψιν.
(2) Arist., π. ζῴων μορίων, I 5.
(3) Cf. Plin., *N. H.* XX 1, 1-2 (passage qui semble inspiré du texte d'Aristote qu'on vient de citer) : *maximum hinc opus naturae ordiemur et cibos suos homini narrabimus.... nemo id parvum ac modicum existimaverit, nominum vilitate deceptus. pax secum in his aut bellum naturae dicetur, odia amicitiaeque rerum surdarum ac sensu carentium, et quo magis miremur, omnia ea hominum causa, quod Graeci sympathiam et antipathiam appellavere, quibus omnia constant, ignes aquis restinguentibus, aquas sole devorante, luna pariente, altero alterius iniuria deficiente sidere, atque, ut a sublimioribus recedamus, ferrum ad se trahente magnete lapide... quaeque alia in suis locis dicemus paria vel maiora miratu.*
(4) οὐσίαι τίμιαι καὶ θεῖαι, Aristote, *l. c.*
(5) Arist., *Méta.*, A, 2, 983 a 5.

la perception de la présence universelle de Dieu deviendra un thème puissant de méditation pour l'âme. Partout affleure, dans les *Géorgiques*, le sentiment de cette présence. Les abeilles elles-mêmes y sont remplies de Dieu, *esse apibus partem divinae mentis et haustus aetherios dixere.*

§ 3. *La religion cosmique dans le* de re publica *et le* de legibus (1).

I. Vue d'ensemble des deux traités.

On connaît le plan du *de re publica*. Après un préambule (ch. 1-7) où Cicéron, en son propre nom, répond à la question : « Le sage doit-il prendre part à la chose publique? » (2) et une courte transition (ch. 8) où il nomme l'intermédiaire, P. Rutilius Rufus, qui lui a rapporté les propos tenus, trois quarts de siècle auparavant (3), dans les jardins de Scipion l'Africain, commence le dialogue, qui s'étend sur trois journées, le thème de chaque journée étant traité en deux livres.

Ces thèmes sont les suivants.

1re journée (porte-parole : Scipion) : *de optimo statu civitatis* (4), l. I-II.

Définition de la « chose publique » (ch. 24-25). — Les trois

---

(1) Sur la *République :* jusqu'en 1926, cf. UEBERWEG-PRAECHTER, pp. 144*-145* (ajouter, sur le problème de la justice (l. III), A. LÖRCHER, *Burs. Jahr.*, CCIV, 1925, pp. 95-100). — Depuis 1926, cf. O. PLASBERG, *op. cit. (supra,* p. 370, n. 1), pp. 113-141 et R. PHILIPPSON, P. W., VII A, 1108-1117. — Sur la question du *princeps* (l. V-VI), cf. la longue recension de LÖRCHER, *Burs. Jahr.*, CCXXXV, 1932, pp. 2-39 (en particulier pp. 28-37), qui résume l'article de R. REITZENSTEIN (*Nachr. Gött. Ges. Wiss.*, 1917, pp. 399 ss., 481 ss.) et les réactions provoquées par cette étude (en particulier R. HEINZE, *Hermes*, LIX, 1924, pp. 73-94; réponse de Reitzenstein, *ib.*, pp. 356-362; voir aussi PLASBERG, pp. 135-141); depuis 1932, cf. surtout R. MEISTER, *Der Staatslenker in Ciceros De re publica, Wien. Stud.*, LVII, 1939, pp. 57-112 (avec une longue bibliographie, p. 57, n. 1; voir aussi p. 110, n. 24) et P. BOYANCÉ, *op. cit.* (cf. *infra*), p. 139, n. 3 et 4 (bibliographie).

Sur le *Songe de Scipion* (l. VI), cf. surtout R. HARDER, *Uber Ciceros Somnium Scipionis* (*Schr. d. Königsb. Gel. Ges.*, Geisteswiss. Kl., VI 3), Halle, 1929 (recension de Philippson, *Phil. Woch.*, 1936, 1205-1209), et P. BOYANCÉ, *Études sur le Songe de Scipion*, Paris, 1936. Voir aussi CH. JOSSERAND, *L'Ame-Dieu à propos d'un passage du Songe de Scipion, Ant. Class.*, IV, 1935, pp. 141-152, M. van den BRUWAENE, ψυχή et νοῦς *dans le Somnium Scipionis de Cicéron, ib.*, VIII, 1939, pp. 127-152. Pour le thème général de la vue du Kosmos, cf. R. M. JONES, *Posidonius and the flight of the mind through the universe, Class. Philology*, XXI (1926), pp. 97-113.

Sur le *de legibus :* jusqu'en 1926, cf. UEBERWEG-PRAECHTER, p. 145* (ajouter A. LÖRCHER, *Burs. Jahr.*, CLXII, 1913, pp. 129-144). — Depuis 1926, R. PHILIPPSON, P. W., VII A, 1117-1121.

(2) Problème classique depuis Épicure et son σόφος οὐ πολιτεύεται.

(3) En 129 av. J.-C. Le *de re publica* a été écrit en 54-51.

(4) Cf. *ad Qu. fr.*, III 5, 1. — Je passe ici sur la conversation préliminaire à propos d'un phénomène céleste et plus généralement de l'astronomie.

formes de constitutions simples, et à l'état normal (monarchie, aristocratie, démocratie : ch. 26-27) et à l'état dégradé (tyrannie, oligarchie, ochlocratie : ch. 28-29). — Ces constitutions changent de l'une en l'autre à la manière d'un cercle (*mirique sunt* orbes *et quasi* circumitus *in rebus publicis commutationum et vicissitudinum* 29, 45), l'extrême licence du gouvernement populaire donnant lieu à un régime tyrannique, et ainsi de suite (ch. 29-44). — Aucune de ces trois constitutions simples n'étant donc la bonne, il faut envisager une quatrième forme de constitution, qui sera un mélange des trois premières (annoncé ch. 29 fin, explicité ch. 45). — Le meilleur exemple de cette constitution mixte est la constitution de Rome (ch. 46); le livre II (ch. 1-37) décrit donc l'évolution de l'État romain depuis sa naissance jusqu'à sa maturité solide et vigoureuse (programme annoncé II, 1, 3) (1). — Le reste du livre II (ch. 38-44) sert de transition à la 2ᵉ journée. Scipion y définit d'abord, semble-t-il, l'homme d'État idéal, l'idée de meilleure πολιτεία ayant conduit tout naturellement à celle du meilleur πολιτικός (II 40). Cet homme d'État idéal s'offre aux citoyens comme un miroir (*sicut speculum* II 42), son âme harmonieuse donne le modèle de l'harmonie dans l'État. Or cette harmonie est fondée sur la justice, thème capital qui demande un long développement (II 44).

2ᵉ journée (porte-paroles : Philus, Laelius, Scipion) : *de iustitia*, l. III-IV.

Préambule de Cicéron touchant les origines de la civilisation et la supériorité de la sagesse politique sur la sagesse contemplative (ch. 1-4). — Rappel des deux conférences de Carnéade à Rome en 155 (ch. 5). L. Furius Philus est chargé, malgré lui, de soutenir la thèse de l'injustice (on ne peut gouverner que par la force : ch. 8-18), Laelius, l'ami de Scipion, la thèse de la justice (ch. 21-29). — Scipion montre par des exemples (ch. 30-35) que tout gouvernement où règne l'injustice (tyrannie, oligarchie, ochlocratie) ne peut même pas être une *res publica*, c'est-à-dire, au propre, une « chose du peuple » (*res populi*, III 31), puisqu'en vérité il n'y a plus de peuple (2).

< Maintenant, il ne suffit pas qu'il y ait des lois justes : il faut encore que les citoyens obéissent à ces lois, qu'ils soient habitués à

---

(1) En fait l'exposé (dans l'état actuel) va jusqu'à l'institution et l'histoire des décemvirs, 451-449 av. J.-C., II 36-37.
(2) Cf. le résumé de saint Augustin, *Civ. Dei*, II 21 et XIX 21.

pratiquer la justice. Or l'habitude de cette pratique ne s'acquiert que par l'éducation >. Tel paraît avoir été, en conformité avec Platon et Aristote, le mouvement de pensée qui unit au livre III le livre IV, consacré, semble-t-il, au problème de l'éducation, autant qu'on en peut juger par les misérables fragments qui nous en restent.

3ᵉ journée (porte-parole : Scipion) : *de optimo cive* (1), l. V-VI.

Cette dernière partie s'ouvre, elle aussi, sur un préambule de Cicéron lui-même (fr. 1-2) qui donne le sens des livres V-VI. Cicéron y prend pour thème le vers d'Ennius : *moribus antiquis res stat Romana virisque*. Ce sont les mœurs d'antan qui ont formé les grands hommes du passé de Rome, et ces héros à leur tour ont consolidé les anciennes mœurs et les institutions des aïeux. Or ces mœurs ont disparu. Et il n'y a donc plus de sages politiques pour gouverner Rome. Dès lors, le Vᵉ livre était destiné à montrer le *princeps* idéal, dans lequel il faut moins voir, sans doute, un magistrat particulier qui serait placé au-dessus des trois ordres de l'État (consuls, sénat, peuple), comme le sera Auguste, qu'un type, le βασιλικὸς ἀνήρ de Platon et d'Aristote (2). Le rôle de ce *princeps* a été ainsi défini par Cicéron lui-même, dans une lettre à Atticus (3) où il rappelle l'objet du livre V de la *République :* « De même que le pilote se donne pour but d'arriver heureusement au port, le médecin de rendre la santé, le général de vaincre l'ennemi, ainsi celui qui dirige l'État (*moderator r. p.*) se propose-t-il comme fin le bonheur des citoyens, en sorte qu'ils jouissent d'une richesse bien assise et d'abondantes ressources, que leur gloire s'étende au loin, et que leur vie soit ornée de vertu ».

Maintenant, quelle sera la récompense de ce parfait politique? D'après une allusion dans saint Augustin (4), Scipion veut que le *princeps civitatis* soit nourri de gloire (*alendum esse gloria*) : telle est bien, en effet, la tradition grecque, d'un mot la tradition antique tout entière (5). Mais Cicéron savait trop bien, par le spectacle de

---

(1) Cf. *ad Qu. fr.*, III 5, 1.
(2) *Sic* Heinze et Lörcher contre Reitzenstein. De même R. Meister, *l. c.*, p. 111 « So vertieft sich in Ciceros Schrift die Lebensform des aristokratischen Führers altrömischer Prägung durch die Aufnahme des sittlichen Ideals der griechischen Ethik und Staatsphilosophie. In der Gestalt des *rector rei publicae* verbindet sich der römische Typus der *principes* mit dem griechischen Ideal des πολιτικός und βασιλικὸς ἀνήρ ».
(3) *Att.*, VIII 11, 1 = *de re p.*, V 8.
(4) *Civ. Dei*, V 13, cf. aussi Pierre de Poitiers = *de re p.*, V 9.
(5) V. gr. le skolion attique à Harmodius et Aristogiton : ἀεὶ σφῶν κλέος ἔσσεται κατ' αἶαν.

l'histoire et sa propre expérience, que l'ingratitude des peuples est, plus d'une fois, le lot des sages gouvernants. C'est ici que la philosophie a son mot à dire. La plus noble récompense du *princeps* est la conscience qu'il a de ses grands exploits (*sapientibus conscientia ipsa factorum egregiorum amplissimum virtutis est praemium* VI 8, cf. III 40) : ici encore, on retrouve une tradition commune de la sagesse grecque (1). Cependant le gouvernant peut espérer aussi une autre sorte de récompense, plus durable que le métal des statues et la verdure des lauriers aux jours de triomphe : c'est l'immortalité bienheureuse. Scipion en a eu un avant-goût au cours d'un songe, dont le récit clôt le *de re publica*, comme le récit d'Er le Pamphilien achevait la *République* de Platon.

Dans son apologie de la justice (*r. p.*, III, **22**, 33), Lélius avait parlé de cette loi naturelle qui n'est autre que la droite raison, répandue en tous les hommes, immuable, éternelle, qui appelle au bien et détourne du mal. « C'est un sacrilège », disait-il, « de modifier cette loi, il n'est pas permis d'en retrancher quelque partie que ce soit et il est impossible de l'abolir entièrement. Ni le sénat ni le peuple ne peuvent nous dégager de ses obligations, et nous n'avons pas besoin de chercher hors de nous-mêmes pour qu'on nous l'explicite ou l'interprète; il n'y en aura pas une autre à Athènes, une autre à Rome, une autre aujourd'hui, une autre hier; non, c'est une seule et même loi, éternelle et immuable, qui doit régir à la fois tous les peuples, dans tous les temps, comme il ne doit y avoir pour tous qu'un seul maître et chef commun, Dieu, qui est l'auteur de cette loi, qui la promulgue et la sanctionne. Et si l'on n'obéit pas à ce Dieu (ou « à cette loi »), on se punit soi-même : pour avoir renié sa nature humaine, on subira les peines les plus cruelles ».

C'est ce thème que développent le livre I du *de legibus* (ch. 6-12) et le chapitre 4 du IIe livre (2), en continuité immédiate avec le *de re publica* (3).

---

(1) Cf. Sallustius encore, sous l'empereur Julien, *de dis et mundo* 21 καίτοι καὶ εἰ μηδὲν αὐτοῖς τούτων (union aux dieux dans la vie future) ἐγένετο, αὐτή γε ἡ ἀρετὴ καὶ ἡ ἐξ ἀρετῆς ἡδονή τε καὶ δόξα ὅ τε ἄλυπος καὶ ἀδέσποτος βίος εὐδαίμονας ἂν ἦρκει ποιεῖν τοὺς κατ' ἀρετὴν ζῆν προελομένους καὶ δυνηθέντας, avec la note de Nock (Cambridge, 1926), p. XCIV, n. 224.

(2) Cette partie théorique correspond au long « prélude » que constituent, dans les *Lois* de Platon, les livres I (624 a) à V (734 d, cf. IV 722 c-d). Le reste du *de legibus* concerne la législation proprement dite, II c. 8-fin la législation religieuse, III la législation civile. Il devait y avoir encore deux ou trois livres, qui sont perdus.

(3) Cf. *leg.*, I, **6**, 20; **9**, 27. Pour ces rapprochements entre *r. p.* III et *leg.* I, cf. A. SCHMEKEL, *Phil. d. mittleren Stoa*, pp. 55-61.

Après un prologue (ch. 1-5) manifestement imité des *Lois* de Platon (mentionnées d'ailleurs en I, **5**, 15), Cicéron, qui est lui-même, cette fois, l'un des personnages du dialogue, les deux autres étant son frère Quintus et son ami Atticus, commence par exposer les origines du droit (*nunc iuris principia videamus* **6**, 18). Selon la doctrine de très savants hommes (1), la loi est la raison suprême implantée dans la nature, qui commande ce qu'il faut faire et défend ce qu'il ne faut pas faire (2). Quand cette raison est solidement établie et pleinement développée dans l'esprit humain, elle devient la Loi. La loi est ainsi un principe de sagesse (*prudentia*, φρόνησις), dit νόμος en grec du fait qu'il « attribue » (νέμει) à chacun sa part, *lex* en latin du fait qu'il « choisit » (*a legendo*), les Grecs mettant l'accent sur l'idée d'équité, les Latins sur celle de choix. Dès lors, le fondement du droit est cette loi, qui est tout ensemble une force de la nature, l'intelligence et la raison du sage, et la règle (*regula*, κάνων) grâce à laquelle on mesure ce qui est juste et ce qui est injuste. Cette loi naturelle est bien différente des lois écrites. Elle a été de tout temps, bien avant qu'il ait existé aucune loi écrite ou aucun État (**6**, 18-19).

C'est donc dans la nature elle-même qu'il nous faut chercher l'origine de la justice. Maintenant, la nature est gouvernée par la providence des dieux. Or, entre tous les êtres de la nature, l'animal humain a reçu des dieux, par un privilège unique, la raison et la pensée : don incomparable, car il n'est rien de plus divin, au ciel ou sur la terre, que la raison, qui, parvenue à son plein développement, est dite sagesse. Puis donc que la raison subsiste à la fois dans les dieux et dans les hommes et ne subsiste qu'en ces deux sortes d'êtres, hommes et dieux sont unis par cette possession commune. Mais cette raison est nécessairement la raison droite, c'est-à-dire la loi. Hommes et dieux sont donc associés ensemble par la loi. Davan-

---

(1) *doctissimi viri*. La source est évidemment grecque, mais l'on ne s'accorde pas sur l'auteur, Panétius ou Antiochus d'Ascalon. Lörcher n'admet une source grecque — Chrysippe — que pour quelques paragraphes seulement (**7**, 22-**11**, 32), cf. Burs. Jahr., CLXII, 1913, pp. 129-134.

(2) *lex est ratio summa insita in natura, quae iubet ea, quae facienda sunt, prohibetque contraria* **6**, 18. Cf. *r. p.*, III, **22**, 23 *est quidem vera lex recta ratio naturae congruens, diffusa in omnes, ... quae vocet ad officium iubendo, vetando a fraude deterreat* et *n. d.*, II, **31**, 78-79 *atqui necesse est cum sint di... esse... rationes compotes inter seque quasi civili conciliatione et societate coniunctos, unum mundum ut communem r. p. atque urbem aliquam regentis. Sequitur ut eadem sit in is quae humano in genere ratio, eadem veritas utrobique sit eademque lex, quae est recti praeceptio pravique depulsio.* **62**, 154 *est enim mundus quasi communis deorum atque hominum domus aut urbs utrorumque; soli enim* ratione *utentes iure ac lege vivunt*. Sur cette notion de *lex* = *ratio*, cf. M. Pallasse, *Cicéron et les sources de droits* (Annales Univ. de Lyon, III 8), Paris, 1945, pp. 49 ss. et l'étude citée *ib.*, p. 49, n. 3, de Ph. Finger, *Rh. Mus.*, LXXXI (1932), pp. 155-177, 242-262.

tage, là où il y a communauté de loi, il y a communauté de droit, et ceux que lie une telle communauté doivent être regardés comme membres d'une même cité : de fait, hommes et dieux obéissent également au système céleste, à l'Intellect divin, au Dieu qui règne sur toutes choses. Dès lors, il faut concevoir le monde en sa totalité comme une seule et même cité commune aux dieux et aux hommes (**7**, 21-23).

Cependant nous ne sommes pas associés aux dieux seulement par cette communauté de la loi; nous leur sommes unis aussi par des liens de parenté *(agnitione et gente)*. Hommes et dieux appartiennent à une même race. Les sages qui ont examiné la nature humaine (1) estiment que, après bien des conversions célestes, le temps vint enfin où la semence du genre humain dut être semée sur la terre (2). Or, les corps humains une fois formés, les dieux y implantèrent des âmes; et, tandis que les autres éléments de l'homme sont tirés de la matière mortelle, partant fragiles et caducs, l'âme immortelle au contraire est engendrée par Dieu lui-même. Il y a donc un lien de parenté *(agnatio,* συγγένεια) entre l'homme et les êtres célestes, et de là vient que, seul de toutes les créatures terrestres, l'homme a la connaissance de Dieu, et que cette connaissance est répandue partout jusque dans les nations les plus sauvages, lors même que ces nations ne savent pas quelle sorte de dieux elles doivent adorer. Mais, si l'homme reconnaît Dieu, c'est évidemment parce qu'il se ressouvient de son origine et qu'il se sent apparenté à cette source (**8**, 24-25).

L'homme est uni aux dieux par la commune participation à la loi et la commune possession de l'intellect. Il l'est aussi par le commun exercice de la vertu. La vertu en effet, qui n'est rien d'autre que la nature portée à sa perfection, existe également dans ces deux êtres, et en eux seuls : d'où il suit que, par ce point encore, l'homme ressemble aux dieux.

On ne peut donc concevoir d'affinité plus étroite que celle qui existe entre l'homme et les dieux. De là vient que tout, dans le monde, paraît avoir été produit par la nature pour le service de l'homme. Plantes et bêtes sont à son usage. Les arts de la vie ont été enseignés à l'homme par la nature, car c'est en imitant la nature

---

(1) Quel que soit l'auteur grec imité, la source première de ce développement est certainement le *Timée* de Platon, cf. *Tim.* 90 a ss.

(2) Pour cette idée d'un « temps révolu », cf. PLAT., *Pol.* 272 d 7 ἐπειδὴ γὰρ πάντων τούτω χρόνος ἐτελεώθη καὶ μεταβολὴν ἔδει γίγνεσθαι. Pour l'idée de « semailles du genre humain » *(extitisse quandam maturitatem serendi generis humani)*, cf. Platon (qui parle plutôt de semailles d'âmes), *Pol.* 272 e, *Tim.* 41 ss.

qu'il a inventé ces arts. Cette même nature a doté l'homme de l'intelligence et des sens, elle l'a pourvu d'un corps parfaitement adapté aux fonctions de l'esprit. Les autres animaux ont le front baissé vers la terre où ils trouvent leur nourriture : seul, l'homme a la taille droite, en sorte qu'il peut regarder vers le ciel comme au lieu de sa parenté et de son premier séjour (1). La nature a donné à l'homme un visage capable d'exprimer les sentiments de l'âme, une voix susceptible de se former en parole, ce qui permet l'échange des pensées. Enfin, l'homme une fois créé et muni par Dieu de ces propriétés, la nature lui a donné la faculté de progrès, en sorte qu'il s'élève, depuis les premières étincelles de l'intelligence, jusqu'à une raison solide et parfaitement développée (**8**, 25-**9**, 27).

Il résulte donc de ces discussions des sages, et c'est là leur enseignement le plus important, que nous sommes nés pour la justice, et que le droit n'est pas fondé sur l'opinion, mais sur la nature elle-même. On l'a constaté jusqu'ici en considérant la société naturelle des hommes et des dieux. Mais cela apparaît encore si l'on prend conscience de la société qui unit les hommes entre eux. Rien ne ressemble tant qu'un homme à un autre homme. Quelque définition qu'on donne de l'être humain, elle vaut pour tous ces êtres. C'est la raison qui établit entre eux tous une liaison ; il peut y avoir des différences quant aux choses qu'on apprend, la faculté d'apprendre n'en est pas moins commune à tous. Il en va de même pour les sens, — nous sommes tous affectés de la même manière par les mêmes objets, — pour les premiers rudiments de l'intelligence qui sont imprimés en nous selon le même mode, pour la parole, car, si les divers langages diffèrent quant aux vocables, ces vocables expriment les mêmes réalités. Enfin il n'est pas d'être humain qui, s'il trouve un bon guide, ne puisse atteindre à la vertu (**10**, 28-30).

Le chapitre **11**, 31-32 explicite encore, par d'autres exemples, cette communauté de nature entre les hommes, pour aboutir à la conclusion : « Puisqu'il est ainsi prouvé que le genre humain forme une seule et même société, il en résulte que c'est la raison appliquée à la conduite de la vie qui rend les hommes meilleurs » (2).

Il apparaît, dès lors, que c'est en vertu d'une constitution naturelle que nous sommes tous appelés à communier dans un même droit. Si donc les hommes écoutaient la voix de la nature et ne s'en laissaient pas divertir par les habitudes acquises, le droit serait éga-

---

(1) Cf. *n. d.*, II, **56**, 140.
(2) *recte vivendi ratio* (**11**, 32) paraît ici un équivalent de ce qu'on nommera plus tard « raison pratique ».

lement observé par tous. Car le don de la raison implique celui de la droite raison, partant celui de la loi qui n'est autre que la droite raison en tant qu'elle commande et défend, donc enfin celui du droit. Or tous les hommes ont reçu la raison ; ils ont donc tous reçu le droit (**12**, 33).

Tout ceci n'est qu'un préambule *(praemuniuntur)* en vue de montrer que le droit nous est inné par nature (**12**, 34 fin).

Ici s'achève la première partie de la discussion dans le Ier livre. La suite (ch. 13-21) concerne le problème du souverain bien (1), qui empiète sur le domaine de l'éthique, comme Cicéron le reconnaît lui-même (2), et constitue une digression (3). Enfin le livre s'achève sur un panégyrique de la sagesse (**22**, 58-**24**, 63) dont le fond et la forme rappellent la conclusion du *Timée* (4) tandis que certains traits dénotent l'influence du stoïcisme, en particulier l'idée, une fois de plus exprimée, de l'homme citoyen du monde (5).

On revient au problème de la loi au chapitre 4 du livre II qui fait la suite immédiate du chapitre I 12, tout l'entre-deux constituant soit, comme on l'a vu, des digressions sur le souverain bien (I 13-21) et la sagesse (I 22-24), soit l'introduction descriptive du livre II (ch. 1-3). Touchant la loi, Cicéron s'était attaché, dans le

---

(1) Sur les parallèles entre cette deuxième partie du livre I et le *de finibus*, cf. LÖRCHER, *Burs. Jahr.*, CLXI, 1913, pp. 131-133.

(2) **19**, 52 *sed videtisne, quanta series rerum sententiarumque sit...? quin labebar longius nisi me retinuissem.* — Q. *Quo tandem?...* — M. *Ad finem bonorum, quo referantur et cuius apiscendi causa sunt facienda omnia.*

(3) **22**, 57 *licebit alias ; nunc id agamus, quod coepimus, cum praesertim ad id nihil pertineat haec de summo malo bonoque dissensio.*

(4) Cf. en particulier le mouvement **23**, 60 *nam cum animis cognitis perceptisque virtutibus a corporis obsequio indulgentiaque discesserit... cultumque deorum et puram religionem susceperit et exacuerit illam, ut oculorum, sic ingenii aciem ad bona seligenda et reicienda contraria, ...quid eo dici aut cogitari poterit beatius?* et *Tim.* 90 b 6 ss. τῷ δὲ περὶ φιλομαθίαν καὶ περὶ τὰς ἀληθεῖς φρονήσεις ἐσπουδακότι καὶ ταῦτα μάλιστα τῶν αὑτοῦ γεγυμνασμένῳ,... πᾶσα ἀνάγκη που... διαφερόντως εὐδαίμονα εἶναι. De même **22**, 59 *nam qui se ipsum norit, primum aliquid se habere sentiet divinum ingeniumque in se suum sicut simulacrum aliquod dicatum putabit tantoque munere deorum semper dignum aliquid et faciet et sentiet* et *Tim.* 90 c 4 ἄτε δὲ ἀεὶ θεραπεύοντα τὸ θεῖον ἔχοντά τε αὐτὸν εὖ κεκοσμημένον τὸν δαίμονα σύνοικον ἐν αὑτῷ... θεραπεία δὲ δὴ παντὶ παντός, μία, τὰς οἰκείας ἑκάστῳ τροφὰς καὶ κινήσεις ἀποδιδόναι.

(5) Cf. **23**, 61 *idemque cum caelum, terras, maria rerumque omnium naturam perspexerit, eaque unde generata, quo recursura, quando, quo modo obitura... viderit* (cf. Eurip. fr. 910 N. ὄλβιος ὅστις τῆς ἱστορίας | ἔσχε μάθησιν,... | ... ἀλλ' ἀθανάτου | καθορῶν φύσεως κόσμον ἀγήρων | πῇ τε συνέστη χὠπως) *ipsumque ea moderantem et regentem paene prenderit* (εἰ ἄρα γε ψηλαφήσειαν αὐτόν, sc. τὸν θ ον *Act. Ap.* 17, 27) *seseque non † omnis†circumdatum moenibus popularem alicuius definiti loci, set civem totius mundi quasi unius urbis agnoverit, in hac illa magnificentia rerum atque in hoc nspectu et cognitione naturae..., quam se ipse noscet,... quam contemnet, quam despiciet, quam pro nihilo putabit ea, quae volgo dicuntur amplissima,* cf. Ps.-Arist. *de mundo* 391 a 26 οὐδέποτε γὰρ ἂν τούτοις (sc. τῷ κόσμῳ καὶ τοῖς ἐν κόσμῳ) γνησίως ἐπιστήσαντες ἐθαύμαζόν τι τῶν ἄλλων, ἀλλὰ πάντα αὑτοῖς τὰ ἄλλα μικρὰ κατεφαίνετο ἂν καὶ οὐδενὸς ἄξια πρὸς τὴν τούτων ὑπεροχήν.

livre I, à montrer qu'elle se fonde sur la raison pratique que les hommes ont en commun avec les dieux. Reprenant en II 4 cette idée (1), l'auteur met en relief l'aspect religieux de la Loi assimilée à la Raison universelle. Celle-ci n'est rien d'autre, en effet, que Dieu lui-même. Il faut donc, selon le mot d'Aratos (traduit par Cicéron), « commencer par Dieu », c'est-à-dire remonter jusqu'à Dieu pour trouver le fondement du droit (2). Selon les philosophes les plus sages, déclare donc Cicéron (4, 8), la loi n'est pas le produit de la réflexion humaine ni le résultat d'un décret populaire, mais un principe éternel qui gouverne le monde entier par un conseil également sage en ce qu'il commande et ce qu'il défend. Dès lors la loi est identique à l'Intellect suprême, au νοῦς ἡγεμών, c'est-à-dire à Dieu, dont la raison dirige toutes choses par ses commandements et ses défenses (4, 8).

Il y a donc une grande différence entre cette loi éternelle, coéternelle au Dieu qui gouverne le ciel et la terre, et les lois particulières des nations. Identique à l'Intellect divin, cette loi est nécessairement juste. Car l'Intellect divin implique la raison, et la raison divine ne va pas sans le pouvoir de décréter ce qui est juste et ce qui est injuste. Horatius Coclès et Lucrèce n'ont pas obéi à des lois écrites, qui n'existaient pas encore, mais à la loi éternelle, antérieure aux lois écrites, contemporaine de l'Esprit divin. D'où il suit que la loi première et véritable, qui commande le bien et défend le mal, est la droite raison du Dieu suprême, *ratio est recta summi Iovis* (4, 9-10).

II. L'avènement du stoïcisme latin.

Le *de natura deorum* nous avait fait voir plus haut comment la religion cosmique s'était développée à l'époque hellénistique, sous l'influence des sciences de la nature, en une doctrine de la présence universelle de Dieu. Le *de re publica* et le *de legibus* nous permettent de considérer un autre progrès intéressant de cette même religion dans le domaine de la science politique et de la théorie du droit. Il n'est pas besoin de rappeler quelle importance ces disciplines revêtent pour les Romains. Si le Grec hellénistique, depuis le

---

(1) Cicéron reconnaît d'ailleurs qu'il se répète, cf. **4,** 9 *aliquotiens iam iste locus a te tactus est.*

(2) ἐκ Διὸς ἀρχώμεσθα, *Phain.* 1. Pour Chrysippe (περὶ θεῶν) la loi se confond avec Zeus, cf. Philod., π. εὐσ., col. 13, 9, p. 80 Gomp. τὸν νόμον (Δία εἶναι) = Cic., *n. d.*, I, **15,** 40 *idemque* (Chrysippe) *etiam legis perpetuae et aeternae vim, quae quasi dux vitae et magistra officiorum sit, Iovem dicit esse.*

milieu du IIIe siècle (1), abandonne en quelque sorte les spéculations sur la cité parce que la cité, en Grèce, n'est plus qu'un simulacre, il en va tout au contraire du Romain. Plus Rome étend son empire, plus les gouvernants de Rome — ce sont essentiellement les membres de la noblesse — prennent conscience que la *res publica* est l'objet capital à quoi doivent s'appliquer et les ressources de leur esprit et leur volonté d'action. Participer à la chose publique est la tâche normale du Romain bien né. A vrai dire il s'y sent porté par toutes les traditions de sa classe. Mais le temps est venu où quelques hommes, dans cette classe, ne se contentent plus seulement des recettes traditionnelles. L'extension même de la puissance de Rome a posé de nouveaux problèmes. Les légions ont soumis des peuples étrangers qu'il s'agit maintenant de gouverner. Loin d'être des Barbares, ces peuples sont plus civilisés que les Romains. Il ne suffit pas de les traiter en vaincus et de les pressurer à l'envi. Si la politique de Rome a d'abord été de pure force, les gouvernants les plus sages se rendent bien compte qu'un tel régime ne pourra durer. Or, depuis le milieu du IIe siècle, la pensée grecque a commencé de pénétrer dans les cercles éclairés du Sénat. Panétius et Polybe sont les amis de Scipion Émilien. C'est à la constitution de Rome, et non plus à celles de la Grèce, que Polybe applique une pensée politique nourrie de Platon et d'Aristote. C'est en vue de l'éducation des nobles romains que Panétius vulgarise et pour ainsi dire humanise la morale des Stoïciens. Ainsi se fait jour à Rome le concept d'une certaine unité de l'espèce humaine, tout ce complexe d'idées et de sentiments qu'exprime le mot *humanitas* sur lequel sera fondée la notion si féconde de *ius gentium*.

D'autre part, les terribles exploits des grands aventuriers politiques, depuis le début du Ier siècle, ont troublé, à Rome, dans le mécanisme de l'État, la fameuse harmonie des trois pouvoirs — consuls, Sénat, peuple — que Polybe avait tant admirée. Les guerres continuelles ont mis aux mains de chefs ambitieux des armées considérables. On ne peut se passer de ces armées si l'on veut garder l'Empire; et l'on ne peut se passer des généraux qui les commandent puisqu'ils se sont montrés capables. Mais en retour, quand ils aspirent, comme il arrive, à la toute-puissance, ces généraux constituent un danger permanent. On respire une odeur de dictature (2). En

---

(1) Mettons depuis l'écrasement d'Athènes par Antigone Gonatas en 261. C'est aussi la date de la mort de Zénon.

(2) Cic., *Qu. fr.*, II 13, 5 (début juin 54) *erat aliqua suspicio dictaturae*, *Att.*, 18,3 (fin octobre 54) *est nonnullus odor dictaturae, sermo quidem multus*.

outre, suivant l'exemple des grands chefs, des politiciens de moindre envergure, à la tête de bandes armées, jettent le désordre dans la Ville. La classe des nobles, corrompue, ne professe plus que de bouche l'antique sévérité des mœurs romaines ; pleine d'ailleurs de préjugés, elle dédaigne l'*homo novus* et garde jalousement ses privilèges de caste. Le peuple est devenu un troupeau qu'on achète. Les magistratures s'obtiennent à prix d'argent. Il semble que la *res publica* aille à sa ruine. Il faut une réforme. Il faut constituer une doctrine de l'État qui unira la sagesse théorique des Grecs au bon sens pratique des Romains.

Telles sont les réflexions que se fait Cicéron dans sa retraite, après l'entrevue des triumvirs à Lucques (56). Les lettres de l'année 54, où il commence le *de re publica*, sont empreintes de mélancolie. Il a bien été obligé de s'entendre avec les triumvirs, mais, écrit-il à son frère (1), « l'avis que j'exprime au Sénat est de nature à me faire valoir l'approbation d'autrui plus que la mienne. *C'est donc là ton ouvrage, ô déplorable guerre* » (2) ! « Il n'y a plus de république, plus de Sénat, plus de tribunaux, plus de respect de soi-même chez aucun de nous » (3). « La république, mon cher Pomponius (Atticus), a perdu pour nous non seulement ce qui en était la substance et le sang, mais même cette couleur et cette forme qu'elle avait autrefois. Plus de régime politique qui me plaise, en qui je puisse me sentir heureux » (4). La république n'a plus, en guise de consuls, que des marchands de frontières et des serviteurs complaisants de l'émeute (5). « Tu ne trouveras plus chez les gens de bien, Lentulus, cet idéal qu'ils avaient quand tu les as quittés (6) : fortifié par mon consulat, il a subi par la suite plus d'une éclipse ; ruiné avant que tu devinsses consul, ranimé par tes soins, il se trouve à présent complètement abandonné par ceux qui auraient dû en être les défenseurs ; et cet abandon, ils ne se contentent pas de le signifier par leur air et leur visage, où rien n'est plus facile que de soutenir une feinte ; non, ces gens qu'autrefois, sous le régime auquel j'ai présidé, on appelait des *optimates*, voici qu'à présent, en mainte occasion, leurs vrais sentiments et leurs votes au tribunal nous instruisent de ce qu'ils sont devenus » (7). Bref, cette corruption générale

---

(1) *Qu. fr.*, II, 13,5. Toutes ces traductions sont dues à L.-A. CONSTANS, *Correspondance de Cicéron*, t. III, Paris, 1936 (coll. Budé).
(2) τοιαῦθ' ὁ τλήμων πόλεμος ἐξεργάζεται, Eurip., *Suppl.* 119.
(3) *Qu. fr.*, III, 4, 1 (24 octobre 54).
(4) *Att.*, IV, 18,2 (fin octobre 54).
(5) A Lentulus, *Fam.*, I, 9, 13 (décembre 54).
(6) Lentulus était alors proconsul de Cilicie.
(7) *Fam.*, I, 9, 17.

mène à la dictature : c'est là une conclusion inévitable dont il faut s'accommoder (1). « Il ne convient pas d'engager la lutte contre des forces si redoutables, ni de détruire, à supposer que cela fût possible, le principat de citoyens aussi éminents (2) ; ...il faut s'adapter aux circonstances » (3). Voilà pourquoi Cicéron a pris sa retraite. Il affirme à Atticus qu'il est revenu avec joie au genre de vie le plus conforme à sa nature : une vie consacrée à ses chères études (4). Mais, un jour où il se montre vraiment sincère, il avoue à son frère Quintus que cette inaction le blesse : « Certes, je me tiens éloigné de toute occupation politique, et je me consacre aux lettres ; cependant, je vais te dire une chose que, ma foi, je m'étais bien promis de tenir cachée à toi tout le premier. J'ai le cœur serré, mon frère, mon si cher ami, oui, j'ai le cœur serré de voir qu'il n'y a plus de république, plus de tribunaux, et que cette époque de ma vie qui devrait s'épanouir dans le prestige de l'autorité souveraine que j'eus jadis au Sénat, est livrée aux épuisantes besognes du barreau ou réduite aux consolations de l'étude solitaire ; que cet idéal dont je m'étais épris dès mon enfance, *être le premier de loin et l'emporter sur tous* (5), n'est plus qu'un rêve mort ; que j'ai dû m'abstenir d'attaquer mes ennemis, et certains, même, les défendre ; que je ne suis pas plus libre dans mes haines que dans mes affections » (6). Nous retrouvons l'écho de ces désillusions dans la préface au Ve livre du *de republica* (V, **1**, 1-2). Après avoir cité le vers d'Ennius : « ce sont les anciennes mœurs et les héros qui font le ferme soutien de Rome », Cicéron continue : « Ni les héros seuls, si la cité n'avait été dans de telles mœurs, ni ces mœurs seules, s'il n'y avait eu de tels hommes pour les défendre, n'auraient suffi à fonder ou à préserver si longtemps un État si puissant, dont l'empire s'étend au loin sur un si vaste domaine. Aussi, avant notre âge, voyait-on les coutumes ancestrales produire des hommes éminents, et ces hommes à leur tour préserver les coutumes antiques et les institutions des aïeux. Mais qu'a fait notre génération ? Nous avions reçu la république comme un tableau fort beau encore, mais qui déjà s'effacerait par suite de l'injure des temps : or non seulement nous avons négligé d'en ranimer les couleurs premières, mais nous n'avons même pas pris soin d'en conserver la figure et le contour général. Que reste-t-il, en effet, des anciennes

---

(1) *nullus dolor me angit unum omnia posse*, *Att.*, IV, 18, 2.
(2) *summorum civium* — César et Pompée — *principatum.*
(3) *temporibus adsentiendum* : à Lentulus, *Fam.*, I, 9, 21.
(4) *Att.*, IV, 18, 2.
(5) Citation d'Homère, *Il.*, VI 208, XI 784.
(6) *Qu. fr.*, III, 5, 4 (fin octobre ou début novembre 54).

mœurs, *qui font*, dit le poète, *le ferme soutien de Rome ?* Elles sont tellement effacées par l'oubli que non seulement on ne les tient plus en honneur, mais que déjà on a cessé de les connaître. Et que dirai-je des héros? Car si les mœurs ont disparu, c'est parce que nous manquons de héros, et ce mal est si grand qu'il ne suffit pas pour nous d'en rendre compte, il faut encore nous en défendre par tous moyens comme si nous étions sous le coup d'une accusation capitale. Car ce n'est point par hasard, mais par nos fautes, que notre république n'est plus telle que de nom, et qu'en vérité il y a longtemps que nous en avons perdu la substance. »

Dans ces conditions, on peut être assuré que les réflexions politiques du *de re publica* et du *de legibus* ne sont pas, pour Cicéron, un simple jeu d'esprit. Il traite dans ces ouvrages des questions les plus graves. Il en traite, non pas en théoricien comme Héraclide du Pont, mais en personnage consulaire, qui a été mêlé aux affaires les plus importantes (1). Il y met en scène *(r. p.)* Scipion Émilien, son héros, le modèle accompli du gouvernant idéal tel qu'il le conçoit. Ou bien il parle lui-même *(de leg.)*, prend lui-même à son compte ce qu'il expose. On peut donc penser que les doctrines religieuses qui soutiennent l'édifice du *de re publica* et du *de legibus* ont l'agrément de Cicéron.

Ces doctrines religieuses peuvent se ramener à deux grands thèmes : d'une part l'idée que le gouvernant idéal, *princeps* de la cité terrestre, est l'image ici-bas du Dieu *princeps* du monde; d'autre part l'idée que la loi naturelle a son fondement dans la Raison divine immanente en tous les hommes. Ces deux idées ont eu sans doute leur premier commencement dans des ouvrages de Platon, en particulier le *Politique* (2). Mais c'est le stoïcisme qui leur a donné leur vraie forme et qui en a assuré la diffusion. Tous les critiques d'ailleurs s'accordent sur ce point. Si les opinions divergent quant à l'auteur dont s'est inspiré Cicéron, tout le monde reconnaît que cet auteur fut ou un stoïcien (Panétius) ou du moins un philosophe fortement pénétré de stoïcisme (Antiochus d'Ascalon). Comme Cicéron ne se

(1) *Qu. fr.*, III, 5, 1.
(2) Le Dieu « pasteur des hommes » dans le *Politique* est un Dieu cosmique (αὐτῆς... τῆς κυκλώσεως· ἦρχεν ἐπιμελούμενος ὅλης ὁ θεός 271 d 3) qui gouverne directement le ciel, indirectement les parties du monde par le moyen des dieux archontes (ὑπὸ θεῶν ἀρχόντων πάντ' ἦν τὰ τοῦ κόσμου μέρη διειλημμένα 271 d 5 : pour les dieux archontes, cf. *Phèdre* 247 a 2, *Lois* X 903 b 4 τῷ τοῦ παντὸς ἐπιμελουμένῳ... πάντ' ἐστὶ συντεταγμένα, ὧν καὶ τὸ μέρος... ἕκαστον τὸ προσῆκον πάσχει καὶ ποιεῖ. τούτοις δ' εἰσὶν ἄρχοντες προστεταγμένοι ἑκάστοις et cp., plus tard, *de mundo* 6, 398 a 10 ss. — Rapports du roi « loi vivante » et des lois écrites, *Pol.* 292 d ss. — Sur ces idées dans le *de r. p.*, cf. P. BOYANCÉ, *op. cit.*, pp. 141 ss.

borne pas ici à rapporter, en Académicien, des thèses qui lui resteraient en quelque sorte indifférentes, comme il prend position et parle doctoralement (1), comme enfin les doctrines religieuses qu'il enseigne seront de grande conséquence pour l'histoire de la civilisation romaine, il convient de montrer ce que signifie cette adoption du stoïcisme à Rome, dans les milieux cultivés, vers le milieu du IIe siècle (2). On peut dire que, d'une certaine manière, le stoïcisme a transformé, sinon la religion romaine proprement dite, — j'entends la religion civique et les cultes traditionnels, — du moins la religiosité, c'est-à-dire les sentiments et les idées. Essayons de comprendre ce changement.

Qu'on imagine une petite cité de paysans, liés encore à la terre, et qui, à de certaines périodes de l'année, se livrent à des incursions guerrières chez leurs voisins. Leur religion est celle qu'on doit attendre de pareilles gens : elle est surtout rituelle, elle comporte des fêtes saisonnières destinées à apaiser, à se rendre propices les puissances qui président aux travaux des champs et de la guerre, avec un calendrier bien fixé et des formules précises qui permettent d'invoquer sans risque les êtres d'en haut. Peu à peu cette petite cité grandit. Comme elle est située au bord d'un fleuve dans une position solide, et qu'elle fournit un excellent lieu de passage du Nord au Sud et de l'Est à l'Ouest, la population indigène s'augmente d'éléments étrangers : Rome est tout ensemble acropole, port et marché. Le territoire s'élargit. Il se bornait d'abord aux limites mêmes de la cité avec quelques champs à l'entour : il s'étend maintenant sur un vaste pays, bientôt couvre la péninsule. A cet État nouveau, un ennemi implacable d'outre-mer vient donner le sentiment de sa cohésion et de sa force. Il peut envisager désormais une politique ambitieuse qui lui ouvrira les routes du monde. Rome est devenue, en puissance, la capitale de l'oikouménè.

Il apparaît alors que la religion des pères, cette religion purement agricole et militaire, ne convient plus. Sans doute on continue,

---

(1) Par la bouche de Scipion, r. p., I, **46**, 70 *sed vereor ne... quasi praecipientis cuiusdam et docentis et non vobiscum simul considerantis esse videatur oratio mea*.

(2) Plusieurs savants, comme W. Warde Fowler, *The religious experience of the Roman People* (Londres, 1911), pp. 357 ss., placent l'avènement du stoïcisme romain au milieu du IIe siècle, au temps de Scipion Emilien. En vérité, hormis le fait des relations entre Panétius et Scipion Emilien, ce que nous savons du stoïcisme de Scipion nous est surtout connu par Cicéron; et précisément par le portrait qu'il nous offre de Scipion dans le *de r. p.* Or comment distinguer, dans ce portrait, ce qui peut venir de la tradition et ce que Cicéron ajoute? Il pourrait donc paraître plus sûr de s'en tenir au fait évident, et de considérer que les ouvrages politiques de Cicéron (écrits en latin!) marquent l'avènement réel du stoïcisme romain. Le problème est sans doute insoluble.

comme par le passé, d'offrir des sacrifices qui feront croître chaumes et vignes; on accomplit, au printemps, à l'automne, les rites du départ et du retour des troupes. Mais la collectivité elle-même sent bien que les dieux qu'honorent ces pratiques ne suffisent plus à un peuple qui aspire à régir le monde. Ces dieux n'ont qu'une portée locale, des fonctions restreintes. Il faut une divinité à la mesure des plans nouveaux. L'individu qui réfléchit le sent plus encore. Après tout, une religion n'est vivante, elle n'est solide, qu'à partir du moment où des liens se sont noués entre l'individu et Dieu. Or l'individu a maintenant pleine conscience de lui-même, de ses besoins d'homme, de ses désirs d'homme, de ses espoirs et de ses nostalgies. Il a une âme et il le sait. Et il veut donc un Dieu qui réponde aux besoins de son âme.

Au IIe siècle (1), chez les meilleurs parmi les hommes qui gouvernent et qui ont réfléchi sur le gouvernement, qui d'ailleurs, ouverts aux idées grecques, ont commencé de réfléchir sur toutes choses, les besoins de l'âme religieuse se laissent assez clairement définir. Malgré les corruptions de l'heure, c'est une race sérieuse et grave, qui a un sens profond de ses devoirs, des responsabilités qui incombent au chef. Et c'est une race religieuse, toute pénétrée de l'idée qu'on ne fait rien ici-bas sans le secours des dieux. Ce qu'elle cherche donc, c'est, d'abord, un Dieu qui soit bien réellement universel. Non pas une petite divinité locale, limitée dans le champ de son influence, bornée dans son pouvoir. Mais Dieu. Le Dieu tout-puissant, Celui de qui tout dépend : tous les êtres du monde, tous les événements de la vie des peuples, tous les incidents des vies particulières. Un Dieu, en outre, auquel on puisse avoir recours dans toutes les circonstances de la vie. Non pas seulement quand on sème ou moissonne, ni quand on part en guerre ou en revient. Mais tout le temps, chaque jour. Car c'est chaque jour qu'on a besoin de Lui. Cette classe de gouvernants a chaque jour à prendre des décisions redoutables, qui pèseront sur le sort de Rome. Et les meilleurs dans cette classe veulent que ces décisions soient conformes à ce qui est juste, ou du moins à ce qui est le mieux pour Rome entière, au bien

---

(1) Ceci dit moyennant les réserves indiquées plus haut, p. 438, n. 2. — Aulu Gelle (VI, 1, 6) rapporte comment Scipion l'Africain, le vainqueur d'Hannibal, tous les matins, à l'aube, montait au Capitole et s'y faisait ouvrir la cella de Jupiter Capitolin où il demeurait longtemps en contemplation devant le dieu. Les chiens, le connaissant, n'aboyaient jamais à son approche. L'anecdote remonte à Oppius, l'ami de César, et à Julius Hyginus, le bibliothécaire d'Auguste. Tite-Live la mentionne également (XXVI 19), mais y voit un trait d'astuce de Scipion pour impressionner le peuple. Cf. WARDE FOWLER, *op. cit.*, pp. 240 et 354, n. 12.

commun de la cité. Bref, ils veulent agir raisonnablement. Comment ne sentiraient-ils pas le besoin d'une aide divine, et quel bienfait serait pour eux le conseil d'un Être divin dont le vouloir même est Raison? Car, en définitive, c'est cela qu'ils cherchent. Un Dieu moral. Un Dieu garant de la moralité. Un Dieu qui les confirme dans le haut sentiment qu'ils ont que le plus noble office est de servir l'État. Ces choses-là qui, dans une Grèce vieillie, et qui a fait trop d'expériences, et qui en est venue à douter de tout, ces choses qui, là-bas, en Grèce, ont beaucoup perdu de leur force originelle, gardent ici leur vertu. On croit, ici, au service de l'État, à la *res publica*. Se donner, se dévouer à l'État, c'est le sort le plus enviable. Les héros qu'on admire, ce sont les grands serviteurs de l'État. S'il est une immortalité, ceux-là sont immortels, amis et compagnons des dieux. Dans cette aristocratie de gouvernants, voilà l'air qu'on respire dès l'adolescence. Voilà les principes qu'on apprend, qu'on se transmet de père en fils. Et il se forme ainsi des dynasties de chefs, une tradition de gouvernement, où les mots les plus révérés sont ceux de *pietas*, de *virtus* et de *lex*.

Sans entrer dans le détail, on peut distinguer dès maintenant ce qui, dans le stoïcisme, devait favoriser cette belle conjonction du milieu romain et de la religion du Monde. Le stoïcisme apportait une physique et une théologie relativement simples, qui n'exigeaient pas du disciple ces longues années d'apprentissage requises, par exemple, dans le platonisme, comme Platon lui-même l'enseigne en la *République*. Mieux encore, le stoïcisme apportait une physique déjà pénétrée de religion. La doctrine de la nature y sert, dès le principe, de philosophie religieuse puisque l'élément constitutif de tous les êtres, le Feu-Souffle, est par essence Raison, et Raison divine. Or le Romain n'avait aucun goût pour la dialectique, il ne se souciait pas de science pure, de *théôria* au sens grec, il visait à l'action : *tu regere populos...* Il lui fallait donc un système qu'il pût assimiler sans grand effort, un système très un, très cohérent, qui, tout en satisfaisant le besoin d'explication universelle qui avait fait naître la réflexion, conduisît droit à l'action. Tel, précisément, s'offrait le stoïcisme. Il aboutissait, comme naturellement, à une morale. Tout paraissait n'y avoir été conçu qu'en vue d'une règle de la conduite, tout y était fonction de l'agir humain. Et cet agir humain, dans son mode le plus noble, le gouvernement des peuples, y prenait une valeur singulière du fait qu'il se rattachait directement à l'agir divin, qui est, lui aussi, providence, gouvernement. On voit donc comment la doctrine du Portique devait séduire une aristocratie gouvernante qui commençait de se persuader que l'administration du monde était sa tâche spéciale. La Raison divine, pénétrant l'univers, ne cesse de régir ce grand corps, d'en faire un Tout bien ordonné, une cité bien réglée où la loi règne en maîtresse. Pareillement la raison humaine qui participe à Dieu, qui est parcelle de Dieu, a pour premier rôle de régir, d'ordonner la terre. Ce faisant, l'homme plaît à Dieu, puisqu'il l'imite, puisqu'il prolonge son action. Le vrai sage est donc le politique, à quelque degré qu'il se trouve de la hiérarchie du pouvoir. Le consul de Rome, le gouverneur de province se sent en union avec Dieu, dans la mesure où, législateur et juge, il introduit plus de justice, partant plus de raison, dans les rapports humains. Bien gouverner, c'est être ce héros dont le stoïcisme déclare qu'il est, sur la terre, l'image de Dieu même. Or bien gouverner, c'est ce dont le Romain se sent le plus capable, c'est la mission qu'il sent que Dieu lui a confiée.

Voilà, me semble-t-il, les raisons qui ont favorisé la naissance du stoïcisme romain, et qui n'ont cessé, par la suite, de l'alimenter. C'est à Rome seulement que le Portique a vraiment formé des âmes : il y a éduqué la classe qui, sous l'Empire, fournit aux magistratures, il a donné aux nobles romains, du moins aux meilleurs d'entre eux, une religion et une morale. Lors même que des textes ne l'expriment point, cela se sent. Nous n'avons plus aucun écrit des sénateurs stoïciens dont Tacite nous rapporte les exploits et la mort : mais nous percevons là un ton, une atmosphère, qui témoignent de la vitalité de la doctrine. Dans ce milieu plein de sève, le stoïcisme a retrouvé des forces à l'heure où il risquait peut-être de s'épuiser en pur jeu de pensée. D'un mot, le Dieu stoïcien est entré en contact avec des âmes : des âmes qui le cherchaient et n'attendaient que lui pour agir en pleine assurance.

C'est une grâce singulière, pour un peuple, d'obtenir ainsi, au moment opportun, le principe qui le fera s'épanouir. On doit estimer en tout cas que cette rencontre entre le Dieu cosmique et les gouvernants de Rome quelque temps avant notre ère est l'un des faits les plus heureux que nous rapporte l'histoire.

§ 4. *Le Songe de Scipion* (1).

Le *Songe de Scipion* utilise un des thèmes les plus chers à l'époque hellénistique et gréco-romaine, la montée de l'âme à travers le

---

(1) Cette étude a déjà paru en partie dans l'*Éranos Rudbergianus*, Göteborg, 1946, pp. 370 ss.

Kosmos jusqu'en un lieu d'où elle découvre la beauté des choses célestes et s'abîme en cette contemplation (1). Ce thème a revêtu deux aspects. Ou bien l'expérience de l'ascension a lieu quand l'homme est encore en vie : c'est alors sous forme de songe ou d'extase, ou simplement parce qu'on est plongé dans un total recueillement, que l'âme, se dégageant du corps, s'élève à travers le monde. Ou bien cette expérience est posthume : l'homme est mort, l'âme s'est définitivement séparée du corps, et la montée céleste qu'on lui prête n'est qu'une des variantes de la croyance plus générale en l'immortalité de l'âme; il s'agit, en ce cas, de l'immortalité céleste. Souvent enfin ces deux aspects sont associés dans une même fiction. Au cours d'un songe ou d'une extase, l'homme sent que son âme quitte la terre et parvient aux hauteurs du ciel, cette ascension préfigurant le sort qui attend l'âme après la mort si l'on a rempli, durant la vie terrestre, certaines conditions (surtout de pureté) et pratiqué certaines vertus. Tel est exactement le cas du *Songe de Scipion*. Scipion fait un songe, c'est en songe qu'il voit l'Africain, puis Paul-Émile, et qu'il s'élève jusqu'à un point d'où le monde stellaire s'offre à lui en toute sa splendeur. Mais cette expérience préfigure la destinée finale de l'âme juste et pieuse de ceux qui ont « sauvegardé, secouru, accru la patrie » (**3**, 13). Tout de même l'hermétiste du *Poimandrès* (c'est très probablement Hermès lui-même) voit-il en songe le dieu Noûs qui lui révèle, au moyen d'une vision, la montée eschatologique de l'âme des justes et des pieux.

Dans le *Somn. Scip.*, ces deux aspects de la montée sont unis grâce à une sorte d'emboîtement. Après un prologue tout romain (rencontre de Scipion et de Massinissa en Afrique, **1**, 9-10 a) vient le « Songe » qui constitue le cadre général du récit : **1**, 10 b *(deinde... somnus complexus est. hic mihi... Africanus se ostendit)* — 9, 29 b *(ille discessit, ego somno solutus sum)*. C'est dans ce récit d'un songe, dont le propre caractère de songe est encore rappelé par une brève allusion après la prophétie de l'Africain (**2**, 12 b *quaeso, inquit, ne me e somno excitetis)*, que s'insère le thème de l'immortalité céleste : **3**, 13 *(sed quo sis... alacrior... sic habeto: omnibus qui patriam...*

---

(1) Thème souvent étudié. Voir, par exemple, W. Capelle (à propos de *de mundo* 1) *Neue Jahrb.*, XV (1905), pp. 534-535, Ed. Norden (à propos du τόπος « Dieu se laisse voir en ses œuvres »), *Agnostos Theos* (2ᵉ éd., 1929), pp. 24 ss., 105 ss., R. M. Jones, *Posidonius and the flight of the mind, Class. Phil.*, XXI, 1926, pp. 97-113. Pour l'aspect eschatologique, cf. F. Cumont, *After life in roman paganism* (New Haven, 1922), pp. 91 ss. (Celestial immortality) et *Recherches sur le symbolisme funéraire des Romains* (Paris, 1942). Sur le mysticisme astral, F. Cumont, *Bull. de l'Acad. roy. de Belgique* (Classe de lettres, etc.), nº 5, 1909, pp. 256-289. Enfin il faudrait citer tous les ouvrages et articles sur les religions orientales dans le monde gréco-romain, l'hermétisme et la gnose.

auxerint, certum esse in caelo definitum locum, etc.) — **9**, 29 a (double destinée eschatologique : les âmes justes et les âmes mauvaises). Il n'est pas besoin de rappeler ici l'origine et l'évolution de la croyance en l'immortalité céleste des âmes, avec les diverses formes qu'elle a prises : séjour des âmes dans la lune, ou dans le soleil, ou dans la sphère des astres fixes (1). Rien n'a été plus étudié durant ce dernier demi-siècle. Bornons-nous à noter deux traits. Cicéron fait séjourner les âmes dans la Voie Lactée, c'est-à-dire dans la sphère des fixes : il suit là une doctrine pythagoricienne soutenue par Héraclide le Pontique (2). D'autre part, s'il exploite un fonds traditionnel et purement grec, il fait œuvre originale et se montre bien romain en attribuant l'immortalité céleste aux âmes des grands politiques qui ont voué toutes leurs forces à la patrie. L'idée de la supériorité de la πρᾶξις sur la θεωρία (qui n'est d'ailleurs pas omise, cf. **9**, 29) est déjà dans Dicéarque : mais ce qui marque le sénateur romain, c'est l'insistance sur les vertus patriotiques (**3**, 13, 16; **8**, 26; **9**, 29) (3).

Cependant le τόπος du songe et le thème de l'immortalité céleste n'épuisent pas toute la matière du *Somm. Scip.* Il s'y ajoute un troisième élément. Et, de même que le récit d'un songe servait d'emboîture à l'immortalité céleste, de même l'ἄνοδος de l'âme sert-elle à son tour d'emboîture au troisième élément : celui-ci est le thème, familier aussi à l'âge hellénistique, du contraste entre la grandeur du Kosmos et la petitesse de la terre, d'où résulte, en conséquence, une méditation sur la vanité des choses terrestres et en particulier de la gloire : **3**, 16 b (*ex quo omnia mihi contemplanti praeclara cetera et mirabilia videbantur... iam ipsa terra ita mihi parva visa est ut*, etc.) — **7**, 25 (*sermo autem omnis ille... oblivione posteritatis extinguitur*) (4). Essayons de dégager la valeur propre de ce nouveau thème. Nous verrons qu'il s'agit, ici encore, d'un lieu commun.

---

(1) Cf. CUMONT, *After Life*, pp. 96 ss., 100 ss., 103 ss.

(2) On la trouve aussi chez Manilius, I, 755-809. Cf. GUNDEL ap. P. W., VII 560 ss. (Γαλαξίας), P. BOYANCÉ, *Études sur le Songe de Scipion* (Paris, 1936), pp. 133 ss.

(3) Cette conception n'est d'ailleurs pas particulière à Cicéron, cf. VARRON, fr. 24 Agahd : *Varro... utile esse civitatibus dicit ut se viri fortes, etiamsi falsum sit, diis genitos esse credant, ut eo modo animus humanus velut divinae stirpis fiduciam gerens res magnas adgrediendas praesumat audacius, agat vehementius et ob hoc impleat ipsa securitate felicius.* Il peut y avoir là la marque d'une influence stoïcienne, cf. le mot de Plutarque, *Cléomède* 2, 3.

(4) On a donc (après le prologue, **1**, 9-10 a) :

1, 10 b-**9**, 29 b : songe (commençant par une prophétie de l'Africain, **2**, 11-12);
   3, 13-**9**, 29 a : immortalité céleste;
   3, 16 b-**7**, 25 : opposition Kosmos — terre et vanité de la gloire.

Le thème général de l'ascension de l'âme dans le Kosmos (1) a été utilisé à des fins assez diverses.

Tantôt on l'emploie simplement pour manifester la puissance de l'esprit humain qui, selon le mot de Pindare cité dans le *Théétète* (173 e 5), « promène partout son vol, sondant les abîmes de la terre et les profondeurs célestes ». Ce thème apparaît ou à l'état pur — c'est un des τόποι les plus habituels, chez Cicéron (2), Manilius (3), Philon (4), Sénèque (5), Plutarque (6), les écrits hermétiques (7), et

(1) Qu'il s'agisse d'une ascension fictive (songe ou extase) durant la vie ou de l'ascension eschatologique après la mort. Comme le remarque R. M. Jones, *op. cit.*, p. 99, on peut grouper ensemble les deux thèmes « especially since often by a supernatural ascent the soul of a living man gains visions which belong to souls not yet incarnate and to souls freed from the stains of the body ».

(2) V. gr. *n. d.*, II, 61, 153 (éloge de l'homme) *quid vero hominum ratio non in caelum usque penetravit? soli enim ex animantibus nos astrorum ortus obitus cursusque cognovimus... quae contuens animus accedit ad cognitionem deorum*, etc.

(3) IV 905 ss. *(homo) stetit unus in arcem | erectus capitis, victorque ad sidera mittit | sidereos oculos, propiusque adspectat Olympum, | inquiritque Iovem; nec sola fronte deorum | contentus manet et caelum scrutatur in alvo, | cognatumque sequens corpus se quaerit in astris.*

(4) V. gr. *Q. det. pot.* 89 (I, 278, 19 Cohn) μόνον γὰρ αὐτὸ τῶν παρ' ἡμῖν ὁ νοῦς ἅτε πάντων ὠκυδρομώτατος καὶ τὸν χρόνον, ἐν ᾧ γίνεσθαι δοκεῖ, φθάνει καὶ παραμείβεται, κατὰ ἀοράτου· δυνάμεις ἀχρόνως· τοῦ τε παντὸς καὶ μερῶν καὶ τῶν τούτων αἰτιῶν ἐπιψαύων. ἤδη δὲ οὐ μόνον ἄχρι τῶν γῆς καὶ θαλάττης ἀλλὰ καὶ ἀέρος καὶ οὐρανοῦ πέρατα ἐλθὼν οὐδ' ἐνταῦθα ἔστη, βραχὺν ὅρον τοῦ συνεχοῦς καὶ ἀπαύστου δρόμου νομίσας τὸν κόσμον εἶναι, προσωτέρω δὲ χωρῆσαι γλιχόμενος καὶ τὴν ἀκατάληπτον θεοῦ φύσιν, ὅτι μὴ πρὸς τὸ εἶναι μόνον, καταλαβεῖν, ἣν δύνηται L'éloge de l'esprit humain se joint ici au thème de la montée vers l'Intelligible et le Divin. Voir *infra*.

(5) V. gr. *Dial.*, VIII, 5, 6 *cogitatio nostra caeli munimenta perrumpit nec contenta est id, quod ostenditur, scire : illud, inquit, scrutor quod ultra mundum iacet, utrumne profunda vastitas sit an hoc ipsum terminis cludatur*, etc.

(6) V. gr. *de facie in orbe lunae* 926 D : νοῦν, χρῆμα θεῖον... οὐρανόν τε πάντα καὶ γῆν καὶ θάλασσαν ἐν ταὐτῷ περιπολοῦντα καὶ διιστάμενον.

(7) Cf. l'éloge de l'esprit humain dans l'*Asclépius* (cité *supra* p. 88) et sa contre-partie, le discours de la *Korè Kosmou* (43-46) où Momus énumère les qualités, selon lui dangereuses, de l'homme nouvellement créé : *Ascl.* 6 (homo) *suspicit caelum...., elementis velocitate miscetur* (lieu commun : Cic., *Tuscul.*, I 19, 43 *nihil est animo velocius; nulla est celeritas quae possit cum animi celeritate contendere*, Phil., *q. det. pot.* 89, ὁ νοῦς ἅτε πάντων ὠκυρομώτατος, Plut., *de facie* 926 C ψυχὴ ταχεῖα), *acumine mentis in maris profunda descendit. omnia illi licent : non caelum videtur altissimum, quasi e proximo enim animi sagacitate metitur, intentionem animi eius nulla aeris caligo confundit, non densitas terrae operam eius impedit, non aquae altitudo profunda despectum eius obtundit. omnia idem est et ubique idem est* = K. K. 44 (ἄνθρωπον) τὸν ὁρᾶν μέλλοντα τολμηρῶς τῆς φύσεως τὰ καλὰ μυστήρια... καὶ μέχρι τῶν περάτων γῆς τὰς ἑαυτοῦ μελλήσοντα πέμπειν ἐπινοίας, 45 τὰ μέχρις ἄνω διώξουσιν (ἄνθρωποι), παρατηρῆσαι βουλόμενοι τίς οὐρανοῦ καθέστηκε κίνησις, 46 εἶτα οὐ καὶ μέχρις οὐρανοῦ περίεργον ὁπλισθήσονται τόλμαν οὗτοι, οὐκ ἀμερίμνους ἐκτενοῦσιν ἐπὶ καὶ τὰ στοιχεῖα τὰς ψυχὰς αὐτῶν ; Sur ce texte de *K. K.*, cf. les parallèles cités par Ferguson, *Hermetica*, IV, pp. 455-461. Le point de départ serait la diatribe stoïcienne. En tous cas ce τόπος était fort répandu puisqu'on le trouve jusque dans un ouvrage de pure critique littéraire, le *Traité du sublime*, 35, 2-3. L'auteur y utilise le lieu commun de la *panégyrie* (la nature nous a introduits dans l'univers comme dans une grande *panégyrie*, cf. Ménandre, CAF, III p. 138, n° 481, v. 8-16), puis (ἡ φύσις) εὐθὺς ἄμαχον ἔρωτα ἐνέφυσεν ἡμῶν ταῖς ψυχαῖς παντὸς ἀεὶ τοῦ μεγάλου καὶ ὡς πρὸς ἡμᾶς δαιμονιωτέρου. διόπερ τῇ θεωρίᾳ καὶ διανοίᾳ τῆς ἀνθρωπίνης ἐπιβολῆς οὐδ' ὁ σύμπας κόσμος ἀρκεῖ, ἀλλὰ καὶ τοὺς τοῦ περιέχοντος πολλάκις ὅρους ἐκβαίνουσιν αἱ ἐπίνοιαι, καὶ εἴ τις περιβλέψαιτο ἐν κύκλῳ τὸν βίον ὅσῳ πλέον ἔχει ὃτ

encore dans Némésius d'Emèse (1), — ou bien dans l'argument qui, de la comparaison entre les pouvoirs de l'intellect humain et ceux de l'Intellect divin, conclut à la Providence, par exemple chez Xénophon (2).

Tantôt cette ascension de l'âme à travers le monde a pour objet final une description enthousiaste du Kosmos. Ainsi dans l'*Hermès* d'Eratosthène (3), dans l'ascension nocturne de Néchepso (4), dans le *de facie* de Plutarque (5), et sans doute dans maints ouvrages analogues aujourd'hui perdus (6). La mode de ces voyages célestes a été assez grande pour inciter Lucien à en faire la satire dans son *Icaroménippe*.

Tantôt elle ne sert que de cadre en vue de magnifier la contemplation de l'Intelligible et de l'essence divine. Le monde visible n'est alors qu'une étape dans la montée : l'âme dépasse la région du sensible, soit pour atteindre au monde intelligible — ainsi dans Philon (7), dans Maxime de Tyr (8), — soit pour passer de l'admiration

περιττὸν ἐν πᾶσι καὶ καλόν, ταχέως εἴσεται πρὸς ἃ γεγόναμεν. Ici, comme dans Philon (*supra*, p. 444, n. 4), l'éloge de l'esprit humain s'associe au thème de l'origine divine de l'âme qui est faite, dés lors, pour contempler les θεῖα. Plus loin, 35, 4, on voit poindre le thème du mépris des petites choses (cf. *infra*) : ἔνθεν φυσικῶς πως ἀγόμενοι μὰ Δι' οὐ τὰ μικρὰ ῥεῖθρα θαυμάζομεν κτλ. (on n'admire pas les ruisseaux, mais les grands fleuves, ni les petits feux de la terre, mais les feux célestes).

(1) De nat. hom. 532 (Migne) τίς οὖν ἀξίως θαυμάσειε τὴν εὐγένειαν τούτου τοῦ ζῴου (l'homme)...; πελάγη διαβαίνει, οὐρανὸν ἐμβατεύει τῇ θεωρίᾳ, ἀστέρων κίνησιν καὶ διαστήματα καὶ μέτρα κατανοεῖ κτλ. Il est à noter que Lucrèce fait l'application de ce τόπος à Épicure, I 66 ss. *eo magis acrem | inuitat animi virtutem, effingere ut arta | naturae primus portarum claustra cupiret. | ergo vivida vis animi pervicit, et extra | processit longe flammantia moenia mundi | atque omne immensum peragravit mente animoque.* Selon R. M. JONES (*op. cit.*, pp. 112-113), il n'est pas nécessaire de supposer que Lucrèce emprunte à des écrits stoïciens. La source peut être épicurienne, cf. Métrodore, fr*. 37 Körte.

(2) *Mem.*, I, 4, 17, cité *supra*, pp. 87 ss. avec les parallèles hermétiques.
(3) Cf. POWELL, *Collectanea Alexandrina*, pp. 58 ss.
(4) Ap. VETT. VALENS, p. 241.16 Kroll (songe ou extase).
(5) 943 E : après la mort, les âmes ἐφορῶσι πρῶτον μὲν αὐτῆς σελήνης τὸ μέγεθος καὶ τὸ κάλλος κτλ. Ce πρῶτον semble indiquer le commencement d'une description et appeler un ἔπειτα δέ, mais celui-ci ne vient pas : Plutarque tourne court pour se perdre dans des considérations sur la φύσις de la lune.
(6) Cf. la fréquence des verbes ou expressions ἀεροβατεῖν, ἀεροδρομεῖν, οὐρανοβατεῖν ou οὐρανὸν βαίνειν, μετεωροπολεῖν, οὐρανὸν περιπολεῖν, etc. à l'époque hellénistique. Quelques exemples cités dans mon *Idéal religieux des Grecs*, p. 123, n. 1. Ajouter Luc. *Icarom.* 13 καὶ νῦν ἐν τῇ σελήνῃ κατοικῶ ἀεροβατῶν τὰ πολλά. On notera au surplus que le thème du monde vu d'en haut a dû s'offrir très tôt à la poésie comme un beau sujet à exploiter, cf. AP. RHOD., III, 154-164, qui, selon le scholiaste, serait une paraphrase « de ce qu'Ibycus dit dans sa description du rapt de Ganymède dans son poème à Gorgias ». Il subsiste un beau vers de ce poème : πωτᾶται δ' ἐν ἀλλοτρίῳ χάει (fr. 28 Bergk), cf. C. M. BOWRA, *Greek Lyric Poetry* (Oxford, 1936), pp. 271-272.
(7) V. gr. *de opif. mundi* 69-70 (I, 23. 11 ss. Cohn) : ὁ ἀνθρώπινος νοῦς... ἀόρατος γάρ ἐστιν αὐτὸς τὰ πάντα ὁρῶν καὶ ἄδηλον ἔχει τὴν οὐσίαν τὰ· τῶν ἄλλων καταλαμβάνων· καὶ τέχναις καὶ ἐπιστήμαις πολυτχιδεῖς ἀνατέμνων ὁδοὺς λεωφόρους ἁπάσας διὰ γῆς ἔρχεται καὶ θαλάττης τὰ ἐν ἑκατέρᾳ φύσει διερευνώμενος· καὶ πάλιν πτηνὸς ἀρθεὶς καὶ τὸν ἀέρα καὶ τούτου παθήματα κατασκεψάμενος ἀνωτέρω φέρεται πρὸς αἰθέρα καὶ τὰς οὐρανοῦ περιόδους,

du Kosmos à la connaissance du Dieu qui l'a créé : ce dernier thème est aussi commun, vers le début de l'ère chrétienne, aux païens qu'aux Juifs *(Sagesse)* et aux Chrétiens (S. Paul, *Ep. Rom.* 1, 19 ss.), et n'a guère besoin d'exemple. Bornons-nous à citer un texte hermétique, *Corp. Herm.* V, 5 : « Plût au ciel qu'il te fût donné d'avoir des ailes et de t'envoler dans l'air, et là, placé au milieu de la terre et du ciel, de voir la masse solide de la terre, les flots épandus de la mer, les cours fluents des fleuves, les mouvements libres de l'air, la pénétration du feu, la course des astres, la rapidité du ciel, son circuit autour des mêmes points! Oh! que cette vue est la plus bienheureuse, enfant, quand on contemple en un seul moment toutes ces merveilles, l'immobile mis en mouvement, l'Inapparent se rendant apparent au travers des œuvres qu'Il crée! »

Tantôt enfin la contemplation du Kosmos mène à une leçon morale, dans la mesure où la vue d'un objet si grand et si admirable induit à mépriser la terre et toutes les choses terrestres. L'idée que la sagesse enseigne le mépris des affaires humaines est sans doute fort ancienne. On peut la faire remonter au moins jusqu'à Platon (1), mais elle a dû apparaître bien avant encore, du jour où il s'est trouvé des sages pour concevoir la vie théorétique et en goûter les bienfaits. Cependant cette idée, à vrai dire, reste très générale et ne peut avoir servi à notre thème hellénistique que d'indication toute première. Car ce thème est beaucoup plus explicite. Il ne se contente pas de dire que la sagesse inspire le dédain des ἀνθρώπινα, mais il établit une comparaison entre la vue du Kosmos et celle des choses terrestres; plus précisément, il montre combien, vus du haut du ciel, la terre, ses régions, ceux qui les habitent et les occupations qu'on s'y donne sont choses de peu d'importance. Ce thème suppose donc,

---

πλανητῶν τε καὶ ἀπλανῶν χορείαις συμπεριπολη,θεὶς κατὰ τοὺς μουσικῆς τελείας νόμους, ἑπόμενος ἔρωτι σοφίας ποδηγοῦντι, πᾶσαν τὴν αἰσθητὴν οὐσίαν ὑπερκύψας, ἐνταῦθα ἐφίεται τῆς νοητῆς, et souvent, cf. R. M. JONES, *l. cit.*, pp. 101-105.

(8) XVII 10 (DUBNER) : τέλος δὲ τῆς ὁδοῦ οὐχ ὁ οὐρανός, οὐδὲ τὰ ἐν τῷ οὐρανῷ σώματα — καλὰ μὲν γὰρ ταῦτα καὶ θεσπέσια, ἅτε ἐκείνου (τοῦ θεοῦ) ἔγγονα ἀκριβῆ καὶ γνήσια, καὶ πρὸς τὸ κάλλιστον ἡρμοσμένα — ἀλλὰ καὶ τούτων ἐπέκεινα ἐλθεῖν δεῖ, καὶ ὑπερκύψαι τοῦ οὐρανοῦ ἐπὶ τὸν ἀληθῆ τόπον καὶ τὴν ἐκεῖ γαλήνην. En XVI 3, après avoir raconté l'expérience d'Aristée qui, sur le point de mourir, sentit que son âme, comme un oiseau, ἐπλανᾶτο ἐν τῷ αἰθέρι... πάντα ὕποπτα θεωμένη, γῆν καὶ θάλατταν καὶ ποταμοὺς καὶ πόλεις καὶ ἔθνη ἀνδρῶν καὶ παθήματα καὶ φύσεις παντοίας, Maxime de Tyr demande ce que veut exprimer cette ascension : rien d'autre, répond-il, que la condition de l'âme qui, lorsqu'elle s'est détachée du corps et recueillie en elle-même, retrouve le contact avec la vérité elle-même, loin de toute image sensible.

(1) V. gr. *Rép.*, VI 476 : l'âme philosophique, c'est-à-dire celle qui doit tendre sans cesse à embrasser l'ensemble et l'universalité des choses divines et humaines, toute la durée du temps et la totalité des êtres, ne peut regarder la vie humaine comme une chose de grande importance, *Théét.* 173 e : l'âme du sage, tout occupée à la contemplation des astres et des secrets de la nature, tient pour mesquineries et néant les affaires terrestres.

à l'origine, une ascension vers les hauteurs du monde, d'où l'on découvre le néant de la gloire humaine. Et ce qui fait apparaître cette gloire comme un néant, c'est justement le spectacle du Kosmos, immense quant à l'étendue, infini quant à la durée; au regard de cette double infinité, que vaut la gloire, qui ne s'étend que sur un tout petit espace et qui ne dure qu'un instant? Il ne suffit donc pas d'alléguer les textes de Platon ou le *Protreptique* d'Aristote (1) pour expliquer l'opposition « Kosmos — terre » avec son complément « mépris de la gloire humaine ». Non plus que R. Harder (2), je ne crois pas qu'on puisse remonter à un modèle défini, mais seulement marquer un courant d'idées.

Peut-être y aurait-il lieu de citer d'abord le morceau du *Phédon* (108 c 6-111 c 3) où Socrate oppose, aux bas-fonds terrestres que nous habitons et où se déverse un air chargé d'humidité et de pluie (109 b 5), les lieux qui, situés sur la surface sphérique de la terre, sont baignés d'un éther tout pur et translucide qui laisse voir en leur parfait éclat le ciel véritable et les astres (109 b 6 ss.) (3). Supposons, dit Socrate, qu'il nous soit donné des ailes (πτηνὸς γενόμενος ἀνάπτοιτο 109 e 3) et qu'ainsi nous traversions de bout en bout l'air brumeux qui nous enveloppe dans ces creux terrestres que nous habitons : nous parviendrions alors à l'éther que parcourent les astres, nous connaîtrions le ciel véritable, la vraie lumière et la terre véritablement terre (109 e 6 ss.). Sans doute l'opposition, dans ce texte, n'est-elle pas d'ordre moral. Néanmoins le contraste entre le séjour des bienheureux et le lieu d'ici-bas est déjà fortement marqué. La «'vraie terre », c'est-à-dire la circonférence même du globe, laquelle est enveloppée par l'éther, s'oppose aux creux terrestres remplis d'eau et d'air comme une région où tout est pur et incorrup-

---

(1) Comme l'a fait Usener, *Rh. Mus.*, XXVIII, 1873, pp. 329 ss. = *Kl. Schr.*, III, pp. 11 ss., contre lequel voir les justes observations de HARDER, *Über Ciceros Somnium Scipionis (Schr. d. Königsb. Gel. Ges., Geistesw. Kl.*, VI 3), Halle, 1929, p. 130, n. 2 : « Bei Aristoteles Fr. 50 wird ganz platonisch ausgeprochen, dass die äusseren Güter dem tieferem Blick sich als nichtig erweisen, darunter auch der Ruhm. Das für unser Stück charakteristische aber, die Gegenüberstellung von Erde und Kosmos, fehlt bei Aristoteles... Richtig ist nur, dass die Grundgedanken aus der platonisch-aristotelischen Tradition herkommen. »

(2) *Op. cit.*, p. 130.

(3) C'est le mérite de E. FRANK, *Plato u. die sogenannten Pythagoreer*, pp. 181-5, d'avoir vu dans ce passage l'une des sources du thème hellénistique de l'ἀνάβασις. Peut-être Platon lui-même a-t-il pu, sur ce point, subir l'influence d'Archytas, s'il faut en croire un témoignage de Cicéron (non recueilli dans les *Vorsokratiker)*, *Lael.*, 23, 88 *verum ergo illud est, quod a Tarentino Archyta, ut opinor, dici solitum nostros senes commemorare audivi ab aliis senibus auditum:* « *Si quis in caelum ascendisset, naturamque mundi et pulchritudinem siderum perspexisset, insuavem illam admirationem ei fore; quae iucundissima fuisset, si aliquem, cui narraret, habuisset* » (je ne retiens ici que la première partie du témoignage, ce qui concerne l'ἀνάβασις).

tible à une autre où tout se ronge et se corrompt. Sur la « vraie terre », pierres, arbres, fleurs et fruits, et les animaux eux-mêmes, sont d'une qualité excellente. Quant aux hommes de là-bas, en vertu de l'éther qu'ils respirent, leurs sens et leurs facultés intellectuelles sont autant supérieurs aux nôtres que l'éther, en pureté, l'emporte sur notre air. Bref, c'est le paradis. Et il suffira de s'élever un peu plus haut encore dans l'ἀνάβασις, il suffira de passer de cette surface extérieure du globe à l'éther même où il baigne pour trouver réunies toutes les conditions de l'immortalité céleste. On ne peut douter que, par sa popularité, le *Phédon* n'ait contribué à en répandre la doctrine. Et il faut noter, au surplus, que d'autres parties de l'ouvrage devaient incliner les âmes au mépris des choses terrestres.

Avec Aristote, nous nous rapprochons davantage de ce qui caractérise proprement le thème hellénistique : le contraste entre l'immensité du Kosmos et la petitesse de la terre.

Lorsqu'il en vient à expliquer, dans les *Météorologiques* (A 14), les changements qui se produisent dans la configuration de la terre, Aristote montre que la terre, comme les animaux et les plantes, a sa maturité et sa vieillesse, sous l'influence du froid et de la chaleur qui dépendent eux-mêmes du soleil et de son mouvement circulaire. Mais, au lieu que, dans les animaux et les plantes, ces changements affectent l'être entier, la terre ne vieillit que par parties (351 a 19-b 8). Or, « du fait que ce processus naturel de la terre, pris dans sa totalité, a lieu graduellement et dans des périodes de temps qui sont immenses comparées à notre propre existence, ces phénomènes passent pour inaperçus et, avant qu'on puisse conserver le souvenir de leur cours du commencement à la fin, des nations entières meurent et périssent » (351 b 8-13) (1). Aristote donne alors quelques exemples de ces lentes transformations. Il note en particulier que le pays de Mycènes, jadis prospère, est aujourd'hui stérile et desséché tandis que le pays d'Argos, autrefois stérile en raison de ses marécages, est à présent fertile. « Eh bien, ce qui arrive pour ce pays, qui est tout petit, arrive aussi, doit-on supposer, exactement de même pour des régions étendues et pour des contrées tout entières » (352 a 14-17). « Or », poursuit-il alors, « ceux qui ne jugent que d'après le détail (2) rapportent la cause de ces phénomènes terrestres

---

(1) Traduction Tricot (Paris, 1941).

(2) οἱ βλέποντες ἐπὶ μικρόν. De ce que de tels changements se produisent sur la terre, on conclut qu'il s'en produit de pareils dans l'univers et que ces changements cosmiques sont la cause des terrestres. οἱ βλέποντες ἐπὶ μικρόν semble annoncer *de mundo*, 391 a 22 οἰκτίσειεν ἄν τις τῆς μικροψυχίας, mais le sens est différent. Il ne s'agit pas chez Aristote de « ceux qui ne s'attachent qu'à de petites choses », comme on traduit d'ordinaire.

au changement de l'univers entier, pris au sens de devenir du ciel » (17-19). « Mais », répond-il, « on ne doit pas penser que la cause de ce phénomène réside dans le devenir même du monde : il est ridicule en effet de mettre en branle toute la machine de l'univers (1) pour quelques changements minimes et insignifiants : la masse de la terre et sa grandeur ne sont rien assurément au regard du ciel en sa totalité » (a 25-28). Selon la remarque de Harder, ce sont des considérations de cette sorte qui ont dû donner lieu à notre thème hellénistique où la comparaison du monde et de la terre est associée à la fiction, par ailleurs familière, de la montée de l'âme à travers le Kosmos.

Quoi qu'il en soit de l'origine, nous voyons ce thème utilisé à partir du Ier siècle avant notre ère par un assez grand nombre d'auteurs. Sans viser à être complet, j'en traduirai ici quelques-uns qui offrent plus ou moins de ressemblance avec le *Songe de Scipion*.

Mais avant de reproduire ces documents, il convient de faire une observation qui jettera peut-être quelque lumière sur les origines de notre thème hellénistique. On a vu que les premiers exemples de l'opposition entre région supérieure et région inférieure du Kosmos se rencontrent dans un morceau « cosmographique » du *Phédon*, puis dans des passages des *Météorologiques* d'Aristote qui touchent de près à la cosmographie. Or c'est dans des manuels hellénistiques d'astronomie et de cosmologie que cette opposition apparaît ensuite; et il y a donc lieu de croire que le τόπος a passé de ces ouvrages techniques dans les écrits littéraires. Ces manuels sont celui de Géminos, qui se date à peu près sûrement de l'an 70 environ avant J.-C., et celui de Cléomède, composé au plus tard au IIe siècle de notre ère, mais dont la doctrine, comme l'a noté déjà le scholiaste ou l'auteur lui-même (p. 228.1-5 Ziegler), est empruntée pour une bonne part à Posidonius (2) Il est dit à plusieurs reprises dans ces manuels que la terre, au regard de l'univers, n'est qu'un point (στιγμή, σημεῖον), ce qui rappelle aussitôt *Somn. Scip.* 3, 16 b : *iam ipsa terra ita mihi parva visa est ut me imperii nostri quo quasi punctum eius attingimus paeniteret*. Cependant, chez les astronomes, ce contraste n'est pas l'objet d'un pur développement de rhétorique : il y a sa place pour une raison technique, chez Géminos à propos de l'habitabilité de la région équatoriale et de la

---

(1) Tel est en effet le sens de κινεῖν τὸ πᾶν (a 27) et non : « de faire l'univers se mouvoir » (Tricot, après Ideler).

(2) Sur le caractère « non posidonien » de Géminos, cf. K. REINHARDT, *Poseidonios*, pp. 178-183. Sur la nature des emprunts de Cléomède à Posidonius, *ib.*, pp. 183-207.

prétendue influence des astres fixes sur la terre, chez Cléomède à propos des grandeurs comparées de la terre et du monde.

Géminos, XVI, 29, p. 176.7 ss. Manitius.

Dans les paragraphes précédents (27-28), Géminos a critiqué la théorie de Kratès de Mallos qui, à propos d'*Od.* I 23-24, soutenait que, selon Homère, la terre était ronde. Pour Homère bien plutôt, comme pour tous les anciens poètes, la terre est un disque plat enveloppé par l'Océan. L'auteur poursuit alors :

« Ce qu'Homère avance (sur les Éthiopiens) s'accorde entièrement avec la conception du monde que nous avons marquée (*sc.* la terre disque plat), en revanche cela ne s'accorde plus avec la forme réelle de l'univers, qui est celle *d'une sphère. Car la terre est située au milieu de l'ensemble du monde, et au regard de ce monde, elle ne figure que comme un point* (σημείου τάξιν ἐπέχουσα). »

XVIII, 16, p. 186. 11 Man.

« La terre en sa totalité a valeur d'un point central au regard de la sphère des astres fixes et il est impossible qu'aucune émanation ou effluence ne pénètre depuis les astres fixes jusqu'à la terre. »

Cléomède, I 11, 56-57, p. 102. 21 ss. Z (1).

Que la terre n'est qu'un point par rapport au ciel.

« Bien qu'il ait été démontré, par les arguments que nous avons indiqués (cf. I 10), que la terre est d'une taille immense, maintes raisons prouvent qu'elle n'est qu'un point, non seulement par rapport à la grandeur totale de l'univers, mais encore par rapport à l'élévation (2) du soleil, qui pourtant est bien plus petite que la sphère qui embrasse les astres fixes. Sans doute cent mille amphores, prises à elles seules, font un volume d'eau respectable, cependant elles ne comptent aucunement au regard de la mer, ni même au regard du Nil ou de n'importe quel autre des fleuves considérables : et bien, il en va de même quant à la terre. Prise à elle seule, on la croirait d'une taille immense puisque son diamètre dépasse 80.000 stades : il apparaît néanmoins qu'elle ne compte pas du tout ni au regard de la hauteur du ciel, ni bien moins encore, au regard de la grandeur totale de l'univers. Nous disons qu'il y a proportion entre deux grandeurs quand nous pouvons mesurer la plus grande par la plus petite, l'une étant, par exemple, dix fois ou, si l'on veut, dix mille fois aussi grande que l'autre. Mais une amphore d'eau ne saurait mesurer la mer, et non pas même le Nil. De même donc que l'amphore ne compte aucunement devant ces choses, ainsi la grandeur de la terre devant celle de l'univers. »

Suivent les preuves de cette thèse (I 11, 57-62, pp. 112-123), puis des objections et réponses (I 11, 62-65).

(1) Sur ce passage, cf. K. Reinhardt, *Poseidonios*, pp. 200-201.
(2) Il s'agit de la hauteur du soleil dans le ciel (ὕψος), de la longueur de sa distance au-dessus de l'horizon, non de la dimension du soleil lui-même en son diamètre. Je traduis « élévation » pour éviter l'équivoque.

II 1, 69, p. 126. 15 ss.

Ce chapitre « De la grandeur du soleil, contre Épicure » s'inspire directement de Posidonius (1). C'est ce qu'atteste au surplus la note finale du chapitre précédent (I 11, 65, p. 116.27 ss. Z.) : « Que la terre ait valeur de point central, ces raisons le montrent, et bien d'autres. Cependant, comme nous avons dit, dans la première partie de cet essai (I 11, 57, p. 104.23 Z.), que le soleil, malgré sa taille beaucoup plus grande que celle de la terre, nous apparaît avec les dimensions d'environ un pied seulement, il nous faut maintenant exposer ce point même, autant qu'il suffit dans une introduction comme celle-ci, non sans mettre en avant les opinions particulières de ceux qui ont consacré des traités à ce seul problème : de ce nombre est Posidonius. »

« La vraie distance (διάστημα de la terre au soleil) est, pour ainsi dire, infiniment plus grande que celle qui nous apparaît, puisque la terre n'est qu'un point au regard de l'élévation du soleil et de la sphère que cette élévation nous fait concevoir. Dès lors aussi, de toute nécessité, la grandeur réelle du soleil est infiniment supérieure à celle qui nous apparaît. »

II 8 (Grandeur de la lune et des étoiles), 97, p. 176. 11 ss.

« Puis donc que les étoiles occupent le point le plus élevé dans le ciel (car elles sont situées à la circonférence extrême du ciel), et puisqu'aucune d'entre elles n'apparaît plus petite qu'un doigt, elles doivent toutes être plus grandes que la terre. Et de fait la terre, qui n'est qu'un point relativement à l'élévation du soleil, si on la regardait de cette élévation, ne serait même pas perceptible à l'œil de l'homme ou du moins n'apparaîtrait que comme la plus petite étoile ; et si on la regardait de la sphère des astres fixes, on ne la verrait même plus, même dans l'hypothèse où elle serait aussi brillante que le soleil. »

Ces citations, dont on pourrait allonger la liste, suffisent à montrer que le thème de la petitesse de la terre au regard du soleil et de l'univers a été, dès avant le Ier siècle, un point de doctrine astronomique avant de devenir un τόπος moral et littéraire. Quel est le premier auteur hellénistique qui, de ces données scientifiques, a tiré la leçon morale, on ne saurait le dire. Nous ne voyons plus que l'exploitation du τόπος chez des écrivains d'originalité médiocre, Cicéron, le Ps.-Aristote *(de mundo)*, Sénèque, Maxime de Tyr, Lucien. Sans doute se réfèrent-ils tous à un même écrit de l'âge hellénistique. Il est possible que cet écrit ait été de Posidonius : Cléomède compte celui-ci parmi les auteurs de traités « Sur la grandeur du ciel » (I 11 *in fine*).

Voici maintenant les témoignages littéraires.

(1 d) Cf. REINHARDT, *op. cit.*, pp. 185-186.

Cicéron, *Tuscul.*, I, **19**, 43-**20**, 45 (je résume) :

Il s'agit d'une ascension eschatologique. L'âme, après avoir quitté le corps, se dégage d'abord de notre atmosphère, d'autant plus facilement qu'il n'y a rien de plus rapide qu'elle. Quand donc l'âme, ayant franchi d'un trait toute la région de l'air, aborde et reconnaît une nature semblable à la sienne (c'est l'éther), là où un composé igné se forme de l'air devenu subtil (*ex anima tenui*) et du feu solaire affaibli *(ex ardore solis temperato)*, elle s'arrête *(insistit)* (1) et ne monte pas plus haut mais reste comme suspendue en équilibre *(tanquam paribus examinatus ponderibus)* dans ce milieu formé des mêmes éléments qu'elle-même, où elle est nourrie et entretenue par les mêmes substances qui nourrissent et entretiennent les astres (I **19**, 43) (2). Que fait l'âme en cet état? Elle contemple les choses du ciel, avec d'autant plus d'ardeur que le lieu où elle se trouve maintenant lui en facilite l'étude (I **19**, 44). C'est la beauté des choses célestes qui a fait jaillir jusque sur la terre l'amour de la sagesse. Et ceux-là jouiront davantage du spectacle du ciel qui, dès ici-bas, ont su, par la pensée, s'élever vers le ciel (I **19**, 45).

Or, en vérité, que sont les paysages de la terre comparés à cette vision du Kosmos entier?

« Oui, si à présent ceux qui ont vu les bouches du Pont Euxin (le Bosphore) et les détroits par où passa le navire appelé Argo..., si ceux qui ont vu ce fameux détroit de l'Océan « où les flots dévorants séparent l'Europe de la Libye (Afrique) » croient avoir lieu de s'enorgueillir (3), que devons-nous penser que sera enfin le spectacle, quand il sera permis de contempler la terre entière, sa position, sa forme, son contour et ses diverses régions, tant celles qu'on peut habiter que celles que l'excès du froid ou de la chaleur rend entièrement désertes » (4)?

---

(1) Pour ce passage, j'ai suivi l'interprétation de T. W. Dougan (Cambridge, 1905) qui tient *iunctis... ignibus* pour un ablatif absolu et rejette la construction *insistit ignibus* (« s'arrête sur des feux »). En effet la doctrine paraît être celle des stoïciens, pour qui le séjour des âmes est la région éthérée qui entoure la lune, cf. Cumont, *After life*, p. 98. Sur la différence entre *Tusc.* et *S. Scip.* 3, 16 (âmes dans la Voie Lactée), cf. R. M. Jones, *Posidonius and Cicero's « Tusculan Disputations »*, *Class. Philol.*, XVIII, 1923, p. 227 (mais il ne faut pas dire que dans *Tusc.* les âmes ne montent qu'à la région sous la lune « beneath the moon »).

(2) Cf. *n. d.*, II, 46, 118.

(3) *aliquid adsequi se putant* = μέγα φρονοῦντας ἐπὶ θεωρίᾳ μικρᾷ *de mundo* 391 a 23-24.

(4) *tum et habitabiles regiones et rursum omni cultu propter vim frigoris aut caloris vacantis*, I **20**, 45. Même doctrine I **28**, 68-69 *tum globum terrae..., duabus oris distantibus habitabilem et cultum..., ceteras partes incultas, quod aut frigore rigant aut urantur calore*, et *S. Scip.* 6, 21 *cernis autem eandem terram quasi quibusdam redimitam... cingulis, e quibus duos... obriguisse pruina vides, medium autem illum... solis ardore torreri. duo sunt habitabiles* (sc. les deux zones tempérées, entre les cercles polaires et le cercle équatorial). R. M. Jones, *art. cit.* (*supra*, n. 1), pp. 211-212, a montré que ces textes s'opposent à la doctrine posidonienne que la zone torride est habitable et, en fait, habitée. (Cf. Cléom., *de motu circ. corp. cercl.*, I 6, 31-32, p. 56.27 ss., Ziegler. Cette thèse avait déjà été

De mundo 1, 391 b 8 ss. :

« En effet (1), puisqu'il n'était pas possible d'atteindre, avec le corps, aux lieux célestes ni de laisser derrière soi la terre pour explorer cette région sacrée..., l'âme, elle du moins, grâce à la philosophie, ayant pris pour guide l'intellect, a traversé l'immensité, elle a accompli ce voyage, car elle a découvert un chemin sans fatigue, elle a rapproché par l'intelligence les objets les plus distants l'un de l'autre dans l'espace, car il lui était bien aisé, je pense, de reconnaître ce qui est apparenté (2) ; par son divin regard, elle a appréhendé les choses divines, et elle les révèle aux mortels comme un prophète ».

Voilà pour le premier thème, la montée de l'âme. Et voici pour l'opposition du monde et de la terre (391 a 18 ss.) :

« Ceux-là donc qui ont mis tant de soin à nous décrire la nature d'un pays unique ou le plan d'une unique ville, ou la grandeur d'un fleuve, ou les beautés d'une montagne, comme ont fait jusqu'ici certaines gens, qui traitent soit de l'Ossa, soit de Nysa, soit de l'antre Corycien, soit de n'importe lequel des lieux particuliers, on devrait les prendre en pitié pour la mesquinerie dont ils font preuve quand ils s'étonnent devant des choses tout ordinaires et se prévalent d'un spectacle insignifiant. Cela leur vient de ce qu'ils ne savent pas contempler les choses sublimes, je veux dire le monde et ce qu'il y a de plus grand dans le monde. Car, s'ils avaient vraiment donné leur attention à ces choses, ils n'auraient jamais d'admiration pour aucune autre, mais tout le reste leur paraîtrait petit et sans valeur au regard de l'excellence de ces premières. »

Le mouvement général est le même que dans le *Somn. Scip.*, mais on notera qu'il n'est pas question de la gloire humaine.

Sénèque, *Questions Naturelles*, I, praef. 7-13 (3).

§ 7. L'âme atteint à la plénitude du bonheur quand, ayant foulé aux pieds tout ce qui est mal, elle gagne les hauteurs et pénètre jusque dans les replis intimes de la nature. C'est alors, quand elle erre au milieu des astres, qu'il lui plaît de se rire des dallages des riches et de toute la terre avec son or. § 8. Mais tout ce luxe des riches (portiques, plafonds recouverts d'ivoire, bosquets taillés,

---

soutenue par Geminos, *Eisagogè*, XVI 25 ss., pp. 174.6 ss. Man., qui ne cite pas Posidonius, mais un opuscule, aujourd'hui perdu, de Polybe, *Sur la région habitée sous l'équateur*, XVI 32-38, pp. 176.20 ss. Man. Cléomède, en revanche, est partisan de l'inhabitabilité de la région équatoriale, *l. c.*, I 6, 32-33, pp. 58.25 ss. Z.). Hormis ce détail, tout est lieu commun dans le passage des *Tusculanes*, et, selon le mot de Jones (p. 211), « compatible with all the theories which admits its (de l'âme) survival and its abode in heavenly regions ».

(1) L'auteur vient de dire que, seule, la philosophie s'est élevée à la contemplation de l'ensemble des êtres, μόνη διαρχμένη πρὸς τὴν τῶν ὄντων θέαν 391 a 3.
(2) Ou « ce qui lui est apparenté », « das ihr Verwandte » (Capelle).
(3) Je résume, en m'aidant, souvent, de l'excellente traduction de P. Oltramare (Paris, 1929).

bassins artificiels dans les palais), l'âme ne peut les mépriser avant d'avoir fait tout le tour du monde, jeté du haut du ciel un regard dédaigneux sur l'étroite terre et s'être dit : « C'est donc là ce point que tant de peuples se partagent par le fer et par le feu? Combien risibles (1) les frontières que les hommes mettent entre eux! »
§ 9. Développement de ce thème par l'indication des fleuves, montagnes, déserts qui marquent les frontières de l'Empire romain (Euphrate, Balkans, Haut et Bas Danube, Rhin, Pyrénées, désert de Nubie).

§ 10. « Donnez aux fourmis l'intelligence de l'homme, ne vont-elles pas, elles aussi, partager en maintes provinces la surface d'une même aire à battre le blé? Si tu t'élèves jusqu'aux régions qui sont vraiment grandes (2), toutes les fois que tu verras une armée marcher enseignes dressées et les cavaliers, comme s'il s'agissait d'une affaire d'importance, tantôt précéder en éclaireurs, tantôt se répandre sur les flancs, l'envie te prendra de dire : « Voici que s'avance dans la plaine la troupe noire » (Virg., En., IV 404). Misérable agitation de fourmis qui s'évertuent sur un lopin de terre (3)! D'elles à nous, quelle différence que la mesure d'un corps minuscule? »

§ 11-12. Cette terre, où les hommes se livrent aux courses maritimes, à la guerre, se taillent des royaumes, n'est qu'un point au regard de l'immensité des espaces célestes. Or l'âme purifiée prend possession de ces espaces. Parvenue là-haut, elle s'y alimente et grandit (4). Revenue à sa source, le plaisir que lui donnent les choses divines lui fait reconnaître sa propre divinité. Elle contemple le lever et le coucher des astres, etc... § 13. Cette vue lui inspire le mépris des choses terrestres. Avec bon vent, on se rend en peu de jours de l'Espagne aux Indes. Or la plus rapide des planètes (Saturne) met trente ans pour parcourir sa route. Enfin l'âme apprend là-haut ce qu'elle a toujours désiré de connaître : ce qu'est Dieu.

MAXIME DE TYR, XXII 6 (Dubner) :

« Si quelqu'un a navigué d'Europe en Asie pour visiter l'Égypte et les bouches du Nil, admirer la hauteur des pyramides, voir des oiseaux étranges, le bœuf Apis ou le bouc sacré (5) nous le félicitons d'avoir vu de si belles choses. Et de même si l'on est allé jusqu'au Danube, si l'on a vu le Gange, si

(1) *O quam ridiculi sunt mortalium termini* = μάλιστα δὲ ἐπ' ἐκείνοις ἐπῄει μοι γελᾶν τοῖς περὶ γῆν ὅρων ἐρίζουσι, Luc., *Icarom.* 18.
(2) *Cum te in illa vere magna sustuleris:* cf. *de mundo* 391 a 24 τοῦτο δὲ πάσχουσι διὰ τὸ ἀθέατοι τῶν κρειττόνων εἶναι, κόσμου λέγω καὶ τῶν ἐν κόσμῳ μεγίστων.
(3) Cf. Luc., *Icarom.* 19 : οἶμαί σε πολλάκις ἤδη μυρμήκων ἀγορὰν ἑορακέναι... πλὴν αἵ γε πόλεις αὐτοῖς ἀνδράσι ταῖς μυρμηκιαῖς μάλιστα ἐῴκεσαν.
(4) Cf. Cic., *Tusc.*, I, **19**, 43 (*supra*, p. 452).
(5) Il s'agit du bouc —ou plutôt du bélier — sacré d'Osiris à Mendès, cf. Th. HOPFNER, *Fontes historiae religionis aegyptiacae*, index, s. v. *caper*.

l'on a contemplé de ses propres yeux les ruines de Babylone, les rivières de Sardes, les tombeaux de Troie, les rives de l'Hellespont. Que de gens font la traversée d'Asie en Grèce, vers Athènes et ses arts, vers Thèbes et ses fureurs (1), ou vers les sites fameux d'Argos! Aussi bien Homère donne-t-il à Ulysse le nom de sage en raison de ses longues courses : « Car il avait vu les villes de bien des peuples, et il en connaissait les mœurs. » Quelles merveilles pourtant s'étaient offertes à Ulysse? Des Thraces ou les sauvages Cicones, les Cimmériens qui ne voient jamais le soleil, les Cyclopes qui tuent l'étranger, une femme empoisonneuse, les paysages de l'Enfer, Scylla, Charibde, le jardin d'Alcinoüs, la porcherie d'Eumée : toutes choses périssables, éphémères, fabuleuses. Mais les spectacles qui s'offrent au philosophe, à quoi les comparer? A un songe qui, par Zeus, est d'une claire évidence, et dont les images mouvantes nous environnent de tout côté (2), un songe où le corps n'est nulle part convié à venir, mais où l'âme s'élance sur toute la surface du globe, puis de notre sol au ciel, où elle traverse toute la mer, parcourt toute la terre, franchit dans son vol toute l'étendue de l'air, où elle accompagne le soleil et la lune dans leur voyage circulaire, où elle s'unit au chœur de danse des autres astres et se fait presque la compagne de Zeus pour gouverner et ordonner tout l'ensemble des êtres. O bienheureuse course, ô spectacles merveilleux, ô songes pleins de vérité! »

Lucien, *Icarémonippe*.

L'*Icaroménippe* ou, selon le sous-titre, « L'homme qui s'élève au-dessus des nuages » (ὑπερνέφελος, sc. ἀνήρ), est la parodie de ces voyages de l'âme à travers le Kosmos si cher à l'âge hellénistique (3). L'ascension de Ménippe comporte trois étapes, d'abord de la terre à la lune, puis de la lune au soleil, enfin du soleil au ciel des astres fixes jusqu'à l'acropole de Zeus (4). Ayant donc franchi la première étape, une fois installé dans la lune, Ménippe jette les yeux sur la terre qui lui paraît toute petite, bien plus petite que la lune (καὶ πρῶτόν γέ μοι πάνυ μικρὰν δόκει τινὰ τὴν γῆν ὁρᾶν, πολὺ λέγω τῆς σελήνης βραχυτέραν, c. 12), au point, dit-il plaisamment, que s'il n'avait reconnu le colosse de Rhodes et le Phare d'Alexandrie, il n'aurait même pas su la découvrir. Néanmoins, grâce à un truc que lui enseigne Empédocle, il parvient à discerner, sur cette terre à peine visible, tous les hommes et leurs actions. C'est là que s'insère la parodie du τόπος sur la vanité de la gloire (c. 18) :

(1) C'est-à-dire « le souvenir de ses fureurs », allusion à la légende d'Œdipe et de ses fils Etéocle et Polynice (ou à celle de Penthée déchiré par les Bacchantes).
(2) J'explicite quelque peu le grec ὀνείρῳ νὴ Δί' ἐναργεῖ, καὶ πανταχοῦ περιφερομένῳ.
(3) Comme le Premier livre de l'*Histoire Vraie*. Sous ce rapport, ces deux récits mériteraient une étude.
(4) Conçu ici comme établi au sommet du ciel des fixes, cf. *de mundo* 6, 397 b 24 τὴν μὲν οὖν ἀνωτάτω καὶ πρώτην ἕδραν αὐτὸς (sc. ὁ θεό.) ἔλαχεν, ὕπατός τε διὰ τοῦτο ὠνόμασται, κατὰ τὸν ποιητὴν 'ἀκροτάτῃ κορυφῇ' τοῦ σύμπαντος ἐγκαθιδρυμένος οὐρανοῦ, *Korè Kosmou* 50 (discours de Dieu aux dieux) θεοί, λέγων, ὅσοι τῆς κορυφαίας... φύσεως τετεύχατε, *Ascl.* 41 : *gratias tibi, summe, exsuperantissime*, etc. Sur la triple ascension, cf. Cumont, *After life*, p. 106.

« Mais ce qui me faisait rire plus que le reste, c'était de voir ceux qui se querellent pour les frontières d'un pays et qui se donnent de l'importance (τοῖς μέγα φρονοῦσιν) parce qu'ils labourent la plaine de Sicyone ou détiennent, dans celle de Marathon, les lieux voisins d'Œnoé ou possèdent mille arpents à Acharnes. Car, pour dire vrai, quand la Grèce entière, telle qu'alors elle m'apparaissait de là-haut, n'était pas plus grosse que quatre doigts, l'Attique, en proportion, n'était plus, je pense, qu'un point imperceptible. Cela me fit réfléchir au peu de terrain qui restait aux riches pour se donner de grands airs. Car celui qui d'entre eux possédait le plus d'arpents ne me semblait avoir à labourer qu'un seul des atomes d'Épicure. Ayant donc jeté les yeux sur le Péloponèse, puis regardé vers Kynosoura (1), je me rappelai pour quel lopin de terre, pas plus large qu'une lentille d'Égypte, tant d'Argiens et de Spartiates avaient péri en un seul jour. Et s'il m'arrivait de voir un individu se targuer de son or, parce qu'il jouissait de huit anneaux et de quatre coupes, je partais là-dessus d'un grand éclat de rire : car le Pangée tout entier avec ses mines n'était à mes yeux qu'un grain de mil.

« Tu as dû voir bien souvent, je suppose, une assemblée de fourmis. Les unes tournent en cercle, d'autres sortent, d'autres rentrent dans le fort ; celle-ci emporte un brin de fumier, celle-là court avec une cosse de fève ou un demi-grain de blé qu'elle aura pris Dieu sait où. Vraisemblablement il y a chez elles, toutes proportions gardées, des architectes, des orateurs du peuple, des prytanes, des musiciens et des philosophes. Eh bien, nos villes avec leurs habitants ressemblent tout à fait à des fourmilières » (2).

Résumons donc. Le cadre de *Somn. Scip.* est ce type de songe où un dieu, ou bien, comme ici, un défunt héroïsé, apparaît au rêveur, soit pour prononcer un oracle ou faire une révélation, soit pour servir de guide dans une ascension vers le ciel. Le songe oraculaire est tout à fait commun dès l'époque classique (3). Le songe avec ascension céleste est évidemment plus récent, puisqu'il ne peut dater que du moment où le thème de l'ἀνάβασις a pris forme. Néanmoins il doit certainement remonter au IIe siècle au moins, car nous le voyons exploité dans la fiction de Néchepso (IIe s. av. J.-C.). Là aussi, le héros de la vision se sent transporté vers les hauteurs (4),

---

(1) Petit promontoire sur la côte Est de l'Attique.
(2) On pourrait encore (avec Norden, *Agnostos Theos*, pp. 106-107) ajouter à cette liste *Corp. Herm.* IV 5 : « Tous ceux qui ont eu part au don venu de Dieu (le don de l'intellect), ceux-là, ô Tat, ... sont immortels et non plus mortels, parce qu'ils ont embrassé toutes choses par leur propre intellect, celles de la terre, celles du ciel, et ce qui peut se trouver encore en dessus du ciel. S'étant élevés ainsi eux-mêmes à une telle hauteur, ils ont vu le Bien, et, l'ayant vu, ils ont considéré le séjour d'ici-bas comme un malheur. Alors ayant méprisé (καταφρονήσαντες) tous les êtres corporels et incorporels, ils aspirent à l'Un et Seul ». Néanmoins, comme le remarque Jones (*Class. Phil.*, XXI, 1926, pp. 110 ss.), ce morceau hermétique diffère par plus d'un trait du *S. Scip.* (il y manque notamment l'opposition Kosmos — terre en raison d'une ἀνάβασις) et il se peut qu'il dérive simplement de la tradition platonicienne du *Théétète* (la sagesse enseigne le mépris des ἀνθρώπινα).
(3) Cf. A. Wickenhauser, *Die Traumgesichte des Neuen Testaments in religionsgeschichtlicher Licht*, ap. *Pisciculi F. J. Dölger dargeboten* (Münster, 1939), pp. 330 ss.
(4) ἔδοξε δέ μοι πάννυχον πρὸς ἀέρα <ἀρθῆναι Riess> fr. 1 Riess = Vett. Val., 241.16 Kroll.

une voix du ciel retentit à son oreille (1) cependant que lui apparaît une forme vêtue d'un péplos sombre répandant de l'obscurité (2). On retrouve donc là le guide dans la montée. Par ailleurs, si, comme on l'a pensé, Vettius Valens continue dans la suite (3) de paraphraser le poème de Néchepso, il appert que cette montée aboutit à une description enthousiaste des *sublimia:*

« Qui pourrait douter en effet que cette vue ne l'emporte sur toutes les autres et ne soit la plus bienheureuse, ce spectacle où l'on voit à l'approche des solstices, par une augmentation ou une diminution des heures du jour, les mouvements réguliers du soleil déterminer le changement des saisons, le lever et le coucher (des astres), le jour et la nuit, le froid ou la chaleur, la température de l'air, où il est permis de contempler les mouvements inégaux de la lune, ses approches et ses retraits, sa croissance et sa décroissance, ses montées et ses descentes, les souffles qu'elle émet, sa conjonction et ses effluences, ses éclipses et ses projections d'ombre, et tout le reste enfin? C'est de là que résulte, comme on le voit, tout ce qui se produit sur la terre, dans la mer, dans le ciel, bref le principe et le terme de tous les phénomènes. Quant aux cinq autres planètes, leur marche sans doute est oblique (4), leur course irrégulière, leurs apparitions diverses; toutefois, malgré cette irrégularité et bien qu'elles soient appelées « astres errants », leur comportement obéit à des lois constantes, et c'est par des révolutions et des périodes bien définies qu'elles reviennent à leur point de départ. »

On reconnaît dans ce morceau le cadre du *Songe de Scipion* et le modèle de toutes ces descriptions admiratives des choses célestes qui rempliront la littérature gréco-romaine (5).

Rien donc n'est moins original que la fiction du songe d'ἀνάβασις (6). Il n'y a guère plus d'originalité, au temps de Cicéron, dans le thème de l'immortalité céleste. Enfin, quant au thème du mépris de la gloire en conséquence de l'ἀνάβασις, le *de mundo,* Sénèque, Maxime de Tyr, Lucien — qui ne peuvent, sauf peut-être Sénèque,

(1) καί μοί τις ἐξήχησεν οὐρανοῦ βοή.
(2) (οὐρανοῦ βοή) τῇ σάρκας ἀμπέχειτο πέπλος κυανόχρους | κνέφας προτείνων. Selon Reitzenstein (*Poimandres*, p. 5 et n. l.) τῇ se rapporte bien à βοή, **et il n'y a pas de** lacune. Pour les Égyptiens, la voix se confond avec la *personne,* **elle est un être réel et** personnifié.
(3) P. 241.19-33 Kr.
(4) En lisant σκολιαὶ πορεῖα (Reitzenstein) pour αἱ πορεῖαι codd.
(5) Reitzenstein (*Poimandres,* pp. 6-7 et *Beigabe* I, pp. 253 ss.) compare en particulier ce passage de Vettius Valens et Sénèque, *Consol. ad Marciam,* 18, 2. L'intermédiaire serait, une fois de plus, Posidonius. Voir cependant Ch. Favez, *L. Annaei Senecae... ad Marciam* (Paris, 1928), pp. 60-61.
(6) Si fréquente est la fiction d'une expérience psychique d'initiation faite en songe que, dans *Corp. Herm.* XIII, 4, l'initiant y fait allusion comme à un phénomène bien connu. L'initié vient de dire qu'il est plongé dans une sorte de folie et ne se voit plus lui-même : « Plût au ciel », répond l'initiant, « que tu fusses sorti de toi-même comme ceux qui font des songes en dormant, mais toi hors du sommeil ». Dans *C. H.* XI, 21, un novice trop timide se plaint de ne pouvoir « monter au ciel » : οὐδὲν νοῶ, οὐδὲν δύναμαι εἰς τὸν κύριον ἀναβῆναι οὐ δύναμαι.

dépendre de Cicéron — offrent trop de ressemblances pour qu'on ne soit pas obligé de conclure à un modèle hellénistique. C'est de ce modèle aussi qu'a dû s'inspirer Cicéron dans les *Tusculanes* et le *Songe de Scipion*.

Il apparaît ainsi que le *Somn. Scip.* n'est qu'une mosaïque de lieux communs, le seul trait proprement cicéronien consistant en la couleur bien romaine dont l'auteur revêt tout le morceau, dans cette exaltation des vertus patriotiques du *moderator r. p.* que résume la formule lapidaire (**3**, 13) *omnibus qui patriam conservarint adiuverint auxerint certum esse in caelo definitum locum*. Est-ce à dire que Cicéron ne soit pas sincère dans son mépris de la gloire humaine, qu'il n'y ait là qu'un couplet de bravoure, un beau morceau d'éloquence? On serait tenté de le penser à première vue. Quel homme fut plus assoiffé de gloire, d'un mot, plus vaniteux? Mais, comme le remarque Harder (1), Cicéron se trouve alors dans une période de découragement. On l'a éloigné des affaires, son programme de politique idéale (2) a échoué, il se réfugie alors dans ces études qu'il dit être ses seules amours, dans la vie contemplative. « Le programme du *de republica* est le programme d'un politique résigné, d'un politique qui n'a pas réussi. De là vient que, dans le *Songe*, Cicéron s'efforce de nier l'importance du succès politique, de la gloire » (3). Cette note de mélancolie traverse tout l'ouvrage (cf. I, **17**, 26-29) et elle percera encore dans le *de legibus* (I, **23**, 61). On peut donc penser que, lorsqu'il écrit cette « déclamation » sur la gloire, Cicéron reste sincère, tout en exploitant un lieu commun. Il était infiniment sensible, se livrait tout entier à l'impression du moment. Le mépris temporaire des ἀνθρώπινα dans le *Songe* ne l'empêchera pas, plus tard, de revenir avec entrain aux affaires, comme le fait qu'il ait exalté ailleurs (4) la gloire éternelle du politique ne l'empêche pas ici de ne plus donner de prix qu'à l'immortalité de l'âme dans les hauteurs du ciel.

Mais nous n'étudions pas Cicéron pour lui-même, nous ne cherchons en lui qu'un témoin. A ce titre, il est singulièrement utile, et l'on peut presque se réjouir qu'il ne se soit pas montré plus original. En effet les trois ouvrages cicéroniens que nous avons analysés nous ont manifesté trois progrès importants de la religion du monde à l'époque hellénistique.

(1) *Op. cit.*, pp. 148-150.
(2) « Platonicienne », comme dit HARDER, p. 149.
(3) HARDER, *ib.*
(4) *Pro Rabirio* 29 ss., cf. HARDER, p. 147.

Le II⁰ livre du *de natura deorum* montre que cette religion s'est enrichie d'un sentiment de la présence universelle de Dieu. Sans doute, ce sentiment était impliqué déjà par la doctrine de l'immanence divine dans le Kosmos. Mais il restait, en somme, assez vague et, d'une manière générale, c'est surtout dans le ciel et les corps célestes qu'on se plaisait à reconnaître l'action de la Raison divine. Désormais, probablement sous l'influence des sciences de la nature à Alexandrie, l'on voit Dieu partout, dans chacun des êtres terrestres et jusque dans les plus humbles, car ils sont tous pénétrés de la *vis vitalis* qui est d'origine divine.

Le *de re publica* et le *de legibus* ont laissé voir comment la religion du Dieu du monde s'est annexé le domaine de la science politique. L'âge hellénistique a vu se constituer une doctrine de la cité terrestre fondée sur l'idée de l'égalité naturelle entre tous les hommes et sur la dignité qui appartient à l'homme en tant qu'être raisonnable, c'est-à-dire participant à la Raison divine. Or la rencontre de cette idée avec les besoins concrets d'une cité effectivement maîtresse du monde donnera lieu, sinon encore au temps de Cicéron, du moins à l'époque impériale sous le règne des Antonins, à une politique universelle qui s'approchera le plus près du programme établi par la sagesse et à une religion universelle dont l'objet sera le Dieu cosmique.

Enfin le *Songe de Scipion* décèle un troisième progrès de la religion cosmique dans le sens de l'eschatologie. Si l'âme raisonnable vient de Dieu, n'est qu'une parcelle de la Raison divine, elle est appelée après la mort à remonter jusqu'à Dieu, sinon pour toujours, du moins pour une durée si longue qu'elle équivaut à l'éternité. Dans ce nouveau séjour, l'âme contemple de tout près le système admirable du Kosmos; unie à la raison de Zeus, elle aura part au gouvernement du monde. Et la parfaite ordonnance de toutes choses, dont elle aura enfin pris conscience alors qu'ici-bas cet ordre lui restait caché par mille accidents dus à la matière, la remplira d'une béatitude infinie.

Telles sont les conclusions de notre longue étude du témoignage de Cicéron sur la religion cosmique. Il est certain que ces progrès de la religion du monde ont été accomplis à l'âge hellénistique. Maintenant, qu'il faille les attribuer au seul et même Posidonius, c'est là, selon moi, une question insoluble, d'ailleurs oiseuse. Il n'importe pas tant, dans l'histoire des idées, de dépister des sources que de suivre des courants et d'en manifester la direction et la valeur.

CHAPITRE XIV

LE TRAITÉ PSEUDO-ARISTOTÉLICIEN " DU MONDE "

§ 1. Traduction.

Le περὶ κόσμου n'a pas été traduit en notre langue depuis la version, en général assez médiocre, de Barthélemy Saint-Hilaire. Vu l'importance de l'opuscule pour l'objet de ce livre, il m'a donc semblé utile d'en proposer une traduction nouvelle, d'après l'édition de Lorimer (1), du moins pour les chapitres 1-2, 3 (jusqu'à 393 a 8), la conclusion du chapitre 4 (396 a 27-32), les chapitres 5-7; les parties plus techniques sur la géographie (3, 393 a 9-394 a 6) et la météorologie (4, 394 a 7-396 a 27) ont été résumées. J'étudierai ensuite la date et le genre littéraire, puis le plan, enfin les doctrines.

391 a 1 Si en bien des occasions la philosophie, Alexandre, m'a semblé, à moi du moins, chose réellement divine et surnaturelle, c'est surtout dans ces moments où s'élevant elle seule à la contemplation de l'ensemble des êtres (2), elle s'est appliquée à connaître la vérité qui est en eux : oui, quand
5 le reste des savants se sont dérobés à cette vérité | à cause de sa sublimité et de sa grandeur, la philosophie n'a pas craint l'entreprise, elle ne s'est pas jugée indigne des objets les plus nobles, mais elle a estimé qu'apprendre ces objets était ce qui appartenait le plus à sa nature et qui lui convenait le mieux. En effet, puisqu'il n'était pas possible au corps (3) d'atteindre
10 jusqu'aux lieux célestes ni de laisser derrière soi la terre | pour explorer cette

---

(1) **Texte** : éd. W. L. LORIMER, Paris, 1933. Pour les chapitres 2, 5-7, voir aussi WILAMOWITZ, *Griechische Lesebuch* I 2 (Berlin, 1902), pp. 186-199 (en collaboration avec P. Wendland). — **Traductions** : E. S. FORSTER dans la traduction anglaise d'Aristote (ed. W. D. Ross), t. III, Oxford, 1931. Je n'ai pu consulter la traduction allemande de W. Capelle, Iéna, 1907. — **Études** : Sur le texte, W. L. LORIMER, *The text tradition of Ps. Aristotle De Mundo*, St Andrews University Publications, XVIII, 1924 et *Some notes on the text of Ps. Ar. De Mundo*, ib., XXI, 1925. Sur les sources et la pensée, cf. surtout W. CAPELLE, *Die Schrift von der Welt*, Neue Jahrb., XV (1905), pp. 529-568. Voir aussi l'excellent chapitre de ZELLER, *Ph. d. Gr.*, III, 1⁴ (1909), pp. 653-671. Voir *Addenda*.

(2) ἡ τῶν ὄντων θέα 391 a 3 = C. H. I. 3 μαθεῖν θέλω τὰ ὄντα καὶ νοῆσαι τὴν τούτων φύσιν καὶ γνῶναι τὸν θεόν, II, 17 τοσαῦτα καὶ οἱ αὐτὰ λελέχθω... προγνωσία τι τῆς πάντων φύσεως.

(3) Ou « avec le corps » : οὐχ οἷόν τε ἦν τῷ σώματι 391 a 8. Cf. C. H. X, 6 ἀδύνατον γὰρ ψυχὴν ἀποθεωθῆναι ἐν σώματι ἀνθρώπου, Stob. Herm. VI, 18 ἀλλ' ἀδύνατον... τὸν ἐν σώματι τούτου (la vue de Dieu) εὐτυχῆσαι, PHIL. *q. r. d. h.* 265 (III, p. 60.19 C.-W.) θέμις γὰρ οὐκ ἔστι θνητὸν ἀθανάτῳ συνοικῆσαι. En revanche *Pap. Mimaut* χαίρομεν ὅτι ἐν πλάσμασιν ἡμᾶς ὄντας ἀπεθέωσας τῇ σεαυτοῦ χάριτι.

région sacrée, comme en eurent dessein jadis, dans leur folie, les Aloades (1), l'âme, elle du moins, par la philosophie, quand elle eut pris pour guide l'intellect, a traversé l'immensité, elle a accompli le voyage, car elle a découvert un chemin sans fatigue ; ce que séparait la distance la plus grande, elle l'a rapproché par la réflexion, car il lui était bien aisé, je pense, de
15 reconnaître ce qui lui est | apparenté ; par son regard intérieur, qui est divin, elle a appréhendé les choses divines, et elle les révèle aux mortels comme un prophète. Voilà ce qu'a éprouvé l'âme, autant qu'il se pouvait, dans le désir qu'elle avait de communiquer libéralement (2) à tous les hommes une partie de ses privilèges.

Ceux-là donc qui ont mis tant de soin à nous décrire la nature d'un
20 pays unique, ou le plan d'une unique ville, ou la grandeur d'un fleuve, | ou les beautés d'une montagne, comme ont fait jusqu'ici certaines gens, qui traitent soit de l'Ossa, soit de Nysa, soit de l'antre Corycien (3), soit de n'importe lequel des lieux particuliers, on devrait les prendre en pitié pour la mesquinerie dont ils font preuve quand ils s'étonnent devant des choses tout ordinaires et se prévalent d'un spectacle insignifiant. Cela
25 leur vient de ce | qu'ils ne savent pas contempler les choses sublimes, je
26 veux dire le monde et ce qu'il y a | de plus grand dans le monde. Car, s'ils
391 b avaient vraiment donné leur attention à ces choses, | ils n'auraient jamais d'admiration pour aucune autre, mais tout le reste leur paraîtrait petit et sans valeur au regard de l'excellence de ces premières.

Parlons donc, quant à nous, de tout cet ensemble des êtres et, autant qu'il est permis, traitons de ce qu'il y a de divin en chacun d'eux (4), eu
5 égard à sa | nature, à sa position, à son mouvement. C'est là précisément, je pense, ce qui convient : et à toi, comme au meilleur des princes, de poursuivre l'étude des objets les plus nobles, et à la philosophie de ne concevoir aucune pensée mesquine, mais de gratifier de présents dignes d'eux les plus excellents personnages.

II. Or donc, le monde est l'assemblage que forment le ciel et la terre
10 avec toutes les espèces d'êtres | qu'ils contiennent. « Monde » se dit aussi, en un autre sens, de l'ordre et de l'arrangement de la Nature universelle, qui tout à la fois est sous la garde de Dieu et préservée par Dieu de tout mal. De cet ordre le centre, du fait qu'il est immobile et fixe, a été dévolu à la terre nourricière, qui est le foyer et la mère d'êtres vivants de toute sorte.
15 La région supérieure à la terre (5), qui est limitée dans tout son ensemble

---

(1) Ἀλωάδαι 391 a 11 : Otos et Ephialte, fils d'Alœus, qui voulurent, en entassant l'Ossa et le Pélion sur l'Olympe, atteindre jusqu'au ciel et renverser les dieux : ils en furent empêchés par Apollon qui les tua. Voir *Addenda*.

(2) ἀφθόνως 391 a 17. Cf. C. H. IV 3 Dieu οὐ φθονῶν τισιν propose aux hommes le νοῦς, V, 2 ἄφθονος γὰρ ὁ κύριος, XVI 5 le Soleil πᾶσι καὶ τὸ φῶς ἄφθονον χαρίζεται, *Sap. Sal.* 7, 13 ἀδόλως τε ἔμαθον, ἀφθόνως τε μεταδίδωμι et déjà Plat., *Phèdre* 247 a, *Tim.* 29 e. Voir *Addenda*.

(3) τὸ Κωρύκιον ἄντρον 139 a 21. Cf. Pomp. Mela, I 71-76 et *MAMA*, III 214 ss.

(4) θεολογῶμεν περὶ τούτων συμπάντων 391 b 4. Cf. *Appendice*, III *infra*, pp. 598 ss.

(5) C'est le sens obvie de τὸ δὲ ὕπερθεν αὐτῆς, en rapportant αὐτῆς à γῆ dont on vient de parler. Mais il est possible que αὐτῆς désigne la τάξις τε καὶ διακόσμησις τῶν ὅλων, dont le centre (ταύτης· τὸ μὲν μέσον) d'une part est la terre, dont la partie supérieure (τὸ δὲ ὕπερθεν αὐτῆς) d'autre part est le ciel.

et de toute part du côté de la zone la plus haute, séjour des dieux, a été appelée ciel. Rempli de corps divins, dont le nom usuel est astres, mû d'une motion éternelle, le ciel, avec tous les astres, tourne solennellement en cadence dans une seule et même révolution circulaire, sans jamais de cesse, pour toujours. Cet ensemble du ciel et du monde étant | sphérique et, comme je l'ai dit, dans une motion continuelle, il y a nécessairement deux points immobiles, à l'opposite l'un de l'autre, comme dans le cas d'une boule qu'on fait tourner au tour, deux points qui demeurent fixes et qui retiennent la sphère, autour desquels toute la masse de l'univers se meut circulairement en rond. On les appelle | pôles. Si l'on conçoit une ligne droite tirée d'un de ces point à l'autre, | — d'aucuns la nomment axe, — on aura le diamètre du monde, qui a pour centre | la terre, pour extrémités les deux pôles. De ces deux pôles immobiles, l'un est toujours visible, étant situé au sommet de l'axe au point cardinal du Nord — on l'appelle pôle arctique, — l'autre reste toujours caché sous la terre, au point cardinal du Sud : on l'appelle pôle | antarctique.

A la substance du ciel et des astres nous donnons le nom d'éther, non pas, comme certains le veulent, qu'étant ignée elle flambe (ces gens-là se trompent sur sa nature, infiniment éloignée de celle du feu), mais parce qu'elle « court toujours » (1), tournant en cercle : c'est un élément différent des quatre, indestructible et divin. Quant aux astres que contient | le ciel, les uns, sans bouger eux-mêmes, sont emportés dans le même mouvement circulaire que le ciel entier, et ils occupent toujours la même place : en leur milieu, comme une ceinture, passe obliquement à travers les tropiques le cercle dit du zodiaque, qui se divise tour à tour dans les douze régions des signes zodiacaux. Les autres astres, qui sont errants, ne se meuvent pas, de leur nature, avec la même vitesse que les précédents, | ni la même l'un que l'autre, mais chacun selon un orbe différent, de sorte que l'un est plus proche de la terre, l'autre plus élevé. Maintenant, pour ce qui est du nombre des astres fixes, nul ne saurait le découvrir, bien qu'ils se meuvent tous sur la même surface, qui est celle du ciel entier; en revanche celui des planètes se résume en sept unités, dans autant | d'orbes concentriques (ἐφεξῆς) ainsi placés que le supérieur soit toujours plus grand que l'inférieur, et que les sept, englobés l'un dans l'autre, n'en soient pas moins tous enveloppés dans la sphère des astres fixes. Voici (2) donc quelle est, en ligne continue (συνεχῆ), la position que conservent immuablement (3) les planètes. Tout d'abord vient le cercle du Lumineux *(Phainôn)* (4), qui est dit en même temps cercle de Saturne, puis le cercle du Resplendissant *(Phaéthôn)* |, dit cercle de Jupiter, ensuite le Rutilant *(Puroéis)*, dénommé cercle d'Hercule (5)

---

(1) αἰθήρ = ἀεὶ θεῖν.
(2) En lisant ταύτην 392 a 23 (avec les meilleurs MSS., Stobée, Wilamowitz, Lorimer *Add.* p. 120). Si on lit ταύτῃ (Lorimer *in textu*) : « La position contiguë à cette sphère (des astres fixes) est toujours occupée par ... ».
(3) Ou « chacune à son tour, successivement » (ἀεί).
(4) Sur ces noms des planètes, cf. CUMONT, *Les noms des planètes*, *L'Ant. Class.*, IV (1935), pp. 19 ss.
(5) Cf. THEO. SMYRN., p. 130 Hi., PLIN., *N. H.*, II 8, MACROB., *Sat.*, III 12, 6 (l'emploi de ce nom serait « Chaldéen », alors que *reliqui omnes Martis appellant*). J'emprunte ces références à TAYLOR, *A Commentary on... Timaeus*, p. 194, n. 1. Voir aussi CUMONT, *op. cit.*, p. 15 et n. 1 et 2.

ou de Mars, à la suite le Scintillant *(Stilbôn)*, que certains disent consacré à Mercure, d'autres à Apollon (1), après lui, le cercle du Porte-Lumière *(Phôsphoros)*, que les uns nomment cercle de Vénus, d'autres cercle de Junon, ensuite le cercle du Soleil, et en dernier lieu le cercle de la Lune, dont la frontière se termine à la terre. | L'éther (2) enferme tous les corps divins et l'aire où chacun d'eux se meut selon son rang.

Après la nature éthérée et divine, qui obéit, comme nous le montrons, à un ordre fixe, et qui est en outre immuable, inaltérable et impassible, vient, contiguë à celle-ci, la nature qui d'un bout à l'autre est passible, muable et, pour tout dire d'un mot, corruptible et périssable. Dans cette nature | elle-même, il y a d'abord l'élément subtil et inflammable, qui prend feu au contact de la substance éthérée, en raison des vastes dimensions de celle-ci | et de la rapidité de son mouvement. C'est dans cet élément igné et désordonné, comme on le nomme, qu'éclatent à travers l'espace les étoiles filantes, que s'élancent comme un trait des flammes et que ce qu'on appelle « poutres », « gouffres » et comètes font souvent une apparition | stationnaire, (3) puis s'éteignent.

Après cet élément, au-dessous de lui, l'air est répandu, trouble et glacé de sa nature : cependant, quand il est tout ensemble illuminé et réchauffé par l'élément igné (4), il devient lumineux et chaud. C'est dans l'air, qui est lui aussi de l'ordre de ce qui pâtit, et qui subit toutes sortes d'altérations, que se condensent | les nuages, que tombent en cataracte les pluies, avec la neige, la gelée, la grêle, les coups de vents et les tourbillons, et aussi le tonnerre, les éclairs, les chutes de foudre, les collisions d'innombrables nuées opaques.

III. A la suite de l'élément de l'air vient la masse fixe et solide de l'ensemble terre et mer, | qui fait jaillir en abondance plantes et animaux, sources et rivières, dont les unes sont absorbées dans le sol, les autres se déchargent dans la mer, et qui forme un tapis bigarré d'une infinité de plantes verdoyantes, de montagnes élevées, de forêts épaisses, de villes, — fondations

---

(1) Cf. MACROB., *Sat.*, I, 19, 7 *apud multas gentes stella Mercurii ad Apollinis nomen refertur.* Voir TAYLOR, *ib.*, et CUMONT, *op. cit.*, p. 16 et n. 6-8.

(2) En lisant, avec les MSS. (et Wilamowitz), μέχρι γῆς ὁρίζεται. ὁ δὲ αἰθήρ... ἐμπεριέχει. Si l'on adopte la leçon de Lorimer (d'après Apulée et la version syriaque), μέχοις ἧς (οὗ Stob.) ὁρίζεται ὁ αἰθήρ... ἐμπεριέχων, le sens est : « cercle de la Lune, où se termine la frontière de l'éther qui enferme... ». Cela revient d'ailleurs au même. Le cercle de la Lune fait frontière. Il est le dernier de la région des θεῖα σώματα et l'on peut donc dire qu'il borne le domaine de l'éther. Il touche immédiatement à la région de l'air, il exerce une influence directe sur la terre (cf. Arius Didyme, *infra*, p. 496, l. 8 ss. τὴν τῆς σελήνης — *sc.* σφαῖραν — πληθιάζουσαν τῷ ἀέρι· διὸ καὶ... μάλιστα διατείνειν τὴν ἀπ' αὐτῆς δύναμιν εἰς τὰ περίγεια) et l'on peut donc dire que la frontière de ce cercle se termine à la terre. Ce qu'il faut reconnaître en tout cas, c'est que, sous l'une ou l'autre forme, cette phrase reprend le thème des zones du monde décrites de haut en bas : l'auteur achève l'exposé de la zone éthérée en rappelant la phrase initiale de cet exposé (cp. ὁ δὲ αἰθὴρ τά τε θεῖα ἐμπεριέχει σώματα 392 a 30 et τὸ δὲ ὕπερθεν αὐτῆς — *sc.* de la terre — θεῶν οἰκητήριον οὐρανὸς ὠνόμασται. πλήρης δὲ ὢν σωμάτων θείων 391 b 14), puis il continue par les zones du feu et de l'air (μετὰ δὲ τὴν αἰθέριον... φύσιν 392 a 31 ss.) jusqu'à celles de l'eau et de la terre (ἑξῆς δὲ τῆς ἀερίου φύσεως γῆ καὶ θάλασσα 392 b 14 ss.).

(3) στηρίζονται, qui s'oppose à ἀκοντίζονται, se dit des astres fixes.

(4) En lisant ἐκείνης 392 b 7 (avec certains MSS., Stob., Apul., arm., syr., Capelle, Wilamowitz, Lorimer). Si on lit κινήσεως (Forster avec la plupart des MSS.) : « mais si l'air, par suite de son mouvement, acquiert lumière et chaleur ».

20 de l'animal sagace, l'homme, — d'îles maritimes et de continents. | Quant au monde « habité », la méthode usuelle est de le diviser en îles et en continents, sans voir qu'il n'est dans sa totalité qu'une seule île, baignée à l'entour par la mer dite Atlantique. Il existe d'ailleurs, probablement, bien d'autres « mondes habités », fort éloignés du nôtre, sur la rive opposée des mers qui nous en séparent (1), les uns plus grands, les autres plus petits
25 que le nôtre, mais tous | invisibles à nos yeux hormis le nôtre. Car, ce que sont nos îles à l'égard des mers de par ici, notre « monde habité » l'est à l'égard de la mer Atlantique et beaucoup d'autres continents à l'égard de la mer tout entière. De fait, ces continents ne sont que de grandes îles en quelque sorte
30 baignées tout à l'entour de grandes mers. C'est donc tout l'ensemble | de la nature humide répandue à la surface du sol, avec les mondes dits habités qu'elle a laissés surgir comme des sortes d'émergences de la terre, qui viendrait précisément (2) à la suite de l'élément de l'air. Après l'élément humide. tout au fond, au point le plus central de l'univers, il y a la masse comprimée et compacte de la terre en sa totalité, immobile et inébranlable.
35 Voilà ce qu'est |, dans le monde, toute la partie que nous appelons l'en-bas.

393 a. Ces cinq éléments donc, | compris en cinq régions de forme sphérique, dont les plus petites sont chaque fois contenues dans les plus grandes, c'est-à-dire la terre dans l'eau, l'eau dans l'air, l'air dans le feu, le feu dans l'éther, ont constitué l'ensemble du monde, dont toute la portion
5 supérieure représente le séjour | des dieux, l'inférieure celui des êtres éphémères. De cette dernière portion elle-même, une partie est humide — ce qu'on nomme habituellement rivières, sources et mers, — l'autre sèche, ce qu'on appelle terre, continents et îles.

Vient alors une description géographique de la terre. Après une courte mention (393 a 9-15) des îles de la mer intérieure (sept grandes : Sicile, Sardaigne, Corse, Crète, Eubée, Chypre, Lesbos; les autres plus petites : Sporades, Cyclades), l'auteur marque les bornes et l'amplitude de la mer extérieure (au « monde habité »), dite mer Atlantique ou Océan. Comme il voit dans la Méditerranée une sorte de large golfe de l'Océan, il commence par décrire cette mer, depuis les colonnes d'Hercule jusqu'au Pont et à la Méotis (393 a 16-b 2). Les golfes Indien, Persique et la mer Érythrée

---

(1) τῆσδε ἀντιπόρθμους ἄπωθεν 392 b 24. ἀντίπορθμος signifie littéralement = « du côté opposé du détroit ». L'idée est donc que nous sommes séparés de ces autres continents par des bras de mer, et ἄπωθεν (« loin de ») y ajoute celle que ces détroits sont en réalité des mers immenses. Budé avait déjà bien vu le sens : *multas autem et alias* (sc. *terras*) *longe quidem illas summotas, sed tamen veluti dirimente freto huic ipsi esse obversas non absimile veri est*. Forster paraphrase un peu : « separated from ours by a sea that we must cross to reach them ».

(2) ἑξῆς ἂν εἴη τῆς ἀερίου μάλιστα φύσεως 392 b 31-2. μάλιστα fait difficulté. Je crois que, malgré sa position, cet adverbe précise ἑξῆς : ce qui vient *immédiatement* après l'air, c'est tout l'élément humide, y compris les continents de terre ferme qui ne sont que des sortes d'écueils dans cette masse liquide. Ensuite, tout au fond (centre du monde) vient la terre. Si néanmoins, à cause de sa position, on rapportait μάλιστα à ἡ ἀερία φύσις, il faudrait traduire : « qui viendrait à la suite de l'élément *plutôt* aérien ». Mais pourquoi cette nuance?

(mer d'Arabie) d'une part, la mer Caspienne d'autre part, sont des prolongements du « golfe » méditerranéen. A partir de la mer Caspienne, l'Océan borde au nord le pays des Scythes et la Celtique pour rejoindre, par le golfe de Gascogne (dite mer Galatique), les colonnes d'Hercule (393 b 2-11).

Mention des deux grandes îles de l'Atlantique : Albion et Ierné (393 b 11-18). Ces îles sont plus grandes que celles de la Méditerranée, mais l'île Taprobanè (Ceylan), vis-à-vis l'Inde, et l'île Phébol (peut-être Madagascar) dans le golfe Arabique égalent en dimension les îles Britanniques.

Le « monde habité » dans son ensemble est large d'environ 40.000 stades, long d'environ 70.000 stades (393 b 18-22).

Description des trois parties du monde, Europe, Asie et Libye (393 b 23-394 a 4).

Conclusion de cet exposé géographique (3, 394 a 4-6) : « Ainsi s'achève notre enquête sur la nature et la position des terres et des mers qui composent, selon le nom usuel, le monde habité. »

Le chapitre 4 est tout entier consacré à la science des *météores* (phénomènes atmosphériques) et des séismes : on verra plus loin (pp. 499-502) la raison d'être de ce rapprochement. Remarquablement composé, ainsi que l'a noté Capelle (1), ce chapitre se dispose comme suit :

A. Météorologie (394 a 7-395 b 17).

Théorie des exhalaisons (ἀναθυμιάσεις) qui s'élèvent continuellement de la terre en l'air : elles sont de deux sortes, humides ou sèches, et, selon leur nature, donnent lieu à des phénomènes atmosphériques différents (394 a 7-19).

I. Phénomènes résultant de l'exhalaison humide (394 a 19-b 6).

Brouillard (ὀμίχλη) 394 a 19-22.
Ciel clair (αἰθρία) 394 a 22-23.
Rosée (δρόσος) 394 a 23-24.
Glace (κρύσταλλος) 394 a 25.
Gelée (πάχνη) 394 a 25-26.
Gelée blanche (δροσοπάχνη) 394 a 26.
Nuage (νέφος) 394 a 26-27.
Pluie (ὄμβρος) 394 a 27-30.
Pluie douce (à gouttelettes, ψεκάδες) 394 a 30.

(1) *L. c.*, pp. 540-541.

Averse (ὑετός) 394 a 31-32.
Neige (χιών) 394 a 32-36.
Tourbillon de neige (νιφετός) 394 a 36-b 1.
Grêle (χάλαζα) 394 b 1-5.

II. PHÉNOMÈNES RÉSULTANT DE L'EXHALAISON SÈCHE (394 b 7-395 b 17).

1. LES VENTS (394 b 7-395 a 5).

a) Définition : « une grande quantité d'air qui court en masse compacte » 394 b 7-12.

Distinction des vents (ἄνεμοι) et des brises (αὖραι) 394 b 12-13.

b) Dénomination des vents.

α) *D'après leur lieu d'origine* 394 b 13-19.
  Vents de terre (ἀπόγειοι).
  Vents de baie (ἐγκόλπιοι).
  Vents d'ouragan (ἐκνεφίαι).
  Vents pluvieux (ἐξυδρίαι).

β) *D'après les points cardinaux* 394 b 19-21.
  Vents d'est (εὖροι).
  Vents du nord (βορέαι).
  Vents d'ouest (ζέφυροι).
  Vents du sud (νότοι).

γ) *D'après la rose des vents* 394 b 21-35.
  Vents d'est : καικίας, ἀπηλιώτης, εὖρος.
  Vents d'ouest : ἀργέστης (ὀλυμπίας, ἰάπυξ), ζέφυρος, λίψ.
  Vents du nord : βορέας, ἀπαρκτίας, θρασκίας (καικίας).
  Vents du sud : νότος, εὐρόνοτος, λιβόνοτος (λιβοφοῖνιξ).

δ) *D'après leur direction, les saisons, etc.* 394 b 35-395 a 5.

2. MOUVEMENTS VIOLENTS DE L'AIR (395 a 5-28).

a) Météores aériens 395 a 5-10.
Ouragan (καταιγίς).
Bourrasque (θύελλα).
Trombe (λαῖλαψ) et tornade (στρόβιλος).
Bouffée terrestre (ἀναφύσημα γῆς).
Cyclone (πρηστὴρ χθόνιος).

b) Météores ignés 395 a 11-28.
Tonnerre (βροντή).
Éclair (ἀστραπή).
Foudre (κεραυνός).

Bolide (πρηστήρ).
Typhon (τυφών).
Les quatre espèces de foudre (κεραυνοί) 395 a 25.
    Foudre fumeuse (κ. ψολόεντες).
    Foudre brillante (κ. ἀργῆτες).
    Foudre en zigzag (ἑλικίαι).
    Foudre en fouet (σκηπτοί).

3. Phénomènes lumineux (395 a 28-b 17).

a) *Phénomènes de simple apparence* (κατ' ἔμφασιν) 395 a 28-b 3.
Arc-en-ciel (ἶρις).
Verge (ῥάβδος).
Halo (ἅλως).
b) *Phénomènes à réalité substantielle* (καθ' ὑπόστασιν) 395 b 3-17.
Étoile filante (σέλας).
Comète (κομήτης).
Autres météores (lampes, poutres, tonneaux, gouffres).

B. Séismologie (395 b 18-396 a 27).

I. Phénomènes terrestres (395 b 18-396 a 16).

1. *Phénomènes dus au feu souterrain* 395 b 18-26.
2. *Phénomènes dus aux gaz souterrains* 395 b 26-396 a 16.
a) Échappement des gaz souterrains 395 b 26-30.
b) Explication des séismes 395 b 30-36.
c) Diverses sortes de séismes 395 b 36-396 a 16.
    α) S. horizontaux (ἐπικλίνται).
    β) S. verticaux (βράσται).
    γ) S. affaissants (ἰζηματίαι).
    δ) S. déchirants (ῥῆκται).
    ε) S. de choc (ὦσται).
    ζ) S. ondulatoires (παλματίαι).
    η) S. meuglants (μυκηταί).

II. Phénomènes marins (396 a 17-27).

Gouffres marins (χάσματα) 396 a 17-21.
Éruptions sous-marines (ἀναφυσήματα) 396 a 21-25.
Flux et reflux de la marée 396 a 25-27.

Conclusion du chapitre 4 (396 a 27) :

Pour tout marquer d'un mot, du fait que les éléments sont mélangés l'un à l'autre aussi bien dans l'air que dans la terre et dans la mer, il est naturel qu'il y ait de la similitude entre les accidents qui s'y produisent, accidents qui, pour les choses particulières, sont causes de destructions et de générations, mais qui préservent l'ensemble de toute destruction et génération.

396 a 33
396 b

V. Néanmoins, à la vérité, on s'est demandé avec surprise comment il peut jamais se faire que le monde, alors qu'il est constitué de principes contraires, je veux dire d'éléments secs et | humides, froids et chauds, n'ait pas été depuis longtemps détruit et | réduit à néant. C'est comme si l'on se demandait comment une cité peut durer, alors qu'elle est constituée des classes d'hommes les plus contraires, je veux dire de pauvres et de riches, de jeunes et de vieux, de faibles et de forts, de mauvais et de bons. On méconnaît que c'est là justement ce qu'il y a toujours eu de plus admirable dans la concorde | politique, qu'elle réalise une disposition une avec du multiple et avec du dissemblable une manière de penser semblable, susceptible des productions naturelles et des événements fortuits les plus divers. Peut-être bien la nature a-t-elle du penchant pour les contraires, et est-ce de cela même qu'elle tire l'harmonie, et non pas des semblables, comme il est vrai qu'assurément elle a uni le mâle à la femelle au lieu de joindre | chacun des deux aux membres du même sexe, et qu'elle a formé la concorde originelle (1) de contraires, et non de semblables. Sur ce point d'ailleurs, l'art paraît imiter la nature et faire de même. C'est en mêlant les éléments des couleurs, de la blanche à la noire, de la jaune à la rouge, que la peinture crée des représentations | qui s'accordent aux originaux, c'est en fondant ensemble les sons aigus aux graves, les longs aux brefs, que la musique, avec des voix diverses, produit une harmonie unique, c'est en faisant le mélange des voyelles et des consonnes que l'écriture compose à leur aide tout son art. Voilà justement ce qu'a voulu dire aussi | le mot d'Héraclite l'obscur (2) : « Liaisons : tout et non tout, en accord en discord, consonant dissonant. De tout un, et d'un, tout. » De même donc une harmonie unique, par le mélange des principes les plus contraires, | a ordonné la composition de l'univers, je veux dire du ciel, de la terre, et du monde entier. En effet, le sec ayant été mêlé à l'humide, le chaud au froid, le léger au lourd, et pareillement le droit au circulaire, une seule et même puissance qui pénètre à travers toutes choses a disposé en ordre la terre entière avec la mer, l'éther avec le soleil, la lune et l'ensemble du ciel ; à l'aide d'éléments séparés (3) et hétérogènes, l'air | et la terre, le feu et l'eau, elle a façonné tout l'univers et l'a embrassé (4) sous une même surface sphérique, et, forçant les natures les plus contraires à s'accorder mutuellement en lui, elle en a tiré le moyen d'assurer la conservation du Tout. La cause de

---

(1) C'est-à-dire celle qui subsiste entre l'époux et l'épouse dans le foyer familial, cellule première de la société, cf. Arist., *Pol.*, I 1-2. Voir *Addenda*.
(2) Fr. 10 Diels-Kranz, où les éditeurs préfèrent συνάψιες : συλλάψιες (= συλλήψιες) Lorimer. Le sens est : « il y a liaison entre ... ».
(3) Littéralement « non mêlés » (ἀμίκτων).
(4) διαλαβοῦσα 396 b 31 : cf. διειληφώς 393 b 4.

35 cette conservation est l'accord des éléments, | et la cause de cet accord
397 a est leur équilibre, le fait qu'aucun d'eux n'est plus | puissant qu'un autre :
car le lourd fait balance égale avec le léger, le chaud avec le froid,
la nature nous enseignant ainsi, touchant les choses plus importantes,
que l'égalité sans doute préserve la concorde, et celle-ci le monde qui
5 engendre toutes choses | et qui est le plus beau des êtres.

Où trouverait-on en effet un être qui l'emportât sur lui? Tous ceux qu'on pourrait nommer sont encore parties du monde. Tout ce qui est beau tire son nom du monde comme tout ce qui est bien arrangé, étant dit « bien ordonné » d'après cet « Ordre universel » (1). Quelle est celle des choses particulières qui pourrait être égalée à l'arrangement et à la course célestes
10 des astres, ainsi que du soleil | et de la lune, dont le mouvement obéit aux mesures les plus précises depuis une infinité d'années jusqu'à une autre infinité? Où trouver exactitude plus scrupuleuse que chez les nobles saisons génératrices de toutes choses, qui amènent, à l'heure fixée, étés et hivers, jours et nuits, pour l'accomplissement du mois et de l'année? Davantage,
15 s'agit-il de grandeur, le monde l'emporte | absolument sur tous; de mouvement, il est le plus rapide; de splendeur, il est le plus éclatant; et, quant à la puissance, il ne connaît ni vieillesse ni corruption. C'est lui qui a différencié les espèces des animaux de la mer, de la terre et de l'air et déterminé par ses mouvements la durée de leur existence. C'est de lui que tous les êtres vivants tiennent le souffle et qu'ils ont reçu une âme. En lui (2), même les phénomènes
20 étranges | et contraires à la règle s'accomplissent conformément à l'ordre, quand, par exemple, toute sorte de vents s'entrechoquent, que du ciel tombent des foudres, qu'éclatent des orages extraordinaires : grâce à ces accidents l'élément humide est comprimé, l'élément igné traversé d'un souffle d'air, ce qui amène l'univers à la concorde et le stabilise. Et si la terre,
25 couverte d'une riche chevelure de plantes de toute | espèce, partout ruisselante de l'eau des sources, foulée en tous sens par des êtres vivants, si, au moment opportun, elle fait naître, nourrit, reçoit en son sein toutes choses et produit une infinité de formes et de conditions, elle n'en préserve pas moins uniformément sa nature à l'abri de l'âge, malgré les séismes qui l'ébranlent, les déluges qui la submergent, les conflagrations qui partielle-
30 ment la brûlent. | Il semble que tout cela lui advienne pour son bien et en assure la conservation à travers toute la durée : car, lorsqu'un séisme l'ébranle, les vents qui se sont insinués en elle s'échappent par les crevasses où ils possèdent des issues, comme je l'ai dit plus haut (3); quand elle est lavée par la pluie, elle se nettoie de tous les germes morbides; quand des
35 brises l'environnent de leurs souffles | , tout est purifié au-dessous et au-
397 b dessus de sa surface. Bien plus, | les feux (4) amollissent l'élément

---

(1) Jeu de mots bien connu : κόσμος — κεκοσμῆσθαι, cf. 391 b 10-11.
(2) Noter la suite (asyndète) οὗτος... ἐκ τούτου... τούτου 397 a 17-19. C'est le style des hymnes, cf. Norden, *Agnostos Theos* (2ᵉ éd., 1929), pp. 177-188.
(3) Cf. 395 b 20.
(4) φλόγες reprend ici (397 b 1) l'idée des πυρκαϊαί dont il a été question plus haut (397 a 29). Ces conflagrations peuvent être produites soit par des météores (392 b 3, cf. 400 a 29 πυρκαϊαί τε καὶ φλόγες αἱ μὲν ἐξ οὐρανοῦ γενόμεναι πρότερον... ἐπὶ Φαέθοντος τὰ πρὸς ἕω μέρη κατέφλεξαν), soit par les sources de feu (πυρὸς πηγαί 395 b 19) intérieures à la terre et qui s'écoulent par les cratères des volcans (cf. 400 a 31 πυρκαϊαί τε καὶ φλόγες..., αἱ δὲ πρὸς ἑσπέραν ἐκ γῆς ἀναβλύσασαι..., καθάπερ τῶν ἐν Αἴτνῃ κρατήρων ἀναρραγέντων).

glacé, et les glaces relâchent la force des feux. Quant aux êtres particuliers, les uns naissent, d'autres parviennent à la force de l'âge, d'autres meurent : or le plateau des naissances fait contre poids à celui des morts, et le plateau des morts rend plus léger celui des naissances. | Ainsi, du fait que toutes choses changent de place l'une avec l'autre et que tantôt elles dominent et tantôt sont dominées, il résulte, jusqu'à la fin, un seul et même principe de salut qui préserve de la destruction la totalité du monde pour une durée infinie.

VI. Il reste à parler sommairement, comme on a fait dans les autres chapitres, | de la Cause qui maintient ensemble l'univers. En effet, alors que nous traitons du monde, sinon de façon minutieuse, du moins de manière à le faire connaître dans ses grandes lignes, il y aurait grande négligence à laisser de côté ce qu'il y a de plus souverain dans le monde. Or donc, il existe un **vieux dicton**, transmis de père en fils chez tous les hommes, qui déclare que tout vient de Dieu et a été constitué | par Dieu, et qu'il n'y a point de nature qui existe par elle-même en se suffisant à elle-même, une fois qu'elle a été privée de la force conservatrice qui dérive de Dieu. Aussi quelques-uns des anciens en sont-ils venus jusqu'à dire que tout ce monde visible est plein de dieux, tout ce que nous percevons par le regard, l'ouïe ou les autres sens, — affirmation qui convient sans doute à la puissance | divine, mais non pas à son essence. Car, si Dieu est bien réellement le conservateur et le créateur de **tout** ce qui, de quelque façon que ce soit, est accompli dans ce monde **visible**, ce n'est pas pourtant qu'il endure la fatigue d'un travailleur manuel et d'un homme de peine : non, il a à son service une force que rien n'use, grâce à laquelle il étend son pouvoir jusqu'aux objets qui semblent loin de lui. Il a obtenu, quant à lui, | la première place, la plus haute : de là vient qu'on le nomme le Très Haut, car, selon le poète, il a son siège « à la **plus haute cime** » (1) du ciel entier. Les effets les plus vifs de sa puissance se communiquent d'abord, en quelque manière, au corps le plus rapproché de lui, puis au corps qui vient après celui-ci, et ainsi de suite jusqu'aux lieux | que nous habitons. Aussi la terre et les choses de la terre, étant le plus éloignées de l'influence bienfaisante issue de Dieu, paraissent-elles sans force, incohérentes et remplies d'un désordre extrême. Néanmoins, dans la mesure où le divin est naturellement fait pour pousser sa pointe jusqu'à toute chose, il parvient également et aux lieux que nous habitons et aux lieux au-dessus de nous, qui, selon qu'ils sont | plus proches ou plus éloignés de Dieu, ont plus ou moins | de part à son influence. Il est donc préférable, — c'est d'ailleurs ce qui convient et qui s'accorde le plus à Dieu, — de se représenter que la puissance qui siège au ciel est cause de leur conservation même pour les êtres les plus distants, d'un mot pour la totalité des êtres, plutôt que d'admettre que, se répandant et fréquentant en des lieux où il ne lui est ni bienséant ni décent de se commettre, elle se fasse elle-même l'artisan des choses de la terre. De fait, il ne convient pas même aux princes des hommes de présider à toute opération quelle qu'elle soit, — je veux dire au chef d'une armée, d'une cité ou d'une maison, s'il s'agissait par exemple de lier une couverture de voyage ou d'accomplir quelque office plus bas encore, dont | n'importe quel esclave s'acquitterait,

(1) *Iliade*, I 499. Sur la suite, voir *Addenda*.

LE TRAITÉ PSEUDO-ARISTOTÉLICIEN « DU MONDE ». 471

— mais il en va dans ce cas comme du Grand Roi, d'après ce qu'on rapporte. En effet, à la cour de Cambyse, de Xerxès et de Darius, l'étiquette avait été magnifiquement réglée en vue de produire le plus noble effet de majesté et de suprématie. Le roi lui-même, dit-on, siégeait à Suse ou
15 Ecbatane, invisible à tous, dans un | palais splendide au milieu d'une enceinte étincelante d'or, d'ambre jaune (1) et d'ivoire. Il y avait là une suite continue de hautes portes et de vestibules distants l'un de l'autre d'un bon nombre de stades, et tout cet ensemble était fortifié par des vantaux de bronze et des murs puissants. Outre cela, il y avait toute une hiérarchie des premiers et
20 plus illustres personnages, | les uns attachés à la personne même du roi comme gardes du corps ou officiers de la maison, les autres chargés de surveiller chaque enceinte, nommés gardiens des portes ou « écouteurs », « oreilles du Roi », en sorte que le roi lui-même, qui était appelé souverain maître et dieu, vît et entendît tout ce qui se passait. En plus de ces officiers, d'autres
25 étaient établis comme intendants des revenus, commandants | à la guerre et aux chasses, receveurs des présents, ou pour prendre soin, chacun à son poste, de toutes les autres fonctions requises par les services publics. Quant au gouvernement général de l'Asie, dont les frontières allaient depuis l'Hellespont à l'Ouest jusqu'à l'Inde à l'Est, il était distribué, selon les races, entre
30 des gouverneurs, des satrapes et des | rois, eux-mêmes sujets du Grand Roi, sans parler de courriers, de veilleurs, de messagers, et de préposés aux feux qui servaient de signaux. Si parfaite était cette organisation, celle en particulier des sentinelles (2) qui de poste en poste se transmettaient les signaux de feu depuis les frontières de l'Empire jusqu'à Suse ou Ecbatane,
35 que le roi | apprenait le jour même toutes les nouvelles de l'Asie.

398 b Or donc il faut tenir que la suprématie du Grand Roi est autant inférieure à celle de Dieu maître du monde que la condition de la créature la plus chétive et la plus faible à l'éminence du Grand Roi. Dès lors, s'il y avait en vérité de l'indécence à penser (3) que Xerxès lui-même mît personnellement
5 la main | à toutes les affaires, exécutât ses propres desseins et présidât <en tout lieu> au gouvernement de l'Empire, cela siérait beaucoup plus mal encore à Dieu. Il est plus digne et plus convenable d'admettre que Dieu lui-même siège au sommet de l'univers tandis que sa puissance circule à travers l'ensemble du monde : elle meut le soleil et la lune, elle fait tourner
10 le ciel entier, elle est, | pour tous les êtres de la terre, la cause de leur conservation. Car Dieu n'a nullement besoin de moyens artificiels ni d'une assistance extérieure, comme il arrive à nos chefs terrestres qui, en raison de leur faiblesse, sont obligés de recourir à une multitude de bras : au contraire, ce qu'il y a de plus caractéristique dans la divinité, c'est qu'elle a facile, par un simple mouvement, de produire les formes les plus diverses, tout de même
15 que les ingénieurs | qui, par une simple détente de la machine, produisent une grande variété d'opérations. C'est tout comme chez les montreurs de marionnettes auxquels il suffit d'attirer à soi une seule ficelle pour faire mouvoir ensemble cou, main, épaule, œil, parfois même tous les membres du

---

(1) Ou d'électron (alliage d'or et d'argent) : ἤλεκτρον a les deux sens.
(2) τῶν φρυκτωρῶν Lorimer : τ. φρυκτωριῶν codd.
(3) En construisant ἄσεμνον ἦν δοκεῖν Ξέρξην αὐτὸν αὐτῷ αὐτουργεῖν κτλ. (Wilamowitz). Mais peut-être ἄσ. ἦν Ξέρξην δοκεῖν αὐτὸν αὐτῷ αὐτουργεῖν = « s'il était malséant que Xerxès parût lui-même mettre personnellement la main... » (sic Forster).

pantin, selon une cadence bien réglée. Ainsi en va-t-il | de l'être divin : il lui suffit d'un simple mouvement de ce qui lui est le plus proche pour communiquer sa puissance aux parties qui viennent immédiatement après, et de là encore aux plus éloignées, jusqu'à ce qu'elle se soit propagée d'un bout à l'autre du monde entier : car un objet, mû par un autre, à son tour en meut régulièrement un autre, tous ces objets agissant selon leurs dispositions propres, | et les voies suivies n'étant pas pour tous les mêmes, mais diverses et variées, parfois même contraires, bien qu'on n'ait frappé au principe qu'une seule note, si je puis dire, pour donner le ton au mouvement. C'est comme si, d'un récipient, on laissait tomber en vrac une boule, un cube, un cône et un cylindre : chacun de ces objets se mouvrait selon sa forme propre. | Ou comme si, retenant entre ses bras un poisson, un animal terrestre, un volatile, on les rejetait tous à la fois : il est clair que le poisson fera un saut jusqu'à son élément naturel où il s'échappera à la nage, que l'animal terrestre se faufilera vers sa tanière et ses pâturages habituels, que l'habitant de l'air s'élèvera loin de la terre, bien haut, et disparaîtra dans son vol, et cependant c'est une cause unique qui | au début leur a rendu à tous la liberté de leurs mouvements. Ainsi en va-t-il du monde. C'est en effet par une unique révolution du ciel | entier dans les limites d'un jour et d'une nuit que sont produits les trajets de tous les corps célestes, trajets qui tous diffèrent, bien que ces corps soient contenus dans une seule et même sphère où ils se meuvent les uns plus vite, les autres plus lentement, | selon la longueur de leurs distances et la propre disposition de chacun d'eux. De fait, la lune parcourt en un mois son cycle de croissance, de diminution et de déclin, le soleil ainsi que les astres de même vitesse, le Porte-Lumière et l'astre dit d'Hermès, font le leur en un an, le Rutilant dans le double de cette | période, l'astre de Jupiter dans le sextuple de celle-ci, enfin l'astre dit de Saturne en deux fois et demie autant de temps que l'astre immédiatement inférieur (1). Cependant l'unique harmonie résultant de tous ces corps qui chantent et dansent de concert dans le ciel provient d'une même cause et aboutit à une même fin, et c'est au sens vrai qu'elle a fait nommer (2) l'univers un « Ordre » et non un chaos sans ordre (ἀκοσμία). De même que, | dans un chœur, quand le coryphée a le premier entonné le chant, tout le chœur des hommes — ou des femmes, quand il est ainsi composé, — fait suite à l'intonation et, par le mélange de voix diverses, celles-ci hautes, celles-là graves, fait une seule harmonie concertante, ainsi en va-t-il du Dieu qui gouverne l'univers. Car, au signal donné d'en haut par celui qu'on pourrait justement dire leur coryphée, | les astres et tout le ciel inaugurent leur mouvement éternel, le soleil qui brille sur toutes choses entreprend sa double course, soit que, par son lever et son coucher, il divise le jour et la nuit, soit que, se glissant à travers les signes zodiacaux (3) en avant vers le Nord et en arrière vers le Sud, il amène les saisons de l'année. Pluies, vents, | rosées et tous les autres phénomènes qui

---

(1) Soit donc, pour les trois derniers, deux, douze et trente ans.
(2) ὀνομάσασα (399 a 14), si on le garde, ne peut être que causatif.
(3) Ainsi Wilamowitz, d'après le sens propre de διεξέρπων : « Die Sonnenbahn liegt in der vorderen Reihe der Zeichen nordlich, in der hinteren südlich vom Himmelsäquator ».

se produisent dans l'atmosphère viennent en leur temps grâce à la Cause première et originelle. En conséquence, les fleuves s'écoulent, la mer se gonfle en vagues, les arbres croissent, les fruits mûrissent, les animaux se reproduisent, toutes les créatures trouvent à se nourrir, atteignent la force de l'âge, puis dépérissent, chacune contribuant à ces effets, | comme je l'ai dit, par ses dispositions naturelles. Quand donc le Chef et le Créateur de toutes choses, qui n'est visible qu'à la seule raison, a donné le signal à tous ces corps qui accomplissent leur course entre le ciel et la terre, ils entrent tous en mouvement et ne s'arrêtent plus, chacun dans son orbite et ses limites propres, tantôt disparaissant, tantôt reparaissant, révélant | et cachant tour à tour une infinité de formes issues d'un principe unique. L'effet produit ressemble absolument | à ce qui se passe, surtout en temps de guerre, quand la trompette a donné le signal dans le camp. Alors en effet, selon que chacun a perçu le son, l'un saisit le bouclier, l'autre revêt la cuirasse, un autre met les cnémides, le casque ou le | ceinturon ; celui-ci bride son cheval, celui-là monte sur son bige, cet autre transmet le mot d'ordre ; en hâte le capitaine va rejoindre sa compagnie, le divisionnaire sa division, le cavalier sa colonne, et le simple soldat court au poste qui lui a été assigné : un seul a donné le signal, et tout se met en branle selon les ordres du chef qui tient | le commandement suprême. C'est ainsi qu'il nous faut juger de l'univers : une seule impulsion suffit pour que toutes choses soient excitées et accomplissent leur tâche propre, bien que cette impulsion soit invisible et cachée à nos yeux. Il n'y a là nul empêchement ni pour elle à agir ni pour nous à y ajouter foi. En effet l'âme aussi, grâce à laquelle nous sommes en vie et formons des familles et | des cités, l'âme, bien qu'invisible, se laisse voir à ses œuvres : car c'est à elle qu'est due l'invention de tout ce qui règle la vie humaine, c'est elle qui en dispose et maintient l'ordonnance : labour de la terre et plantations, ingénieuses créations de l'art, pratique de la loi, bon ordre des constitutions, conduite des affaires à l'intérieur, guerre au delà des frontières, paix. Voilà donc aussi ce qu'il faut se dire au sujet de Dieu, | qui est le plus puissant quant à la force, le plus noble d'aspect quant à la beauté, immortel quant à la vie, le plus excellent quant à la vertu : que, tout en demeurant invisible à toute nature mortelle, il ne se laisse pas moins voir à partir de ses ouvrages. En effet les phénomènes, tous ceux qui se produisent dans l'air comme sur la terre et dans l'eau, on peut bien dire qu'en toute réalité ils sont l'œuvre de Dieu qui | règne sur le monde. C'est de lui, selon le mot du savant Empédocle (1), que « tout ce qui a existé ou qui existe ou qui existera dans l'avenir a reçu la force de croître, arbres, hommes et femmes, bêtes sauvages, oiseaux du ciel, poissons qui vivent dans l'eau ». Dieu ressemble vraiment, s'il est permis d'offrir une comparaison un peu basse, à ce | qu'on appelle la clé de voûte dans les cintres, laquelle, située au milieu du cintre, au point de jonction des deux parties, conserve en équilibre et en bon ordre toute l'architecture du cintre et lui assure la stabilité. On dit aussi que le sculpteur Phidias, quand il fabriquait l'Athèna de l'Acropole, figura en relief | sa propre image au milieu du bouclier de la déesse, et que, | par un

(1) Fr. 21, 9-11 Diels-Kranz.

artifice inapparent, il la lia de telle sorte à l'ensemble de la figure que, si l'on voulait l'en arracher, toute la composition s'en trouverait nécessairement défaite et bouleversée. Il y a exactement le même rapport entre Dieu et le monde — Dieu maintient l'équilibre et la conservation de l'univers, —
5 sauf qu'il n'est pas | au milieu du monde, là où est située la terre et cette région trouble (1) qui est la nôtre, mais que là-haut, par lui-même, il se trouve dans un lieu pur, que nous appelons, au sens vrai du mot, tantôt *Ciel* (οὐρανόν) du fait qu'il est la frontière supérieure (ὅρον τὸν ἄνω) du monde, tantôt *Olympe* ("Ὄλυμπον) parce qu'il n'est tout entier que lumière (ὁλολαμπῆ), à l'écart de toute obscurité et de tout mouvement désordonné tels qu'il s'en
10 produit chez nous à cause des orages et | de la violence des vents, comme le déclare le poète (2) : « Vers l'Olympe, où l'on dit que les dieux ont leur siège, dans une sécurité que jamais rien ne trouble : ni les vents ne le battent, ni les pluies ne l'inondent, ni la neige ne s'en approche, mais un ciel pur, en tout temps, s'y déploie sans nuages, et une blanche clarté flotte au-dessus
15 de lui. » | Ce qu'appuie le témoignage du consentement universel, qui attribue à Dieu la région d'en haut : de fait, nous élevons tous les mains vers le ciel quand nous faisons nos prières. Dans le même sens voici encore cette expression assez bien venue (3) : « Zeus a obtenu pour lot le vaste ciel, parmi l'éther
20 et les nuages. » | Aussi est-ce cette même région qu'occupent les plus nobles des corps visibles, les astres, le soleil et la lune ; et de là vient que seuls les êtres célestes se montrent en belle ordonnance, car ils conservent toujours la même disposition, et que jamais ils ne s'altèrent ni ne changent de course comme les êtres de la terre qui, muables par nature, sont sujets à un grand
25 nombre d'altérations et d'accidents. | Car, jusqu'à ce jour, de violents séismes ont déchiré la terre en maint endroit, des pluies diluviennes se sont abattues sur elle et l'ont inondée, l'avance et le retrait des vagues ont changé plus d'un continent en mer, plus d'une mer en continent, la rage des vents et des
30 cyclones a parfois renversé de fond en comble des villes entières, des feux et des conflagrations l'ont consumée, soit qu'ils fussent tombés du ciel, comme on dit qu'autrefois, aux jours de Phaéthon, des feux célestes mirent en cendres les régions orientales du monde, soit qu'en occident, ils aient jailli et se soient exhalés du sol même, par exemple quand les cratères de l'Etna se rompirent et qu'un flot de feu s'en répandit sur la terre à la manière d'un torrent. C'est même à cette occasion que la divinité | gratifia d'une faveur exceptionnelle la « race des pieux » (4). La coulée les avait rejoints et complètement enveloppés parce qu'ils portaient sur leurs épaules, pour les sauver, leurs vieux parents : lors donc que le fleuve de feu fut tout près d'eux, il se divisa en deux bras de lave ardente qui se détour-
5 nèrent d'un côté | et de l'autre, en sorte que les jeunes gens demeurèrent sains et saufs, eux-mêmes ainsi que leurs parents.

---

(1) Allusion, je pense, à la qualité de l'atmosphère qui entoure la terre, cf. PLAT., *Tim.* 58 d 2 où l'air θολερώτατος (= ὀμίχλη τε καὶ σκότος) est opposé, comme ici, à la pureté de l'αἰθήρ. Voir aussi HIPPOCR. *Aër.*, 8 (62.28 Heib.) avec la même opposition entre τὸ ὀλερόν (τοῦ ἠέρος) et τὸ λαμπρότατον.
(2) *Od.*, VI 42-45.
(3) *Il.*, XV 192.
(4) L'anecdote est déjà, dans Lycurgue, *c. Léocr.*, 95-96. On montrait, aux flancs de l'Etna, un rocher de lave nommé εὐσεβῶν χῶρος, le lieudit « des pieux ». L'expression τὸ τῶν εὐσεβῶν γένος a donc ici valeur proverbiale, aussi l'ai-je mise entre guillemets.

En résumé, ce qu'est sur un navire le pilote, sur un char le cocher, dans un chœur le coryphée, dans une cité le législateur (1), dans un camp le général, voilà ce qu'est Dieu dans le monde, sauf en la mesure où, pour les uns, commander est chose fatigante qui entraîne bien du mouvement | et bien des soucis, au lieu que Dieu n'y éprouve ni peine ni fatigue et qu'il n'en résulte pour lui aucun affaiblissement corporel. Fermement établi dans l'immuable (2), Dieu, par sa force active, met en mouvement et fait tourner l'univers là où il veut et comme il veut, selon la diversité des formes et des natures, de même que la loi civique, immuablement fixée dans l'âme de ceux qu'elle régit, | gouverne toute la vie de l'État. Car on voit clairement que c'est en exécution de cette loi que les magistrats partent pour leurs offices, les juges pour leurs tribunaux respectifs, les membres du Conseil et de l'Assemblée pour les lieux de réunion qui leur sont propres, et que l'un se rend au prytanée pour y prendre son repas, l'autre devant les juges | pour leur présenter sa défense, un troisième à la prison pour y subir la peine capitale. C'est en vertu des lois aussi qu'ont lieu les banquets publics, les fêtes solennelles de l'année, les sacrifices aux dieux, les cérémonies en l'honneur des héros, les libations pour les morts. Toutes ces activités diverses en obéissance à une unique injonction ou à l'autorité de la loi ont été bien rendues par le poète (3) : | « La cité tout entière est remplie des fumées de l'encens, tout entière elle retentit de chants de plainte et de lamentations. » Voilà comment nous devons nous représenter aussi la Grande Cité qu'est le monde. Dieu est pour nous une loi aux balances égales, qu'on n'a jamais à corriger ou à changer de position, et qui est plus puissante, | à mon avis, et plus solide que les lois gravées sur les tables. Sans se mouvoir lui-même, il guide harmonieusement l'univers, et toute l'ordonnance du ciel et de la terre est ainsi administrée : embrassant toutes les natures, par le moyen des germes propres à chacune d'elles, elle se distribue en tous les genres et espèces de végétaux et d'animaux. Oui, vignes, | palmiers, pêchers et, comme dit le poète (4), « figuiers doux et oliviers », et les arbres qui, sans porter de fruits, rendent pourtant d'autres services, platanes, pins et buis, « aunes et peupliers et l'odorant cyprès » (5), | et ceux qui portent, à l'automne, des fruits plaisants mais difficiles à conserver, « poiriers, grenadiers, pommiers aux fruits splendides » (6), tous les animaux aussi, les sauvages et les domestiques, ceux qui vivent dans l'air, sur la terre et dans l'eau, tous naissent, atteignent leur pleine force et | dépérissent en obéissance aux lois instituées par Dieu : car, selon le mot d'Héraclite (7), « tout ce qui se traîne sur la terre est mené par le fouet <de Dieu>. »

---

(1) νομο<θέτης> Lorimer : νόμος codd., Stobée, Apulée (et les autres versions). Il faut peut-être garder ce νόμος, cf. 400 b 13 ss. ὥσπερ ἀμέλει καὶ ὁ τῆς πόλεως νόμος κτλ. et 400 b 28 νόμος γὰρ ἡμῖν ἰσοκλινὴς ὁ θεός.

(2) A ἐν ἀκινήτῳ... ἱδρυμένος (ὁ θεός) 400 b 11 répond ὁ... νόμος ἀκίνητος ὤν b 13-14. ἀκινήτῳ est donc neutre et ne se rapporte pas à δυνάμει (dat. instrum.).

(3) Soph., Œd. Roi, 4-5.
(4) Od., XV 116, XI 590.
(5) Od., V 64.
(6) Od., VII 115, XI 589.
(7) πᾶν γὰρ ἑρπετὸν πληγῇ νέμεται, fr. 11 D. Quel que soit le sens original de ce propos (cf. Wilamowitz, Griech. Leseb., II 2, p. 132), πληγῇ ne peut signifier ici que πληγῇ θεοῦ. Ainsi l'entendent Diels-Kranz, I, p. 153 ad 16.

VII. Dieu est unique, mais il porte une multitude de noms, car il en reçoit autant qu'il y a d'effets nouveaux dont il se montre la cause. On l'appelle en effet Zên et Dis (1), employant ces deux noms indifféremment l'un pour l'autre, comme si l'on disait « Celui par qui nous vivons » (δι' ὄν ζῶμεν). Il est dit aussi Fils de Kronos, c'est-à-dire du Temps (Chronos), car il dure à travers les âges depuis un temps illimité jusqu'à un autre temps infini. On le nomme Lanceur de l'éclair, Tonnant, Dieu du ciel pur et de l'éther, Fulminant et Pluvieux, d'après la pluie, la foudre et les autres phénomènes naturels. Davantage, on l'appelle Donneur de fruits d'après les fruits, Gardien de la cité d'après les cités, Protecteur de la famille, de l'enceinte domestique, du clan, des ancêtres, d'après sa participation à ces choses, Dieu des compagnons, des amis, de l'hospitalité, de l'armée, des trophées (2), et de même Sacrificateur, Vengeur du sang, Dieu des suppliants et des offrandes propitiatoires, selon l'expression des poètes, et aussi, à juste titre, Sauveur et Libérateur : pour tout dire, Dieu du Ciel et des Enfers, car il tire son nom de tout ce qui est produit par la nature ou le hasard, puisqu'il est lui-même la cause de tout. Aussi n'est-ce pas sans vérité qu'il est dit dans les hymnes Orphiques (3) : « Zeus fut le premier à naître, Zeus maître de la foudre est le dernier. Zeus est la tête et le milieu, c'est de Zeus que tout a reçu l'être. Zeus est le fondement de la terre et du ciel étoilé. Zeus immortel est tout ensemble mâle et femelle. Zeus est le souffle de toutes les créatures, l'élan du feu infatigable. Zeus est la racine de la mer, et le soleil et la lune. Zeus est roi, Zeus maître de la foudre est le chef de tous les êtres : car, les ayant cachés il les ramène tous à la lumière joyeuse hors de son cœur sans souillure, lui, le dieu aux exploits terribles. » Nous n'entendons aussi, je pense, rien d'autre que Dieu même quand nous parlons de la Nécessité (Ἀνάγκη), comme si nous voulions montrer qu'il est une cause invincible (ἀνίκητος), ou de la Fatalité (Εἱμαρμένη) parce qu'il lie ensemble (εἴρειν) toutes choses et qu'il s'avance sans obstacle, ou de la Destinée (Πεπρωμένη) parce que toutes choses ont une limite (πεπερατῶσθαι) et qu'il n'existe point d'être qui soit illimité (ἄπειρον), ou de la Part Assignée (Μοῖρα) puisque tout est d'avance réparti (μεμερίσθαι), ou de la Justice Distributive (Νέμεσις) puisqu'il est distribué à chacun ce qui lui est dû (ἀπὸ τῆς ἑκάστῳ διανεμήσεως), ou du Sort Inévitable (Ἀδράστεια), car c'est une cause qui par nature est telle qu'on ne peut y échapper (ἀναπόδραστος), ou de l'Arrêt du Destin (Αἶσα), car cet arrêt est fixé pour toujours (ἀεὶ οὖσα). Ce qu'on dit au sujet des Parques (Μοῖραι) et de leur fuseau tend de quelque manière au même point : car elles sont trois, dont chacune est attribuée à une portion différente de la durée; quant au fil du fuseau, une partie en est déjà complètement travaillée, une autre est réservée pour l'avenir, une troisième est en train d'être roulée. La première des Parques préside au Passé : elle a nom Atropos, car toutes les choses passées sont irréversibles (ἄτρεπτα); Lachésis préside à l'avenir, car, pour toutes choses,

---

(1) Il faut garder en français ces formes peu usuelles, à cause de l'étymologie qui va suivre, δι' ὄν ζῶμεν.
(2) Litt. « à qui l'on dédie les trophées », τροπαιοῦχος, *Feretrius*.
(3) *Orph. Fragm.*, 21 a Kern.

il y a un lot déterminé à l'avance (λῆξις) (1) par la nature; Klotho préside au temps actuel, car elle mène à terme et file (κλώθουσα) pour chacun la destinée qui lui revient.

Et voilà l'histoire bien et dûment achevée. Toutes ces dénominations ne sont rien d'autre que Dieu, ainsi que le déclare le valeureux Platon (2) :
25 « Dieu qui, | comme le veut l'antique tradition, tient le commencement, la fin et le milieu de tout ce qui existe, atteint en ligne droite, selon l'ordre de la nature, le terme de sa course. Et il est toujours suivi de la Justice, qui venge les manquements à la loi divine : puisse l'homme qui veut jouir de la félicité et du bonheur, puisse-t-il, dès son plus jeune âge, participer à la justice. »

§ 2. *Date et genre littéraire.*

La composition du περὶ κόσμου ne peut guère être antérieure à l'édition aristotélicienne d'Andronikos de Rhodes, qu'on place vraisemblablement vers l'an 40 avant notre ère (3). Car, d'une part, cet écrit suppose la connaissance de certaines des œuvres scientifiques du Stagirite, notamment des *Météorologiques* pour la description des phénomènes célestes au chapitre 4, et des *Métaphysiques* (l. Λ) pour la doctrine du Dieu transcendant que l'auteur oppose à celle de l'immanence universelle de Dieu dans le monde (ch. 6, 398 a 1 ss.). D'autre part, il est bien évident que l'auteur n'a mis son ouvrage sous le nom d'Aristote que pour lui conférer une autorité toute singulière : or cette autorité implique la publication des œuvres acroamatiques du philosophe (4). Un autre faux, plus ancien (5), la *Rhétorique à Alexandre*, fournissait déjà un exemple (6). Si le π. κ. n'a pu être écrit avant les années 40 environ du 1er siècle (av. J.-C.), il est moins facile de dire quand il l'a été après cette date. On doit supposer une certaine marge de temps après l'édition d'Andronikos, pour que la pensée d'Aristote eût le temps de se répandre. L'ouvrage ne serait donc pas antérieur à la fin du 1er siècle av. J.-C.) au plus tôt. Voyons-nous un *terminus ante quem?* On en

---

(1) λῆξις dans ce contexte doit être évidemment rattaché à λαχεῖν (cf. ion. λάξις), et non à λήγω (*sic* Forster). Il est inutile d'attribuer au *de Mundo* une fausse étymologie de plus.

(2) PLAT., *Lois*, IV 715 e-716 a et V 730 b-c (où il s'agit, au vrai, de la Vérité).

(3) GERCKE *ap.*, P. W., I, 2167.

(4) Peut-être est-il permis aussi de tirer argument du silence de Cicéron, qui n'aurait guère pu ne pas citer le π. κ. s'il l'avait connu (cf. Zeller, *Ph. d. Gr.*, III, 1, p. 665). Capelle (p. 567) étend l'argument à Sénèque et Pline.

(5) Probablement vers le temps de Théophraste.

(6) ZELLER, *Ueber den Ursprung der Schrift von der Welt, Kl. Schriften*, I, pp. 328 ss., a démoli de façon péremptoire la thèse de Bergk et de Bernays, selon laquelle l'Alexandre visé dans le π. κ. ne serait pas le Macédonien, mais un personnage juif de la fin du 1er siècle avant Jésus-Christ, soit Alexandre fils d'Hérode, soit Tibère Alexandre neveu de Philon, procurateur de Judée puis préfet d'Égypte sous Néron. Voir aussi CAPELLE, *l. c.*, p. 532, n. 1.

trouvait un, jadis, dans la paraphrase d'Apulée qui, si elle était authentique, donnerait pour limite extrême le milieu du IIe siècle de notre ère. Mais l'authenticité du *de mundo* apuléien n'est plus tenue pour certaine (1). Cependant Zeller a reconnu des traces du π. κ. dans deux *Dialexeis* de Maxime de Tyr (XVII 12, XIX 3 ss. Dübner) dont l'activité littéraire se place sous Commode (180-192) (2). D'un autre côté, à partir de Tatien († 172) et d'Athénagoras (environ 177), les Pères chrétiens accusent à l'envi Aristote d'avoir borné l'action de la Providence en lui soustrayant la région sublunaire : or j'ai montré ailleurs (3) que cette accusation se fonde, en réalité, non pas sur les œuvres propres du Stagirite, mais sur le π. κ. Il paraît donc assuré que, dans la seconde moitié du IIe siècle, le π. κ. jouissait déjà d'une longue renommée parmi les écrits d'Aristote, puisque c'est sur cet ouvrage « aristotélicien » que s'appuyaient les chrétiens pour attaquer le Stagirite. Entre ces limites, fin du Ier siècle avant notre ère, milieu du IIe siècle de notre ère, est-il possible de fixer une date plus précise ? Il ne le paraît pas, si l'on ne juge de l'ouvrage que par ses doctrines. Le π. κ. est un produit de cette *Koinè* spirituelle définie plus haut (4), dont la caractéristique est de faire prédominer la théologie sur la philosophie, et, par suite, de s'attacher presque exclusivement à certaines notions très générales sur Dieu, le monde et l'homme, qui constituent comme un fond commun à toutes les écoles (5). Il est visible que l'auteur subordonne les considérations scientifiques à certaines vues religieuses sur le monde, son unité, son harmonie, et l'action que Dieu y exerce. Le monde n'est pas tant étudié pour lui-même que comme un moyen d'aller à Dieu, de reconnaître la providence et le gouvernement de Dieu. C'est là le thème constant de la philosophie populaire à l'époque gréco-romaine. Et cette philosophie populaire a régné sans changement depuis le début de l'ère chrétienne jusqu'à la fin des Antonins. Elle est identique chez Sénèque et chez Pline,

(1) Cf. ZELLER, *Kl. Schr.*, I, p. 329. Capelle maintient cependant l'authenticité (*l. c.*, p. 567) et en conséquence date π. κ. de la première moitié du IIe siècle. Je ne connais que par une recension de W. Theiler (*Gnomon*, XVIII, 1942, pp. 121-122) la dissertation de S. MÜLLER, *Das Verhältnis von Apuleius « de mundo » zu seiner Vorlage*, Leipzig, 1939 (*Philol.*, Suppl. Bd., XXXII 2).
(2) Capelle met en doute cette influence (Maxime n'aurait pas emprunté à π. κ., mais ces deux auteurs utiliseraient des τόποι communs). LORIMER, *Some notes*, pp. 141-142, admet les parallèles indiquées par Zeller et en signale d'autres.
(3) *Ideal rel. d. Grecs*, pp. 224 ss.
(4) Cf. *supra*, ch. XII.
(5) E. HOFFMANN, *Platonismus und Mystik im Altertum, Sitz. Heidelberg, Phil.-hist. Kl.*, 1934/35, II, pp. 33 ss., a bien montré cette unification des écoles en ce qui regarde les grands thèmes de la mystique hellénistique, particulièrement pour le stoïcisme (pp. 33-36), le néopythagorisme (pp. 36-41), le néoplatonisme (pp. 42-43).

chez Épictète et chez Maxime de Tyr, chez Philon et dans les traités « monistes » (1) du Trismégiste. On ne peut donc, d'après les seules doctrines du π. κόσμου, marquer de limite précise pour la composition de ce traité. Zeller n'en indique point (2). Diels (3) conjecturait que le π. κ. avait dû être écrit un peu avant Vitruve, sous Auguste. Wilamowitz (4) date l'ouvrage de la dynastie julio-claudienne. Capelle, arguant du silence de Sénèque et de Pline l'Ancien, et maintenant d'autre part l'authenticité du *de mundo* apuléien, fixe le temps de la composition à la première moitié du IIe siècle (5). Toutes ces hypothèses sont également plausibles. Mais il y a, me semble-t-il, un trait particulier qui conduit peut-être à dater l'ouvrage du début de notre ère. C'est la fameuse comparaison de Dieu avec le Grand Roi (398 a 10 ss.), des dieux inférieurs (les astres) avec les gardes du corps (δορυφόροι 398 a 20 : cf. Hermès doryphore des dieux célestes, *Korè Kosmou* 6, les deux doryphores de la Providence, Stob. Herm. XXVI 3), gardiens des portes (πυλωροί 398 a 21), satrapes (σατράπαι 398 a 29) du Grand Roi. Or cette comparaison reparaît souvent chez Philon (6), avec les mots caractéristiques de σατράπαι et de πυλωροί. Philon a vécu d'environ l'an 20 avant notre ère à environ l'an 40 après J.-C. A cette époque, on ne voit aucun autre texte que le *de mundo* qui ait pu lui servir de modèle pour cette comparaison, plus tard très commune. Je crois qu'il y a là un indice plausible en faveur d'une date relativement haute du περὶ κόσμου.

A quel genre littéraire faut-il rapporter cet opuscule? L'âge hellénistique, on l'a marqué, a vu fleurir toute une littérature d'ouvrages populaires, Introductions, Manuels, Abrégés, destinés à faciliter au lecteur non spécialiste l'initiation aux disciplines humaines. Nous possédons deux Introductions de ce genre, l'Εἰσαγωγὴ εἰς τὰ φαινόμενα de Géminos (env. 70 av. J.-C.) et la Κυκλικὴ θεωρία μετεώρων (7) de Cléomède. Ce sont toutes deux des Intro-

---

(1) Je m'exprime ainsi pour faire court, ces traités « monistes » étant ceux où l'on atteint Dieu par la vue du Kosmos, à la différence des traités « dualistes » où la vue du monde matériel, qui est mauvais, ne peut qu'éloigner de la connaissance de Dieu.
(2) Cf. *Ph. d. Gr.*, III, 1, p. 670, n. 2 : entre fin Ier siècle avant et fin Ier siècle après J.-C.
(3) *Doxogr. Gr.*, p. 94, n. 1, à propos de l'épithète ὁ σκοτεινὸς Ἡράκλειτος 396 b 20.
(4) *Griech. Leseb.*, I 2, p. 186.
(5) *L. c.*, p. 567.
(6) V. gr. Decal. 61, 177-178. Cf. l'ouvrage de E. Peterson cité *infra*, p. 507, n. 1.
(7) La traduction usuelle *motus circularis* pour κυκλικὴ θεωρία ne semble pas exacte. θεωρία n'a jamais eu le sens de *motus*. Sans doute, dans une acception très courante, le mot revêt un sens concret pour désigner soit le groupe des ambassadeurs (théores) délégués par une cité à l'une des fêtes panhelléniques soit cette fête elle-même. Et l'on peut

ductions à l'astronomie, l'une conçue d'une manière plus descriptive, plus technique, sans recours à l'explication physique des

> admettre, assurément, que ces théories se meuvent vers le lieu de fête (d'où notre *théorie :* « députation, procession ») ou encore que le spectacle comporte des mouvements. Mais il n'y a point d'exemple que θεωρία ait jamais été, purement et simplement, assimilé à κίνησις. Le sens me paraît être celui que comporte l'expression de Polybe αἱ νυκτεριναὶ καὶ ἡμεριναὶ θεωρίαι (IX 14, 6) que Schweighaüser, dans son *Lex. Pol.*, explique très exactement : « noctium ac dierum rationes, ratio cognoscendi noctium et dierum longitudinem atque tempora », l'épithète équivalant aux tours plus usuels θεωρία περί (genou acc.) ou θεωρία et le génitif. Bref, κυκλικὴ θεωρία équivaut à θεωρία περὶ τοὺς κύκλους = « Système (ou Théorie) des mouvements circulaires des corps célestes », l'idée de mouvement étant impliquée dans le mot κύκλος lui-même, cf. Liddell Scott Jones, *s. v.*, III.
> On date en général Cléomède du iie siècle de notre ère, cf. le bon article de Rehm *ap.* P. W., XI, 679-694 (pour la date, 681-682). Mais, à vrai dire, cette datation est tout approximative. Cléomède est certainement postérieur à Posidonios ; et même, comme il connaît des ἀντιλέγοντες à la doctrine de Posidonios (p. 60. 12 Ziegler), on peut supposer qu'il vient au moins une génération après cet auteur. Mais le *terminus ante quem* peut-il être défini ? On se fonde (1) sur des faits de langue, mais qui sont ordinaires dans toute la koinè (en particulier ὑπέρ pour περί), et (2) sur la polémique contre Épicure (II 1), laquelle suppose que cette secte est alors florissante ; d'où la conjecture que Cléomède écrit au temps de la renaissance de l'épicurisme dans la seconde moitié du iie siècle (ainsi Rehm, *l. c.* : cf. déjà Usener, *Epicurea*, p. LXXIV). Sans doute nous constatons des parallélismes curieux entre *v. gr.* Luc., *Alex.* 25 Ἐπικούρῳ ἀνδρὶ τὴν φύσιν τῶν πραγμάτων καθεωρακότι καὶ μόνῳ τὴν ἐν αὐτοῖς ἀλήθειαν εἰδότι ou 61 ταῦτα, ὦ φιλότης (Κέλσε).... γράψαι ἠξίωσα,... Ἐπικούρῳ τιμωρῶν, ἀνδρὶ ὡς ἀληθῶς ἱερῷ καὶ θεσπεσίῳ τὴν φύσιν καὶ μόνῳ μετ' ἀληθείας τὰ καλὰ ἐγνωκότι καὶ παραδεδωκότι d'une part, et d'autre part Cléom., II 1, p. 152.18 ταῦτα γὰρ ἀκολουθεῖ τῇ δόξῃ τῆς ἱερᾶς κεφαλῆς τῆς μόνης τὴν ἀλήθειαν εὑρούσης, p. 162.24 ταῦτα ἡ ἱερὰ Ἐπικούρου σοφία ἐξεῦρεν, p. 162.17 ἐπὶ ταύτην ἦλθε τὴν δόξαν ὁ μόνος καὶ πρῶτος ἀνθρώπων τὴν ἀλήθειαν ἐξευρών, p. 164.18 οὗτος δὲ ὑπὸ πολλῆς τῆς σοφίας καὶ ἐπιστήμης μόνος ἀνευρηκέναι τὴν ἀλήθειαν διαβεβαιοῦται. Mais faut-il attendre le iie siècle de notre ère pour trouver, en ce qui regarde Épicure, et cette outrance dans l'éloge, et cette âpreté dans la critique ? C'est de son vivant même qu'Épicure a été tenu pour un homme divin (cf. mon *Épicure et ses dieux*, Paris, 1946, pp. 67-68) et le ton de la polémique antérieure au ier siècle avant notre ère se laisse voir encore chez Cicéron. Quant aux faits allégués Cléom., p. 158.14 οἱ μὲν γὰρ παλαιότεροι ἐξεκήρυσσον ἐκ τῶν πόλεων, τοὺς ἀπὸ τῆς αἱρέσεως, ils peuvent se rapporter aux mesures que signale, de son côté, Athénée, XII 68, p. 547 A (cf. Zeller, *Ph. d. Gr.*, III 1⁴, p. 383, n. 4 ; Usener, *Epicurea*, p. LXXII, n. 1), d'après qui, sous le consulat de L. Postumius (173 ou 155 av. J.-C.), deux Épicuriens auraient été chassés de Rome (Usener, *l. c.*, mentionne d'autres faits semblables). S'il s'agit d'événements qui se sont passés dans la première moitié du iie siècle av. J.-C., ils peuvent, un siècle et demi plus tard, être attribués à des παλαιότεροι. Tout cela donc ne prouve rien. Il n'y a pas d'empêchement, bien sûr, à ce que l'*Introduction* de Cléomède ne date que du iie siècle de notre ère, mais rien n'empêche non plus qu'elle n'ait été composée plus tôt. Peut-être un petit fait favorise-t-il l'hypothèse d'une date moins tardive. Dans l'*Alexandre* de Lucien, Épicuriens et chrétiens sont mis sur le même rang comme également ἄθεοι (assimilation d'ailleurs courante en ce temps), cf. *Alex.* 25 et 38. En revanche, quand Cléomède (p. 166.7 ss.) veut caractériser l'ignominie du vocabulaire épicurien, il le dit emprunté au lupanar, ou aux injures que les femmes se lancent aux Thesmophories, ou « tiré du fond d'une proseuque, pris à ces individus qui vont mendiant dans les cours de maisons, toutes ces ordures judaïques, aussi viles que de la fausse monnaie et bien plus basses que ce qui rampe à terre » (τὰ δὲ ἀπὸ μέσης τῆς προσευχῆς καὶ τῶν ἐπ' αὐλαῖς προσαιτούντων, Ἰουδαϊκά τινα καὶ παρακεχαραγμένα καὶ κατὰ πολὺ τῶν ἑρπετῶν ταπεινότερα, p. 166.9-12). Tout est conjecture en pareille matière. Mais on peut se demander si le fait que les Épicuriens soient ici rapprochés des Juifs, au lieu de l'être des chrétiens, gens de tout point méprisables (cf. Min. Fel., *Octav.* 5, 4), avec lesquels, au iie siècle, on a coutume de les ranger dans une même catégorie d' « athées », n'est pas une légère indi-

phénomènes, l'autre plus adonnée à l'étiologie et à la discussion des doctrines, voire à la polémique (II 1), d'allure aussi plus philosophique, en raison sans doute des nombreux emprunts à Posidonios, enfin plus chargée de rhétorique. Peut-on les rapprocher du π. κόσμου ?

En vérité, ce qui frappe à première vue, ce sont les différences. Les deux *Introductions* ne comportent ni exorde ni conclusion. Géminos entre tout de go dans la matière, par un chapitre sur le zodiaque, dont le début est cette sèche description (I 1) : « Le Zodiaque est divisé en douze parties; chacune de ces sections reçoit le nom générique de *signe zodiacal* et le nom particulier d'une figure différente selon les astres contenus dans le signe et qui lui impriment sa forme particulière ». Le début de Cléomède est sans doute d'allure plus littéraire et, comme je l'ai dit, plus philosophique aussi. Le premier chapitre, du moins le premier paragraphe de ce chapitre, concerne le monde en sa totalité. C'est sur une définition du monde (exactement la même que celle du *de m.* 2, 391 b 9) que s'ouvre l'opuscule, et cette phrase introductive est de type périodique, commençant par un génitif absolu : « Puisque *monde* se dit en plusieurs sens (πολλαχῶς λεγομένου), notre présent traité a pour objet le monde en tant que désignant l'ordre des choses célestes (τὴν διακόσμησιν), lequel se définit ainsi : le monde est l'assemblage que forment le ciel et la terre avec tous les êtres qu'ils contiennent. » Néanmoins ce début ne correspond, dans le *de m.* qu'à celui du chapitre 2. Il manque chez Cléomède l'équivalent de π. κ. 1, avec les traits typiques de cet exorde : l'exhortation à la sagesse, qui donne au π. κ. l'aspect d'un ouvrage protreptique, la critique des prédécesseurs (1), enfin la dédicace qui, vraie ou fictive, est presque de rigueur pour un ancien, dès lors qu'il veut marquer de prime abord le caractère littéraire de son écrit (2).

---

cation en faveur d'une date plus haute que celle qu'on assigne d'ordinaire à la Κυκλικὴ θεωρία. Voir *Addenda*.

Ajoutons qu'on ne peut rien déduire, quant à la date, de l'emploi, dans le titre, de μετέωρα au sens de « corps célestes ». Capelle a montré (*Hermès*, XLVIII, 1913, pp. 321-358, en particulier sur Cléomède, *ib.*, pp. 354-355) que, contrairement à l'usage d'Aristote qui n'employait μετέωρα que pour les phénomènes sublunaires, Posidonios a de nouveau utilisé μετέωρος pour les corps célestes, réservant le terme de μετάρσιος pour les phénomènes atmosphériques (les μετέωρα d'Aristote). Or l'influence de Posidonios a prévalu sur ce point jusqu'à la fin du paganisme (sauf chez les commentateurs d'Aristote).

(1) Lieu commun : v. gr. π ε ρ ὶ ὕ ψ ο υ ς I 1, *Corp. Herm.* XI 1 et ma note sur ce passage.
(2) Cf. encore le π. ὕψους. Noter en particulier la fiction de la lettre à un roi ou à un prince quelconque, *R. H. T.*, I, pp. 324 ss. Au vrai, ce dernier trait n'est pas décisif : car souvent, comme je l'ai montré, *l. c.*, pp. 327 ss., cette dédicace est plaquée en tête d'un traité d'astrologie ou de magie purement technique.

Du π. κ. aux deux *Introductions*, la diversité n'est pas moins sensible en ce qui regarde la conclusion. Geminos achève son traité sur un chapitre relatif aux phases de la lune, dont la fin constitue un calcul tout aride des mouvements de la lune et de son accroissement quotidien (XVIII, 19). Cléomède termine par un chapitre sur les planètes (II, 7), et, si l'on ne tient pas compte de la remarque finale (1), sa conclusion est une courte phrase récapitulative comme on en rencontre souvent chez Aristote : « En voilà assez dit, pour l'instant, sur ces matières. » Vient ensuite l'*Explicit* (εἴληφε τέρμα Κλεομήδους βίβλος), qui semble bien indiquer que l'ouvrage est ainsi complet (2). En revanche le π. κ., après s'être élevé de la considération du monde, de son unité, de son équilibre, à celle de Dieu, du gouvernement et des noms divins, finit par une conclusion toute littéraire où dominent les souvenirs de Platon : c'est d'abord l'image des Parques empruntée à la *République* (X 620 d ss.), puis, comme à la fin du récit d'Er le Pamphylien, une allusion au dicton καὶ ὁ μῦθος ἀπώλετο, enfin une citation des *Lois* sur Dieu principe, milieu et fin de toutes choses.

Il y a moins de différences entre la Κυκλικὴ θεωρία et le π. κ. du point de vue de la composition (3). Cléomède ne manque pas de considérations générales sur le Kosmos : l'astronomie, pour lui, dépend de la physique et celle-ci suppose une vue systématique de l'univers. Comme l'auteur de π. κ. (ch. 5), il marque à plusieurs reprises l'équilibre interne de l'univers : le monde est vraiment un Tout organique dont les parties agissent l'une sur l'autre et sont étroitement unies par un lien de sympathie. Il l'observe dès le début (I 1, 1), à propos de la question « Si le monde est fini ou infini » :

« Le monde », dit-il, « est fini, et cela est manifeste dès là qu'il est administré par une nature (4). Rien de ce qui est infini ne peut comporter une nature : car, quel que soit l'être en question, il faut que la nature s'en rende entièrement maîtresse. Or, que le monde possède une nature qui l'administre, cela se voit d'abord à l'ordre de ses parties, deuxièmement à l'ordre des événements qui s'y accomplissent (5), troisièmement au lien de sympathie qui unit les parties entre elles, quatrièmement à ce que chaque chose y est créée en vue d'une fin,

---

(1) Sur les emprunts à Posidonios. Les uns tiennent cette remarque pour une scholie, d'autres, comme Rehm (*l. c.*, 683.56) l'attribuent à l'auteur.

(2) Il n'y a pas d'*Explicit* à la fin du livre I, en sorte que βίβλος doit bien désigner l'ouvrage entier et non le seul livre II.

(3) Il faut laisser ici Géminos qui ne peut même pas entrer en ligne de compte puisqu'il demeure, d'un bout à l'autre, un pur technicien de l'astronomie.

(4) ὑπὸ φύσεως αὐτὸν διοικεῖσθαι. La phrase n'est pas très claire, mais le sens paraît être ceci : Qui dit φύσις dit principe interne de croissance, donc de vie et d'organisation. Le monde est un vivant organique. Comme tel, il ne peut être qu'un être limité.

(5) Ou « des générations qui s'y produisent », ἐκ τῆς τῶν γινομένων τάξεως.

et en dernier lieu à ce que tout y contribue à l'utilité la plus grande, ce qui est le propre caractère des parties naturelles d'un être vivant. »

De même (I 1, 4, p. 8-15), à propos de la question « S'il y a du vide dans le monde ». Il n'y en a point, déclare Cléomède, comme le prouve la réalité même.

« En effet, si l'univers ne formait pas substantiellement un Tout cohérent en toutes ses parties, il ne serait pas non plus possible que le monde fût maintenu et gouverné par une nature, il n'y aurait pas un lien de sympathie qui en assemblât tous les membres ; enfin, si le monde n'était pas contenu en un même lieu et si l'air ne formait pas un même bloc compact d'un bout à l'autre de l'univers, nous ne serions capables ni de voir ni d'entendre. »

Et encore (I 1, 6, p. 10-24), à propos de la question du vide en dehors du monde. S'il y en avait, disent les objectants, la matière du monde se répandrait dans ce vide et finirait par s'y dissoudre. C'est impossible, répond Cléomède :

« Il existe dans le monde une force qui le maintient et le conserve. L'espace vide qui entoure le monde n'a aucune action sur cette force : car, douée d'une puissance énorme, elle se conserve elle-même, se contracte tour à tour et s'épanche dans l'univers en conséquence des changements que lui imprime la nature, soit qu'elle se dissolve en matière ignée, soit qu'en revanche elle s'apprête à former de nouveau un monde. »

C'est grâce à cette unité foncière du Kosmos que chacune des parties exerce une influence sur les autres, la terre sur le ciel et les astres et ceux-ci à leur tour sur la terre. La terre, assurément, n'est qu'un point dans l'univers (I 11). Néanmoins il n'y a pas de doute qu'elle ne fasse monter des éléments nutrifiants jusqu'au ciel et aux corps célestes, si grand qu'en soit le nombre et si énorme la taille (I 11, 60, p. 110.13) (1) :

« Par son volume la terre est minuscule, mais elle est immense par sa force, car, à elle seule, elle constitue pour ainsi dire la plus grande partie de la matière. Supposons donc qu'elle se dissolve toute en fumée ou en air, elle dépasserait de beaucoup la masse de l'univers, et non pas seulement si elle devenait fumée, air ou feu, mais même si elle se dissolvait en poussière. On peut le voir tous les jours, même des bûches réduites en fumée en font un volume énorme qui se répand presque à l'infini dans l'espace, comme aussi de l'encens qu'on brûle, et, bref, tous ceux des corps solides susceptibles de se fondre en vapeur. Supposons que le ciel entier avec l'air et les astres se contracte en une masse aussi compacte que la terre, il ferait un moindre volume que la terre. En sorte que, si, par le volume, la terre n'est qu'un point relativement au monde, comme elle est douée d'une force inexprimable et qu'elle a la propriété de se répandre pour ainsi dire à l'infini, il ne lui est pas impossible d'envoyer en haut de la nourriture au

---

(1) Sur ce passage, cf. K. Reinhardt, *Poseidonios*, p. 200.

ciel et aux corps célestes. Aussi bien ne s'épuise-t-elle pas pour cela, puisqu'à son tour elle reçoit elle-même quelque chose en échange de l'air et du ciel. « Il y a un chemin de bas en haut, de haut en bas », dit Héraclite (1), à travers toute la matière, qui, par nature, est muable et changeante et soumise pour toutes choses au Démiurge en vue de l'administration et de la permanence de l'univers. »

Ce qui est vrai des effets de la terre sur le ciel l'est aussi de l'influence qu'exercent sur la terre le soleil et la lune. Voici d'abord pour le soleil (II 1, 84-86, p. 154.1) (2). Épicure n'eût pas dû tomber dans l'erreur de n'attribuer au soleil que la taille qu'on lui voit. Il eût évité cette bourde si seulement il avait pris garde à la force du soleil et s'il avait considéré :

« D'abord que le soleil illumine tout l'univers bien que celui-ci soit d'une grandeur pour ainsi dire infinie, ensuite, qu'il brûle à ce point la terre que cette chaleur torride en rend certaines parties inhabitables, et que c'est lui qui par sa force énorme produit la vie sur la terre, en sorte qu'elle porte fruit et crée des êtres vivants; que c'est lui aussi qui est cause que ces êtres vivants subsistent, et que les fruits gonflés de sève croissent et viennent à maturité; que c'est lui qui fait, non seulement le jour et la nuit, mais l'été, l'hiver et les autres saisons, qui est cause aussi que les hommes sont noirs, blancs ou blonds ou revêtent tous autres aspects divers selon l'inclination des rayons envoyés sur les différentes régions de la terre; qu'enfin c'est la force du soleil, et nulle autre, qui rend tels lieux riches en eau et bien pourvus de rivières, tels autres secs et privés d'eau, ceux-ci stériles, ceux-là capables de porter fruit, qui fait que tel sol est âcre et d'odeur fétide, comme celui des Ichtyophages, tel autre de bonne odeur et riche en aromates, comme la terre d'Arabie, et qui leur donne capacité de produire tels ou tels fruits.

« D'un mot, presque toute la diversité des choses terrestres a pour cause le soleil : et pourtant de quels changements la terre n'est-elle point capable d'une région à l'autre ! On peut constater par exemple combien diffèrent les choses qu'on rapporte d'une part de la Libye, d'autre part de la Scythie et du Palus Méotide (mer d'Azov) : les animaux, les plantes et généralement toutes choses sans parler du climat et des variations de l'atmosphère, y sont aussi diverses que possible. Au reste, quelle variété ne voit-on pas, dans toute l'Asie et l'Europe, quant aux fontaines, aux fruits, aux animaux, aux métaux, aux sources d'eaux thermales, aux sortes de climats, l'un excessivement froid, l'autre brûlant de chaleur, un autre bien tempéré, et quant à l'air, ici subtil, là épais, ailleurs humide ou sec; bref, toutes les différences, toutes les propriétés particulières qui se font voir d'objet à objet, de tout cela, c'est la force du soleil qui est la cause.

« Davantage, telle est la surabondance de cette force que la lune elle-même, qui reçoit sa lumière du soleil, tire de cette lumière empruntée tout ce qu'elle a

---

(1) ὁδὸς ἄνω κάτω (μία καὶ ὡυτή), fr. 60 Diels-Kranz. Le *de m.* cite, dans le même esprit (396 b 20), le fr. 10 : συνάψιες (v. l. συλλάψιες) ὅλα καὶ οὐχ ὅλα... ἐκ πάντων ἓν καὶ ἐξ ἑνὸς πάντα.
(2) Cf. K. Reinhardt, *op. cit.*, pp. 205-207. Voir *Addenda*.

de puissance selon les aspects différents qu'elle revêt : non seulement en ce qu'elle produit de grandes révolutions dans l'atmosphère, y est absolument maîtresse et y effectue une infinité de phénomènes avantageux pour nous, mais encore en ce qu'elle est la cause du flux et du reflux des flots de l'Océan (1).

« Et voici encore ce qu'il est permis de constater touchant la force du soleil, Avec notre feu terrestre il est impossible, par réfraction, d'allumer du feu ; mais on le peut avec le feu solaire si, grâce à quelque artifice, on en utilise, par réfraction, les rayons, alors pourtant que le soleil est éloigné de la terre de tant de milliers de stades. Oui, en vérité, c'est le soleil qui, tandis qu'il s'avance à travers le zodiaque et y suit un chemin bien défini, maintient en harmonie l'univers et fait que toutes les parties conspirent à l'unisson, car il est lui seul la cause de l'ordre et de la permanence du Tout. Si le soleil changeait de cours, s'il quittait son lieu propre ou s'il disparaissait entièrement, il n'y aurait plus ni naissance ni croissance, que dis-je, aucun être absolument ne pourrait plus subsister : tout ce qui existe, tout ce qui apparaît aux sens viendrait à se dissoudre et à périr. »

J'ai voulu citer assez longuement Cléomède, non seulement parce que les doctrines qu'il expose offrent de vives ressemblances avec celle du chapitre 5 du *de mundo*, mais pour montrer aussi qu'il ne se prive pas, à l'occasion, de considérations générales, ce qui prouve que de tels développements peuvent entrer dans le cadre de l'*Eisagogè*. Il est un point cependant où Cléomède diffère du *de mundo*. S'il lui arrive sans doute, car il est bon Stoïcien, de dire que la Providence a tout disposé pour le mieux dans l'univers (2) et de reprocher à Épicure de nier les dieux et la Pronoia (3), s'il tient, lui aussi, que le monde est divin, que les astres sont des dieux (4), et si donc, traitant de ces matières, il pourrait écrire, comme l'auteur de π. κ. (1, 394 b 4), θεολογῶμεν περὶ τούτων συμπάντων, néanmoins, il ne fait pas de théologie au sens où l'entend le *de mundo*. Il ne passe pas de la considération du monde dieu à celle du Dieu qui gouverne et soutient le monde. Rien ne correspond chez lui aux chapitres 6-7 du π. κόσμου. Certes, il est convaincu que l'astronomie dépend de la physique et que cette physique est, en un sens, théologie. Mais il ne borne pas moins son étude aux problèmes physiques. Ce que nous nommons aujourd'hui théologie, et dont le

---

(1) Cf. II 3, 97, p. 176.25 : « Quant à la grandeur de la lune, …on peut s'en faire une idée aussi d'après sa force. Car non seulement elle illumine le monde, y effectue de grands changements dans l'atmosphère et se trouve en sympathie avec un grand nombre de choses sur la terre, mais encore elle est la cause du flux et du reflux des flots de l'Océan ». La théorie des marées est due, comme on sait, à Posidonios.

(2) Cf. I 6, 28, p. 52.17 δαιμονίως τῆς προνοίας τοιαύτην τὴν σχέσιν τοῦ ζωδιακοῦ πρὸς τοὺς τροπικοὺς ἐργασαμένης ὑπὲρ τοῦ λεληθυίας, ἀλλὰ μὴ ἀθρόας γίνεσθαι τὰς τῶν ὡρῶν μεταβολάς (« afin que les changements des saisons se produisent d'une manière insensible, et non soudaine »). Voir aussi I 3, 15, p. 28.18.

(3) II 1, 87, p. 158.18.

(4) Soleil, lune, astres sont θεοί, p. 192.22 et *passim*, cf. l'index de Ziegler, s. ρ. θεός.

de mundo offre déjà l'exemple quand il traite du gouvernement divin et des noms de Dieu, est absent de l'opuscule de Cléomède.

Poursuivons maintenant notre comparaison en ce qui regarde le style. Cette fois encore, il nous faut laisser de côté Géminos. Son manuel est écrit d'une manière toute simple et dépouillée. L'auteur suit la tradition des ouvrages mathématiques où l'on ne vise qu'à exprimer l'objet avec le plus d'exactitude, sans aucun recours à la rhétorique. Il y a de la rhétorique, en revanche, chez Cléomède. Et comme la Κυκλικὴ θεωρία est, à n'en pas douter, une Introduction, on peut trouver avantage à la comparer avec le *de mundo* pour voir si, oui ou non, du point de vue stylistique, cet écrit doit être rattaché au genre de l'*Eisagogè*.

Prenons, par exemple, le morceau sur la force du soleil. Ce morceau, comme on le sent d'emblée, obéit à un mouvement ascendant qui, par gradations successives, mène jusqu'au trait final : « si le soleil disparaissait, tout viendrait à périr ». Le long paragraphe qui commence tout le développement est gouverné par un αὐτὸν (sc. Épicure) ἐχρῆν ἐνθυμηθῆναι d'où dépend une suite de propositions substantives introduites par ὅτι ou διότι (emploi tout classique). Voici donc la structure de la période :

πρῶτον ἐνθυμηθῆναι

(A)   διότι ... φωτίζει,

(B)   ἔπειτα ὅτι οὕτως   \ διακαίει... ὡς... εἶναι
                          / καὶ... παρέχεται... ὡς... ζωογονεῖν

(C)   καὶ   ὅτι αὐτός ἐστιν αἴτιος τοῦ... τελεσφορεῖσθαι

(D)   καὶ   διότι \ μὴ μόνον... αὐτός ἐστιν ὁ ποιῶν,
                     / καὶ μὴν καὶ (1) τοῦ... εἶναι αὐτὸς αἴτιος γίνεται

(E)   καὶ   ὅτι οὐκ ἄλλη τις εἰ μὴ ἡ τοῦ ἡλίου δύναμις παρέχεται

    (a)   τοὺς μὲν καθύγρους καὶ πληθύνοντας ποταμοῖς
          τοὺς δὲ ξηροὺς καὶ ἀνύδρους,

    (b)   καὶ τοὺς μὲν ἀκάρπους
          τοὺς δὲ καρποφορεῖν ἱκανούς,

    (c)   καὶ τοὺς μὲν δριμεῖς καὶ δυσώδεις
          τοὺς δὲ εὐώδεις καὶ ἀρωματοφόρους,

    (d)   καὶ τοὺς μὲν τοιούσδε...,
          τοὺς δὲ τοιούσδε ἐκφερεῖν δυναμένους.

---

(1) En réponse à μὴ μόνον, noter, au lieu de ἀλλὰ καί, le tour καὶ μὴν καί, lequel tout en prenant ici un sens adversatif (« mais encore »), n'en garde pas moins sa valeur propre qui est de mettre en relief un cas particulier dans un ensemble (« mais en particulier »).

Une telle construction aurait pu aboutir à la plus plate monotonie. Mais l'auteur a su la relever par le fait que, dans ce cadre uniforme, il varie chaque fois la proposition dépendant de ὅτι ou διότι : car tantôt (A) il emploie un simple verbe et complément direct, tantôt (B) un verbe commandant deux consécutives οὕτως... ὡς (1), tantôt des tours périphrastiques comme (C, D2), αὐτός ἐστιν αἴτιος τοῦ et infinitif ou τοῦ... εἶναι αὐτὸς αἴτιος γίνεται, ou encore (D1), αὐτός ἐστιν ὁ et verbe transitif au participe, ou enfin (E) la longue périphrase : « nulle autre force que celle du soleil » comme sujet d'un verbe transitif suivi de quatre compléments antithétiques τοὺς μέν, τοὺς δέ. Ces compléments sont d'ailleurs diversifiés eux-mêmes (*a*) par un chiasme : καθύγρους... πληθυνόντας ποταμοῖς ∼ ξηρούς... ἀνύδρους, (*b*) par l'opposition d'une épithète simple à une périphrase : ἀπάρπους ∼ καρποφορεῖν ἱκανούς (pour καρποφόρους ou καρποφοροῦντας), (*c*) par un chiasme et l'insertion d'exemples : δριμεῖς... δυσώδεις ὡς κτλ. ∼ εὐώδεις... ἀρωματοφόρους ὡς κτλ., (*d*) par une double symétrie : τοὺς μὲν τοιούσδε ∼ τοὺς δὲ τοιούσδε κτλ.

On a donc là, dans un cadre apparemment simple, une période en réalité savante et raffinée, qui n'a rien de commun avec la diction unie et sans recherche des manuels. L'analyse des paragraphes suivants dans le même morceau nous conduirait à des observations analogues. Mais il y a un passage plus remarquable encore, là où, dans le chapitre II 1, l'auteur passe de la critique des vues scientifiques d'Épicure à celle de son vocabulaire et de son style. Rien de plus inattendu dans une Introduction à l'astronomie, rien aussi qui montre mieux que le genre de l'*Eisagogè* comporte une certaine latitude dans la composition et dans le mode d'écrire. Ce passage, qui commence p. 162.24 (ταῦτα ἡ ἱερὰ Ἐπικούρου σοφία ἐξεῦρεν) est farci de littérature. Épicure est d'abord comparé à Thersite, ce qui amène un certain nombre de citations de l'*Iliade*. Vient ensuite (p. 166.1) la page que je veux citer :

> « Puisque, outre le reste (= le fond des doctrines), la diction d'Épicure est, sous bien des aspects, un ramassis d'horreurs, quand il parle de « saine condition du corps » et de « sûrs espoirs de la chair » (fr. 68 Us.), quand il nomme les larmes « une huile brillante des yeux » et toutes ces turpitudes : « saintes vociférations », « chatouillements de la peau » (fr. 411-415 Us.), « embrassements lubriques » et d'autres du même goût, dont on dirait que les unes sortent du lupanar, que d'autres sont empruntées aux quolibets des femmes qui célèbrent les Thesmophories dans les temples de Déméter (2), et que d'autres enfin sont tirées du

---

(1) ὡς pour ὥστε : usage fréquent dans la Koinè.
(2) ἐν τοῖς Δημητρίοις. Je préfère ce sens à « aux fêtes de Déméter » : chacun savait que les Thesmophories étaient une fête de Déméter. Un Δημήτριον est mentionné STRAB., IX 5, 14, un autre *S. E. G.*, VIII 245, l. 7 τῷ ποιήσα]ντι ἐγβαλεῖν με ἐ[κ τοῦ Δημητρίου.

fond d'une proseuque, prises à ces individus qui vont mendiant dans les cours de maisons, toutes ces ordures judaïques, aussi viles que de la fausse monnaie et bien plus basses que ce qui rampe à terre. Et pourtant, avec un tel langage et de telles pensées, il n'a pas honte de se mettre sur le même rang que Pythagore, Héraclite ou Socrate et d'y prétendre à la première place, tout comme si les pilleurs de temples voulaient se mêler aux hiérophantes et aux grands prêtres et s'assurer parmi eux la préséance, ou comme si l'on imaginait que Sardanapale voulût se mesurer en force d'âme avec Héraclès et s'emparer de la massue et de la peau de lion en criant à son rival : « Donne, car je les mérite plus que toi! » Va-t'en à la male heure, excrément de la terre, va rejoindre tes robes de safran et les concubines avec qui tu te vautres tout le jour, filant la pourpre en t'ornant de couronnes ou te fardant le tour des yeux, quand tu n'es pas à te plonger dans une ivresse ignoble au son des flûtes ou à te livrer aux excès qu'amènent ces orgies, comme un ver qui se roule dans une boue infecte et pleine d'immondices. Oui, toi, le plus insolent, le plus impudent des êtres, quand donc, enfin chassé des écoles de sagesse, iras-tu vers Léontion, vers Philainis et les autres courtisanes, et vers les « saintes vociférations », en compagnie de Minduridès, de Sardanapale et de tous ceux qui, avec toi, adorent le plaisir? Ne sais-tu pas que la philosophie s'adresse à un Héraclès et aux hommes qui lui ressemblent, et non, par Zeus, à des efféminés perdus de débauche? »

Sur quoi, ce morceau haut en couleur et si chargé de rhétorique finit sur la plus plate conclusion : « Mais qu'Épicure n'ait rien su ni de la science des astres ni des autres parties de la philosophie, c'est ce qui est reconnu, je pense, de tous les hommes bien nés », cependant que le chapitre suivant (II, 2) débute sur le même ton uni qui convient à un manuel : « Puisque nous avons démontré que la grandeur du soleil n'est pas d'un pied et qu'elle n'est pas non plus, par Zeus, telle qu'elle apparaît aux sens, nous essaierons de prouver ensuite qu'il est plus grand que la terre. »

Qu'en est-il maintenant du *de mundo?* La manière de Cléomède, la variété des formes d'expression dont il use, nous servent déjà d'avertissement : le genre de l'*Eisagogè* comporte sans doute, à l'ordinaire, un style tout simple, technique (cf. Géminos), dont les qualités principales seront la clarté et la précision; mais ce genre n'en est pas moins susceptible de morceaux d'allure plus littéraire et d'une langue plus relevée, surtout si l'auteur se livre à des discussions d'idées ou à des considérations générales touchant à l'étiologie. Autrement dit, un ouvrage peut tendre à la grande littérature sans cesser pour cela d'être une Introduction. Tel me paraît être le cas du *de mundo*.

Pour préciser le problème, indiquons d'abord, en bref (1), le plan du traité. Après un exorde (éloge de la philosophie qui nous

---

(1) Pour une analyse détaillée du plan, voir *infra*, pp. 501 ss.

élève à la contemplation du monde, ch. 1), il se divise en deux parties : une partie concrète, la description de l'univers (ch. 2-4); une partie théorique, d'abord plutôt philosophique (équilibre de l'univers par l'harmonie des contraires, ch. 5), ensuite plutôt théologique (gouvernement divin, ch. 6; unicité et polyonymie de Dieu, ch. 7), la première considération menant tout naturellement à la seconde. Les charnières de l'opuscule sont la conclusion du chapitre 1er où le sujet est indiqué (1, 391 b 4 θεολογῶμεν περὶ τούτων συμπάντων), la conclusion de la première partie qui sert en même temps d'introduction à la seconde (4, 396 a 27 ὡς δὲ τὸ πᾶν εἰπεῖν κτλ.), le début de la subdivision théologique en tête du chapitre 6 (397 b 8 λοιπὸν δὴ περὶ τῆς τῶν ὅλων συνεκτικῆς αἰτίας κεφαλαιωδῶς εἰπεῖν) (1).

Étant donnée cette composition, on doit s'attendre à priori à des différences de style selon le caractère différent des parties de l'ouvrage. Il y aura plus de rhétorique dans l'exorde, où l'usage en est normal, et dans la partie étiologique où, nous le savons par Cléomède, le genre de l'*Eisagogè* admet, dans une certaine mesure, les ornements de la prose d'art. Il y en aura moins, ou même il n'y en aura pas du tout, dans la partie descriptive.

Le *de mundo* répond-il à cette attente? L'exorde est construit selon les règles les plus classiques du genre, comme le montre une comparaison rapide avec l'*ad Demonicum* d'Isocrate. La première phrase est, de part et d'autre, une période bien balancée avec correspondance exacte des membres : *de m.* πολλάκις μὲν ἔμοιγε θεῖόν τι... χρῆμα, ὦ Ἀλέξανδρε, ἡ φιλοσοφία ἔδοξεν εἶναι, μάλιστα δὲ ἐν οἷς ἐσπούδασε γνῶναι τὴν... ἀλήθειαν = *ad Dem.* ἐν πολλοῖς μέν, ὦ Δημόνικε, πολὺ διεστώσας εὑρήσομεν τάς τε τῶν σπουδαίων γνώμας καὶ τὰς τῶν φαύλων, πολὺ δὲ μεγίστην διαφορὰν εἰλήφασιν ἐν ταῖς πρὸς ἀλλήλους συνηθείαις. Vient ensuite, ici et là, une explicitation : *de m.* ἐπειδὴ γὰρ κτλ. = *ad Dem.* οἱ μὲν γὰρ κτλ. Puis le *de m.* se livre à une critique des prédécesseurs : cette critique manque dans l'*ad Dem.* mais elle est un lieu commun très ordinaire. Les deux auteurs se rencontrent à nouveau dans l'exposé de leur dessein, et dans le soin

---

(1) On voit aussitôt, quant à la méthode, en quoi le *de m.* ressemble à l'ouvrage de Cléomède et en quoi il en diffère. Il lui ressemble en ce que la description des phénomènes est suivie d'une explication *physique*: l'un et l'autre auteurs ne se contentent pas de dire ce qui est, ils en veulent découvrir la cause, ils visent, tous deux, à l'étiologie. Mais le *de m.* diffère de Cléomède en ce que, chez Cléomède, qui borne son étude aux corps célestes, l'étiologie vient aussitôt après l'énoncé et la description de chaque phénomène; dans le *de m.* au contraire, la description est ramassée dans la première partie (ch. 2-4), cependant que la seconde partie tout entière (ch. 5-7) est consacrée à la recherche des causes, d'abord la cause physique (harmonie des contraires), puis le principe personnel (Dieu) d'où dépend à son tour cette cause physique (ἡ τῶν ὅλων συνεκτικὴ αἰτία, ch. 6 *in.*).

qu'ils ont de marquer que leur discours convient au personnage auquel ils s'adressent : *de m.* λέγωμεν δὴ ἡμεῖς καὶ... θεολογῶμεν περὶ τούτων συμπάντων... · πρέπειν δέ γε οἶμαι καὶ σοί κτλ. = *ad Dem.* 2 ἡγούμενος οὖν πρέπειν..., ἀπέσταλκά σοι τόνδε τὸν λόγον.... · πρέπει γὰρ κτλ.

Il ne se peut donc rien voir de plus convenu que l'exorde du *de mundo*. Les traits de rhétorique ne sont pas moins nombreux dans la partie étiologique (ch. 5-7). C'est dans cette partie que se rencontrent les citations (1), — parfois introduites, comme l'a noté Capelle (2), d'une manière un peu affectée : le *savant* Empédocle, l'*obscur* Héraclite, le *valeureux* Platon, — les comparaisons (3), et, en plus grand nombre, les mots poétiques (4). C'est là aussi que la structure de la phrase se conforme le plus aux règles de la prose d'art : parallélisme des membres (ἰσόκωλα), assonance des finales dans les mots qui se correspondent (ὁμοιοτέλευτα), opposition et symétrie des termes.

Non seulement, dans ces chapitres 5-7, la rhétorique rehausse le discours, mais on constate même, à l'analyse, que c'est elle qui fournit la matière du développement. De fait, bien qu'elle soit d'allure plus philosophique, il n'y a guère d'argumentation dans cette seconde partie, rien qui ressemble, par exemple, à la progression rigoureuse du livre des *Métaphysiques* d'Aristote où, de raison en raison, on s'élève jusqu'à la démonstration de l'existence d'une première cause. Dans le *de m.*, le principe est d'abord affirmé, puis il est explicité par une série d'exemples. Ainsi, au chapitre 5, après avoir énoncé la doctrine que l'équilibre des qualités contraires — sec humide, chaud froid — est précisément la cause de la conservation du monde, l'auteur, pour le montrer, invoque-t-il des analogies : la cité, synthèse d'éléments divers : pauvres riches, jeunes vieux, faibles forts, méchants bons; le premier couple naturel : mâle femelle; les arts de la peinture, synthèse des couleurs (blanc

---

(1) Homère, cinq fois : 6, 400 a 11, 19; 401 a 2, 4, 7; *Orphica*, une fois : 7, 401 a 28 ss.; Sophocle, une fois : 6, 400 b 25; Empédocle, une fois : 6, 399 b 26; Héraclite, deux fois : 5, 396 b 20; 6, 401 a 10; Platon, deux fois : 7, 401 b 24 (*Lois* IV 715 e-716 a), 401 b 28 (*Lois* V 730 b). Cf. ZELLER, *Kl. Schr.*, I, p. 343. Pour Platon, ajouter l'allusion au mythe des Parques (7, 401 b 14 : cf. *Rep.* X 620 d) et au dicton ὁ μῦθος ἀπώλετο (7, 401 b 22 : cf. *Rep.* X 621 b).

(2) *L. c.*, p. 565, n. 1.

(3) Dieu comparé au Grand Roi, à l'ingénieur de machines, au montreur de marionnettes, au coryphée, au général d'armée, à l'âme humaine, à la clé de voûte, au portrait de Phidias sur le bouclier d'Athéna, au pilote, au cocher, au législateur, à la loi.

(4) *Ex. gr.* νεοχμώσεις (5, 397 a 20) et νεοχμοῖ (7, 401 a 13 : pour l'emploi de νεοχμός et des dérivés en prose, cf. HERWERDEN, *Lex. Suppl.*, s. v.), ὀρυκτωριῶ· ἐποπτῆρες (6, 398 a 31 : cf. Esch., *Ag.* 33, 490), κεκμηκότων 7, 400 b 22, etc. Voir *Addenda*.

noir, jaune rouge), de la musique, synthèse des sons (aigu grave, longue brève), de la grammaire, synthèse des voyelles et des consonnes. Cette série d'images est ensuite résumée par un « c'est de la même manière [(οὕτως οὖν) que l'ensemble de l'univers, par le mélange des principes contraires, forme un Tout unifié » (396 b 23), mais le raisonnement, en vérité, n'a fait aucun progrès. Le développement rhétorique remplace la démonstration, les comparaisons tiennent lieu de raisons.

On retrouve le même procédé dans le chapitre 6. Ici encore, l'énoncé du principe « Dieu, sans quitter la cime du ciel, qui est son lieu propre, gouverne par intermédiaires tout l'univers » (398 a 1) est illustré au moyen d'exemples dont la structure est partout identique. Vient d'abord l'image, le plus souvent annoncée de façon explicite (οἷον 398 a 10, ὥσπερ ἀμέλει 398 b 14, ὁμοίως δὲ καὶ 398 b 16, ὥσπερ ἂν εἰ 398 b 27, καθάπερ 399 a 15, ἔοικε δὲ κομιδῆ τὸ δρώμενον 399 a 35, ἔοικε δὲ ὄντως 399 b 29, φασὶ δὲ καὶ 399 b 33, ὥσπερ ἀμέλει καὶ 400 b 13) et plus ou moins développée selon les cas ; puis cette image est rapportée à l'univers ou à Dieu par une formule qui précise le sens de la comparaison (νομιστέον δή 398 b 1, οὕτως οὖν καὶ ἡ θεία φύσις...· κινηθὲν γὰρ 398 b 19, οὕτως καὶ ἐπὶ κόσμου· διὰ γὰρ 398 b 35, οὕτως ἔχει καὶ ἐπὶ τοῦ... θεοῦ· κατὰ γὰρ 399 a 18, οὕτω χρὴ καὶ περὶ τοῦ σύμπαντος φρονεῖν· ὑπὸ γὰρ 399 b 10, ταῦτα adv.) χρὴ καὶ περὶ θεοῦ διανοεῖσθαι, διότι...· τὰ γὰρ πάθη 399 b 19, τοῦτον οὖν ἔχει τὸν λόγον ὁ θεός 400 a 3, οὕτως ὑποληπτέον καὶ ἐπὶ... τοῦ κόσμου· νόμος γὰρ 400 b 27).

Enfin, dans le chapitre 7 aussi, les développements sont purement littéraires. Le principe énoncé dès le début « Dieu, bien qu'unique, est polyonyme, puisqu'il a autant de noms qu'il produit d'effets » (401 a 12) amène tout naturellement une énumération des noms divins, dont chacun sera expliqué selon la règle qu'on vient de dire (1).

(1) L'auteur suit d'ailleurs, sur ce point, une tradition bien établie, cf. l'*Epitomé* d'Arius Didyme, fr. 29, 6 (Diels, *Dox.*, p. 464.28 ss.) :

Ar. Did. 29, 6.	de m. 7.
διὸ δὴ καὶ Ζεὺς λέγεται ὁ κόσμος, ἐπειδὴ τοῦ ζῆν αἴτιος ἡμῖν ἐστι.	(401 a 13) καλοῦμεν γὰρ αὐτὸν καὶ Ζῆνα καὶ Δία... ὡς κἂν εἰ λέγοιμεν δι' ὃν ζῶμεν...
καθ' ὅσον δὲ εἰρομένῳ λόγῳ πάντα διοικεῖ ἀπαραβάτως ἐξ ἀιδίου, προσονομάζεσθαι Εἱμαρμένην·	(401 b 9) Εἱμαρμένην δὲ διὰ τὸ εἴρειν τε καὶ χωρεῖν ἀκωλύτως...
Ἀδράστειαν δέ, ὅτι οὐδὲν ἔστιν αὐτὸν ἀποδιδράσκειν·	(401 b 13) Ἀδράστειαν δὲ ἀναπόδραστον αἰτίαν οὖσαν κατὰ φύσιν.
πρόνοιαν δ', ὅτι πρὸς τὸ χρήσιμον οἰκονομεῖ ἕκαστα.	

Ce n'est donc pas d'après cette seconde partie étiologique que nous pouvons définir le genre littéraire du π. κόσμου, mais d'après la partie descriptive (ch. 2-4). Si l'usage de la rhétorique est, à la rigueur, admissible dans des considérations générales, il ne l'est plus dans ce qui doit être un exposé, sommaire mais précis, des faits eux-mêmes.

Mais avant d'examiner cette première partie, demandons-nous si l'auteur lui-même ne nous a pas donné quelque indication sur ce qu'il veut faire. Il n'y a pas manqué. Une première fois, en tête du chapitre 4 sur la météorologie (394 a 8), il nous avertit qu'il ne se propose que de résumer sommairement les données les plus essentielles, αὐτὰ τὰ ἀναγκαῖα κεφαλαιούμενοι. Et il reprend cette assertion au début du chapitre 6 (sur le gouvernement divin, 397 b 9) : « Il reste donc à parler *sommairement* de la cause qui maintient l'univers, *comme nous avons fait pour le reste* », λοιπὸν δὴ περὶ τῆς τῶν ὅλων συνεκτικῆς αἰτίας κεφαλαιωδῶς εἰπεῖν, ὅνπερ τρόπον καὶ περὶ τῶν ἄλλων. Dans le même passage (397 b 12) il confirme que son ouvrage n'est qu'une esquisse, εἰς τυπώδη μάθησιν (1). Or il faut se souvenir que des expressions comme κεφαλαιοῦσθαι, κεφαλαιωδῶς εἰπεῖν, ἐν κεφαλαίοις ou ἐπὶ κεφαλαίων ont pour ainsi dire valeur de termes techniques dans le genre de l'épitomé (2) et que, ainsi répétées dans notre texte, surtout avec le renforcement τὰ ἀναγκαῖα κεφαλαιοῦσθαι, elles traduisent très clairement le propos de l'auteur : il n'a voulu donner qu'un résumé.

Le résumé, par définition, bannit la rhétorique. En trouve-t-on dans les chapitres 2-4 du π. κόσμου? Nous avons le moyen ici de comparer notre opuscule avec un véritable épitomé, le fragment 31 d'Arius Didyme (3) dont, pour le fond, les ressemblances avec *de m.* 2-3 ont été signalées depuis longtemps (4). En voici la traduction :

« Selon Chrysippe, le monde est l'assemblage que forment le ciel et la terre avec les espèces d'êtres qu'ils contiennent, ou l'assemblage que forment les dieux et les hommes et tout ce qui a été produit pour le bien de ces deux classes d'êtres. Dans un autre sens, c'est Dieu qui est dit le monde, Dieu en vertu de qui se forme et s'accomplit le bel ordre du monde (διακόσμησις). Considéré selon ce bel ordre, le monde comporte une partie qui se meut en cercle autour du centre et une partie immobile; la partie qui se meut en cercle est l'éther, la

(1) Cf. *infra*, p. 506, n. 3.
(2) Cf. déjà Diels, *Dox.*, p. 76, à propos de l'*Epitomé* d'Arius Didyme et de l'*Epitomé* ou *Didaskalikos* d'Albinos (ἐπὶ κεφαλαίων, c. 7, p. 161 et c. 27, p. 179 Herm.). Sur l'usage, à la même époque, des κεφάλαια ou « tables des matières », cf. P. Wendland dans son édition d'Hippolyte, *Refutatio*, pp. xiv-xv, Ed. Schwartz dans son édition d'Eusèbe, t. III, pp. cxlvii-cliii.
(3) *Dox.*, p. 465.
(4) *Dox.*, p. 77.

partie immobile est la terre, les masses d'eau qui la couvrent et l'air. L'élément le plus compact de la matière est naturellement le fondement de tout l'ensemble, de même que, dans un être vivant, les os : cet élément se nomme la terre. L'eau est répandue circulairement tout autour de la terre; sa caractéristique est de se maintenir partout à un niveau très égal (1). Cependant la terre comporte des éminences qui, par endroits, font saillie à travers l'eau dans le sens de la hauteur: on les nomme îles, et celles qui s'étendent plus largement sont dites continents dans l'ignorance où l'on est de ce qu'elles sont, elles aussi, baignées par de vastes mers. En contiguïté immédiate avec l'eau se trouve l'air qui en est comme une évaporation et qui est répandu circulairement tout autour d'elle, puis, en contiguïté avec l'air, l'éther, l'élément le plus subtil et le plus pur.

« Tels sont donc les éléments en lesquels se divise le monde considéré comme un bel ordre, cependant que la partie qui se meut en cercle autour de lui est l'éther, où sont placés les astres — tant les astres fixes que les planètes — qui, par nature, sont divins, doués d'une âme et gouvernés par la Providence. Innombrable est la multitude des astres fixes : quant aux planètes, elles sont au nombre de sept, toutes moins élevées que les astres fixes. Les astres fixes sont tous situés sur le même plan, comme il est d'ailleurs facile de le voir, au lieu qu'à chacune des planètes est assignée une sphère différente : toutes ces sphères planétaires sont enveloppées par celle des astres fixes. La plus élevée d'entre elles après la sphère des astres fixes est celle de Saturne, après celle-ci vient celle de Jupiter, puis celle de Mars, ensuite celle de Mercure, après elle celle de Vénus, puis celle du soleil, enfin, au bout de la série, celle de la lune qui jouxte l'air : aussi paraît-elle de nature plus aériforme et exerce-t-elle le plus d'influence sur les choses terrestres. Sous la lune vient la sphère de l'air qui est mû (?) par l'éther (2), puis celle de l'eau, enfin celle de la terre située au point central du monde, qui représente le bas de l'univers, tandis que le haut en est constitué par ce qui, depuis ce point, s'étend de tout côté en cercle. »

Pour bien établir la comparaison, je mettrai en regard les deux textes. Comme l'ordre d'Arius Didyme est l'inverse de celui du *de m.*, l'un énumérant les zones du monde depuis la terre jusqu'au ciel, l'autre depuis le ciel jusqu'à la terre, je n'ai pu reproduire, pour les citations parallèles du *de m.*, la suite même du texte. J'ai laisssé de côté les paragraphes du *de m.* qui n'ont point de correspondant chez Arius Didyme : en revanche celui-ci est cité en entier. Ce qu'il a en plus du *de m.* a été mis entre crochets droits; de même ce que le *de m.* a en surplus, mais seulement dans les membres de phrase où le parallélisme est presque littéral : sans quoi il eût fallu mettre entre crochets presque toute la deuxième colonne. Enfin j'ai souligné de part et d'autre les correspondances les plus précises.

(1) ὁμαλωτέραν τὴν ἰσχὺν διειληχός. Le comparatif équivaut à un superlatif, comme souvent dans la κοινή. Pour ἰσχύν, Diels a conjecturé φύσιν que j'ai traduit ici.
(2) τὴν τοῦ ὑπ' αὐτοῦ φερομένου ἀέρος. Diels conjecture τοῦ ἐπὶ ταὐτοῦ φερομένου. Lire peut-être τοῦ ὑπ' αὐτοῦ πυρουμένου, cf. *de m.* 2, 392 b 1 ss., où il est dit que l'une des subdivisions de l'air est ὑπὸ τῆς αἰθερίου (φύσεως) πυρουμένη διὰ τὸ μέγεθος αὐτῆς καὶ τὴν ὀξύτητα τῆς κινήσεως.

Ar. Did., fr. 31.

[465.14] Κόσμον δ'εἶναί φησιν
ὁ Χρ. σύστημα ἐξ οὐρανοῦ καὶ
γῆς καὶ τῶν ἐν τούτοις φύσεων [ἢ τὸ ἐκ θεῶν καὶ ἀνθρώπων
5 σύστημα καὶ ἐκ τῶν ἕνεκα τούτων γεγονότων]. λέγεται δ' ἑτέρως κόσμος ὁ θεός, καθ' ὃν
ἡ διακόσμησις γίνεται καὶ
τελειοῦται.
10 τοῦ δὲ κατὰ τὴν διακόσμησιν
λεγομένου κόσμου τὸ μὲν εἶναι
περιφερόμενον περὶ τὸ μέσον, τὸ
δ' ὑπομένον· περιφερόμενον
μὲν τὸν αἰθέρα, ὑπομένον δὲ
15 τὴν γῆν καὶ τὰ ἐπ' αὐτῆς ὑγρὰ
καὶ τὸν ἀέρα.
τὸ γὰρ τῆς πάσης οὐσίας πυκ-
νότατον ὑπέρεισμα πάντων εἶναι
κατὰ φύσιν, [ὅνπερ τρόπον ἐν
20 ζῴῳ τὰ ὀστέα], τοῦτο δὲ καλεῖσθαι γῆν· περὶ δὲ ταύτην τὸ
ὕδωρ περικεχύσθαι σφαιρικῶς,
[ὁμαλωτέραν τὴν ἰσχὺν εἰληχός].

25
τῆς γὰρ γῆς ἐξοχάς τινας
ἐχούσης ἀνωμάλους διὰ τοῦ
ὕδατος ἐς ὕψος ἀνηκούσας,
ταύτας μὲν νήσους καλεῖσθαι,
30 τούτων δὲ τὰς ἐπὶ πλεῖον διηκού-
σας ἠπείρους προσηγορεῦσθαι
ὑπ' ἀγνοίας τοῦ περιέχεσθαι
καὶ ταύτας πελάγεσι μεγά-
λοις.
35

d. m., 2-3.

(2, 391 b 9) Κόσμος μὲν οὖν
ἐστι σύστημα ἐξ οὐρανοῦ καὶ γῆς
καὶ τῶν ἐν τούτοις [περιεχομένων]
φύσεων.
λέγεται δὲ καὶ ἑτέρως κόσμος
ἡ [τῶν ὅλων τάξις τε καὶ] διακόσμησις, ὑπὸ θεοῦ τε καὶ διὰ θεὸν
φυλαττομένη.
ταύτης δὲ τὸ μέσον, ἀκίνητόν
[τε καὶ ἑδραῖον] ὄν, ἡ [φερέσβιος]
εἴληχε γῆ, [παντοδαπῶν ζῴων ἑστία
τε οὖσα καὶ μήτηρ]. τὸ δὲ ὕπερθεν
αὐτῆς, [πᾶν τε καὶ πάντῃ πεπερα-
τωμένον εἰς τὸ ἀνωτάτω, θεῶν οἰκητή-
ριον], οὐρανὸς ὠνόμασται.
(3, 392 b 14) ἑξῆς δὲ τῆς ἀερίου
φύσεως γῆ... ἐρήρεισται. (3, 392 b
32) μετὰ δὲ ταύτην (sc. τὴν ὑγροῦ
φύσιν)... συνερηρεισμένη γῆ πᾶσα
... συνέστηκεν.... πέντε δὴ στοιχεῖα
ταῦτα ἐν πέντε χώραις σφαιρικῶς
ἐγκείμενα, περιεχομένης ἀεὶ τῆς
ἐλάττονος τῇ μείζονι,... τὸν ὅλον
κόσμον συνεστήσατο.

(3, 392 b 20) τὴν μὲν οὖν οἰκου-
μένην ὁ πολὺς λόγος εἴς τε νήσους
καὶ ἠπείρους διεῖλεν, ἀγνοῶν ὅτι
καὶ ἡ σύμπασα μία νῆσός ἐστιν,
ὑπὸ τῆς Ἀτλαντικῆς καλουμένης
θαλάσσης περιρρεομένη...· καὶ
γὰρ... μεγάλαι τινές εἰσι νῆσοι μεγά-
λοις περικλυζόμεναί πελάγε-
σιν. (3, 392 b 29) ἡ δὲ σύμπασα
τοῦ ὑγροῦ φύσις ἐπιπολάζουσα
κατά τινας τῆς γῆς σπίλους τὰς
καλουμένας ἀναπεφαγκυῖα οἰκουμέ-
νας, ἑξῆς ἂν εἴη τῆς ἀερίου φύσεως.

[466.1] ἀπὸ δὲ τοῦ ὕδατος τὸν ἀέρα ἐξῆφθαι [καθάπερ ἐξατμισθέντα] καὶ περικεχύσθαι σφαιρικῶς,

ἐκ δὲ τούτου τὸν αἰθέρα ἀραιότατον ὄντα καὶ εἰλικρινέστατον.

τὸν μὲν οὖν κατὰ τὴν διακόσμησιν λεγόμενον κόσμον εἰς ταύτας διακεκρίσθαι τὰς φύσεις, τὸ δὲ περιφερόμενον αὐτῷ ἐγκυκλίως αἰθέρα εἶναι, ἐν ᾧ τὰ ἄστρα καθίδρυται, τά τε ἀπλανῆ καὶ τὰ πλανώμενα, θεῖα τὴν φύσιν ὄντα [καὶ ἔμψυχα καὶ διοικούμενα κατὰ τὴν πρόνοιαν].

(p. 466.8 D.) τὰ δὲ πλανώμενα ἐπ' ἄλλης καὶ ἄλλης σφαίρας.

[466.6] τῶν μὲν οὖν ἀπλανῶν ἄστρων ἀκατάληπτον εἶναι τὸ πλῆθος, τὰ δὲ πλανώμενα ἑπτὰ τὸν ἀριθμὸν εἶναι· πάντα δὲ τὰ πλανώμενα ταπεινότερα τῶν ἀπλανῶν. τετάχθαι δὲ τὰ μὲν ἀπλανῆ ἐπὶ μιᾶς ἐπιφανείας, ὡς καὶ ὁρᾶται· τὰ δὲ πλανώμενα κτλ. (cf. *supra*, l. 24).

τῶν δὲ πλανωμένων ὑψηλο-

(3, 392 b 29) ἡ δὲ σύμπασα τοῦ ὑγροῦ φύσις... ἑξῆς ἂν εἴη τῆς ἀερίου φύσεως.

(2, 392 b 5) ἑξῆς δὲ ταύτης (la région du feu) ὁ ἀὴρ ὑποκέχυται.

(2, 392 a 5) οὐρανοῦ δὲ καὶ ἄστρων οὐσίαν μὲν αἰθέρα καλοῦμεν,... στοιχεῖον οὖσαν... ἀκήρατόν τε καὶ θεῖον.

(2, 391 b 14) τὸ δὲ ὕπερθεν αὐτῆς (sc. τῆς γῆς)... θεῶν οἰκητήριον οὐρανὸς ὠνόμασται. πλήρης δὲ ὢν σωμάτων θείων, ἃ δὴ καλεῖν ἄστρα εἰώθαμεν, μιᾷ περιαγωγῇ καὶ κύκλῳ συναναχορεύει πᾶσι τούτοις.

(2, 392 a 9) τῶν γε μὴν ἐμπεριεχομένων ἄστρων τὰ μὲν ἀπλανῶς τῷ σύμπαντι οὐρανῷ συμπεριστρέφεται, τὰς αὐτὰς ἔχοντα ἕδρας,... τὰ δέ, πλανητὰ ὄντα, οὔτε τοῖς προτέροις ὁμοταχῶς κινεῖσθαι πέφυκεν οὔτε ἀλλήλοις, ἀλλ' ἐν ἑτέροις καὶ ἑτέροις κύκλοις, ὥστε αὐτῶν τὸ μὲν προσγειότερον εἶναι, τὸ δὲ ἀνώτερον.

τὸ μὲν οὖν τῶν ἀπλανῶν πλῆθος ἀνεξεύρετόν ἐστιν ἀνθρώποις, καίπερ ἐπὶ μιᾶς κινουμένων ἐπιφανείας [τῆς τοῦ σύμπαντος οὐρανοῦ]· τὸ δὲ τῶν πλανήτων, εἰς ἑπτὰ μέρη κεφαλαιούμενον, [ἐν τοσούτοις ἐστὶ κύκλοις ἐφεξῆς κειμένοις, ὥστε ἀεὶ τὸν ἀνωτέρω μείζω τοῦ ὑποκάτω εἶναι, τούς τε ἑπτὰ ἐν ἀλλήλοις ἐμπεριέχεσθαι] (1), πάντας γε μὴν ὑπὸ τῆς τῶν ἀπλανῶν σφαίρας περιειλῆφθαι.

(2, 392 a 23) συνεχῆ δὲ ἔχει

---

(1) Simple répétition de ce qui a déjà été dit *supra* l. 23 ss.

τάτην εἶναι μετὰ τὴν <τῶν>
ἀπλανῶν τὴν τοῦ Κρόνου,
μετὰ δὲ ταύτην τὴν τοῦ
Διός, εἶτα τὴν τοῦ Ἄρεος,
5 ἐφεξῆς δὲ τὴν τοῦ Ἑρμοῦ,
καὶ μετ᾽ αὐτὴν τὴν τῆς Ἀφροδίτης, εἶτα τὴν τοῦ ἡλίου,
ἐπὶ πᾶσι δὲ τὴν τῆς σελήνης
πλησιάζουσαν τῷ ἀέρι· διὸ καὶ
10 ἀερωδεστέραν φαίνεσθαι καὶ μάλιστα διατείνειν τὴν ἀπ᾽
αὐτῆς δύναμιν εἰς τὰ περίγεια.
ὑπὸ δὲ τὴν σελήνην τὴν τοῦ
15 ὑπ᾽ αὐτοῦ (sc. τ. αἰθέρος) φερομένου (πυρουμένου?) ἀέρος,

20

εἶτα τὴν <τοῦ> ὕδατος, τελευταίαν δὲ τὴν τῆς γῆς περὶ τὸ
μέσον σημεῖον τοῦ κόσμου
25 κειμένης.

30

35
ὃ δὴ τοῦ παντός ἐστι κάτω,
ἄνω δὲ τὸ ἀπ᾽ αὐτοῦ εἰς τὸ κύκλῳ
πάντῃ.

40

ἀεὶ τὴν θέσιν ταύτῃ (= sph. des
fixes) ὁ τοῦ [Φαίνοντος ἅμα καὶ]
Κρόνου [καλούμενος] κύκλος,
ἐφεξῆς δὲ ὁ τοῦ [Φαέθοντος καὶ]
Διὸς [λεγόμενος], εἶθ᾽ ὁ [Πυρόεις,
Ἡρακλέους τε καὶ] Ἄρεος [προ-
σαγορευόμενος], ἑξῆς δὲ ὁ [Στίλβων,
ὃν ἱερὸν] Ἑρμοῦ [καλοῦσιν ἔνιοι,
τινὲς δὲ Ἀπόλλωνος]. μεθ᾽ ὃν ὁ
[τοῦ Φωσφόρου, ὃν] Ἀφροδίτης,
[οἱ δὲ Ἥρας προσαγορεύουσιν,] εἶτα
ὁ ἡλίου, καὶ τελευταῖος ὁ τῆς
σελήνης μέχρι γῆς ὁρίζεται.

(2, 392 a 31), μετὰ δὲ τὴν αἰθέριον... φύσιν,... συνεχής ἐστιν ἡ δι᾽
ὅλων παθητή... καὶ ἐπίκηρος. ταύτης
δὲ αὐτῆς πρώτη μέν ἐστιν ἡ... φλογώδης οὐσία, ὑπὸ τῆς αἰθερίου πυρουμένη διὰ τὸ μέγεθος αὐτῆς καὶ
τὴν ὀξύτητα τῆς κινήσεως... ἑξῆς
δὲ ταύτης ὁ ἀὴρ ὑποκέχυται.

(3, 392 b 29) ἡ δὲ σύμπασα τοῦ
ὑγροῦ φύσις... ἑξῆς ἂν εἴη τῆς ἀερίου
φύσεως. μετὰ δὲ ταύτην, [ἐν τοῖς
βυθοῖς] κατὰ τὸ μεσαίτατον τοῦ
κόσμου συνηρεισμένη γῆ πᾶσα
... συνέστηκεν. (3, 392 b 14) ἑξῆς
δὲ τῆς ἀερίου φύσεως γῆ καὶ θάλασσα
ἐρήρεισται, [φυτοῖς βρύουσα καὶ ζῴοις
πηγαῖς τε καὶ ποταμοῖς..., πεποίκιλται δὲ καὶ χλόαις μυρίαις ὄρεσί τε
ὑψηλοῖς καὶ βαθυξύλοις δρυμοῖς καὶ
πόλεσιν, ἃς τὸ σοφὸν ζῷον, ὁ ἄνθρωπος, ἱδρύσατο, νήσοις τε ἐναλίοις καὶ
ἠπείροις].

(3, 392 b 34) καὶ τοῦτ᾽ ἔστι τοῦ
κόσμου τὸ [πᾶν ὃ καλοῦμεν] κάτω.
(393 a 4) καὶ τὸ μὲν ἄνω πᾶν
θεῶν ἀπέδειξεν οἰκητήριον, τὸ κάτω
δὲ ἐφημέρων ζῴων.

Bien que je n'aie pas transcrit tous les enjolivements du *de m.*, ce tableau suffit à rendre compte de la différence des deux textes. Le plan de part et d'autre est le même. L'univers est divisé en zones (quatre pour Arius Didyme qui bloque l'air et le feu en une seule zone; cinq dans le *de m.*) et chacune de ces zones est brièvement décrite. Ce qu'Arius Didyme a en surplus n'est nulle part un ornement de style, mais a valeur doctrinale, qu'il s'agisse d'une seconde définition du Kosmos, du niveau égal de la mer, de l'air considéré comme une évaporation de l'eau, des astres doués d'âme et gouvernés par la Providence, de la nature aériforme de la lune et de son influence sur la terre. Le *de m.* comporte lui aussi des additions doctrinales (non recopiées ici) : sur les deux pôles immobiles (2, 391 b 19-392 a 5), sur le zodiaque qui passe comme une ceinture au travers des astres fixes (2, 392 a 11-13), sur les phénomènes météorologiques propres à la région du feu et à celle de l'air (2, 392 b 2-5, b 6-13); enfin les doubles noms des planètes (1). Les autres additions, que je n'ai même pas toutes transcrites, sont des fleurs de rhétorique. La terre est dite « source de vie » (φερέσβιος 391 b 13, cf. Hés. *Théog.* 693), « foyer et mère de tous les êtres vivants » (2). Le ciel est dit « l'habitacle des dieux » (θεῶν οἰκητήριον 2, 391 b 15; 3, 393 a 4) et il est opposé (393 a 5) à la terre « habitacle des hommes qui ne durent qu'un jour » (3). L'homme se voit appliquer l'épithète de τὸ σοφὸν ζῷον (3, 392 b 19). Dans une courte phrase sur les merveilles de la terre, phrase qui, d'ailleurs, est un enjolivement littéraire et n'a pas de correspondant chez Arius Didyme (3, 392 b 15 ss.), on ne rencontre, en cinq lignes, pas moins de sept mots ou expressions poétiques : βρύουσα, πεποίκιλται, le verbe rare ἀνερεύγω (passif : cf. Apoll. Rhod., Nonnos), χλόαις μυρίαις, ὄρεσι τε ὑψηλοῖς καὶ βαθυξύλοις (cf. Eurip., *Bacch.* 1138) δρυμοῖς, νήσοις ἐναλίοις où l'épithète, poétique, est particulièrement ridicule, sans compter la platitude τὸ σοφὸν ζῷον, ὁ ἄνθρωπος (4). L'auteur fait un véritable abus des formules ὁ καλούμενος (λεγόμενος, προσαγορευόμενος), ὁ καλοῦ-

---

(1) Cf. *R. H. T.*, I, p. 95, n. 3 et l'article de Cumont cité en cette note.
(2) Cf. PLAT., *Lois*, XII 955 e 6 γῆ μὲν οὖν ἑστία τε οἰκήσεως ἱερὰ πᾶσι πάντων θεῶν : « la terre, c'est-à-dire le foyer d'habitation de tous les dieux, est pour tous un lieu sacré ». Cet emploi épexégétique de τε est lui-même poétique (Homère) et rare en prose. Noter en outre l'alliance πᾶσι πάντων et cf. *de m.* 391 b 15 πᾶν τε καὶ πάντῃ.
(3) ἐφημέρων ζώων. L'épithète est purement poétique en ce sens, ou n'apparaît, en prose, que dans des morceaux tout empreints de poésie, *v. g.* PLAT., *Lois*, XI 923 a 2 ὦ φίλοι, φήσομεν, καὶ ἀτεχνῶς ἐφήμεροι.
(4) Poétique également le second couplet sur la terre 5, 397 a 24 ss. ἥ τε γῆ... κομῶσα... περιβλύζουσα... περιεχουμένη (hapax!)... τὴν ἀγήρω (cf. ἀγήρως τε καὶ ἄφθαρτος 397 a 16) φύσιν ὁμοίως τηρεῖ.

μεν, ὃ καλεῖν εἰθίσμεθα, sortes d'apologies qui ont leur raison d'être lorsqu'un auteur de bonne compagnie fait usage d'un mot technique un peu rare qui risque de surprendre l'auditeur (1), mais qui sont de purs maniérismes, au Iᵉʳ siècle avant notre ère ou à fortiori plus tard, s'il s'agit de mots aussi ordinaires que ἄστρα (2, 391 b 17), αἰθήρ (392 a 5), ζωοφόρος κύκλος (392 a 11), de la désignation des planètes comme astres « de tel ou tel dieu » (392 a 24 ss.) (2), du « bas » par opposition au « haut » (3, 392 b 35) (3), enfin, chose incroyable, des fleuves, des courants d'eau, des mers (3, 393 a 6). Poétiques aussi, ou du moins maniérés, le verbe συναναχορεύει en parlant du mouvement cyclique du ciel qui entraîne avec lui les astres (2, 391 b 18) (4), l'alliance πᾶν τε καὶ πάντῃ (5), les fréquents synonymes (ἀκίνητόν τε καὶ ἑδραῖον 2, 391 b 12, περιαγωγῇ καὶ κύκλῳ 391 b 18, ἄτρεπτον καὶ ἀνετεροίωτον καὶ ἀπαθῆ 392 a 32, παθητή τε καὶ τρεπτή,... φθαρτή τε καὶ ἐπίκηρος 392 a 33, ἀκίνητος καὶ ἀσάλευτος (6) 3, 392 b 35), l'expression ἐν τοῖς βυθοῖς pour marquer que la terre est au fond du monde (3, 392 b 32), l'épithète ἀκήρατος pour l'éther (7).

(1) τῷ καλουμένῳ θώρακι PLAT., *Tim.* 69 e 4 et l'intéressante note de TAYLOR, *A commentary on... Timaeus*, p. 500.
(2) Déjà, PLAT., *Tim.* 38 d 2 τὸν ἱερὸν Ἑρμοῦ λεγόμενον (et la note de TAYLOR, pp. 194-195), *Epinom.* 987 b-c. Dans le passage parallèle, Arius dit simplement ἡ τοῦ Κρόνου ου-Διός etc. (sc. σφαῖρα). Il est vrai que ce maniérisme permet à l'auteur toutes sortes d'élégances dans la manière dont il varie la formule : ὁ... καλούμενος, ὁ... λεγόμενος, ὁ... προσαγορευόμενος, ὃν ἱερὸν Ἑρμοῦ καλοῦσιν, ὃν 'Αφροδίτης... προσαγορεύουσιν.
(3) Ici encore Arius dit simplement « le bas ».
(4) Cf. EURIP., *Ion* 1080-1081 ἀνεχόρευσεν αἰθήρ. | χορεύει δὲ σελάνα. Le composé συναναχορεύω est peut-être un hapax.
(5) Cf. *Epinom.* 974 c 5 διὰ λόγων πάντων καὶ πάντῃ λεγομένων, l'alliance si fréquente πάντῃ πάντως, PARM., fr. 2, 3 Diels, PLAT., *Tim.* 29 c 5, *Soph.* 233 b 1 (πάντα πάντως), ou les allitérations des autres dérivés de πᾶν, cp. en particulier avec notre passage (πᾶν τε καὶ πάντῃ πεπερατωμένον) PARM., fr. 8, 42 ss. αὐτὰρ ἐπεὶ πεῖρας πύματον, τετελεσμένον ἐστί, | πάντοθεν εὐκύκλου σφαίρης ἐναλίγκιον ὄγκῳ, | μεσσόθεν ἰσοπαλὲς πάντῃ, EMPED., fr. 28 ἀλλ' ὅ γε πάντοθεν ἶσος <ἑοῖ> καὶ πάμπαν ἀπείρων, | Σφαῖρος κυκλοτερὴς μονίῃ περιηγέι γαίων.
(6) ἀσάλευτος est poétique et rare, cf. ESCH., *Prom.* 1081 χθὼν σεσάλευται.
(7) 2, 392 a 9. Cf. EURIP., *Hippol.* 76 ἀλλ' ἀκήρατον | μέλισσα λειμῶν' ἐαρινὴ διέρχεται. Il faut d'ailleurs convenir que cette épithète est excellente. De même que l'éther ἀκήρατος est ici opposé à la nature sublunaire qui est φθαρτή τε καὶ ἐπίκηρος (392 a 34), de même Synésius, *hymn.*, VIII (Terzaghi = IX vulg.), oppose les astres et les sphères ἀκήρατοι aux κῆρες de la matière, cf. VIII 34 ss. θάμβησε δ' ἀκηράτων | χορὸς ἄμβροτος ἀστέρων (χ. ἄσπετος Wilamowitz, *Sitzber. Berl.*, 1907, p. 289), VIII 59 ss. (σὺ δὲ, sc. le Christ) σφαίρῃσι δ' ἐπεστάθης | νοεραῖσιν ἀκηράτοις... ἔνθ'... οὐ κῆρες ἀναιδέες | βαθυκύμονος ὕλας. A propos du v. 34, Wilamowitz note (*l. c.*, p. 289, n. 2) : « Synésius emploie correctement ἀκήρατος pour tout ce qui échappe aux atteintes de la κήρ (W. Schultze, *qu. ep.*, p. 233). Les κῆρες ὕλης (v. 65) sont les πάθη. La matière étant un παθητόν et un μεταβλητόν, tout ce qui lui appartient est φθαρτόν et ἐπίκηρον. Les astres sont déjà au delà de la sphère matérielle, et dès lors ils sont divins. » — Le verbe στηρίζεσθαι (392 b 4) est sans doute poétique comme l'a noté Wilamowitz, mais il est admis dans la langue technique depuis au moins Géminos (p. 144.14 Man. : στηρίζουσι, dans le même sens qu'au passif).

Mais ce qui distingue surtout la manière du *de m.* de celle d'Arius Didyme, c'est l'amplification purement verbale qui, loin d'ajouter au sens, le dilue plutôt en un flux de mots. Un cas typique est 2, 392 a 31, où, pour énoncer cette vérité toute simple qu'au dessous de la région immuable de l'éther se trouve la région muable de l'air et des autres éléments, l'auteur nous donne cette phrase ampoulée dont je souligne les éléments inutiles : μετὰ δὲ τὴν αἰθέριον καὶ θείαν φύσιν, ἥντινα τεταγμένην ἀποφαίνομεν, ἔτι δὲ ἄτρεπτον καὶ ἀνετεροίωτον καὶ ἀπαθῆ, συνεχής ἐστιν ἡ δι' ὅλων παθητή τε καὶ τρεπτή, καί, τὸ σύμπαν εἰπεῖν, φθαρτή τε καὶ ἐπίκηρος. Douze mots auraient suffi là où l'on en emploie trente-quatre; et ce τὸ σύμπαν εἰπεῖν, pour annoncer la simple répétition de ce qu'on vient de dire et qui est archiconnu, est en vérité le triomphe de la rhétorique la plus plate. Pour ne prendre qu'un autre exemple, alors qu'Arius Didyme se borne à mentionner la terre comme dernier terme de la série (τελευταίαν δὲ τὴν τῆς γῆς, *sc.* σφαῖραν), le *de m.* ne peut s'empêcher de sortir un couplet sur les merveilles de la terre (3, 392 b 15) : elle produit en luxuriance (βρύουσα) plantes et animaux, fait jaillir sources et rivières, elle est un tapis bigarré (πεποίκιλται) de verdures aux nuances infinies (χλόαις μυρίαις), de monts à la cime élevée, de fourrés profonds, d'îles marines (ἐναλίοις !) et de continents. Aussi bien il n'est que de comparer les deux textes quand le parallélisme fait une suite continue (*v. gr.* 392 a 9 ss., 392 a 23 ss.) pour voir combien le *de m.* enjolive et amplifie sans nul enrichissement pour le fond.

Il y a donc de la rhétorique encore, et de la plus médiocre, dans la partie descriptive (ch. 2-4) du π. κόσμου. Cependant la rhétorique n'y joue pas le même rôle que dans la seconde partie. Dans cette partie, le procédé domine; le développement, purement littéraire ne fait point avancer la pensée. L'auteur a beau multiplier les exemples d'antithèses au chapitre 5, les comparaisons au chapitre 6, il n'ajoute rien aux affirmations qui ouvrent ces deux chapitres : « l'ordre du monde résulte de l'équilibre des contraires », « Dieu gouverne de loin, il n'est présent dans le détail des choses que par l'influence qu'il y exerce ». Otez les morceaux d'amplification, on ne retrouve que ces principes. Dans la première partie en revanche, la rhétorique ne sert que d'ornement. Elle enjolive un donné tout aride, dont le modèle nous est fourni par l'*Epitomé* d'Arius Didyme. Supprimez les *floscula*, il reste encore ce modèle : une description, sommaire du Kosmos.

Rappelons-nous maintenant ce que l'auteur a déclaré lui-même qu'il voulait faire : un résumé des connaissances alors acquises sur le monde et sur chacune de ses parties, mais un résumé qui préparerait des considérations générales sur le monde dieu (θεολογῶμεν) et sur Dieu qui gouverne le Kosmos. Or, malgré les fleurs de style, l'accord substantiel entre Arius Didyme et le *de m.* 2-3 prouve que, en ce qui regarde la première partie, le dessein initial de l'auteur a été suivi en effet : on trouve bien, dans cette partie, une description du monde. Notons d'ailleurs que, dans les paragraphes relatifs à la configuration de la terre et aux phénomènes météorologiques (ch. 3, 393 a 9-fin, ch. 4 en entier), pour lesquels Arius Didyme n'offre plus de correspondant, la manière du *de m.* devient plus simple, plus conforme à la diction sans recherche de l'*Eisagogè*. D'autre part, les ressemblances entre le *de m.* 5-7 et les considérations générales de la Κυκλικὴ θεωρία de Cléomède prouvent que l'auteur n'est pas sorti du genre de l'*Eisagogè* en se livrant lui aussi à des développements philosophiques.

Dès lors, on ne peut plus guère avoir de doutes sur le genre littéraire de l'ouvrage. C'est effectivement une Introduction, une Introduction dans le goût de la Κυκλικὴ θεωρία, non pas purement technique comme celle de Géminos, mais comportant tout ensemble la description des faits et la recherche des causes les plus universelles et les plus hautes. Deux traits distinguent, en bref, le *de m.* des ouvrages analogues. Tout d'abord il est écrit pour les gens du monde, et il veut donc se montrer en bel apparat. Ensuite, pour se conformer à la mode du temps, qui veut que toute étude du Kosmos élève le regard vers Dieu (1), il fait tourner la considération scientifique en homélie (2). C'est ce que révèle, de façon bien sensible, la composition même de l'opuscule où, comme l'a remarqué Capelle (3), la première partie ne sert que de fondement à la seconde : si l'auteur a décrit le monde, c'est pour en faire admirer l'harmonie et porter ainsi les esprits à louer et à magnifier l'excellence du gouvernement divin. Par ce dessein, il annonce les traités hermétiques et obéit d'avance à la règle de l'*Asclépius* (ch. 13) : « Mais la pure philosophie, celle qui ne dépend que de la piété envers Dieu, ne doit s'intéresser aux autres sciences que pour admirer comment le retour des astres à leur position, leurs stations prédéterminées et le cours de leurs révolutions obéissent à la loi du nombre (4), et pour se trouver,

---

(1) V. gr. SEN., *Ep.* 95, 47 *deum colit qui novit*, ALBINOS cité *infra*, p. 504.
(2) Cf. *supra*, ch. II.
(3) *L. c.*, p. 563.
(4) Astronomie : programme de *de m.* 2.

par la connaissance des dimensions, qualités, volumes de la terre, des profondeurs de la mer, de la force du feu, des opérations et de la nature de toutes ces choses (1), portée à admirer, adorer et bénir l'art et l'intelligence de Dieu » (2).

§ 3. *Plan du traité.*

Le plan du π. κ. est simple et se laisse voir d'emblée. L'auteur commence (ch. 1) par célébrer les mérites de la philosophie qui, seule de toutes les disciplines humaines, permet à l'âme de franchir les espaces du monde et de contempler les lieux sacrés du ciel (391 a 1-16). Selon un τόπος connu (3), il met en contraste cette vue de l'univers entier avec les spectacles limités de la terre (391 a 16- b 3), puis il annonce son sujet : « Quant à nous donc, autant qu'il est possible, traitons, dans une dissertation théologique, de tout cet ensemble des êtres », c'est-à-dire des choses sublimes, le monde et ce qu'il y a de plus grand dans le monde (θεολογῶμεν περὶ τούτων συμπάντων 391 b 4, cf. a 25) (4).

Le sujet ainsi annoncé est développé d'une façon très claire. L'auteur s'est proposé de montrer « ce qu'il en est de chacun des êtres quant à sa nature, sa position, son mouvement » (ὡς ἕκαστον ἔχει φύσεως καὶ θέσεως καὶ κινήσεως 391 b 4-5). Il va donc, une fois défini le Kosmos comme l'assemblage que forment le ciel et la terre avec les êtres qu'ils contiennent, et une fois indiquée l'ordonnance générale de l'univers qui a la terre en son centre, traiter tour à tour de chacune des parties selon une série verticale où l'on progresse de haut en bas : d'abord la région de l'éther (2, 391 b 14-392 a 31), puis celle de l'air (2, 392 a 31- b 13) (5), puis l'ensemble de la terre et de la mer (ch. 3 et 4).

Arrêtons-nous, dans ce plan, à une anomalie apparente que Capelle a déjà notée (6) : l'étude des phénomènes météorologiques, qui aurait dû prendre place entre l'astronomie (ch. 2) et la géographie (ch. 3), est reportée après celle-ci au chapitre 4, sous la rubrique « phénomènes qui se produisent dans la terre ou autour

---

(1) Géographie et météorologie : programme de *de m.* 3-4.
(2) Cf. *Corp. Herm.*, IV 2, XIV 4.
(3) Cf. *supra*, pp. 446 ss.
(4) Sur l'évolution du mot θεολογία et de ses dérivés, cf. Appendice III, *infra*, pp. 598 ss.
(5) Qui se subdivise elle-même en deux zones : (1) air *igné* (φλογώδης οὐσία, ὑπὸ τῆς αἰθερίου πυρουμένη 392 a 34-b 5) avec les météores proprement dits; (2) air *humide* (ὁ ἀὴρ ὑποκέχυται, ζοφώδης ὢν καὶ παγετώδης τὴν φύσιν 392 b 5-13) où se forment les nuages, pluies et phénomènes analogues.
(6) *L. c.*, pp. 562, n. 2, 563, n. 2.

de la terre » (περὶ τῶν... ἐν αὐτῇ — sc. τῇ οἰκουμένῃ — καὶ περὶ αὐτὴν παθῶν 4, 394 a 7). A mon sens cela ne vient pas, comme l'a conjecturé Capelle (1), de ce que l'étude de la météorologie faisait une transition plus naturelle avec le chapitre 5 sur l'unité du Kosmos, mais de ce que l'auteur a réellement voulu grouper en un seul ensemble tous les accidents naturels qui se produisent dans la région sublunaire, que ce soit à l'intérieur ou au-dessus de la terre. Il avait pour cela l'exemple d'Aristote qui, dans les *Météorologiques* (2), associe à l'étude des météores proprement dits, qui apparaissent dans la région du feu, la plus rapprochée de la course circulaire des astres (338 b 21) (3), tant celle des propriétés communes à l'air et à l'eau (338 b 24) (4) que celle des parties et qualités de la terre (5), ce qui mène à la considération des fleuves et des sources (A 13), des cataclysmes (A 14), de la mer (B 1-3), des vents (B 4-6), des séismes (B 7-8), après quoi l'on passe à l'étude des phénomènes atmosphériques qui résultent des exhalaisons sèches de la terre, éclair et tonnerre (B 9), trombe, foudre (Γ 1), halo et arc-en-ciel (Γ 2-5), colonnes solaires et parhélies (Γ 6). Comme Aristote l'avait annoncé au début de son exposé (A 4, 341 b 6 ss.) et comme il le rappelle dans la conclusion des trois premiers livres (Γ 6, 378 a 12 ss.), le principe commun à ces phénomènes si divers est qu'ils résultent tous soit des exhalaisons humides ou sèches de la terre soit d'excrétions (τὴν ἔκκρισιν 378 a 12) qui se forment dans la région atmosphérique autour de la terre (6). D'un mot, ce qui fait le lien entre toutes les parties des *Météorologiques,* c'est la doctrine du πνεῦμα (souffle), cf. *Météor.*, B, 9, 370 a 25 ss. : « Notre théorie à nous, c'est qu'une seule et même nature est, à la surface de la terre, vent, à l'intérieur, séisme, dans les nuages, tonnerre. Car tous ces phénomènes sont essentiellement une même chose : une exhalaison sèche (7), qui, lorsqu'elle s'écoule de telle façon, est vent, de telle autre, produit les séismes, et qui enfin, changeant de forme dans les nuages, quand ceux-ci se contractent et se condensent en eau, produit par son expulsion le tonnerre, les éclairs et tous les autres phénomènes de même nature. »

(1) *L. c.*, p. 563, n. 2.
(2) Voir le plan indiqué *Météor.*, A, 1, 338 a 25 ss.
(3) Voie Lactée, comètes, étoiles filantes : A 4-8.
(4) Nuages, brouillards, rosée et gelée blanche, neige, grêle : A 9-12.
(5) ἔτι δὲ γῆς ὅσα μέρη καὶ εἴδη 338 b 25. Les μέρη sont les points cardinaux qui servent à la détermination des vents.
(6) Cette même théorie des exhalaisons et des excrétions sert de principe pour l'étude des métaux annoncée à la fin du III⁰ livre.
(7) Cf. Γ, 1, 371 a 4 : tous ces phénomènes (trombe, ouragan) sont du souffle, et le souffle est une exhalaison sèche et chaude. Cf. CAPELLE, *l. c.*, p. 549.

Maintenant, il est remarquable que cette même théorie commande aussi l'exposé du π. κ. (ch. 2 (392 b 5)-4). De même que, dans Aristote, un exposé météorologique (A 4-12) avait été suivi, à propos des fleuves (A 13) (1) et de la mer (B 1) (2), de descriptions géographiques, pour faire place, de nouveau, à un deuxième exposé météorologique (B 4-Γ 6), de même le π. κ. insère-t-il sa description de la terre (ch. 3) entre les considérations météorologiques de la fin du chapitre 2 (3) et celles du chapitre 4. C'est que, de part et d'autre, on se fonde sur le même principe des deux sortes d'exhalaisons, l'exhalaison sèche, pareille à une fumée, qui est issue de la terre elle-même, et l'exhalaison humide et vaporeuse, qui est issue de l'élément liquide (4). De part et d'autre aussi, la reconnaissance de ces deux causes permet de distinguer deux catégories de phénomènes atmosphériques, ceux où prédomine l'humidité (brouillard, rosée, nuage, etc.) et ceux qu'on pourrait appeler « venteux » (vents, tonnerre et éclairs, trombe, foudre, etc.) (5). Ainsi le même principe de l'ἀναθυμίασις qui commande, dans le π. κ. comme chez Aristote, l'étude des faits atmosphériques et des accidents qui se produisent dans la terre et la mer (τῶν ἐν αὐτῇ ἢ περὶ αὐτὴν παθῶν, *de m.* 4, 394 a 7), a-t-il conduit, chez l'un et l'autre, à la même anomalie : l'insertion d'éléments géographiques dans un exposé d'ensemble qui ressortit à la météorologie. C'est que les phénomènes de l'air dépendent des conditions de la terre et de la mer. Il convient donc, avant d'étudier les premiers, de bien connaître les seconds, d'où la nécessité de décrire l'oikoumènè en y distinguant les parties sèches (continents) et les parties humides (fleuves, mers). La seule différence d'avec Aristote est que, dans le π. κ., l'exposé géographique a pris beaucoup plus d'ampleur en raison des progrès accomplis en cette matière durant la période hellénistique.

---

(1) Cf. en particulier 350 a 15 (δῆλον δ' ἐστι τοῦτο θεωμένοις τὰς τῆς γῆς περιόδους· ταύτας γὰρ ἐκ τοῦ πυνθάνεσθαι παρ' ἑκάστων οὕτως ἀνέγραψαν, ὅσων μὴ συμβέβηκεν αὐτόπτας γενέσθαι τοὺς λέγοντας)- b 18, 351 a 1-18.
(2) Cf. en particulier 354 a 11-23.
(3) 392 b 8-13 : phénomènes qui se produisent dans l'air.
(4) Cp. *de mundo* 4, 394 a 12 τούτων δὲ (ἀναθυμιάσεων) ἡ μέν ἐστι ξηρὰ καὶ καπνώδης, ἀπὸ τῆς γῆς ἀπορρέουσα, ἡ δὲ νοτερὰ καὶ ἀτμώδης, ἀπὸ τῆς ὑγρᾶς ἀναθυμιωμένη φύσεως et Ar., *Météor.*, A, 4, 341 b 8 τὴν μὲν ἀτμιδωδεστέραν τὴν δὲ πνευματωδεστέραν, τὴν μὲν τοῦ ἐν τῇ γῇ καὶ ἐπὶ τῇ γῇ ὑγροῦ ἀτμίδα, τὴν δ'αὐτῆς τῆς γῆς οὔσης ξηρᾶς καπνώδη.
(5) **Les deux catégories sont indiquées, mais non encore distinguées**, 2, 392 b 8 ss. : dans la région de l'air se produisent (1) νέφη, ὄμβροι, χιόνες, πάχναι, χάλαζαι, (2) πνοαὶ ἀνέμων καὶ τυφώνων, βρονταί, ἀστραπαί, πτώσεις κεραυνῶν, γνόφων συμπληγάδες. Elles sont distinguées 4, 394 a 15 : (1) exhalaison humide : ὁμίχλαι, δρόσοι, πάγων ἰδέαι, νέφη, ὄμβροι, χιόνες, χάλαζαι ; (2) exhalaison sèche : ἄνεμοι, πνευμάτων διαφοραί, βρονταί, ἀστροπαί, πρηστῆρες, κεραυνοί κτλ. La première catégorie est traitée 4, 394 a 19-b 6, la seconde 4, 394 b 7-17 pour l'air, 395 b 18-396 a 16 pour la terre, 396 a 17-32 pour la mer,

Cette première partie descriptive du π. κ. (ch. 2-4) s'achève sur une conclusion (4, 396 a 28-32) qui révèle l'esprit de l'ouvrage : « Pour tout marquer d'un mot, il est naturel que, par le fait de ce mélange des éléments entre eux, il y ait de l'analogie entre les accidents qui se produisent dans l'air, dans la terre et dans la mer, accidents qui, pour les choses particulières, sont cause de destructions et de générations, mais qui préservent l'ensemble de toute destruction et génération » (1). Quelque précis qu'il ait été dans l'exposé des faits scientifiques, on voit que l'auteur n'a pas voulu traiter ces faits pour eux-mêmes. De là vient qu'il n'a pas tout dit (2), car il a plus souci de dégager des lois que de s'arrêter minutieusement au détail. Ce qui importe pour lui, c'est de manifester que le Kosmos, formé d'éléments divers, n'en est pas moins un, puisqu'il y a correspondance entre ses parties, et que le Kosmos reste éternellement indestructible, malgré la suite indéfinie des naissances et des morts dans les êtres particuliers qui le composent.

Ainsi cette conclusion de la première partie fait-elle transition avec la seconde (ch. 5-7), purement philosophique ou, pour mieux dire, théologique, puisque, de la considération du monde, de son unité, de son équilibre (ch. 5), on s'élève d'abord à l'idée du Dieu qui conserve le monde et en prend soin (ch. 6), puis à celle du Dieu unique malgré la multitude des noms qu'il porte (ch. 7). Rappelons-nous toujours l'axiome de la philosophie hellénistique tel que l'exprime, par exemple, le platonicien Albinos (3) : « Bien utile aussi est l'astronomie, qui constitue une quatrième discipline (4), selon laquelle nous contemplons au ciel la course des astres et de l'ouranos, ainsi que l'auteur de la nuit et du jour, des mois et des années (sc. le soleil) : or, par cette contemplation, suivant une certaine voie appropriée, nous irons à la recherche du Démiurge universel, nous efforçant de l'atteindre à partir de ces disciplines comme à partir d'une base et d'éléments premiers » (μετιόντες ἀπὸ τούτων τῶν μαθημάτων ὥσπερ τινὸς ὑποβάθρας καὶ στοιχείων). C'est à ce pro-

---

(1) Sur ce passage, cf. CAPELLE, *l. c.*, p. 552.
(2) *V. gr.* omission de la Voie Lactée dans le ch. 2 (au contraire Ar., *Météor.*, A 8), de la description de la vie végétale et animale et des différents peuples de la terre dans la partie géographique (ch. 3 : au contraire les manuels hellénistiques, cf. Cic., *n. d.*, II 47, 120 ss.). Cf. d'ailleurs la remarque 6, 397 b 9 : « Il reste à parler *sommairement* (κεφαλαιωδῶς εἰπεῖν), comme on a fait dans les autres chapitres, de la Cause qui maintient ensemble l'univers. En effet, alors que nous traitons du monde, *sinon de façon minutieuse* (εἰ καὶ μὴ δι' ἀκριβείας), *du moins de manière à le faire connaître dans ses grandes lignes* (ἀλλ' οὖν γε ὡς εἰς τυπώδη μάθησιν) », il y aurait négligence à omettre Dieu.
(3) *Didaskalikos*, 7, p. 161 Hermann.
(4) Après l'arithmétique, la géométrie et la musique.

grès, à cette ascension. qu'est consacrée la deuxième partie du π. κ.

Le chapitre 5 est un éloge du Kosmos, où l'on insiste particulièrement sur son unité et son harmonie. Le monde sans doute est composé d'éléments contraires, le sec et l'humide, le froid et le chaud. Mais c'est précisément en ce point que la nature se montre grande artiste, en ce qu'elle sait, d'éléments dissemblables, tirer l'accord et l'unité. L'auteur alors explicite sa pensée par un certain nombre d'exemples : la nature est issue d'un accord originel entre parties contraires (homme et femme), la concorde civique assemble en un même tout les genres de population les plus divers, l'art du peintre consiste à mélanger des couleurs, celui du musicien à fondre ensemble des sons, celui du scribe à associer les voyelles et les consonnes. Ainsi en va-t-il du monde : « Une seule et même puissance qui pénètre à travers toutes choses (1), avec des éléments séparés et hétérogènes, l'air et la terre, le feu et l'eau, a façonné tout l'univers et l'a embrassé sous une même surface sphérique (2), et, forçant les natures les plus contraires à s'accorder mutuellement en lui, elle en a tiré le moyen d'assurer la conservation du Tout » (396 b 28-34). La cause de cette conservation est l'accord des parties; et la cause de cet accord est l'équilibre qui se fait entre elles. De cet équilibre enfin résulte la parfaite ordonnance qui fait du monde le plus beau des êtres.

Suit alors (397 a 5 ss.) l'éloge du monde où nous retrouvons tous les thèmes connus. Rien n'est plus beau que le monde : car, d'abord, le monde est la totalité de l'être, en sorte que, s'il existait un être plus beau que le Kosmos, cet être serait encore partie du Kosmos (3). En second lieu, le monde est l'ordre par excellence, comme l'indique son nom même de « Kosmos » (4). Ceci amène un couplet sur l'ordre

---

(1) μία διὰ πάντων διήκουσα δύναμις 396 b 28. L'expression rappelle sans doute Posidonius, cf. *Comm. Bern. Luc.*, IX, 578 ait *Posidonius Stoicus :* θεός ἐστι πνεῦμα νοερὸν διῆκον δι' ἁπάσης οὐσίας; *deus est spiritus rationalis per omnem diffusus materiam, hunc spiritum summum deum Plato vocat artificem permixtum mundo omnibusque quae in eo sint*, mais elle n'est pas moins commune dans l'ancien stoïcisme, cf. SVF., index, s. v. διήκω.

(2) μιᾷ διαλαβοῦσα σφαίρας ἐπιφανείᾳ 396 b 31. Pour ce sens de διαλαβοῦσα, cf. 393 b 4 (ὁ Ὠκεανός) ἀναφαίνει συνεχῆ τὴν Ἐρυθρὰν θάλασσαν διειληφώς, 393 a 21 (Ὠκεανός) μεγάλους περιλαμβάνων κόλπους ἀλλήλοις συναφεῖς.

(3) τίς γὰρ ἂν εἴη φύσις τοῦδε κρείττων; ἢν γὰρ ἂν εἴπῃ τις, μέρος ἐστὶν αὐτοῦ 397 a 5-6 Le C. H. V emploie le même argument à l'égard de Dieu, considéré dans ce traité d'une manière toute panthéiste, cf. V 9 οὐδὲν γάρ ἐστιν ἐν παντὶ ἐκείνῳ ὃ οὐκ ἔστιν αὐτός. 10 οὐδέν ἐστιν οὗτος ὃ οὐκ ἔστι· πάντα γὰρ <ἃ> ἔστι καὶ οὗτός ἐστι, 11 σὺ οὐ πάντα εἶ καὶ ἄλλο οὐδέν ἐστιν. Voir aussi C. H. XI.21 οὐδὲν γάρ ἐστιν ὃ οὐκ ἔστι.

(4) κόσμος — κεκοσμῆσθαι 397 a 7-8. Jeu de mots usé à l'extrême, cf. 391 b 10 λέγεται δὲ καὶ ἑτέρως κόσμος ἡ τῶν ὅλων τάξις τε καὶ διακόσμησις. Dans l'*Asclépius* 10, l'homme *efficit ut sit ipse et mundus uterque ornamento sibi, ut ex hac hominis divina compositione mundus (Graece rectius* κόσμος) *dictus esse videatur.* Voir Addenda.

du ciel (1). Le monde l'emporte par la grandeur, le mouvement, la splendeur, la puissance ; il n'est susceptible ni de vieillesse ni de corruption. C'est de lui que tous les êtres vivants ont reçu une âme. Même les accidents irréguliers (αἱ παράδοξοι νεοχμώσεις 397 a 20) qui se produisent en lui ne contredisent pas au bel arrangement de l'ensemble. Le désordre se résorbe dans l'ordre. Tout profite au bien général et contribue au salut de l'univers (2) : les séismes expulsent les vents qui circulent dans la terre, la pluie en nettoie la surface des germes morbides, les brises la purifient. Enfin l'équilibre règne parmi les individus eux-mêmes, car les naissances compensent les morts. « Ainsi, du fait que tous les êtres se font équilibre l'un à l'autre, tantôt dominants, tantôt dominés, résulte, jusqu'à la fin, un seul et même principe de salut qui conserve indestructible la totalité du monde pour une durée infinie » (397 b 5-8).

Toute cette esquisse (3) du monde doit nécessairement aboutir, nous l'avons déjà indiqué, à une considération sur Dieu. Car, dès là qu'on traite du monde, il y aurait grande négligence à laisser de côté ce qu'il y a de plus souverain dans le monde (4). Comme ce chapitre 6 a grande importance pour notre objet, comme il est, en outre, un beau morceau de rhétorique grecque tout parsemé de comparaisons, d'exemples et de citations, je l'analyserai ici avec plus de détail que les chapitres précédents, en faisant ressortir l'enchaînement des thèmes.

1) Tout vient de Dieu, tout se maintient par Dieu, il n'y a pas d'être qui se suffise à lui-même (αὐτάρκης) et qui échappe à l'action conservatrice de Dieu. Selon le vieux dicton, tout ce qui existe est plein de dieux : ἀρχαῖος μὲν οὖν τις λόγος... πάσης αἰσθήσεως 397 b 13-19.

2) Cette affirmation ne convient pourtant qu'à la *puissance* (δυνάμει) de Dieu, non à son *essence* (οὐσία) : Dieu n'est pas substantiellement présent dans tous les êtres de l'univers. Sans doute

---

(4) Entre cent exemples, cf. C. H. XI 7 ἴδε καὶ τοὺς ὑποκειμένους ἑπτὰ κόσμους (les sept planètes) κεκοσμημένους τάξει αἰωνίῳ κτλ.

(5) ταῦτα δὲ πάντα ἔοικεν αὐτῇ (sc. τῇ γῇ) πρὸς ἀγαθοῦ γινόμενα τὴν δι' αἰῶνος σωτηρίαν παρέχειν 397 a 31.

(3) ὡς εἰς τυπώδη μάθησιν 397 b 12. Cf. le titre Πυρρώνειοι ὑποτυπώσεις, « Esquisses Pyrrhoniennes », chez Sextus Empiricus pour désigner un compendium (ὡς ἐν τύπῳ ou ἐν ὑποτυπώσει διεξελθεῖν) de la doctrine sceptique, et Galien, XIX 11 ὑποτυπώσεσί τε καὶ ὑπογραφαῖς χρῶνται· καλοῦσι δὲ οὕτως αὐτοὶ τοὺς λόγους ὅσοι διὰ βραχέων ἑρμηνεύουσι τὴν ἔννοιαν τοῦ πράγματος.

(4) τὸ τοῦ κόσμου κυριώτατον 397 b 12. Ou peut-être « ce qui a le plus d'autorité sur le monde ».

il crée (γενέτωρ) et conserve (σωτήρ) toutes choses; néanmoins ce n'est pas à la manière d'un travailleur manuel qui se fatiguerait à la tâche, mais parce que sa puissance s'étend partout jusqu'aux objets les plus distants : τῇ μὲν θείᾳ δυνάμει... περιγίνεται 397 b 19-24.

3) Comment cela se fait-il? Dieu étant établi à la plus haute cime du ciel, la force qui émane de lui se communique d'abord aux êtres les plus proches, le ciel lui-même et les corps célestes, et ainsi, de sphère en sphère, jusqu'à la région sublunaire où l'action divine se fait sentir le plus faiblement parce que cette région est la plus éloignée de Dieu. De là vient le désordre des choses terrestres : celles-ci pourtant ne sont pas entièrement soustraites à la force divine, car cette force pénètre partout : τὴν μὲν οὖν... μεταλαμβάνοντα 397 b 24-398 a 1.

4) Si donc Dieu est réellement la cause qui conserve tous les êtres, c'est par l'effet d'une communication à distance, non pas comme s'il agissait par lui-même en ces lieux terrestres où il y aurait indignité pour lui à se commettre : κρεῖττον οὖν... τὰ ἐπὶ γῆς 398 a 1-6.

Comparaison du chef d'armée, du gouverneur de ville ou de maison qui abandonnent aux esclaves les bas offices : τοῦτο μὲν γὰρ... ποιήσειεν 398 a 6-10.

Comparaison du Grand Roi qui ne se charge pas lui-même de toutes les besognes du gouvernement, mais, retiré au fond de son palais, agit dans toutes les parties de l'Empire par les officiers qu'il y députe : ἀλλ' οἷον ἐπὶ τοῦ μεγάλου βασιλέως ἱστορεῖται... ἐπὶ τῆς γῆς σωτηρίας 398 a 10-b 10 (1).

5) En outre, cette action divine est parfaitement simple. Dieu n'a besoin ni de moyens artificiels (2) ni de l'aide d'autrui. Une seule « chiquenaude » produit, par contacts successifs, tous les mouvements les plus divers du monde : οὐδὲν γὰρ ἐπιτεχνήσεως... παντοδαπὰς ἀποτελεῖν ἰδέας 398 b 10-14.

Comparaison des ingénieurs de machines : ὥσπερ ἀμέλει δρῶσιν οἱ μηχανοτέχναι... ἀποτελοῦντες 398 b 14-16.

Comparaison des montreurs de marionnettes : ὁμοίως δὲ καὶ οἱ νευροσπάσται..., οὕτως οὖν καὶ ἡ θεία φύσις... γενομένης 398 b 16-22 (3).

---

(1) Pour la comparaison de Dieu et du Grand Roi, cf. E. Peterson, *Der Monotheismus als politisches Problem* (Leipzig, 1935), pp. 24 ss. (Philon) et notes 28 ss., pp. 48 ss (Maxime de Tyr, Aelius Aristide, Celse) et notes 83 ss. Voir *Addenda*.

(2) ἐπιτεχνήσεως 398 b 10. L' ἐπιτέχνησις est le moyen artificiel (τέχνη) que l'on ajoute (ἐπί) à ses forces naturelles pour produire un effet donné.

(3) On notera dans ce paragraphe et le suivant l'opposition fréquente entre ἁπλοῦς, εἷς d'une part, παντοδαπός, πολύς, ποικίλος, ἀλλοῖος d'autre part pour mettre en contraste la simplicité et l'unicité de l'action divine et la diversité des effets produits. V. gr. τὸ μετὰ... ἁπλῆς κινήσεως παντοδαπὰς ἀποτελεῖν ἰδέας 398 b 13; διὰ μιᾶς ὀργάνου

6) Diversité des réactions individuelles : δρώντων μὲν πάντων... μιᾶς γενομένης 398 b 24-27.

Comparaison des volumes de forme diverse jetés d'un même récipient : ὥσπερ ἄν εἴ τις ἐξ ἄγγους... σχῆμα 398 b 27-29.

Comparaison des animaux d'espèce différente lâchés ensemble : ἢ εἴ τις ὁμοῦ ζῷον... οὕτως καὶ ἐπὶ κόσμου... τοῦ ὑποκάτω 398 b 30-399 a 11.

7) Cette unité dans la diversité produit l'harmonie : μία δὲ ἐκ πάντων ἁρμονία... ὀνομάσασα 399 a 12-14.

Comparaison du chœur mû par un même coryphée : καθάπερ δὲ ἐν χορῷ... οὕτως ἔχει καὶ ἐπὶ τοῦ θεοῦ... ἐκ μιᾶς ἀρχῆς 399 a 14-35.

Comparaison de l'armée se mettant en disposition de combat à un même signal : ἔοικε δὲ κομιδῇ τὸ δρώμενον... οὕτω χρὴ καὶ περὶ τοῦ σύμπαντος φρονεῖν... γίνεται τὰ οἰκεῖα 399 a 35-b 11.

8) Dieu, on l'a marqué déjà (1), est invisible. Mais cette invisibilité ne l'empêche aucunement d'agir : καὶ ταύτης (*sc. τῆς ῥοπῆς*) ἀοράτου... πρὸς τὸ πιστεῦσαι 399 b 12-13.

Comparaison de l'âme qui, bien qu'invisible, se laisse voir à ses œuvres (2) : καὶ γὰρ ἡ ψυχή... εἰρήνη 399 b 14-19. Il en va de même avec Dieu : tout en demeurant invisible, il se laisse contempler à partir de ses créations : ταῦτα χρὴ καὶ περὶ θεοῦ διανοεῖσθαι... διότι πάσῃ θνητῇ φύσει γενόμενος ἀθεώρητος ἀπ' αὐτῶν τῶν ἔργων θεωρεῖται 399 b 19-22.

9) Tout en effet est l'œuvre de Dieu, tout vient de lui (citation d'Empédocle, fr. 21, 9-11 Diels), toute la structure du monde dépend de lui : τὰ γὰρ πάθη... ἰχθῦς 399 b 22-28.

Comparaison de la clé de voûte qui soutient le cintre : ἔοικε δὲ ὄντως τοῖς ὀμφαλοῖς... ἀκίνητον 399 b 29-33.

σχαστηρίας πολλὰς καὶ ποικίλας ἐνεργείας ἀποτελοῦντες b 15; μίαν μήρινθον ἐπισπασάμενοι ποιοῦσι... πάντα τὰ μέρη (κινεῖσθαι) b 17; ἀπό τινος ἁπλῆς κινήσεως, **la θεία** φύσις **fait passer son action jusqu'aux êtres les plus distants** b 20; bien que le **signal du mouvement soit** *unique* (τῆς πρώτης ἐνδόσεως μιᾶς γενομένης), les effets sont *multiples* et *divers* (διαφόρου καὶ ἑτεροίας, *sc.* ὁδοῦ πᾶσιν οὔσης) b 25; εἴ τις ἐξ ἄγγους ὁμοῦ ῥίψειε **des volumes divers, chacun tombera selon sa forme propre** b 27; εἴ τις ὁμοῦ ἐκβάλοι **des animaux d'espèce différente, chacun ira dans son lieu propre, bien qu'ils aient tous été lâchés par un même geste** (μιᾶς τῆς πρώτης αἰτίας κτλ.) b 30; διὰ γὰρ ἁπλῆς περιαγωγῆς... ἀλλοῖαι πάντων διέξοδοι γίνονται, καίτοι ὑπὸ μιᾶς σφαίρας περιεχομένων 399 a 1; ἐν διαφόροις φωναῖς... μίαν ἁρμονίαν κεραννύντων 399 a 16; μυρίας ἰδέας ἀναφαίνουσα... ἐκ μιᾶς ἀρχῆς a 34; ὑπὸ γὰρ μιᾶς ῥοπῆς... γίνεται τὰ οἰκεῖα b 11. Bref, μία ἐκ πάντων ἁρμονία... ἐξ ἑνός τε γίνεται καὶ εἰς ἓν ἀπολήγει 399 a 12, **cette harmonie impliquant tout ensemble et l'unité d'action de la part du moteur et la diversité des réactions de la part des objets mus. C'est là une des idées directrices de l'ouvrage**, cf. déjà 5, 397 b 5 μία δὲ ἐκ πάντων περαινομένη σωτηρία κτλ.

(1) Le Grand Roi est παντὶ ἀόρατος 398 a 14; ὁ πάντων ἡγεμών τε καὶ γενέτωρ, ἀόρατος ὢν ἄλλῳ πλὴν λογισμῷ 399 a 30.

(2) ἀόρατος οὖσα τοῖς ἔργοις αὐτῆς ὁρᾶται 399 b 15.

Comparaison de la petite image de Phidias qui, fixée au centre du bouclier de l'Athéna chryséléphantine, soutient tout l'assemblage de la statue : φασὶ δὲ καί... τοῦτον οὖν ἔχει τὸν λόγον ὁ θεὸς ἐν κόσμῳ... σωτηρίαν 399 b 33-400 a 4.

10) Avec cette différence toutefois que Dieu n'a pas son siège dans l'air trouble de la région sublunaire (ὁ θολερὸς τόπος οὗτος 400 a 5) (1), mais dans la pure région de l'éther (ἀλλ' ἄνω καθαρὸς ἐν καθαρῷ χωρῷ βεβηκώς a 6) : 400 a 4-6.

Ce point est illustré :

a) par des étymologies fantaisistes d'οὐρανός (ἀπὸ τοῦ ὅρον εἶναι τὸν ἄνω) et d' Ὄλυμπος (οἷον ὁλολαμπῆ) : 400 a 6-10 ;

b) par le témoignage d'Homère (*Od.*, VI 42-45) : 400 a 10-14 ;

c) par le témoignage du geste de prière commun à tous les hommes (lever les mains vers le ciel) : 400 a 15-19.

Cette région de l'éther est celle qu'occupent aussi les astres, dont l'ordre parfait contraste avec le désordre des choses terrestres : διὸ καὶ τῶν αἰσθητῶν τὰ τιμιώτατα... τοὺς νεανίσκους 400 a 20-b 6.

11) En résumé (καθόλου 400 b 6), Dieu est dans le monde ce qu'est le pilote sur un navire, le cocher sur un char, le coryphée dans un chœur, le législateur dans une cité, le général dans le camp, sauf que, à la différence des chefs terrestres, il n'éprouve aucune fatigue (2). « Fermement établi dans l'immuable (3), Dieu, par sa force active, met en mouvement et fait tourner l'univers, là où il le veut et comme il le veut, selon la diversité des formes et des natures, de même que la loi civique, immuablement fixée dans l'âme de ceux qu'elle régit, gouverne toute la vie de l'État » (400 b 11-15) : καθόλου δέ... τὰ κατὰ τὴν πολιτείαν 400 b 6-15.

Comparaison de la cité du monde (οὕτως ὑποληπτέον καὶ ἐπὶ τῆς μείζονος πόλεως, λέγω δὲ τοῦ κόσμου b 27) avec la cité terrestre. Dieu est une loi aux balances égales (νόμος... ἰσοκλινὴς ὁ θεός b 28). Sans se mouvoir lui-même, il préside à la naissance et au développement de toutes les espèces de plantes et d'animaux comme la loi civique préside à toutes les manifestations les plus diverses de la vie politique et sociale : 400 b 13-401 a 11.

Ainsi s'achève ce paragraphe assez pauvre de pensée, mais tout

---

(1) Cf. *supra*, p. 474, n. 1.
(2) Cp. τοῖς μὲν καματηρὸν τὸ ἄρχειν 400 b 9 et οὐ μὴν αὐτουργοῦ καὶ ἐπιπόνου ζῴου κάματον ὑπομένων 397 b 22. Il y a peut-être ici une allusion aux critiques des Épicuriens à l'égard de la doctrine de la Providence.
(3) ἐν ἀκινήτῳ ἱδρυμένος 400 b 11, cf. ἡγουμένου δὲ ἀκινήτως αὐτοῦ b 31, νόμος ἀκίνητος ὤν b 14.

farci de morceaux de bravoure (la vie dans la cité b 15 ss.) et de citations (1). Le chapitre 6 finit sur une citation d'Héraclite (fr. 11 Diels), comme le suivant finira sur une citation de Platon.

Le chapitre septième et dernier est entièrement consacré au seul problème de l'unité et de la polyonymie de Dieu. Le principe, indiqué dès le début (401 a 12) : « Dieu est unique, mais il porte une multitude de noms car il en reçoit autant qu'il y a d'effets nouveaux dont il se montre la cause » (2), est illustré par une série d'exemples. Outre les noms propres Zên et Zeus (à l'accusatif Δία) expliqués, selon la méthode stoïcienne, par « δι' ὃν ζῶμεν » (3), et la dénomination d'origine « Fils de Kronos » (4), on trouve ici les épithètes concernant le dieu météorologique (qui lance l'éclair, Tonnant, etc.), le dieu qui fait mûrir les fruits (Epikarpios), le dieu protecteur de la vie sociale — famille et cité (Polieus, Généthlios, etc.), relations d'amitié (Hétaireios, Philios), hospitalité (Xénios), — le dieu qui assiste à la guerre (Stratios, Tropaiouchos), le dieu qui préside aux purifications (Katharsios, etc.), enfin les deux grands titres hellénistiques, Sauveur et Libérateur : « pour tout dire, (on le nomme) dieu du Ciel et des Enfers (χθόνιος), car il tire son nom de tout ce qui est produit par la nature ou le hasard, puisqu'il est lui-même la cause de tout » (401 a 25-27). Ceci mène à la citation d'un poème orphique sur le thème « Zeus principe, milieu et fin de tous les êtres » (fr. 21 a Kern) (5).

Ce poème orphique sert de transition entre la première série de dénominations, qui ressortit à la religion traditionnelle, et la seconde, qui relève de la philosophie. C'était un vieux problème, disputé depuis Homère, de savoir si le « roi des hommes et des dieux » doit lui aussi courber la tête devant l'Anankè, et de préciser au juste ses relations avec cette Règle inflexible de tous les événements du monde. Le π. κ., suivant en cela le stoïcisme (6), identifie ces deux principes : Zeus *est* la Nécessité (Ἀνάγκη), la Fatalité (Εἱμαρμένη),

---

(1) Soph., *Œd. Roi* 4-5, Hom., *Od.*, XV 116 (XI 590), V 64, VII 115 (XI 589).
(2) κατονομαζόμενος τοῖς πάθεσι πᾶσιν ἅπερ αὐτὸς νεοχμοῖ, cf. 5,397 a 20 τούτου (sc. τοῦ κόσμου) καὶ αἱ παράδοξοι νεοχμώσεις. Mot poétique, cf. *supra*, p. 490, n. 4.
(3) Chrysippe, fr. 1021, 1062, 1076 Arn. Cf. Ed. Norden, *Agn. Th.*, p. 22.
(4) Kronos expliqué par Χρόνος = Temps, cf. Chrys., fr. 1087, 1091 Arn.
(5) Sur la date de ce poème orphique (pas antérieur au Stoïcisme), cf. Ed. Zeller, *Kleine Schriften*, II, pp. 120 ss., en particulier pp. 146-180.
(6) Cf. Zénon, fr. 102 Arn. (= Diog. La. VII 185) ἕν τε εἶναι θεὸν καὶ νοῦν καὶ εἱμαρμένην καὶ Δία πολλαῖς τε ἑτέραις ὀνομασίαις προσονομάζεσθαι, Cléanthe, fr. 527 Arn. ἄγου δέ μ', ὦ Ζεῦ, καὶ σύ γ' ἡ πεπρωμένη, et les textes de Chrysippe, S. V. F., index, *s. v.* Ζεύς, col. 2.

la Destinée (Πεπρωμένη), la Part Assignée à chacun (Μοῖρα), la Justice Distributive (Νέμεσις), le Sort Inévitable (Ἀδράστεια), l'Arrêt du Destin (Αἶσα), chacun de ces termes étant expliqué, selon sa forme grecque, par un recours plus ou moins légitime à l'étymologie (1) : 401 b 8-14.

A la fin du mythe d'Er dans la *République* (X 620 d ss.), Platon nous montre les âmes, dont chacune a tiré son lot, passant devant les trois Parques (2). Lachésis donne à chaque âme un « ange gardien » (δαίμονα) pour la garder durant sa nouvelle vie terrestre, puis l'âme passe sous le fuseau de Klotho, enfin elle gagne la trame d'Atropos qui rend sa destinée irrévocable. Les âmes alors vont boire de l'eau du fleuve Amélès, elles s'endorment, et, réveillées par un coup de tonnerre, s'élancent vers leur destin. Là-dessus, Er, qui s'est réveillé comme les autres, se retrouve tout soudain sur son bûcher. « Et c'est ainsi, Glaucon, que ce conte a été sauvé de l'oubli et ne s'est point perdu » (καὶ οὕτως, ὦ Γλαύκων, μῦθος ἐσώθη καὶ οὐκ ἀπώλετο 621 b). L'auteur du π. κ. a voulu finir lui aussi sur le beau symbole des Parques. Il en rappelle la signification, et il ajoute à son tour : « Et voilà que, moi aussi, j'ai achevé mon conte, avec ordre et beauté » (περαίνεται δὲ καὶ ὁ μῦθος οὐκ ἀτάκτως) (3). Tout ce qu'on vient de dire — sur les trois Parques — ne concerne nul autre que Dieu. Une citation du « valeureux Platon » (4) sert de conclusion à tout l'ouvrage.

Et le rappel du symbole des Parques, et l'emploi du vieux dicton καὶ ὁ μῦθος ἀπώλετο (ἐσώθη) dont Platon aussi, maintes fois, avait déjà fait usage, et la citation terminale de Platon donnent à la conclusion du chapitre 7 une couleur hautement littéraire. L'auteur a eu souci de faire une œuvre d'art, une œuvre belle à contempler. Ce soin de la forme dénote le caractère protreptique du π. κ. : le monde n'y est décrit que pour inciter les âmes à l'admiration, et, par l'admiration des choses visibles, à la connaissance et à l'adoration du Dieu invisible (5).

(1) C'est, ici encore, un trait stoïcien. Voir *Addenda*.
(2) Dont le rôle est décrit plus haut, 617 c-d.
(3) Il est possible, comme le pense Wilamowitz, *Gr. Les.*, II 2, p. 134, que l'auteur veuille dire que son ouvrage participe à la περάτωσις et à la τάξις universelles. Mais cette interprétation paraît un peu trop recherchée.
(4) *Lois*, IV 715 e-716 a et V 730 b-c.
(5) Cf. C. H., IV, 2 θεατὴς ἐγένετο τῶν ἔργων τοῦ θεοῦ ὁ ἄνθρωπος, καὶ ἐθαύμασε, καὶ ἐγνώρισε τὸν ποιήσαντα, XIV, 3, ἄξιόν ἐστι νοῆσαι καὶ νοήσαντα θαυμάσαι καὶ θαυμάσαντα ἑαυτὸν μακαρίσαι τὸν γνήσιον πατέρα γνωρίσαντα, et Norden, *Agn. Th.*, pp. 88 ss.

§ 4. Les doctrines du περὶ κόσμου.

On a remarqué depuis longtemps que le π. κ. subit l'influence de deux systèmes, celui d'Aristote et celui des Stoïciens. Zeller (1) note comme aristotéliciennes (2) : l'opposition entre le monde supérieur immuable et parfaitement ordonné et la région sublunaire soumise au changement et au désordre (3); la doctrine selon laquelle la perfection des êtres diminue en fonction de leur éloignement du premier ciel (4); la doctrine de l'éther, cinquième élément, que l'auteur oppose de façon très explicite à la thèse stoïcienne selon laquelle les astres seraient formés de feu (5); la doctrine de l'éternité du monde, opposée à la thèse stoïcienne des destructions périodiques du kosmos (6); enfin et surtout la doctrine de la transcendance divine par laquelle l'auteur se sépare, ici encore, des Stoïciens qui soutenaient le dogme de l'immanence (7).

Cependant, l'influence du stoïcisme n'est pas moins manifeste (8). La première définition du monde au ch. 2 : « le monde est l'assemblage que forment le ciel et la terre avec tous les êtres qu'ils contiennent » est celle de Chrysippe (9). Stoïcienne, et peut-être posi-

---

(1) *Ph. d. Gr.*, III 1, p. 660. Voir aussi CAPELLE, *l. c.*, p. 537, n. 2.
(2) Pour certaines de ces doctrines, il faudrait même dire « platonico-aristotéliciennes ».
(3) 6, 397 b 30 διὸ γῇ τε καὶ τὰ ἐπὶ γῆς ἔοικεν ἀσθενῆ καὶ ἀκατάλληλα εἶναι καὶ πολλῆς μεστὰ ταραχῆς, 400 a 5 Dieu n'est pas dans la région de la terre et de l'air θολερός, mais ἄνω ἐν καθαρῷ χώρῳ, a 20 ss. contraste entre les astres qui τὴν αὐτὴν σώζοντα τάξιν διακεκόσμηται καὶ οὔποτε ἀλλοιωθέντα μετεκινήθη, et les choses de la terre qui εὔτρεπτα ὄντα πολλὰς ἑτεροιώσεις καὶ πάθη ἀναδέδεκται.
(4) 6, 397 b 27 ss.
(5) 2, 392 a 5 οὐρανοῦ δὲ καὶ ἄστρων οὐσίαν μὲν αἰθέρα καλοῦμεν, οὐχ, ὥς τινες, διὰ τὸ πυρώδη οὖσαν αἴθεσθαι, a 29 ss. ὁ τῆς σελήνης (κύκλος) μέχρι γῆς ὁρίζεται. ὁ δὲ αἰθὴρ τά τε θεῖα ἐμπεριέχει σώματα καὶ τὴν τῆς κινήσεως τάξιν, 3, 392 b 35 πέντε δὴ στοιχεῖα ταῦτα ἐν πέντε χώραις σφαιρικῶς ἐγκείμενα.
(6) 4, 396 a 27 : il y a sans doute dans le monde des destructions partielles, mais le monde lui-même est ἀγένητος et ἀνώλεθρος, 397 a 15 le monde est ἀγήρως τε καὶ ἄφθαρτος, b 5 le monde ἄφθαρτος δι' αἰῶνος.
(7) 6, 397 b 19 τῇ μὲν θείᾳ δυνάμει πρέποντα καταβαλλόμενοι λόγον, οὐ μὴν τῇ γε οὐσίᾳ 398 a 1 κρεῖττον οὖν ὑπολαβεῖν, ὃ καὶ πρέπον ἐστὶ καὶ θεῷ μάλιστα ἁρμόζον, ὡς ἡ ἐν οὐρανῷ δύναμις ἱδρυμένη καὶ τοῖς πλεῖστον ἀφεστηκόσιν... αἴτιος γίνεται σωτηρίας, μᾶλλον ἢ ὡς διήκουσα καὶ φοιτῶσα ἔνθα μὴ καλὸν μηδὲ εὔσχημον αὐτουργεῖ τὰ ἐπὶ γῆς, et la comparaison du Grand Roi 398 b 4-22. L'alliance διήκουσα καὶ φοιτῶσα est stoïcienne, cf. Chrysippe, fr. III 370 Arn. ἔστι τι διῆκον δι' ἡμῶν τε καὶ ἐκείνων (les animaux) πνεῦμα... ἰδοὺ γὰρ καὶ διὰ τῶν λίθων καὶ διὰ τῶν φυτῶν πεφοίτηκέ τι πνεῦμα.
(8) Cf. ZELLER, *op. cit.*, p. 662.
(9) Cp. π. κ. 391 b 9 κόσμος μὲν οὖν ἐστὶ σύστημα ἐξ οὐρανοῦ καὶ γῆς καὶ τῶν ἐν τούτοις περιεχομένων φύσεων et Chrys., fr. II 527 Arn. (= Stob., I, p. 184.8 Wachsm.) κόσμον δ' εἶναί φησιν ὁ Χρύσιππος σύστημα ἐξ οὐρανοῦ καὶ γῆς καὶ τῶν ἐν τούτοις φύσεων. Des trois définitions chrysippéennes énoncées en ce passage, le π. κ. garde la première sans changement (cf. *supra*), il omet la seconde (ἢ τὸ ἐκ θεῶν καὶ ἀνθρώπων σύστημα καὶ ἐκ τῶν ἕνεκα τούτων γεγονότων), enfin, comme le note Zeller (*l. c.*, p. 661, n. 1), il corrige la troisième dans un sens aristotélicien, cp. Chrys. λέγεται δ' ἑτέρως κόσμος ὁ θεός, καθ', ὃν ἡ διακόσμησις γίνεται καὶ τελειοῦται et π. κ. 391 b 10 λέγεται δὲ καὶ ἑτέρως κόσμος ἡ

donienne, est la doctrine selon laquelle l'harmonie du monde tient au fait que les parties qui le composent, bien que contraires l'une à l'autre, se font mutuellement équilibre (ch. 5); stoïciennes, la doctrine du πνεῦμα (1), celle de la Providence, et d'une Providence qui s'étend à tous les êtres du monde (2), la définition de Dieu comme loi de l'univers « aux balances égales » (νόμος ἰσοκλινής) (3), l'application à Dieu des concepts de Nécessité, Fatalité, Moira, etc., ainsi que les raisons étymologiques sur lesquelles se fondent ces attributions.

On peut donc dire, avec Zeller (4), que l'auteur veut garder la doctrine aristotélicienne, mais en y adjoignant tout ce qui, dans le stoïcisme, n'y contredit pas. Bref, le π. κόσμου est un monument typique du dogmatisme éclectique.

Cette constatation, à vrai dire, n'est pas neuve et il n'y a pas lieu de nous y arrêter. Mais ce n'est pas seulement par l'éclectisme que le π. κ. apparaît comme significatif de l'époque. D'autres points de doctrine se montrent ici, qui tiendront une grande place dans la littérature théologique des deux premiers siècles de l'Empire, et particulièrement dans l'hermétisme. J'en voudrais relever au moins trois :

τῶν ὅλων τάξις τε καὶ διακόσμησις, ὑπὸ θεοῦ τε καὶ διὰ θεὸν φυλαττομένη. Noter en passant que les deux premières définitions que la source de Stobée rapporte à Chrysippe sont données comme de Posidonius (ἐν τῇ μετεωρολογικῇ στοιχειώσει) dans Diog. La., VII 138. Ceci montre qu'il est prudent de ne pas tenir pour spécifiquement « posidoniennes » toutes les δόξαι attribuées à Posidonius. La première définition est aussi dans Cléomède, I 1, p. 2.9 Ziegler.

(1) 1re définition du πνεῦμα, π. κ. 4, 394 b 8 οὐδὲν γάρ ἐστιν οὗτος (sc. ὁ ἄνεμος) πλὴν ἀὴρ πολὺς ῥέων καὶ ἁθρόος· ὅστις ἅμα καὶ πνεῦμα λέγεται = Chrys., fr. II 697 οἱ Στωικοὶ πᾶν πνεῦμα ἀέρος εἶναι ῥύσιν. 2e définition du πνεῦμα, π. κ. 4, 394 b 9 λέγεται δὲ καὶ ἑτέρως πνεῦμα ἥ τε ἐν φυτοῖς καὶ ζῴοις καὶ διὰ πάντων διήκουσα ἔμψυχός τε καὶ γόνιμος οὐσία = Chrys., fr. III 370 ἔστι τι διῆκον δι' ἡμῶν τε καὶ ἐκείνων (les animaux) πνεῦμα... · ἰδοὺ γὰρ καὶ διὰ τῶν λίθων καὶ διὰ τῶν φυτῶν πεφοίτηκέ τι πνεῦμα. Sans doute la doctrine du πνεῦμα joue aussi un rôle dans le Lycée (cf. W. JAEGER, *Das Pneuma im Lykeion*, Hermes, XLVIII, 1913, pp. 50 ss.), mais, sous la forme qu'elle revêt dans le π. κ., elle ressortit au stoïcisme.

(2) 6, 397 b 13 ἀρχαῖος μὲν οὖν τις λόγος καὶ πάτριός ἐστι πᾶσιν ἀνθρώποις ὡς ἐκ θεοῦ πάντα καὶ διὰ θεὸν συνέστηκεν, οὐδεμία δὲ φύσις αὐτὴ καθ' ἑαυτήν ἐστιν αὐτάρκης, ἐρημωθεῖσα τῆς ἐκ τούτου σωτηρίας, b 20 σωτὴρ μὲν γὰρ ὄντως ἁπάντων ἐστὶ καὶ γενέτωρ τῶν ὁπωσδήποτε κατὰ τόνδε τὸν κόσμον συντελουμένων ὁ θεός, b 32 οὐ μὴν ἀλλὰ καθ' ὅσον ἐπὶ πᾶν διικνεῖσθαι πέφυκε τὸ θεῖον, 392 a 2 ἡ ἐν οὐρανῷ δύναμις ἱδρυμένη καὶ τοῖς πλεῖστον ἀφεστηκόσιν... αἴτιος γίνεται σωτηρίας, b 20 ἡ θεία φύσις ἀπό τινος ἁπλῆς κινήσεως τοῦ πρώτου τὴν δύναμιν εἰς τὰ συνεχῆ δίδωσι, καὶ ἀπ' ἐκείνων πάλιν εἰς τὰ πορρωτέρω, μέχρις ἂν διὰ τοῦ παντὸς διεξέλθῃ. De même que dans les passages aristotéliciens on pouvait sentir de discrètes critiques à l'égard du stoïcisme, de même perçoit-on, dans l'un au moins de ces passages sur la Providence, une discrète critique à l'endroit d'Aristote : 6, 397 b 20 σωτὴρ μὲν γὰρ ὄντως ἁπάντων ἐστὶ... ὁ θεός.

(3) 6, 400 b 28 : cf. Zénon, fr. 162 Arn., en particulier Diog. La., VII 88 ὁ νόμος ὁ κοινός, ὅσπερ ἐστὶν ὁ ὀρθὸς λόγος, διὰ πάντων ἐρχόμενος, ὁ αὐτὸς ὢν τῷ Διί, καθηγεμόνι τούτῳ τῆς τῶν ὄντων διοικήσεως ὄντι.

(4) *L. c.*, p. 663.

l'éminente dignité de Dieu, infiniment éloigné des choses de la terre;

l'unicité de Dieu;

la polyonymie de Dieu.

a) Dieu, est-il dit, est établi à la plus haute cime de l'univers (ἐκ ἀκροτάτῃ κορυφῇ τοῦ σύμπαντος οὐρανοῦ); de là vient qu'il est appelé le Très-Haut (ὕπατος 397 b 25). Et, si Dieu est ainsi conçu comme infiniment éloigné de la terre (sise au centre du monde), c'est parce qu'il serait indigne de lui d'administrer personnellement les choses terrestres (μᾶλλον ἤ... αὐτουργεῖ τὰ ἐπὶ γῆς) en fréquentant des lieux où il n'y aurait pour lui ni bienséance ni décence à se commettre (398 a 4 ss.).

Nous avions vu plus haut (1) que l'une des tendances de la théologie hellénistique avait été d'étendre le domaine de la présence de Dieu en le faisant pénétrer jusqu'aux êtres les plus infimes de la terre : car il se révélait, même en ces êtres, des propriétés admirables qui ne pouvaient être que des manifestations directes de l'action divine. En outre, nous avions observé que ce dogme de la présence universelle de la divinité avait dû contribuer à enrichir et vivifier le sentiment religieux, du moins dans certaines âmes, comme il se voit dans le cas de Virgile. La tendance du π. κ. est toute contraire. On peut y reconnaître comme une annonce, encore timide, de ce qui éclatera dans le dualisme radical de la gnose. Car ce qui se montre ici, ce n'est pas seulement le dessein, fréquent sous l'Empire, d'exhausser la divinité autant qu'il est possible (2). C'est aussi l'idée que la terre est un lieu indigne de la perfection divine, un lieu impur (3), pour tout dire un lieu formé de matière grossière et entaché de mal. On voit donc percer dans le π. κ. une tendance à opposer Dieu et la terre, comme le domaine du Bien absolu à la propre région du mal : or c'est là l'idée fondamentale du dualisme gnostique (4). Néanmoins, dans le π. κ., cette idée se présente encore sous une forme très atténuée, et elle s'y mêle à des éléments stoï-

---

(1) Cf. *supra*, pp. 422 ss.

(2) Cf. *Ascl.* 41 *Gratias tibi, summe exsuperantissime*, Cumont, *Arch. f. Religionsw.*, IX (1906), pp. 236 ss., Id. *ap.* P. W. 444 ss. (*Hypsistos*), J. Kroll, *Lehren des H. T.*, p. 7, et, dans ma *Religion grecque* (éd. Quillet, Paris, 1944), le paragraphe sur Théos Hypsistos, pp. 136-139.

(3) πλὴν οὔτε μέσος ὤν (sc. ὁ θεός), ἔνθα ἡ γῆ τε καὶ ὁ θολερὸς τόπος οὗτος, ἀλλ' ἄνω καθαρὸς ἐν καθαρῷ χωρῷ βεβηκώς 400 a 4.

(4) Dans le C. H., on rencontre un dualisme radical, tout le Kosmos étant mauvais (VI 4 ὁ γὰρ κόσμος πλήρωμά ἐστι τῆς κακίας, ὁ δὲ θεὸς τοῦ ἀγαθοῦ), et un dualisme mitigé où, le monde étant bon, c'est la terre seule qui est dite mauvaise (IX 4 τὴν γὰρ κακίαν ἐνθάδε δεῖν οἰκεῖν εἶπον ἐν τῷ ἑαυτῆς χωρίῳ οὖσαν· χωρίον γὰρ αὐτῆς ἡ γῆ, οὐχ ὁ κόσμος, ὥς ἔνιοί ποτε ἐροῦσι βλασφημοῦντες).

ciens qui conduisent à une doctrine panthéiste exactement contraire au dualisme. Nous trouvons, dans l'*Asclépius* hermétique, un mélange analogue : Dieu est établi sans doute à la pointe du premier ciel (car il existe un lieu supracéleste, une région sans étoiles, infiniment éloignée des choses corporelles), mais en même temps Dieu est partout (1).

b) Dieu est un : εἷς ὤν (7, 401 a 12). La doctrine de l'unicité de Dieu est un des thèmes constants de l'hermétisme. Non seulement on la rencontre en des mentions passagères dans différents traités du *Corpus Hermeticum*, notamment dans la formule typique « (Dieu) Un et Seul » ou « Un Seul » (2), mais encore elle fait l'objet d'une démonstration en règle dans le XIe traité (§ 5). L'auteur vient d'établir qu'il existe un Dieu créateur, puis il poursuit :

« Maintenant, que ce Dieu soit aussi unique, c'est très manifeste. En effet l'âme est une, la vie est une, la matière est une. Quel est donc ce Créateur? Qui peut-il être sinon le Dieu unique? A quel autre en effet conviendrait-il de créer des vivants pourvus d'une âme, si ce n'est à Dieu seul? Dieu est donc unique. C'est chose fort risible si, après avoir reconnu que le monde est éternellement un, le soleil un, la lune une, l'activité divine une, tu veux que Dieu, lui, soit membre d'une série (πόστον)! C'est donc Dieu seul qui crée toutes choses » (3).

Or cette idée de l'unicité divine est l'une de celles qui ont préoccupé la pensée hellénistique. Les stoïciens par exemple ont cherché à accorder leur notion d'un Dieu unique, le Souffle qui emplit l'univers, avec les dieux multiples du polythéisme traditionnel. Et ils y sont parvenus en considérant que Dieu, unique dans son essence, s'offre à nous sous des aspects divers qui répondent à la multiplicité de ses fonctions. Sans doute rapportons-nous chacune de ces fonctions à un dieu différent, Hélios, Apollon, Dionysos, etc. Mais c'est là en réalité le même Dieu. L'idée est bien exprimée par Servius (*ad Georg.* I 5) : « Les Stoïciens disent qu'il n'y a qu'un seul

---

(1) *Ascl.* 27 *deus supra verticem summi caeli consistens ubique est omniaque circum inspicit. sic est enim ultra caelum locus sine stellis ab omnibus rebus corpulentis alienus.* Comme le remarque J. Kroll *(Lehren d. H. T.,* p. 46), le panthéisme hermétique est en général moins raffiné que celui du π. κ., car il ne distingue pas entre l'essence et la puissance de Dieu : c'est par son essence même que Dieu est en toutes choses, et non pas seulement par sa puissance.

(2) C. H. IV 1 (ἑνὸς μόνου), 8 (ἵνα πρὸς τὸν ἕνα καὶ μόνον θεὸν σπεύσωμεν), V 1 (ὁ δὲ εἷς ἀγέννητο.), XI 5 (οὐδὲν γὰρ ὅμοιον τῷ ἀνομοίῳ καὶ μόνῳ καὶ ἑνί), XIV 3 (οὗτος δὲ κρείττων καὶ εἷς καὶ μόνος ὄντως σοφὸς τὰ πάντα).

(3) Cf. aussi C. H. XI 9 où est réfutée la notion d'une dualité de créateurs en vertu du principe μία ἐπὶ πολλῶν οὐ τηρεῖται τάξις qui rappelle le vers homérique (*Il.*, II 204) οὐκ ἀγαθὸν πολυκοιρανίη, εἷς κοίρανος ἔστω cité par Aristote, *Méta.*, Λ, 10, 1076 a 3 ss. : cf. E. PETERSON, *Der Monotheismus als politischer Problem*, pp. 13 ss.

Dieu, et une seule et même puissance (divine), qui reçoit des noms différents en conséquence de ses fonctions » (1). Il faut répudier les fables des poètes, dit de même Balbus dans le *de nat. deorum* (II, 28, 71) et n'admettre qu'un seul Dieu qui pénètre tous les êtres quels qu'ils soient, qui, dans la terre, est Cérès, dans la mer, Neptune, et ainsi pour chaque chose. Enfin Varron (fr. 15 b Agahd) : « Il faut tenir que tous les dieux et déesses sont le seul Jupiter, soit que, comme certains le veulent, toutes ces choses soient des parties de Dieu, soit qu'elles soient des puissances de Dieu, selon l'opinion de ceux qui font de Dieu l'âme du monde... Toute cette vie universelle est celle d'un même Être vivant, qui contient tous les dieux à titre de puissances, de membres ou de parties ». Et encore (fr. 15 c Ag.) : « C'est à Jupiter qu'il faut rapporter tous les autres dieux... puisqu'il est lui-même tous les dieux », et dans la conception où on les regarde comme des puissances de Dieu et dans celle où l'on tient Dieu pour l'âme universelle. Varron, sous l'influence des Stoïciens, va si loin dans ce sens qu'il considère que le Jupiter Capitolin de Rome est le même, sous un autre nom, que le Dieu unique des Juifs (2).

c) Maintenant ce Dieu unique n'en porte pas moins une multitude de noms selon les effets qu'il produit : εἷς δὲ ὢν πολυώνυμός ἐστι, κατονομαζόμενος τοῖς πάθεσιν πᾶσιν ἅπερ αὐτὸς νεοχμοῖ. Cette doctrine, elle aussi stoïcienne (3), joue un grand rôle dans la religion hellénistique. On la rencontre sous deux aspects.

D'une part, le brassage de peuples qui a suivi les guerres d'Alexandre et l'établissement des Diadoques a eu pour conséquence naturelle qu'on a rapproché les dieux des divers pays, et que, selon une tendance qui se marque chez les Grecs dès le temps d'Hérodote, on a incliné à les confondre. Les exemples les plus typiques sont celui d'Isis myrionyme qui, dans plus d'un texte hellénistique, est assimilée à toutes sortes de déesses grecques et orientales (4) pour devenir enfin Isis Panthée, *una quae est omnia dea Isis* (5), et celui

---

(1) STV., II 1070 *Stoici dicunt non esse nisi unum deum et unam eandemque potestatem, quae pro ratione officiorum* [*nostrorum* secl. Arnim) *variis nominibus appellatur. unde eundem Solem, eundem Apollinem, eundem Liberum vocant. item < eandem > Lunam, eandem Dianam, eandem Cererem, eandem Iunonem, eandem Proserpinam dicunt*, etc. Voir aussi *ad. Aen.* IV 638 *sciendum Stoicos dicere unum esse deum, cui nomina variantur pro actibus et officiis.*

(2) Cf. fr. 58 a Ag. *Hunc (Iovem) Varro credit etiam ab his coli qui unum deum solum sine simulacro colunt, sed alio nomine nuncupari,* fr. 58 b Ag. *Varro deum Iudaeorum Iovem putavit, nihil interesse censens, quo nomine nuncupetur, dum eadem res intellegatur.*

(3) Cf. les **tex**tes de Servius cités *supra*, p. 515.

(4) Voir surtout la litanie isiaque, *P. Oxyrh.*, XI 1380 et la prière dans Apulée, *Metam.*, XI 5.

(5) CIL. X 3800 = Dessau 4362.

de Sarapis assimilé à Hélios, à Zeus, à Pluton, à Dionysos, tout en étant déclaré le dieu unique, εἷς Ζεὺς Σάραπις (1).

D'autre part, à ce syncrétisme géographique, si l'on peut dire, est venu s'adjoindre un syncrétisme philosophique dû aux spéculations des sages, en particulier dans l'école stoïcienne. En effet, si Dieu est à la fois tous les dieux et toutes les déesses puisque ces dénominations diverses ne désignent qu'une seule et même puissance dans la variété de ses effets, on conçoit que Dieu puisse prendre tous les noms, qu'il soit « polyonyme » ou même, comme le dit l'*Asclépius*, « panonyme » (2). Telle est bien la doctrine hermétique. Toutefois, dans cette théologie confuse où maints courants se rencontrent, la notion du Dieu « polyonyme » y est jointe à celle du « Dieu anonyme », Dieu étant trop grand pour recevoir un nom. Ainsi lit-on dans le *Corpus Hermeticum* (V 10) : « Il est, lui, le Dieu trop grand pour avoir un nom, il est l'inapparent et le très apparent; lui que contemple l'intellect, il est aussi celui que voient les yeux; il est l'être sans corps, l'être aux corps multiples, ou plutôt l'être qui a tous les corps. Rien n'existe qu'il ne soit aussi : car tout ce qui est, tout est lui. Et de là vient qu'il a tous les noms parce que toutes choses sont issues de cet unique père; et de là vient qu'il n'a point de nom parce qu'il est le père de toutes choses. » Et de même dans l'*Asclépius* (§ 20) : « Dieu n'a pas de nom ou plutôt il les a tous, puisqu'il est à la fois Un et Tout, en sorte qu'il faut ou désigner toutes choses par son nom ou lui donner le nom de toutes choses. »

Il serait vain d'ailleurs de chercher à établir pour ces doctrines, un lien direct entre le περὶ κόσμου et l'hermétisme. Au Ier et au IIe siècle de notre ère, elles sont devenues un bien commun. A propos du πολυώνυμος du traité *Du Monde*, Capelle (3) cite un parallèle frappant dans Sénèque (*N. Q.*, II 45) (4) : « Ils (les Étrusques ancêtres des Romains) ont reconnu le même Jupiter que nous, le modérateur et le gardien de l'univers, l'âme et l'esprit du monde, le maître et l'architecte de cette création, celui à qui tout nom convient. Veux-tu l'appeler *Destin?* Tu ne te tromperas pas : car c'est de lui que toutes choses dépendent, il est la cause des causes. Veux-tu l'appeler *Providence?* Ce sera bien dit : car c'est par son conseil qu'il est

---

(1) Cf. Cumont, *Rel. Or.* 4, p. 83. Voir *Addenda*.
(2) πανώνυμος se lit dans un hymne de Grégoire de Nazianze, cf. Norden, *Agn. Th.*, p. 179. En latin *omninominis*, *Ascl.* 20, avec l'explication : *siquidem is sit unus et omnia, ut sit necesse aut omnia eius nomine aut ipsum omnium nominibus nuncupari*. Ce même *Asclépius* a *omniformis* (§§ 11, 35) = παντόμορρος C. H. XI 16-17.
(3) *L. c.*, p. 560, n. 3.
(4) Voir aussi *de benef.*, IV 7 *tot appellationes possunt esse quot munera*.

pourvu aux besoins de ce monde, en sorte que rien n'en trouble la marche et qu'il déroule sans obstacle tout le cours de ses actions. Veux-tu l'appeler *Nature?* Il n'y aura pas de faute : car c'est de lui que toutes choses ont pris naissance, et c'est son souffle qui nous anime. Veux-tu l'appeler *Monde?* Tu n'auras pas tort : car il est ce Tout que tu vois, qui pénètre chacune de ses parties, et qui se soutient, lui-même et tout ce qui est à lui. »

CINQUIÈME PARTIE

PHILON

On a beaucoup écrit sur Philon. La récente bibliographie (1938) de E. R. Goodenough et H. L. Goodhart (1) ne compte pas moins de 1.603 numéros. D'autre part, qu'il s'agisse de la formation de Philon, de sa culture, de l'ordre et de la chronologie de ses ouvrages, de l'objet qu'il s'est proposé, du caractère dominant de son esprit, les opinions divergent, ceux-là le considérant comme plutôt juif, ceux-ci comme plutôt grec, d'autres faisant ressortir les influences propres au milieu alexandrin (2). Enfin Philon lui-même est difficile à lire, et il est presque impossible d'ordonner en synthèse les éléments de sa doctrine. Cela ne tient pas seulement à la nature de ses écrits qui, pour la plupart, sont des commentaires, ni de la méthode allégorique qui l'entraîne sans cesse à des digressions, mais encore et, me semble-t-il, davantage, à ce que Philon n'a pas, en vérité, de système. On ne peut le dire ni platonicien ni stoïcien. Plus même que Cicéron ou l'auteur du *de Mundo*, il offre un parfait exemple de l'homme cultivé moyen tel qu'en ont fabriqué à la douzaine les écoles hellénistiques. C'est le bon élève nourri de lieux communs : toute occasion lui sert de prétexte pour répéter avec monotonie d'édifiantes banalités. Mais il n'a aucun souci d'être conséquent avec lui-même.

Tout cela eût pu m'induire à négliger Philon. Néanmoins, à cause de ses défauts mêmes, l'auteur alexandrin doit prendre place dans mon livre : car il est, au premier chef, un témoin de cette culture

---

(1) *Ap.* E. R. Goodenough, *The Politics of Philo Judaeus*, Yale University Press, 1938, pp. 127-321.

(2) Ces divergences ont été bien indiquées par W. Völker, *Fortschritt und Vollendung bei Philo von Alexandria (Texte u. Untersuchungen zur Gesch. der altchristl. Literatur,* XLIX 1), Leipzig, 1938, Introduction, pp. 1-47 : *Kritischer Überblick über die bisherige Philo-Forschung.* Pour l'ordre et la chronologie des ouvrages, les divergences portent sur les relations entre le *Commentaire allégorique* et l'*Exposition des Lois.* Quel est le plus ancien de ces deux ensembles? On n'en est point d'accord (cf. Völker, p. 16, n. 2). Mais l'accord est établi sur la suite des traités à l'intérieur de chaque ensemble.

mélangée qui produira, un peu plus tard, les écrits de l'hermétisme.

Mon étude comprendra trois parties. Dans la première, je montrerai brièvement à quel point Philon est dépendant de la tradition scolaire de son temps. Bien des traits qu'on juge originaux se révèlent, en fait, lieux communs. Même en ce qu'on peut nommer sa « mystique », Philon n'apporte guère de nouveautés. En revanche, nous découvrirons chez Philon certaines tendances profondes qui constituent sa personnalité. Dans la seconde partie, j'exposerai la doctrine philonienne de la contemplation du Monde. Dans la troisième, je marquerai comment, selon notre auteur, on doit passer de cette sagesse « mondaine » à une forme de contemplation supérieure où l'âme s'entretient seule à seule avec un Dieu hypercosmique. Il va sans dire que je ne prétends aucunement donner un tableau complet de la pensée de Philon. Mon propos ayant été de suivre, de Platon à l'hermétisme, un courant religieux bien défini, la religion du Monde et du Dieu cosmique, c'est seulement dans la mesure où Philon porte témoignage sur cette religion, et selon la manière dont il en traite, que j'envisage ici l'Alexandrin (1).

(1) Je citerai Philon d'après l'*editio maior* de L. COHN-P. WENDLAND, 6 vol. et index par LEISEGANG, t. VII (j'indique seulement le paragraphe et, s'il y a lieu, le livre). J'ai utilisé aussi les traductions allemande de L. COHN et Is. HEINEMANN (6 vol. parus, Breslau, 1909 ss.) et anglaise de F. H. COLSON et G. H. WHITAKER (9 vol. parus, coll. Loeb, Londres, 1929 ss.), enfin la traduction française des *L. A.* par E. BRÉHIER, Paris, 1909. Les abréviations des titres sont celles de la collection Loeb (t. I, pp. XXIII-XXIV) adoptées par Völker (*op. cit.*, p. XII). — Cette étude se fonde sur la lecture de Philon lui-même. On me pardonnera donc de ne pas renvoyer sans cesse à quelque ouvrage moderne. Néanmoins je m'en voudrais de taire ce que je dois au livre classique de E. BRÉHIER, *Les idées philosophiques et religieuses de Philon d'Alexandrie*, 2e éd., Paris, 1925.

Je regrette de n'avoir pas connu à temps pour pouvoir l'utiliser davantage l'important travail de H. A. WOLFSON, *Philo*, 2 vol., Harvard Un. Press. 1947. Voir *Addenda*.

CHAPITRE XV

TRADITION SCOLAIRE ET PERSONNALITÉ CHEZ PHILON

Sans parler des thèmes de la diatribe morale (1) déjà notés par Wendland (2) et des homélies sur le plaisir (3), le vice et la vertu (4), les passions, etc., on peut distinguer, dans l'œuvre philonienne, quatre sortes de lieux communs : ceux qui ressortissent à la littérature (genre protreptique), ceux qui représentent le bagage scientifique ordinaire acquis dans les écoles, ceux qui dépendent de la tradition philosophique, et enfin les lieux communs qu'on pourrait dire « mystiques », qui, chez Philon comme dans l'hermétisme, témoignent de courants spirituels déjà répandus et devenus chose banale, du moins dans certains milieux, plus particulièrement à Alexandrie (5). Qu'on ne cherche pas ici un répertoire complet de ces quatre sortes de τόποι : je me suis borné, pour chacune d'entre elles, à quelques exemples, cueillis au cours de mes lectures.

---

(1) Sur la diatribe dans Philon, cf. P. WENDLAND, *Philo u. die Kynisch-stoische Diatribe.* (*Beiträge z. Gesch. d. Griech. Philos. u. Religion* von P. Wendland u. O. Kern., pp. 1-75), Berlin, 1895 (réserves de Völker, p. 1, n. 2). — Sur l'emploi des thèmes d'école, cf. W. BOUSSET, *Jüdisch-Christlicher Schulbetrieb in Alexandria u. Rom.*, Göttingen, 1915 (les critiques de Völker, p. 3, n. 1, et de Cohn-Heinemann, tr. all., III, 1919, p. 6, n. 4, me paraissent exagérées). — En général sur la formation intellectuelle de Philon, cf. Is. HEINEMANN, *Philons griech. u. jüd. Bildung*, Breslau, 1932, Wolfson, I, pp. 93 ss.

(2) Sur la nourriture, le vêtement, le luxe (en particulier *Somn.* II 8-63), le mariage, la vie sociale, la noblesse; thèmes de consolation (v. gr. *Abr.* 255-257) : cf. WENDLAND, pp. 56 ss. Voir aussi BRÉHIER, *Les idées*, etc., p. 285, n. 7.

(3) V. gr. *L. A.*, III 65-160.

(4) V. gr. le pur morceau de rhétorique *Sac.* 24-44, discours du Vice et de la Vertu, imité de XÉN., *Mem.*, II 1.

(5) Pour cette dernière catégorie, j'établirai des parallèles avec l'hermétisme. On pourrait alléguer que les hermétistes ont lu Philon, auquel cas il ne serait plus possible de parler de milieu alexandrin, mais seulement d'influence directe de Philon sur l'hermétisme. C'est là pourtant chose fort peu probable. Il n'y a *aucune* trace de Philon chez les auteurs païens (cf. GOODENOUGH-GOODHART, p. 250, n. 1). Tous les *testimonia* colligés par Cohn en son édition (I, pp. XCV-CXIII) sont tirés, le premier de Josèphe, les autres d'auteurs chrétiens, à partir de Clément d'Alexandrie : ce sont les Pères alexandrins (Clément, Origène) qui ont mis Philon à la mode, et l'on voit bien pourquoi. Les ressemblances entre Philon et l'hermétisme prouvent donc l'existence d'un milieu spirituel particulier, dont ils dépendent l'un et l'autre.

§ 1. *Thèmes littéraires (protreptiques).*

Je n'indiquerai ici qu'un certain nombre de τόποι qu'il est permis de dire « protreptiques » parce qu'ils se rattachent au *Protreptique* d'Aristote ou à la littérature qui en est issue. Ce sont des thèmes spécialement chers à l'époque hellénistique et qui en dénotent l'esprit d'une manière plus singulière, à savoir : la vanité des choses humaines, l'incertitude des choses humaines et l'inconstance de Tyché, les voyages, la solitude.

a) *Vanité des choses humaines.*
Abr. 263-267. Il ne faut mettre sa confiance ni dans les hautes charges (ἡγεμονίαι), ni dans la gloire (δόξαι), ni dans les honneurs (τιμαί), ni dans la richesse (περιουσία πλούτου), ni dans la noblesse de naissance (εὐγένεια), ni dans la santé (ὑγεία), ni dans l'excellence des sens corporels (εὐαισθησία), ni dans la force (ῥώμη), ni dans la beauté du corps (κάλλος σώματος). Car hauts offices, gloire et honneurs sont choses des plus incertaines (σφαλερόν, σφαλερώτατον), la fortune et la noblesse sont départies au vicieux comme au vertueux, les qualités corporelles et la santé de l'homme sont très inférieures à celles de l'animal, la beauté de l'homme est infiniment dépassée par celle des chefs-d'œuvre des sculpteurs et des peintres. Rien ne compte donc que la confiance en Dieu.

Si la conclusion est philonienne, tout le corps du développement est un τόπος dont la source est le *Protreptique* d'Aristote, cf. fr. 59 R. : γνοίη δ' ἄν τις αὐτὸ καὶ ἀπὸ τούτων, εἰ θεωρήσειεν ὑπ' αὐγὰς τὸν ἀνθρώπειον βίον. εὑρήσει γὰρ τὰ δοκοῦντα εἶναι μεγάλα τοῖς ἀνθρώποις πάντα ἐόντα σκιαγραφίαν κτλ. Dans la suite, Aristote montre la vanité de ἰσχύς, μέγεθος, κάλλος, τιμαί, δόξαι.

Même thème *Jos.* 130-133 avec la même suite : vanité des biens du corps — beauté (κάλλος), santé (ὑγεία), force (ἰσχύς), excellence des sens (ἀκρίβεια τῶν αἰσθήσεων) —, et des biens extérieurs, fortune (πλοῦτοι μεγάλοι), honneurs (αἱ ἀνωτάτω τιμαί), pouvoir, ce qui conduit à un couplet sur l'incertitude des choses humaines, 134 ss. (voir *infra*).

Dans le même sens, la condamnation de la vanité (τῦφος), *Decal.* 4-9, et de la convoitise (ἐπιθυμία) qui est la source de tous les maux humains, *Decal.* 142-153.

On notera que les développements sceptiques sur l'incertitude de la connaissance sensible (*Jos.* 142) ou généralement de toute connaissance humaine (tropes d'Énésidème : *Ebr.* 170-202) ont pour point de départ le thème de la vanité des choses terrestres et servent à nous induire à les mépriser, cf. *Ebr.* 169 τὸν μέντοι σεμνυνόμενον ἢ ἐπὶ τῷ βουλεύεσθαι ἢ ἐπὶ τῷ τὰ μὲν αἱρεῖσθαι τὰ δὲ φεύγειν ἱκανῶς δύνασθαι διὰ τούτων (l'argument qui suit) ὑπομνηστέον : suivent les tropes d'Énésidème, 170 ss.

b) *Incertitude des choses humaines et inconstance de la Fortune.*
Ce thème est immédiatement lié au précédent, cf. *Jos.* 133-134. S'il remonte incontestablement aux grands auteurs du IVe siècle, si par exemple l'image de la Fortune jouant au trictrac rappelle celle du Dieu πεττευτής en Platon, *Lois*, X 903 d 6, et si le pessimisme qui est au fond de cette doctrine est tout inspiré de celui du *Protreptique* ou de l'*Eudème* (1), néanmoins ce n'est pas directement dans Aristote, mais dans le περὶ τύχης de Démétrius de Phalère, disciple du Stagirite, que Philon a trouvé ici son modèle.

Certains morceaux mettent plutôt en relief le rôle de la Fortune dans les destins individuels, ainsi *Mos.*, I 31 :

« Rien n'est plus instable que la Fortune qui, sur le damier de la vie, joue avec les affaires humaines, les bouleversant de fond en comble, et qui souvent, en un seul jour, abaisse celui qui est exalté, exalte celui qui est abaissé (2). Les hommes voient continuellement ce spectacle, ils savent parfaitement ce qu'il en est : mais ils n'en méprisent pas moins leurs relations et leurs amis, ils enfreignent les lois sous lesquelles ils sont nés et ont été nourris, ils changent de vie et renversent des coutumes ancestrales auxquelles il n'y a, en justice, rien à reprendre, et, dans leur manie de ne recevoir que les modes du jour, ils perdent tout souvenir des mœurs d'antan ».

Ailleurs, c'est plutôt le sort changeant des empires qui fournit la matière du développement. Le morceau le plus semblable au π. τύχης de Démétrius se lit *Q. G.*, IV 43. Ici en effet, comme Démé-

---

(1) Cf. fr. 44 R., avec le mot de Silène : δαίμονος ἐπιπόνου καὶ τύχης χαλεπῆς ἐφήμερον σπέρμα (c'est l'homme!), τί με βιάζεσθε λέγειν ἃ ὑμῖν ἄρειον μὴ γνῶναι ;... ἄριστον γὰρ πᾶσι καὶ πάσαις τὸ μὴ γενέσθαι.
(2) Allusion à un mot d'Euripide (fr. 420 N.) cité encore *Somn.*, I 154 ἡ μία γάρ, ὥς ἔφη τις, ἡμέρα τὸν μὲν καθεῖλεν ὑψόθεν, τὸν δὲ ἦρεν ἄνω. La suite, dans un sentiment héraclitéen, montre qu'il n'est pas de condition humaine qui ne puisse changer en la condition contraire. De simple citoyen on devient magistrat, de pauvre riche, et vice-versa; on passe de l'obscurité à la gloire, de l'impuissance au pouvoir, de la sottise au bon sens, de l'hébétude à l'intelligence la plus déliée, et réciproquement. Sur ce thème héraclitéen (« tout se porte vers son contraire »), voir aussi *Mos.*, I 41 πάντα γὰρ μεταβάλλειν τὰ ἐν κόσμῳ πρὸς τἀναντία. — On notera que le mot d'Euripide est cité également par Démétrius de Phalère, fr. 24 Jacoby (= PLUT., *Cons. ad Apoll.*, p. 104 A). C'est là sans doute que Philon l'a cueilli, et il y a donc tout lieu de croire que l'unique source de tous ces développements philoniens sur la Fortune est le seul et même π. τύχης de Démétrius. On pourrait ainsi, grâce à Philon, compléter le recueil, assez maigre, des fragments du π. τύχης.

trius, Philon ne compare que les fortunes opposées des Perses et des Macédoniens :

« Quand les Perses dominaient et sur terre et sur mer, qui eût pu s'attendre à leur chute? Et qui eût pu s'attendre à la chute des Macédoniens, quand ceux-ci eurent acquis tout le pouvoir des Perses? Si quelqu'un s'était permis de l'annoncer, on l'eût raillé comme un fou, comme s'il eût perdu la raison! »

Dans d'autres traités, Philon est plus explicite :
Jos. 131-136 : Les plus grands empires ont été renversés en un rien de temps (Exemples de Denys de Sicile, mort maître d'école à Corinthe, et de Crésus). Tout n'est que songe ici-bas, comme en témoignent peuples et cités, Grecs et Barbares, habitants du continent ou des îles, Europe et Asie, Orient et Occident.

« Car rien jamais, nulle part, n'est demeuré dans la même condition : toutes choses, en tout lieu, ont subi des retours de fortune et des vicissitudes. L'Égypte, autrefois, commandait à maints peuples : elle est aujourd'hui esclave. Les Macédoniens furent un jour si prospères qu'ils étendaient leur empire sur toute la terre habitée : maintenant ils payent aux collecteurs des taxes les tributs annuels que leur imposent leurs maîtres. Où est la maison des Ptolémées et cette gloire de chacun des Diadoques qui brillait jusqu'aux limites les plus extrêmes de la terre et de la mer? Où sont les libertés des peuples et des cités qui se gouvernaient par leurs propres lois? Et où en revanche la servitude des peuples vassaux? Les Perses ne régnaient-ils pas sur les Parthes, et les Parthes aujourd'hui ne règnent-ils pas sur les Perses? Ainsi se retournent les choses humaines; ainsi, poussées dans un sens, vont-elles dans le sens contraire comme des pions au jeu de trictrac (1) ».

Deus 172-176 :

« Penses-tu qu'aucune des choses mortelles ait au vrai la moindre réalité, la moindre consistance, et ne vois-tu pas plutôt qu'elles se balancent dans le vide comme suspendues à nos opinions mensongères, incertaines, sans différer en rien des songes qui déçoivent? Si tu ne veux pas examiner les destins individuels, considère les vicissitudes, pour le meilleur et le pire, de pays et de peuples entiers. La Grèce fut jadis au comble de son pouvoir, mais les Macédoniens lui ont ravi sa force. La Macédoine prospéra à son tour, mais, une fois divisée en provinces, elle s'affaiblit lentement jusqu'à perdre entièrement la vie (2). Avant les Macédoniens, les Perses jouirent des faveurs de Tyché, mais un seul jour détruisit leur vaste et puissant empire, et maintenant ce sont les Parthes qui règnent sur eux, les Parthes, naguère leurs vassaux. L'Égypte, pour un très long temps, fut en plein épanouissement, mais sa grande prospérité s'en est allée comme un nuage. Et que dire des Éthiopiens, des Carthaginois, des pays proches de la Libye? Que dire des rois du Pont? de l'Europe et de l'Asie, et, en un mot, de tout l'ensemble de la terre habitée? Notre monde n'est-

---

(1) Cf. l'homme jouet des dieux, Plat., *Lois*, I 644 d-e, VII 803 c, 804 b, X 903 d 6.
(2) Par Macédoine, il faut entendre ici l'empire d'Alexandre, qui fut divisé après la mort du prince.

il pas secoué, bouleversé de fond en comble, tel un navire en mer que tirent de droite et de gauche des vents contraires ? Car c'est en cercle que se meut ce plan divin que la plupart nomment Fortune : dans son flux qui jamais ne cesse, favorisant à tour de rôle cités, peuples et nations, elle distribue à l'un les biens de l'autre, à tous les biens de tous, et il n'y a, entre eux, de différence que dans les temps où chacun possède le pouvoir, afin que ce monde entier soit comme une même cité, régie par la constitution la meilleure, le gouvernement populaire (1) ».

Sans doute ce sont là des sentiments éternels. Bien des siècles avant notre Villon, le poète grec demande « où sont ces orgueilleuses merveilles du temps jadis ? Mais où est Crésus, le puissant roi de Lydie, où est Xerxès qui enchaîna le cours profond de l'Hellespont ? » (2) Et l'*Anthologie palatine* (3) a deux exquis poèmes sur la désolation de Sparte et sur un champ, jadis propriété d'un roi de Perse, maintenant de Ménippe, et qui passera ensuite aux mains d'un autre maître. Néanmoins ces développements de Philon dérivent tous d'un même texte, le morceau célèbre du π. τύχης de Démétrius de Phalère (4), tant admiré dans l'antiquité, où l'Athénien montre les effets de Tyché qui, en moins de cinquante ans, a renversé les Perses si puissants, exalté les Macédoniens partis de rien.

Lié au τόπος sur la vanité des choses humaines, le thème de la Fortune conduit lui-même à un troisième lieu commun hellénistique, qui se rattache, cette fois, directement au *Protreptique* : celui de l'opposition entre le désordre, l'incertitude des choses humaines et l'ordre, la régularité des choses célestes.

Jos. 143-147 : Puisque toute la vie humaine est pleine de trouble, de désordre et d'incertitude, il appartient au politique de venir, comme un habile interprète des songes, expliquer aux hommes, dormeurs qui se croient éveillés, le sens des rêves qu'ils rêvent en plein jour ; de leur montrer où est le beau, le laid, le juste, l'injuste, etc., et de les empêcher de croire à la stabilité de leur condition. Suit alors (144, t. IV, p. 91. 9 Cohn), sur le ton de la diatribe, le morceau que voici :

« Tu jouis de la gloire et des honneurs, ne sois pas arrogant ; la Fortune t'a abaissé, ne perds pas courage ; tout va à ta guise, crains le changement ; tu

---

(1) Sur ce point, cf. E. R. GOODENOUGH, *The politics of Ph.*, pp. 86-90.
(2) *Trag. Graec. Fr.*, p. 909, n° 372 N. ποῦ γὰρ τὰ σεμνὰ κεῖνα; ποῦ δὲ Λυδίας | μέγας δυνάστης Κροῖσος ἢ Ξέρξης βαθὺν | ζεύξας θαλάσσης αὐχέν' Ἑλησποντίας; Cf. Villon : « Mais où sont les neiges d'antan ? », |« Mais où est le preux Charlemagne ? » (C. M. BOWRA, *The Oxford book of greek verse*, n° 406, a fait déjà le rapprochement).
(3) *Anth. Pal.*, VII 723, IX 74 (= Bowra, n°s 683, 684).
(4) Fr. 39 Jacoby = POL., XXIX 21, DIOD., XXXI 10, cf. ERICH BAYER, *Demetrios Phalereus der Athener* (Tübinger Beiträge, XXXVI), Stuttgart-Berlin, 1942, pp. 164 ss.

bronches contre maint obstacle, espère en des temps meilleurs, car les affaires humaines tournent en sens contraire. Sans doute le soleil, la lune, ce vaste ensemble du ciel se font voir très distinctement dans une parfaite évidence, parce que tout s'y maintient dans son être propre, tout s'y meut selon les règles de la vérité elle-même dans un ordre harmonieux et la plus belle des symphonies ; mais les choses de la terre sont remplies de désordre et de trouble, elles se présentent comme entièrement dépourvues d'accord et d'harmonie, parce qu'elles sont plongées dans des ténèbres profondes au lieu que les êtres du ciel se meuvent dans la plus éclatante lumière, bien plus, sont la lumière elle-même sans nul alliage, dans l'état le plus pur. En vérité, si l'on voulait pénétrer à l'intérieur des choses, on trouverait que le ciel est un jour éternel, un jour sans nuit, sans ombre aucune, puisqu'il irradie sans fin des rayons tout purs et inextinguibles. Et autant il y a de différence ici-bas entre l'homme éveillé et celui qui dort, autant il y en a dans ce vaste ensemble du monde entre les êtres du ciel et ceux de la terre, les uns jouissant d'une veille que n'interrompt aucun sommeil grâce à des forces qui jamais n'errent ni ne bronchent mais vont toujours droit au but, les autres étant plongés dans le sommeil ; même s'ils se réveillent pour un instant, bientôt la torpeur les reprend et ils se rendorment, car ils ne peuvent fixer aucun objet par le regard de l'âme, mais vont à l'aventure et bronchent à tout coup, aveuglés par des opinions mensongères qui les contraignent à rêver : toujours le réel leur échappe, et ils sont incapables de rien appréhender d'une manière ferme et solide ».

On croit entendre ici, dilué à la manière de Philon, l'écho de la belle conclusion du *Protreptique* d'Aristote (1). Ici-bas, toute notre vie se passe à pourvoir aux nécessités de l'existence, nous ne connaissons pas les vrais biens ; mais les êtres du ciel, auxquels le sage s'unira après la mort, jouissent d'un bonheur indicible que nul chagrin ne trouble : or ce bonheur est celui de la contemplation.

c) *Thème du voyage.*

On se risque sur mer pour s'enrichir : comment, lorsqu'il s'agit d'acquérir la sagesse, hésiterait-on à traverser la mer ou à explorer les profondeurs de la terre? Ce thème, qui paraît *Migr.* 217-218 (2), a sa source dans le *Protreptique*, fr. 52, p. 62.9 R. : « Si, pour gagner des richesses, on navigue jusqu'aux Colonnes d'Hercule et s'expose à maint péril, il ne faut pas refuser, pour la sagesse, tout effort et toute dépense ». Wendland (3) a montré par quelques exemples que ce thème est familier à l'âge hellénistique (v. gr. HORACE, *Ep.*, I, 1, 45 ss. *impiger extremos curris mercator ad Indos*, etc., 11, 29 ;

---

(1) Ap. JAMBL., *Protr.*, XII, pp. 60.7-61.4 Pist., cf. *supra*, p. 173. Voir aussi fr. 58 R.
(2) L'idée : « on voyage pour s'enrichir, ou en ambassade, ou pour voir du pays et s'instruire (ἢ κατὰ θέαν τῶν ἐπὶ τῆς ἀλλοδαπῆς δι' ἔρωτα παιδείας) » revient *Abr.* 65, mais le contexte est différent : celui qui voyage ainsi est heureux de rentrer chez lui, au contraire Abraham s'est exilé pour toujours en obéissance à Dieu. Voir aussi *Prob.* 65-68.
(3) *Diatribe*, p. 45.

Épictète, III 8, 6, I 6, 23) : la *Korè Kosmou* hermétique l'utilise à une autre fin, pour manifester l'audace et la curiosité indéfectibles de l'être humain (discours de Momus, *K. K.* 44-46).

d) *Thème de la solitude.*

Ce thème a particulièrement séduit l'imagination de l'homme hellénistique, qui est déjà un citadin, perdu dans la foule anonyme des grandes villes, et qui aspire dès lors au repos et à la solitude en des lieux champêtres. Philon l'utilise principalement dans sa description des Thérapeutes (1), mais il y revient encore plusieurs fois, surtout dans la *Vie d'Abraham*. Ainsi *Abr.* 22-23 :

« L'honnête homme (2), en revanche, pris du désir d'une vie tranquille, se retire des affaires et goûte la solitude (μόνωσιν) : il cherche à échapper aux regards du public, non par misanthropie — car nul autre n'est plus ami des hommes (3), — mais parce qu'il a rejeté le vice où se complaît la foule, qui se réjouit quand il faut gémir et qui s'afflige quand il convient d'être en joie Aussi se tient-il le plus souvent reclus chez lui, et c'est à peine s'il franchit le seuil de sa maison; souvent aussi, l'afflux des visiteurs le force à quitter la ville pour gagner quelque ferme solitaire (ἐν μοναγρίᾳ) où il passe tous ses jours, dans la compagnie plus délicieuse de cette élite de l'humanité dont le temps sans doute a réduit les corps en poussière, mais dont les vertus ont gardé leur flamme grâce aux écrits qui les font revivre, poèmes et ouvrages en prose qui servent au progrès de l'âme. »

De même, un peu plus loin (*Abr.* 85 ss.), à propos du départ d'Abraham pour le désert (*Gen.*, xii, 9) :

« Dans la seconde migration qu'entreprend l'honnête homme (ὁ ἀστεῖος), cette fois encore en obéissance à une parole divine, il ne se rend plus, comme avant, d'un État en un autre, mais dans une contrée déserte où il erre continuellement, sans se plaindre de cette course errante et de l'insécurité qu'elle comporte. Quel autre homme pourtant ne se chagrinerait d'être non pas seulement séparé de son propre pays, mais repoussé de toute ville et chassé en des lieux sans route où l'on ne s'avance qu'à grand peine?... [87] Mais lui, lui seul, c'est le contraire, voyons-nous, qu'il éprouve : nulle vie ne lui paraît aussi agréable que celle qu'on passe loin de la foule. Et c'est tout naturel : car ceux qui cherchent Dieu et qui aspirent à le trouver aiment la solitude en laquelle Dieu se plaît, et, dans ce dessein, le premier but vers lequel ils se hâtent, c'est e se rendre semblables à l'être bienheureux et tout béni (= Dieu) ».

On pourrait croire que Philon fait ici quelque confidence indirecte sur ses sentiments propres, et cette hypothèse est, de fait,

---

(1) Sur quoi, cf. *Rev. Et. Gr.*, L, 1937, pp. 476 ss. : voir aussi *Rév. H. Tr.*, I, pp. 45 ss.
(2) ὁ δ' ἀστεῖος, par opposition au φαῦλος.
(3) Cf. *V. Cont.* 20 ἀλλὰ τειχῶν ἔξω ποιοῦνται τὰς διατριβὰς ἐν κήποις ἢ μοναγρίοις (cf. *infra*) ἐρημίαν μεταδιώκοντες, οὐ διά τινα ὠμὴν ἐπιτετηδευμένην μισανθρωπίαν, ἀλλὰ τὰς ἐκ τῶν ἀνομοίων τὸ ἦθος ἐπιμιξίας ἀλυσιτελεῖς καὶ βλαβερὰς εἰδότες.

vraisemblable. Mais il n'en faut pas moins se souvenir que le thème de la solitude est, alors, fort commun. Il paraît dans la description des prêtres d'Égypte chez Chérémon, dans celle des Esséniens chez Josèphe et Pline, dans celle des Pythagoriciens chez Jamblique, dans la vie d'Apollonius par Philostrate. Si l'on remonte plus haut dans la période hellénistique, on voit que le βίος θεωρητικός tel que le préconisait Aristote dans le *Protreptique* devait favoriser le goût de la solitude; Épicure, de son côté, recommandait la vie cachée, loin de la foule, et les cercles épicuriens étaient restés fidèles à cette parole du maître. Le thème de la solitude n'est donc pas, en soi, nouveau. Ce qui distingue entre eux ceux qui l'exploitent, c'est le but qu'ils assignent à la vie solitaire. Le sage de Philon s'enfonce au désert pour chercher Dieu : voilà sa marque originale.

§ 2. *Notions scientifiques.*

« Pour moi, dès que je commençai de ressentir les aiguillons de la Philosophie et de me passionner pour elle, tout jeune encore je m'attachai à l'une de ses servantes, la Grammaire, et tout ce que j'engendrai par elle, l'écriture, la lecture, la connaissance des matières traitées par les poètes (1), je le dédiai à sa maîtresse. De même, quand je me fus uni à une autre de ses servantes, la Géométrie, et que je me fus épris de sa beauté — car elle possédait en toutes ses parties accord et proportion, — je ne m'appropriai aucun de ses enfants, mais les portai en don à l'épouse légitime. Puis mon zèle me poussa à m'unir à une troisième servante — elle n'était que rythme et harmonie, et s'appelait Musique. — et j'engendrai par elle les modulations diatoniques et enharmoniques (2), les mélodies selon les degrés conjoints et disjoints, conformes aux accords de quarte, de quinte et d'octave : mais, cette fois encore, je ne dissimulai à mon profit aucun de ces trésors, car je voulais que mon épouse légitime vécût dans l'abondance et qu'elle eût à son usage une multitude de serviteurs » (*Cong*, 74-76).

Philon a donc reçu l'éducation générale (ἐγκύκλιος παιδεία) commune, en son temps, à tous les habitants de l'Empire d'un cer-

---

(1) τὴν ἱστορίαν τῶν παρὰ ποιητῶν. Le grammatikos ne faisait pas seulement des poètes un commentaire philologique (langue, prosodie, style, etc.), mais il devait expliquer tout ce dont traitaient les poètes : mythologie, culte, histoire, géographie, questions naturelles, etc., en sorte que la classe de « grammaire » comprenait, à elle seule, l'objet de plusieurs cours divers d'un lycée moderne.

(2) ἐγέννησα ἐξ αὐτῆς διατονικὰ χρώματα καὶ ἐναρμόνια (76). Dans ce passage de vocabulaire technique, ne faut-il pas lire διατονικὰ ⟨καὶ⟩ χρωματ⟨ικ⟩ὰ καὶ ἐναρμόνια ? Ce sont là en effet les trois gammes de l'antiquité : par tons et demi-tons, par demi-tons, par quarts de ton. En rigueur de terme, le χρῶμα musical est la gamme par demi-tons (χρῶμα· τὸ διὰ ἡμιτονίων συντείμενον, ARISTID. QUINTIL., p. 18 Jahn) : il n'existe donc pas de χρώματα διατονικά ou ἐναρμόνια. Plus loin, les μέλη διεζευγμένα (disjoints) représentent la succession de deux quartes séparées par un demi-ton, les μέλη συνημμένα la succession de deux quartes sans intervalle.

tain rang social et qui ont passé par les écoles grecques (1). Il restera toute sa vie un fervent partisan des études libérales, qu'il énumère ainsi (*Cong.* 11) : « grammaire, géométrie, astronomie, rhétorique, musique, et tout le reste de ce qui concerne la culture de l'esprit (λογικὴ θεωρία) » (2). Sans doute il estime que les ἐγκύκλια ne sont qu'une propédeutique à la philosophie, qui mène elle-même à la sagesse (σοφία : *Cong.* 79-80, cf. *ib.* 140-150, 155-156, *Sac.* 78-79), mais l'on ne peut se passer de cette propédeutique, *Q. G.*, III 19 : « les études libérales veulent qu'on acquière un grand savoir, et ce grand savoir est comme le serviteur de la vertu : car l'ensemble des sciences et des arts est au service de l'homme qui sait profiter de ce savoir acquis pour acquérir la vertu » (cf. *ib.* 20-21, 23), *Cher.* 104 : « de l'étude des sciences préliminaires (3) dépend tout ce qui sert à meubler l'âme, comme on meuble une maison » (4).

Il ne faut pas s'étonner de trouver chez Philon tout le bagage scolaire de son temps, toutes les questions classiques : crues du Nil (*Mos.*, I 115 ss.), vent du Sud en Égypte (*Mos.*, I 120); nature de la lune (*Somn.*, I 144-145), effets de la lune sur la terre (*Spec.*, II 143-144); nature des quatre éléments (*Somn.*, I 16-20); question de savoir s'il existe quelque chose hors du monde (*Plant.* 7) (5) ou si toutes les

---

(1) ἐγκύκλιος au sens de « qui se répète chaque jour, ordinaire » apparaît au IVe siècle, Isocr., *Nicocl.* 22 οὐ μόνον δ' ἐν τοῖς ἐγκυκλίοις (« dans les événements ordinaires ») καὶ τοῖς κατὰ τὴν ἡμέραν ἑκάστην γιγνομένοις αἱ μοναρχίαι διαφέρουσιν, *Paix* 87 πλὴν ἓν ἦν τοῦτο τῶν ἐγκυκλίων (« c'était l'un des usages ordinaires »), mais ἡ ἐγκ. παιδεία ou τὰ ἐγκύκλια au sens d' « éducation générale » n'est pas antérieur, semble-t-il, au Ier siècle av. J.-C. : Denys d'Halicarnasse, Strabon, Philon lui-même, puis Vitruve, Quintilien, etc. Or la date a ces premiers témoignages est intéressante. C'est bien en effet au Ier siècle avant Jésus-Christ que l'éducation grecque paraît définitivement installée. Le long travail des savants d'Alexandrie s'est alors popularisé, vulgarisé, est descendu du Musée aux écoles secondaires » des grammatikoi, en sorte que n'importe quel petit bourgeois des villes a pu accéder à l'ensemble, désormais fixé, des sept arts libéraux : grammaire, dialectique, rhétorique, — arithmétique, musique, géométrie, astronomie. Voir *Addenda*.

(2) Ces diverses branches sont ensuite décrites : 15 grammaire, 16 musique et géométrie (noter ce trait platonicien : « du fait qu'elle jette en l'âme studieuse les semences de l'égalité et de la proportion, grâce au charme de ses déductions rigoureuses, la géométrie fait germer en nous le zèle de la justice », cf. *Gorg.* 508 a 8 σὺ δὲ πλεονεξίαν οἴει δεῖν ἀσκεῖν· γεωμετρίας γὰρ ἀμελεῖς), 17 rhétorique, 18 dialectique, « sœur jumelle de la rhétorique ».

(3) ἐκ δὲ τῆς ἐγκυκλίου τῶν προπαιδευμάτων μελέτης, plus haut (102) τὰ ἐγκύκλια προπαιδεύματα. L. S. J. ne donnent pas d'exemple de προπαιδεύματα avant Philon, mais l'idée d' « études préliminaires » avant d'accéder à une profession déterminée (τέχνη) remonte à Platon, cf. *Rép.*, VII 536 d 4 τὰ μὲν τοίνυν λογισμῶν (calculs) τε καὶ γεωμετριῶν καὶ πάσης τῆς προπαιδείας, ἣν τῆς διαλεκτικῆς δεῖ προπαιδευθῆναι.

(4) τὰ πρὸς κοσμον τῆς ψυχῆς ὡς ἐστίας : c'est presque le sens technique de κόσμος = « tout ce qui sert à orner, meubler », κόσμος d'une statue *O. G. I.* 90.40, mobilier d'un temple *ib.* 531.13, d'un hôtel des douanes *ib.* 525.13, etc.

(5) ἀνάγκη τοίνυν ἐκτὸς (sc. τοῦ κόσμου) ἢ κενὸν ἢ μηδὲν εἶναι. Cf. *Corp. Herm.*, XI 19 καὶ τὰ ἐκτός, εἴ γέ τι ἐκτὸς τοῦ κόσμου, *Asclep.* 33, p. 343.2 *sicuti enim quod dicitur extra mundum, si tamen est aliquid, nec istud enim credo*, Cleom., I 1, 3-8, pp. 6.26-16.12 Ziegler, Ach. Tat., *Intr. in Arat.*, p. 38.10 ss. Maass (εἰ ἔστι τι ἐκτὸς κενόν), et voir Bréhier, p. 86, Bousset, *Schulbetrieb*, pp. 10-11.

parties du monde sont remplies d'êtres vivants en affinité avec ces parties, y compris l'air, qui donne naissance aux démons assimilés aux anges (*Gig.* 6-16, *Plant.* 2-17, *Somn.*, I 134-145) (1); doctrine aristotélicienne des êtres vivants issus du feu (*Gig.* 7, *Plant.* 12) (2); théorie du son, de l'audition, de la voix (*Deus* 84; *Her.* 14; *Somn.*, I 28-29) (3); jusqu'à tel détail des mœurs de l'Inde (courage des gymnosophistes ou des femmes de l'Inde qui livrent leurs corps à la flamme du bûcher), qu'on pourrait croire original et parvenu à Alexandrie au temps seulement de Philon par suite du commerce de cette ville avec l'Orient, mais qui, en vérité, est un trait tout à fait commun dans la littérature hellénistique depuis l'expédition d'Alexandre et sa rencontre (ou son commerce épistolaire) avec le sage Calanos (*Prob.* 96, *Abr.* 182-183) (4).

Je ne dresse pas un catalogue des notions scientifiques de Philon et puis donc m'arrêter ici (5). Mais je voudrais insister quelque peu sur les connaissances de Philon relativement à la dernière branche des ἐγκύκλια, l'astronomie — qui pourrait être comptée aussi bien comme l'une des parties essentielles de la physique, l'une des trois branches de la philosophie, — parce que ces notions joueront un rôle dans la religion cosmique de l'Alexandrin.

Comme on doit s'y attendre, la cosmologie de Philon est celle de tous les milieux cultivés depuis Posidonius — celle du *Songe de Scipion*, du *de mundo*, de Sénèque, de Pline, de Cléomède. Philon est au courant des questions disputées dans les écoles : l'univers est-il né ou n'a-t-il pas eu de naissance (ἀγένητον)? L'univers sera-t-il détruit ou, bien que destructible par nature, sera-t-il préservé de la destruction par la volonté plus forte du Dieu qui l'a fait (6)?

---

(1) Cf. FERGUSON, *Hermetica*, IV, p. 408, n. 4., BOUSSET, *Schulbetrieb*, pp. 15-23. Ce fait que tout est rempli de vivants servait d'argument contre le vide, en sorte que cette question, comme la précédente, ressortit à la question plus générale du vide, cf. *C. H.* II, *Ascl.* 33.
(2) Cf. CIC., *n. d.*, II 42, APUL., *de deo Socr.* 8, 137-138 et W. JAEGER, *Aristoteles*, pp. 146 ss.
(3) Cf. la théorie de la voix, *Ascl.* 20, p. 320.16 ss.
(4) Cf. F. J. DÖLGER, *Antike u. Christentum*, I 4, 1929, pp. 263 ss.
(5) Voir au surplus BRÉHIER, pp. 281 ss. Sur les connaissances arithmétiques de Philon (propriétés des nombres, toujours entendus d'ailleurs en un sens allégorique), cf. *ib.*, p. 43, n. 1.
(6) Cf. PLAT., *Tim.* 41 a-b. Le π. ἀφθαρσίας κόσμου, œuvre de jeunesse de Philon, traite de cette question disputée. Il n'en subsiste que la première partie, où est soutenue la thèse de l'indestructibilité. La seconde, qui devait soutenir l'antithèse, étant perdue, on ne sait quel était alors le choix de Philon. Plus tard, il se montre partisan de la doctrine d'un monde né, de fait créé par Dieu (*Op.* 7-12, 171, *Fug.* 12, etc.), comme il est naturel de la part d'un Juif; d'un autre côté il rejette comme fable absurde l'ἐκπύρωσις des Stoïciens (*Heres* 228). Peut-être s'en tenait-il à la théorie platonicienne d'un monde né, donc naturellement destructible, mais éternellement maintenu dans l'être par le vouloir divin. En général, cf. Wolfson, I, ch. 5.

Est-il vrai que rien n'existe mais que tout devient, ou faut-il tenir le contraire? (*Heres* 246) (1).

De même Philon connaît, d'après quelque doxographie, les diverses opinions sur la nature du ciel (*Somn.*, I 21-24) (2) : Le ciel est-il du cristal figé? Ou le feu le plus pur? Ou le cinquième corps, qui se meut d'un mouvement circulaire et ne participe à la nature d'aucun des quatre éléments? Ou encore la sphère fixe et tout extérieure s'enfonce-t-elle en concavité dans le sens de la hauteur, ou n'est-elle qu'une surface plate sans profondeur, pareille aux figures planes? Les astres sont-ils des masses de terre remplies de feu, des combes, des vallées, des masses de fer incandescent comme certains le veulent, ou au contraire des masses indissolubles d'éther condensé dans lesquelles tout se joint et se presse harmonieusement? Sont-ils animés et intelligents ou privés d'intellect et d'âme? Leurs mouvements sont-ils volontaires ou forcés? L'éclat de la lune lui vient-il d'elle-même ou est-il emprunté aux rayons du soleil, ou — troisième hypothèse — est-il un mélange des deux, un mélange de feu propre et de feu étranger?

Philon a beau ici faire le sceptique, déclarer qu'on ne peut rien savoir des choses célestes, d'ordinaire il tient que le ciel est composé d'éther, le cinquième élément (3), d'où est issu également notre intellect, qui est donc parent des astres (4). Aussi le ciel est-il pur de tout désordre (5). Composés d'éther, doués d'âme et d'intellect (6),

(1) Deux autres questions sont encore mentionnées ici : L'homme est-il mesure de toutes choses ou faut-il retirer toute valeur aux perceptions des sens et de l'esprit? Tout est-il inconnaissable ou faut-il admettre que beaucoup de choses nous sont connaissables?
(2) Sur ce texte, cf. P. WENDLAND, *Sitz. Berlin. Ak.*, XXIII, 1897, pp. 1074 ss.
(3) *Q. G.*, III 6 *adumbrat quintam et periodicam naturam, ex qua maiores perfectum dicunt caelum... Quinta vero substantia immixta et pura sola est facta... Quintae enim essentiae est* (sc. *natura caelestis*) *sincerioris ac purioris*, IV 8 *secunda* (sc. *mensura est), iuxta quam constructum est sensibile caelum in quinto* <*elemento*>, *particeps mirabilis ac divinae essentiae, immutabile secundum illud et quasi similiter se habens, Q. Ex.* II 73 *caelum autem ex uno* (sc. *elemento*) *et excellenti specie, quam recentes vocant quintam substantiam*, 80 *simili modo et quae in stellis claritas est lucis, solet ex aethere purissimo recipere illuminationem.* Sur l'origine peut-être néopythagoricienne de cette doctrine, cf. BOUSSET, *Schulbetrieb*, pp. 40-43. — Ether et air, *Abr.* 205.
(4) *Deus* 46 τοῦτο τῆς ψυχῆς τὸ εἶδος (sc. le νοῦς) οὐκ ἐκ τῶν αὐτῶν στοιχείων, ἐξ ὧν τὰ ἄλλα ἀπετελεῖτο, διεπλάσθη, καθαρωτέρας δὲ καὶ ἀμείνονος ἔλαχε τῆς οὐσίας, ἐξ ἧς αἱ θεῖαι φύσεις ἐδημιουργοῦντο. De là vient que les astres sont dits nos « frères », *Decal.* 64 τοὺς ἀδελφοὺς φύσει μὴ προσκυνῶμεν, εἰ καὶ καθαρωτέρας καὶ ἀθανωτέρας οὐσίας ἔλαχον. Philon n'est d'ailleurs pas conséquent dans sa doctrine de l'origine de l'âme (il rejette l'origine éthérée *Plant.* 18), cf. sur ce point BOUSSET, *Schulbetrieb*, pp. 11-13.
(5) *Decal.* 155. Dieu est le monarque universel qui a chassé du ciel (ἐξεληλακὼς ἐκ τοῦ καθαρωτάτου τῆς οὐσίας, οὐρανοῦ) toutes les formes nuisibles de gouvernement (ὀλιγαρχίαν ἢ ὀχλοκρατίαν, ἐπιβούλους πολιτείας φυομένας παρ' ἀνθρώποις τοῖς κακίστοις ἐξ ἀταξίας καὶ πλεονεξίας).
(6) *Gig.* 8 καὶ γὰρ οὗτοι (οἱ ἀστέρες) ψυχαὶ ὅλαι δι' ὅλων ἀκήρατοί τε καὶ θεῖαι, παρὸ καὶ κύκλῳ κινοῦνται τὴν συγγενεστάτην νῷ κίνησιν· νοῦς γὰρ ἕκαστος αὐτῶν ἀκραιφνέστατος,

les astres sont des êtres divins (1), ou des dieux (2), ou même, mais Philon rejette cette doctrine, des dieux au pouvoir absolu, *autokratores* (3).

Tout cela se rattache à des doctrines bien connues du vieux Platon et du jeune Aristote. Platoniciens également les développements sur l'utilité des astres (4), platonicienne et d'ailleurs devenue lieu commun dans l'éclectisme, la théorie de la structure du ciel (5), la condamnation du terme « astres errants » pour désigner les planètes (6). Mais c'est à peine si vraiment on peut parler de platonisme : car tous ces points sont devenus des sortes de τόποι scientifiques et n'appartiennent plus guère à une école déterminée. Et lors même qu'il s'agit d'une théorie plus spéciale, on voit Philon l'admettre, mais admettre aussi bien une opinion divergente. C'est ainsi que la doctrine de la quinte essence, popularisée par Aristote, ne l'empêche pas d'accepter la distinction stoïcienne des deux feux, celui de la terre qui consume et ne crée pas (πῦρ ἄτεχνον), celui du ciel

---

60 τὸ γὰρ οὐράνιον τῶν ἐν ἡμῖν (νοῦς δὲ καὶ τῶν κατ' οὐρανὸν ἕκαστον), *Op.* 73 οὗτοι γὰρ (οἱ ἀστέρες) ζῷά τε εἶναι λέγονται καὶ ζῷα νοερά, μᾶλλον δὲ νοῦς αὐτὸς ἕκαστος, ὅλος δι' ὅλων σπουδαῖος καὶ παντὸς ἀνεπίδεκτος κακοῦ, *L. A.* I 1 συμβολικῶς μὲν γὰρ τὸν νοῦν οὐρανὸν (sc. καλεῖ Μωυσῆς), ἐπειδὴ αἱ νοηταὶ φύσεις ἐν οὐρανῷ, *Plant.* 12 καὶ οἱ ἀστέρες οὐρανῷ ζῷα γὰρ καὶ τ' ὑτους νοερὰ δι' ὅλων φασὶν οἱ φιλοσοφήσαντες.

(1) ψυχαὶ θεῖαι *Gig.* 8, θεῖαι φύσεις *Deus* 46.

(2) *Op.* 27 Dieu crée d'abord le ciel, ἄριστόν τε ὄντα τῶν γεγονότων κἀκ τοῦ καθαρωτάτου τῆς οὐσίας παγέντα (cf. *supra*, p. 531, n. 3, 4, 5, et *Op.* 114 τοῦ καθαρωτάτου τῆς οὐσίας, οὐρανοῦ), διότι θεῶν ἐμφανῶν τε καὶ αἰσθητῶν ἔμελλεν οἶκος ἔσεσθαι ἱερώτατος (cf. *Op.* 55 ἐδημιούργει τοὺς αἰσθητοὺς ἀστέρας, ἀγάλματα θεῖα καὶ περικαλλέστατα, οὓς ὥσπερ ἐν ἱερῷ καθαρωτάτῳ τῆς σωματικῆς οὐσίας ἵδρυε τῷ οὐρανῷ).

(3) *Spec.*, I 13 τινὲς ἥλιον καὶ σελήνην καὶ τοὺς ἄλλους ἀστέρας ὑπέλαβον εἶναι θεοὺς αὐτοκράτορας, οἷς τὰς τῶν γινομένων ἁπάντων αἰτίας ἀνέθεσαν· Μωυσεῖ δ' ὁ κόσμος ἔδοξεν εἶναι καὶ γενητὸς καὶ καθάπερ πόλις κτλ., 19 πάντας οὖν τοὺς κατ' οὐρανὸν οὓς αἴσθησις ἐπισκοπεῖ θεοὺς οὐκ αὐτοκρατεῖς νομιστέον, τὴν ὑπάρχων τάξιν εἰληφότας.

(4) *Op.* 55-60 : (*a*) donner de la lumière (τὸ φωσφορεῖν) 56-57; (*b*) servir de signes des événements à venir (σημεῖα μελλόντων) 58-59; (*c*) fixer les limites des saisons de l'année (καιροὶ οἱ περὶ τὰς ἐτησίους ὥρας) 59; (*d*) déterminer les jours, mois, années, qui servent de mesure au temps et qui ont donné naissance au nombre (ἃ δὴ καὶ μέτρα χρόνου γέγονε καὶ τὴν ἀριθμοῦ φύσιν ἐγέννησεν) 60. Cf. PLAT., *Tim.* 30 c 3-40 d 5 : les sept planètes εἰς διορισμὸν καὶ φυλακὴν ἀριθμῶν χρόνου γέγονεν 38 c 6; les conjonctions des astres φόβους καὶ σημεῖα τῶν μετὰ ταῦτα γενησομένων... πέμπουσιν 40 d 1. Voir aussi *Tim.* 47 a 1 ss. (sur le sens de la vue), en particulier 47 a 5 : c'est le spectacle du jour et de la nuit, des mois, des périodes régulières des saisons, des équinoxes, des solstices qui nous a fait inventer le nombre.

(5) Cercle des fixes et sept cercles planétaires *Decal.* 102-104, *Cher.* 22-24 : cf. PLAT., *Tim.* 36 c-d.

(6) *Decal.* 104 : c'est parce que leur course est contraire à celle de la sphère indivisible et tout extérieure (τῇ ἀμερίστῳ καὶ ἐξωτάτῳ σφαίρᾳ : cette sphère des fixes est dite « indivisible » parce qu'elle est faite de la substance indivisible du Même, cf. PLAT., *Tim.* 35 a 1 τῆς ἀμερίστου καὶ ἀεὶ κατὰ ταὐτὰ ἐχούσης οὐσίας, a 5 ἐν μέσῳ τοῦ τε ἀμεροῦς αὐτῶν καὶ τοῦ κατὰ τὰ σώματα μεριστοῦ) que ces astres ont été nommés « errants », οὐ κυρίως ὑπ' ἀνθρώπων εἰκαιοτέρων, οἳ τὴν ἰδίαν πλάνην τοῖς οὐρανίοις ἐπεφήμισαν, ἃ τὴν τοῦ θείου στρατοπέδου τάξιν οὐδέποτε λείπει, cf. PLAT., *Lois*, VII 821 d 1 où cette dénomination est dite un blasphème.

qui ne consume pas mais vivifie (πῦρ τεχνικόν) (1), distinction qui implique la nature ignée — et non éthérée — des astres. Pour les noms des astres, il emploie tour à tour la nomenclature scientifique (2) et la nomenclature mythologique (3). S'il s'inspire généralement d'un platonisme mêlé de traits stoïciens, il prend au néopythagorisme la doctrine des deux hémisphères célestes tournant autour de la terre considérée comme centre ou foyer (ἑστία) (*Cher.* 25-26, *Decal.* 56-57), car ce sont les néopythagoriciens qui ont répandu en Occident, à l'époque hellénistique, cette notion dont l'origine première est due aux prêtres astronomes de la Chaldée (4).

D'un mot la cosmologie de Philon est composite, et elle ressemble par là à tout ce qu'on rencontre d'analogue chez les auteurs du Ier siècle de notre ère. Il n'est pas jusqu'à la comparaison des astres avec des satrapes au service de Dieu le Grand Roi (5) qui ne paraisse directement empruntée à un texte fameux du π. κόσμου. On ne quitte jamais l'ordre de concepts, et même d'images, familier à l'âge hellénistique.

§ 3. *Lieux communs philosophiques.*

Il n'est pas douteux que Philon n'ait eu du goût pour la sagesse (6) et qu'il n'ait fait honnêtement, si l'on peut dire, sa classe de philosophie. A l'occasion, il peut composer un écrit sur une question disputée de physique, de théologie ou de morale (7). Il est au courant des *doxai* sur le ciel (8) et sur l'âme (*Somn.*, I 30-32) (9) :

---

(1) Philon dit plutôt πῦρ χρειῶδες pour le feu terrestre, πῦρ σωτήριον ou οὐράνιον pour le feu céleste, cf. *Heres* 136, *Mos.*, II 148.

(2) *Heres* 224 τὴν δὲ τῶν πλανητῶν τάξιν ἄνθρωποι παγίως μὴ κατειληφότες — τί δ' ἄλλο τῶν κατ' οὐρανὸν ἴσχυσαν κατανοῆσαι βεβαίως; (cf. *Somn.*, I 21, 23) — εἰκοτολογοῦσιν, ἄριστα δ' ἐμοὶ στοχάζεσθαι δοκοῦσιν οἱ τὴν μέσην ἀπονενεμηκότες ἡλίῳ τάξιν, τρεῖς μὲν ὑπὲρ αὐτὸν καὶ μετ' αὐτὸν τοὺς ἴσους εἶναι λέγοντες, ὑπὲρ αὐτὸν μὲν φαίνοντα, φαέθοντα, πυρόεντα, εἶθ' ἥλιον, μετ' αὐτὸν δὲ στίλβοντα, φωσφόρον, τὴν ἀέρος γείτονα σελήνην. Cf. F. Cumont, *Les noms des planètes et l'astrolatrie chez les Grecs*, Ant. Cl., IV 1935, pp. 31 s. et, pour l'ordre « égyptien » des planètes adopté ici, Bousset, *Schulbetrieb*, pp. 30-36.

(3) *Q. Ex.*, II 75 *dixit esse medium locum solarem; reliquis autem tres ex utraque parte ordines distribuit, superius Saturno Jovi Marti, inferius autem Mercurio, Veneri et Lunae.*

(4) Cf. F. Cumont, *Recherches sur le symbolisme funéraire des Romains*, Paris, 1942, ch. I.

(5) *Decal.* 61, *Spec.*, I 18-19, etc. Cf. *supra*, p. 479, Er. Peterson, *Der Monotheismus*, pp. 25-26 et notes 29-33.

(6) Lui-même nous rapporte que tout ce qu'il apprenait en d'autres disciplines, il le tournait à l'étude de la philosophie, cf. *supra*, p. 528.

(7) *De aeternitate mundi, De providentia, Quod omnis probus liber.*

(8) Cf. *supra*, p. 531.

(9) Cf. P. Wendland, *Sitz. Berlin. Ak.*, XXIII, 1897, pp. 1076 ss. et Cic., *Tusc.* I 9, 18 ss. On trouve un morceau analogue *L.A.*, I 91 avec l'argument : « l'intellect, qui connaît toutes choses, ne se connaît pas lui-même; comment donc connaître Dieu, intellect de l'Univers? », cf. *C. H.*, V 2; Cic., *Tusc.*, I 27, 67.

« Pouvons-nous comprendre notre intellect? Non assurément. Que pensons-nous en effet qu'il soit selon sa nature? Du souffle, du sang, ou en général de la matière (σῶμα) — mais il n'est pas matière, il faut le dire immatériel, — ou une limite, une forme idéale (εἶδος), un nombre, un mouvement continu et perpétuel (ἐνδελέχεια) (1), une harmonie, ou quelle sorte encore de réalité? S'il est de l'ordre de l'engendré, la question se pose aussitôt : vient-il de l'extérieur dans le corps, ou bien la nature chaude en nous est-elle trempée par l'air ambiant de manière à devenir extrêmement résistante, de même que le fer rougi au feu est trempé par le forgeron dans de l'eau froide? De fait, l'âme paraît avoir été nommée *psyché* en raison de la *psyxis* (refroidissement) (2). Davantage : quand on meurt, l'intellect s'éteint-il et périt-il avec le corps, ou lui survit-il un temps assez long, ou est-il absolument indestructible? En outre cet intellect, tout justement comme il est (3), où a-t-il sa tanière? Quelle demeure (4) s'est-il choisie? Les uns lui ont consacré la partie la plus sublime en nous, la tête, en laquelle se tiennent embusqués aussi les sens, car il y a toute vraisemblance, à leur avis, que les sens soient installés comme des gardes du corps près du Grand Roi; d'autres sont d'une opinion contraire et tiennent que l'intellect réside dans le sanctuaire du cœur ».

De ci de là, Philon fait état de doctrines plus techniques (5), et même on le voit reproduire toute une dissertation d'école sur la question de savoir si le sage peut s'enivrer (6).

Mais tout cela ne fait pas une pensée. On peut, hélas, lire tout Philon sans rencontrer une seule réflexion originale qui dénote quelque expérience personnelle, rien qui ressemble au dialogue d'un esprit avec soi-même au spectacle de la destinée ou des hommes. Ce n'est jamais que du convenu, des banalités de manuel. Et je n'entends pas seulement ces notions qui se sont révélées si justes et si utiles dès leur naissance qu'elles ont reçu une approbation unanime et sont devenues dogmes scolaires, comme, par exemple, la théorie des quatre causes (7) ou la distinction du genre et de l'indi-

---

(1) Cf. Cic., *Tusc.*, I 10, 22 *Aristoteles... sic ipsum animum* ἐνδελέχειαν *appellat novo nomine quasi quandam continuatam motionem et perennem.*

(2) Voir *Addenda*.

(3) Je lis ποῦ δ' ἐμπεριώλευκε, ὁ νοῦς αὕτως : αὐτῷ codd. (Wendland), αὐτός Mangey (et Adler, trad. all., p. 180, n. 2).

(4) J'adopte, avec Adler (*l. c.*, p. 180, n. 3), la conjecture de Wendland τίνα ἄρα οἶκον pour ἄρα οἶκον codd.

(5) ἕξις et φύσις *L. A.* II 22, *Deus* 35 ss., *Heres* 137; sensation et intellection *L. A.* I 21 ss., II, 7, 24 ss., 71 (union de sensation et intellection : cf. *C. H.*, IX 1 ss.), cf. Bréhier, p. 161, n. 6; parties de l'âme, cf. mon *Id. rel. d. Gr.*, p. 212, n. 4; vraie et fausse magie *Spec.*, III 100 ss. = vraie et fausse divination selon la distinction stoïcienne entre *artificiosa* et *naturalis divinatio*, cf. F. H. Colson, trad. angl. (Loeb), VII, p. 636; tropes d'Énésidème *Ebr.* 170-202, etc.

(6) *Plant.* 140-177, cf. H. v. Arnim, *Quellenst. zu Ph. v. Al.* (*Phil. Unt.* XI), Berlin, 1888.

(7) *Cher.* 127 μεταλθὼν οὖν ἀπὸ τῶν ἐν μέρει κατασκευῶν ἴδε τὴν μεγίστην οἰκίαν ἢ πόλιν, τόνδε τὸν κόσμον· εὑρήσεις γὰρ αἴτιον μὲν αὐτοῦ τὸν θεὸν ὑφ' οὗ γέγονεν, ὕλην δὲ τὰ τέσσαρα στοιχεῖα ἐξ ὧν συνεκράθη, ὄργανον δὲ λόγον θεοῦ δι' οὗ κατεσκευάσθη, τῆς δὲ κατασκευῆς αἰτίαν τὴν ἀγαθότητα τοῦ δημιουργοῦ. Cf. W. Theiler, *Die Vorbereitung des Neuplatonismus* (*Problemata* 1), Berlin, 1930, pp. 31 ss. (*Metaphysik der Präpositionen*).

vidu (1) : de telles doctrines pouvaient être considérées comme des gains définitifs de la recherche philosophique, il n'y avait nul besoin de les reprendre par la base, et il est donc parfaitement naturel que Philon, comme tous les hommes de son temps, les utilise couramment. Je veux parler d'opinions plus spéciales, qui impliquent une certaine direction de l'esprit et ne prennent leur vraie valeur que reliées à un ensemble : or, chez Philon, elles apparaissent détachées, sans substance et sans vie, parce qu'elles ne servent plus que de lieux communs pour illustrer un texte biblique ou donner lieu à un développement oratoire.

Sans chercher ici à rappeler tous ces τόποι, j'en indiquerai seulement quelques-uns sur Dieu, le monde, l'âme humaine et l'intellect humain.

a) *Dieu.*

Que la Divinité existe et qu'elle subsiste de toute éternité (ὅτι ἔστι τὸ θεῖον καὶ ὑπάρχει), que Dieu soit un (et en conséquence que le monde soit un) (2), que Dieu veille sur le Kosmos (*Op.* 170-172), ce sont là vérités banales depuis le *Timée* et le Xe livre des *Lois.*

Dieu est souverainement excellent (*Cher.* 86) : « Dieu seul connaît la joie, la félicité, l'exultation, une paix que ne trouble nulle guerre ; il ignore peine et frayeur, n'a rien de commun avec le mal (ἀκοινώνητος κακῶν), est incapable de s'abandonner ou de pâtir, est plein de force et d'une béatitude sans mélange : sa nature est souverainement parfaite. Ou plutôt il est lui-même le sommet, le terme, la limite de la béatitude, il n'a besoin de personne d'autre pour compléter son excellence (3), bien plutôt c'est lui qui fait participer tous les êtres individuels à cette fontaine de la Beauté qu'il est lui-même : car toutes les belles choses qu'il y a dans le monde n'eussent

---

(1) *Det.* 76-77 : Quoi qu'il faille entendre par *humanité* — un genre, une forme idéale, un concept de l'esprit, ou de quelque façon qu'en décident ceux qui cherchent à définir les termes en leur sens propre (οἱ ζητητικοὶ τῶν κυρίων ὀνομάτων : le κύριον ὄνομα est le mot pris dans son sens propre, courant, par opposition au sens métaphorique, etc.), — l'individu *homme* peut mourir, mais l'*humanité* ne meurt pas. Il en va pareillement des vertus. Leur empreinte peut s'effacer, la vertu elle-même est indestructible. Mais c'est ce que ne comprennnent pas « ceux qui n'ont pas été initiés à la culture : ils ne savent pas distinguer entre tout et parties, entre genre et espèces, ni percevoir qu'un même nom ne peut s'appliquer à des réalités différentes (οὐκ εἰδότες... τὰς ἐν τούτοις ὁμωνυμίας), et dès lors brouillent et confondent toutes choses ». Voir BRÉHIER, p. 285.

(2) Raisonnement interverti *C. H.*, XI 11 : Dieu un comme le monde est un.

(3) μετέχων μὲν οὐδενὸς ἑτέρου πρὸς βελτίωσιν. L'auteur ne veut pas dire que Dieu, tout en ayant à compléter son excellence, se suffit à lui-même pour cela. Non, Dieu est souverainement parfait, et il n'a donc besoin de rien, cf. *Mos.*, I 157 ὁ μὲν γὰρ θεὸς πάντα κεκτημένος οὐδενὸς δεῖται.

pu naitre telles si elles n'avaient été faites à l'image de l'Archétype, du Beau véritable, de l'Être incréé qui jouit du bonheur parfait ». Ces thèmes, issus du platonisme, se retrouvent tous chez le Trismégiste, cf. *C. H.*, II 14-16, VI en entier. Dieu n'a besoin de rien : *C. H.*, VI 1. Dieu donne tout et ne reçoit rien : II 16, V 10 X 3. Pour ἀκοινώνητος, cf. VI 5.

Dieu est la source suprême du Tout, *Fug.* 198 : cf. *C. H.*, XI 3 πηγὴ μὲν οὖν πάντων ὁ θεός et *passim*.

Dieu est présent partout, il contient tout, *Conf.* 134-139, *Sacr.* 67-68 : cf. *C. H.*, XI 6, 20, XII 22-23.

Dieu est Un et Tout, *L. A.*, I, 44 (Dieu contient tout et n'est contenu par rien, ἅτε εἷς καὶ τὸ πᾶν αὐτὸς ὤν) : cf. *C. H.*, XIII 17 ὑμνεῖν μέλλω τὸν τῆς κτίσεως κύριον καὶ τὸ πᾶν καὶ τὸ ἕν (cf. XIII 18), XVI 3 ἄρξομαι δὲ τοῦ λόγου... τὸν θεὸν ἐπικαλεσάμενος τὸν τῶν ὄντων δεσπότην... καὶ πάντα ὄντα τὸν ἕνα καὶ ἕνα ὄντα τὰ πάντα.

Dieu est seul, du fait de sa nature même, aucun être ne lui étant semblable, *L. A.*, II, 1 μόνος δὲ καὶ καθ' αὑτὸν εἷς ὢν ὁ θεός, οὐδὲν δὲ ὅμοιον θεῷ ; cf. *C. H.*, IV 9, XI 5.

Dieu est Un et Seul, *L. A.*, II 2 ὁ θεὸς μόνος ἐστὶ καὶ ἕν: cf. *C. H.*, IV 1 et *passim*.

Dieu est monade, *L. A.*, II 3 τέτακται οὖν ὁ θεὸς κατὰ τὸ ἓν καὶ τὴν μονάδα, μᾶλλον δὲ ἡ μονὰς κατὰ τὸν ἕνα θεόν : cf. *C. H.*, IV 10-11.

Dieu est éternellement actif (mais d'une activité sans fatigue), *Cher.* 87-90 : cf. *C. H.*, XI 13-14, XVI 19.

Dieu est ἑστώς, *Gig.* 49 (στάσις τε καὶ ἠρεμία ἀκλινὴς ἡ παρὰ τὸν ἀκλινῶς ἑστῶτα ἀεὶ θεόν), *Somn.*, I, 157-158 : cf. *C. H.*, II 12 (αὐτὸς ἐν ἑαυτῷ ἑστώς).

Dieu est créateur, et il crée parce qu'il est bon, *Op.* 21 : cf. PLAT., *Tim.* 29 a, e, 41 b, et, d'autre part, *C. H.*, IV 1-2.

Dieu est cause seulement du bien, *Agr.* 129, *Plant.* 53, *Conf.* 180 : cf. PLAT., *Rép.*, II, 379 b-c et *C. H.*, VI.

Dieu n'est pas cause du mal, *Op.* 72-76, *Agr.* 128-129, *Conf.* 171-180, *Fug.* 70, *Abr.* 143 : cf. *C. H.*, IV 8, XIV 7 (1).

Impossibilité de louer Dieu comme il le mérite, *L. A.*, III, 10 : cf. *C. H.*, V 10-11.

---

(1) Mal moral attaché à l'homme du fait qu'il est créé, *Mos.*, IV 147 (à propos du sacrifice pour la rémission des péchés) : αἰνιττόμενος ὅντι παντὶ γενητῷ, κἂν σπουδαῖον ᾖ, παρόσον ἦλθεν εἰς γένεσιν, συμφυὲς τὸ ἁμαρτάνειν ἐστίν : cf. *C. H.*, XIV 7 αὐτῷ δὲ τῷ ποιοῦντι (Dieu) οὐδὲν κακὸν οὐδ' αἰσχρὸν νομιζόμενον· ταῦτα γάρ ἐστι τὰ πάθη τὰ τῇ γενέσει παρεπόμενα, ὥσπερ ὁ ἰὸς τῷ χαλκῷ καὶ ὁ ῥύπος τῷ σώματι.

b) *Monde.*

Les lieux communs philosophiques sur le monde sont surtout empruntés au stoïcisme, comme il est naturel puisque le Kosmos tient, dans ce système, une si grande place. Mais ces notions stoïciennes ont perdu, chez Philon, leur caractère originel et ne sont plus que de simples images. Dans le stoïcisme en effet, l'idée que le monde est un être vivant ou une cité a un sens plein. Le monde est habité par le Logos; ce Logos en pénètre tous les êtres, qui ne possèdent leur être et leur nature spécifique que grâce à cette immanence divine. De là vient que le monde est un Vivant, un Vivant divin, qui d'une certaine manière ne se distingue pas de Dieu. De là vient aussi que, puisque ce Logos est présent, sous un mode plus essentiel, dans les hommes et les dieux astres, le monde est dit une cité des dieux et des hommes. De là vient enfin que, puisque le sage est celui qui conforme entièrement son vouloir au Vouloir du Monde-Dieu, le sage, avec Dieu dont il est d'ailleurs l'image, est le vrai citoyen du monde, l'expression visible et animée de la Loi du monde, d'un mot la Loi vivante. Or ces dogmes stoïciens qui, dans la Stoa, font une pensée cohérente qui a véritablement nourri et fortifié beaucoup de bons esprits parmi les anciens, Philon ne les accepte point d'un cœur sincère et il ne peut pas les admettre. Sans doute il parle des astres dieux et il lui arrive de nommer Dieu l'âme (ψυχὴ τῶν ὅλων *L. A.*, I 91) ou l'intellect (νοῦς τῶν ὅλων *L. A.*, III 29) de l'univers, Mais, dans la mesure où il reste juif, il ne peut croire que Dieu soit réellement immanent au Kosmos et que le monde soit Dieu au sens propre. Il réprouve cette doctrine (*Conf.* 173) : « la nature des deux mondes (intelligible et visible) a si bien frappé d'admiration certaines gens qu'ils ont déifié non seulement chacun de ces mondes dans son ensemble, mais les plus belles de leurs parties, le soleil, la lune et le ciel entier, et que, sans pudeur aucune, ils les ont nommés dieux ». Car le Dieu de la Bible est un Dieu personnel qui, par définition, se distingue du monde qu'il a créé. Le Dieu de la Bible est transcendant. Les dogmes stoïciens n'ont donc plus valeur, chez Philon, que de belles métaphores, qui servent à l'édification parce qu'elles donnent un tour religieux à l'étude de la nature. On s'en rendra compte par quelques exemples.

Le monde est un être vivant (*Spec.*, I 210-211) :

« Il en va ainsi du reste. Quand, ô ma pensée, tu veux remercier Dieu pour la création du monde, offre-lui ton action de grâces et pour l'univers entier et pour les principales de ses parties, convaincu que cet univers est un être **vivant** parfaitement accompli dans ses membres, je veux dire le ciel, le soleil, la lune, les planètes et les astres fixes, la terre, les animaux et les plantes qu'elle contient, la mer et les rivières d'eau de source ou d'eau pluviale avec tout ce qu'elles contiennent, l'air et les changements qui s'y font — car l'hiver et l'été, le printemps et l'automne, ces saisons qui reviennent chaque année et qui sont toutes si utiles à la vie humaine, sont des affections de l'air au fur et à mesure qu'il change pour le salut des êtres sublunaires. Et s'il t'arrive de rendre grâces pour l'homme, que ce ne soit pas seulement pour le genre entier, mais pour les espèces et les catégories principales de l'humanité, pour les hommes et les femmes, les Grecs et les barbares, ceux qui habitent le continent et ceux qui vivent dans les îles » (1).

On le voit, l'idée du monde conçu comme un Vivant n'a donné lieu ici qu'à un développement oratoire, du type le plus banal, sur l'excellence du Kosmos.

Rien que de convenu aussi dans les passages où le monde apparaît comme la Grande Cité, Mégalopolis : *Op.* 19, 143, *Jos.* 29, *Mos.*, II 51 (2).

Le monde est le temple de Dieu (*Spec.*, I 66) :

« Le temple le plus sublime, le vrai temple de Dieu, il faut tenir que c'est le monde entier, qui a pour sanctuaire la partie la plus sainte de l'ensemble des choses, le ciel, pour offrandes votives les astres, pour prêtres les anges serviteurs des Puissances de Dieu, âmes incorporelles non mêlées, comme les nôtres, de la nature rationnelle et de l'irrationnelle, mais, à l'exclusion de l'irrationnel, âmes entièrement intelligentes, purs intellects, semblables à la monade « (3),

De la cité du monde, Dieu est le seul citoyen au sens propre (*Cher.* 120-121) :

Chacun de nous entre en ce monde comme dans une cité étrangère il n'y eut point de part avant de naître, et il n'y a que le rang de métèque jusqu'à ce qu'il ait épuisé la durée fixée pour sa vie.

« Dieu seul est au sens propre citoyen (du monde), tous les êtres créés ne sont que des métèques et des étrangers et on ne les nomme citoyens que par un abus de langage qui ne correspond pas à la vérité. Mais pour le sage, c'est un don suffisant que d'avoir pris rang à côté de Dieu, le seul citoyen, et d'être compté comme étranger et métèque, puisqu'il n'est aucun des insensés qui, à titre même d'étranger ou de métèque, soit admis dans la cité de Dieu. »

Ailleurs pourtant, selon la formule stoïcienne, le sage est dit

---

(1) Cf. *Migr.* 220 où le monde est dit l'homme parfait : διόδευσον μέντοι καὶ τὸν μέγιστον καὶ τελειότατον ἄνθρωπον, τὸν κόσμον.

(2) Moyse, « jugeant la Loi trop bonne et trop divine pour être renfermée dans les murs d'une des villes de la terre, a fait précéder la Loi du récit de la genèse de la Grande Cité, tenant que la Loi est l'image la plus exacte du gouvernement du monde ».

(3) *Cher.* 98-101 : si la vraie demeure de Dieu est le ciel, sur terre le Dieu invisible loge aussi dans l'âme humaine invisible, οἶκον οὖν ἐπίγειον τὴν ἀόρατον ψυχὴν τοῦ ἀοράτου θεοῦ... φήσομεν (101).

citoyen du monde (*Mos.*, I, 157) : Dieu possède tout et n'a besoin de rien. L'honnête homme ne possède rien au sens propre, il ne se possède même pas lui-même, mais il participe, autant qu'il est possible, aux trésors de Dieu.

« Et c'est naturel, car il est citoyen du monde, et de là vient qu'il ne s'est fait inscrire en aucune des cités terrestres : à juste titre, car son lot n'est pas quelque portion de la terre, mais le monde tout entier » (1).

Le sage jouit de ce privilège en tant qu'il observe la Loi mosaïque, laquelle ne se distingue pas de la Loi du monde (*Op.* 3) :

« Le début (du livre de la Loi) est, comme je l'ai dit, absolument admirable, car Moyse y donne un récit de la Genèse (κοσμοποιία), dans la pensée que le monde est en harmonie avec la Loi et la Loi avec le monde, et que l'homme qui observe la Loi est, de ce fait, citoyen du monde, puisqu'il modèle sa conduite sur le vouloir de la nature dont les principes servent de règle aussi au gouvernement de l'univers. »

Mos., II 48 : Celui qui veut obéir aux lois (de Moyse) se montrera tout prêt à suivre la nature et à vivre conformément à l'ordre de l'univers, mettant ses paroles en accord avec ses actes, ses actes avec ses paroles (2). En raison de cette conformité à la Loi universelle, le Sage est la Loi vivante (3).

Toutes ces formules n'ont rien que de banal. Si elles ne reparaissent pas dans l'hermétisme, c'est que ce groupe d'écrits a peu subi, en général, l'influence du vocabulaire stoïcien. Mais il y a d'autres traits communs, sur le point du monde, à Philon et au Trismé-

---

(1) Voir aussi *Mig.* 59 ὁ μὲν δὴ κόσμος καὶ ὁ κοσμοπολίτης σοφὸς πολλῶν καὶ μεγάλων ἀγαθῶν ἀναπέπλησται. Comme de juste le Premier Homme, qui naturellement fut un sage, est citoyen du monde, *Op.* 142 (τὸν) πρῶτον ἄνθρωπον... μόνον κοσμοπολίτην λέγοντες ἀψευδέστατα ἐροῦμεν· ἦν γὰρ οἶκος αὐτῷ καὶ πόλις ὁ κόσμος. Le premier homme a pour πολιτεία la πολιτεία du monde, c'est-à-dire ὁ τῆς φύσεως ὀρθὸς λόγος, et pour concitoyens les λογικαὶ καὶ θεῖαι φύσεις, c'est-à-dire d'une part les êtres intelligibles et incorporels, d'autre part les astres (cf. 143-144).

(2) Cf. *Jos.* 230 (à propos de Jacob) ἀλλ' ἡ τοῦ βίου καλοκἀγαθία καὶ τὸ σύμφωνον καὶ ὁμολογούμενον πρὸς ἔργα λόγων καὶ πρὸς λόγους ἔργων ἐξενίκησεν κτλ., *Mos.*, I 29 τὰ φιλοσοφίας δόγματα διὰ τῶν καθ' ἑκάστην ἡμέραν ἔργων ἐπεδείκνυτο, λέγων μὲν οἷα ἐφρόνει, πράττων δὲ ἀκόλουθα τοῖς λεγομένοις εἰς ἁρμονίαν λόγου καὶ βίου, ἵν' οἷος ὁ λόγος τοιοῦτος ὁ βίος καὶ οἷος ὁ βίος τοιοῦτος ὁ λόγος ἐξετάζωνται καθάπερ ἐν ὀργάνῳ μουσικῷ συνηχοῦντες. Cf. le décret pour Zénon, SVF. I 7, 8 ἀκόλουθον ὄντα τοῖς λόγοις οἷς διελέγετο. En revanche, contradiction chez les sophistes (maîtres de sagesse humaine) entre les paroles et les actes, *Det.* 72-74.

(3) *Abr.* 5 οἱ γὰρ ἔμψυχοι καὶ λογικοὶ νόμοι ἄνδρες ἐκεῖνοι γεγόνασιν, 276 τοιοῦτος ὁ βίος τοῦ πρώτου καὶ ἀρχηγέτου τοῦ ἔθνους ἐστίν, ὡς μὲν ἔνιοι φήσουσιν, νόμιμος, ὡς δ' ὁ παρ' ἐμοῦ λόγος ἔδειξε, νόμος αὐτὸς ὢν καὶ θεσμὸς ἄγραφος (cf. *Decal.* 1 le sage νόμος ἄγραφος, *Virt.* 194 νόμοι δέ τινες ἄγραφοι καὶ οἱ βίοι τῶν ζηλωσάντων τὴν ἀρετήν, *Det.* 114 ἐν ἄρχουσι δὲ γράφονται δήπου καὶ νόμοι, *Mos.*, I 162 αὐτὸς ἐγίνετο νόμος ἔμψυχός τε καὶ λογικός, II 4 εἶναι τὸν μὲν βασιλέα νόμον ἔμψυχον, τὸν δὲ νόμον βασιλέα δίκαιον). **Sur la Loi**, voir aussi Bréhier, ch. II (*La Loi juive*). — Sur le sage roi, etc., *Sobr.* 56-57, *Mut.* 152, *Somn.*, II 244, *Abr.* 261, etc. Sur le monde patrie du sage, *Spec.*, I 97 τὸν κόσμον ἑαυτοῦ πατρίδα νομίζων.

giste. Ainsi la notion du monde visible fils de Dieu, et même plus précisément second fils de Dieu, le premier fils étant le monde intelligible, *Deus* 31 ὁ μὲν γὰρ κόσμος οὗτος νεώτερος υἱὸς θεοῦ, ἅτε αἰσθητὸς ὤν, *Ebr.* 30 la science de Dieu, fécondée par le divin δημιουργός, τὸν μόνον καὶ ἀγαπητὸν αἰσθητὸν υἱὸν ἀπεκύησε, τόνδε τὸν κόσμον, *Mos.*, II 134 : cf. *C. H.*, IX 8 πατὴρ μὲν οὖν ὁ θεὸς τοῦ κόσμου, ὁ δὲ κόσμος τῶν ἐν κόσμῳ. καὶ ὁ μὲν κόσμος υἱὸς τοῦ θεοῦ, τὰ δὲ ἐν τῷ κόσμῳ ὑπὸ τοῦ κόσμου, X 14 καὶ γίνεται ὁ μὲν κόσμος τοῦ θεοῦ υἱός, ὁ δὲ ἄνθρωπος τοῦ κόσμου ὥσπερ ἔκγονος (1). De ce fait, le monde est δεύτερος θεός, VIII, 1. A ce couple Dieu et monde s'ajoute, en plusieurs textes hermétiques, un troisième terme, l'homme ; Dieu, le monde, l'homme forment ainsi une sorte de trilogie ou de famille, dont chacun des deux derniers membres est respectivement le produit et l'image du membre précédent, *C. H.*, VIII, X (1-10 Dieu, 10-11 monde, 12-14 homme). C'est que l'homme, de son côté, est une copie du monde et, s'il ne peut imiter Dieu, il doit du moins se rendre semblable au monde, étant lui-même un petit monde, *C. H.*, IV 2, *Ascl.* 10, Hermès *ap.* Olympiodore, p. 100 Berth. (Ἑρμῆς τοίνυν μικρὸν κόσμον ὑποτίθεται τὸν ἄνθρωπον). Cette doctrine de l'image (εἰκών) est, comme on sait, familière à Philon (2), et la trilogie Dieu-monde-homme se dégage implicitement de *Mos.*, II 134-135 où l'homme es dit un petit monde (βραχὺς κόσμος). L'origine de ces idées n'est pas stoïcienne, mais platonicienne. C'est Platon qui, dans le *Timée*, a défini le monde, non seulement déjà comme un Vivant doué d'âme et d'intellect (ζῷον ἔμψυχον ἔννουν τε, 36 b 8), mais comme « un dieu visible image du Dieu intelligible, très grand, très bon, très beau, très parfait, né unique et seul de sa race » (μονογενής, 92 c 8-10). D'autre part, c'est le *Timée* aussi qui a enseigné que le sage devait conformer les mouvements de son âme à ceux du ciel (90 a-d) et devenir comme une image terrestre du ciel lui-même.

On pourrait citer bien d'autres idées ou images qui, sans plus appartenir en propre à aucun système, sont devenues de simples formules de rhétorique : le berger et le roi (*Jos.* 2 ss., *Mos.*, I 60), le corps cadavre (νεκρὸν : *L. A.*, III 69, 72, 74 : cf. *C. H.*, VII 2) (3), le thème archibanal de la station droite de l'homme (4).

---

(1) Voir aussi les *testimonia*, Scott, I, p. 298.
(2) Cf. Hans Willms, Εἰκών, *eine begriffsgeschichtliche Untersuchung zum Platonismus*, I. *Philon von Alexandreia*, Munster, 1935.
(3) L'origine est évidemment platonicienne, mais c'est devenu un lieu commun, cf. Epict., I 19, 9 τοῦ νεκροῦ δέ μου κύριος εἶ, λάβε αὐτόν (le sage au tyran), M. Anton., IV 41 ψυχάριον εἶ, βαστάζον νεκρόν, ὡς Ἐπίκτητος ἔλεγεν (fr. 26 Schenkl.).
(4) *Plant.* 17-20 ἀνθρώπου δὲ ἔμπαλιν (τὰς ὄψεις) ἀνώρθωσεν ἵνα τὸν οὐρανὸν καταθεᾶτ

c) *L'intellect humain.*

La doctrine philonienne de l'intellect humain peut se résumer comme suit (1). Selon une tradition déjà longue, l'âme humaine est d'origine divine. Au temps de Philon, une notion si banale s'explicite ordinairement en termes stoïciens. De fait, nous voyons Philon faire usage du vocabulaire de la Stoa. L'intellect est un souffle chaud et igné (*Fug.* 133), un souffle divin envoyé ici-bas par la nature bienheureuse de Dieu (*Op.* 135); fait d'éther, il est une parcelle détachée de l'Être divin (ἡ δὲ ψυχὴ αἰθέρος ἐστίν, ἀπόσπασμα θεῖον, *L. A.*, III 161), ou une parcelle de l'Ame du monde (τῆς τοῦ παντὸς ψυχῆς ἀπόσπασμα, *Mut.* 223), ou encore il est tiré de la même essence que les êtres divins (les astres) (2). Encore faut-il remarquer avec Völker (3) que, là même où Philon regarde l'âme comme un souffle igné ou une parcelle d'éther, il ne lui attribue jamais une nature matérielle, mais qu'il la tient pour un don immédiat de Dieu, d'ailleurs réservé à l'homme : ce souffle divin n'existe qu'en l'homme, il n'est pas immanent au Kosmos entier (4). En juxtaposition avec ces vues, Philon, dans d'autres passages, fait de l'intellect une copie de Dieu, soit directe (5), soit indirecte, l'intermédiaire entre Dieu et l'intellect humain étant le Logos (6).

Avec un Philon d'ailleurs, il ne faut pas presser ces divergences, car on le voit, dans un seul et même texte, unir les deux théories,

φυτὸν οὐκ ἐπίγειον ἀλλ' οὐράνιον, ὡς ὁ παλαιὸς λόγος (*Tim.* 90 a), ὑπάρχων... [20] ἀκόλουθον οὖν ἦν... καὶ τὸ σῶμα ἀνεγερθὲν πρὸς τὴν καθαρωτάτην τοῦ παντὸς μοῖραν, οὐρανόν, τὰς ὄψεις ἀνατεῖναι, ἵνα τῷ φανερῷ τὸ ἀφανὲς ἐκδήλως καταλαμβάνηται, cf. *C. H.*, IV 9 τὸ δὲ ἀγαθὸν ἀφανὲς τοῖς φανεροῖς (mais le sens n'est pas le même : Philon « afin que par le visible, il appréhende manifestement l'invisible », C. H. « le bien est invisible aux yeux visibles du corps »), V 1 Dieu qui est ἀφανής rend toutes choses φανερά.

(1) Cf. VÖLKER, pp. 159 ss.

(2) *Deus* 46 τοῦτο τῆς ψυχῆς τὸ εἶδος (le νοῦς) οὐκ ἐκ τῶν αὐτῶν στοιχείων, ἐξ ὧν τὰ ἄλλα ἀπετελεῖτο, διεπλάσθη, καθαρωτέρας δὲ καὶ ἀμείνονος ἔλαχε τῆς οὐσίας, ἐξ ἧς αἱ θεῖαι φύσεις ἐδημιουργοῦντο. (Le mot ἀπόσπασμα est évidemment stoïcien, mais la notion de l'origine éthérée de l'âme se rattache à Aristote : pour les Stoïciens, le ciel et les astres sont composés de feu). Tout le morceau *Deus* 45-48 est un éloge, selon le type classique, de l'intellect humain.

(3) *Op. cit.*, pp. 160-161.

(4) « Gewiss spricht Philo von einem πνεῦμα θεῖον, aber dieses ist allein im Menschen, nicht überall im ganzen Kosmos » (VÖLKER, p. 160). A vrai dire, peut-on l'affirmer? Philon n'est pas aussi précis. Tout ce qu'il est loisible de penser, c'est que, lorsqu'il parle d'une Ame ou d'un Intellect du Tout (cf. supra, p. 537 et *Fug.* 46 ὁ τῶν συμπάντων, sc. νοῦς), il ne l'entend pas au sens d'un panthéisme strict, qui contredirait à la Bible.

(5) *Det.* 83 : L'âme (dite ici πνεῦμα) n'est pas de l'air en mouvement, mais une empreinte frappée par la puissance divine, Dieu étant l'archétype de la nature rationnelle, l'homme la copie et l'image. Voir aussi *Det.* 86-87.

(6) *Her.* 231 : le Logos est la copie directe, notre intellect une empreinte de cette copie (τῆς εἰκόνος ἐκμαγεῖον); *Fug.* 223 : la raison (λογισμός) est une parcelle de l'Ame universelle, « ou, selon l'opinion plus sainte des philosophes disciples de Moyse, l'empreinte ressemblante de l'image divine » (εἰκόνος θείας ἐκμαγεῖον ἐμφερές).

Decal. 134 :

> « L'homme, le plus excellent des êtres vivants, par la partie la plus haute de son être, l'âme, est en affinité très étroite avec ce qu'il y a de plus pur dans la nature, le ciel, et il l'est aussi, au dire du plus grand nombre, avec le Père du monde, car il a reçu l'intellect, qui, de toutes les choses d'ici-bas, représente et copie le plus exactement la Forme éternelle et bienheureuse. »

Quoi qu'il en soit, dès lors, des contradictions philoniennes, l'essentiel est que notre intellect est en affinité avec le divin. De là vient que nous pouvons contempler les choses divines, car c'est grâce à la lumière que nous voyons la lumière, grâce à Dieu que nous percevons Dieu, *Praem.* 45 :

> « Ce soleil visible, le voyons-nous par autre chose que le soleil? Et les astres, par autre chose que les astres? Et, d'une manière générale, n'est-ce pas grâce à la lumière qu'on perçoit la lumière? Tout de même, Dieu est sa propre lumière et c'est par lui seul que nous le voyons, sans que rien d'autre nous aide et nous puisse aider pour comprendre, en toute sa pureté, la réalité divine... [46] Ceux-là seuls parviennent à la vérité qui se représentent Dieu par Dieu, la lumière par la lumière. »

De là vient aussi que la connaissance de soi-même mène à la connaissance de Dieu (*Migr.* 185-186, 195 μαθὼν ἀκριβῶς ἑαυτὸν εἴσεται τάχα που καὶ θεόν).

Il est à peine besoin de montrer combien, au Ier siècle, ces idées sont communes. Rappelons seulement Manilius (II 115 s.) :

> « Qui pourrait connaître le Ciel si le Ciel lui-même n'en avait donné la science, qui pourrait trouver Dieu si l'on n'était soi-même une parcelle de la Divinité? »

L'origine divine de l'intellect est l'un des dogmes des écrits hermétiques, et cette doctrine s'y présente avec les mêmes inconséquences que chez Philon. Tantôt en effet les âmes individuelles sont dites des parcelles de l'Ame du Tout, *C. H.*, X 7 :

> « N'as-tu pas entendu dans les *Leçons Générales* que c'est d'une seule Ame, l'Ame du Tout, qu'ont été détachées et comme distribuées toutes les âmes, ces âmes qui tourbillonnent dans le monde » (1) ?

Tantôt l'âme et l'intellect humains sont directement issus de la Vie et de la Lumière, qui sont les éléments constituants de Dieu (*C. H.*, I 17). Que l'intellect soit un don de Dieu, une grâce (2), et qu'on ne puisse voir Dieu que par le moyen d'une illumination divine (3), c'est une des vérités centrales de l'hermétisme. Enfin,

---

(1) Cf. X 15 : l'âme individuelle est originairement suspendue à l'Ame du monde.
(2) Cf. *C. H.*, IV, 5, et *Harvard Theol. Rev.*, XXXI, 1938, p. 1, n. 4.
(3) Cf. Ferguson, *Hermetica*, IV, index, s. v. φῶς, φωτίζω.

certains traités, comme le *C. H.* I, reviennent souvent sur l'idée qu'en se connaissant soi-même, on connaît Dieu (v. gr. *C. H.*, I 21) Dans cette doctrine philonienne de l'intellect, qui n'a rien d'original et se rattache, en particulier, au platonisme (1), je voudrais marquer quelques lieux communs plus spécialement chers à l'âge hellénistique.

D'abord la métaphore platonicienne (2) de l'intellect œil de l'âme (3). Cette image, classique au temps de Philon (4), reparaît souvent, comme de juste, chez le Trismégiste (5).

Ensuite le thème banal du pouvoir de la pensée. *L. A.*, I, 62 :

« Au moment présent, mon intellect (τὸ ἡγεμονικόν) est dans mon corps par sa substance, mais, par son pouvoir, il est en Italie ou en Sicile lorsqu'il fait réflexion sur ces contrées, il est au ciel quand il porte son attention sur le ciel ».

Cf. *C. H.* XI 19-20 :

« [19]. Juges-en aussi de la façon suivante, d'après toi-même. Commande à ton âme de se rendre dans l'Inde, et voilà que, plus rapide que ton ordre, elle y sera. Commande-lui de passer ensuite à l'océan, et voilà que, de nouveau, elle y sera aussitôt, non pour avoir voyagé d'un lieu à un autre, mais comme si elle s'y trouvait déjà. Commande-lui même de s'envoler vers le ciel, elle n'aura pas besoin d'ailes : rien ne peut lui faire obstacle, ni le feu du soleil, ni l'éther, ni la révolution du ciel, ni les corps des autres astres : mais, coupant au travers tous les espaces, elle montera dans son vol jusqu'au dernier corps. Et si tu voulais encore crever la voûte de l'univers lui-même et contempler ce qui est au delà (si du moins il est quelque chose au delà du monde), tu le peux.

[20]. Vois quelle puissance, quelle vitesse tu possèdes » (6) !

Ce lieu commun, si célèbre dans l'antiquité (7) depuis Xénophon

---

(1) Cf. *Rép.*, VI, 508 a 4-509 a 5, la comparaison entre le soleil qui rend les objets concrets visibles à l'œil, le plus « solaire » de nos sens, et le Bien qui rend les Formes idéales visibles à l'intellect, et ma *Contemplation... selon Platon*, pp. 105 ss.
(2) Cf. *Banq.* 211 d-e, 212 a 3 (ὁρῶντι ᾧ ὁρατὸν τὸ καλόν), *Phèdre* 247 c (ἡ γὰρ... ἀναφὴς οὐσία... ψυχῆς κυβερνήτῃ μόνῳ θεατὴ νῷ), *Rép.*, VII, 519 b (τὴν τῆς ψυχῆς ὄψιν, 533 d τὸ τῆς ψυχῆς ὄμμα).
(3) *Op.* 53 ὅπερ γὰρ νοῦς ἐν ψυχῇ, τοῦτ' ὀφθαλμὸς ἐν σώματι, *Deus* 45-46 καθάπερ γὰρ ἐν μὲν τῷ σώματι τὸ ἡγεμονικὸν ὄψις ἐστιν, ἐν δὲ τῷ παντὶ ἡ τοῦ φωτὸς φύσις, τὸν αὐτὸν τρόπον καὶ τῶν ἐν ἡμῖν τὸ κρατιστεύον ὁ νοῦς· ψυχῆς γὰρ ὄψις οὗτος οἰκείαις περιλαμπόμενος αὐγαῖς, *Conf.* 100 οὕτως μέντοι καὶ αὐτὸς ὁ σύμπας οὐρανὸς ἑστάναι δοκῶν περιδινεῖται κύκλῳ, τῆς κινήσεως τῷ ἀειδεῖ καὶ θειοτέρῳ καταλαμβανομένης τῷ κατὰ διάνοιαν ὀφθαλμῷ. Ailleurs le νοῦς est dit âme de l'âme, *Op.* 66 ἐπὶ δὲ πᾶσιν, ὡς ἐλέχθη, τὸν ἄνθρωπον (ἐγέννησεν ὁ θεός), ᾧ νοῦν ἐξαίρετον ἐδωρεῖτο, ψυχῆς τινα ψυχὴν καθάπερ κόρην ἐν ὀφθαλμῷ (or la pupille est dite ὀφθαλμοῦ ὀφθαλμός).
(4) V. gr. *de mundo* 1, 391 a 15 ψυχὴ... θείῳ ψυχῆς ὄμματι τὰ θεῖα καταλαβομένη.
(5) τοῦ νοῦ ὀφθαλμός (ou ὀφθαλμοί) : *C. H.*, V 2, X 4, 5, XIII 14, 18; τῆς καρδίας ὀφθαλμοί : IV 11, VII 1.
(6) Voir aussi *Ascl.* 6 : *elementis velocitate miscetur, acumine mentis in maris profunda descendit,* etc.
(7) Cf. Ferguson, *Hermetica*, IV, pp. 455-461. Cf. *supra*, pp. 87-88.

jusqu'à Némésius (1), sert surtout à Philon lorsqu'il veut décrire le vol de l'âme vers le ciel et, au delà du ciel, vers les réalités intelligibles. Nous retrouverons plus loin ces textes.

Notons enfin l'argument classique (2) : l'existence du Dieu invisible n'est pas moins certaine que celle de l'intellect qui, lui aussi, est invisible. *Abr.* 74-76 :

« Que le Roi soit invisible, ne t'en étonne pas : car l'intellect qui est en toi n'est pas, lui non plus, visible » [74].

Mut. 10 :

« Mais qu'y a-t-il d'étonnant que l'Être demeure imperceptible aux hommes, puisque l'intellect en chacun de nous est, pour nous, inconnaissable ? »

Decal. 59-60 :

« Il y en a dont le jugement est si insensé que non seulement ils regardent ces objets (les parties du monde) comme dieux, mais qu'ils tiennent chacun d'eux pour le très grand et premier Dieu. Leur esprit rebelle à l'instruction ou leur peu d'ardeur à apprendre les empêche de connaître l'Être véritablement existant, parce qu'ils supposent qu'il n'y a rien en dehors des objets visibles, pas de cause invisible et intelligible, bien qu'ils aient, pour s'en assurer, la preuve la plus manifeste. Car ils ont une âme, par laquelle ils vivent, délibèrent et accomplissent toutes les actions de la vie humaine ; or cette âme, elle non plus, ils ne peuvent la voir des yeux du corps, quelque ambition qu'ils aient ressentie de la voir un jour, si possible, cette sainte image, de toutes la plus auguste, premier échelon dans la montée vers la conception de l'Être inengendré et éternel, qui dirige et conserve le char du monde tout en demeurant invisible. »

Spec. I, 18 :

« Car il est tout à fait ridicule de penser que, si l'intellect, qui en nous est si petit et invisible, n'en commande pas moins aux sens, l'Intellect de l'univers, cet Intellect si grand et si parfait, n'est pas naturellement le Roi des rois, Roi invisible de rois visibles (les astres) » (3).

---

(1) Xen., *Mem.*, I 4, 17 ; Nemes., *de nat. hom.*, p. 136 Matth. Xénophon, qui écrit en Grèce, au ive s. av. J.-C., cite l'Égypte et la Sicile, Némésius, qui écrit à Émèse, au ve s. ap. J.-C., nomme Alexandrie et Rome. La mention de l'Inde, dans le texte hermétique, est due à une correction assez vraisemblable de Patricius (εἰς Ἰνδικήν pour εἰς ἣν δὲ καί codd. Scott écrit εἰς ἣν δὴ καὶ <βούλει γῆν>). Si l'on accepte Ἰ δικ ν, il est intéressant de voir que la pensée de l'Inde, parmi tant de pays possibles, vient tout naturellement à l'auteur, comme exemple de lieu où l'âme vole : petite preuve nouvelle du grand commerce qu'Alexandrie faisait alors avec l'Inde.

(2) Cf. *supra*, pp. 83 ss.

(3) Sur Dieu invisible, cf. encore *Mut.* 3-10 (en particulier 10 : καὶ τί θαυμαστόν, εἰ τὸ ὂν ἀνθρώποις ἀκατάληπτον, ὁπότε καὶ ὁ ἐν ἑκάστῳ νοῦς ἄγνωστος ἡμῖν ;). Dieu inintelligible et ineffable, *ib.* 14-15. Sur ce que Dieu ne peut être vu que par l'œil de l'âme, *Q. G.*, IV 2 *quod autem dicit* « *elevavit oculos* », *non corporis inquit — a sensibus enim deus videri non potest, — sed ab anima ; opportuno enim tempore sapientiae oculis cernitur.*

§ 4. *Lieux communs mystiques.*

Dans cette dernière catégorie, je ne range pas seulement des faits aussi communs que l'utilisation littéraire de la langue des mystères (1), le thème de la musique du ciel (2), celui du petit nombre des sages (3) ou les conclusions dévotes qui sont de règle dans les écrits d'édification (4), mais des traits plus caractéristiques, qu'on rencontre à la fois chez Philon et dans l'hermétisme, et qui semblent prouver l'existence de certaines traditions scolaires, probablement alexandrines, quant au traitement des problèmes spirituels.

Ce sont d'abord les élucubrations sur Dieu et le lieu. Sous un premier aspect, Dieu est entièrement indépendant du lieu, il est trop grand pour être contenu en aucun lieu, *L. A.*, I 44 :

« Le monde entier lui-même ne serait pas une place et un séjour dignes de Dieu ; c'est lui qui est à lui-même son lieu (αὐτὸς ἑαυτοῦ τόπος), il se remplit lui-même à lui tout seul (αὐτὸς ἑαυτοῦ πλήρης), et il se suffit entièrement à lui-même (ἱκανὸς αὐτὸς ἑαυτῷ ὁ θεός) ; toutes les autres choses sont déficientes, dépourvues et vides, et c'est lui qui les remplit et les contient, n'étant contenu lui-même par rien d'autre, puisqu'il est lui-même Un et le Tout (εἷς καὶ τὸ πᾶν) ».

III 51 (à propos de la question de Dieu à Adam « Où es-tu, ποῦ εἶ ; », *Gen.*, III, 9) :

« On peut interpréter ce « Où es-tu » en plusieurs sens. En un sens, ce n'est pas une interrogation, mais une affirmation qui équivaut à « Tu es dans un lieu », le mot ποῦ portant un accent grave (ποὺ εἶ). Tu as pensé que Dieu se promenait dans le paradis et qu'il est contenu en lui : apprends donc que ce n'est pas correct, et entends, de la bouche du Dieu qui sait, une parole très vraie, que Dieu, lui, n'est pas en un lieu — car il n'est pas contenu, c'est lui qui contient l'univers, — mais qu'en revanche ce qui est venu à l'être est dans un lieu, car il est nécessairement contenu et ne contient pas. »

Cette idée qu'il n'y a pas de lieu de Dieu, puisque Dieu con-

---

(1) Petits et grands mystères : *Cher.* 42 ss., 48-49 (v. *infra*), *Sacr.* 62 ; les grands mystères sont la perception de Dieu en lui-même : *Sacr.* 60, cf. *Somn.*, I 164-165 ἐποπτία : vue de Dieu ; défense de révéler les mystères : *Cher.* 48, *Sacr.* 60. Voir *Addenda*.
(2) Qui est un hymne de louange à Dieu : *Somn.*, I 35-37, cf. *Ascl.* 13.
(3) *L. A.*, I 102 σοφὸν μὲν εὑρεῖν ἕνα μόνον ἔργον, φαύλων δὲ πλῆθος ἀναρίθμητον : cf. *Ascl.* 10, 22.
(4) Comparer la conclusion de *Op.* 172 ὁ δὴ ταῦτα μὴ ἀκοῇ μᾶλλον ἢ διανοίᾳ προμαθὼν καὶ ἐν τῇ αὑτοῦ ψυχῇ σφραγισάμενος θαυμάσια καὶ περιμάχητα εἴδη... μακαρίαν καὶ εὐδαίμονα ζωὴν βιώσεται, δόγμασιν εὐσεβείας καὶ ὁσιότητος χαραχθείς et celle de *Stob. Herm.*, VI 18 Scott ὁ ταῦτα μὴ ἀγνοήσας ἀκριβῶς δύναται νοῆσαι τὸν θεόν..., καὶ αὐτόπτης γενόμενος θεάσασθαι, καὶ θεασάμενος μακάριος γενέσθαι. Voir aussi les conclusions de *C. H.*, IV 11 αὕτη σοι, ὦ Τάτ, κατὰ τὸ δυνατὸν ὑπογέγραπται τοῦ θεοῦ εἰκών· ἣν ἀκριβῶς εἰ θεάσῃ καὶ νοήσεις τοῖς τῆς καρδίας ὀφθαλμοῖς,... εὑρήσεις τὴν πρὸς τὰ ἄνω ὁδόν, XI 10 ταῦτά σοι, Ἀσκληπιέ, ἐννοοῦντι ἀληθῆ δόξειεν, ἀγνοοῦντι δὲ ἄπιστα.

tient tout, se rencontre souvent dans le *Corpus Hermeticum* (1).

Mais, si Dieu contient tout, il est, sous un autre aspect, le lieu de tout, et l'on peut donc passer immédiatement de la considération du lieu à celle de Dieu. Cette doctrine du Dieu τόπος est explicitée *Somn.*, I 62-64 :

« *Lieu* peut se concevoir de trois façons : d'abord comme l'espace rempli par un corps, puis comme le Logos divin, que Dieu lui-même a entièrement rempli de puissances incorporelles.... [63] Selon la troisième acception, c'est Dieu lui-même qui est appelé *lieu*, parce qu'il contient l'univers sans être contenu par rien, absolument parlant, parce qu'il est le lieu de refuge de tous les êtres et enfin parce qu'il est lui-même l'espace qui l'enclôt, il est son propre contenant et il se meut en lui-même (αὐτός ἐστι χώρα ἑαυτοῦ, κεχωρηκὼς ἑαυτὸν καὶ ἐμφερόμενος μόνῳ ἑαυτῷ). [64] Moi je ne suis pas un lieu, mais je suis en un lieu, et de même chacun des êtres, car le contenu diffère du contenant; mais la divinité, n'étant contenue par rien, est nécessairement son propre lieu » (2).

La même doctrine revient *Somn.*, I, 184 :

« C'est à juste titre qu'il (Jacob) fut pris de terreur et s'écria dans son émerveillement : « Comme ce lieu est redoutable! » (*Gen.*, xxviii, 17). De fait, il n'y a rien de si difficile, dans l'étude de la nature, que de savoir où est l'Être et si même, de façon générale, il est dans un lieu; car les uns affirment que tout ce qui existe occupe une certaine place, les autres lui attribuent celle-ci ou celle-là, — soit à l'intérieur du monde, soit, hors du monde, quelque lieu dans les intermondes, — d'autres enfin déclarent que l'incréé ne ressemble à aucun des êtres créés, mais qu'il les surpasse du tout au tout, en sorte que même la pensée la plus rapide demeure bien éloignée de pouvoir le saisir et confesse son impuissance. Aussi Jacob s'écria-t-il : « Non, il n'est pas vrai (comme je le croyais) que le Seigneur soit en un lieu» (3) : Dieu en effet contient, mais n'est pas contenu, selon la parole de vérité. »

On peut citer enfin *Fug.* 75 :

« Quant à ce qui est dit « Je te donnerai un lieu où le meurtrier se réfugiera » (*Ex.*, xxi, 13), — l'auteur, s'entend, d'un meurtre involontaire, — c'est là, me semble-t-il, une très belle parole : par *lieu*, Moyse veut dire ici non la place que remplit un corps, mais allégoriquement Dieu lui-même, parce que Dieu contient tout sans être contenu, et qu'il est le lieu de refuge de l'univers. »

Ces doctrines philoniennes expliquent deux passages assez mystérieux du *C. H.* II. L'auteur commence par des considérations sur le lieu physique. Tout ce qui est mû suppose un « dans quoi »

---

(1) Ainsi *C. H.*, V 10 ποῦ δὲ καὶ βλέπων εὐλογήσω σε, ἄνω κάτω, ἔσω ἔξω; οὐ γὰρ τρόπος, οὐ τόπος ἐστὶ περὶ σέ, οὐδὲ ἄλλο οὐδὲν τῶν ὄντων· πάντα δὲ ἐν σοί, XII 23 ὅθεν οὔτε μέγεθος οὔτε τόπος... περὶ τὸν θεό· ἐστι· πᾶν γάρ ἐστι.
(2) Adler, tr. all., VI, p. 186, n. 1, rappelle que cette doctrine a d'abord été énoncée par Aristote, à propos du ciel enveloppant, *Phys.*, IV, 5, 212 b 3 ss.
(3) Philon lit ἐν τῷ τόπῳ pour ἐν τῷ τόπῳ.

et un « par quoi » il est mû, et ce lieu-moteur, étant de nature opposée à celle du mobile, est incorporel, puisque le mobile est un corps (II 1). Le monde est contenu dans un lieu, qui, étant de nature opposée au monde corporel, est donc incorporel (II 2-4). Vient alors une première digression assez étrange : « cet incorporel est ou divin ou Dieu » (ἀσώματος οὖν ὁ τόπος, τὸ δὲ ἀσώματον ἢ θεῖόν ἐστιν ἢ ὁ θεός II 4 fin), après quoi on revient à la théorie du lieu-moteur. Celui-ci est stable, alors que le mobile se meut (II 6-8). En tant que moteur, il est immobile, et non pas extérieur, mais intérieur au mobile, comme un principe spirituel (II 8-9). Il n'est pas le vide, car il n'y a rien de vide dans l'univers (II 10-12). Suit une nouvelle digression (II 12), qui sert de transition à la seconde partie, où l'on traite du problème de Dieu (II 12-17). Asklépios ayant demandé au Trismégiste : « Le lieu donc dans lequel se meut l'univers, que disions-nous qu'il est? » Hermès répond : « Un incorporel, Asclépios. — Mais l'incorporel, qu'est-ce? — Un Intellect, qui tout entier se contient entièrement lui-même (νοῦς ὅλος ἐξ ὅλου ἑαυτὸν ἐμπεριέχων), libre de tout corps, inerrant, impassible, intangible, immuable en sa propre stabilité (αὐτὸς ἐν ἑαυτῷ ἑστώς), contenant tous les êtres et les conservant tous dans l'être ». Nous trouvons là, on le voit, une doctrine parallèle du Dieu τόπος. Comme, répétons-le, il n'y a point de vraisemblance que l'hermétiste ait lu Philon, il faut bien croire que cette doctrine a dû se répandre en certains milieux alexandrins. Elle pourrait être d'origine juive, ou même iranienne (1).

Une autre théorie commune à Philon et au Trismégiste est celle des « semences » de Dieu dans l'âme. J'indiquerai d'abord quelques textes philoniens (sans les relever tous), puis le parallèle hermétique.

L. A., III, 180-181 :

« Dieu seul peut ouvrir les matrices des âmes, y semer les vertus, les rendre grosses et leur faire enfanter les belles actions... [181] Dieu ouvre la matrice de la vertu, il y sème les belles actions; de son côté la matrice, lorsqu'elle a reçu de Dieu la vertu, enfante un fils non pas pour Dieu — car Celui-qui-est n'a besoin de rien, — mais pour moi (Jacob) ».

Cher. 42 ss. :

« Avant que je ne parle de la conception et de l'enfantement, que les littéralistes superstitieux (2) se bouchent les oreilles ou quittent la place! Car nous

---

(1) Cf. C. H. Dodd, *The Bible and the Greeks*, Londres, 1935, pp. 20-21, 235-236 ; Scott, *Hermetica*, II, pp. 90-91.
(2) οἱ δεισιδαίμονες. Comme l'a bien vu Heinemann (*Philons... Bildung*, p. 454, n. 2), Philon s'en prend ici aux littéralistes qui dans les mots « Et Adam connut sa femme » (*Gen.*, IV, 1) ne veulent voir que la lettre, contre l'exégèse allégoriste. Voir *Addenda*.

enseignons ici de divines initiations aux mystes qui sont dignes des plus saints mystères, je veux dire à ceux qui, sans bouffées d'orgueil, pratiquent la piété véritable, dépouillée de toute vaine parure. Mais nous ne montrerons pas les objets sacrés à ceux que tient l'orgueil, ce mal inguérissable, et qui, pour mesurer ce qui est pur et saint, n'ont d'autre règle que leur fidélité pédantesque à la lettre du texte et leurs momeries traditionnelles (1).

« [43] Commençons donc l'initiation ainsi. L'homme s'unit à la femme, le mâle à la femelle, pour se conjoindre à elle, en accord avec la nature, afin de procréer des enfants. Mais pour ce qui est des vertus, qui enfantent tant de produits parfaits, la loi divine ne permet pas qu'elles tombent entre les mains d'aucun homme mortel, comme une captive tirée au sort : d'autre part, si elles ne reçoivent pas la semence de quelque autre, elles ne pourront jamais, d'elles-mêmes, concevoir. Quel est donc celui qui sème en elles les belles actions, sinon le Père des êtres, le Dieu incréé qui engendre tout ce qui existe ? C'est donc lui qui sème, mais ce qu'il a semé, le fruit qui est son bien propre, il le donne en présent. Car Dieu n'engendre rien à son profit, puisqu'il n'a besoin de rien, mais il engendre tout au profit de celui qui a besoin de recevoir... [46] Moyse l'enseigne plus clairement encore dans le cas de Léa, lorsqu'il dit que Dieu lui ouvrit la matrice (*Gen.*, xxix, 31) : ouvrir la matrice est le propre de l'homme. Léa pourtant, après avoir conçu, n'enfanta pas pour Dieu — car Dieu se suffit et il possède en lui-même tout ce qu'il lui faut, — mais pour Jacob qui avait accepté de peiner pour gagner le Bien. Ainsi la vertu reçoit du Principe les semences divines, mais elle enfante pour l'un de ses amants, pour celui de ses prétendants qu'elle a choisi entre tous...

« [48] Recevez ces paroles, ô mystes aux oreilles purifiées, recevez-les dans vos âmes comme des mystères vraiment saints, et n'allez pas les redire, en bavardant, à aucun des non-initiés. Comme de bons intendants, gardez ce trésor à part vous, non pas au lieu où l'on dépose l'or et l'argent, choses périssables, mais là où l'on met le plus précieux des biens, la connaissance du Principe, de la vertu et, troisièmement, du fruit qui naît de leur union. En revanche, si vous rencontrez l'un de ceux qui ont reçu l'initiation complète, collez-vous à lui, de peur que, lui qui sait peut-être quelque initiation plus inouïe, il ne vous la tienne cachée ; suivez-le jusqu'à ce qu'il vous l'enseigne en toute clarté. [49] Moi-même, bien que j'eusse été initié aux grands mystères par Moyse, l'ami de Dieu, néanmoins, quand j'eus aperçu Jérémie le prophète, et l'eus connu pour être non seulement myste, mais hiérophante, je n'hésitai point à me faire son disciple ; et lui, en homme maintes fois inspiré de Dieu, il donna, parlant au nom de Dieu, à la vertu très pacifique l'oracle que voici : « Ne m'as-tu pas invoqué comme ta maison, ton père et l'époux de ta virginité ? » (Jér., iii, 4). Par où il fait entendre très clairement que Dieu est une maison, le lieu incorporel des formes incorporelles, qu'il est le père de l'univers en tant qu'il l'a engendré, et l'époux de la sagesse, qui, pour la race des mortels, jette la semence du bonheur dans une terre féconde et vierge. [50] Car il convient que Dieu converse avec une nature non souillée, intacte, toute pure, et réellement virginale. Pour nous, c'est le contraire. Quand des mortels s'unissent en vue de

---

(1) J'ai coupé la phrase comme F. H. Colson : κατεσχημένοις ἀνιάτῳ κακῷ τύφῳ, ῥημάτων καὶ ὀνομάτων γλισχρότητι καὶ τερθρείαις ἐθῶν ἄλλῳ δὲ οὐδενί... παραμετροῦσιν· Cohn coupe κακῷ, τύφῳ ῥημάτων... ἐθῶν, ἄλλῳ δὲ οὐδενί... παραμετροῦσιν.

procréer, la vierge est rendue femme. Mais quand Dieu commence de s'entretenir avec une âme, d'abord, de femme qu'elle était, il la fait redevenir vierge, car il lui enlève les désirs ignobles et émasculés qui la féminisaient, et, à la place de ces désirs, il plante en elle les vertus génuines et impolluées... [51] Cependant il peut arriver qu'une âme vierge soit déshonorée par la souillure de passions licencieuses. Aussi l'oracle se tient-il sur ses gardes, quand il nomme Dieu l'époux, non pas d'une vierge, — car une vierge est sujette au changement et à la mort, — mais de la virginité, de la forme toujours identique à elle-même et immuable : car, alors que les êtres individuels sont par nature sujets à naître et à mourir, les puissances qui donnent leur forme aux choses particulières (1) ont pour lot d'être impérissables. [52] Il convient donc que le Dieu incréé et immuable sème les germes des vertus immortelles et virginales en une virginité qui jamais ne peut se transformer en l'état de femme faite » (2).

J'ai cité en entier ce pieux amphigouri (3) car il marque une étape importante dans la longue histoire du thème des noces de Dieu et de l'âme. Chez Philon, les origines en sont probablement multiples. Il doit y avoir un souvenir de l'ἱερὸς γάμος propre à certaines initiations : sans cela, on ne comprendrait pas que précisément ce morceau emploie si largement le langage des mystères (4). Sans doute aussi Philon se souvient-il de la métaphore biblique des noces de Dieu et d'Israël (Os., c. I et III, Ez., c. XVI et XXIII). Mais il y a une autre influence qui me paraît essentielle (5) : c'est celle du *Banquet* de Platon. La montée vers le Beau est conçue elle aussi comme une initiation à plusieurs degrés (209 e 6-210 a 2). Là aussi il y a un mystagogue ou hiérophante (211 c 1-4). Le terme de l'initiation est là aussi un enfantement (212 a). L'âme, s'étant conjointe non pas à un semblant du Beau, mais au Beau véritable, enfante alors non pas des semblants de vertu, mais la vertu réelle. Et ce faisant, elle se rend immortelle. Cette idée de l'enfantement des vertus au terme de l'initiation ne fait d'ailleurs que reprendre un des motifs importants du discours de Diotime, celui de la fécondité de l'âme (208 e-209 e). Et ce motif lui-même, au surplus, a été amené par le thème général

---

(1) En lisant avec Wendland τὰ ἐν μέρει.
(2) Cf. encore *Deus* 4 : « les produits engendrés par Dieu (dans l'âme) sont les vertus parfaites, mais les produits engendrés par les « mauvais » (τῶν φαύλων : les mauvais démons, comme dans l'hermétisme?) sont les vices dissonants » (ἀνάρμοστοι : Platon applique l'épithète à l'âme) ; *ib.* 137 : Tamar, qui vit seule dans la maison de son père, loin des plaisirs terrestres, « reçoit la semence divine et, engrossée des germes de la vertu, elle les porte en son sein et met au monde de belles actions »; *Migr.* 34 : Dieu « à qui il appartient d'ouvrir et de fermer les matrices (de l'intellect) ». Voir *Addenda*.
(3) Noter les fluctuations de la doctrine : tantôt c'est l'âme qui est engrossée, et qui enfante les vertus; tantôt c'est la vertu, qui enfante les belles actions.
(4) Sur ce point, cf. A. Dieterich, *Eine Mithrasliturgie* (3e éd., 1923), pp. 121 ss. (Die Liebesvereinigung des Menschen mit dem Gotte), R. Reitzenstein, *Die hellenistischen Mysterienreligionen* (3e éd., 1927), pp. 245 ss. (Die Liebesvereinigung mit Gott).
(5) Non signalée par Dieterich et Reitzenstein.

de l'ouvrage, l'amour désir de beauté. Car l'idée d'amour, chez l'ancien, appelle aisément celle d'union procréatrice : « en engendrant des enfants, on cherche à se procurer à soi-même, pour tout le temps à venir, immortalité, durable renom et bonheur » (208 e).

C'est donc là, me semble-t-il, dans ce discours de Diotime, qu'il faut chercher la source directe des élucubrations philoniennes. Car on y trouve, déjà rassemblés, les deux caractères principaux du morceau du *de cherubim* : l'emploi de la langue des mystères, le thème des noces de Dieu et de l'âme (1), cette union ayant pour effet l'enfantement des vertus. Mais là où Platon suggérait seulement, Philon s'appesantit, détaille l'opération. Là où Platon se contentait d'un délicat ἐφάπτεσθαι (2), l'Alexandrin, appuyé sur l'image biblique du Dieu ouvrant la matrice, se complaît dans ces images de mauvais goût que reprendront à satiété, plus tard, les exégètes chrétiens du *Cantique des Cantiques*. Et il ajoute un trait nouveau, celui des semences des « méchants » : l'âme peut être engrossée par Dieu ou par les méchants, elle peut enfanter le vice ou la vertu (3). Tout cela, ces additions, ce détail où l'on entre, semble indiquer une tradition scolaire où se mêlent divers éléments : platonisme, mystères grecs, exégèse biblique. Pour une telle mixture, où trouver meilleur chaudron qu'Alexandrie ?

Or il est curieux de constater que cette doctrine des semences reparaît dans l'hermétisme, et qu'elle y reparaît avec l'adjonction des semences des mauvais, qui sont ici, très explicitement, les mauvais démons. Comme dans le cas du Dieu τόπος en C. H. II, la doctrine fait irruption soudaine en C. H. IX 3-4, où elle forme une digression au cours d'un exposé sur la sensation et l'intellection. Le prétexte à cette digression est l'idée de la mise au monde de l'intellection par l'intellect (τὴν νόησιν ἀποκυηθεῖσαν ὑπὸ τοῦ νοῦ IX 2 fin), idée toute classique encore, et dont par exemple le morceau sur la maïeutique dans le *Théétète* (4) pouvait offrir le modèle. Mais la suite est d'une autre encre :

« En effet l'intellect enfante (κύει) tous les concepts, des concepts bons, quand c'est de Dieu qu'il a reçu les semences, des concepts contraires, quand

---

(1) Sur le caractère divin du Beau suprême chez Platon, cf. ma *Contemplation... selon Platon*, pp. 334 ss.

(2) ἐφάπτεσθαι (212 a 5), suivi aussitôt de τίκτειν, ne me paraît pouvoir signifier autre chose qu'un contact charnel (au sens métaphorique, évidemment).

(3) Cf. *Cher.* 50-51, *Deus* 4, et la conclusion du morceau *Cher.* 52 : l'âme qui ne se tient pas comme une vierge dans la maison de Dieu, mais se tourne vers le sensible, enfante un γέννημα πάμφυρτον καὶ πανώλεθρον (c'est, allégoriquement, Caïn le fratricide).

(4) Cf. par exemple *Théét.* 150 c 2 πότερον εἴδωλον καὶ ψεῦδος ἀποτίκτει τοῦ νέου ἡ διάνοια ἢ γόνιμόν τε καὶ ἀληθές.

c'est de l'un des êtres démoniaques, puisqu'il n'est aucune partie du monde que n'habite un démon †...†, lequel, étant venu s'insinuer dans l'intellect (cf. XVI, 13-16), y a semé la semence de son énergie propre. Et l'intellect alors a enfanté (ἐκύησεν) ce qui a été semé, adultères, meurtres, sévices à l'égard des parents, sacrilèges, actes d'impiété, suicides par pendaison ou en se jetant dans des précipices, et toutes autres choses pareilles qui sont l'ouvrage des démons. [4] Quant aux semences de Dieu, elles sont peu nombreuses, mais grandes et belles et bonnes : la vertu, la tempérance et la piété ... La piété est la connaissance de Dieu, et celui qui a appris à connaître Dieu, rempli qu'il est de tous les biens, tient ses intellections de Dieu même (τὰς νοήσεις θείας ἴσχει) ».

Voir aussi IX 5 :

« Car il y a deux sortes d'hommes, le matériel et l'essentiel (οὐσιώδης). L'un, le matériel associé au mal, tient, comme je l'ai dit, des démons la semence de l'intellection (ἀπὸ τῶν δαιμόνων τὸ σπέρμα τῆς νοήσεως ἴσχει) ; les autres sont associés au bien essentiellement (οὐσιωδῶς), Dieu les maintenant en salut » (1).

Il est possible que la mention explicite des démons et l'opposition Dieu ~ démons témoigne, dans le texte hermétique, d'une influence orientale, peut-être iranienne. Mais, pour le thème de fond, la ressemblance avec Philon est remarquable : l'intellect reçoit des semences bonnes ou mauvaises, et c'est en raison de ce qu'il a reçu qu'il produit des vices ou des vertus. Sous cette forme, la doctrine ne peut venir du *Théétète*. Elle ne vient pas non plus directement du *Banquet*. On n'a aucun indice qu'elle ait été empruntée à Philon lui-même. Reste donc qu'il y ait là une tradition scolaire alexandrine où Philon et l'hermétiste ont également puisé (2).

§ 5. *Éléments personnels chez Philon.*

Après tout cela, on peut se demander ce qui reste, en Philon, qui dénote vraiment une personnalité.

C'est essentiellement, me semble-t-il, son goût profond pour ce qu'il nomme l'amour de la sagesse, la *philosophia*. Il nous renseigne lui-même sur ce point dans un morceau d'allure autobiographique, au début du III⁰ livre de l'*Exposé sur les Lois particulières* (*Spec.*, III 1-6) :

« Il fut un temps où, m'adonnant à la philosophie, à la contemplation du monde et des êtres qu'il contient, je faisais ma jouissance de l'intelligence de

---

(1) Cf. encore *C. H.*, XIII 2 : le Vouloir (θέλημα) de Dieu sème dans l'âme les germes de l'homme nouveau.

(2) On pourrait comparer encore Philon et Hermès sur le point de la double mort, celle du corps et celle de l'âme, cf. *L. A.*, I 105-107 et *Ascl.* 27-28, section sur l'immortel et le mortel (sur quoi, voir *Rev. Et. Gr.*, XLIX, 1936, pp. 590 ss.).

l'univers (1), qui est belle, infiniment désirable et réellement bienheureuse. Je ne vivais en compagnie que de sujets et de doctrines se rapportant à Dieu, et j'y trouvais un contentement profond, sans m'en rassasier ni m'en fatiguer jamais. Rien de bas ni de vulgaire n'occupait mon esprit, je n'avais pas de ces pensées rampantes qui ne s'intéressent qu'à la gloire, à la richesse ou aux plaisirs du corps, mais, m'élevant dans les airs, il me semblait planer toujours, l'âme possédée de quelque inspiration divine, et accompagner dans leur course le soleil, la lune, le ciel entier et l'univers. [2] Alors, oui, alors, me penchant des sommets de l'éther et, comme d'une guette, projetant de là-haut le regard de mon âme, je contemplais le spectacle innombrable des choses terrestres en leur totalité, et je me félicitais moi-même de ce que, de toutes mes forces, je me fusse échappé des calamités de la vie mortelle. [3] Mais un ennemi m'épiait, le plus terrible des maux, l'envie qui hait le bien, qui tout soudain me fondit dessus et ne cessa de me faire violence qu'elle ne m'eût entraîné et jeté dans le vaste océan de la politique et de ses soucis (2); et là, jouet des flots, je n'ai même plus la force de lever la tête hors de l'eau. [4] Néanmoins, dans mes gémissements, je tiens ferme, gardant au cœur ce désir passionné de culture enraciné en moi depuis le premier âge, qui toujours prend pitié et compassion de moi, qui me rend de l'élan et me soulage. C'est grâce à lui qu'il m'arrive de relever la tête, et que, du regard de l'âme, obscurément sans doute — car le brouillard des affaires extérieures en a voilé la claire vision, — mais enfin le mieux possible, je jette en rond les yeux sur tout ce qui m'entoure, dans mon désir d'aspirer un souffle de vie pure, non contaminée par le mal. [5] Et si, à l'improviste, il m'est donné quelque instant de calme et de sérénité au milieu des troubles politiques, des ailes me poussent, je me soutiens sur l'eau et peu s'en faut que je ne vole dans l'air, porté par les brises de la science, qui cherche souvent à me persuader de fuir mon esclavage pour passer mes jours avec elle, comme si je m'échappais de maîtres implacables, je ne dis pas seulement des hommes, mais des affaires qui se répandent à flots pressés sur moi, de tous côtés, à la manière d'un torrent. [6] Mais <assez de plaintes>, car (3), même en cet état, je dois rendre grâces à Dieu de ce que, malgré les flots qui me submergent, je ne suis pas englouti jusqu'au fond, mais ouvre encore ces yeux de l'âme que, dans mon renoncement à tout bon espoir, je croyais déjà aveuglés, et suis illuminé des rayons de la sagesse, loin d'être livré aux ténèbres pour tout le temps de ma vie. Voici donc que je m'enhardis, non seulement à lire les saintes expositions de Moyse, mais, dans mon zèle pour la science, à pénétrer plus avant dans chacune d'elles, et à expliquer et dévoiler les vérités inconnues de la foule ».

On n'a voulu voir (4) dans ce morceau qu'un prologue artificiel,

---

(1) τὸν... νοῦν ἐκαρπούμην. Ce sens de τὸν νοῦν (= τὸν θεόν) καρποῦσθαι a paru forcé (de fait, καρποῦσθαι n'a ordinairement pour complément d'objet que des noms de choses), d'où la correction βίον de Mangey, que F. H. Colson incline à accepter. Mais νοῦν n'est pas exactement θεόν, c'est Dieu en tant que donnant un sens à l'univers, et l'on peut jouir de la compréhension de ce sens — qui, en même temps, est Dieu (μακάριον ὄντως ne peut s'appliquer qu'à Dieu). J'aurais scrupule à corriger.

(2) Allusion soit aux troubles de 38-41, soit à d'autres difficultés antérieures entre Juifs et Alexandrins.

(3) Telle me paraît être ici la nuance de ἀλλὰ γάρ où, comme on sait, le γάρ explique un élément sous-entendu.

(4) F. H. COLSON, tr. angl., coll. Loeb, t. VII, pp. 631-632.

« un expédient littéraire naturel pour marquer que l'auteur en est juste à la moitié de son grand sujet ». De tels prologues, dit-on, « à des moments de pause au cours d'un long traité », ne sont pas rares : il s'en trouve, par exemple, chez Quintilien. Tout cela est vrai, bien sûr, et l'on rencontre de telles remarques personnelles, en guise de transition d'une partie à l'autre d'un assez long exposé, même dans les écrits hermétiques (1). Mais je ne vois aucune raison pour dénier toute valeur autobiographique à cette confidence. Si quelque chose paraît sincère chez Philon, c'est son double amour de la philosophie et de la Bible. Il n'a point de génie, mais il aspire vraiment à la sagesse.

La personnalité de Philon se laisse voir encore à un autre trait, sa croyance à la grâce. Nous avons, sur ce point aussi, une confidence, *Migr.* 34-35.

« Je n'ai pas honte de rapporter une expérience que j'ai faite, je le sais, des milliers de fois. Parfois, après m'être résolu à procéder selon la méthode d'écrire usuelle dans les sujets philosophiques, et après avoir exactement considéré (2) la matière de ce que j'avais à composer, j'ai trouvé mon esprit stérile, incapable de produire aucune pensée, et j'ai renoncé sans avoir abouti à rien, maudissant mon esprit pour sa présomption, mais plein d'une admiration profonde pour la puissance de Celui qui est, à qui il appartient d'ouvrir et de fermer les matrices (de l'intellect) (3). [35] D'autres fois, alors que j'abordais la tâche sans avoir aucune pensée, j'ai été soudain rempli, comme si les idées m'étaient venues pareilles à des flocons de neige ou à des semences tombant du ciel en pluie invisible, si bien que, sous l'influence de cette possession divine, j'étais hors de moi comme un corybante et perdais conscience de toutes choses, du lieu, des personnes présentes, de moi-même, de ce qu'on disait, de ce qui était écrit. En effet, je m'étais rendu maître de l'expression et des idées (4), je jouissais de la lumière, j'étais doué d'une vue pénétrante, je distinguais clairement chaque objet, comme on voit des yeux du corps quand un objet nous a été montré en toute évidence ».

C'est en suivant cette veine dans les ouvrages de Philon que nous avons, je crois, meilleure chance de le rencontrer lui-même. Et nous pouvons donc présumer dès maintenant, que, si les éléments de sa doctrine de la contemplation sont assurément empruntés, du moins un certain accent, une certaine ferveur dans l'élan de l'âme vers les choses d'en haut et dans l'aspiration à s'y unir, bref, la tendance à ce

---

(1) Ainsi peut-être la transition entre *Stob. Herm.* II A et II B Scott (au début de II B).

(2) Il n'y a aucune raison de corriger (avec Wendland et les éditeurs de la coll. Loeb) l'ἰδών des MSS. en εἰδώς.

(3) Cf. *supra*, pp. 547 ss.

(4) Le texte est corrompu : σχεδὸν γὰρ ἑρμηνεύει εὕρεσιν. J'ai traduit d'après la correction proposée par Whitaker-Colson (après Markland) (Loeb IV, p. 561) : ἔσχον γὰρ ἑρμηνείαν, εὕρεσιν.

qu'un moderne nomme le « mysticisme intellectuel » (1), sont bien, chez Philon, quelque chose de sincère et d'authentiquement personnel.

(1) Un pur hasard me fait lire en ce moment l'autobiographie de J. MIDDLETON MURRY, *Between two worlds* (Londres, 1935), où je trouve une tendance également sincère, mais également vague, à ce que l'auteur nomme « intellectual mysticism » (pp. 266-267, 311) ou « moral mysticism » (p. 369), tendance qu'il dit dérivée de Platon et de Milton, et dont il définit ainsi les effets (p. 370) : « This was a kind of ecstasy. I cannot recapture it now; I can only remember that I seemed to be merged in a kind of divine 'understanding', and to be touched by a 'sorrow more beautiful than beauty's self'... I regarded the ecstatic condition of seeming to participate in a universal harmony as somehow premonitory of a condition of harmony within the human being ».

CHAPITRE XVI

LA CONTEMPLATION DU MONDE

La doctrine de la contemplation du monde ne se présente jamais, dans les écrits de Philon, sous une forme continue et systématique. On a plutôt affaire à quelques thèmes habituels, qui viennent et reviennent, s'entrecroisent et se mêlent, déterminant ainsi comme un ton de base qui semble bien être en effet l'une des dominantes de l'esprit de Philon. J'indiquerai ici les plus importants de ces thèmes en les rangeant selon un certain ordre de progression. Il va sans dire que cet ordre demeure artificiel et ne prétend pas reconstruire la généalogie des thèmes comme en fait elle a dû se produire dans la pensée de l'Alexandrin.

1. *Supériorité du sens de la vue qui mène à la philosophie* (1). *Op.* 53-54 :

« Le nombre susdit (= le nombre 4) ayant donc été jugé digne d'un rang aussi privilégié dans la nature, c'est nécessairement le quatrième jour que le Créateur organisa le ciel et qu'il l'orna d'une parure toute belle et toute divine, les astres qui donnent la lumière. Conscient que, de tout ce qui existe, la lumière est ce qu'il y a de meilleur, il en fit l'instrument du meilleur de nos sens, le sens de la vue. En effet, ce qu'est l'intellect dans l'âme, l'œil l'est dans le corps : car l'un et l'autre voient, celui-là les êtres intelligibles, celui-ci les choses visibles; et de même que l'intellect a besoin de la science pour avoir connaissance des objets incorporels, de même l'œil, pour percevoir les corps, a-t-il besoin de la lumière, qui, entre autres biens multiples dont elle est la source pour l'humanité, nous a procuré le plus grand de tous, la philosophie. [54] Quand la vue en effet, guidée par la lumière, s'est élevée vers les hauteurs et qu'elle s'est rendu compte de la nature des astres, de leurs mouvements harmonieux, des circuits bien réglés les astres fixes et des planètes, dont les uns tournent en rond selon une course immuable et identique, les autres selon deux révolutions dissemblables et opposées, quand elle a pris connaissance de ces chœurs bien ordonnés où tous les astres obéissent aux lois d'une musique parfaite, elle donne à l'âme un contentement, un plaisir ineffables. Et l'âme alors, tandis qu'elle se régale d'une succession infinie de spectacles — car, l'un fini, un autre survient — ne peut se rassasier de contempler; puis, comme il arrive d'ordinaire, elle se met à se poser des questions : Quelle est l'essence des êtres visibles? Sont-ils par nature

---

(1) Ce thème, comme on sait, vient du *Timée* 47 a 1-c 4.

sans commencement dans l'être ou ont-ils commencé d'exister? Quel est le mode de leur mouvement? Par quelles causes chacun d'eux est-il gouverné? C'est de cette investigation qu'est née la philosophie, le plus parfait des biens qui soient jamais venus à l'humanité. »

Abr. 156-164 (1) :

« Mais il reste à dire ce qu'il y a de plus précieux dans le service que nous rendent les yeux. C'est, d'entre nos sens, sur le seul organe de la vue que Dieu a fait luire la lumière qui, de tout ce qui existe, est la chose la plus belle, et la première que les Saints Livres aient nommée bonne. [157] Or la lumière a une double nature (2) : l'une jaillit du feu dont on use communément, elle naît périssable d'une source périssable, et elle est susceptible d'extinction; l'autre est inextinguible et impérissable, car elle nous vient d'en haut, du ciel, chacun des astres épanchant ses rayons comme de fontaines inépuisables. La vue est en relation avec ces deux sortes de lumière, c'est par elles deux qu'elle se porte vers les objets visibles pour les appréhender en toute exactitude. [158] Mais devons-nous chercher encore à faire l'éloge des yeux quand Dieu a publié au ciel leurs vrais éloges, les astres? Pourquoi en effet l'éclat du soleil, de la lune, des planètes et des autres astres, errants et fixes, sinon pour permettre aux yeux de remplir leur tâche et leur donner le moyen de voir? [159] De là vient que, usant de la lumière, le meilleur de tous les dons, les hommes contemplent ce qu'il y a dans le monde, la terre, les plantes, les animaux, les fruits, les flots épandus de la mer, les rivières nées de sources ou des pluies d'hiver, les différentes sortes de fontaines avec leurs eaux froides ou chaudes, la nature de tous les phénomènes de l'air, si nombreux qu'on n'en peut dire ni compter les formes, et surtout le ciel, qui a été vraiment façonné comme un monde dans le monde, et les belles et divines images qui peuplent le ciel. [160] Ne parlons pas de ces sens qui engraissent dans leurs mangeoires la bête qui nous est innée, examinons le sens de l'ouïe, qui participe à la raison : même quand sa course est le plus tendue et parfaite (3), c'est-à-dire quand des vents violents ou des coups de tonnerre font entendre un long bruit traînant ou de terribles éclatements, l'ouïe s'arrête à l'air qui entoure la terre. [161] Mais les yeux, en un rien de temps, passent de la terre au ciel et jusqu'aux extrémités de l'univers, ils embrassent d'un seul regard l'est et l'ouest, le nord et le sud, et, parvenus là, ils entraînent l'intelligence vers la contemplation de ce qu'ils ont vu. [162] Celle-ci alors, après avoir fait la même expérience que les yeux, ne se tient pas en repos, mais, comme elle vit sans sommeil et qu'elle est toujours en mouvement, une fois reçu de la vue l'élan qui lui permettra de contempler les intelligibles, elle en vient à s'interroger : Ces objets visibles n'ont-ils point eu de commencement dans l'être ou ont-ils commencé d'exister? L'univers est-il infini ou limité? Y a-t-il un seul monde, ou plusieurs? Les quatre éléments suffisent-ils pour la composition de l'univers ou bien le ciel et les êtres qu'il contient jouissent-ils

---

(1) Voir aussi §§ 57, 61.
(2) Cf. *Heres* 146.
(3) Je traduis littéralement ἧς ὁ σύντονος καὶ τελειότατος δρόμος, car la formule s'explique par certaines théories des anciens sur l'audition, cf. *Dox.*, p. 426 a 25 ss. : Διογένης τοῦ ἐν τῇ κεφαλῇ ἀέρος ὑπὸ τῆς φωνῆς τυπτομένου καὶ κινουμένου. Πλάτων καὶ οἱ ἀπ' αὐτοῦ πλήττεσθαι τὸν ἐν τῇ κεφαλῇ ἀέρα· τοῦτον δ' ἀνακλᾶσθαι εἰς τὰ ἡγεμονικὰ καὶ γίνεσθαι τῆς ἀκοῆς τὴν αἴσθησιν.

d'une nature privilégiée parce qu'ils ont reçu en partage une essence plus divine qui diffère de celle des autres corps? [163] Et si le monde a eu un commencement, qui en est l'auteur? Quelle est la nature, la qualité de ce Démiurge? Qu'avait-il en vue quand il a créé, que fait-il à cette heure, quelles sont ses occupations, son mode de vivre? Et ainsi des autres problèmes que l'intellect curieux (1), quand il s'allie à un sain jugement, aime à scruter (2). [164] Mais ces questions et les autres pareilles sont du ressort de la philosophie. D'où il appert que la sagesse et la philosophie ne tirent leur origine d'aucune autre de nos facultés que du prince des sens, la vue. »

Spec., III 185-191 :

« Il serait trop long d'énumérer tous les services et les bons offices que les yeux rendent au genre humain : du moins faut-il dire le meilleur. La philosophie est comme une pluie tombée du ciel et recueillie par l'intellect humain, mais c'est la vue qui lui a servi de guide, car c'est elle qui la première a discerné les grands chemins qui mènent à l'éther. [186] Or, de tous les biens véritablement bons, la philosophie est la source; et celui qui y puise est digne de louange si c'est pour acquérir et pratiquer la vertu, digne de blâme si c'est pour mal agir, et tromper autrui par des sophismes : car, dans le premier cas, il ressemble à un bon convive qui s'égaie et égaie tous ses compagnons de table, dans le second, à un brutal qui se gorge de vin pur pour se livrer à des excès et se faire outrage à lui-même ainsi qu'à ses voisins. [187] Il faut montrer maintenant comment la vue a servi de guide à la philosophie. Ayant levé les yeux vers l'éther, la vue a contemplé le soleil, la lune, les planètes et les astres fixes, toute cette armée céleste en sa très sainte majesté, un monde dans le monde; puis le lever et le coucher des astres, les évolutions harmonieuses de leurs chœurs, leurs conjonctions après des périodes fixes de temps, leurs éclipses et leurs réapparitions; [188] de même, la croissance et la décroissance de la lune, les mouvements latitudinaux du soleil (3) selon qu'il passe du sud au nord ou retourne du nord au sud, pour la production des saisons de l'année grâce auxquelles tout parvient à maturité, et, outre cela, mille autres merveilles. Alors, après avoir jeté les yeux, tout autour d'elle, sur la terre, la mer et l'air, la vue s'est empressée de montrer toutes ces choses à l'intellect. [189] Et lui, quand, grâce à la vue, il a pris connaissance de ce qu'il n'était pas capable d'appréhender par lui-même, loin de s'arrêter tout simplement à ce qu'il a vu, poussé par son zèle pour la science et son amour du beau, il s'est laissé charmer par le spectacle et a formé la conclusion raisonnable que cet ensemble ne s'est pas constitué de lui-même par des mouvements aveugles, mais qu'il l'a été par la pensée de Dieu, qu'on peut en toute piété nommer Père et Créateur; et aussi, que le monde n'est pas infini, mais limité par la circonférence d'un univers unique, puisqu'il est

---

(1) Peut-être « trop curieux » avec une nuance de blâme : le thème de la περιεργία de l'intellect humain est un lieu commun oratoire, cf. *Koré Kosmou* 24 (les âmes nouvellement créées ἤδη καὶ περίεργον ὡπλίζοντο τόλμαν) et surtout 44-46 (discours de Momus) : ἄνθρωπον περίεργον ὀφθαλμοῖς (44), εἶτα οὐ καὶ μέχρις οὐρανοῦ περίεργον ὁπλισθήσονται τόλμαν οὗτοι;... χρεωκοπείσθω τῶν ψυχῶν αὐτῶν τὸ περίεργον (46).

(2) διερευνᾶσθαι, cf. *Koré Kosmou* 45 ἀλλὰ καὶ τούτου (sc. γῆς τόπος ἔσχατος) τὴν ἐσχάτην τῷ θέλειν ἐρευνήσουσι νύκτα.

(3) ἡλίου κινήσεις τὰς κατὰ πλάτος = les mouvement du soleil relativement au cercle équatorial, par rapport auquel se font toutes les déterminations de latitude.

enfermé, à la manière d'une ville, dans l'enceinte de la sphère suprême des astres fixes ; et que le Père qui l'a engendré prend soin, conformément à l'ordre naturel, de ce qu'il a produit, veillant par sa providence sur le tout et sur les parties. [190] Après quoi, l'intellect en est venu à se demander quelle est la substance du visible et si tous les êtres du monde sont de même nature ou si cette nature diffère de l'un à l'autre, et encore de quels éléments chacun d'eux est composé, quelles sont les causes par lesquelles les choses ont été produites, quelles sont les forces qui les maintiennent ensemble et si ces forces sont corporelles ou incorporelles. [191] Or, quel nom donner à l'enquête sur ces matières et les sujets connexes, si ce n'est le nom de « philosophie »? Et celui qui se livre à ces recherches, comment l'appeler de façon plus appropriée que « philosophe »? En effet, porter son étude sur Dieu, sur le monde et tout ce qu'il contient, animaux et plantes, sur les modèles intelligibles et, aussi bien, sur les objets créés du monde visible, sur les qualités et les défauts de chacun des êtres créés, manifeste une disposition empreinte de l'amour de la science et de la contemplation, c'est-à-dire véritablement philosophique » (1).

2. *Éminence de l'intellect qui s'élève à la connaissance des choses célestes.*

Ce thème est étroitement lié au précédent. Entre la philosophie, connaissance systématique de l'univers, et l'intellect humain, le sens de la vue sert d'intermédiaire. Les yeux se portent vers le ciel visible, et se tournant ensuite vers l'intellect, ils lui signalent et lui découvrent la beauté du spectacle. L'intellect, alors excité, accomplit sa tâche propre, qui est, à propos du visible, de se poser des questions sur l'invisible. A son tour il s'élève, et par delà le visible, gagne le monde invisible des causes et des principes, le domaine propre de Dieu. Ainsi l'ascension de la vue corporelle prépare-t-elle l'ascension de l'esprit ; c'est le premier degré dans la montée vers l'Être.

Les passages sur l'ascension de l'esprit sont assez nombreux. J'en citerai les plus importants :

Op. 69-71 (à propos de « l'homme créé à l'image de Dieu », *Gen.*, I, 26) :

« C'est en raison de l'intellect, principe dominant dans l'âme, qu'a été prononcé le mot d'*image :* c'est en effet sur le modèle d'un intellect unique, l'Intellect de l'Univers au titre d'archétype, qu'a été formé en chacun de nous l'intellect particulier, lequel, d'une certaine manière, est un dieu pour celui qui

---

(1) Voir aussi *Q. Gen.*, II 34 *pars autem... sensuum... nobilior est visus: quippe qui et animae maxime affinis est, et pulcherrimae entium lucis familiaris atque minister sacrorum, quique viam ad philosophiam primus paravit, videns etenim solis motum, ac lunae ceterorumque planetarum vagationes et infallibilem circumlationem totius caeli, atque superiorem omni ratione ordinem harmoniamque, sicut et unicum mundi verum opificem, retulit solus uni principi consiliorum, quidquid vidit.*

le porte et le transporte comme une statue divine (1). De fait, les mêmes relations qui subsistent entre le Souverain Maître et l'univers entier se retrouvent, à ce qu'il semble, entre l'intellect humain et l'homme : car cet intellect est invisible bien qu'il voie lui-même toutes ces choses, et son essence demeure insaisissable alors qu'il appréhende l'essence des autres êtres; et, cependant qu'il fraie aux arts et aux sciences des routes qui se divisent en maintes branches, et qui sont toutes chemins de grand passage, il passe au travers de la terre et de la mer, scrutant les êtres de ces deux éléments (2). [70] En outre, quand, s'élevant sur ses ailes, il a exploré l'air aussi et les phénomènes qui s'y produisent, il monte plus haut encore jusqu'à l'éther et aux circuits du ciel, il accompagne dans leur ronde, en accord avec les lois parfaites de la musique, entraîné par l'amour de la sagesse qui guide sa marche, les chœurs des planètes et des astres fixes, et, dépassant du regard toute la nature visible, il s'élance, de ce point, vers la hauteur intelligible. [71] Alors, quand il a contemplé dans ce monde-là, belles d'une beauté incomparable, les formes exemplaires et idéales des objets sensibles qu'il avait vus ici-bas, ivre d'une ivresse abstème, il est saisi de transports divins comme les gens qui sont pris de fureur corybantique. Mais le désir qui le remplit est d'autre sorte que le leur, c'est une envie plus noble, qui le mène jusqu'au sommet du monde intelligible et le fait approcher, semble-t-il, du Grand Roi lui-même; alors, tandis qu'il aspire à le voir, il est baigné, comme dans un torrent, par les rayons tout purs et non adultérés d'une lumière compacte, dont l'éclat donne le vertige à l'œil de l'âme. »

Det. 86-90. Après avoir rappelé (85) le lieu commun platonicien de l'homme « plante céleste » (*Tim.* 90 a ss.), qui, à la différence des autres animaux dont la tête est penchée vers le sol (*Tim.* 91 e), a la sienne tournée vers le ciel et l'intellect accordé aux révolutions éternelles des étoiles (*Tim.* 90 d), Philon poursuit ainsi :

« Ne soyons plus en peine, nous les disciples de Moyse, de savoir comment l'homme a conçu l'idée du Dieu invisible. Car Moyse lui-même, instruit par un oracle divin, nous a montré la route sur ce point. Voici son langage. Le Créateur n'a pas attaché au corps une âme capable par elle-même de voir Dieu, mais, comme il se disait qu'il serait très profitable à son ouvrage (l'homme) de concevoir quelque idée de Celui qui l'a fabriqué, — c'est là en effet ce qui détermine le bonheur et la félicité, — il lui a envoyé d'en haut un souffle de sa propre déité. La divinité invisible a donc imprimé dans l'âme invisible les marques de son être propre, afin que la région terrestre elle-même ne fût pas sans avoir quelque part à l'image de Dieu. [87] Assurément, l'archétype est à ce point invisible que l'image, elle non plus, n'est pas visible; néanmoins, comme elle a reçu la frappe du modèle, les idées qu'elle conçoit ne sont plus mortelles, mais immortelles. Comment en effet ce qui est né mortel aurait-il pu tout ensemble demeurer en place et partir en voyage, voir à la fois ce qui est ici et ce qui est ailleurs, parcourir toutes les mers, traverser toute la terre jusqu'à ses limites extrêmes, se saisir des lois et des coutumes, ou, pour tout dire en un mot, des choses et des personnes? [88] Ou encore, bien au delà de ce qui est sur la

---

(1) Cf. PLAT., *Timée*, 90 c.
(2) Lieu commun : cf. *Korè Kosmou* 45 (discours de Momus).

terre, appréhender les régions d'en haut, l'air et ses changements, les caractères spécifiques de tel ou tel moment du temps, et tout ce que viennent à produire les saisons de l'année, d'une manière inattendue ou selon le cours ordinaire des choses? Ou davantage, prendre son vol à travers l'air vers le ciel, pour y scruter le comportement et les évolutions des corps célestes, ce qui détermine l'origine et le terme de leurs mouvements, comment ils s'ajustent les uns aux autres et à l'ensemble selon quelque règle d'affinité? Comment aurait-il pu inventer les arts et les sciences, tant celles qui concernent la fabrication d'objets extérieurs que celles qui visent à l'amélioration du corps et de l'âme, et une infinité d'autres, dont on ne peut concevoir le nombre et la nature? [89] De toutes nos facultés l'intellect est le seul, en raison de son exceptionnelle rapidité, à devancer et dépasser le temps, qui est, semble-t-il, son milieu naturel; par d'invisibles pouvoirs il entre en contact, hors du temps, avec l'univers, ses parties et leurs causes. Et lors même qu'il a atteint les limites de la terre et de la mer, voire de l'air et du ciel, il ne se tient pas encore en repos, car il considère que le monde n'offre qu'un champ étroitement limité pour sa course que rien n'arrête, et il désire d'aller toujours plus outre et d'appréhender, s'il se peut, l'essence de Dieu, dont on ne peut rien percevoir sinon le fait qu'il existe. [90] Quelle vraisemblance, donc, que l'intellect humain, si petit, enfermé en un si court espace, le cerveau ou le cœur, eût pu contenir l'immensité du ciel et de l'univers, s'il n'avait pas été une parcelle de cette grande Ame divine et bienheureuse? Une parcelle, dis-je, non séparée de sa source : car aucune portion de la divinité n'en est véritablement découpée pour exister à part, il ne s'agit que d'une extension (1). Aussi l'intellect, qui participe à la perfection de l'univers, dès là qu'il conçoit le monde, se dilate-t-il, sans éclater, jusqu'aux limites mêmes de l'univers, car c'est sa propriété même que de s'étirer. »

Plant. 20-22. Ici encore Philon part du lieu commun de la station droite de l'homme, à la différence des plantes qui ont leur tête en bas (κατωκάρα, *Plant.* 16), fixée dans le sol même, et des animaux dont la tête est bien sans doute à quelque hauteur au-dessus du sol, mais s'incline vers la terre (16-17). Philon oppose ensuite à la théorie de l'intellect humain parcelle de l'éther, — théorie qu'il accepte lui-même en d'autres lieux, — celle de Moyse, selon qui notre intellect a été créé à l'image de Dieu (18-19). Ce thème de l'image amène le développement que voici :

« De ce que l'âme humaine a été faite à l'image du Logos exemplaire de la Cause Première, il résulte que le corps lui aussi a été créé droit, en sorte que l'homme pût lever le regard vers la région la plus pure de l'univers, le ciel, et au moyen du visible appréhender clairement l'invisible. [21] Ainsi donc, comme il eût été très difficile de comprendre comment l'intelligence est attirée vers l'Être à moins d'avoir éprouvé soi-même cette attraction, — car on est seul à bien connaître ce qu'on a soi-même éprouvé, — Dieu fait en sorte que l'œil du

(1) τέμνεται γὰρ οὐδὲν τοῦ θείου κατ' ἀπάρτησιν, ἀλλὰ μόνον ἐκτείνεται, cf. *C. H.*, XII 1 ὁ νοῦς οὖν οὐκ ἔστιν ἀποτετμημένος τῆς οὐσιότητος τοῦ θεοῦ, ἀλλ' ὥσπερ ἡπλωμένος, καθάπερ τὸ τοῦ θεοῦ φῶς.

corps puisse se tourner vers l'éther, cet œil du corps étant pour nous une représentation exacte de l'œil invisible. [22] En effet, quand nous constatons que les yeux, composés de matière périssable, ont un champ d'extension assez vaste pour voyager de la région terrestre au ciel qui en est si distant, jusqu'à en atteindre les limites mêmes, quelle amplitude ne devons-nous pas attribuer à la course des yeux de l'âme, dans toutes les directions où ils se portent? Le désir passionné qu'ils ont de voir l'Être d'une claire vue leur donne des ailes, pour tendre non seulement à la région extrême de l'éther, mais dépasser les frontières du monde et s'élever vers l'Incréé. »

Mut. 178-180 (à propos de *Gen.*, xv, 6 « Abraham eut foi dans le Seigneur ») :

« C'est dans sa pensée », dit-il (Moyse), « que parla Abraham », dans cette pensée qu'aucun des êtres qu'on loue pour leur rapidité ne saurait dépasser à la course, puisqu'elle devance même les oiseaux qui ont des ailes. De là vient, me semble-t-il, ce mot du plus réputé des poètes grecs : « comme un oiseau ailé ou une pensée » (*Od.*, vii, 36), par où il exprime le comble de la vitesse, car il ajoute au mot « oiseau ailé » cet autre qui en renforce le sens, « une pensée ». Car la pensée, dans le même instant, parcourt tout ensemble, d'un élan indicible, une multitude de choses et de personnes, elle atteint immédiatement les limites de la terre et de la mer, elle contracte et raccourcit des distances infiniment grandes; elle fait, dans un seul instant, un tel bond au-dessus de la terre qu'elle parvient, à travers l'air, jusqu'à l'éther, et c'est à peine si elle s'arrête à la voûte extrême des étoiles. [180] Sa nature en effet, brûlante et toute de feu, ne lui permet pas de repos : aussi franchit-elle mainte et mainte altitude, et se porte, hors des limites de l'univers visible, vers cet autre univers dont elle se sent parente, que constituent les Idées. »

3. *La contemplation du Monde mène à la connaissance de Dieu.*

C'est là encore un thème familier, tout au moins depuis le π. φιλοσοφίας d'Aristote. A la question, qui dès le ive siècle devient classique dans les écoles : « D'où nous vient le concept de Dieu? », Aristote, on se le rappelle, répondait ainsi : deux voies mènent à l'idée de Dieu, l'expérience de certains phénomènes psychiques, la vue des corps célestes (1). Philon s'est surtout occupé de la seconde de ces voies, et il en développe le schème à plusieurs reprises. Comme l'argument est on ne peut plus banal, je n'en citerai que deux exemples.

L. A., III 97-99 :

« Les premiers philosophes ont cherché à savoir comment nous est venue la notion du divin, puis ceux dont la philosophie est réputée la meilleure (2) ont déclaré que c'est du monde, de ses parties et des forces qui résident en elles que nous avons tiré l'intelligence de la Cause. [98] Car, de même que si l'on voit une

---

(1) Fr. 10 Rose[2]. Cf. *supra*, pp. 229 ss. Voir *Addenda*.
(2) Platoniciens (Aristote) et stoïciens.

maison soigneusement construite avec ses vestibules, ses portiques, ses appartements pour les hommes et pour les femmes et tous les autres bâtiments, on se fera une idée de l'architecte, — car il ne viendra à l'idée de personne que cette maison ait pu être menée à bien sans l'aide d'un art et d'un artisan et pareillement dans le cas d'une ville, d'un navire, de tout ouvrage, petit ou grand, [99] de même, une fois entré dans ce monde qui est comme une maison ou une ville immense, quand on a vu le ciel accomplissant sa course circulaire et contenant en lui tous les êtres, les planètes et les astres fixes avec leurs mouvements identiques et immuables empreints de rythme et d'harmonie pour l'avantags de l'univers, la terre dans ce lieu central qui est son lot, les effusions régulières de l'eau et de l'air à la région frontière, outre cela les êtres vivants mortels et immortels, toutes les espèces différentes de plantes et de fruits, on conclura, bien sûr, que tout cela n'a pas été construit sans un art consommé, mais qu'il a existé et qu'il existe un architecte de ce grand Tout, Dieu. Ceux qui raisonnent de la sorte appréhendent Dieu par son ombre, en formant la notion de l'architecte par le moyen de ses œuvres. »

Spec., I 32-35.

« Certes, il est difficile de prendre quelque intelligence, de se former quelque notion du Père et du Chef de l'univers, mais que cela ne nous empêche pas de le chercher. Or, dans cette enquête sur Dieu, voici les deux questions principales qui se présentent à l'entendement du philosophe authentique : d'abord si le divin existe, — question qui se pose à cause de ceux qui pratiquent l'athéisme, le pire des vices ; — ensuite, ce qu'est le divin quant à son essence. La réponse à la première question n'exige pas grand effort, mais il est difficile, sinon même impossible, de répondre à la seconde. Examinons l'une et l'autre. [33] On a toujours passé, par une déduction naturelle, des ouvrages produits à la connaissance de ceux qui les ont produits. Qui en effet, à la vue de statues ou de peintures, n'a pas eu aussitôt la notion d'un sculpteur ou d'un peintre? Ou qui, à la vue de vêtements, de navires ou de maisons, n'a pas conçu l'idée d'un tisserand, d'un constructeur de navires ou d'un architecte? Et si l'on entre dans une cité bien ordonnée, où tout ce qui concerne les affaires publiques est admirablement administré, comment échapper à la supposition que cette cité est régie par d'excellents gouvernants. [34] Et bien donc, celui qui entre dans ce monde qui est vraiment la Grande Cité, quand il a vu montagnes et plaines regorger d'animaux et de plantes, le cours des rivières nées de sources ou de pluies d'hiver, les mers largement épandues, les climats bien tempérés de l'air et les changements des saisons annuelles, puis le soleil et la lune qui président au jour et à la nuit, les circuits et les évolutions des autres astres errants et fixes et du ciel entier, n'est-il par vraisemblable, n'est-ce pas de toute nécessité qu'on en viendra à la notion du Créateur, du Père, et aussi du Souverain Maître de ces choses? [35] Car aucun produit de l'art ne se fait tout seul ; or le monde est l'ouvrage où se voit le plus d'art et de science, en sorte qu'il a été fabriqué par le plus savant et le meilleur des artisans. Voilà comment nous avons acquis la notion de l'existence de Dieu » (1).

(1) Voir encore *Somn.*, I 203-204.

Cette connaissance que nous avons de Dieu par ses œuvres est commune à tous les peuples, Grecs et Barbares. Signalons à ce sujet un texte curieux où, tout en déplorant la multiplicité des dieux indigènes particuliers à chaque peuple, Philon fait état d'une sorte de consentement universel (1) sur le point de la croyance à un même Dieu créateur, *Spec.*, II 164-167 :

« On ne peut énumérer ni délimiter la multitude des dieux, mâles et femelles, qu'honorent les différents États, tels que les inventèrent les poètes et le commun peuple, qui n'a point de facilité ni de lumières pour la recherche du vrai. Et encore, au lieu que ce soient, pour tous, les mêmes dieux, chaque État a-t-il ses dieux particuliers, qu'il vénère et comble d'hommages, au point qu'il ne tient même pas pour dieux ceux de l'étranger, mais se rit et se moque de la réception qu'on en fait ailleurs, et taxe d'extrême stupidité ceux qui les honorent, puisqu'ils n'arrivent pas, pense-t-on, à juger sainement en ces matières. [65] Cependant, s'il existe vraiment, Celui que tous, Grecs et Barbares, reconnaissent d'un commun accord, le Père suprême des dieux et des hommes et le Créateur de l'univers, dont la nature, bien qu'invisible et indiscernable à l'œil de chair et même à la pensée, n'en est pas moins objet d'étude passionnée pour tous les adeptes de l'astronomie et des autres branches de la philosophie qui ne négligent aucun moyen de l'atteindre et de le servir, tous les hommes auraient dû s'attacher à lui et ne pas introduire d'autres dieux, comme on en amène artificiellement au théâtre, pour leur attribuer les mêmes honneurs qu'au vrai Dieu. [166] Alors qu'ils glissaient ainsi dans l'erreur sur le point le plus essentiel, cette erreur universelle fut corrigée, pour dire les choses proprement comme elles sont, par la nation juive, qui, méprisant tout le créé en tant qu'il est venu à l'être et naturellement destiné à périr, choisit de servir seulement l'Être incréé et éternel : d'abord parce que c'est bien, ensuite parce qu'il vaut mieux s'attacher et s'unir à l'être plus ancien, qui commande et qui crée, qu'aux êtres plus jeunes, qui sont commandés et qui ont été créés (2). [167] D'où vient que j'admire comment on peut avoir l'audace d'accuser d'inhumanité un peuple qui a poussé si loin la solidarité et la bienveillance envers le genre humain partout, qu'il offre prières, fêtes et sacrifices pour tout l'ensemble des hommes et rend hommage au vrai Dieu non seulement en son nom propre, mais au nom des autres peuples, de ces peuples qui ont déserté le service qu'ils eussent dû rendre. »

S'il y a donc une sorte de consentement universel à l'endroit du Dieu créateur, on n'en doit pas moins noter que la contemplation du monde ne fait connaître que l'existence de Dieu : elle ne mène

---

(1) Argument déjà amorcé dans les *Lois* de Platon, X 886 a 4 καὶ ὅτι πάντες Ἕλληνές τε καὶ βάρβαροι νομίζουσιν εἶναι θεούς.

(2) ἔπειτα δ' ὅτι καὶ ὠφέλιμον πρεσβυτέρῳ πρὸ νεωτέρων καὶ ἄρχοντι πρὸ ἀρχομένων καὶ ποιητῇ πρὸ γεγονότων ἀνακεῖσθαί τε καὶ προστίθεσθαι. Souvenir peut-être de PLAT., *Epin.* 980 d 8 (opposition πρεσβύτερον ∼ νεώτερον, ἄρχον ∼ ἀρχόμενον), 981 b 8 (il convient à l'âme πλάττειν καὶ δημιουργεῖν, au corps πλάττεσθαι καὶ γίγνεσθαι, cf. PLOT., V 1, 10, 29 : la partie intellectuelle de l'âme est σώματος δημιουργὸν καὶ πλαστικόν), 983 d 5 (διαφέρειν δὲ ψυχὴν σώματος· ἔμφρον μέν που, τὸ δὲ ἄφρον θήσομεν, ἄρχον δέ, τὸ δὲ ἀρχόμενον, καὶ τὸ μὲν αἴτιον ἁπάντων, τὸ δὲ ἀναίτιον πάσης πάθης.

pas à l'essence divine. Pour obtenir quelque sentiment de cette essence, il faut user d'une autre méthode, et il faut aussi que Dieu lui-même nous assiste en se révélant à nous. Philon est formel sur ce point. Bornons-nous à citer deux témoignages.

L. A., III 100-101 (1) :

« Il existe un intellect plus parfait et mieux purifié, un intellect initié aux grands mystères, qui ne se borne pas à acquérir la connaissance de la Cause à partir des choses créées comme on découvre la substance permanente d'après son ombre, mais qui, par delà le créé, perçoit une image bien nette de l'Incréé, en sorte que, grâce à celui-ci, il appréhende tout à la fois et l'Incréé et son ombre, c'est-à-dire tout ensemble le Logos et ce monde visible. [101] C'est Moyse qui déclare : « Révèle-toi à moi, afin que je te voie distinctement (*Ex.*, XXXIII, 13). Ce que je souhaite, ce n'est pas que tu te révèles à moi par le moyen du ciel, ou de la terre, ou de l'eau, ou de l'air, ou, en bref, d'aucune des choses créées, je ne veux voir ta forme en nul autre miroir qu'en toi-même, qui es Dieu, car les images dans le créé se dissipent, mais les images dans l'Incréé sont faites pour durer, stables, solides, éternelles. » Voilà pourquoi Dieu a appelé Moyse et lui a parlé. »

Spec., I 41-42 :

« C'est là ce que Moyse l'hiérophante, le grand ami de Dieu, avait en vue quand il supplie Dieu en ces termes : « Révèle-toi à moi » (*Ex.*, XXXIII, 13). C'est à peu près comme si, pris d'inspiration, il nous criait ouvertement : « Que tu « existes et subsistes, ce monde visible nous l'a montré comme un professeur « et un guide; en tant qu'il est ton fils, il m'a enseigné sur son père, en tant « qu'il est ton ouvrage, il m'a enseigné sur celui qui l'a fait. Mais je brûle de « savoir ce que tu es selon ton essence, et, pour cette science, je ne trouve nul « guide en aucune partie de l'univers. [42] Aussi je t'en supplie, j'en appelle à « ton nom auguste : laisse venir à toi la prière d'un suppliant, et qui est ton « ami, et qui ne demande rien de plus que de te servir. Car, comme la lumière « ne se laisse discerner que par elle-même et qu'elle est seule à donner le « moyen de la découvrir, ainsi, toi aussi, es-tu seul à pouvoir parler de toi-« même (2). Je compte donc sur ton pardon si, faute d'un maître, c'est à toi-« même que j'ose avoir recours dans mon désir ardent d'être enseigné sur toi. »

Encore est-il que, même en suivant cette voie de révélation, il nous reste infiniment difficile d'atteindre à quelque intelligence de l'être propre de Dieu. Cet être sans cesse nous échappe. Dans une page assez touchante, Philon décrit l'angoisse de l'âme à la recherche de son Dieu.

Post. 18-21 :

« Dans son incessant désir de concevoir le Chef de l'univers, tandis qu'il suit le sentier qui passe par la science et la sagesse, le sage commence par

(1) Après le texte cité *supra*, pp. 561-562.
(2) Cf. Pascal « Dieu seul parle bien de Dieu ».

entrer en contact avec les paroles divines, et il demeure avec elles pour un premier séjour; oui, bien que très décidé à accomplir le reste de la route, il s'arrête là. Car les yeux de son esprit se sont ouverts : il s'est rendu pleinement compte qu'il s'est engagé dans la chasse d'une proie difficile à atteindre, qui toujours se retire et s'éloigne, laissant ceux qui la poursuivent à une distance infinie derrière elle. [19] Il fait cette juste réflexion que tout ce qu'il y a de plus vite sous le ciel, comparé aux mouvements du soleil, de la lune et des autres astres, donnerait l'impression de l'immobilité. Or le ciel est l'ouvrage de Dieu, et ce qui produit est toujours en avant de l'ouvrage qu'il a produit. Dès lors toutes les facultés à notre disposition, même l'intellect qui, de toutes, est la plus rapide, reste nécessairement à une distance immesurable de l'appréhension de la Cause. Mais voici le plus étrange. Quand les astres dépassent les autres mobiles, ils sont eux-mêmes en mouvement : Dieu, lui, c'est sans bouger qu'il distance toutes choses. [20] Il passe pour être à la fois très proche et infiniment loin, car d'une part il se saisit de nous par ses puissances créatrices et castigatrices qui nous touchent de tout près, et d'autre part il a chassé l'être créé à une distance infinie de sa nature essentielle, en sorte que, même par les atteintes toutes pures et immatérielles de la pensée, nous ne pouvons entrer en contact avec lui. [21] Nous nous réjouissons donc avec les amis de Dieu qui cherchent l'Être, même s'ils ne le trouvent jamais; car la recherche du Beau, lors même qu'elle n'atteint pas le but, suffit par elle seule à nous donner un avant-goût du bonheur. »

Ailleurs Philon va jusqu'à dire qu'il est quasi impossible de rien connaître de l'essence divine, *Deus* 62. Pourquoi Moyse a-t-il parfois attribué à Dieu la figure et les sentiments d'un homme? C'est qu'il ne s'adresse pas seulement à ceux qui ont été « initiés aux mystères infaillibles de l'Être », mais aux autres, dont les sens spirituels sont encore mal dégrossis. Quant aux premiers, ils

« n'appliquent à Dieu aucun des attributs de l'être créé. C'est eux que touche de la manière la plus appropriée ce texte capital des Saints Oracles que « Dieu n'est pas comme un homme », ni non plus comme le ciel ou l'univers. Car ces derniers se présentent à nos sens comme des formes empreintes de certaines qualités, Dieu en revanche ne peut même pas être saisi par l'intellect, sinon quant au fait qu'il existe : en effet nous n'appréhendons de lui que l'existence, mais de ce qui est plus outre, rien » (1).

4. *État de ceux qui contemplent l'univers.*

Même à ce premier degré de la contemplation, où l'on ne découvre Dieu qu'à travers le monde, l'état du contemplatif est un état de

(1) Voir aussi la réponse de Dieu à Moyse, *Spec.*, I 49-50 : « N'espère donc pas pouvoir jamais m'appréhender moi-même ou quelqu'une de mes puissances selon ce que je suis ou ce qu'elles sont. Mais je suis prêt, comme je t'ai dit, à te faire participer de grand cœur à ce qui est accessible. Cela veut dire que je t'invite à la contemplation du monde et des êtres qu'il contient : ce spectacle, tu le percevras non par les yeux du corps, mais par les yeux de l'âme qui jamais ne se reposent. Qu'il y ait seulement un constant et profond désir de la sagesse, qui remplit ses disciples et ses familiers d'une doctrine digne de louange et merveilleusement belle. »

sagesse qui l'emporte infiniment sur la vie d'affaires. On retrouve là un thème protreptique, qui est comme de règle en ce genre de littérature depuis le *Protreptique* d'Aristote. Quelques exemples suffiront pour ce lieu commun.

Spec., II 44-45 :

« Tous ceux qui, chez les Grecs et les Barbares, pratiquent la sagesse et mènent une vie inattaquable et irréprochable, qui ont choisi de n'être ni victimes de l'injustice ni coupables de la commettre en retour (1), évitent la société des gens d'affaires et se détournent des lieux que ceux-ci fréquentent, tribunaux, conseils, marchés, assemblées, bref, tout lieu où se tient quelque troupe bruyante ou quelque réunion du commun peuple. [45] Car ils n'aspirent qu'à une vie de paix que rien ne trouble, ils contemplent d'une manière excellente la nature et tout ce qu'elle contient, il scrutent la terre, la mer, l'air, le ciel avec tous leurs habitants, ils se joignent par la pensée à la lune, au soleil, aux autres astres, errants et fixes, dans leurs évolutions, et si, par le corps, ils sont fixés en bas à la terre, ils munissent d'ailes leurs âmes afin de marcher sur l'éther et de contempler les puissances qui habitent là-bas, comme il convient à de vrais citoyens du monde, qui tiennent le monde pour une cité, et pour membres de cette cité les familiers de la sagesse qui ont reçu leurs droits civiques de la vertu, laquelle a charge de présider au gouvernement de l'univers. [46] Ainsi remplis de parfaite excellence, habitués à ne point tenir compte des maux du corps et des choses extérieures, exercés à regarder les choses indifférentes comme vraiment telles (2), armés contre les voluptés et les désirs de la chair, bref, toujours empressés à dominer les passions et, du fait de leur entraînement, employant toutes leurs forces à détruire le rempart qu'elles dressent, incapables de fléchir sous les coups de la Fortune parce qu'ils en ont calculé d'avance les attaques — car les plus lourdes adversités sont allégées par l'anticipation, quand la pensée ne trouve plus rien d'étrange dans les événements, mais en émousse la perception comme dans le cas des choses anciennes et tout usées, — il va de soi que de tels hommes, dans la jouissance de leurs vertus, fassent de toute leur vie une fête » (3).

Spec., I 36-41 :

« Quant à l'essence divine, si difficile qu'en soit la chasse et la capture, il n'en faut pas moins la poursuivre de toutes ses forces. Rien n'est meilleur en effet que la recherche du vrai Dieu, même si trouver Dieu échappe aux moyens de l'homme : car l'ardeur même qu'on apporte à apprendre procure, à elle seule,

---

(1) Garder le texte (du meilleur codex, R) : μήτε ἀδικεῖσθαι μήτε ἀνταδικεῖν αἱρούμενοι. L'idée dominante est celle de retraite. Le sage vit si retiré du monde qu'il est à l'abri des injustices.

(2) Cf. *Heres*, 253.

(3) Dans la suite (47), noter le lieu commun du petit nombre des élus : οὗτοι μὲν οὖν ὀλίγοι εἰσὶν ἀριθμός, cf. déjà *Epinom.* 973 c 5, 992 c 5 et *Asclep.* 9 *aliqui ergo, ipsique paucissimi, pura mente praediti, sortiti sunt caeli suspiciendi venerabilem curam*. Pour le thème de l'ἑορτή, cf. encore *Spec.*, II 52 : dans les souffrances de la vie, il est impossible d'ἄγειν ἑορτήν, sauf dans le vrai sens du mot, qui est de trouver sa jouissance (a) dans la θεωρία τοῦ κόσμου καὶ τῶν ἐν αὐτῷ, (b) dans l'ἀκολουθία φύσεως, (c) dans l'ἁρμονία πρὸς ἔργα λόγων καὶ πρὸς λόγους ἔργων.

des voluptés et des joies ineffables. [37] Ceux-là m'en sont témoins qui, sans se borner à goûter du bout des lèvres à la philosophie, ont festoyé plus abondamment de ses discours et de ses dogmes. Car l'esprit de tels hommes, soulevé bien haut au-dessus de la terre, déambule parmi l'éther et s'unit aux révolutions du soleil, de la lune, et du ciel entier. Sans doute, dans son désir de contempler tout ce qui est là-bas, il découvre que ses pouvoirs de vision sont émoussés, car la lumière qui se répand là-haut est si pure et si forte que l'œil de l'âme, sous ses rayons, est saisi de vertige. [38] Pourtant, il ne succombe point avant la fin ni ne renonce à la tâche, et c'est d'un vouloir invaincu qu'il se porte vers ce qu'il peut saisir du spectacle, comme l'athlète qui cherche à obtenir le second prix quand il a échoué dans le premier. Or, ce qui vient en second après la vision réelle, c'est l'analogie, la conjecture, et tout ce qui entre dans la catégorie du vraisemblable et du probable. [39] Ainsi donc, de même que l'ignorance de ce qu'est chacun des astres dans la pureté de son essence et l'impuissance à le savoir exactement n'empêchent pas de mettre tout son zèle à le chercher, parce que l'ardeur naturelle à s'instruire fait qu'on trouve plaisir aux raisonnements probables, de même, bien que nous n'ayons point de part à la claire vision de Dieu tel qu'il est selon son être, nous ne devons pas renoncer à la quête, parce que la seule recherche, même si l'on ne trouve pas, est à elle seule chose trois fois aimable : nul ne s'avise non plus de blâmer les yeux du corps si, incapables de supporter l'éclat du soleil lui-même, ils contemplent l'émanation de ses rayons quand ils atteignent la terre, c'est-à-dire la pointe extrême de la lumière que projettent les rayons solaires. »

Voici enfin un texte des *Questions sur la Genèse* qui marque bien que la contemplation du monde est déjà, au sens propre, une sagesse.

Q. G., IV, 46 :

« Celui qui monte vers les hauteurs, soulevé comme s'il avait perdu tout poids, parcourt du regard et considère ce qu'il y a dans l'air et dans l'éther, il contemple en son universalité le ciel entier, la nature de son mouvement, les harmonies et les affinités selon lesquelles les astres sont reliés les uns aux autres, bref il voit tout l'ensemble du monde. Cette ascension porte le nom symbolique de *montagne*, mais son vrai nom est *sagesse*. L'âme vraiment philosophique, animée d'un désir sincère de voir les êtres célestes, voyage dans l'éther lui-même » (1).

5. *Avantages et dangers de la contemplation du Monde.*

Il n'en faut donc pas douter : la contemplation du monde est, aux yeux de Philon, une sagesse, dans la mesure même où le ciel, qui est le temple de Dieu, mène à la connaissance du Dieu qui l'a

---

(1) *Qui vero ad altiora elevatur, ascendens levitate accepta circumspicit attenditque ea, quae in aere sunt et aethere, atque universim totum caelum, naturam motus eius, harmonias et affinitates, quatenus referuntur ad se invicem, et universum hunc mundum. Ascensus iste symbolice* mons *est appellatus, sed verum eius nomen* sapientia *est. Qui enim veraciter philosophus exsistit animus, altiorum excelsorumque cupiens visionem, in aethere ipso ambulat* (αἰθεροβατεῖ). Cf. *Spec.*, I 269 τὰ δὲ φαιδρύνοντα διάνοιάν ἐστι σοφία καὶ τὰ σοφίας δόγματα πρὸς τὴν θεωρίαν τοῦ κόσμου καὶ τῶν ἐν αὐτῷ ποδηγετοῦντα.

formé. Insistons sur cette vérité avant de montrer les dangers ou les insuffisances de cette forme de religion.

Q. G., IV, 87 :

« La plus excellente des parties du monde est le ciel, aussi a-t-il reçu en partage la région la plus haute, puisqu'il est composé de cette essence très pure où habitent les étoiles, dont chacune est une image faite à la ressemblance de la nature divine ; en revanche, la partie la plus infime est la terre, d'où vient aussi qu'elle a pour lot la région la plus basse, parce qu'elle contient, avec les plantes, les vivants mortels et périssables. C'est donc à bon droit qu'à la partie la meilleure Dieu a donné le premier rang en dignité et les plus hautes privilèges... Le ciel, et tous les êtres de même nature que le ciel (1), éternellement fixés dans l'immutabilité, ne sont jamais rassasiés ni fatigués de servir le Père ; ils honorent Dieu comme leur créateur qui a tout fait, tout établi, et ils lui prêtent obéissance comme à leur roi. Nous au contraire, vivants terrestres et sujets à la corruption, bien que nous ne puissions nier Dieu, — l'être en effet qui vient à l'existence en vertu d'une création forme nécessairement la notion d'une cause créatrice, — nous n'en manquons pas moins à reconnaître son règne et son autorité de vrai maître sur nous, les uns par impiété, les autres par suite d'un sophisme pervers (2). »

Mos., II 194 :

« Presque seuls de tous les peuples, les Égyptiens ont exalté la terre pour la dresser contre le ciel (3) : en effet ils ont accordé à celle-là des honneurs divins et refusé à celui-ci le moindre tribut de révérence, comme s'il était juste d'entourer d'attentions les parties les plus reculées plutôt que le palais royal — car, dans l'univers, le ciel est un palais infiniment saint, au lieu que la terre occupe le dernier rang : et sans doute, considérée en elle-même, elle mérite des honneurs, mais, quand elle entre en comparaison avec l'éther, elle est aussi inférieure à celui-ci que l'obscurité l'est à la lumière, la nuit au jour, la corruption à l'incorruption, l'homme mortel à Dieu. »

Ailleurs, c'est tout l'univers qui est comparé à un sanctuaire, *Her.* 75 :

« Il existe deux grands sanctuaires, l'un intelligible, l'autre sensible. Dans l'ordre du sensible, le panthéon (τὸ πανθεῖον, cf. *Aet.* 10) est ce monde lui-même, dans l'ordre de l'invisible, c'est le monde intelligible. »

De même *Somn.*, I 215 :

« Il existe deux temples de Dieu : l'un est ce monde visible, et en lui aussi il y

---

(1) Ici les astres, bien que, dans d'autres passages, il s'agisse de l'âme philosophique, cf. *Q. G.*, IV, 97 : *quemadmodum in mundo dignitate propria excellit ante omnia caelum, semper se suaque aeque habens, sic <est> etiam anima genuine philosophantis invariabilis atque immutabilis* (Gig. 49 στάσις τε καὶ ἠρεμία ἀκλινὴς ἡ παρὰ τὸν ἀκλινῶς ἑστῶτα ἀεὶ θεόν).
(2) **Allusion aux Épicuriens qui nient la Providence.**
(3) **Cf. *Fug.* 180.**

a un grand prêtre, le divin Logos premier-né de Dieu ; l'autre est l'âme raisonnable, dont le prêtre est l'homme véritable » (1).

Ailleurs encor, le monde est dit une offrande votive consacrée à Dieu (2).

On ne peut donc douter de l'estime de Philon pour la contemplation de l'univers. Notre auteur va jusqu'à dire que le premier soin de Dieu après la création du monde a été d'instituer la vie contemplative, « afin que, par la vue de ce monde et des êtres qu'il contient, l'homme pût parvenir à la louange du Père » (*Q. G.*, I, 6).

Néanmoins, nous l'indiquerons plus loin, la contemplation du monde n'est qu'une étape. Mais, outre cela, elle comporte par elle-même un grave danger : au spectacle du ciel, des astres, d'un monde si beau et si bien ordonné, on peut être tenté de considérer l'univers et ses parties comme des êtres divins et d'accorder ainsi à la créature des honneurs qui ne sont dus qu'au Créateur.

En plus de certains morceaux sans originalité où Philon s'inspire directement de la polémique juive contre les païens (3), c'est surtout dans les passages relatifs aux Chaldéens, c'est-à-dire aux astrologues, qu'il exprime sa pensée sur ce point.

On lit dans la *Genèse* (xv, 16, 7) que Dieu dit à Abraham : « Je suis Yahweh, qui t'ai fait sortir d'Ur des Chaldéens. » Philon prend prétexte de cette phrase (4) pour interpréter symboliquement les migrations d'Abraham dans le sens d'un passage du culte des astres au culte du vrai Dieu. Cette exégèse suppose une équivoque continuelle sur le mot *Chaldéens*, dans la Bible « habitants de la Chaldée »,

---

(1) Cf. *Her.* 88 : « Moyse veut faire de l'âme du sage la contrepartie du ciel, ou, pour user d'un langage plus fort encore, il en fait un ciel terrestre, car cette âme, comme l'éther, contient en soi des êtres purs, des mouvements bien ordonnés, des révolutions harmonieuses et réglées par Dieu lui-même, enfin l'éclat des vertus qui ressemble parfaitement à la splendeur des astres et *Q. G.*, IV, 97 (cité *supra*, p. 568, n. 1). L'idée première de cette comparaison est en *Tim.* 47 b-e, 88 d-89 a, 90 c-d.
(2) *Somn.*, I, 243 πᾶς ὁ οὐρανὸς καὶ ὁ κόσμος ἀνάθημα θεοῦ τοῦ πεποιηκότος τὸ ἀνάθημα : cf. *C. H.*, IV 1-2 ἀγαθὸς γὰρ ὤν, <οὐ> μόνῳ ἑαυτῷ τοῦτο (le monde) ἀναθεῖναι ἠθέλησε κτλ.
(3) V. gr. *Sap. Sal.*, xiii, 1 ss., cf. Geffcken, *Zwei griech. Apologeten* (Leipzig, 1910), pp. xxiii ss. Dans Philon, cf. *Decal.* 52 ss. : énumération des faux dieux : (a) éléments, astres, ciel entier 52-65 ; (b) statues faites de main d'homme 66-76 ; (c) animaux déifiés en Égypte 76-80. Même plan qu'en *Sap. Sal.* : (a) xiii, 1-9 ; (b) xiii, 10-xv, 17 ; (c) xv, 18-19. — Voir aussi *Spec.*, I, 13 ss. : faux dieux : (a) astres 13-20 ; (b) statues 21-22 ; et *Op.* 7-9 où Philon vise plus spécialement les tenants de l'éternité du monde.
(4) Et de *Gen.*, xii, 1 où Philon semble comprendre que l'appel de Dieu fut adressé à Abraham alors qu'il se trouvait encore en Chaldée, et non, comme dans la Bible (*Gen.*, xii, 4), à Harran. Il est vrai qu'en xii 1, si l'on traduit par le plus-que-parfait (« Yahweh *avait dit* à Abraham » au lieu de : « Y. dit à Abr. »), le pays d'où Abraham est invité à sortir sera bien Ur en Chaldée : cf. aussi xi, 31 où il est dit qu'Abraham et sa famille sortirent d'Ur des Chaldéens pour aller au pays de Chanaan, mais qu'arrivés à Harran, ils s'y établirent.

dans Philon « astrologue », selon la dénomination commune à l'époque gréco-romaine.

Abr. 69-72 :

« Les Chaldéens se livrèrent tout spécialement à l'étude de l'astronomie et, attribuant toutes choses aux mouvements des astres, ils conçurent que les événements du monde étaient gouvernés par des forces incluses dans les nombres et les proportions numériques. Ils glorifièrent ainsi la nature visible sans former la notion de l'invisible et de l'intelligible. Tandis qu'ils exploraient l'ordre des nombres dans leur application aux révolutions du soleil, de la lune, des autres planètes et des astres fixes, ainsi qu'aux changements des saisons annuelles et à la sympathie entre les choses célestes et les terrestres, ils en vinrent à concevoir que le monde même était Dieu, assimilant d'une manière impie le créé au Créateur. [70] Abraham donc, après qu'il eut été nourri dans cette doctrine et qu'il eut longtemps chaldaïsé, sortant enfin comme d'un profond sommeil, ouvrit l'œil de son âme et se mit à contempler la pure lumière au lieu des profondes ténèbres; alors, guidé par ce rayon, il comprit, ce qu'il n'avait pas vu auparavant, qu'un conducteur et un pilote présidait au sort du monde conservait son propre ouvrage en le dirigeant d'une main sûre, assumait la surveillance et la protection du monde et de ses parties pour autant qu'elles sont dignes des soins d'un Dieu. [71] Afin donc d'enraciner plus fortement en sa pensée la vision qu'il avait reçue, la Parole Sacrée lui dit : « Ami, les grandes choses se font souvent connaître par leur esquisse telle qu'elle apparaît en des choses plus petites, si bien que, par la considération de cette esquisse, le champ de vision se trouve infiniment élargi (1). Congédie donc ceux qui parcourent sans cesse le ciel et toute la science chaldéenne, émigre pour quelque temps de la grande cité du monde vers une cité plus petite (2), grâce à laquelle tu pourras prendre connaissance de Celui qui veille sur l'univers. » [72] Voilà pourquoi Abraham est dit avoir émigré d'abord du pays des Chaldéens à la terre de Harran » (3).

Migr. 177-181 :

« Nul de ceux qui ont lu la Loi ne peut ignorer que, auparavant (4), Abraham était sorti de la Chaldée pour aller habiter en Harran, et que son père y étant mort, il émigra de ce pays aussi, en sorte que, à ce moment (5), il avait déjà quitté deux pays. [178] Qu'est-ce à dire, donc? Les Chaldéens sont réputés entre tous les peuples pour avoir étudié tout spécialement l'astronomie et la généthlialogie. Ils ont établi des correspondances entre les choses d'ici-bas et celles d'en haut, entre les choses célestes et les terrestres. Par le calcul des proportions musicales, ils ont montré que l'univers compose pour ainsi dire une symphonie harmonieuse fondée sur la concorde et la sympathie qui subsiste

---

(1) C'est le principe contraire de celui qui est énoncé *Rép.*, II 368 d ss. Platon, pour définir la justice en l'homme, la considère dans la cité; Philon, pour mieux connaître Dieu, invite à quitter la considération du macrocosme pour celle du microcosme.
(2) Le microcosme, c'est-à-dire l'homme, et plus spécialement l'âme humaine.
(3) Voir encore *Abr.* 77-78, 84.
(4) *Sc.* avant la migration de Harran en Chanaan.
(5) *Sc.* quand il se rend en Chanaan.

entre ses parties, lesquelles, sans doute, sont distantes dans l'espace, mais se rapprochent quant à l'affinité. [179] Ils ont supposé que ce monde visible est le seul être qui existe, qu'il soit lui-même Dieu ou qu'il contienne Dieu en lui-même, c'est à savoir l'Ame du monde (1). Ils ont divinisé la Fatalité et la Nécessité, et ainsi rempli d'une profonde impiété la vie humaine, dès là qu'ils enseignaient que, hors des phénomènes, il n'existe absolument aucune cause de quoi que ce soit, mais que ce sont les circuits du soleil, de la lune et des autres astres qui déterminent, pour chacun des êtres, ce qui lui arrive de bon et de mauvais. [180] Moyse, de son côté, s'il paraît souscrire au dogme de l'union et de la sympathie entre les parties de l'univers, lorsqu'il déclare que le monde est unique et qu'il a été produit — car, si le monde a été produit et s'il est unique, il y a vraisemblance que les mêmes substances élémentaires servent de fondement à toutes les productions particulières dans le monde, de même que les corps qui composent une unité ont pour caractéristique d'être en état de cohésion, — n'en diffère pas moins d'opinion en ce qui concerne Dieu. [181] Il tient en effet que le premier Dieu n'est ni le monde ni l'Ame du monde, et que ce ne sont pas les astres ou leurs évolutions qui constituent les causes de ce qui arrive aux hommes. Non, tout cet univers visible est maintenu ensemble par des forces invisibles que le Démiurge a tendues depuis les extrémités de la terre jusqu'aux dernières limites du ciel, veillant à ce que cet ouvrage bien lié ne vienne pas à se défaire (2) : car les forces de l'univers sont des liens qu'on ne peut briser. »

Heres 97-99 (sur *Gen.*, xv, 7 « Je t'ai tiré du pays des Chaldéens pour te donner cette terre ») :

« Le bienfait accordé (par Dieu) à Abraham dans le passé fut qu'il abandonna la science chaldéenne des astres, qui lui avait appris à concevoir que le monde n'est pas l'œuvre de Dieu mais Dieu lui-même, et que tout ce qui arrive ici-bas en bien et en mal à tous les êtres est mathématiquement déterminé par les mouvements et les circuits réguliers des planètes, en sorte que tout ce qui se produit de bon ou de mauvais dépend de ces mouvements. Oui, telle est la croyance monstrueuse que la motion uniforme et ordonnée du ciel a imposée aux esprits trop faciles à manier... [9] Le nouveau bienfait est (pour Abraham) d'avoir hérité de cette sagesse qui n'est pas reçue par les sens, mais appréhendée par un intellect entièrement pur. Grâce à elle, la meilleure des migrations devient un fait établi, quand l'âme 'quitte l'astrologie pour l'étude de la nature, d'incertaines conjectures pour une ferme appréhension, d'un mot, l'être créé pour l'Incréé, le monde pour son Auteur et son Père. [99] Les oracles disent donc que ceux qui sont encore dans des vues chaldaïsantes n'ont mis leur confiance que dans le ciel, au lieu que celui qui a abandonné ces vues s'est confié dans le cocher du ciel, le conducteur du char de l'univers, Dieu même. »

---

(1) Ailleurs, Philon paraît accepter cette définition de Dieu, cf. *L. A.*, I, 91 ἡ γὰρ ὅλων ψυχὴ ὁ θεός ἐστιν κατὰ ἔννοιαν, *Migr.* 191 τὸν δὲ ὅλων νοῦν, τὸν θεόν, *L. A.*, III, 29 τοῦ τε τῶν ὅλων νοῦ, ὅς ἐστι θεός.
(2) τοῦ μὴ ἀνεθῆναι τὰ δεθέντα καλῶς προμηθούμενος, cf. *Tim.* 41 a τὸ καλῶς ἁρμοσθὲν καὶ ἔχον εὖ λύειν ἐθέλειν κακοῦ.

Q. G., III, 1 :

« *Terre des Chaldéens* est le nom symbolique de la science mathématique, dont fait partie, de l'aveu général, la science des astres, à laquelle les Chaldéens se sont appliqués avec ardeur et avec fruit. Dieu donc honore le sage d'un double don. Tout d'abord il l'instruit sur la secte des astrologues, c'est-à-dire sur les rêveries des Chaldéens dont on découvre, bien qu'il soit difficile de les comprendre, qu'elles sont la cause, entre autres maux multiples, de l'impiété. Car l'astrologie attribue à des êtres créés les qualités du Créateur, et elle persuade de révérer et de servir la fabrique du monde au lieu du Dieu qui a créé le monde. En second lieu, etc... ».

Mut. 16 :

« Quand notre esprit chaldaïsait et pratiquait l'astrologie, il attribuait (1) au ciel les forces créatrices à titre de causes premières. Mais, quand il eut abandonné la doctrine des Chaldéens, il reconnut que le monde était conduit et piloté par un chef, et il obtint une représentation de la puissance de ce chef » (2).

(1) περιάπτων Colson, suivi par Theiler : περιππεύων codd.
(2) Voir encore *Heres* 289, *Cong.* 48-49, *Spec.*, I, 14.

CHAPITRE XVII

LA CONNAISSANCE DU DIEU CACHÉ

« Bien importante est la déclaration du fondateur de cette tribu (1). Il a le courage de dire que c'est Dieu lui-même, Dieu seul que je dois révérer, et rien de ce qui est après Dieu, ni la terre, ni la mer, ni les fleuves, ni la région de l'air, ni la suite changeante des vents et des saisons, ni les diverses espèces d'animaux et de plantes, ni le soleil, ni la lune, ni la multitude des astres qui parcourent le ciel en rangs harmonieux, ni le ciel entier et le monde. Voilà ce dont se glorifie une âme grande et qui sort du commun : d'élever le regard par delà le monde créé, et d'en franchir les bornes, pour s'attacher au seul Être incréé, selon les saintes admonitions où il nous est prescrit de nous *attacher à Dieu* (*Deut.*, xxx, 20). Dès lors, quand on s'attache à Dieu et le sert sans relâche, Dieu en retour se donne lui-même en partage. Ma promesse a pour garantie la parole sainte qui prononce : *Le Seigneur lui-même est sa part* (*Deut.*, x, 9). » *Congr.* 133-134.

Ces mots peuvent servir de conclusion à notre précédent chapitre. Rien de plus légitime et, à vrai dire, rien de plus nécessaire que la contemplation du monde, mais dans la mesure où cette contemplation mène à Dieu. Ce n'est pas tout cependant. Comme nous le marquions, la vue du monde ne fait connaître que l'existence de Dieu, d'un Dieu créateur et père de son ouvrage; elle ne nous renseigne pas sur l'essence divine. Pour avoir quelque idée de cette essence, il faut que Dieu se révèle : et encore ne le verrons-nous jamais face à face. Mais nous pouvons prendre quelque connaissance de son être par une voie indirecte qu'il s'agit maintenant de décrire. C'est la seconde étape de la migration d'Abraham. La première consistait à abandonner l'adoration de l'univers. La seconde nous ramène à nous-mêmes, à notre moi essentiel, l'intellect, afin que, par la considération de cet intellect, et grâce aussi à une méthode de dépouillement par laquelle on fait le vide en soi, nous obtenions quelque lumière sur l'Intellect divin.

Après avoir rappelé le dogme de l'incognoscibilité de l'essence divine, je décrirai donc cette nouvelle voie de recherche. Puis, en guise de conclusion, j'essaierai de montrer en quel sens Philon peut être dit un contemplatif et un mystique.

(1) Lévi selon Colson, Moyse selon Wendland.

1. *L'incognoscibilité de l'essence divine* (1).

Philon s'est surtout exprimé à ce sujet dans un certain nombre de commentaires sur le texte de l'*Exode* xxxiii, 13 (Moyse à Dieu) « que je vous connaisse, afin que je trouve grâce à vos yeux » et xxxiii, 23 (Dieu à Moyse) « Alors je retirerai ma main et tu me verras par derrière, mais ma face ne saurait être vue ».

Spec., I, 43-44 (réponse de Dieu à la supplication de Moyse) (2)

« J'accepte ton zèle et je le loue, mais la demande que tu me fais est hors de proportion avec l'être créé. Ce qui est propre au récipient, je le lui accorde de bon gré, mais cela seulement : car il n'est pas au pouvoir de l'homme de recevoir tout ce qu'il m'est facile, à moi, de lui donner. A l'homme qui mérite ma faveur, j'offre donc tous les présents qu'il lui est possible de recevoir. [44] Mais pour ce qui est de m'appréhender, ni la nature humaine, que dis-je, ni le ciel entier et le monde n'en sont capables. Connais donc tes propres limites (3), et ne te laisse pas entraîner par des impulsions et des désirs qui dépassent tes moyens, que l'amour des biens inaccessibles ne te fasse pas quitter le sol vers les hauteurs, car rien de ce que tu peux atteindre ne te fera défaut ».

Post. 167-169 :

« L'Être véritablement existant peut être appréhendé et reconnu non pas seulement par l'oreille, mais par les yeux de l'intelligence, d'après les forces en activité dans l'univers et la motion continuelle et incessante des œuvres inexprimables de la Divinité. Aussi est-il dit dans le Grand Cantique (*Deut.*, xxxii) par la bouche même de Dieu : « Voyez, voyez que je suis » (*Deut.*, xxxii, 39) en ce sens que l'Être véritablement existant est plutôt saisi par intuition que démontré par une suite d'arguments. [68] Quand nous disons que l'Être est visible, ce n'est pas au sens propre et littéral, c'est par un emploi abusif qu'on rapporte ce mot à chacune des puissances divines. Et de fait Dieu ne dit pas : « Voyez-moi » — car il est absolument impossible que le Dieu qui existe soit perçu par l'être créé, — mais « Voyez que je suis », c'est-à-dire : Considérez mon existence. » Car c'est une tâche bien suffisante pour la raison humaine que d'aller jusqu'au point d'apprendre que la Cause de l'univers est et subsiste : s'efforcer de poursuivre la course, enquérir sur l'essence et la qualité de Dieu, c'est une folie surannée (4). [169] Moyse lui-même, le tout sage, n'a pas reçu de Dieu cette faveur, malgré ses supplications infinies, mais cet oracle lui fut donné : « Tu verras ce qui est derrière moi, cependant tu ne verras pas ma face » (*Ex.*, xxxiii, 23), ce qui veut dire : Tout ce qui vient à la suite de Dieu, l'homme de bien peut l'appréhender, mais Dieu lui-même est hors d'atteinte; hors d'at-

---

(1) Cf. déjà les textes cités *supra*, pp. 564-565 : *L. A.*, III, 100-101, *Spec.*, I, 41-42, *Post.* 18-21, *Deus* 62. Voir *Addenda*.

(2) Cf. *Spec.*, I, 41-42 cité *supra*, p. 564. Voir *Addenda*.

(3) γνῶθι δὴ σαυτόν. C'est là le sens propre et originel de ce fameux aphorisme : ailleurs, *Somn.*, I 57-58 (cf. *infra*, p. 579), il est employé au sens socratique : « explore ton propre moi », cf. PLAT., *Apol.* 28 e ss.

(4) Littéralement « digne d'Ogygos ». Ogygos est le nom d'un très antique roi de Thèbes d'où ὠγύγιος = « digne des plus anciens hommes », *fit for the world's childhood* (Colson).

teinte, dis-je, pour une vue directe et face à face — car par une telle vue il se révélerait tel qu'il est, — mais accessible à partir des puissances qui le suivent et lui font cortège : car celles-ci, d'après les œuvres que Dieu produit, manifestent son existence à défaut de son essence ».

Fug. 161-165 :

« Poussé par son ardeur à s'instruire, Moyse se mit en quête aussi des causes d'où résultent les événements les plus considérables dans le monde. En effet, comme il voyait que tout dans la création périt et naît, est détruit et cependant demeure, frappé de stupeur et d'admiration il pousse ce cri : « Quoi, ce buisson brûle et pourtant il n'est pas consumé! » (*Ex.*, III, 2-3). [162] N'est-ce pas là manifester une curiosité indiscrète à l'endroit du lieu inviolable où séjourne l'Être divin? (1) Mais, alors qu'il se dispose à soutenir un effort inutile et vain, sa tâche est allégée par la miséricorde et la providence de Dieu, le sauveur universel, qui, de ce lieu tout saint, fait entendre cet oracle : « Ne t'approche pas! » (*Ex.*, III, 5), ce qui veut dire : Ne te lance pas dans une pareille enquête, car il y faut plus de soin et d'attention que l'homme n'en peut fournir. Admire bien plutôt les choses créées, sans te mettre en quête des causes qui les ont créées ou qui les détruisent. [163] « Car le lieu que tu foules est une terre sainte » (*Ex.*, III, 5). Quel lieu? N'est-ce pas évidemment celui de la recherche des causes, que l'Écriture réserve aux seuls êtres divins, tandis qu'elle regarde tout être mortel comme incapable de s'appliquer à la recherche des causes? [164] Moyse pourtant, dans son amour de la science, dépassant l'univers entier, se met à enquêter sur le Créateur de l'univers : il se demande quel est cet Être si difficile à voir et à comprendre, s'il est un corps, ou incorporel, ou encore, au-dessus de tout cela, une nature parfaitement simple, comme une Monade, s'il est un composé, bref, quelle sorte d'être il est parmi tous les êtres qui existent. Et alors, comme il se rend compte que cet être est difficile à saisir et à concevoir, il demande à Dieu lui-même de l'instruire sur ce qu'est Dieu : car il n'espère pas de pouvoir l'apprendre d'aucun des êtres qui viennent après Dieu. [165] Néanmoins, il n'a point eu la force de poursuivre la recherche de l'essence de l'Être. En effet il est écrit : « Tu verras ce qui est derrière moi, mais tu ne verras pas ma face » (*Ex.*, XXXIII, 23). Le sage se contente donc de connaître ce qui fait suite et cortège à Dieu, mais celui qui veut contempler l'essence souveraine est aveuglé, avant même que de voir, par l'éclat des rayons divins » (2).

2. *Connaissance de Dieu par la considération du moi humain.*

Ce point de doctrine est développé par Philon à propos des migrations d'Abraham, auxquelles j'ai fait allusion déjà (3). Abraham a émigré d'abord d'Ur à Harran; puis il a émigré dans le désert (4). Ces deux migrations, dans l'exégèse allégorique, signifient

---

(1) Avec Colson (V 98), je mets un point d'interrogation après θείων... φύσεων.
(2) Sur le même texte de l'*Exode*, voir encore *Mut.* 9.
(3) Cf. *supra*, pp. 569 ss.
(4) Selon *Gen.*, XII, 9, où il est dit qu'Abraham « s'avança, de campement en campement, dans le désert », ἐν τῇ ἐρήμῳ Sept. : le texte hébreu porte « vers le Sud ». Cette seconde migration a lieu quand Abraham est déjà parvenu en Chanaan, mais Philon ne fait pas mention de ce détail.

la montée de l'âme vers Dieu, montée qui comporte trois étapes : (*a*) rejet du culte des astres; (*b*) passage de la contemplation du monde à la connaissance de soi; (*c*) recherche mystique de Dieu dans le recueillement de l'âme.

Le morceau principal sur ce thème est *Migr.* 184-195. On trouve un développement tout analogue *Somn.*, I, 52-60, avec la citation (I, 57) du même vers d'Homère (*Od.*, IV 392), un autre, semblable aussi mais moins complet et moins précis, *Abr.* 60 ss. (1), un autre enfin, plus court encore, *Q. G.*, III, 42 (2). Les mêmes idées reviennent, mais sans rien ajouter de bien neuf, à propos du changement de nom du patriarche, d'Abram en Abraham (Ἀβραάμ en grec, cf. *Gen.*, XVII, 5), en *Q. G.*, III 43, *Abr.* 81 ss., *Cher.* 4, 7, *Gig.* 62-64, et surtout *Mut.* 66-76.

Voyons d'abord le principal document.

Migr. 184-195 :

« Lorsqu'il parle ainsi pour réfuter la doctrine chaldaïque, Moyse pense du même coup qu'il lui faut changer les dispositions de ceux dont le jugement incline encore au chaldaïsme et les appeler à la vérité (3). Il commence sa leçon en ces termes : « Pourquoi, mes amis, vous élevant soudain d'un tel bond au-dessus du sol, flotter dans les hauteurs et, par delà la région de l'air, voyager à travers l'éther, comme si vous deviez connaître exactement les mouvements du soleil, les circuits de la lune, les évolutions rythmiques et glorieuses des autres astres? Ces êtres-là (les astres) sont trop grands pour être appréhendés par les pouvoirs de votre intelligence, car ils participent d'une nature plus heureuse et plus divine que la nôtre. [185] Descendez donc du haut du ciel! Mais, une fois descendus, gardez-vous bien de passer de nouveau en revue la terre, la mer, les fleuves, les différentes espèces de plantes et d'animaux : c'est vous seuls qu'il faut explorer, vous et votre propre nature, c'est en vous qu'il faut habiter et nulle part ailleurs. Car, tandis que vous examinerez à fond ce qui concerne votre propre demeure, ce qui y commande et ce qui obéit, ce qui est animé et ce qui est sans âme, ce qui est raisonnable et ce qui est sans raison, l'immortel et le mortel, le meilleur et le pire, vous y acquerrez aussitôt une connaissance exacte de Dieu et de ses ouvrages. [186] Car vous ferez cette réflexion que, s'il y a en vous un intellect, il en est un aussi dans l'univers, et que, si votre intellect s'est

---

(1) Première migration, de Chaldée en Harran, c'est-à-dire du culte du monde visible à la connaissance de soi qui mène à l'adoration de l'Intellect conducteur du monde, 60-84; deuxième migration, de Harran dans le désert, c'est-à-dire dans la solitude où le sage approche de Dieu, 85-87.

(2) *Nonne ergo cumulus est beneficiorum, quae condidit sapienti Pater, educere eum evectum non solummodo de terra in caelum, neque tantum de caelo ad incorporeum intelligibilemque mundum, verum etiam hinc ad se ipsum <attrahere>, ostendens se ei, non sicut in se est — id enim fieri non potest, — sed in quantum visus videntis ipsam virtutem intelligibilem assequi poterit?*

(3) Philon veut dire que les mots *Gen.*, XII, 1 ss. ne rapportent pas seulement la conversion d'Abraham du culte des astres au culte de Dieu, mais contiennent un avis pour ceux qui, au temps de Philon encore, pratiquent l'astrologie.

attribué le pouvoir et la domination sur chacune des parties de votre être et se l'est rendue obéissante, l'Intellect du monde lui aussi, revêtu de la puissance souveraine, conduit le char du monde par une loi et un droit absolus, exerçant sa providence sur toutes choses, et les plus éclatantes et les plus obscures à nos yeux. [187] Quittez donc cette recherche indiscrète des choses du ciel et habitez, comme j'ai dit, en vous-mêmes, abandonnant la terre des Chaldéens, l'opinion, pour émigrer en Harran, le pays des sens, qui est la demeure corporelle de la pensée. [188] Car Harran signifie *trou*, et « trous » est la désignation symbolique des ouvertures des sens. De fait, les yeux sont d'une certaine manière des ouvertures et des tanières de la vue; les oreilles, de l'ouïe; les narines de l'olfaction; le gosier, du goût; toute la machine corporelle, du toucher. [189] Familiarisez-vous donc avec ces sens par un séjour paisible et une longue accoutumance, employez-vous de toutes vos forces à connaître exactement la nature de chacun d'eux, et, quand vous saurez à fond ce que chacun comporte de bon et de mauvais, évitez l'un et choisissez l'autre.

Cependant, lorsque vous aurez bien observé, aussi minutieusement que possible, tout votre propre habitacle, et que vous aurez distinctement perçu la nature particulière de chacune de ses parties, mettez-vous en mouvement et cherchez à émigrer loin d'ici-bas, car cette émigration n'annonce pas la mort, mais l'immortalité. [190] De cela vous trouverez des preuves sûres, même en cet état présent où vous êtes emprisonné dans la tanière du corps et des sens, tantôt au cours d'un profond sommeil — car l'intellect, quand il s'est retiré en lui-même, qu'il est sorti des sens et de toutes les autres facultés corporelles, commence à converser avec lui-même, fixant les yeux sur la vérité comme sur un miroir, et, une fois nettoyé de toutes les impressions qu'avaient faites en lui les images offertes par les sens, il est pris d'un divin délire qui lui fait découvrir dans les rêves les prédictions les plus certaines de ce qui doit venir (1), — tantôt aussi dans l'état de veille : [191] quand en effet, sous l'empire de quelque problème philosophique, l'esprit se laisse entraîner par lui, il suit l'objet de sa méditation et perd conscience de tout le reste, de tout ce qui regarde la masse pesante du corps. Et, si les sens viennent à empêcher la claire vue de l'intelligible, les amis de la contemplation s'emploient à contrecarrer ces attaques : ils ferment les yeux, se bouchent les oreilles, ils mettent un frein aux impulsions des autres sens, ils choisissent de vivre dans la solitude et les ténèbres, afin que rien de sensible n'obscurcisse le regard de l'âme auquel Dieu a donné de voir les êtres intelligibles.

[192] Or donc, quand vous aurez appris de cette façon à divorcer d'avec le mortel (2), vous serez bien éduqués en ce qui regarde vos jugements sur l'Incréé. Sauf pourtant si vous vous figurez que, tandis que lorsqu'il a dépouillé le corps, la sensation, le langage, peut, une fois délivré de ces vêtements et enfin nu, contempler les êtres, l'Intellect de l'Univers, Dieu, n'est pas établi en dehors de toute la nature matérielle, contenant, non contenu, ou si vous doutez que Dieu puisse sortir de cette nature, non pas seulement par la pensée, comme l'homme, mais aussi par son être essentiel, ainsi qu'il convient à Dieu. [193] Car notre intellect n'a pas façonné notre corps, celui-ci est

---

(1) Sur ces songes prophétiques, cf. *Somn.*, I, 1-2, II, 1-4, et les notes de Adler *(Philos Werke*, VI, p. 173, n. 1 et 2).

(2) ἀπόλειψιν χρηματίζειν, cf. *Cher.* 115 ἀπόλειψίν τε... πρὸς τὸν ἄρχοντα χρηματίσασα, *Det.* 143 οὐχ ὅταν ἀπόλειψιν χρηματίσῃ ; La formule classique est ἀπόλειψιν ἀπογράφεσθαι.

l'ouvrage d'un autre ; aussi notre intellect est-il contenu dans le corps comme dans un vase. En revanche, l'Intellect du monde a produit l'univers, et ce qui crée est supérieur à ce qu'il a créé, en sorte qu'il ne saurait être inclus dans ce qui est inférieur à lui : sans compter qu'il ne sied pas que le père soit contenu dans le fils, c'est plutôt le fils qui grandit grâce aux soins que lui donne le père,

[194] Ainsi, par un changement graduel, l'intellect parviendra au père de la piété et de la sainteté. Sa première démarche aura été de renoncer à la généthlialogie qui, par de faux raisonnements, l'a persuadé de tenir le monde lui-même pour le premier Dieu, et non pas pour une œuvre de ce premier Dieu, et de voir dans la course et les mouvements des astres la cause de tout ce qui arrive aux hommes, en bien ou en mal.

[194] La seconde étape est celle par laquelle l'intellect en est venu à la considération de son propre moi, lorsqu'il a médité sur les conditions de sa propre demeure, ce qui regarde le corps, les sens, le langage, et que, selon le mot du poète (*Od.*, IV 392), il a pris conscience de « tout ce qu'il y a de mauvais et de bon dans la maison ».

La troisième étape est celle par laquelle, après s'être ouvert une route à partir de son propre moi, dans l'espoir d'arriver, par cette route, à se former une notion du Père de l'univers qui est si difficile à comprendre et même à deviner, il ajoutera peut-être à la connaissance exacte de soi-même celle de Dieu. Il ne demeurera plus en Harran, c'est-à-dire dans les organes des sens, mais il sera rentré en lui-même : en effet, si l'on se meut encore dans le sensible plutôt que dans l'intelligible, on ne saurait parvenir à la contemplation de l'Être » (1).

Je voudrais revenir sur quelques points de ce document, et d'abord sur l'attitude de Philon à l'égard des sciences et de la philosophie. On a vu plus haut de quel amour sincère Philon est animé à l'égard de la philosophie. Néanmoins la recherche philosophique n'est pas pour lui une fin en soi, mais un moyen, le moyen d'acquérir la vertu et d'aller à Dieu. La vraie fin de Philon est la vie de piété et d'union à Dieu. Et il est donc prêt à rejeter la philosophie si elle met obstacle à cette fin.

Or, tout d'abord, la philosophie présente un grand nombre d'incertitudes en raison des contradictions qui subsistent entre les systèmes. Ce courant sceptique est bien marqué dans *Heres* 246-248 :

« Quant à ceux qui pourraient être des alliés (de l'âme), les obstacles consistent dans les querelles doctrinales qui divisent les philosophes (2). En tant qu'ils se proposent une même fin, la considération des phénomènes de la nature, on pourrait les dire amis, mais en tant qu'ils ne s'accordent pas dans leur étude des problèmes particuliers, on peut dire qu'ils sont perpétuellement en état de guerre civile, ceux qui disent l'univers sans commencement luttant contre ceux qui le tiennent pour créé, ceux qui disent le monde périssable contre ceux qui, tout en le regardant comme naturellement périssable, déclarent qu'il ne sera jamais

---

(1) Sur cette dernière étape, migration dans la solitude, cf. *Abr.* 85-87, cité *supra*, p. 527. Voir *Addenda*.
(2) Sur ce point, voir aussi *Agr.* 136-141, 143-144.

détruit parce qu'il est maintenu par un lien d'une force supérieure, la volonté de Celui qui l'a fait, ceux qui professent que rien n'est, mais que tout devient, contre les partisans de l'opinion contraire, ceux qui enseignent que l'homme est a mesure de toutes choses contre ceux qui dénient toute valeur aux jugements des sens et de l'esprit, et, d'un mot, ceux qui avancent que tout échappe à notre appréhension contre ceux qui affirment qu'un très grand nombre de choses sont connaissables. [247] Certes, le soleil, la lune, le ciel entier, la terre, l'air, l'eau et presque tout ce qui résulte de ces éléments fournissent aux sceptiques matière à lutte et à dispute, dès qu'ils se mettent à considérer leurs essences et qualités, leurs changements, révolutions et générations, et encore leur destruction. Outre cela, touchant la grandeur et le mouvement des êtres célestes, quand ils en font une étude attentive, les philosophes ne peuvent s'accorder mais aboutissent à des solutions opposées, jusqu'à ce qu'il se trouve un homme qui, dans le rôle tout ensemble de sage-femme et de juge, ayant pris siège au milieu d'eux et considéré les fruits que chacun produit en son âme, rejette ce qui ne mérite pas d'être nourri, conserve ce qui a du prix et le déclare digne des soins convenables. [248] Toutes les branches de la philosophie sont ainsi pleines de discordances, parce que la vérité fuit l'esprit trop crédule qui se contente de conjectures : le vrai est difficile à découvrir et à saisir, et de là viennent, à mon sens, ces disputes dialectiques. »

Cependant, lors même que la philosophie enseignerait des notions justes sur la structure du ciel et du Kosmos, il vient un temps où on doit la quitter pour se mettre à la recherche de Dieu lui-même.

L'éducation du sage comporte ainsi plusieurs degrés. A un premier degré, les études encyclopédiques conviennent à l'esprit qui ne peut encore aborder la sagesse. Mais, de même qu'Abraham, à un certain moment, a abandonné la servante Agar pour Sarah, la femme légitime (1), de même faut-il abandonner les études secondaires (μέση παιδεία) pour l'étude de la vraie vertu : c'est là le second degré. Le troisième conduit à la connaissance de soi. Cette connaissance, elle-même a une double portée. Elle a d'abord une portée morale. Avant de connaître le Tout, il faut se connaître soi-même (2), non pas dans un dessein de science pure, mais en vue de s'améliorer. C'est ce que marque *Somn.*, I 57 ss. :

« Ramène donc sur la terre l'esprit qui observe le ciel, retire-le de l'enquête sur les choses célestes et connais-toi toi-même, puis consacre tous tes efforts à participer à la béatitude qui est propre à la constitution humaine. [58] C'est un homme de cette trempe que les Hébreux nomment Tharah (3), les Grecs Socrate : car lui aussi, au dire des Grecs, a vieilli dans la méditation assidue du précepte « Connais-toi toi-même » (4), sans rien considérer dans sa recherche philosophique que ce qui concernait son propre moi. Encore n'était-ce là qu'un

---

(1) Cf. *L. A.*, III, 244, *Cher.* 3-6. Voir *Addenda*.
(2) Cf. *Migr.* 138.
(3) Père d'Abraham.
(4) Cf. *supra*, p. 574, n. 2.

homme : mais Tharah est la doctrine elle-même de la connaissance de soi, qui se présente à nous comme un arbre en floraison, pour que les amis de la vertu aient facile de cueillir le fruit de la formation morale et de se rassasier d'une nourriture salutaire d'un goût exquis.

En second lieu la connaissance de soi a une portée « anagogique » dans la mesure où, par l'étude de soi-même, on accède à la perception de l'Intellect qui dirige le monde. Ces deux points de vue, le moral et l'anagogique, sont bien explicités dans un morceau de *Mut.* 66-76, à propos du changement de nom d'Abram en Abraham :

« Abram signifie « père qui s'élève dans les hauteurs » (μετέωρος πατήρ), Abraham « père choisi du son » (πατὴρ ἐκλεκτὸς ἠχοῦς). Nous verrons mieux en quoi ces expressions diffèrent l'une de l'autre quand nous aurons pris conscience de ce que signifie chacune d'elles. [67] Dans l'exégèse allégorique, nous nommons *météôros* celui qui s'est élevé lui-même au dessus du sol dans les airs pour y observer les êtres d'en haut, celui qui plane dans la région des *météôra* (êtres célestes) et qui étudie ces *météôra*, qui enquête sur la grandeur et les mouvements du soleil, sur la manière dont il partage les saisons de l'année par son avance et sa retraite au cours de sa révolution d'une vitesse toujours égale (1), sur l'éclairement de la lune, ses phases, sa décroissance et sa croissance, et sur le mouvement des autres astres, errants et fixes. [68] Scruter de tels problèmes n'est pas le fait d'une âme peu douée et stérile, mais d'une âme extraordinairement bien douée, capable de produire des rejetons sains et complets. Voilà pourquoi l'observateur des êtres célestes est dit *père*, parce qu'il n'est pas sans engendrer une sagesse. [69] On a ainsi bien expliqué les signes distinctifs d'*Abram*. Passons à ceux d'*Abraham*, qui sont trois : *père, choisi, du son*. Or le son est le verbe mental produit au dehors par la parole (2) — en effet l'organe de la voix est l'instrument sonore de l'animal, — le père du son est l'intellect — en effet le flot du verbe jaillit de la pensée comme d'une source, — et l'intellect du sage est choisi, car tout ce qu'il y a de meilleur se trouve en lui. [70] La première désignation (Abram) composait donc l'esquisse de l'homme ami de la science et assidu à l'étude des *météôra*, la seconde (Abraham) celle de l'ami de la sagesse, ou pour mieux dire, du sage même. Ne va donc pas croire que la Divinité n'a donné qu'un simple changement de nom : son don équivaut, par le moyen de signes sensibles, à un redressement des mœurs. [71] Car celui qui s'appliquait auparavant à étudier la nature du ciel, — un « astronome », comme on dit souvent, — Dieu l'a appelé à participer à la vertu, et de ce fait, l'a rendu sage et l'a nommé tel, en imposant, au caractère ainsi transformé, le nom d'*Abraham* selon le langage des Hébreux ou, selon le nôtre, celui de *père choisi du son*. [72] Pourquoi en effet, veut-il dire, te mets-tu en quête des révolutions et des circuits des astres, pourquoi bondir si haut de la terre au ciel? Est-ce seulement pour scruter curieusement les phénomènes célestes? Mais quel profit tireras-tu d'une si grande étude? Te purgeras-tu de la volupté?

---

(1) Cf. *Heres* 149. Liste de problèmes analogues, *Somn.*, I, 53 ss.
(2) C'est la notion stoïcienne : λόγος προφορικός ~ λόγος ἐνδιάθετος (verbe mental), cf. St. V. F., II, fr. 223. Theiler compare *Abr.* 83, *Det.* 40, 92.

Repousseras-tu les grossiers désirs? Seras-tu délivré du chagrin et de la crainte? Déracineras-tu les passions, qui portent le trouble et la confusion dans l'âme (1)? [73] De même que les arbres ne servent à rien quand ils sont incapables de porter fruit, de même l'étude de la nature, si elle n'apporte pas avec elle l'acquisition de la vertu : car c'est là son fruit, à elle. [74] De là vient que certains anciens, qui ont comparé l'étude de la philosophie à un champ (2), ont assimilé la physique aux plantes, la logique aux haies et aux clôtures, l'éthique au fruit, dans la pensée que les murs de clôture eux aussi ont été dressés par le propriétaire en vue du fruit, comme c'est en vue de la production du fruit qu'ont été plantées les plantes. [75] De même, ont-ils déclaré, dans la philosophie aussi, la physique et la logique doivent se rapporter à l'éthique, par laquelle le caractère s'améliore tandis qu'il aspire à posséder et à pratiquer la vertu. Tel est l'enseignement qui nous est donné touchant Abraham et son changement de noms, ou plutôt, en fait, sa conversion de l'étude de la nature à la philosophie morale, sa migration de la contemplation du monde à la connaissance du Créateur, connaissance par laquelle il acquiert la piété, le plus précieux des biens ».

Il reste à accomplir le dernier progrès, que représente symboliquement la progression d'Abraham dans le désert. Cette ultime démarche est décrite *Somn.*, I, 59-60 (3) :

« Tels sont les observateurs de la sagesse. Mais ceux qui s'en font les athlètes et les champions sont d'une nature plus parfaite. Ceux-ci en effet jugent bon, une fois qu'ils ont appris exactement toute la doctrine des sens, de se porter vers un autre objet d'étude plus important, en abandonnant les ouvertures des sens, qui ont nom Harran. [60]. Abraham est de ces gens-là, lui qui a progressé et qui s'est perfectionné en vue d'acquérir la science la plus haute. En effet, c'est quand il s'est le mieux connu qu'il s'est le plus renoncé lui-même (4), afin de parvenir à une pleine connaissance de l'Être véritablement existant. Et il doit en être ainsi : car celui qui s'est compris à fond se renonce aussi à fond, lorsqu'il a clairement vu d'avance le néant de tout le créé; or celui qui s'est renoncé connaît l'Être existant ».

Pour approcher Dieu dans sa nature même, il faut donc se dépouiller entièrement, *Heres* 63-70 :

« Quel est donc l'objet que poursuit l'amant de la science? Voilà ce qu'il nous faut expliquer plus exactement. La question revient à peu près à ceci : celui qui aspire à la vie charnelle et qui s'approprie encore les biens sensibles peut-il hériter des biens incorporels et divins? [64] Non, seul est jugé digne de ces biens celui qui a reçu une inspiration d'en haut, qui a obtenu quelque portion de la nature céleste et divine, l'intellect entièrement pur, qui ne tient pas compte du corps, voire de cette autre partie de l'âme qui, privée de raison, est

---

(1) Theiler compare Sen., *Ep.*, 65, 15 et renvoie à sa *Vorbereitung des Neuplatonismus* (Berlin, 1930), p. 2.
(2) Même comparaison, *Agr.* 14.
(3) Après le passage cité *supra*, p. 578.
(4) Je crois qu'il faut rapporter ἑαυτόν aux deux verbes dans la phrase ὅτε γὰρ μάλιστα ἔγνω, τότε μάλιστα ἀπέγνω ἑαυτόν (on ne peut rendre le jeu de mots) : sans quoi on traduira : « c'est quand il a eu le plus de connaissance que ... ».

trempée dans le sang et brûle de passions bouillonnantes et de désirs enflammés..
[68] Quel sera donc l'héritier? Ce ne sera pas l'esprit qui demeure, de son plein gré, dans la prison du corps, mais celui qui a été délivré de ces chaînes, rendu à la liberté, qui est sorti des murs de la prison et qui, si l'on peut s'exprimer ainsi, s'est en quelque sorte laissé lui-même en arrière (καταλελοιπὼς αὐτὸς ἑαυτόν). Car il est écrit : Celui qui sortira de toi, celui-là sera ton héritier » « (*Gen.*, xv, 4). [69] Ainsi donc, mon âme, si tu ressens le désir d'hériter des biens divins, ne quitte pas seulement « ton pays », le corps, « tes parents », les sens, « la maison de ton père », la parole, mais prends la fuite et sors de toi-même. Comme les gens possédés de Dieu ou pris de fureur corybantique, sois saisie de transports divins à la manière des prophètes quand Dieu les inspire. [70] Car c'est quand l'esprit est possédé de Dieu, qu'il n'est plus maître de lui-même mais agité et comme affolé par un brûlant amour du ciel, qu'il est entraîné par l'Être véritablement existant et attiré par lui vers les régions d'en haut, tandis que la Vérité lui montre le chemin et ôte les obstacles de sa route pour qu'il s'avance sur une voie large et sans encombres, c'est alors qu'il jouit de l'héritage ».

Ainsi la pratique du renoncement mène-t-elle à une sorte d'extase, cette quatrième espèce d'extase (1) qui suppose une cessation de l'activité rationnelle de la pensée, *Heres* 263-265 :

« L'admirable description de l'homme inspiré de Dieu que ces mots « au coucher du soleil, une extase fondit sur lui » (*Gen.*, xv, 12)! *Soleil*, en langage allégorique, désigne l'intellect : car ce qu'est en nous la faculté rationnelle, le soleil l'est dans le monde, puisqu'ils apportent tous deux la lumière, l'un en envoyant à l'univers les rayons visibles, l'autre en nous envoyant les rayons intelligibles que nous appréhendons par la pensée. [264] Ainsi donc, aussi longtemps que l'intellect nous enveloppe et nous entoure de sa lumière, et qu'il répand sur l'âme entière un éclat qu'on pourrait dire de plein midi, restant maîtres de nous-mêmes, nous ne sommes pas possédés. Mais, lorsque l'intellect approche de son coucher, il est normal qu'une extase, une possession et une folie divines, fondent sur nous. En effet, quand la lumière divine vient à luire, la lumière humaine se couche; et quand la lumière divine se couche, l'humaine se lève et commence à luire. [265] C'est ce qui se passe d'ordinaire chez la gent prophétique : à l'arrivée du souffle divin, notre intellect est chassé de sa demeure, mais, quand ce souffle s'en va, notre intellect regagne sa maison : car il est impossible à ce qui est mortel de cohabiter avec l'immortel. Voilà pourquoi le coucher de la raison et les ténèbres qui s'ensuivent produisent une extase et une frénésie inspirée par Dieu. »

Philon revient donc sur ce même thème dans *Somn.*, II 229-233 :

« Lorsque l'âme pensante du sage s'est délivrée des tempêtes et des guerres et qu'elle repose dans une paix profonde, elle dépasse la condition humaine, mais sans atteindre à la divine [230]. Chez l'homme du commun, l'intellect s'agite et se laisse troubler par les accidents de la vie, mais l'intellect du sage, parce qu'il est établi dans le bonheur et la félicité, est inaccessible aux maux. L'homme de mérite prend place entre deux extrêmes : pour le dire proprement,

---

(1) Selon le tableau de *Heres* 249 ss.

il n'est ni dieu ni homme, mais il touche à ces deux formes, par l'humanité à la race mortelle, par la vertu à l'immortelle... [232] Mais il ne garde ce rang intermédiaire que jusqu'au moment où, quittant l'état d'extase, il revient aux conditions normales du corps et de la chair. Et il doit en être ainsi. En effet, quand l'intellect, possédé de l'amour divin, ayant tendu toutes ses forces, s'est avancé, plein de zèle et d'élan, jusqu'au lieu impénétrable où Dieu habite, sous le souffle divin qui l'emporte il oublie tout le reste, que dis-je, s'oublie lui-même, il perd tout souvenir et ne veut plus dépendre que de Celui qu'entourent gardes et serviteurs, auquel il offre l'encens des vertus saintes et immaculées. [233] Mais, quand s'arrête l'état de possession, quand se relâche sa nostalgie du divin, par une démarche inverse il quitte les choses divines et redevient homme, car il a retrouvé les nécessités humaines qui l'épiaient du vestibule pour l'arracher et s'emparer de lui, pour peu qu'il se laissât entrevoir seulement de l'intérieur. »

*
* *

S'il est malaisé de tirer de Philon un système, quelques traits du moins ressortent de notre étude : l'éminente dignité de la contemplation ; l'utilité de la contemplation du monde pour atteindre à la connaissance de Dieu, mais le danger aussi de s'arrêter à la seule vue de l'univers parce qu'on risque de le diviniser et de lui rendre un culte ; la nécessité enfin de dépasser le spectacle du Kosmos, et même, en un sens, de fuir ce spectacle, pour approcher l'essence divine par la voie tout intérieure du recueillement. Quelques-uns de ces traits sont entièrement dans la tradition grecque, et, si l'on se bornait à eux, on pourrait ne voir dans Philon qu'un dévot, entre cent autres, de la religion du monde. Mais la figure de l'Alexandrin est en réalité plus complexe. Cette complexité, me semble-t-il, tient à deux caractères.

D'une part, Philon est juif, il a été formé par les Saints Livres, et l'on ne peut douter un instant qu'il n'attache le plus haut prix à leurs enseignements : après tout, ses nombreux écrits ne sont pas autre chose qu'un commentaire de la Loi mosaïque, ou une refonte de l'histoire sainte adaptée à des oreilles grecques. Il est donc sûr que Philon est monothéiste, au sens juif. Dès lors, s'il lui arrive de nommer les astres des êtres divins ou des dieux, on devra l'entendre comme une formule usuelle qu'il emprunte aux païens, et l'on se gardera d'en conclure que Philon est polythéiste.

D'autre part, la complexité de Philon vient de ce qu'au courant platonicien qui mène à Dieu par le monde se mêle, chez lui, cet autre courant, platonicien lui aussi, qui mène à Dieu par le renoncement au monde. Les deux tendances de la pensée religieuse hellénistique se rencontrent dans l'Alexandrin. Et c'est pourquoi, cherchant à les concilier, il les présente comme les étapes successives d'une même montée vers Dieu.

La contemplation du monde sera une première étape, qui ne permet d'aboutir qu'à la connaissance du Démiurge. Or le monde que l'on contemple se présente essentiellement comme un ordre : le Démiurge auquel on remonte sera donc essentiellement conçu comme une Intelligence ordonnatrice. Mais cette Intelligence, quelle est-elle? Comment l'approcher? Comment obtenir que l'âme humaine entre en contact avec elle, s'unisse à elle d'une manière tout intime? Bref, comment passer de la connaissance déductive de Dieu à une intuition, à une vision de Dieu? On sent là, chez Philon, une recherche sincère, et l'on sent aussi que cette recherche a son principe dans un besoin profond de l'âme. Philon, s'il n'est pas proprement un mystique (1), incline à la mystique. Or la religion du Dieu cosmique aurait pu lui offrir une sorte de mysticisme, ce mysticisme astral qu'ont célébré, par exemple, un Vettius Valens et un Ptolémée. L'homme, à la vue des astres, de leur éclat, de leur sérénité, se sent arraché à lui-même et comme suspendu aux êtres d'en haut; il oublie tout le terrestre, il s'oublie lui-même, et se perd dans l'adoration de son objet éternel. Mais il semble que Philon ait répugné à cette forme de mysticisme, parce qu'elle conduisait à diviniser les astres, du moins à les tenir pour les symboles visibles de l'Ame du monde, et c'est ce que la religion judaïque ne pouvait nullement admettre. En outre, on n'a pas l'impression que Philon ait été vraiment ému par la beauté du monde. Ses descriptions se répètent toujours les mêmes, on sent qu'il imite un modèle d'école, il n'y a là nulle part ce frémissement, cet accent personnel, qui sont le signe d'une âme sincèrement éprise. De là vient sans doute que Philon, tout en reproduisant, par suite de son éducation littéraire, le thème de la contemplation du monde, donne la préférence à l'autre méthode. La dernière étape de la contemplation consiste à se replier sur soi-même. C'est en se recueillant dans sa propre essence que l'âme aura meilleure chance de trouver Dieu, et, s'il est possible, de voir Dieu. Nous rejoignons ainsi l'autre courant platonicien, celui dont dérivera la gnose du *Poimandrès* (§ 21) : « Lumière et Vie, voilà ce qu'est le Dieu et Père, de qui est né l'Homme (premier).

---

(1) Je m'accorde sur ce point avec Völker, *op. cit.*, pp. 283 ss., 303-304. Par une analyse des termes et des formules relatifs à l'extase (cf. p. 290, n. 5, 292, n. 1), cet auteur a montré que les descriptions de Philon restent purement littéraires, et qu'elles s'inspirent, pour une grande part, de la phraséologie usuelle depuis Platon (cf. p. 316, n. 5). C'est exactement mon impression.

Si donc tu apprends à te connaître comme étant fait de vie et de lumière..., tu retourneras à la Vie. »

Ainsi, par les deux tendances qu'il représente, Philon prépare-t-il directement à l'intelligence de l'hermétisme. Car la singularité de l'hermétisme est de nous montrer, lui aussi, ces deux tendances réunies, le plus souvent d'un traité à l'autre, parfois dans le même traité. C'est là, dis-je, une singularité. La religion issue du *Timée* fait une tradition homogène : cette tradition est moniste, en ce sens que Dieu y est plus ou moins identifié au monde; et elle est optimiste, en ce sens que, le monde étant bon, la vue de l'œuvre bonne mène à la connaissance de l'Ouvrier. La religion issue du *Phédon*, du *Banquet*, de la *République* fait, à son tour, une tradition homogène : cette tradition est dualiste, en ce sens que Dieu est radicalement séparé du monde; et elle est pessimiste, en ce sens que, le monde étant matériel, donc mauvais, la vue du monde ne peut conduire à Dieu. Dès lors, en général, ces deux mouvements ne fusionnent pas ensemble, n'apparaissent pas ensemble dans le même écrit : dans le *de mundo* par exemple, il n'y a point trace de dualisme. Or c'est la singularité de l'hermétisme, comme de Philon, que ces deux courants s'y mélangent.

Ce fait est dû sans doute à l'atmosphère d'Alexandrie. Dans cette grande ville cosmopolite, les systèmes élaborés par la pensée grecque ont dû perdre beaucoup de leur rigueur. Les angles s'émoussent, les contours s'effacent. Un Juif y pouvait conserver le pur monothéisme de sa foi tout en employant le langage du polythéisme astral. Et il n'y paraissait pas déraisonnable qu'un sage, qui inclinait par état à la méditation des choses divines, y empruntât à des courants divers de philosophie religieuse, parce qu'il n'en recueillait que l'élément commun, l'élan vers Dieu.

APPENDICE I

SUR LE FRAGMENT ARISTOTÉLICIEN DE PHILOPON
(supra, p. 222, n. 1).

Bywater n'ayant fait que suggérer l'attribution de ce morceau à Aristote, π. φιλοσοφίας, il paraît utile de confirmer ses raisons par l'apport de deux autres textes, tirés du *Commentaire sur la Métaphysique A-Z* d'Asclépius (vɪᵉ s.) (1).

Tout au début de la scholie de Philopon, on lit l'étymologie suivante du mot « sagesse » (σοφία) : « La philosophie est l'amour de la sagesse, c'est évident pour tous. Il faut chercher maintenant ce qu'est la sagesse et d'où elle tient son nom. Or donc, la sagesse a été ainsi nommée *comme si elle était une sorte de clarification*, en ce sens qu'elle éclaire toutes choses » (σοφία μὲν οὖν ἐκλήθη, οἱονεὶ σάφειά τις οὖσα, ὡς σαφηνίζουσα πάντα). Le mot σάφεια, forgé pour les besoins de la cause, ne se rencontre, outre ce texte, qu'en un passage d'Asclépius, p. 3-27 ss. Hayduck : « Il faut savoir que (la πραγμάτεια dont il s'agit = la *Métaphysique)* est intitulée aussi « Sagesse ». (Σοφία), ou « Philosophie » (Φιλοσοφία), ou « Philosophie Première », ou « Métaphysique »... (Elle est intitulée) « Sagesse », *comme si elle*

---

(1) Bywater, *l. c.*, p. 75, a déjà noté cette correspondance entre Asclépius et Philopon, mais par une simple allusion, et sans en tirer, me semble-t-il, toutes les conséquences possibles. Au surplus, il lui a échappé (« His [= d'Asclépius] statement presents no trace of a reference to Aristotle ») qu'Asclépius se réfère très probablement au π. φιλοσοφίας dans le premier passage (p. 3.33 H. : ἐν τοῖς περὶ σοφίας λόγοις), et que, dans le second (p. 11. 1 H. : καὶ ὅτι ἐπὶ Δευκαλίωνος, φησί), il se réfère à un texte d'Aristote qui doit être vraisemblablement le π. φιλοσοφίας (cf. *infra*, p. 590, n. 2). Il paraît utile d'insister quelque peu sur cette question puisque Jaeger (p. 139, n. 1) ne reconnaît pas dans le morceau de Philopon qu'une doctrine stoïcienne (Jaeger renvoie à son *Nemesios von Emesa*, Berlin 1914, pp. 124 ss., où la doctrine de l'évolution de la culture est rapportée à Posidonius). — Cet appendice était rédigé quand je me suis aperçu que Bignone s'est occupé de son côté du texte de Philopon et du premier de nos deux textes d'Asclépius, cf. *L'Aristotele perduto*, etc., II, pp. 511-525. Bignone me paraît avoir démontré que la seconde partie du texte de Philopon, pour laquelle Philopon se réfère à Aristoclès, *ne peut pas* dériver d'une source stoïcienne et qu'en revanche elle s'accorde à merveille avec des enseignements d'Aristote dans le π. φιλοσοφίας (Bignone, *l. c.*, pp. 513-519). Par contre, Bignone veut rattacher la première partie du texte de Philopon et notre premier texte d'Asclépius (sur la σοφία-σάφεια) au *Protreptique* (*l. c.*, pp. 519-525). Les arguments de Bignone sur ce point me semblent d'autant moins convaincants qu'il a négligé l'autre parallélisme avec Philopon que constitue notre second texte d'Asclépius : or, de part et d'autre, cet exposé sur l'évolution de la culture s'accorde avec des témoignages explicites d'Aristote dans le π. φιλοσοφίας (Bignone le reconnaît lui-même, *l. c.*, p. 519).

était une sorte de clarification. En effet les objets divins sont clairs et tout évidents : or c'est des objets divins qu'Aristote traite ici. Voilà pourquoi il a nommé ce traité « Sagesse ». En tout cas, il dit lui-même dans l'*Apodictique :* « Comme je l'ai déjà expliqué dans les discours *sur la Sagesse* ». De fait, la science qui use de principes indémontrables est la sagesse » (Σοφία δὲ οἱονεὶ σάφειά τις οὖσα· τὰ γὰρ θεῖα σαφῆ καὶ φανερώτατα· περὶ γὰρ θείων διαλέγεται. τούτου χάριν εἶπε Σοφίαν. ἀμέλει τοι καὶ ἐν τῇ Ἀποδεικτικῇ φησιν ὡς εἴρηταί μοι ἐν τοῖς περὶ σοφίας λόγοις'. ἡ γὰρ ἀναποδείκτοις ἀρχαῖς χρωμένη ἐπιστήμη σοφία ἐστί).

Observons (*a*) que la définition de la σοφία-σάφεια est identiquement la même dans les deux passages (σοφία οἱονεὶ σάφειά τις οὖσα) : Philopon et Asclépius se réfèrent donc à un même texte. Or ce texte peut être ancien, car l'étymologie elle-même (σοφία-σάφεια) paraît dériver des recherches linguistiques des sophistes du ve siècle : du moins, comme le note Bywater (p. 67), Euripide connaît-il déjà quelque chose d'équivalent, cf. *Oreste* 397 σοφόν τοι τὸ σαφές, οὐ τὸ μὴ σαφές.

(*b*) Que la phrase d'Asclépius τὰ γὰρ θεῖα σαφῆ καὶ φανερώτατα correspond à Philopon ἐπεὶ τοίνυν τὰ νοητὰ καὶ θεῖα, ὡς ὁ Ἀριστοτέλης φησίν, εἰ καὶ φανότατά ἐστι κατὰ τὴν ἑαυτῶν οὐσίαν, etc. Or Philopon rapporte explicitement cette doctrine à Aristote (ὡς ὁ Ἀριστοτέλης φησίν).

(*c*) Que, Philopon et Asclépius se référant donc tous deux à un texte d'Aristote, ce texte aristotélicien est identifié, dans Asclépius, par une citation d'Aristote lui-même, aux λόγοι περὶ σοφίας. Or cette désignation ne peut s'appliquer à la *Métaphysique* puisque celle-ci, dans les références d'Aristote à ses propres œuvres, est toujours intitulée ἡ πρώτη φιλοσοφία, cf. Bonitz, *Index*, 103 b 30 ss. En revanche, comme l'a montré Bernays *(Die Dialoge...,* pp. 108 ss.), la référence d'Aristote dans *Phys.*, II 2, 194 a 36 (1) (διχῶς τὸ οὗ ἕνεκα· εἴρηται δ' ἐν τοῖς περὶ φιλοσοφίας, sc. λόγοις) vise bien le dialogue *Sur la Philosophie :* or cette référence est expressément formulée par ἐν τοῖς περὶ φιλοσοφίας (sc. λόγοις) et c'est la même formule qu'on retrouve dans les citations postaristotéliciennes de ce dialogue, quand la référence est explicite et ne se borne pas à la seule indication « comme dit Aristote » (2). Il est donc légitime de penser

---

(1) On a suspecté à tort cette petite phrase εἴρηται... φιλοσοφίας. Le dernier éditeur de la *Physique* (Ross, Oxford, 1936) la maintient dans le texte sans aucun signe de suspicion dans l'apparat critique.

(2) Quelquefois ces citations précisent encore davantage : « dans le Ier livre, dans le IIIe livre, du π. φιλοσοφίας ».

que les λόγοι περὶ σοφίας de l'*Apodictique* sont les mêmes que les λόγοι περὶ φιλοσοφίας de la *Physique* et des auteurs postaristotéliciens qui citent le dialogue d'Aristote, et que ces λόγοι désignent le dialogue *Sur la Philosophie*.

D'autre part, il ne peut faire de doute, à mes yeux, que le passage cité par Philopon comme étant d'Aristote (« puisque les objets intelligibles et divins, bien qu'ils soient les plus évidents selon leur propre essence, nous paraissent, à nous, obscurs et indistincts à cause des ténèbres corporelles qui pèsent sur nous, c'est à bon droit qu'on a nommé « Sagesse » la science qui tire pour nous ces objets à la lumière ») ne soit le même que celui que résume Asclépius d'une manière obscure à force de concision (« En effet les objets divins sont clairs et tout évidents : or c'est de ces objets divins qu'Aristote traite ici. Voilà pourquoi il a nommé ce traité Sagesse »), et que la référence qui suit (« En tout cas Aristote dit lui-même dans l'*Apodictique* ») ne se réfère à ce passage. Car cette référence n'aurait pas de sens si elle ne visait que l'emploi, par Aristote, du mot σοφία. Ce qui a été expliqué dans les λόγοι περὶ σοφίας, c'est la relation de la Sagesse à ces objets « clairs et tout évidents » que sont les θεῖα. Or les θεῖα font précisément l'objet du IIIe livre du dialogue *Sur la Philosophie* (1).

Ce qui confirme enfin qu'Asclépius et Philopon se réfèrent à un même texte d'Aristote, c'est qu'Asclépius, dans la suite (pp. 10.28 ss. Hayduck : à propos de *Méta.* 981 b 3 : « C'est donc à bon droit que celui qui, le premier, inventa un art quelconque... excita l'admiration des hommes »), décrit aussi l'évolution de l'humanité, et cela, souvent dans les mêmes termes et, une fois au moins, avec la même citation d'Homère, que Philopon. Pour permettre la comparaison, je traduis ici cette partie du commentaire d'Asclépius (pp. 10.28-11.36 Hayduck) :

« Ce que se propose ici Aristote, c'est de nous faire connaître le temps où la sagesse commença d'être régulièrement en pratique parmi nous... Il arrive en effet qu'il se produise des cataclysmes et

---

(1) Reste la difficulté ἐν τῇ Ἀποδεικτικῇ (sc. τέχνῃ). Dans un *Art de la Démonstration* Aristote aurait rappelé la définition de la σοφία-σάφεια qu'il avait donnée déjà dans les « Discours sur la Sagesse ». Les catalogues des œuvres d'Aristote ne portent plus trace d'une Ἀποδεικτική (τέχνη). D'autre part il ne peut s'agir des *Analytiques* I-II, bien qu'ils contiennent un traité de la démonstration syllogistique (les 2[ds] *Analytiques* renvoient par deux fois aux 1ers *An.* sous le titre ἐν τοῖς περὶ συλλογισμοῦ), car cet ouvrage, non plus d'ailleurs qu'aucun autre des écrits logiques d'Aristote, ne fait aucune allusion aux λόγοι περὶ σοφίας, cf. Bonitz, *Index*, col. 97-98. Cependant les catalogues mentionnent un certain nombre d'écrits logiques aujourd'hui perdus, et il est possible que l'*Apodictique* doive être identifiée avec l'un d'entre eux.

des séismes, en sorte que toute la civilisation disparaît puis est inventée à nouveau comme Aristote le dit lui-même dans les *Météorologiques* au sujet du grand séisme qui se produisit en Achaïe (1); « sous Deucalion aussi », dit-il (Aristote) (2), « il se produisit un grand déluge, beaucoup de lieux furent recouverts sous les eaux, toutes les plaines furent anéanties, seuls purent échapper au désastre ceux qui habitaient sur les sommets des monts, à preuve le poète qui a dit (*Il.*, xx 216 ss.) : « Celui-ci (Dardanos) fonda Dardanie. La sainte Ilion ne s'élevait pas alors dans la plaine comme une cité, une vraie cité humaine; ses hommes habitaient encore les pentes de l'Ida aux mille sources. » Ensuite, lorsqu'eut cessé le déluge, ceux qui avaient « échappé au désastre revinrent s'établir dans les plaines (3) », les pères vivaient avec leurs fils comme des maîtres qui commandent à leurs serviteurs ou délibèrent avec eux, et il n'y avait point d'injustice parmi eux : c'est pourquoi le genre délibératif est le plus ancien (4). Plus tard, ils commencèrent d'abord par ne prendre souci que des choses nécessaires à la vie, comme l'art de faire le pain ou de coudre les vêtements, sans lesquels nous ne pouvons vivre. Puis, lorsqu'ils se furent rendus maîtres de ces arts, ils songèrent aux choses qui facilitent l'existence, comme la monnaie, ainsi qu'Aristote le dit lui-même dans les *Éthiques* (*Eth. Nic.*, V 8, 1133 b 12), parce que la monnaie tient la place d'une caution, et qu'il en résulte une grande facilité pour les relations humaines. Jusque-là en effet, le couturier par exemple apprêtait un manteau; puis, ayant besoin de pain, il se rendait à l'agora et il attendait là jusqu'à ce que le boulanger, en besoin d'un vêtement, y vînt à son tour et remît des pains en échange du vêtement : de même pour tous les autres échanges. On inventa donc l'argent comme un répondant qui se portait garant pour chaque objet. On donne et l'on s'en va, l'un n'a plus besoin d'attendre

---

(1) Allusion à ce séisme, *Météor.*, I 6, 343 b 2; II 8, 366 a 26, 368 b 6. Mais il n'est pas question dans ces passages de la perte et de la réinvention de la civilisation.

(2) Ici encore, simple allusion dans *Météor.*, I 14, 352 a 32 : αὕτη (*sc.* ἡ ὑπερβολὴ ὄμβρων) δ' οὐκ ἀεὶ κατὰ τοὺς αὐτοὺς τόπους, ἀλλ' ὥσπερ ὁ καλούμενος ἐπὶ Δευκαλίωνος κατακλυσμός· καὶ γὰρ οὗτος περὶ τὸν Ἑλληνικὸν ἐγένετο μάλιστα τόπον, καὶ τούτου περὶ τὴν Ἑλλάδα τὴν ἀρχαίαν, αὕτη δ' ἔστιν ἡ περὶ Δωδώνην καὶ τὸν Ἀχελῷον. Aucun rapport, on le voit, entre cette notice topographique et l'exposé sur la civilisation. Celui-ci n'est donc pas tiré des *Météorologiques*, mais bien plutôt, comme le montrent les parallèles de Philopon, Proclus, Jamblique, du π. φιλοσοφίας. C'est donc à ce dialogue que se rapporte le φησί de notre texte.

(3) J'arrête ici la citation. Le reste est une paraphrase où Asclépius a évidemment ajouté du sien. Comparer avec le texte de Philopon, *supra*, pp. 223 s.

(4) Ce trait absurde est propre à Asclépius, et je ne sais où il a été le prendre. Le « genre délibératif » est l'un des trois genres de la rhétorique, cf. Aristote, *Rhét.*, I 3, 1358 b 7; II 18, 1391 b 21.

l'autre, puisque chacun reçoit l'argent en place d'une caution sûre : car lui aussi le vendeur veut acheter par le moyen de l'argent (qu'il a reçu). En outre, dans la suite, ils inventèrent les bains qui contribuent grandement à maintenir le corps en santé. [Tout cela tient la place d'une caution sûre] (1).

Cependant, après avoir inventé les choses nécessaires et celles qui procurent le confort et les facilités de l'existence, ils commencèrent de s'élever à des objets plus grands, à ceux qui dépassent la sensation. Nul ne s'étonne en effet de posséder la sensation : c'est là un don de la nature et de Dieu. Mais, en vérité, le fait de poursuivre les objets qui dépassent la sensation est propre à l'âme raisonnable. Tout d'abord donc, ils se mirent à scruter les phénomènes les plus saillants, par exemple, pourquoi la mer n'augmente pas de volume alors que tant de fleuves débouchent en elle. La cause de ce phénomène a été indiquée dans les *Météorologiques* (II 2, 355 b 20 ss.) : cela vient de ce que, sous l'action du soleil, l'eau s'évapore de nouveau hors de la mer, cette vapeur se précipite et forme ainsi les fleuves. Plus tard, ils se posèrent des questions plus profondes — pourquoi la lune croît de telle manière, pourquoi elle cesse de faire route en commun avec le soleil, et de même touchant les autres mouvements célestes, — et ils en vinrent ainsi jusqu'à la Première Cause: Et alors, par un nouveau progrès, ils commencèrent de mener la vie de l'esprit (νοερῶς ἐνεργεῖν).

C'est ainsi, que peu à peu, ils parvinrent jusqu'au concept de la Sagesse et qu'ils exercèrent leurs facultés spirituelles, lorsque, par une intuition directe et simple, ils eurent appréhendé les Puissances intelligibles et tout évidentes » (2).

---

(1) Ou cette phrase, ou la précédente, doit être mise entre crochets, comme évidemment hors de place.

(2) τῶν νοητῶν καὶ φανοτάτων δυνάμεων 11.35 H., cf. 3.31 H. τὰ γὰρ θεῖα σαφῆ καὶ φανερώτατα, Philopon τὰ νοητὰ καὶ θεῖα, εἰ καὶ φανότατά ἐστι. Le mot δυνάμεις, pour désigner les êtres divins, se ressent peut-être du néoplatonisme et de la littérature mystique comme celle de l'hermétisme : cependant cf. déjà PLAT., *Epin*. 988 a 8 ἴστε ὀκτὼ δυνάμεις κτλ.

APPENDICE II

TÉLÈS, π. αὐταρκείας, pp. 5 ss. Hense (cf. *supra*, p. 289, n. 7).

« Le bon acteur, quelque rôle que le poète lui ait confié, doit le jouer parfaitement : ainsi l'homme de bien, quelque rôle que lui ait confié la Fortune. Car elle aussi, dit Bion, compose des pièces, et tantôt elle donne le premier rôle, tantôt le second, tantôt le rôle de roi, tantôt celui de mendiant. Si donc tu as le second rôle, ne te mêle pas de jouer le premier, sans quoi [p. 6 H.] la pièce sera désaccordée. Toi (= Antigonos Gonatos), c'est à merveille que tu commandes, et moi, que j'obéis ; tu gouvernes des multitudes, moi je n'ai que ce seul élève à gouverner ; riche comme tu l'es, tu donnes libéralement, moi je prends hardiment de ta main, sans faire le complaisant, sans déchoir, sans me plaindre de mon sort ; tu disposes en perfection des grands biens que tu possèdes, et moi du peu de biens que j'ai : car ce n'est pas, dit-il, la richesse qui nourrit, et il est faux de croire que si l'on peut profiter de la richesse pour rendre service, on ne puisse profiter de ressources simples et modestes pour mener une vie tempérante et sans orgueil. C'est pourquoi, dit Bion, si les choses pouvaient parler comme nous, et qu'il leur fût loisible de se justifier, ne diraient-elles pas, comme un esclave qui, réfugié dans un temple, se justifie devant son maître : « Pourquoi m'en veux-tu ? Que t'ai-je volé ? Est-ce que je n'accomplis pas [p. 7 H.] tous tes ordres ? Est-ce que je ne t'apporte pas régulièrement le fruit de mon travail (1) ? », tout de même la Pauvreté ne dirait-elle pas à qui l'accuse : « Pourquoi m'en veux-tu ? Serais-tu privé, par ma faute, d'aucune chose de prix ? De la tempérance ? De la justice ? De la force ? Allons, le nécessaire te fait-il besoin ? N'y a-t-il pas partout des herbes au long des chemins, et des sources pleines d'eau ? Est-ce que je ne t'offre pas toute l'étendue du sol pour te servir partout de couche ? Et des feuilles pour t'en faire un lit ? Est-il impossible de

---

(1) L'ἀποφορά est la somme d'argent que l'esclave, travaillant à son compte ou loué par le maître à un atelier, rapporte quotidiennement au maître : selon Eschine (I 97), 2 à 3 oboles par jour pour les esclaves loués, cf. P. W., II 174 et Bœckh, *Staatshaushaltung der Athener*, I³, pp. 90-91. Voir plus haut, p. 311, Cléanthe rapportant chaque jour 1 obole à Zénon comme ἀποφορά, D. L., VII 169 Ζήνων... ἐκέλευεν ὀβολὸν φέρειν ἀποφορᾶς.

se réjouir dans ma compagnie? N'as-tu pas vu des petites vieilles chantonner en mangeant leur galette (1)? Est-ce que je ne te prépare pas, simple et peu coûteux, le condiment de la faim? Qui a plus de plaisir à manger et moins besoin de condiment que l'affamé? Qui boit de meilleur cœur, qui se contente mieux de la boisson présente que l'assoiffé? Quand on a faim, faut-il des [p. 8 H.] gâteaux? Quand on a soif, du vin de Chios? Mais ces choses, n'est-ce pas plutôt par une vaine délicatesse qu'on les recherche? Est-ce que je ne te fournis pas, gratuitement, un toit, l'hiver les bains, l'été les temples? « Quel palais, dit Diogène, vaudra jamais pour toi, l'été, ce qu'est pour moi ce Parthénon, si bien aéré, si magnifique? » Suppose que la Pauvreté parlât ainsi, qu'aurais-tu à répondre? Moi, je crois bien que je serais sans voix. Mais nous nous en prenons à tout plutôt qu'à notre méchante humeur et au mauvais génie qui nous habite — à la vieillesse, à la pauvreté, au fâcheux qu'on a rencontré, au jour, à l'heure (2), au lieu. Aussi Diogène dit-il avoir, un jour, entendu le Vice s'accuser en ces termes : « Non, de ces maux nul autre n'est responsable que moi-même. »

[P. 9 H.] Mais la multitude, hors de sens, fait un procès aux circonstances au lieu de s'accuser elle-même. Il en va, dit Bion, comme avec les bêtes, qui mordent selon le point où on les saisit. Qu'on attrape un serpent par le milieu, il mord; qu'on le prenne à la nuque, on ne risque rien. De même pour les circonstances, dit-il : c'est selon la manière dont on les prend que se produit la douleur. Si tu les considères du même œil que Socrate, tu ne souffriras point; mais si tu les prends autrement, tu seras blessé, non pas par les choses, mais par ton propre caractère et par la fausse opinion que tu t'étais faite. Bref, il ne faut pas tenter de changer les choses, [p. 10 H.] mais se mettre en une certaine disposition à leur égard, à l'exemple des gens de mer : ils n'essaient pas de changer les vents ou la mer, mais ils s'arrangent pour pouvoir se tourner au gré des vents ou de la mer. Temps calme, mer plate? On navigue à la rame. Vent arrière? On hisse les voiles. Vent debout? On les largue, on les brasse. Toi aussi, profite de ce qui se présente. Te voilà vieux? Ne cherche pas les plaisirs des jeunes. Te voilà sans force? Ne cherche pas les travaux du vigoureux, mais fais comme Diogène, un jour que quelqu'un le bousculait et, la main sur la nuque, voulait le terrasser, alors qu'il était sans force : il ne se laissa point subjuguer,

---

(1) φυστή, galette pétrie de farine et de vin.
(2) Ou « à la saison », τὴν ὥραν, p. 8.8 H.

mais, montrant à l'autre [p. 11 H.] une colonne : « Très cher », lui dit-il, « si tu veux faire l'athlète (1), bouscule cette colonne ! ». Te voilà sans ressources ? Ne cherche pas la façon de vivre du riche, mais, de même qu'on se protège contre l'air — s'il fait beau, on ouvre le manteau, s'il fait froid, on l'enroule autour de soi (2) — de même quant à tes ressources : dans l'abondance, ouvre la bourse, dans le manque, serre-la. Bien sûr, nous ne pouvons nous contenter de ce que nous avons, quand nous dépensons largement pour le luxe, et que nous regardons le travail, <...> (3) et la mort comme le dernier des maux. Mais, quand tu te seras rendu tel que tu méprises la volupté, que tu n'aies plus d'aversion pour l'effort, que tu reçoives d'une âme égale la gloire et l'obscurité, que tu ne craignes plus la mort, tu pourras agir à ta guise sans ressentir aucune peine. Aussi, comme je le dis, [p. 12 H.] ne vois-je pas en quoi les choses ont par elles-mêmes quoi que ce soit de pénible, ni la vieillesse, ni la pauvreté, ni l'exil. Xénophon le marque non sans grâce (4) : « Suppose », dit-il, « que je te montre deux frères qui, après s'être partagé également le bien familial, vivent l'un dans le plus grand besoin, l'autre dans le contentement, n'est-il pas évident qu'on ne doit pas accuser leurs ressources, mais autre chose ? » Tout de même, si je te montrais deux vieillards, deux pauvres, deux exilés, dont l'un serait toujours content et impassible, l'autre toujours inquiet, ne faudrait-il pas accuser de toute évidence, non pas la vieillesse, ni la pauvreté, ni l'exil, mais autre chose ?

Rappelle-toi la réponse de Diogène à quelqu'un qui lui disait qu'Athènes est une ville chère. Il prend l'homme, le conduit [p. 13 H.] au marchand de parfums, demande le prix d'un cotyle (1/4 de litre) d'huile de Kypros. « Une mine (100 dr.) », répond le marchand. Et lui de s'écrier : « Oui, certes, la ville est chère ! » Il le conduit ensuite à la rôtisserie et demande le prix du museau de bœuf (5) : « Trois drachmes. » Et lui de s'exclamer : « Oui, certes, la ville est chère ! ». Puis il va au marché de laines fines et demande le prix d'une toison sur pied (τὸ πρόβατον) : « Une mine », dit le marchand. Et lui de s'écrier encore : « Oui, certes, la ville est chère ! ». « Mais

---

(1) Littéralement « te dresser (comme un athlète) contre », προστάς. Haupt cite PLAT., *Phil.* 41 b 8 προσστώμεθα δὴ καθάπερ ἀθληταὶ πρὸς τοῦτον αὖ τὸν λόγον, mais les derniers éditeurs (Bury, Diès) lisent avec B W², περιστώμεθα.

(2) συνεστείλω. L'image est déjà dans Cratès le Cynique, fr. 16 Diels εἰς τρίβωνα ῥᾳδίως συστέλλομαι.

(3) Mot illisible dans le manuscrit.

(4) XEN., *Banq.*, IV 35.

(5) J'interprète ainsi, un peu librement, τὸ ἀκροκώλιον, litt. « les parties extrêmes de la bête », dont nous apprenons ainsi qu'elles faisaient les morceaux les plus recherchés.

viens ici », dit-il à l'homme. Et il le mène au marchand de lupin :
« Combien le chénice (1) ? » — « Un chalque (0,02) ». — « Oh! »
s'écrie-t-il alors, « la ville est bon marché. » Puis il va aux figues
sèches. — « Deux chalques ». — « Et les baies de myrte (2) ? »
— « Deux chalques. » — « Cette fois, la ville est bon marché! ». Eh
bien, de même que, dans cet exemple, Athènes n'est ni bon marché
ni chère, mais elle est chère avec tel genre de vie, bon marché
avec tel autre, de même pour les circonstances : si l'on en use de
telle manière, elles paraîtront opportunes et faciles, si l'on en use
de telle autre, elles paraîtront pénibles.

— Mais il me semble, pourtant, que la pauvreté [p. 14 H.] a
quelque chose de fâcheux et de pénible. Et, si on loue celui qui porte
avec bonne humeur la vieillesse, ce devrait être plutôt quand cette
vieillesse s'accompagne de pauvreté que quand elle s'associe à la
richesse. — Eh quoi, qu'y a-t-il de fâcheux et de pénible dans la
pauvreté? Cratès et Diogène n'ont-ils pas été pauvres? Nieras-tu
pourtant qu'ils aient passé la vie, jusqu'au bout, d'une manière
facile et agréable, eux qui ont renoncé à l'orgueil, se sont faits
mendiants et ont su se contenter d'un régime frugal et simple?
— Grand est le besoin, on est pressé de dettes! — Prends avec toi
une coquille et une fève, dit [p. 15 H.] Cratès, et ce qui va avec ce
bagage. Cela fait, tu n'auras pas de peine à dresser un trophée de
victoire sur la pauvreté. Et pourquoi louerait-on plutôt celui qui
porte avec bonne humeur la vieillesse quand cette vieillesse s'accompagne de pauvreté que quand elle s'associe à la richesse? Puisqu'aussi bien savoir ce qu'est la richesse ou la pauvreté n'est pas non
plus chose facile. Beaucoup de vieillards restent acariâtres dans la
richesse, qui perdent courage et se lamentent dans la pauvreté;
et il n'est facile ni à celui-ci de porter libéralement et avec aisance
la richesse, ni à celui-là de porter avec courage la pauvreté, mais
qui peut l'un peut l'autre : celui qui sait user comme il faut de
l'abondance sait aussi user comme il faut de l'état contraire. A-t-on,
malgré la pauvreté, de quoi se suffire, qu'on reste en vie! Sinon, il
est aisé de sortir de la vie, comme d'un lieu de pèlerinage. De même,
dit Bion, que nous sommes chassés d'une maison quand le propriétaire, n'obtenant pas son loyer, a enlevé la porte, pris la vaisselle,

(1) Un peu plus d'un litre.
(2) Cf. Plat., Rép., II 372 c 8 (peinture de la vie simple et saine d'un État primitif) καὶ τραγήματά που παραθήσομεν αὐτοῖς τῶν τε σύκων καὶ ἐρεβίνθων καὶ κυάμων, καὶ μύρτα καὶ φηγοὺς σποδιοῦσιν πρὸς τὸ πῦρ, μετρίως ὑποπίνοντες. C'est ce que Glaucon appelle, il est vrai, un régime de cochons (372 d) : εἰ δὲ ὑῶν πόλιν... κατεσκεύαζες, τί ἂν αὐτὰς ἄλλο ἢ ταῦτα ἐχόρταζες;

fermé le puits, ainsi, dit-il, suis-je chassé de ce misérable corps [p. 16 H.] quand la Nature qui l'a loué enlève les yeux, les oreilles, les mains, les pieds. Je ne m'attarde pas, mais je quitte la vie, l'heure venue, sans aucun murmure, comme on sort d'un banquet : « Allons, monte dans la barque (1) ! »

Un bon acteur est bon dans le prologue, il est bon dans le milieu, et bon dans le dénouement : ainsi l'homme vertueux l'est-il dans toute la vie, dans le début, le milieu et la fin. Quand un manteau est devenu trop vieux, je l'enlève et <cesse de le porter. De même pour la vie. Est-elle devenue trop pénible> (2), je ne traîne pas en longueur, je ne me cramponne pas à l'existence : puisque je ne peux plus être [p. 17 H.] heureux, je m'en vais. C'est ainsi que fit Socrate. Il lui était possible de sortir de prison, s'il l'eût voulu; <mais il ne le voulut pas>. Et quand les juges le conjuraient de fixer la peine pour lui-même à une somme d'argent, loin d'écouter leurs prières, il fit ainsi l'estimation : « être nourri au Prytanée ». Et alors qu'on lui avait concédé un délai de trois jours, c'est le premier qu'il but la ciguë, au lieu de prolonger l'attente jusqu'à l'extrême limite du troisième jour en épiant sans cesse les derniers reflets du soleil sur la montagne. Non, c'est avec plein courage, comme le dit Platon, sans changer aucunement ni de visage ni de couleur, mais d'un air tout souriant et gracieux, qu'ayant reçu la coupe il la vida et qu'à la fin, lorsqu'il en eut jeté à terre les dernières gouttes, il dit : « Ceci pour le bel [p. 18 H.] Alcibiade » (3). Admire cette liberté d'esprit, cette grâce plaisante dans la mort. Nous autres, rien qu'à voir un mourant, nous tremblons de peur. Mais lui, tout près de mourir, il s'endort d'un sommeil si profond qu'on eut peine à le réveiller. C'est chose bien probable qu'un de nous se fût endormi ! <...> (4).

Néanmoins il supportait avec douceur l'humeur acariâtre de sa

___

(1) ἔμβα πορθμίδος ἔρυμα, citation de la *Niobé* de Timothée, fr. 11 Wilamowitz Timotheos, *Die Perser* [1903], p. 109). C'est Charon qui parle, cf. MACHON ap. ATHEN, VIII 341 c ὁ Τιμοθέου Χάρων σχολάζειν οὐκ ἐᾷ, | οὐκ τῆς Νιόβης, χωρεῖν δὲ πορθμίδ' ἀναβοᾷ, | καλεῖ δὲ μοῖρα νύχιος, ἧς κλύειν χρεών. Voir aussi DIOG. L., VII 28 = fr. 12 Wil. ἔρυμα paraît étrange, malgré Wilamowitz : « Eine Sicherung, eine Burg, kann diese (die Barke Charons) wohl sein, wenn uns der Tod ein χρησφύγετον (= « place de refuge », cf. Hérod., V 124, etc.) ist ». ἕρμα = « ballast » (Nauck, Hense[1]) est à bon droit rejeté par Wilamowitz, Ἑρμᾶ (Edmonds, qui conjecture que Charon s'adresse à Hermès psychopompe) va contre les témoignages : c'est le mort que Charon appelle.

(2) J'adopte, pour la lacune, les suppléments de Hense; les autres conjectures reviennent au même sens général, qui est manifeste.

(3) Confusion évidente de *Phéd.* 116 e-117 b avec XÉN., *Hell.* II 3, 56 (mort de Théramène) Κριτίᾳ τοῦτ' ἔστω τῷ καλῷ, cf. Hense, note *ad loc.* et p. XLVII.

(4) Lacune signalée par Hense, en raison de l'inconcinnité du texte.

femme. Elle avait beau crier, il n'en prenait souci. Et comme Critobule lui demandait : « Comment fais-tu pour accepter de vivre auprès d'une telle compagne ? » — « Et toi-même, comment fais-tu quand un troupeau d'oies passe auprès de toi ? » — « Pourquoi me préoccuperais-je de ces bêtes ? » dit Critobule. — « Et moi de même, dit Socrate, je ne me préoccupe pas non plus de cette femme, je ne l'écoute pas plus qu'une oie. » Et encore, un jour qu'il avait reçu Alcibiade à déjeuner et que Xanthippe était survenue et avait renversé la table, il ne cria point [p. 19 H.], ne gémit point, ne se lamenta pas comme ceci : « Quelle indécence, d'avoir à souffrir de la sorte ! ». Il ramassa ce qui était tombé à terre et engagea de nouveau Alcibiade à se servir. Celui-ci pourtant n'en faisait rien, mais se tenait assis le voile ramené sur la tête. « Eh bien donc, sortons », dit Socrate; « il semble que Xanthippe, dans son aigreur, veuille nous écharper ». Quelques jours plus tard, comme il déjeunait chez Alcibiade, l'oiseau de bonne race (1) vint à survoler la table et fit tomber le plat. Socrate se tint assis le voile ramené sur la tête et refusa de déjeuner. Et comme Alcibiade, après avoir bien ri, lui demandait s'il ne mangeait point parce que l'oiseau, dans son vol, avait fait tomber le plat : « Toi-même », dit Socrate, « c'est chose évidente, tu as refusé naguère de déjeuner parce que Xanthippe avait renversé la table; et tu penses maintenant que je puisse manger quand l'oiseau a fait de même ? Crois-tu que Xanthippe diffère en rien d'un oiseau stupide ? Si le méfait venait d'un porc, tu ne te fâcherais pas : [p. 20 H.] et tu te fâches, s'il vient d'une femme porcine » (2) ?

(1) L'article (ἡ ὄρνις, p. 19.6) prouve qu'il s'agit de l'oiseau favori d'Alcibiade. Celui-ci, comme les jeunes élégants d'alors, élevait des cailles, Plut., *Alcib.* 10.

(2) Ces traits sentent le φορτικός (cf. D. L., IV 52 ἦν δὲ — sc. ὁ Βίων — καὶ θεατρικὸς καὶ πολὺς ἐν τῷ γελοίῳ διαφορῆσαι, φορτικοῖς ὀνόμασι κατὰ τῶν πραγμάτων χρώμενος), mais il faut bien dire que, sur ce point, les Grecs avaient le goût moins affiné que le nôtre.

APPENDICE III

POUR L'HISTOIRE DU MOT θεολογία (*supra*, p. 461, n. 4) (1).

Le substantif θεολογία apparaît, pour la première fois je pense, chez Platon, *Rep.*, II 379 a 5 οἱ τύποι θεολογίας τίνες ἂν εἶεν ; Le mot est employé ici comme une explicitation de μυθολογεῖν (courant au IVe siècle : Xénophon, Isocrate, Platon) : le fondateur d'État doit connaître les modèles (τύποι) selon lesquels les poètes composeront leurs fables sur les dieux (ἐν οἷς δεῖ μυθολογεῖν τοὺς ποιητάς). D'où la question : « Quels sont donc ces modèles qu'il faut suivre quand on traite des dieux? » A quoi Socrate répond : « Il faut toujours représenter Dieu tel qu'il est » (οἷος τυγχάνει ὁ θεὸς ὤν, ἀεὶ δήπου ἀποδοτέον). La θεολογία est donc le discours où l'on traite des dieux, comme la μετεωρολογία le discours où l'on traite des choses célestes, *Phèdre* 270 a : ὁ καὶ Περικλῆς... μετεωρολογίας ἐμπλησθείς, cf. μετεωρολογεῖν *Crat.* 404 c (ἴσως δὲ μετεωρολογῶν ὁ νομοθέτης τὸν ἀέρα Ἥραν ὠνόμασεν), μετεωρολόγος *Crat.* 396 c (la contemplation du monde supérieur, ἡ ἐς τὸ ἄνω ὄψις, est justement dite οὐρανία, c'est-à-dire ὁρῶσα τὰ ἄνω, contemplation qui, selon ceux qui traitent des choses célestes, οἱ μετεωρολόγοι, produit la pureté de l'intellect), 401 b, etc. (le mot est déjà dans Gorgias, *Hel.* 13, Euripide, fr. 913.2, Hippocrate *Aër.* 2), μετεωρολογικός *Tim.* 91 d 8 (homme adonné à l'étude des choses célestes).

La θεολογία, chez Platon, est essentiellement le fait des poètes, comme la μετεωρολογία le fait des savants. Jusque-là, ce sont les poètes qui ont traité des dieux, alors que les savants traitaient des choses célestes, qui n'étaient pas encore regardées comme divines, ou du moins, ne l'étaient pas dans le même sens que les dieux populaires, les dieux de l'Olympe. Dans le περὶ κόσμου au contraire, c'est l'étude du monde et des choses célestes qui est dite θεολογία. On mesure la différence. Elle tient à ce que l'objet divin a changé : cet objet n'est plus les dieux anthropomorphes sur lesquels mythologisent les poètes, mais le Kosmos lui-même et les *météôra*, c'est-à-dire les astres du ciel. Autrement dit, la *météorologia*, jadis regardée comme impie, est maintenant la *théologia* par excellence. Une telle évolution du sens de θεολογία est l'un des signes les plus intéres-

(1) Voir *Addenda*.

sants du progrès de la religion cosmique entre Platon et notre ère. Essayons d'en marquer quelques étapes.

Dans les écrits d'Aristote, θεολογία, qu'on trouve déjà chez Platon, et les mots nouveaux θεολόγος, θεολογεῖν, s'appliquent encore aux poètes. « Les anciens qui se sont appliqués aux discours sur les dieux » (οἱ μὲν οὖν ἀρχαῖοι καὶ διατρίβοντες περὶ τὰς θεολογίας, *Météor.*, B 1, 353 a 34) sont les poètes théologiens les premiers âges, Homère, Hésiode, Orphée. A ces anciens, qui ont voulu donner à la genèse du monde une couleur plus grandiose et plus majestueuse (τραγικώτερον καὶ σεμνότερον 353 b 2), s'opposent les sages dans la sagesse humaine (οἱ σοφώτεροι τὴν ἀνθρωπίνην σοφίαν b 5), c'est-à-dire les φυσικοί de l'école d'Ionie. De même, les θεολόγοι ou θεολογήσαντες de la *Métaphysique* sont les poètes : B 4, 1000 a 9 : « Hésiode et ses disciples et tout ce qu'il y a eu de θεολόγοι » (οἱ μὲν οὖν περὶ Ἡσίοδον καὶ πάντες ὅσοι θεολόγοι) ont considéré les principes comme dieux et comme nés des dieux ; Λ 6, 1071 b 27 : « qu'on suive l'opinion des *théologoi* qui font naître toutes choses de la Nuit » (cf. Hés., *Trav.* 17, *Théog.* 116 ss.) ou celle des *physikoi* selon qui toutes choses étaient (originellement) confondues (Anaxagore, fr. 1 Diels), etc. ; Λ 10, 1075 b 26 : s'il n'existe pas d'autres êtres en dehors des êtres sensibles, il y aura principe de principe à l'infini, comme on le voit chez les *théologoi* et tous les *physikoi*; N 4, 1091 a 34 : les *théologoi* s'accordent avec quelques philosophes de ce temps (Speusippe) pour dire que le Bien et le Beau n'ont pas fait leur apparition au tout premier commencement de la nature, mais seulement au cours de la genèse; ce qu'Aristote explicite un peu plus loin (1091 a 5) : selon les anciens poètes, « ce ne sont pas les tout premiers êtres, la Nuit, le Ciel, le Chaos, l'Océan, qui ont obtenu le règne et le commandement, mais Zeus » (qui est bien postérieur); A 3, 983 b 27 : Au dire de certains, les penseurs tout à fait antiques (τοὺς παμπαλαίους), bien antérieurs à la présente génération, qui ont discouru les premiers sur les dieux (τοὺς πρώτους θεολογήσαντες), ont eu la même vue que Thalès sur l'origine des choses : en effet ils donnent Okéanos et Thétys comme auteurs de la génération et ils font jurer les dieux par l'eau, qui est par eux appelée Styx (τὴν καλουμένην ὑπ' αὐτῶν Στύγα) (1).

---

(1) Christ a eu raison d'exclure τῶν ποιητῶν après Στύγα : c'est une glose, les penseurs dont il s'agit étant évidemment les poètes, Homère, Hésiode, Orphée, cf. PLAT., *Théét.* 180 c 7 τὸ δὲ δὴ πρόβλημα ἄλλο τι παρειλήφαμεν παρὰ μὲν τῶν ἀρχαίων μετὰ ποιήσεως ἐπικρυπτομένων τοὺς πολλούς, ὡς ἡ γένεσις τῶν ἄλλων πάντων Ὠκεανός τε καὶ Τηθὺς ῥεύματα τυγχάνει κτλ.

En revanche, l'adjectif θεολογικός indique un emploi nouveau, qui témoigne déjà de l'influence de la religion du monde. C'est dans le bel exposé d'ensemble qui ouvre le livre E (ch. 1) de la *Métaphysique* que se rencontre pour la première fois ce sens nouveau. La science dont on traite maintenant est la science non pas de tel genre d'êtres particulier, mais de l'être en tant qu'être. C'est de l'être en tant qu'être qu'on se propose de découvrir les principes et les causes (1025 b 1-18). Quelle sera cette science? La physique (1025 b 18-1026 a 7) est une science théorétique, mais elle se donne pour objet l'être susceptible de mouvement et la substance engagée dans la matière (ἡ φυσικὴ θεωρητική τις ἂν εἴη, ἀλλὰ θεωρητικὴ περὶ τοιοῦτον ὂν ὅ ἐστι δυνατὸν κινεῖσθαι, καὶ περὶ οὐσίαν τὴν κατὰ τὸν λόγον ὡς ἐπὶ τὸ πολὺ οὐ χωριστὴν μόνον 1035 b 26-28). La mathématique est également une science théorétique, mais elle se donne pour objet des êtres qui, tout en étant immobiles, ne sont pas entièrement séparés de la matière (1026 a 7-10, explicité a 14-15 τῆς δὲ μαθηματικῆς ἔνια περὶ ἀκίνητα μὲν οὐ χωριστὰ δ'ἴσως, ἀλλ' ὡς ἐν ὕλῃ). Si donc il existe un être éternel, immobile et séparé, cet être doit faire l'objet d'une nouvelle science théorétique, plus haute que la physique et la mathématique, et qui aura valeur de science première (ἡ δὲ πρώτη καὶ περὶ χωριστὰ καὶ ἀκίνητα 1026 a 15). Or cet être existe. En effet, si toutes les causes (premières) sont nécessairement éternelles, ces causes-là, immobiles et séparées de la matière, le sont à un titre privilégié, étant les causes de ceux des êtres divins qui sont visibles (sc. les astres). D'où il ressort qu'il faut compter trois sciences ou « philosophies » théorétiques : science physique, science mathématique, *science théologique* (θεολογική, sc. φιλοσοφία).

Comme le mot θεολογικός est nouveau, et qu'Aristote prend ici ce dérivé dans un sens différent de celui qu'il a donné jusqu'alors à θεολόγος, θεολογία, θεολογεῖν, il sent le besoin de s'expliquer (1026 a 19) : « Il n'est pas douteux en effet que, si la divinité réside quelque part, c'est surtout dans une nature de cette sorte (= immobile et séparée), et il convient que la science la plus noble ait pour objet le genre d'êtres le plus noble. Concluons donc que les sciences théorétiques sont les plus excellentes de toutes, et que la science « théologique » est la plus excellente des sciences théorétiques » (1). Ainsi le discours mythique sur les dieux (θεολογία) est-il devenu

---

(1) Le chapitre VII du l. K contient un exposé tout semblable à celui de E 1, comme aussi bien K 1-8 n'est qu'un doublet, sous une forme plus concise, des livres ΒΓΕ. Sur ce problème, cf. W. JAEGER, *Studien zur Entstehungsgeschichte der Metaphysik des Aristoteles*, Berlin, 1912, pp. 63-89.

maintenant une science ou une philosophie qui a pour objet l'être divin (θεολογική ἐπιστήμη ou φιλοσοφία), et cette « théologie », au sens moderne du mot, concerne principalement les causes immobiles et immatérielles de ces êtres divins visibles que sont les astres. Aussi bien la philosophie première, qui est dite la plus divine des sciences parce qu'elle traite de Dieu comme cause première de toutes choses et qu'elle est la plus digne d'être possédée par Dieu (*Méta.*, A 2, 983 a 5-10), trouve-t-elle son couronnement dans la science de Dieu moteur immobile du premier ciel, principe suprême auquel sont suspendus l'ouranos et la nature entière (Λ 7, 1072 b 14 ἐκ τοιαύτης ἄρα ἀρχῆς ἤρτηται ὁ οὐρανὸς καὶ ἡ φύσις).

Désormais, la théologie scientifique a droit de cité à côté de la théologie mythique ou « mythologia ». Celle-ci sans doute ne disparaît pas, et ne peut d'ailleurs disparaître puisqu'elle est intimement liée à la religion traditionnelle et à toute la première éducation de l'homme antique : celui-ci était trop nourri des poètes, il savait trop bien de mémoire son Homère et son Hésiode pour omettre, tout d'un coup, les légendes des dieux telles que les avaient contées et interprétées les θεολόγοι. Par ce mot de θεολόγοι, on continue d'entendre essentiellement les poètes d'autrefois qui ont disserté sur les généalogies des dieux. Ainsi, d'après une source grecque (peut-être Apollodore), Cicéron expose-t-il comment « ceux qui sont appelés théologiens » *(i qui theologi nominantur)* comptent trois Jupiter, etc. (*n. d.*, III 21, 53). Son contemporain Philodème met les θεολόγοι sur le même rang que les poètes (θεολόγοι καὶ ποιηταί, π. εὐσ. col. 48 ; dans le même sens, θεολογία col. 72). Un peu plus tard Strabon (X 3, 23, p. 474), après avoir rapporté les légendes relatives aux Dactyles crétois (ἄλλοι δ' ἄλλως μυθεύουσιν ἀπόροις ἄπορα συνάπτοντες X 3, 22), continue en ces termes (1) : « Bien que nous ne soyons nullement amis des mythes (καίπερ ἥκιστα φιλομυθοῦντες), nous avons été conduits à nous étendre un peu longuement sur cette question des Dactyles, parce qu'elle touche au « genre théologique » (2). Or, chaque fois que l'on traite des dieux, on doit examiner les opinions d'antan et les anciens mythes, les hommes d'autrefois exprimant à mots couverts les idées philosophiques (littéralement « conformes à la science de la nature », ἐννοίας φυσικάς) qu'il se faisaient en ces matières et enveloppant toujours

---

(1) Sur ce passage, cf. I. M. LINFORTH, *The Arts of Orpheus*, Berkeley, 1941, pp. 236 ss.

(2) ὅτι τοῦ θεολογικοῦ γένους ἐφάπτεται τὰ πράγματα ταῦτα· πᾶς δὲ ὁ περὶ τῶν θεῶν λόγος κτλ.

leur pensée sous le voile du mythe. Sans doute il n'est pas facile de donner la solution exacte de toutes ces énigmes. Cependant, si l'on expose à la vue de tous l'ensemble de ces légendes, dont les unes s'accordent entre elles et les autres se contredisent, il sera plus aisé peut-être d'en tirer, par conjecture, la vérité. Aussi est-ce à bon droit qu'on rapporte de façon fabuleuse les courses dans les montagnes, auxquelles se livrent les dévots des dieux et les dieux eux-mêmes, ainsi que les états de possession divine (ἐνθουσιασμούς), pour la même raison qu'on regarde les dieux comme habitant le ciel et exerçant leur providence, entre autres choses, sur les présages. De fait, on a vu que le travail des mines, l'art de la chasse et la poursuite des choses nécessaires à la vie ont de l'affinité avec les courses dans les montagnes, comme d'autre part l'art du charlatan et du sorcier est voisin des possessions divines, des pratiques religieuses et de la divination. Il en va de même aussi de la culture des arts, particulièrement en ce qui touche les arts dionysiaques et orphiques. Mais en voilà assez sur ce sujet. » Dans ce curieux morceau, théologie et légendes mythologiques sont encore étroitement liées, bien qu'on voie percer le sentiment que le mythe n'est qu'une enveloppe. La véritable théologie est fondée sur des ἔννοιαι φυσικαί. Mais aussi bien les mythes ne sont-ils pas dépourvus de philosophie : il s'agit seulement de pénétrer le sens caché des « énigmes », c'est-à-dire des vérités que les anciens ont pressenties et formulées à mots couverts. Strabon vit à une époque où triomphe l'allégorie, accréditée depuis longtemps déjà par le Portique.

C'est le même sens traditionnel que nous retrouvons chez Plutarque, si fort attaché aux vieux usages de la Grèce en ce qui touche les choses du culte. Ainsi écrit-il, par exemple, dans le *de defectu oraculorum* (15, p. 417 F) : « Tout ce qui se dit et se chante dans les récits de la fable et dans les hymnes, ces rapts commis par les dieux, leurs courses errantes, leurs retraites cachées, leurs exils, leur état de servitude, tout cela ne doit pas être mis sur leur compte, mais sur le compte des Génies. » Plutarque cite alors quelques propos erronés d'Eschyle et de Sophocle, puis il ajoute : « Mais ce sont surtout les théologiens de Delphes (οἱ Δελφῶν θεολόγοι) qui pèchent contre la vérité quand ils prétendent qu'ici, jadis, le dieu (Apollon) lutta contre un dragon pour la possession de l'oracle et qu'ils laissent poètes et logographes redire cette légende dans les concours de théâtre. » Manifestement les θεολόγοι de Delphes sont des prêtres, qui aux fêtes solennelles, composent et récitent ou chantent des hymnes (1) à la louange du dieu, dans lesquels ils célèbrent sa légende. La fonction des *théologues*, à côté de celle des hymnodes, est d'un usage courant à l'époque gréco-romaine pour les sanctuaires d'Asie Mineure (Pergame, Éphèse, Smyrne). Alexandre d'Abonotique emploie un *théologue* (et aussi des femmes hymnodes, Luc., *Alex.* 41) dans son culte de Glycon (*ib.* 19). Une θεολογία, c'est-à-dire un éloge solennel du dieu (Dionysos), fait partie des cérémonies du culte chez les Iobacchoi d'Athènes au IIe siècle de notre ère (Syll.³, 1109.115) (2). Un peu plus loin dans le même traité (*de def. or.* 21, p. 421 E), après avoir rappelé un certain nombre de légendes divines que, selon sa manière, il attribue aux Génies, Plutarque déclare : « On peut recueillir une foule de traits semblables dans les discours qu'on fait sur les dieux (ἐκ τῶν θεολογουμένων) ». Ailleurs (*de fato* 1, p. 568 D), l'adverbe θεολογικῶς désigne, semble-t-il, l'usage de symboles ou d'allégories pour exprimer les réalités divines : on reviendrait ainsi au sens que Strabon donnait à l'expression θεολογικὸν γένος. On peut envisager la Fatalité sous deux aspects, dit Plutarque, soit comme force active (ἐνέργεια), soit comme substance (οὐσία). En tant que force active, la Fatalité a été ainsi décrite par Platon dans le *Phèdre :* « Voici le décret d'Adrastée : toute âme qui a fait partie du cortège d'un dieu... » (*Phèdre* 248 c); dans le *Timée*, il assimile la Fatalité aux lois que Dieu a notifiées aux âmes immortelles relativement à la nature du Tout (*Tim.* 41 e), et, dans la *République*, il en fait la proclamation de la vierge Lachésis, fille de la Nécessité (*Rep.*, X 617 d). « Or, en tout cela, il exprime sa pensée *non pas à la manière des poètes tragiques, mais sous une forme théologique* (οὐ τραγικῶς, ἀλλὰ θεολογικῶς). Cependant, si l'on veut décrire la chose d'une façon plus ordinaire (κοινότερον ὑπογράψαι), on dirait que... ». Que signifie cette opposition τραγικῶς ~ θεολογικῶς ? Pour définir la Fatalité comme force, Plutarque a cité des passages de Platon où ce philosophe met en scène des personnages divins, Adrastée, le Démiurge, Lachésis, qu'il fait parler avec emphase à la manière des poètes tragiques. Et cependant, déclare Plutarque, la méthode dont use ici Platon

---

(1) Qui, à l'époque impériale, peuvent être en prose, cf. les hymnes à Zeus, à Sérapis, d'Aelius Aristide.

(2) Cp. Diod. Sic., I, 23, 6 (Orphée) μεγάλην ἔχοντα δόξαν παρὰ τοῖς Ἕλλησιν ἐπὶ μελῳδίᾳ καὶ τελεταῖς καὶ θεολογίαις, IV, 25 (Orphée) μέγιστος ἐγένετο τῶν Ἑλλήνων ἔν τε ταῖς θεολογίαις καὶ ταῖς τελεταῖς καὶ ποιήμασι καὶ μελῳδίαις. Selon Clément d'Alexandrie, *Protr.*, VII, 74, 3 l'hiérophante et poète Orphée pratique τῶν εἰδώλων τὴν θεολογίαν. Orphée sera encore dit *theologues* par Servius., *in Aen.*, VI 645. Cf. Linforth, *op. cit.*, pp. 211, 243, 250, 257.

n'est pas celle des tragiques, mais celle des théologiens. Qu'est-ce à dire, sinon que, par ce langage mystérieux, Platon veut exprimer à mots couverts des vérités importantes, tout comme les anciens poètes théologiens voilaient le sens profond de leur pensée sous le symbole du mythe?

Néanmoins, à côté de ces acceptions traditionnelles où la *théologia* reste l'apanage des poètes, d'autres textes font bien voir que le « discours sur les dieux » peut être aussi le fait de savants traitant de choses divines, c'est-à-dire, soit de hautes questions philosophiques, soit de cette partie de la philosophie qui concerne plus précisément le Moteur immobile du ciel et des astres. Ainsi par exemple Plutarque (*Quaest. Conv.*, I 1, 4, 5, p. 614 D) à propos de Platon : « Tu vois comment Platon, dans le *Banquet*, quand il disserte sur la fin suprême et le Souverain Bien et, d'une manière générale, traite des choses divines (καὶ ὅλως θεολογῶν) », loin de construire de sévères syllogismes (ἐντείνει τὴν ἀπόδειξιν), cherche à captiver son auditoire par des propos moins tendus, des exemples et des récits fabuleux (μυθολογίαις). Ici le « discours sur les dieux » est un discours sur la fin suprême et le Souverain Bien, c'est-à-dire sur les plus hauts principes de la philosophie morale. Il s'agit donc de la théologie des savants. Ce sens est plus manifeste encore dans l'emploi de l'adjectif θεολογικός (θεολογικὴ φιλοσοφία) pour désigner l'une des trois parties essentielles de la philosophie, soit, à côté de la dialectique-rhétorique et de l'éthique-politique, la théologie, inséparablement unie à la physique (cf. Cléanthe, fr. 482 Arn.). Or cette division, courante depuis les Stoïciens, a passé dans les manuels et introductions à l'époque de l'éclectisme, et elle fait loi sous l'Empire. N'en donnons qu'un exemple. Le platonicien Albinos (*Didask.* 3, p. 153 Herm.) divise la philosophie en philosophie dialectique, philosophie pratique et philosophie théorétique, chacune se subdivisant en trois branches. La philosophie théorétique concerne donc en premier lieu τὰ ἀκίνητα καὶ τὰ πρῶτα αἴτια καὶ ὅσα θεῖα — c'est le θεολογικὸν μέρος (τῆς φιλοσοφίας), — les deux autres branches étant la physique et la mathématique.

Ainsi, dûment appuyé sur la physique (noter l'expression aristotélicienne τὰ μετὰ τὰ φυσικά pour désigner la philosophie première ou théologie), principalement sur la cosmologie, le « discours sur les dieux » est-il bien devenu la science du Dieu moteur de l'univers, et aussi, dans tous les systèmes où Dieu ne se distingue guère du monde, la science de ce monde même, en particulier du ciel et des astres (1). On comprend donc comment l'auteur du π. κ., annonçant un traité sur le Monde, qui est divin, peut écrire : θεολογῶμεν περὶ τούτων συμπάντων : « faisons un discours théologique sur cet ensemble des êtres », c'est-à-dire le monde et ce qu'il y a de plus grand dans le monde (= les astres).

(1) C'est le sens de θεολογεῖν dans le *Corp. Herm.* XVII fin. Il s'agit d'un dialogue entre Tat et un roi anonyme, sur les êtres corporels en tant qu'images des Idées incorporelles, et, en conséquence, sur le culte des images divines considérées comme le siège de vertus divines. Ce court dialogue, dont on ne possède que la fin, s'achève ainsi : le roi met fin à l'entretien pour s'occuper de ses hôtes, « mais, dit-il, demain nous continuerons de théologiser sur la suite de ce sujet » (τῇ δὲ ἐπιούσῃ περὶ τῶν ἑξῆς θεολογήσομεν).

ADDENDA

P, 41, n. 3. Sur les cahiers de cours (ὑπομνήματα) et la tradition scolaire (notamment pour l'interprétation du *Timée*) sous l'Empire, voir aussi K. Gronau, *Poseidonios u. die jüdisch-christliche Genesisexegesis* (Berlin, 1914), pp. 296-301.

P. 78, n. 2. Sur la composition de ces deux chapitres, on consultera avec fruit l'ingénieux petit livre de O. Gigon, *Sokrates* (Berne, 1947), pp. 44 s., 47-49.

P. 81, n. 2. Sur Diogène d'Apollonie comme source de Platon (*Philèbe*) et de Xénophon, voir aussi W. Jaeger, *The Theology of the early Greek Philosophers* (Oxford, 1947 : cité ici *Theology*), pp. 167 ss. et 246, n. 91.

P. 127, n. 2. Ajouter : Julia Kerschensteiner, *Platon und der Orient*, Stuttgart, 1945.

P. 155, n. 2. Tout ceci dit d'une façon très résumée. Pour plus de détails, cf. l'ouvrage cité *supra* (ad p. 81, n. 2) de Jaeger.

P. 168, n. 1. Dans une paraphrase rimée en langue provençale du livre de Boèce, conservée dans un manuscrit du xe siècle provenant de l'abbaye de Fleury, les deux lettres Π et Θ sont ainsi interprétées :

« El vestement, en l'or qui es repres,
Desoz avia escript un pei Π grezesc :
Zo signifiga la vita qui inter' es.
Sobre la schapla escript avia un tei Θ grezesc :
Zo signifiga de cel la dreita lei. »

« Le vêtement dans le bord qui est replié dessous avait écrit un Π grec : cela signifie la vie qui entière est. Sur la chape écrit avait un Θ grec : cela signifie du ciel la droite loi ». Cf. Ch. Gidel, *Nouvelles études sur la littérature grecque moderne* (Paris, 1878), p. 135 et n. 1.

P. 221, n. 2. Sur ce thème, cf. W. Ch. Greene, *Moira* (Cambridge, Mass., 1944), pp. 34, 42 (n. 189), 171.

P. 248, n. 2. Sur ἐνδελέχεια, ajouter J. Bidez, *A la recherche des épaves de l'Aristote perdu*, Bruxelles, 1943, pp. 33-44. Il faut citer aussi Jamblique, περὶ ψυχῆς ap. Stob. I 49. 32 (I, p. 367. 1 W.) : Quelques-uns des Aristotéliciens font de l'âme un corps d'éther, ἕτεροι δὲ τελειότητα αὐτὴν ἀφορίζονται κατ' οὐσίαν τοῦ θείου σώματος, ἥν (sc. τελειότητα) ἐνδελέχειαν (sic FP) καλεῖ Ἀριστοτέλης, ὥσπερ δὴ ἐν ἐνίοις Θεόφραστος.

P. 270, n. 1. Quelques fines remarques aussi de G. Murray, *Reactions to the Peloponnesian War in Thought and Practice, J. Hell. St.*, LXIV, 1944, pp. 1 ss., en part. 7-9.

P. 278, n. 6. Des travaux récents semblent avoir démontré que la notion même d'οἰκείωσις est antérieure à Zénon et remonte à Théophraste (c. 372/0-288/6) : cf. surtout F. Dirlmeyer, *Die Oikeiosis-Lehre Theophrast's, Philol.*, Suppl. Bd. XXX 1, 1937, et O. Regenbogen ap. P. W., Suppl. Bd. VII (art. *Theophrastos*, 1354 ss.), 1492-1499. (R. Walzer, *Magna Moralia u. Aristotelische Ethik, N. Phil. Unt.*, VII 1929, pp. 259 ss., doute encore que la notion

ADDENDA.

de πρώτη οἰκείωσις soit d'origine théophrastienne et l'attribue à la Stoa). De toute façon, quoi qu'il en soit de l'origine, on ne peut nier que le Portique ait inséré cette notion dans son système, témoin les fragments du stoïcien Hiéroklès (sous Hadrien, mais H. se rattache à l'Ancien Stoïcisme) publiés par v. Arnim (*Berl. Kl. T.*, IV, 1906) : cf. K. Praechter, *Hermes*, LI (1916), pp. 518 ss. Les Anciens avaient noté déjà la facilité avec laquelle la Stoa empruntait à des doctrines contemporaines, cf. Cic., *de fin.*, V 74, et, sur ce texte, Regenbogen, *l. c.*, 1498.

P. *286, n. 4.* Sur ce poème d'Aristote, cf. aussi C. M. Bowra, *Cl. Quat.*, XXXII, 1938, pp. 182-189. Aristote dépendrait d'Ariphron (péan à Hygie). Le poème n'est pas un péan au sens propre, il comporte certains caractères du θρῆνος. L'*Arétè* ressemble ici à celle de Prodicos (Xen., *Mem.* II, 1, 22-34) et n'a pas de caractère proprement philosophique ni proprement platonicien.

P. *287, n. 2.* Ajouter J. Bidez, *op. cit.* (supra ad p. 248, n. 2), pp. 13-22.

P. *306, n. 6.* Sur le morceau d'Arius Didyme, Stob, II, 7, 13-26 (II, pp. 116-152 W.), voir surtout v. Arnim, *Sitz. Ber. Wien*, 204, 3 (1926) et en dernier lieu O. Regenbogen ap. P. W., Suppl. Bd. VII, 1492 ss. — Sur la partie sûrement attribuable à Théophraste, S ob., II, pp. 137.13-142.5 ou 13 (citation directe, p. 140.8), cf. déjà Diels, *Dox.*, pp. 71 ss. et les travaux indiqués *supra* (ad p. 278, n. 6) de Walzer, Dirlmeyer, Regenbogen. — Sur les éléments stoïciens dans ce résumé de morale, cf. déjà Wachsmuth ad II, p. 116, l. 19, Hirzel, *Untersuchungen zu Cicero's philosophische Schriften*, II, pp. 693 ss.

P. *319, n. 2.* Ce retour emphatique de πᾶς est un trait de style ancien, cf. déjà Démocrite, fr. 30 D. πάντα Ζεὺς μυθίεται (?) καὶ πάνθ' οὗτος οἶδε .., καὶ βασιλεὺς οὗτος τῶν πάντων, Diogène d'Apollonie, fr. 5 D. καὶ ὑπὸ τούτου πάντας καὶ κυβερνᾶσθαι καὶ πάντων κρατεῖν· αὐτὸ γάρ μοι τοῦτο θεὸς δοκεῖ εἶναι καὶ ἐπὶ πᾶν ἀφῖχθαι καὶ πάντα διατιθέναι καὶ ἐν παντὶ ἐνεῖναι, et, sur ce texte, Jaeger, *Theology*, p. 243, n. 59.

P. *320, n. 4.* Le style hymnique décelé par W. Jaeger (*Theology*, pp. 30 ss.) chez les Présocratiques déjà comporte également ce tour, v. gr. Diog. Ap. fr. 5 : δοκεῖ... ἐν παντὶ ἐνεῖναι καὶ ἔστιν οὐδὲ ἓν ὅ τι μὴ μετέχει τούτου, cf. Jaeger, p. 243, n. 59. Pour l'imitation chez les Latins, cf. par ex. Lucr. I, 21-22 *quae... sola gubernas | nec sine te*, etc.

P. *460, n. 1.* Je n'ai connu que trop tard pour pouvoir l'utiliser dans le texte l'importante étude de G. Rudberg, *Forschungen zu Poseidonios*, Uppsala, 1918, qui touche en plus d'un lieu le π. κόσμου.

P. *461, n. 1.* Mention des Aloades aussi dans le περὶ ὕψους 9, 2, cf. Rudberg, *op. cit.*, p. 152. Sur les parallélismes entre π. κ. et π. ὕψ., cf. *ib.* pp. 134, 144 ss. et déjà Norden, *Agnostos Theos*, pp. 104 ss.

P. *461, n. 2.* Voir aussi H. A. Wolfson, *Philo*, I, pp. 25-26.

P. *468, n. 1.* Sur le couple ἄρρεν-θῆλυ comme exemple d'ἁρμονία, cf. déjà Héraclite A 22 (= *Eth. Eud.* 1255 a 25) : οὐ γὰρ ἂν εἶναι ἁρμονίαν μὴ ὄντος ὀξέος καὶ βαρέος οὐδὲ τὰ ζῷα ἄνευ θήλεος καὶ ἄρρενος ἐναντίων ὄντων, cf. **Jaeger**, *Theology*, pp. 120 et 231, n. 47. Tout ce passage du π. κόσμου sur les oppositions (396 b 7 ss.) est inspiré d'Héraclite, comme le prouve, d'ailleurs, la citation d'Héraclite (fr. 10) qui le termine. — Pour le mélange des couleurs, voir aussi Empédocle, fr. 23.

P. *470, n. 1.* Sur l'idée que Dieu agit de loin sans effort et en restant lui-même immobile, cf. Jaeger, *Theology*, pp. 45-46, qui cite Xénophane, fr. 25, 26, Eschyle, *Suppl.* 99-103 (πᾶν ἄπονον δαιμόνιον κτλ.) et naturellement le moteur immobile d'Aristote, *Méta.* Λ 7, 1972 b 3.

P. *480 (n. 7 de la p. 479).* A la vérité, il est possible que ce morceau de polémique contre Epicure soit emprunté tel quel à Posidonius (dont on connaît la polémique contre l'épicurien Zénon, cf. Rudberg, *op. cit.*, pp. 31-32). En ce cas, on ne pourrait plus en tirer argument pour la date de Cléomède.

P. 484, n. 2. Sur cet hymne en prose à la louange du Soleil (Kosmos), cf. G. Rudberg, *op. cit.*, pp. 17 ss. M. R. compare π. κόσμου 2-3 (392 a 31-b 20), 5 (396 b 23 ss.), 6 (398 b 35 ss., 399 a 26 ss., 400 a 15 ss., 400 b 31 ss.), CLÉOMÈDE II, 1, pp. 154-156 Z., CICÉRON *n. d.* II, 33, 83, 36, 91 ss., 39, 98 ss., 46, 119, 47, 120 ss., *Tusc.*, I, 28, 68-70, *Somn. Scip.* 4, 9 ss., DIODORE II, 32, 7, 8, PHILON, *op. m.* 45, 54 s., 80, 113 ss., DION CHRYSOSTOME, XII, 28, III, 73, περὶ ὕψους, 35, STRABON, III, p. 147, GALIEN, *de plac. Hipp. et Plat.* V, p, 448. 15 ss. Müller (extrait du περὶ παθῶν de Posidonius) et pense que la source commune est Posidonius. Le genre littéraire de l'hymne philosophique en prose à la louange du tout est d'ailleurs plus ancien, cf. Jaeger, *Theology,* pp. 31, 49, 96, 115, 138, 166 et p. 202, n. 40-43.

P. 490, n. 4. Ajouter, comme mots poétiques dans le *de mundo :* μύκημα 396 a 13, νᾶμα 395 b 25 (cf. π. ὕψους 13, 3 ἀπὸ τοῦ Ὁμηρικοῦ κείνου νάματος, 44, 3 ἄγευστοι καλλίστου... λόγων νάματος : Rudberg, p. 147), νῆμα 401 b 16, φλογμός 400 b 4, ἄροσις 399 b 17, καταιγίς 395 a 5, ἐποπτήρ 398 a 31, ζωστήρ 399 b 4, βρόμος 395 a 13, 396 a 12, δρόσος 394 a 23, 26, μήρινθος 398 b 17, πάταγος 395 a 13, βυθός 392 b 32, μυχός 393 b 24, νιφετός 394 b 1, 2, βρονταῖος 401 a 17, παλαμναῖος 401 a 23, ἐνάλιος 392 b 19, 397 a 17, ῥόθιος 396 a 14 et tous les attributs divins en -ιος (κεραύνιος, ὑέτιος, etc.) 401 a 17 ss., ἀγήρως 397 a 16, 27, ἀκήρατος 392 a 9, ἀνίκητος 401 b 9, ἀσάλευτος 392 b 34, ἀτέρμων 401 a 16, ἄτρυτος 397 b 23, ἀφανής 394 b 31, 399 b 12, 400 a 1, εὐαγής 397 a 16, παμφαής 399 a 21, πανυπέρτατος 397 a 15, ἀμφιφαής 395 b 14, ἔξεδρος 395 b 32, ἐπικάρπιος 401 a 19, βαθύξυλος 392 b 18, φερέσβιος 391 b 13, φλογίζω 397 a 29, ἐμπελάζω 395 a 19, b 28, ἁρμόζω 398 a 2, ἁρμόττω 398 a 7, ἀναβλύζω 400 a 32, περιβλύζω 397 a 25, ἐπικλύζω 397 a 29, τινάσσω 397 a 28 (en 400 a 12 dans citation d'Homère), d'où συντινάσσω 395 b 35, διεξάττω 394 b 15, 397 a 31, ἑλίττω 392 b 16. Cf. Rudberg, *op. cit.*, pp. 278 ss. (*Bemerkungen über Sprache u. Wortschatz*) qui conclut (pp. 326-329) que cette langue (posidonienne?) du π. κόσμου dépend surtout de Platon, d'Aristote et du Lycée pour les parties techniques, d'Homère et des Tragiques pour les parties poétiques (hymne en prose).

P. 505, n. 4. Cf. aussi Rudberg, *op. cit.*, pp. 118-119.

P. 507, n. 1. Pour les images et comparaisons dans le π. κ., voir aussi Rudberg, *op. cit.*, pp. 194 ss.

P. 511. n. 1. Sur les étymologies du π. κ., cf. Rudberg, *op. cit.*, pp. 102 ss.

P. 517, n. 1. Sur ce syncrétisme, voir aussi E. Peterson, *ΕΙΣ ΘΕΟΣ* (Göttingen, 1926), pp. 227-240 et *passim.*

P. 529, n. 1. Cf. Wolfson, *Philo*, I, pp. 145 ss.

P. 534, n. 2. La nature chaude en nous (ἡ ἔνθερμος ἐν ἡμῖν φύσις) est sans doute le πνεῦμα, qui, dans le nouveau-né sortant fumant de la matrice, devient intellect. Doctrine, image (du fer, etc.) et étymologie (*psyxis*) sont stoïciennes, cf. Tertullien, *de an.*, 25, 2 et le commentaire de Waszink (Amsterdam, 1947), p. 321. La question εἰ ἔξωθεν εἰσκρίνεται (ὁ νοῦς) a été, comme on sait, longuement traitée par Porphyre en son Πῶς ἐμψυχοῦται τὰ ἔμβρυα, ed. Kalbfleisch, *Abh. Berl.*, 1895 : cf. mon article *Composition et esprit du de an. de Tertullien, Rev. Sc. Phil. Théol.*, 1949.

P. 545, n. 1. Cf. Wolfson, *Philo*, I, pp. 43-55.

P. 547, n. 2. Voir cependant une autre interprétation de Wolfson, *Philo*, I, pp. 62-63.

P. 549, n. 2. Des spéculations analogues se rencontrent *Quaest. in Ex.* II, § 3 : *qui vero ab amore proprio se solventes ad deum confugiunt, assecuti*

ADDENDA

sunt... veluti viri seminationem bonorum consiliorum et verborum et operum. porro in solitis apud homines rebus contraria quaedam occurrunt, **si quidem mas attingens feminam virginem demonstrat mulierem,** ψυχαὶ δὲ ὅταν προσκολληθῶσι θεῷ, ἐκ γυναικῶν γίνονται παρθένοι, τὰς μὲν γυναικώδεις ὑποβάλλουσαι φθορὰς τῶν ἐν αἰσθήσει καὶ πάθει, τὴν δὲ ἄψαυστον (Reitzenstein : ἄψευστον cod.) καὶ ἀμιγῆ παρθένον, ἀρέσκειαν θεοῦ, μεταδιώκουσαι (scripsi : μεταδιώκουσι cod.), cp. *Cher.* 50 et cf. Reitzenstein, *Die Vorgeschichte der christlichen Taufe* (Berlin, 1929), p. 106, n. 1.

P. 561, n. 1. D'une façon générale, sur ce § 3, cf. Wolfson, *Philo,* II, 73 ss.

P. 574, n. 1. Sur tout ce § 1, cf. Wolfson, *Philo,* II, pp. 94 ss.

P. 574, n. 2. Sur la prière de Moyse et la réponse de Dieu, cf. Wolfson, *Philo,* II, pp. 84-92. Wolfson distingue deux prières (a) *Ex.* 33, 13 : Moyse demande à connaître l'existence de Dieu. Cette prière est exaucée. (b) *Ex.* 33, 18 : Moyse demande à connaître l'essence de Dieu. Cette prière n'est pas exaucée. Cf. Wolfson, *l. c.*, p. 87 et n. 65.

P. 578, n. 1. Sur tout ce passage de *Migr.*, cf. Wolfson, *Philo,* II, pp. 78-83.

P. 579, n. 1. Voir aussi *Congr.* 71-80, *Post.* 130 et, sur ces textes, Wolfson, *Philo,* I, pp. 145 ss.

P. 598, n. 1. Sur le sens des mots θεολόγος, etc., chez Platon et Aristote, voir aussi Jaeger, *Theology,* pp. 4 ss. et p. 194, n. 17.

N. B. (cf. p. xiv, n. 1).

Si j'ai cru pouvoir négliger les auteurs païens postérieurs à Philon (cf. Préface, p. viii), à plus forte raison les Pères qui se sont occupés de la genèse du monde ou de celle de l'homme. De ce point de vue on consultera avec fruit : pour Némésius (*De nat. hom.*), W. Jaeger, *Nemesios von Emesa, Quellenforschungen zum Neuplatonismus und seinen Anfängen bei Poseidonios* (Berlin, 1914), H. A. Koch, *Quellenuntersuchungen zu Nemesios von Emesa* (Berlin, 1921) ; pour les Pères Cappadociens, Basile (*Hexaem.*) et Grégoire de Nysse (*Hexaem., de hom. opif., de an. et resurr.*), K. Gronau, *Poseidonios und die judisch-christliche Genesisexegesis* (Berlin, 1914). Quoi qu'il en soit de Posidonius comme source première, il est évident que ces Pères ont utilisé le bagage scolaire de leur temps : or ces notions scolaires remontent à l'âge hellénistique et il faut donc s'attendre à trouver de nombreux parallèles entre leurs écrits et, par exemple, les ouvrages philosophiques de Cicéron ou le *de mundo.* En voici quelques exemples.

Supériorité de structure du corps humain (ici pp. 79, 89, 401-403) : Bas. *Hexaem.*, hom. V et VII-IX ; Greg. Nyss., *De hom. op.* 4-10 a (248 C/D ss.) ; Ps. Clem. *Recogn.*, l. 8 ; Lact., *De op. dei,* XI, 1 ss. Cf. Gronau, pp. 149 ss., 150, n. 1, 209 ss.

Station droite de l'homme (ici p. 402) : Greg. Nyss., *De hom. op.* 144 A ὄρθιον δὲ τῷ ἀνθρώπῳ τὸ σχῆμα καὶ πρὸς τὸν οὐρανὸν ἀνατείνεται καὶ ἄνω βλέπει. Cf Gronau, p. 161 et n. 3. Voir aussi G. Rudberg, *Forsch. zu Poseid.*, pp. 53 et n. 1, 64-65 (et 65, n. 1).

Invisibilité de Dieu et de l'âme (ici pp. 83-81, 544, 575 ss.) : Greg. Nyss., *De an. et res.* 187 B : ὁ ταῦτα βλέπων τῷ διανοητικῷ τῆς ψυχῆς ὀφθαλμῷ ἆρ οὐχὶ φανερῶς ἐκ τῶν φαινομένων διδάσκεται, ὅτι θεία δύναμις ἔντεχνός τε καὶ σοφὴ τοῖς οὖσιν ἐμφαινομένη καὶ διὰ πάντων ἤκουσα κτλ... καὶ πῶς ἡ περὶ τὸ εἶναι τὸν θεὸν πίστις καὶ τὴν ψυχὴν εἶναι τὴν ἀνθρωπίνην συναποδείκνυσιν ; 188 Β ὡς γὰρ δι' αὐτῆς τῆς κατὰ τὴν αἴσθησιν ἡμῶν ἐνεργείας εἰς τὴν τοῦ ὕπερ αἴσθησιν πράγματός τε καὶ νοήματος ἔννοιαν ὁδηγούμεθα,... οὕτω καὶ πρὸς τὸν ἐν ἡμῖν βλέποντες κόσμον οὐ μικρὰς ἔχομεν ἀφορμὰς πρὸς τὸ διὰ τῶν φαινομένων καὶ τοῦ κεκρυμμένου καταστοχάσασθαι (Gronau, pp. 227 ss., 231-233) ; Bas. *πρόσεχε σεαυτῷ* 231 D ἐὰν προσέχῃς σεαυτῷ, οὐδὲν δεήσῃ ἐκ τῆς τῶν ὅλων κατασκευῆς τὸν δημιουργὸν ἐξιχνεύειν, ἀλλ' ἐν σεαυτῷ οἱονεὶ μικρῷ τινι κόσμῳ τὴν μεγάλην κατόψει τοῦ κτίσαντός σε σοφίαν. *ἀσώματον νόει τὸν* θεὸν ἐκ τῆς ἐνυπαρχούσης σοι ψυχῆς ἀσωμάτου... ἀόρατον εἶναι τὸν θεὸν πίστευε τὴν σεαυτοῦ ψυχὴν ἐννοήσας, ἐπειδὴ καὶ αὐτὴ σωματικοῖς ὀφθαλμοῖς ἄληπτός ἐστιν, οὔτε γὰρ κέχρωσται, οὔτε ἐσχημάτισται, οὔτε τινὶ σωματικῷ χαρακτῆρι περιείληπται. ἀλλ' ἐκ τῶν ἐνεργειῶν γνωρίζεται μόνον. Cf. Gronau, pp. 288-287.

L'esprit se porte partout (ici pp. 87-89, 461 = *de mundo*, c. 1, 544) : Greg. Nyss., *De an. et res.* 198 D οὐ κάμνει τοῖς τοπικῶς διεστηκόσι συναπτομένη, ἐπεὶ καὶ νῦν ἔξεστι τῇ διανοίᾳ ὁμοῦ τε τὸν οὐρανὸν θεωρεῖν καὶ ἐπὶ τὰ πέρατα τοῦ κόσμου ταῖς πολυπραγμοσύναις ἐκτείνεσθαι. Cf. Gronau, p. 241 et n. 1. Même thème *Korè Kosmou* 44-46 (Momus), Nemesius, *De nat. hom.*, pp. 63 ss. Matth. Voir aussi Lact., *De op. dei*, XVI 9 (Gronau, p. 242).

Utilité du langage (ici pp. 402-403) : Greg. Nyss., *De hom. op.* 30 (149 D); Lact., *De op. dei*, X, 13, 17, XI, 10, XV, 2. Cf. Gronau, pp. 158-159.

Utilité des mains (ici p. 403) : Greg. Nyss., *De hom. op.* 148 C, 149 B ; Lact., *De op. dei*, X, 22 (cf. aussi Arist., *De part. an.*, IV, 10; Gal., *De usu partium*, I, 3 [III, 5 K.], III, 1 III[, 168 K.]). Cf. Gronau, pp. 157-160 (en part. p. 160, n. 1).

Influence de la lune (ici p. 420) : cf. Gronau, p. 17, n. 1.

Hommes comparés à des fourmis (ici pp. 454, 456) : Bas. *Hexaem.*, VIe Hom., 140 εἴ ποτε ἀπὸ ἀκρωρείας μεγάλης πεδίον εἶδες πολύ τε καὶ ὕπτιον, ἡλίκα μέν σοι τῶν βοῶν κατεφάνη τὰ ζεύγη; πηλίκοι δὲ οἱ ἀροτῆρες αὐτοί; εἰ μὴ μυρμήκων τινά σοι παρέσχον φαντασίαν; Cf. Gronau, p. 15, n. 1. Voir aussi Rudberg, *Forsch. zu Pos.*, p. 177.

Image du τόρνος (ici p. 462 = *de mundo*, 2, 391 b 22) : Greg. Nyss., *De hom. op.* (128 C) οἷον περί τινα πάγιον ἄξονα τὴν ὀξυτάτην τοῦ πόλου κίνησιν τροχοῦ δίκην ἐν κύκλῳ περιελαύνουσα. Cf. Gronau, pp. 145-146, qui cite encore Vitruv. *De arch.* IX, 1, 2 (219, 3 ss. Rose), Plin. *N. H.* II, 160, Chalcid., ch. 65 (τόρνος déjà Plat. *Tim.* 33 b 6 ἐτορνεύσατο, τρο ὅς *ib.* 79 c1 οἷον τροχοῦ περιαγομένου).

Continuité de la mer (ici p. 464 = *de mundo* 3, 392 b 20 ss.) : Bas. *Hexaem.*, IV, 3 (88 A 7) θάλασσα δὲ μία, Greg. Nyss. *Hexaem.* I (100 C) μία ἐστὶ καὶ συνεχὴς πρὸς ἑαυτὴν δι'ὅλου ἡ θάλασσα, εἰ καὶ εἰς μύρια διῄρηται πελάγη, οὐδαμοῦ τῆς πρὸς ἑαυτὴν συναφείας διασπωμένη, Ambros. *Hexaem.* III, 13, *una aquarum iugisque et continua congregatio est, sed diversi sinus maris, ut quidam de scriptoribus forensibus ait*. Cf. Gronau, pp. 91 ss. qui cite encore Sen. *N. Q.* III, 14 *mare unum est, ab initio scilicet ita constitutum*. Cette doctrine n'est pas celle d'Aristote (*Meteor.* II, 1), mais serait due à Posidonius.

Harmonie du Kosmos faite de contraires (ici pp. 468 ss. = *de mundo* 5, 396 b 7 ss.) : Greg. Nyss., *De hom. op.* 1. Cf. Gronau, p. 143 et n. 2.

Preuve cosmologique : « *si tu vois une maison, etc.* » (ici pp. 229 ss., 561 ss. et *passim*) : Greg. Nyss., *De an. et res.* 187 B ss. Cf. Gronau, p. 229, n. 1 et 2, pp. 230-232 (qui cp. Cic., *Tusc.*, I, 68 ss.). Voir aussi p. 22, n. 2.